GW01090503

LAROUSSE

MINI
DICTIONNAIRE

FRANÇAIS-ANGLAIS
ANGLAIS-FRANÇAIS

LAROUSSE

LAROUSSE

MINI

FRENCH-ENGLISH
ENGLISH-FRENCH

DICTIONARY

LAROUSSE

Réalisé par / Produced by

LAROUSSE

Rédaction/Editors

PATRICK WHITE   LAURENCE LARROCHE
CÉCILE VANWALLEGHEM   CALLUM BRINES
SARA MONTGOMERY   JANE ROGOYSKA

La gamme MINI Larousse a été conçue pour répondre aux besoins du débutant et du voyageur.

Avec plus de 30.000 mots et expressions et plus de 40.000 traductions, ce nouveau dictionnaire présente non seulement le vocabulaire général, mais aussi de nombreuses expressions permettant de déchiffrer panneaux de signalisation ou cartes de restaurant.

Le vocabulaire essentiel est éclairé par de nombreux exemples et des indicateurs de sens précis, une présentation étudiée facilitant la consultation.

À la fois pratique et complet, cet ouvrage est une mine d'informations à emporter partout. "Good luck", et n'hésitez pas à nous faire part de vos suggestions.

L'ÉDITEUR

The Larousse MINI dictionary has been designed with beginners and travellers in mind.

With over 30,000 references and 40,000 translations, this new dictionary gives thorough coverage of general vocabulary plus extensive treatment of the language found on street signs and menus.

Clear sense markers are provided throughout, while special emphasis has been placed on basic words, with many examples of usage and a particularly user-friendly layout.

Easy to use and comprehensive, this handy book packs a lot of wordpower for users at school, at home and on the move. "Bonne chance", and don't hesitate to send us your comments.

THE PUBLISHER

ABBREVIATIONS		**ABRÉVIATIONS**
abbreviation	*abbr/abr*	abréviation
adjective	*adj*	adjectif
adverb	*adv*	adverbe
American English	*Am*	anglais américain
anatomy	*ANAT*	anatomie
article	*art*	article
automobile, cars	*AUT*	automobile
auxiliary	*aux*	auxiliaire
before noun	*avant n*	avant le nom
Belgian French	*Belg*	belgicisme
British English	*Br*	anglais britannique
Canadian French	*Can*	canadianisme
commerce, business	*COMM*	commerce
comparative	*compar*	comparatif
computers	*COMPUT*	informatique
conjunction	*conj*	conjonction
continuous	*cont*	progressif
culinary, cooking	*CULIN*	cuisine, art culinaire
exclamation	*excl*	interjection
feminine	*f*	féminin
informal	*fam*	familier
figurative	*fig*	figuré
finance, financial	*FIN*	finances
formal	*fml*	soutenu
inseparable	*fus*	non séparable
generally	*gen/gén*	généralement
grammar	*GRAM(M)*	grammaire
Swiss French	*Helv*	helvétisme
informal	*inf*	familier
computers	*INFORM*	informatique
interrogative	*interr*	interrogatif
invariable	*inv*	invariable
juridical, legal	*JUR*	juridique

masculine	*m*	masculin
mathematics	*MATH*	mathématiques
medicine	*MED/MÉD*	médecine
military	*MIL*	domaine militaire
music	*MUS*	musique
noun	*n*	nom
nautical, maritime	*NAVIG*	navigation
numeral	*num*	numéral
oneself	*o.s.*	
pejorative	*pej/péj*	péjoratif
plural	*pl*	pluriel
politics	*POL*	politique
past participle	*pp*	participe passé
present participle	*ppr*	participe présent
preposition	*prep/prép*	préposition
pronoun	*pron*	pronom
past tense	*pt*	passé
	qqch	quelque chose
	qqn	quelqu'un
registered trademark	®	nom déposé
religion	*RELIG*	religion
someone, somebody	*sb*	
school	*SCH/SCOL*	scolarité
Scottish English	*Scot*	anglais écossais
separable	*sep*	séparable
singular	*sg*	singulier
formal	*sout*	soutenu
something	*sthg*	
subject	*subj/suj*	sujet
superlative	*superl*	superlatif
technology	*TECH*	domaine technique
transport	*TRANSP*	transport
television	*TV*	télévision
verb	*v, vb*	verbe
intransitive verb	*vi*	verbe intransitif

impersonal verb	v impers	verbe impersonnel
pronominal verb	vp	verbe pronominal
transitive verb	vt	verbe transitif
vulgar	vulg	vulgaire
cultural equivalent	≃	équivalence culturelle

TRADEMARKS

Words considered to be trademarks have been designated in this dictionary by the symbol ®. However, neither the presence nor the absence of such designation should be regarded as affecting the legal status of any trademark.

NOMS DE MARQUE

Les noms de marque sont désignés dans ce dictionnaire par le symbole ®. Néanmoins, ni ce symbole ni son absence éventuelle ne peuvent être considérés comme susceptibles d'avoir une incidence quelconque sur le statut légal d'une marque.

ENGLISH COMPOUNDS

A compound is a word or expression which has a single meaning but is made up of more than one word, e.g. **point of view, kiss of life, virtual reality** and **West Indies**. It is a feature of this dictionary that English compounds appear in the A–Z list in strict alphabetical order. The compound **blood test** will therefore come after **bloodshot** which itself follows **blood pressure**.

MOTS COMPOSÉS ANGLAIS

On désigne par composés des entités lexicales ayant un sens autonome mais qui sont composées de plus d'un mot, par exemple **point of view, kiss of life, virtual reality** et **West Indies**. Nous avons pris le parti de faire figurer les composés anglais dans l'ordre alphabétique général. Le composé **blood test** est ainsi présenté après **bloodshot** qui suit **blood pressure**.

PHONETIC TRANSCRIPTION

TRANSCRIPTION PHONÉTIQUE

English vowels

[ɪ]	pit, big, rid
[e]	pet, tend
[æ]	pat, bag, mad
[ʌ]	run, cut
[ɒ]	pot, log
[ʊ]	put, full
[ə]	mother, suppose
[iː]	bean, weed
[ɑː]	barn, car, laugh
[ɔː]	born, lawn
[uː]	loop, loose
[ɜː]	burn, learn, bird

Voyelles françaises

[i]	fille, île
[e]	pays, année
[ɛ]	bec, aime
[a]	lac, papillon
[ɑ]	tas, âme
[o]	drôle, aube
[u]	outil, goût
[y]	usage, lune
[ø]	aveu, jeu
[œ]	peuple, bœuf
[ə]	le, je

English diphthongs

[eɪ]	bay, late, great
[aɪ]	buy, light, aisle
[ɔɪ]	boy, foil
[əʊ]	no, road, blow
[aʊ]	now, shout, town
[ɪə]	peer, fierce, idea
[eə]	pair, bear, share
[ʊə]	poor, sure, tour

Nasales françaises

[ɛ̃]	timbre, main
[ɑ̃]	champ, ennui
[ɔ̃]	ongle, mon
[œ̃]	parfum, brun

Semi-vowels

you, spaniel	[j]
wet, why, twin	[w]
	[ɥ]

Semi-voyelles

yeux, lieu
ouest, oui
lui, nuit

Consonants

pop, people	[p]
bottle, bib	[b]
train, tip	[t]
dog, did	[d]
come, kitchen	[k]
gag, great	[g]
chain, wretched	[tʃ]

Consonnes

prendre, grippe
bateau, rosbif
théâtre, temps
dalle, ronde
coq, quatre
garder, épilogue

jet, fri**dge**	[dʒ]	
fib, **ph**ysical	[f]	**ph**ysique, fort
vine, li**v**id	[v]	**v**oir, ri**v**e
think, fif**th**	[θ]	
this, wi**th**	[ð]	
seal, pea**ce**	[s]	**c**ela, **s**avant
zip, hi**s**	[z]	frai**s**e, **z**éro
sheep, ma**ch**ine	[ʃ]	**ch**arrue, **sch**éma
u**s**ual, mea**s**ure	[ʒ]	**r**ouge, **j**eune
how, per**h**aps	[h]	
metal, co**mb**	[m]	**m**ât, dra**m**e
night, di**nn**er	[n]	**n**ager, trô**n**e
su**ng**, parki**ng**	[ŋ]	
	[ɲ]	a**gn**eau, pei**gn**er
little, he**lp**	[l]	ha**ll**e, **l**it
right, ca**rr**y	[r]	a**rr**acher, sab**r**e

The symbol ['] has been used to represent the French "h aspiré", e.g. **hachis** ['aʃi].

Le symbole ['] représente le «h aspiré» français, par exemple **hachis** ['aʃi].

The symbol ['] indicates that the following syllable carries primary stress and the symbol [.] that the following syllable carries secondary stress.

Les symboles ['] et [.] indiquent respectivement un accent primaire et un accent secondaire sur la syllabe suivante.

The symbol [ʳ] in English phonetics indicates that the final "r" is pronounced only when followed by a word beginning with a vowel. Note that it is nearly always pronounced in American English.

Le symbole [ʳ] indique que le «r» final d'un mot anglais ne se prononce que lorsqu'il forme une liaison avec la voyelle du mot suivant; le «r» final est presque toujours prononcé en anglais américain.

FRENCH VERBS

Key: *ppr* = participe présent, *pp* = participe passé,
pr ind = présent de l'indicatif, *imp* = imparfait, *fut* = futur,
cond = conditionnel, *pr subj* = présent du subjonctif

acquérir: *pp* acquis, *pr ind* acquiers, acquérons, acquièrent, *imp* acquérais, *fut* acquerrai, *pr subj* acquière

aller: *pp* allé, *pr ind* vais, vas, va, allons, allez, vont, *imp* allais, *fut* irai, *cond* irais, *pr subj* aille

asseoir: *ppr* asseyant, *pp* assis, *pr ind* assieds, asseyons, *imp* asseyais, *fut* assiérai, *pr subj* asseye

atteindre: *ppr* atteignant, *pp* atteint, *pr ind* atteins, atteignons, *imp* atteignais, *pr subj* atteigne

avoir: *ppr* ayant, *pp* eu, *pr ind* ai, as, a, avons, avez, ont, *imp* avais, *fut* aurai, *cond* aurais, *pr subj* aie, aies, ait, ayons, ayez, aient

boire: *ppr* buvant, *pp* bu, *pr ind* bois, buvons, boivent, *imp* buvais, *pr subj* boive

conduire: *ppr* conduisant, *pp* conduit, *pr ind* conduis, conduisons, *imp* conduisais, *pr subj* conduise

connaître: *ppr* connaissant, *pp* connu, *pr ind* connais, connaît, connaissons, *imp* connaissais, *pr subj* connaisse

coudre: *ppr* cousant, *pp* cousu, *pr ind* couds, cousons, *imp* cousais, *pr subj* couse

courir: *pp* couru, *pr ind* cours, courons, *imp* courais, *fut* courrai, *pr subj* coure

couvrir: *pp* couvert, *pr ind* couvre, couvrons, *imp* couvrais, *pr subj* couvre

craindre: *ppr* craignant, *pp* craint, *pr ind* crains, craignons, *imp* craignais, *pr subj* craigne

croire: *ppr* croyant, *pp* cru, *pr ind* crois, croyons, croient, *imp* croyais, *pr subj* croie

cueillir: *pp* cueilli, *pr ind* cueille, cueillons, *imp* cueillais, *fut* cueillerai, *pr subj* cueille

devoir: *pp* dû, due, *pr ind* dois, devons, doivent, *imp* devais, *fut* devrai, *pr subj* doive

dire: *ppr* disant, *pp* dit, *pr ind* dis, disons, dites, disent, *imp* disais, *pr subj* dise

dormir: *pp* dormi, *pr ind* dors, dormons, *imp* dormais, *pr subj* dorme

écrire: *ppr* écrivant, *pp* écrit, *pr ind* écris, écrivons, *imp* écrivais, *pr subj* écrive

essuyer: *pp* essuyé, *pr ind* essuie, essuyons, essuient, *imp* essuyais, *fut* essuierai, *pr subj* essuie

être: *ppr* étant, *pp* été, *pr ind* suis, es, est, sommes, êtes, sont, *imp* étais, *fut* serai, *cond* serais, *pr subj* sois, sois, soit, soyons, soyez, soient

faire: *ppr* faisant, *pp* fait, *pr ind* fais, fais, fait, faisons, faites, font, *imp* faisais, *fut* ferai, *cond* ferais, *pr subj* fasse

falloir: *pp* fallu, *pr ind* faut, *imp* fallait, *fut* faudra, *pr subj* faille

FINIR: *ppr* finissant, *pp* fini, *pr ind* finis, finis, finit, finissons, finissez, finissent, *imp* finissais, finissais, finissait, finissions, finissiez, finissaient, *fut* finirai, finiras, finira, finirons, finirez, finiront, *cond* finirais, finirais, finirait, finirions, finiriez, finiraient, *pr subj* finisse, finisses, finisse, finissions, finissiez, finissent

fuir: *ppr* fuyant, *pp* fui, *pr ind* fuis, fuyons, fuient, *imp* fuyais, *pr subj* fuie

haïr: *ppr* haïssant, *pp* haï, *pr ind* hais, haïssons, *imp* haïssais, *pr subj* haïsse

joindre: *like* atteindre

lire: *ppr* lisant, *pp* lu, *pr ind* lis, lisons, *imp* lisais, *pr subj* lise

mentir: *pp* menti, *pr ind* mens, mentons, *imp* mentais, *pr subj* mente

mettre: *ppr* mettant, *pp* mis, *pr ind* mets, mettons, *imp* mettais, *pr subj* mette

mourir: *ppr* mort, *pr ind* meurs, mourons, meurent, *imp* mourais, *fut* mourrai, *pr subj* meure

naître: *ppr* naissant, *pp* né, *pr ind* nais, naît, naissons, *imp* naissais, *pr subj* naisse

offrir: *pp* offert, *pr ind* offre, offrons, *imp* offrais, *pr subj* offre

paraître: *like* connaître

PARLER: *ppr* parlant, *pp* parlé, *pr ind* parle, parles, parle, parlons, parlez, parlent, *imp* parlais, parlais, parlait, parlions, parliez, parlaient, *fut* parlerai, parleras, parlera, parlerons, parlerez, parleront, *cond* parlerais, parlerais, parlerait, parlerions, parleriez, parleraient, *pr subj* parle, parles, parle, parlions, parliez, parlent

partir: *pp* parti, *pr ind* pars, partons, *imp* partais, *pr subj* parte

plaire: *ppr* plaisant, *pp* plu, *pr ind* plais, plaît, plaisons, *imp* plaisais, *pr subj* plaise

pleuvoir: *pp* plu, *pr ind* pleut, *imp* pleuvait, *fut* pleuvra, *pr subj* pleuve

pouvoir: *pp* pu, *pr ind* peux, peux, peut, pouvons, pouvez, peuvent, *imp* pouvais, *fut* pourrai, *pr subj* puisse

prendre: *ppr* prenant, *pp* pris, *pr ind* prends, prenons, prennent, *imp* prenais, *pr subj* prenne

prévoir: *ppr* prévoyant, *pp* prévu, *pr ind* prévois, prévoyons, prévoient, *imp* prévoyais, *fut* prévoirai, *pr subj* prévoie

recevoir: *pp* reçu, *pr ind* reçois, recevons, reçoivent, *imp* recevais, *fut* recevrai, *pr subj* reçoive

RENDRE: *ppr* rendant, *pp* rendu, *pr ind* rends, rends, rend, rendons, rendez, rendent, *imp* rendais, rendais, rendait, rendions, rendiez, rendaient, *fut* rendrai, rendras, rendra, rendrons, rendrez, rendront, *cond* rendrais, rendrais, rendrait, rendrions, rendriez, rendraient, *pr subj* rende, rendes, rende, rendions, rendiez, rendent

résoudre: *ppr* résolvant, *pp* résolu, *pr ind* résous, résolvons, *imp* résolvais, *pr subj* résolve

rire: *ppr* riant, *pp* ri, *pr ind* ris, rions, *imp* riais, *pr subj* rie

savoir: *ppr* sachant, *pp* su, *pr ind* sais, savons, *imp* savais, *fut* saurai, *pr subj* sache

servir: *pp* servi, *pr ind* sers, servons, *imp* servais, *pr subj* serve

sortir: *like* partir

suffire: *ppr* suffisant, *pp* suffi, *pr ind* suffis, suffisons, *imp* suffisais, *pr subj* suffise

suivre: *ppr* suivant, *pp* suivi, *pr ind* suis, suivons, *imp* suivais, *pr subj* suive

taire: *ppr* taisant, *pp* tu, *pr ind* tais, taisons, *imp* taisais, *pr subj* taise

tenir: *pp* tenu, *pr ind* tiens, tenons, tiennent, *imp* tenais, *fut* tiendrai, *pr subj* tienne

vaincre: *ppr* vainquant, *pp* vaincu, *pr ind* vaincs, vainc, vainquons, *imp* vainquais, *pr subj* vainque

valoir: *pp* valu, *pr ind* vaux, valons, *imp* valais, *fut* vaudrai, *pr subj* vaille

venir: *like* tenir

vivre: *ppr* vivant, *pp* vécu, *pr ind* vis, vivons, *imp* vivais, *pr subj* vive

voir: *ppr* voyant, *pp* vu, *pr ind* vois, voyons, voient, *imp* voyais, *fut* verrai, *pr subj* voie

vouloir: *pp* voulu, *pr ind* veux, veux, veut, voulons, voulez, veulent, *imp* voulais, *fut* voudrai, *pr subj* veuille

VERBES IRRÉGULIERS ANGLAIS

Infinitive	Past Tense	Past Participle	Infinitive	Past Tense	Past Participle
arise	arose	arisen	creep	crept	crept
awake	awoke	awoken	cut	cut	cut
be	was/were	been	deal	dealt	dealt
			dig	dug	dug
bear	bore	born(e)	do	did	done
beat	beat	beaten	draw	drew	drawn
begin	began	begun	dream	dreamed/dreamt	dreamed/dreamt
bend	bent	bent			
bet	bet/betted	bet/betted	drink	drank	drunk
			drive	drove	driven
bid	bid	bid	eat	ate	eaten
bind	bound	bound	fall	fell	fallen
bite	bit	bitten	feed	fed	fed
bleed	bled	bled	feel	felt	felt
blow	blew	blown	fight	fought	fought
break	broke	broken	find	found	found
breed	bred	bred	fling	flung	flung
bring	brought	brought	fly	flew	flown
build	built	built	forget	forgot	forgotten
burn	burnt/burned	burnt/burned	freeze	froze	frozen
			get	got	got (*Am* gotten)
burst	burst	burst			
buy	bought	bought	give	gave	given
can	could	–	go	went	gone
cast	cast	cast	grind	ground	ground
catch	caught	caught	grow	grew	grown
choose	chose	chosen	hang	hung/hanged	hung/hanged
come	came	come	have	had	had
cost	cost	cost			

Infinitive	Past Tense	Past Participle	Infinitive	Past Tense	Past Participle
hear	heard	heard	pay	paid	paid
hide	hid	hidden	put	put	put
hit	hit	hit	quit	quit	quit
hold	held	held		/quitted	/quitted
hurt	hurt	hurt	read	read	read
keep	kept	kept	rid	rid	rid
kneel	knelt	knelt	ride	rode	ridden
	/kneeled	/kneeled	ring	rang	rung
know	knew	known	rise	rose	risen
lay	laid	laid	run	ran	run
lead	led	led	saw	sawed	sawn
lean	leant	leant	say	said	said
	/leaned	/leaned	see	saw	seen
leap	leapt	leapt	seek	sought	sought
	/leaped	/leaped	sell	sold	sold
learn	learnt	learnt	send	sent	sent
	/learned	/learned	set	set	set
leave	left	left	shake	shook	shaken
lend	lent	lent	shall	should	–
let	let	let	shed	shed	shed
lie	lay	lain	shine	shone	shone
light	lit	lit	shoot	shot	shot
	/lighted	/lighted	show	showed	shown
lose	lost	lost	shrink	shrank	shrunk
make	made	made	shut	shut	shut
may	might	–	sing	sang	sung
mean	meant	meant	sink	sank	sunk
meet	met	met	sit	sat	sat
mow	mowed	mown	sleep	slept	slept
		/mowed	slide	slid	slid

Infinitive	Past Tense	Past Participle	Infinitive	Past Tense	Past Participle
sling	slung	slung	strike	struck	struck /stricken
smell	smelt /smelled	smelt /smelled	swear	swore	sworn
sow	sowed	sown /sowed	sweep	swept	swept
			swell	swelled	swollen /swelled
speak	spoke	spoken	swim	swam	swum
speed	sped /speeded	sped /speeded	swing	swung	swung
			take	took	taken
spell	spelt /spelled	spelt /spelled	teach	taught	taught
			tear	tore	torn
spend	spent	spent	tell	told	told
spill	spilt /spilled	spilt /spilled	think	thought	thought
spin	spun	spun	throw	threw	thrown
spit	spat	spat	tread	trod	trodden
split	split	split	wake	woke /waked	woken /waked
spoil	spoiled /spoilt	spoiled /spoilt	wear	wore	worn
spread	spread	spread	weave	wove /weaved	woven /weaved
spring	sprang	sprung	weep	wept	wept
stand	stood	stood	win	won	won
steal	stole	stolen	wind	wound	wound
stick	stuck	stuck	wring	wrung	wrung
sting	stung	stung	write	wrote	written
stink	stank	stunk			

a → **avoir**.

à [a] *prép* **1.** *(introduit un complément d'objet indirect)* to; **penser à** to think about; **donner qqch à qqn** to give sb sthg.

2. *(indique le lieu où l'on est)* at; **à la campagne** in the country; **j'habite à Paris** I live in Paris; **rester à la maison** to stay home; **il y a une piscine à deux kilomètres du village** there is a swimming pool two kilometres from the village.

3. *(indique le lieu où l'on va)* to; **allons au théâtre** let's go to the theatre; **il est parti à la pêche** he went fishing.

4. *(introduit un complément de temps)* at; **embarquement à 21 h 30** boarding is at nine thirty p.m.; **au mois d'août** in August; **le musée est à cinq minutes d'ici** the museum is five minutes from here; **à jeudi!** see you Thursday!

5. *(indique la manière, le moyen)*: **à deux** together; **à pied** on foot; **écrire au crayon** to write in pencil; **à la française** in the French style; **fait à la main** handmade, made by hand.

6. *(indique l'appartenance)*: **cet argent est à moi/à lui/à Isabelle** this money is mine/his/Isabelle's; **à qui sont ces lunettes?** whose are

these glasses?; **une amie à moi** a friend of mine.

7. *(indique un prix)*: **une place à 40 F** a 40-franc seat.

8. *(indique une caractéristique)* with; **le garçon aux yeux bleus** the boy with the blue eyes; **du tissu à rayures** a striped fabric; **un bateau à vapeur** a steamboat.

9. *(indique un rapport)* by; **100 km à l'heure** 100 km an hour.

10. *(indique le but)*: **maison à vendre** house for sale; **le courrier à poster** the letters to be posted.

A *abr* = **autoroute**.

AB *(abr de assez bien)* fair *(assessment of schoolwork)*.

abaisser [abese] *vt (manette)* to lower.

abandon [abɑ̃dɔ̃] *nm*: **à l'~** neglected; **laisser qqch à l'~** to neglect sthg.

abandonné, -e [abɑ̃dɔne] *adj* abandoned; *(village)* deserted.

abandonner [abɑ̃dɔne] *vt* to abandon ♦ *vi* to give up.

abat-jour [abaʒur] *nm inv* lampshade.

abats [aba] *nmpl (de bœuf, de porc)* offal *(sg)*; *(de volaille)* giblets.

abattoir [abatwar] *nm* abattoir.

abattre [abatr] *vt (arbre)* to chop down; *(mur)* to knock down; *(tuer)* to kill; *(décourager)* to demoralize.

abattu, -e [abaty] *adj (découragé)* dejected.

abbaye [abei] *nf* abbey.

abcès [apsɛ] *nm* abscess.

abeille [abɛj] *nf* bee.

aberrant, -e [abɛrɑ̃, ɑ̃t] *adj* absurd.

abîmer [abime] *vt* to damage ❑ **s'abîmer** *vp (fruit)* to spoil; *(livre)* to get damaged; **s'~ les yeux** to ruin one's eyesight.

aboiements [abwamɑ̃] *nmpl* barking *(sg)*.

abolir [abɔlir] *vt* to abolish.

abominable [abɔminabl] *adj* awful.

abondant, -e [abɔ̃dɑ̃, ɑ̃t] *adj* plentiful; *(pluie)* heavy.

abonné, -e [abɔne] *nm, f (à un magazine)* subscriber; *(au théâtre)* season ticket holder ◆ *nm:* **être ~ à un journal** to subscribe to a newspaper.

abonnement [abɔnmɑ̃] *nm (à un magazine)* subscription; *(de théâtre, de métro)* season ticket.

abonner [abɔne] : **s'abonner à** *vp + prép (journal)* to subscribe to.

abord [abɔr] : **d'abord** *adv* first ❑ **abords** *nmpl* surrounding area *(sg)*; *(d'une ville)* outskirts.

abordable [abɔrdabl] *adj* affordable.

aborder [abɔrde] *vt (personne)* to approach; *(sujet)* to touch on ◆ *vi (NAVIG)* to reach land.

aboutir [abutir] *vi (réussir)* to be successful; **~ à** *(rue)* to lead to; *(avoir pour résultat)* to result in.

aboyer [abwaje] *vi* to bark.

abrégé [abreʒe] *nm:* **en ~** in short.

abréger [abreʒe] *vt* to cut short.

abreuvoir [abrœvwar] *nm* trough.

abréviation [abrevjasjɔ̃] *nf* abbreviation.

abri [abri] *nm* shelter; **être à l'~ (de)** to be sheltered *(from)*; **se mettre à l'~ (de)** to take shelter *(from)*.

abricot [abriko] *nm* apricot.

abriter [abrite] : **s'abriter (de)** *vp (+ prép)* to shelter *(from)*.

abrupt, -e [abrypt] *adj (escarpé)* steep.

abruti, -e [abryti] *adj (fam: bête)* thick; *(assommé)* dazed ◆ *nm, f (fam)* idiot.

abrutissant, -e [abrytisɑ̃, ɑ̃t] *adj* mind-numbing.

absence [apsɑ̃s] *nf* absence; *(manque)* lack.

absent, -e [apsɑ̃, ɑ̃t] *adj (personne)* absent ◆ *nm, f* absentee.

absenter [apsɑ̃te] : **s'absenter** *vp* to leave.

absolu, -e [apsɔly] *adj* absolute.

absolument [apsɔlymɑ̃] *adv* absolutely.

absorbant, -e [apsɔrbɑ̃, ɑ̃t] *adj (papier, tissu)* absorbent.

absorber [apsɔrbe] *vt (nourriture)* to take.

abstenir [apstənir] : **s'abstenir** *vp (de voter)* to abstain; **s'~ de faire qqch** to refrain from doing sthg.

abstention [apstɑ̃sjɔ̃] *nf* abstention.

abstenu, -e [apstəny] *pp →* **abstenir**.

abstrait, -e [apstʀɛ, ɛt] *adj* abstract.

absurde [apsyʀd] *adj* absurd.

abus [aby] *nm*: **évitez les ~** don't drink or eat too much.

abuser [abyze] *vi (exagérer)* to go too far; **~ de** *(force, autorité)* to abuse.

académie [akademi] *nf (zone administrative)* local education authority; **l'Académie française** the French Academy *(learned society of leading men and women of letters).*

acajou [akaʒu] *nm (bois)* mahogany.

accabler [akable] *vt*: **~ qqn (de)** to overwhelm sb (with).

accaparer [akapaʀe] *vt (personne, conversation)* to monopolize.

accéder [aksede] : **accéder à** *vt + prép (lieu)* to reach.

accélérateur [akseleʀatœʀ] *nm* accelerator.

accélération [akseleʀasjɔ̃] *nf* acceleration.

accélérer [akseleʀe] *vi (AUT)* to accelerate; *(se dépêcher)* to hurry.

accent [aksɑ̃] *nm* accent; **mettre l'~ sur** to stress; **~ aigu** acute (accent); **~ circonflexe** circumflex (accent); **~ grave** grave (accent).

accentuer [aksɑ̃tɥe] *vt (mot)* to stress ❑ **s'accentuer** *vp (augmenter)* to become more pronounced.

acceptable [aksɛptabl] *adj* acceptable.

accepter [aksɛpte] *vt* to accept; *(supporter)* to put up with; **~ de faire qqch** to agree to do sthg.

accès [aksɛ] *nm (entrée)* access; *(crise)* attack; **donner ~ à** *(suj: ticket)* to admit to; **«~ interdit»** "no entry"; **«~ aux trains»** "to the trains".

accessible [aksesibl] *adj* accessible.

accessoire [akseswaʀ] *nm* accessory.

accident [aksidɑ̃] *nm* accident; **~ de la route** road accident; **~ du travail** industrial accident; **~ de voiture** car crash.

accidenté, -e [aksidɑ̃te] *adj (voiture)* damaged; *(terrain)* bumpy.

accidentel, -elle [aksidɑ̃tɛl] *adj (mort)* accidental; *(rencontre, découverte)* chance.

accolade [akɔlad] *nf (signe graphique)* curly bracket.

accompagnateur, -trice [akɔ̃paɲatœʀ, tʀis] *nm, f (de voyages)* guide; *(MUS)* accompanist.

accompagnement [akɔ̃paɲmɑ̃] *nm (MUS)* accompaniment.

accompagner [akɔ̃paɲe] *vt* to accompany.

accomplir [akɔ̃pliʀ] *vt* to carry out.

accord [akɔʀ] *nm* agreement; *(MUS)* chord; **d'~!** OK!, all right!; **se mettre d'~** to reach an agreement; **être d'~ avec** to agree with; **être d'~ pour faire qqch** to agree to doing sthg.

accordéon [akɔʀdeɔ̃] *nm* accordion.

accorder [akɔʀde] *vt (MUS)* to tune; **~ qqch à qqn** to grant sb sthg ❑ **s'accorder** *vp* to agree; **s'~ bien** *(couleurs, vêtements)* to go together well.

accoster [akɔste] *vt (personne)* to go up to ◆ *vi (NAVIG)* to moor.

accotement [akɔtmɑ̃] *nm*

shoulder; **«~s non stabilisés»** "soft verges".

accouchement [akuʃmã] *nm* childbirth.

accoucher [akuʃe] *vi*: ~ **(de)** to give birth (to).

accouder [akude] : **s'accouder** *vp* to lean.

accoudoir [akudwar] *nm* armrest.

accourir [akurir] *vi* to rush.

accouru, -e [akury] *pp* → accourir.

accoutumer [akutyme] : **s'accoutumer à** *vp + prép* to get used to.

accroc [akro] *nm* rip, tear.

accrochage [akrɔʃaʒ] *nm (accident)* collision; *(fam: dispute)* quarrel.

accrocher [akrɔʃe] *vt (tableau)* to hang (up); *(caravane)* to hook up; *(déchirer)* to snag; *(heurter)* to hit ❏ **s'accrocher** *vp (fam: persévérer)* to stick to it; **s'~ à** *(se tenir à)* to cling to.

accroupir [akrupir] : **s'accroupir** *vp* to squat (down).

accu [aky] *nm (fam)* battery.

accueil [akœj] *nm (bienvenue)* welcome; *(bureau)* reception.

accueillant, -e [akœjã, ãt] *adj* welcoming.

accueillir [akœjir] *vt (personne)* to welcome; *(nouvelle)* to receive.

accumuler [akymyle] *vt* to accumulate ❏ **s'accumuler** *vp* to build up.

accusation [akyzasjɔ̃] *nf (reproche)* accusation; *(JUR)* charge.

accusé, -e [akyze] *nm, f* accused ◆ *nm*: ~ **de réception** acknowledg-

ment slip.

accuser [akyze] *vt* to accuse; ~ **qqn de qqch** to accuse sb of sthg; ~ **qqn de faire qqch** to accuse sb of doing sthg.

acéré, -e [asere] *adj* sharp.

acharnement [aʃarnəmã] *nm* relentlessness; **avec** ~ relentlessly.

acharner [aʃarne] : **s'acharner** *vp*: **s'~ à faire qqch** to strive to do sthg; **s'~ sur qqn** to persecute sb.

achat [aʃa] *nm (acquisition)* buying; *(objet)* purchase; **faire des ~s** to go shopping.

acheter [aʃte] *vt* to buy; ~ **qqch à qqn** *(pour soi)* to buy sthg from sb; *(en cadeau)* to buy sthg for sb.

acheteur, -euse [aʃtœr, øz] *nm, f* buyer.

achever [aʃve] *vt (terminer)* to finish; *(tuer)* to finish off ❏ **s'achever** *vp* to end.

acide [asid] *adj (aigre)* sour; *(corrosif)* acid ◆ *nm* acid.

acidulé [asidyle] *adj m* → **bonbon.**

acier [asje] *nm* steel; ~ **inoxydable** stainless steel.

acné [akne] *nf* acne.

acompte [akɔ̃t] *nm* deposit.

à-coup, -s [aku] *nm* jerk; **par ~s** in fits and starts.

acoustique [akustik] *nf (d'une salle)* acoustics; *(sg).*

acquérir [akerir] *vt (acheter)* to buy; *(réputation, expérience)* to acquire.

acquis, -e [aki, iz] *pp* → acquérir.

acquisition [akizisjɔ̃] *nf (action)* acquisition; *(objet)* purchase; **faire l'~ de** to buy.

acquitter [akite] vt (JUR) to acquit □ **s'acquitter de** vp + prép (dette) to pay off; (travail) to carry out.

âcre [akr] adj (odeur) acrid.

acrobate [akrɔbat] nmf acrobat.

acrobatie [akrɔbasi] nf acrobatics (sg).

acrylique [akrilik] nm acrylic.

acte [akt] nm (action) act, action; (document) certificate; (d'une pièce de théâtre) act.

acteur, -trice [aktœr, tris] nm, f (comédien) actor (f actress).

actif, -ive [aktif, iv] adj active.

action [aksjɔ̃] nf (acte) action; (effet) effect; (FIN) share.

actionnaire [aksjɔnɛr] nmf shareholder.

actionner [aksjɔne] vt to activate.

active → **actif**.

activer [aktive] vt (feu) to stoke □ **s'activer** vp (se dépêcher) to get a move on.

activité [aktivite] nf activity.

actrice → **acteur**.

actualité [aktɥalite] nf: **l'~** current events; **d'~** topical □ **actualités** nfpl news (sg).

actuel, -elle [aktɥɛl] adj current, present.

actuellement [aktɥɛlmɑ̃] adv currently, at present.

acupuncture [akypɔ̃ktyr] nf acupuncture.

adaptateur [adaptatœr] nm (pour prise de courant) adaptor.

adaptation [adaptasjɔ̃] nf adaptation.

adapter [adapte] vt (pour le cinéma, la télévision) to adapt; **~ qqch à** (ajuster) to fit sthg to □ **s'adapter** vp to adapt; **s'~ à** to adapt to.

additif [aditif] nm additive; «sans ~» "additive-free".

addition [adisjɔ̃] nf (calcul) addition; (note) bill (Br), check (Am); **faire une ~** to do a sum; **payer l'~** to pay (the bill); **l'~, s'il vous plaît!** can I have the bill please!

additionner [adisjɔne] vt to add (up) □ **s'additionner** vp (s'accumuler) to build up.

adepte [adɛpt] nmf (d'une théorie) supporter; (du ski, du jazz) fan.

adéquat, -e [adekwa, at] adj suitable.

adhérent, -e [aderɑ̃, ɑ̃t] nm, f member.

adhérer [adere] vi: **~ à** (coller) to stick to; (participer) to join.

adhésif, -ive [adezif, iv] adj (pansement, ruban) adhesive.

adieu, -x [adjø] nm goodbye; **~!** goodbye!; **faire ses ~x à qqn** to say goodbye to sb.

adjectif [adʒɛktif] nm adjective.

adjoint, -e [adʒwɛ̃, ɛ̃t] nm, f assistant.

admettre [admɛtr] vt (reconnaître) to admit; (tolérer) to allow; (laisser entrer) to allow in; **être admis (à un examen)** to pass (an exam).

administration [administrasjɔ̃] nf (gestion) administration; **l'Administration** = the Civil Service (Br).

admirable [admirabl] adj admirable.

admirateur, -trice [admiratœr, tris] nm, f admirer.

admiration [admirasjɔ̃] nf admiration.

admirer [admire] *vt* to admire.

admis, -e [admi, iz] *pp* → admettre.

admissible [admisibl] *adj (SCOL)* eligible to take the second part of an exam.

adolescence [adɔlesɑ̃s] *nf* adolescence.

adolescent, -e [adɔlesɑ̃, ɑ̃t] *nm, f* teenager.

adopter [adɔpte] *vt* to adopt.

adoptif, -ive [adɔptif, iv] *adj (enfant, pays)* adopted; *(famille)* adoptive.

adoption [adɔpsjɔ̃] *nf (d'un enfant)* adoption.

adorable [adɔrabl] *adj* delightful.

adorer [adɔre] *vt* to adore.

adosser [adose] : **s'adosser à** OU **contre** *vp* + *prép* to lean against.

adoucir [adusir] *vt* to soften.

adresse [adrɛs] *nf (domicile)* address; *(habileté)* skill.

adresser [adrese] *vt* to address □ **s'adresser à** *vp* + *prép (parler à)* to speak to; *(concerner)* to be aimed at.

adroit, -e [adrwa, at] *adj* skilful.

adulte [adylt] *nmf* adult.

adverbe [advɛrb] *nm* adverb.

adversaire [advɛrsɛr] *nmf* opponent.

adverse [advɛrs] *adj* opposing.

aération [aerasjɔ̃] *nf* ventilation.

aérer [aere] *vt* to air.

aérien, -ienne [aerjɛ̃, jɛn] *adj (transport, base)* air.

aérodrome [aerɔdrom] *nm* aerodrome.

aérodynamique [aerɔdina-

mik] *adj* aerodynamic.

aérogare [aerɔgar] *nf* (air) terminal.

aéroglisseur [aerɔglisœr] *nm* hovercraft.

aérogramme [aerɔgram] *nm* aerogramme.

aérophagie [aerɔfaʒi] *nf* wind.

aéroport [aerɔpɔr] *nm* airport.

aérosol [aerɔsɔl] *nm* aerosol.

affaiblir [afeblir] *vt* to weaken □ **s'affaiblir** *vp (personne)* to weaken; *(lumière, son)* to fade.

affaire [afɛr] *nf (entreprise)* business; *(question)* matter; *(marché)* deal; *(scandale)* affair; **avoir ~ à** to deal with sb; **faire l'~ to** to do (the trick) □ **affaires** *nfpl (objets)* belongings; **les ~s** *(FIN)* business *(sg)*; **occupe-toi de tes ~s!** mind your own business!

affaisser [afese] : **s'affaisser** *vp (personne)* to collapse; *(sol)* to sag.

affamé, -e [afame] *adj* starving.

affecter [afɛkte] *vt (toucher)* to affect; *(destiner)* to allocate.

affection [afɛksjɔ̃] *nf* affection.

affectueusement [afɛktyøzmɑ̃] *adv* affectionately; *(dans une lettre)* best wishes.

affectueux, -euse [afɛktyø, øz] *adj* affectionate.

affichage [afiʃaʒ] *nm (INFORM)* display; **«~ interdit»** "stick no bills".

affiche [afiʃ] *nf* poster.

afficher [afiʃe] *vt (placarder)* to post.

affilée [afile] : **d'affilée** *adv*: **il a mangé quatre hamburgers d'~** he ate four hamburgers one after the other; **j'ai travaillé huit heures d'~**

I worked eight hours without a break.

affirmation [afirmasjɔ̃] *nf* assertion.

affirmer [afirme] *vt* to assert □ **s'affirmer** *vp* (*personnalité*) to express itself.

affligeant, -e [afliʒɑ̃, ɑ̃t] *adj* appalling.

affluence [aflyɑ̃s] *nf* crowd.

affluent [aflyɑ̃] *nm* tributary.

affolement [afɔlmɑ̃] *nm* panic.

affoler [afɔle] *vt* : **~ qqn** to throw sb into a panic □ **s'affoler** *vp* to panic.

affranchir [afrɑ̃ʃir] *vt* (*timbrer*) to put a stamp on.

affranchissement [afrɑ̃ʃismɑ̃] *nm* (*timbre*) stamp.

affreusement [afrøzmɑ̃] *adv* awfully.

affreux, -euse [afrø, øz] *adj* (*laid*) hideous; (*terrible*) awful.

affronter [afrɔ̃te] *vt* to confront; (*SPORT*) to meet □ **s'affronter** *vp* to clash; (*SPORT*) to meet.

affût [afy] *nm* : **être à l'~ (de)** to be on the lookout (for).

affûter [afyte] *vt* to sharpen.

afin [afɛ̃] : **afin de** *prép* in order to □ **afin que** *conj* so that.

africain, -e [afrikɛ̃, ɛn] *adj* African □ **Africain, -e** *nm, f* African.

Afrique [afrik] *nf* : **l'~** Africa; **l'~ du Sud** South Africa.

agaçant, -e [agasɑ̃, ɑ̃t] *adj* annoying.

agacer [agase] *vt* to annoy.

âge [aʒ] *nm* age; **quel ~ as-tu?** how old are you?; **une personne d'un certain ~** a middle-aged person.

âgé, -e [aʒe] *adj* old; **il est ~ de 12 ans** he's 12 years old.

agence [aʒɑ̃s] *nf* (*de publicité*) agency; (*de banque*) branch; **~ de voyages** travel agent's.

agenda [aʒɛ̃da] *nm* diary; **~ électronique** electronic pocket diary.

agenouiller [aʒnuje] : **s'agenouiller** *vp* to kneel (down).

agent [aʒɑ̃] *nm*: **~ (de police)** policeman (*f* policewoman); **~ de change** stockbroker.

agglomération [aglɔmerasjɔ̃] *nf* town; **l'~ parisienne** Paris and its suburbs.

aggraver [agrave] *vt* to aggravate □ **s'aggraver** *vp* to get worse.

agile [aʒil] *adj* agile.

agilité [aʒilite] *nf* agility.

agir [aʒir] *vi* to act □ **s'agir** *v impers*: **dans ce livre il s'agit de ...** this book is about ...; **il s'agit de faire des efforts** you/we must make an effort.

agitation [aʒitasjɔ̃] *nf* restlessness.

agité, -e [aʒite] *adj* restless; (*mer*) rough.

agiter [aʒite] *vt* (*bouteille*) to shake; (*main*) to wave □ **s'agiter** *vp* to fidget.

agneau, -x [aɲo] *nm* lamb.

agonie [agɔni] *nf* death throes (*pl*).

agrafe [agraf] *nf* (*de bureau*) staple; (*de vêtement*) hook.

agrafer [agrafe] *vt* to staple (together).

agrafeuse [agraføz] *nf* stapler.

agrandir [agrɑ̃dir] *vt* (*trou, mai-*

son) to enlarge; (*photo*) to enlarge ❑ **s'agrandir** *vp* to grow.

agrandissement [agrãdismã] *nm* (*photo*) enlargement.

agréable [agreabl] *adj* pleasant.

agrès [agrɛ] *nmpl* (SPORT) apparatus (*sg*).

agresser [agrese] *vt* to attack.

agresseur [agrɛsœr] *nm* attacker.

agressif, -ive [agrɛsif, iv] *adj* aggressive.

agression [agrɛsjɔ̃] *nf* attack.

agricole [agrikɔl] *adj* agricultural.

agriculteur, -trice [agrikyltœr, tris] *nm, f* farmer.

agriculture [agrikyltyr] *nf* agriculture.

agripper [agripe] *vt* to grab ❑ **s'agripper à** *vp* + *prép* to cling to.

agrumes [agrym] *nmpl* citrus fruit (*sg*).

ahuri, -e [ayri] *adj* stunned.

ahurissant, -e [ayrisã, ãt] *adj* stunning.

ai → **avoir**.

aide [ɛd] *nf* help; **appeler à l'~** to call for help; **à l'~!** help!; **à l'~ de** (*avec*) with the aid of.

aider [ede] *vt* to help; **~ qqn à faire qqch** to help sb (to) do sthg ❑ **s'aider de** *vp* + *prép* to use.

aie → **avoir**.

aïe [aj] *excl* ouch!

aigle [ɛgl] *nm* eagle.

aigre [ɛgr] *adj* (*goût*) sour; (*ton*) cutting.

aigre-doux, -douce [ɛgrədu, dus] (*mpl* aigres-doux, *fpl* aigresdouces) *adj* (*sauce, porc*) sweet-and-sour.

aigri, -e [egri] *adj* bitter.

aigu, -uë [egy] *adj* (*perçant*) high-pitched; (*pointu*) sharp; (*douleur, maladie*) acute.

aiguillage [eguijaʒ] *nm* (*manœuvre*) switching; (*appareil*) points (*pl*).

aiguille [eguij] *nf* (*de couture, de seringue*) needle; (*de montre*) hand; **~ de pin** pine needle; **~ à tricoter** knitting needle.

aiguillette [eguijet] *nf*: **~s de canard** strips of duck breast.

aiguiser [egize] *vt* to sharpen.

ail [aj] *nm* garlic.

aile [ɛl] *nf* wing.

ailier [elje] *nm* (*au foot*) winger; (*au rugby*) wing.

aille → **aller**.

ailleurs [ajœr] *adv* somewhere else; **d'~** (*du reste*) moreover; (*à propos*) by the way.

aimable [emabl] *adj* kind.

aimant [emã] *nm* magnet.

aimer [eme] *vt* (*d'amour*) to love; (*apprécier*) to like; **~ faire qqch** to like doing sthg; **~ bien qqch/faire qqch** to like sthg/doing sthg; **j'aimerais** I would like; **~ mieux** to prefer.

aine [ɛn] *nf* groin.

aîné, -e [ene] *adj* (*frère, sœur*) older, elder; (*fils, fille*) oldest, eldest ♦ *nm, f* (*frère*) older brother; (*sœur*) older sister; (*fils, fille*) oldest (child), eldest (child).

ainsi [ɛ̃si] *adv* (*de cette manière*) in this way; (*par conséquent*) so; **~ que** and; **et ~ de suite** and so on.

aïoli [ajɔli] *nm* garlic mayonnaise.

air [ɛr] *nm* air; (*apparence*) look; (*mélodie*) tune; (*vent*): **il fait de l'~**

aujourd'hui it's windy today; **avoir l'~ (d'être) malade** to look ill; **avoir l'~ d'un clown** to look like a clown; **il a l'~ de faire beau** it looks like being a nice day; **en l'~ (en haut)** in the air; **fiche qqch en l'~ (fam: gâcher)** to mess sthg up; **prendre l'~** to get a breath of fresh air; **~ conditionné** air conditioning.

aire [ɛr] *nf* area; **~ de jeu** playground; **~ de repos** rest area, ≃ lay-by *(Br)*; **~ de stationnement** parking area.

airelle [ɛrɛl] *nf* cranberry.

aisance [ɛzɑ̃s] *nf (assurance)* ease; *(richesse)* wealth.

aise [ɛz] *nf*: **à l'~** comfortable; **mal à l'~** uncomfortable.

aisé, -e [eze] *adj (riche)* well-off.

aisselle [ɛsɛl] *nf* armpit.

ajouter [aʒute] *vt*: **~ qqch (à)** to add sthg (to); **~ que** to add that.

ajuster [aʒyste] *vt* to fit; *(vêtement)* to alter.

alarmant, -e [alarmɑ̃, ɑ̃t] *adj* alarming.

alarme [alarm] *nf* alarm; **donner l'~** to raise the alarm.

album [albɔm] *nm* album; **~ (de) photos** photograph album.

alcool [alkɔl] *nm* alcohol; **sans ~** alcohol-free; **~ à 90°** surgical spirit; **~ à brûler** methylated spirits *(pl)*.

alcoolique [alkɔlik] *nmf* alcoholic.

alcoolisé, -e [alkɔlize] *adj* alcoholic; **non ~** nonalcoholic.

Alcootest® [alkɔtɛst] *nm* ≃ Breathalyser®.

aléatoire [aleatwar] *adj* risky.

alentours [alɑ̃tur] *nmpl* sur-

roundings; **aux ~** nearby; **aux ~ de (environ)** around.

alerte [alɛrt] *adj & nf* alert; **donner l'~** to raise the alarm.

alerter [alɛrte] *vt (d'un danger)* to alert; *(informer)* to notify.

algèbre [alʒɛbr] *nf* algebra.

Alger [alʒe] *n* Algiers.

Algérie [alʒeri] *nf*: **l'~** Algeria.

Algérien, -ienne [alʒerjɛ̃, jɛn] *nm, f* Algerian.

algues [alg] *nfpl* seaweed *(sg)*.

alibi [alibi] *nm* alibi.

alignement [aliɲmɑ̃] *nm* line.

aligner [aliɲe] *vt* to line up □ **s'aligner** *vp* to line up.

aliment [alimɑ̃] *nm* food.

alimentation [alimɑ̃tasjɔ̃] *nf (nourriture)* diet; *(épicerie)* grocer's.

alimenter [alimɑ̃te] *vt (approvisionner)* to supply.

Allah [ala] *nm* Allah.

allaiter [alete] *vt* to breast-feed.

alléchant, -e [aleʃɑ̃, ɑ̃t] *adj* mouth-watering.

allée [ale] *nf* path; **~s et venues** comings and goings.

allégé, -e [aleʒe] *adj (aliment)* low-fat.

Allemagne [alman] *nf*: **l'~** Germany.

allemand, -e [almɑ̃, ɑ̃d] *adj* German ◆ *nm (langue)* German □ **Allemand, -e** *nm, f* German.

aller [ale] *nm* **1.** *(parcours)* outward journey; **à l'~** on the way. **2.** *(billet)*: **~ (simple)** single *(Br)*, one-way ticket *(Am)*; **~ retour** return (ticket).

◆ *vi* **1.** *(se déplacer)* to go; **~ au Portugal** to go to Portugal; **pour ~ à la cathédrale, s'il vous plaît?**

could you tell me the way to the cathedral please?; **~ en vacances** to go on holiday *(Br)*, to go on vacation *(Am)*.

2. *(suj: route)* to go.

3. *(exprime un état):* **comment allez-vous?** how are you?; **(comment) ça va? - ça va** how are things? - fine; **~ bien/mal** *(personne)* to be well/unwell; *(situation)* to go well/badly.

4. *(convenir):* **ça ne va pas** *(outil)* it's not any good; **~ à qqn** *(couleur)* to suit sb; *(en taille)* to fit sb; **~ avec qqch** to go with sthg.

5. *(suivi d'un infinitif, exprime le but):* **j'irai le chercher à la gare** I'll go and fetch him from the station; - fine; **voir** to go and see.

6. *(suivi d'un infinitif, exprime le futur proche):* **~ faire qqch** to be going to do sthg.

7. *(dans des expressions):* **allez!** come on!; **allons!** come on!; **y ~** *(partir)* to be off; **vas-y!** go on! ❏ **s'en aller** *vp (partir)* to go away; *(suj: tache, couleur)* to disappear; **allez-vous en!** go away!

allergie [alɛrʒi] *nf* allergy.

allergique [alɛrʒik] *adj:* **être ~ à** to be allergic to.

aller-retour [aleratur] *(pl allers-retours)* *nm (billet)* return (ticket).

alliage [aljaʒ] *nm* alloy.

alliance [aljɑ̃s] *nf (bague)* wedding ring; *(union)* alliance.

allié, -e [alje] *nm, f* ally.

allô [alo] *excl* hello!

allocation [alɔkasjɔ̃] *nf* allocation; **~s familiales** family allowance *(sg)*.

allonger [alɔ̃ʒe] *vt (vêtement)* to

lengthen; *(bras, jambe)* to stretch out ❏ **s'allonger** *vp (augmenter)* to get longer; *(s'étendre)* to lie down.

allumage [alymaʒ] *nm (AUT)* ignition.

allumer [alyme] *vt (feu)* to light; *(lumière, radio)* to turn on ❏ **s'allumer** *vp (s'éclairer)* to light up.

allumette [alymɛt] *nf* match.

allure [alyr] *nf (apparence)* appearance; *(vitesse)* speed; **à toute ~** at full speed.

allusion [alyzjɔ̃] *nf* allusion; **faire ~ à** to refer OU allude to.

alors [alɔr] *adv (par conséquent)* so, then; **~, tu viens?** are you coming, then?; **ça ~!** my goodness!; **et ~?** *(et ensuite)* and then what?; *(pour défier)* so what?; **~ que** *(bien que)* even though; *(tandis que)* whereas, while.

alourdir [alurdir] *vt* to weigh down.

aloyau, -x [alwajo] *nm* sirloin.

Alpes [alp] *nfpl:* **les ~** the Alps.

alphabet [alfabɛ] *nm* alphabet.

alphabétique [alfabetik] *adj* alphabetical; **par ordre ~** in alphabetical order.

alpin [alpɛ̃] *adj m →* **ski**.

alpinisme [alpinism] *nm* mountaineering.

alpiniste [alpinist] *nmf* mountaineer.

Alsace [alzas] *nf:* **l'~** Alsace.

alternatif, -ive [alternatif] *adj →* **courant**.

alternativement [alternativmɑ̃] *adv* alternately.

alterner [alterne] *vi* to alternate.

altitude [altityd] *nf* altitude; **à**

2 000 m d'~ at an altitude of 2,000 m.

aluminium [alyminjɔm] *nm* aluminium.

amabilité [amabilite] *nf* kindness.

amadouer [amadwe] *vt (attirer)* to coax; *(calmer)* to mollify.

amaigrissant, -e [amegrisã, ãt] *adj* slimming (Br), reducing (Am).

amande [amãd] *nf* almond.

amant [amã] *nm* lover.

amarrer [amare] *vt (bateau)* to moor.

amas [ama] *nm* pile.

amasser [amase] *vt* to pile up; *(argent)* to amass.

amateur [amatœr] *adj & nm* amateur; **être ~ de** to be keen on.

ambassade [ãbasad] *nf* embassy.

ambassadeur, -drice [ãbasadœr, dris] *nm, f* ambassador.

ambiance [ãbjãs] *nf* atmosphere; **il y a de l'~!** it's pretty lively in here!; **d'~** *(musique, éclairage)* atmospheric.

ambigu, -uë [ãbigy] *adj (mot)* ambiguous; *(personnage)* dubious.

ambitieux, -ieuse [ãbisjø, jøz] *adj* ambitious.

ambition [ãbisjõ] *nf* ambition.

ambulance [ãbylãs] *nf* ambulance.

ambulant [ãbylã] *adj m* → **marchand**.

âme [am] *nf* soul.

amélioration [ameljɔrasjõ] *nf* improvement.

améliorer [ameljɔre] *vt* to improve ❑ **s'améliorer** *vp* to

improve.

aménagé, -e [amenaʒe] *adj (cuisine, camping)* fully-equipped.

aménager [amenaʒe] *vt (pièce, appartement)* to fit out.

amende [amãd] *nf* fine.

amener [amne] *vt* to bring; *(causer)* to cause; **~ qqn à faire qqch** to lead sb to do sthg.

amer, -ère [amer] *adj* bitter.

américain, -e [amerikɛ̃, ɛn] *adj* American ❑ **Américain, -e** *nm, f* American.

Amérique [amerik] *nf:* **l'~** America; **l'~ centrale** Central America; **l'~ latine** Latin America; **l'~ du Sud** South America.

amertume [amertym] *nf* bitterness.

ameublement [amœblǝmã] *nm* furniture.

ami, -e [ami] *nm, f* friend; *(amant)* boyfriend *(f* girlfriend); **être (très) ~s** to be (close) friends.

amiable [amjabl] *adj* amicable; **à l'~** out of court.

amiante [amjãt] *nm* asbestos.

amical, -e, -aux [amikal, o] *adj* friendly.

amicalement [amikalmã] *adv* in a friendly way; *(dans une lettre)* kind regards.

amincir [amɛ̃sir] *vt (suj: régime)* to make thinner; **cette veste t'amincit** that jacket makes you look slimmer.

amitié [amitje] *nf* friendship; **~s** *(dans une lettre)* best wishes.

amnésique [amnezik] *adj* amnesic.

amonceler [amõsle] **: s'amonceler** *vp* to accumulate.

amont [amɔ̃] nm: **aller vers l'~** to go upstream; **en ~ (de)** upstream (from).

amorcer [amɔrse] vt (commencer) to begin.

amortir [amɔrtir] vt (choc) to absorb; (son) to muffle; **mon abonnement est maintenant amorti** my season ticket is now paying for itself.

amortisseur [amɔrtisœr] nm shock absorber.

amour [amur] nm love; **faire l'~** to make love.

amoureux, -euse [amurø, øz] adj in love ◆ nmpl lovers; **être ~ de qqn** to be in love with sb.

amour-propre [amurprɔpr] nm pride.

amovible [amɔvibl] adj removable.

amphithéâtre [ɑ̃fiteatr] nm amphitheatre; (salle de cours) lecture hall.

ample [ɑ̃pl] adj (jupe) full; (geste) sweeping.

amplement [ɑ̃pləmɑ̃] adv fully; **c'est ~ suffisant** that's ample.

ampli [ɑ̃pli] nm (fam) amp.

amplificateur [ɑ̃plifikatœr] nm (de chaîne hi-fi) amplifier.

amplifier [ɑ̃plifje] vt (son) to amplify; (phénomène) to increase.

ampoule [ɑ̃pul] nf (de lampe) bulb; (de médicament) phial; (cloque) blister.

amputer [ɑ̃pyte] vt to amputate; (texte) to cut.

amusant, -e [amyzɑ̃, ɑ̃t] adj (distrayant) amusing; (comique) funny.

amuse-gueule [amyzgœl] nm inv appetizer.

amuser [amyze] vt (faire rire): **~ qqn** to make sb laugh □ **s'amuser** vp (se distraire) to enjoy o.s.; (jouer) to play; **s'~ à faire qqch** to amuse o.s. doing sthg.

amygdales [amidal] nfpl tonsils.

an [ɑ̃] nm year; **il a neuf ~s** he's nine (years old); **en l'~ 2000** in the year 2000.

anachronique [anakrɔnik] adj anachronistic.

analogue [analɔg] adj similar.

analphabète [analfabet] adj illiterate.

analyse [analiz] nf analysis; **~ de sang** blood test.

analyser [analize] vt (texte, données) to analyse.

ananas [anana] nm pineapple.

anarchie [anarʃi] nf anarchy.

anatomie [anatɔmi] nf anatomy.

ancêtre [ɑ̃setr] nm ancestor; (version précédente) forerunner.

anchois [ɑ̃ʃwa] nm anchovy.

ancien, -ienne [ɑ̃sjɛ̃, jɛn] adj (du passé) ancient; (vieux) old; (ex-) former.

ancienneté [ɑ̃sjɛnte] nf (dans une entreprise) seniority.

ancre [ɑ̃kr] nf anchor; **jeter l'~** to drop anchor; **lever l'~** to weigh anchor.

Andorre [ɑ̃dɔr] nf: **l'~** Andorra.

andouille [ɑ̃duj] nf (CULIN) type of sausage made of chitterlings (pig's intestines), eaten cold; (fam: imbécile) twit.

andouillette [ɑ̃dujet] nf type of sausage made of chitterlings (pig's intestines), eaten grilled.

âne [ɑn] *nm* donkey; *(imbécile)* fool.

anéantir [aneɑ̃tir] *vt* to crush.

anecdote [anɛkdɔt] *nf* anecdote.

anémie [anemi] *nf* anaemia.

ânerie [anri] *nf* *(parole)* stupid remark; **faire des ~s** to do stupid things.

anesthésie [anɛstezi] *nf* anaesthetic; **être sous ~** to be under anaesthetic; **~ générale** general anaesthetic; **~ locale** local anaesthetic.

ange [ɑ̃ʒ] *nm* angel.

angine [ɑ̃ʒin] *nf* *(des amygdales)* tonsillitis; *(du pharynx)* pharyngitis; **~ de poitrine** angina.

anglais, -e [ɑ̃glɛ, ɛz] *adj* English ♦ *nm* *(langue)* English; **je ne parle pas ~** I don't speak English ❑ **Anglais, -e** *nm, f* Englishman (f Englishwoman); **les Anglais** the English.

angle [ɑ̃gl] *nm* *(coin)* corner; *(géométrique)* angle; **~ droit** right angle.

Angleterre [ɑ̃glətɛr] *nf*: **l'~** England.

Anglo-Normandes [ɑ̃glonɔrmɑ̃d] *adj fpl* → **île**.

angoisse [ɑ̃gwas] *nf* anguish.

angoissé, -e [ɑ̃gwase] *adj* anxious.

angora [ɑ̃gɔra] *nm* angora.

anguille [ɑ̃gij] *nf* eel; **~s au vert** eels cooked with wine, cream, cress and herbs, a Belgian speciality.

animal, -aux [animal, o] *nm* animal; **~ domestique** pet.

animateur, -trice [animatœr, tris] *nm, f* *(de club, de groupe)* coordi-

nator; *(à la radio, la télévision)* presenter.

animation [animasjɔ̃] *nf* *(vivacité)* liveliness; *(dans la rue)* activity ❑ **animations** *nfpl* *(culturelles)* activities.

animé, -e [anime] *adj* lively.

animer [anime] *vt* *(jeu, émission)* to present; *(conversation)* to liven up ❑ **s'animer** *vp* *(visage)* to light up; *(rue)* to come to life; *(conversation)* to become animated.

anis [ani] *nm* aniseed.

ankyloser [ɑ̃kiloze] : **s'ankyloser** *vp* to go numb.

anneau, -x [ano] *nm* ring.

année [ane] *nf* year; **~ bissextile** leap year; **~ scolaire** school year.

annexe [anɛks] *nf* *(document)* appendix; *(bâtiment)* annex.

anniversaire [aniversɛr] *nm* birthday; **~ de mariage** wedding anniversary.

annonce [anɔ̃s] *nf* announcement; *(dans un journal)* advertisement; **(petites) ~s** classified advertisements.

annoncer [anɔ̃se] *vt* to announce; *(être signe de)* to be a sign of ❑ **s'annoncer** *vp*: **s'~ bien** to look promising.

annuaire [anɥɛr] *nm* *(recueil)* yearbook; **~ (téléphonique)** telephone directory; **~ électronique** *electronic telephone directory on Minitel ®.*

annuel, -elle [anɥɛl] *adj* annual.

annulaire [anɥlɛr] *nm* ring finger.

annulation [anylasjɔ̃] *nf* cancellation.

annuler [anyle] *vt* to cancel.

anomalie

14

anomalie [anɔmali] *nf* anomaly.

anonyme [anɔnim] *adj* anonymous.

anorak [anɔrak] *nm* anorak.

anormal, -e, -aux [anɔrmal, o] *adj* abnormal; *(péj: handicapé)* mentally retarded.

ANPE *nf (abr de Agence nationale pour l'emploi)* French national employment agency.

anse [ɑ̃s] *nf (poignée)* handle; *(crique)* cove.

Antarctique [ɑ̃tarktik] *nm:* l'(océan) ~ the Antarctic (Ocean).

antenne [ɑ̃tɛn] *nf (de radio, de télévision)* aerial; *(d'animal)* antenna; ~ **parabolique** dish aerial.

antérieur, -e [ɑ̃terjœr] *adj (précédent)* previous; *(de devant)* front.

antibiotique [ɑ̃tibjɔtik] *nm* antibiotic.

antibrouillard [ɑ̃tibrujar] *nm* fog lamp *(Br)*, foglight *(Am)*.

anticiper [ɑ̃tisipe] *vt* to anticipate.

antidote [ɑ̃tidɔt] *nm* antidote.

antigel [ɑ̃tiʒɛl] *nm* antifreeze.

antillais, -e [ɑ̃tije, ɛz] *adj* West Indian ❏ **Antillais, -e** *nm, f* West Indian.

Antilles [ɑ̃tij] *nfpl:* les ~ the West Indies.

antimite [ɑ̃timit] *nm* moth repellent.

Antiope [ɑ̃tjɔp] *n information system available via the French television network.*

antipathique [ɑ̃tipatik] *adj* unpleasant.

antiquaire [ɑ̃tikɛr] *nmf* antiques dealer.

antique [ɑ̃tik] *adj* ancient.

antiquité [ɑ̃tikite] *nf (objet)* antique; l'**Antiquité** Antiquity.

antiseptique [ɑ̃tisɛptik] *adj* antiseptic.

antivol [ɑ̃tivɔl] *nm* anti-theft device.

anxiété [ɑ̃ksjete] *nf* anxiety.

anxieux, -ieuse [ɑ̃ksjø, jøz] *adj* anxious.

AOC *(abr de appellation d'origine contrôlée) label guaranteeing the quality of a French wine.*

août [ut] *nm* August, → **septembre**.

apaiser [apeze] *vt (personne, colère)* to calm; *(douleur)* to soothe.

apathique [apatik] *adj* apathetic.

apercevoir [apɛrsəvwar] *vt* to see ❏ **s'apercevoir** *vp:* s'~ **de** *(remarquer)* to notice; *(comprendre)* to realize; s'~ **que** *(remarquer)* to notice that; *(comprendre)* to realize that.

aperçu, -e [apɛrsy] *pp* → **apercevoir** ♦ *nm* general idea.

apéritif [aperitif] *nm* aperitif.

aphone [afɔn] *adj:* être ~ to have lost one's voice.

aphte [aft] *nm* mouth ulcer.

apitoyer [apitwaje] : **s'apitoyer sur** *vp + prép (personne)* to feel sorry for.

ap. J-C *(abr de après Jésus-Christ)* AD.

aplanir [aplanir] *vt* to level (off); *(difficultés)* to smooth over.

aplatir [aplatir] *vt* to flatten.

aplomb [aplɔ̃] *nm (culot)* nerve; d'~ *(vertical)* straight.

apostrophe [apɔstrɔf] *nf* apostrophe; **s ~** "s" apostrophe.

apôtre [apotʀ] *nm* apostle.

apparaître [apaʀɛtʀ] *vi* to appear.

appareil [apaʀɛj] *nm* device; *(poste téléphonique)* telephone; **qui est à l'~?** who's speaking?; **~ ménager** household appliance; **~ photo** camera.

apparemment [apaʀamɑ̃] *adv* apparently.

apparence [apaʀɑ̃s] *nf* appearance.

apparent, -e [apaʀɑ̃, ɑ̃t] *adj (visible)* visible; *(superficiel)* apparent.

apparition [apaʀisjɔ̃] *nf (arrivée)* appearance; *(fantôme)* apparition.

appartement [apaʀtamɑ̃] *nm* flat (Br), apartment (Am).

appartenir [apaʀtəniʀ] *vi*: **~ à** to belong to.

appartenu, -e [apaʀtəny] *pp* → **appartenir**.

apparu, -e [apaʀy] *pp* → **apparaître**.

appât [apa] *nm* bait.

appel [apɛl] *nm* call; **faire l'~** *(SCOL)* to call the register (Br), to call (the) roll (Am); **faire ~ à** to appeal to; **faire un ~ de phares** to flash one's headlights.

appeler [aple] *vt* to call; *(interpeller)* to call out to; **~ à l'aide** to call for help ❑ **s'appeler** *vp (se nommer)* to be called; *(se téléphoner)* to talk on the phone; **comment t'appelles-tu?** what's your name?; **je m'appelle ... my** name is ...

appendicite [apɛ̃disit] *nf* appendicitis.

appesantir [apəzɑ̃tiʀ] : **s'appesantir sur** *vp + prép* to dwell on.

appétissant, -e [apetisɑ̃, ɑ̃t] *adj* appetizing.

appétit [apeti] *nm* appetite; **avoir de l'~** to have a good appetite; **bon ~!** enjoy your meal!

applaudir [aplodiʀ] *vt & vi* to applaud.

applaudissements [aplodismɑ̃] *nmpl* applause *(sg)*.

application [aplikasjɔ̃] *nf* application.

applique [aplik] *nf* wall lamp.

appliqué, -e [aplike] *adj (élève)* hardworking; *(écriture)* careful.

appliquer [aplike] *vt* to apply; *(loi, tarif)* to enforce ❑ **s'appliquer** *vp (élève)* to apply o.s.

appoint [apwɛ̃] *nm*: **faire l'~** to give the exact money; **d'~** *(chauffage, lit)* extra.

apporter [apɔʀte] *vt* to bring; *(fig: soin)* to exercise.

appréciation [apʀesjasjɔ̃] *nf (jugement)* judgment; *(évaluation)* estimate; *(SCOL)* assessment.

apprécier [apʀesje] *vt (aimer)* to appreciate, to like; *(évaluer)* to estimate.

appréhension [apʀeɑ̃sjɔ̃] *nf* apprehension.

apprendre [apʀɑ̃dʀ] *vt (étudier)* to learn; *(nouvelle)* to learn of; **~ qqch à qqn** *(discipline)* to teach sb sthg; *(nouvelle)* to tell sb sthg; **~ à faire qqch** to learn (how) to do sthg.

apprenti, -e [apʀɑ̃ti] *nm, f* apprentice.

apprentissage [apʀɑ̃tisaʒ] *nm (d'un métier manuel)* apprenticeship; *(d'une langue, d'un art)* learning.

apprêter [apʀete] : **s'apprêter**

vp: **s'~ à** faire qqch to be about to do sthg.

appris, -e [apri, iz] *pp* → **apprendre**.

apprivoiser [aprivwaze] *vt* to tame.

approcher [aprɔʃe] *vt* to move nearer ◆ *vi (dans l'espace)* to get nearer; *(dans le temps)* to approach; **~ qqch de** to move sthg nearer (to); **~ de** to approach ❑ **s'approcher** *vp* to approach; **s'~ de** to approach.

approfondir [aprɔfɔ̃dir] *vt* to go into more detail about.

approprié, -e [aprɔprije] *adj* appropriate.

approuver [apruve] *vt* to approve of.

approvisionner [aprɔvizjɔne] : **s'approvisionner** *vp (faire ses courses)* to shop; **s'~ en** to stock up on.

approximatif, -ive [aprɔksimatif, iv] *adj* approximate.

appt *abr* = **appartement**.

appui-tête [apɥitɛt] *(pl* **appuistête)** *nm* headrest.

appuyer [apɥije] *vt* to lean ◆ *vi*: **~ sur** to press ❑ **s'appuyer** *vp*: **s'~** **à** to lean against.

après [aprɛ] *prép* after ◆ *adv* afterwards; **~ avoir fait qqch** after having done sthg; **~ tout** after all; **l'année d'~** the following year; **d'~ moi** in my opinion.

après-demain [apredmɛ̃] *adv* the day after tomorrow.

après-midi [apremidi] *nm inv ou nf inv* afternoon; **l'~** *(tous les jours)* in the afternoon.

après-rasage, -s [aprerazaʒ] *nm* aftershave.

après-shampooing [apreʃɑ̃pwɛ̃] *nm inv* conditioner.

a priori [aprijɔri] *adv* in principle ◆ *nm inv* preconception.

apte [apt] *adj*: **~ à qqch** fit for sthg; **~ à faire qqch** fit to do sthg.

aptitudes [aptityd] *nfpl* ability *(sg)*.

aquarelle [akwarɛl] *nf* watercolour.

aquarium [akwarjɔm] *nm* aquarium.

aquatique [akwatik] *adj* aquatic.

aqueduc [akdyk] *nm* aqueduct.

Aquitaine [akitɛn] *nf*: **l'~** Aquitaine *(region in southwest of France)*.

AR *abr* = **accusé de réception, aller-retour**.

arabe [arab] *adj* Arab ◆ *nm (langue)* Arabic ❑ **Arabe** *nmf* Arab.

arachide [araʃid] *nf* groundnut.

araignée [areɲe] *nf* spider.

arbitraire [arbitrɛr] *adj* arbitrary.

arbitre [arbitr] *nm* referee; *(au tennis, cricket)* umpire.

arbitrer [arbitre] *vt* to referee; *(au tennis, cricket)* to umpire.

arbre [arbr] *nm* tree; **~ fruitier** fruit tree; **~ généalogique** family tree.

arbuste [arbyst] *nm* shrub.

arc [ark] *nm (arme)* bow; *(géométrique)* arc; *(voûte)* arch.

arc-bouter [arkbute] : **s'arc-bouter** *vp* to brace o.s.

arc-en-ciel [arkɑ̃sjɛl] *(pl* **arcsen-ciel)** *nm* rainbow.

arcade [arkad] *nf* arch.

archaïque [arkaik] *adj* archaic.

arche [arʃ] *nf* arch.

archéologie [arkeɔlɔʒi] *nf* archaeology.

archéologue [arkeɔlɔg] *nmf* archaeologist.

archet [arʃɛ] *nm* bow.

archipel [arʃipɛl] *nm* archipelago.

architecte [arʃitɛkt] *nmf* architect.

architecture [arʃitɛktyr] *nf* architecture.

archives [arʃiv] *nfpl* records.

Arctique [arktik] *nm:* **l'(océan) ~** the Arctic (Ocean).

ardent, -e [ardã, ãt] *adj (soleil)* blazing; *(fig: défenseur, désir)* fervent.

ardeur [ardœr] *nf* fervour.

ardoise [ardwaz] *nf* slate.

ardu, -e [ardy] *adj* difficult.

arènes [arɛn] *nfpl (romaines)* amphitheatre *(sg); (pour corridas)* bullring *(sg).*

arête [arɛt] *nf (de poisson)* bone; *(angle)* corner.

argent [arʒã] *nm (métal)* silver; *(monnaie)* money; **~ liquide** cash; **~ de poche** pocket money.

argenté, -e [arʒãte] *adj* silver.

argenterie [arʒãtri] *nf* silverware.

argile [arʒil] *nf* clay.

argot [argo] *nm* slang.

argument [argymã] *nm* argument.

aride [arid] *adj* arid.

aristocratie [aristɔkrasi] *nf* aristocracy.

arithmétique [aritmetik] *nf* arithmetic.

armature [armatyr] *nf* framework; *(d'un soutien-gorge)* underwiring.

arme [arm] *nf* weapon; **~ à feu** firearm.

armé, -e [arme] *adj* armed; **être ~ de** to be armed with.

armée [arme] *nf* army.

armement [arməmã] *nm* arms *(pl).*

armer [arme] *vt* to arm; *(appareil photo)* to wind on.

armistice [armistis] *nm* armistice.

armoire [armwar] *nf* cupboard *(Br),* closet *(Am);* **~ à pharmacie** medicine cabinet.

armoiries [armwari] *nfpl* coat of arms *(sg).*

armure [armyr] *nf* armour.

aromate [arɔmat] *nm (épice)* spice; *(fine herbe)* herb.

aromatique [arɔmatik] *adj* aromatic.

aromatisé, -e [arɔmatize] *adj* flavoured; **~ à la vanille** vanilla-flavoured.

arôme [arom] *nm (odeur)* aroma; *(goût)* flavour.

arqué, -e [arke] *adj* arched.

arracher [araʃe] *vt (feuille)* to tear out; *(mauvaises herbes, dent)* to pull out; **~ qqch à qqn** to snatch sthg from sb.

arrangement [arãʒmã] *nm* arrangement; *(accord)* agreement.

arranger [arãʒe] *vt (organiser)* to arrange; *(résoudre)* to settle; *(réparer)* to fix; **cela m'arrange** that suits me ❑ **s'arranger** *vp (se mettre d'accord)* to come to an agreement; *(s'améliorer)* to get better; **s'~ pour faire qqch** to arrange to do sthg.

arrestation [arɛstasjɔ̃] *nf* arrest.

arrêt [arɛ] *nm (interruption)* interruption; *(station)* stop; «**ne pas descendre avant l'~ complet du train**» "do not alight until the train has come to a complete stop"; «**~ interdit**» "no stopping"; **~ d'autobus** bus stop; **~ de travail** stoppage; **sans ~** *(parler, travailler)* nonstop.

arrêter [arete] *vt* to stop; *(suspect)* to arrest ♦ *vi* to stop; **~ de faire qqch** to stop doing sthg □ **s'arrêter** *vp* to stop; **s'~ de faire qqch** to stop doing sthg.

arrhes [ar] *nfpl* deposit *(sg)*.

arrière [arjɛr] *adj inv & nm* back; **à l'~ de** at the back of, in back of *(Am)*; **en ~** *(rester, regarder)* behind; *(tomber)* backwards.

arriéré, -e [arjere] *adj* backward.

arrière-boutique, -s [arjɛrbutik] *nf* back of the shop.

arrière-grands-parents [arjɛrgrɑ̃parɑ̃] *nmpl* great-grandparents.

arrière-pensée, -s [arjɛrpɑ̃se] *nf* ulterior motive.

arrière-plan, -s [arjɛrplɑ̃] *nm*: **à l'~** in the background.

arrière-saison, -s [arjɛrsezɔ̃] *nf* late autumn.

arrivée [arive] *nf* arrival; *(d'une course)* finish; «**~s**» "arrivals".

arriver [arive] *vi* to arrive; *(se produire)* to happen ♦ *v impers*: **il arrive qu'il soit en retard** he is sometimes late; **il m'arrive d'oublier son anniversaire** sometimes I forget his birthday; **que t'est-il arrivé?** what happened to you?; **~**

à qqch to reach sthg; **~ à faire qqch** to succeed in doing sthg, to manage to do sthg.

arriviste [arivist] *nmf* social climber.

arrogant, -e [arɔgɑ̃, ɑ̃t] *adj* arrogant.

arrondir [arɔ̃dir] *vt (au chiffre supérieur)* to round up; *(au chiffre inférieur)* to round down.

arrondissement [arɔ̃dismɑ̃] *nm* district.

arrosage [arozaʒ] *nm* watering.

arroser [aroze] *vt* to water.

arrosoir [arozwar] *nm* watering can.

Arrt *abr* = **arrondissement**.

art [ar] *nm* art; **~s plastiques** *(SCOL)* art.

artère [artɛr] *nf* artery.

artichaut [artiʃo] *nm* artichoke.

article [artikl] *nm* article.

articulation [artikylasjɔ̃] *nf* *(ANAT)* joint.

articulé, -e [artikyle] *adj (pantin)* jointed; *(lampe)* hinged.

articuler [artikyle] *vt (prononcer)* to articulate ♦ *vi* to speak clearly.

artifice [artifis] *nm* → **feu**.

artificiel, -ielle [artifisjɛl] *adj* artificial.

artisan [artizɑ̃] *nm* craftsman *(f* craftswoman).

artisanal, -e, -aux [artizanal, o] *adj (méthode)* traditional; **objets artisanaux** crafts.

artiste [artist] *nmf* artist.

artistique [artistik] *adj* artistic.

as¹ [a] → **avoir**.

as² [as] *nm* ace.

asc. *abr* = **ascenseur**.

ascenseur [asɑ̃sœr] *nm* lift *(Br)*,

elevator *(Am)*.

ascension [asɑ̃sjɔ̃] *nf* ascent; *(fig: progression)* rise.

asiatique [azjatik] *adj* Asian ❑ **Asiatique** *nmf* Asian.

Asie [azi] *nf*: l'~ Asia.

asile [azil] *nm (psychiatrique)* asylum; *(refuge)* refuge.

aspect [aspɛ] *nm* appearance; *(point de vue)* aspect.

asperge [aspɛrʒ] *nf* asparagus; **~s à la flamande** *asparagus served with chopped hard-boiled egg and butter, a Belgian speciality.*

asperger [aspɛrʒe] *vt* to spray.

aspérités [asperite] *nfpl* bumps.

asphyxier [asfiksje] : **s'asphyxier** *vp* to suffocate.

aspirante [aspirɑ̃t] *adj f* → **hotte**.

aspirateur [aspiratœr] *nm* vacuum cleaner.

aspirer [aspire] *vt (air)* to inhale; *(poussière)* to suck up.

aspirine [aspirin] *nf* aspirin.

assaillant, -e [asajɑ̃, ɑ̃t] *nm, f* attacker.

assaillir [asajir] *vt* to attack; **~ qqn de questions** to bombard sb with questions.

assaisonnement [asɛzɔnmɑ̃] *nm (sel et poivre)* seasoning; *(sauce)* dressing.

assassin [asasɛ̃] *nm* murderer.

assassiner [asasine] *vt* to murder.

assaut [aso] *nm* assault.

assemblage [asɑ̃blaʒ] *nm* assembly.

assemblée [asɑ̃ble] *nf* meeting; **l'Assemblée (nationale)** *lower house of the French parliament.*

assembler [asɑ̃ble] *vt* to assemble.

asseoir [aswar] : **s'asseoir** *vp* to sit down.

assez [ase] *adv (suffisamment)* enough; *(plutôt)* quite; **~ de** enough; **en avoir ~ (de)** to be fed up (with).

assidu, -e [asidy] *adj* diligent.

assiéger [asjeʒe] *vt* to besiege.

assiette [asjɛt] *nf* plate; **~ de crudités** *raw vegetables served as a starter*; **~ creuse** soup dish; **~ à dessert** dessert plate; **~ plate** dinner plate; **~ valaisanne** *cold meat, cheese and gherkins, a speciality of the Valais region of Switzerland.*

assimiler [asimile] *vt (comprendre)* to assimilate; *(comparer)*: **~ qqn/qqch à** to compare sb/sthg with.

assis, -e [asi, iz] *pp* → **asseoir** ♦ *adj*: **être ~** to be seated OU sitting.

assises [asiz] *nfpl*: **(cour d')~** = crown court *(Br)*; = circuit court *(Am)*.

assistance [asistɑ̃s] *nf (public)* audience; *(aide)* assistance.

assistant, -e [asistɑ̃, ɑ̃t] *nm, f* assistant; **~e sociale** social worker.

assister [asiste] *vt (aider)* to assist; **~ à** *(concert)* to attend; *(meurtre)* to witness.

association [asɔsjasjɔ̃] *nf* association.

associer [asɔsje] *vt* to associate ❑ **s'associer (à** OU **avec)** *vp (+ prép)* to join forces (with).

assombrir [asɔ̃brir] *vt* to darken ❑ **s'assombrir** *vp* to darken.

assommer [asɔme] *vt* to knock out.

assorti, -e [asɔrti] *adj (en har-*

monie) matching; *(varié)* assorted.

assortiment [asɔrtimɑ̃] *nm* assortment.

assoupir [asupir] : **s'assoupir** *vp* to doze off.

assouplir [asuplir] *vt (muscles)* to loosen up.

assouplissant [asuplisɑ̃] *nm* fabric softener.

assouplissement [asuplismɑ̃] *nm (exercices)* limbering up.

assouplisseur [asuplisœr] = **assouplissant.**

assourdissant, -e [asurdisɑ̃, ɑ̃t] *adj* deafening.

assumer [asyme] *vt (consé-quences, responsabilité)* to accept; *(fonction, rôle)* to carry out.

assurance [asyrɑ̃s] *nf (contrat)* insurance; *(aisance)* self-confidence; **~ automobile** car insurance; **~ tous risques** comprehensive insurance.

assuré, -e [asyre] *adj (certain)* certain; *(résolu)* determined.

assurer [asyre] *vt (maison, voiture)* to insure; *(fonction, tâche)* to carry out; **je t'assure que** I assure you (that) ❏ **s'assurer** *vp (par un contrat)* to take out insurance; **s'~ contre le vol** to insure o.s. against theft; **s'~ de** to make sure of; **s'~ que** to make sure (that).

astérisque [asterisk] *nm* asterisk.

asthmatique [asmatik] *adj* asthmatic.

asthme [asm] *nm* asthma.

asticot [astiko] *nm* maggot.

astiquer [astike] *vt* to polish.

astre [astr] *nm* star.

astreignant, -e [astrɛɲɑ̃, ɑ̃t] *adj* demanding.

astrologie [astrɔlɔʒi] *nf* astrology.

astronaute [astronot] *nm* astronaut.

astronomie [astronɔmi] *nf* astronomy.

astuce [astys] *nf (ingéniosité)* shrewdness; *(truc)* trick.

astucieux, -ieuse [astysjø, jøz] *adj* clever.

atelier [atəlje] *nm* workshop; *(de peintre)* studio.

athée [ate] *adj* atheist.

athénée [atene] *nm (Belg)* secondary school *(Br)*, high school *(Am)*.

athlète [atlɛt] *nmf* athlete.

athlétisme [atletism] *nm* athletics *(sg)*.

Atlantique [atlɑ̃tik] *nm*: **l'(océan) ~** the Atlantic (Ocean).

atlas [atlas] *nm* atlas.

atmosphère [atmɔsfɛr] *nf* atmosphere.

atome [atom] *nm* atom.

atomique [atɔmik] *adj* atomic.

atomiseur [atɔmizœr] *nm* spray.

atout [atu] *nm* trump; *(avantage)* asset; **~ pique** clubs are trumps.

atroce [atrɔs] *adj* terrible.

atrocité [atrɔsite] *nf* atrocity.

attachant, -e [ataʃɑ̃, ɑ̃t] *adj* lovable.

attaché-case [ataʃekɛz] *(pl* attachés-cases) *nm* attaché case.

attachement [ataʃmɑ̃] *nm* attachment.

attacher [ataʃe] *vt* to tie (up) ♦ *vi* to stick; **attachez vos ceintures** fasten your seat belts ❏ **s'attacher** *vp (se nouer)* to fasten; **s'~ à**

qqn to become attached to sb.

attaquant [atakã] nm attacker.

attaque [atak] nf attack.

attaquer [atake] vt to attack ❑ **s'attaquer à** vp + prép (personne) to attack; (problème, tâche) to tackle.

attarder [atarde] : **s'attarder** vp to stay (late).

atteindre [atɛ̃dr] vt to reach; (émouvoir) to affect; (suj: balle) to hit; **être atteint de** to suffer from.

atteint, -e [atɛ̃, ɛ̃t] pp → atteindre.

atteinte [atɛ̃t] nf → **hors**.

atteler [atle] vt (chevaux) to harness; (remorque) to hitch (up).

attelle [atɛl] nf splint.

attendre [atɑ̃dr] vt to wait for; (espérer) to expect ❖ vi to wait; ~ **un enfant** to be expecting a baby; ~ **que qqn fasse qqch** to wait for sb to do sthg; ~ **qqch de** to expect sthg from ❑ **s'attendre à** vp + prép to expect.

attendrir [atɑ̃drir] vt to move.

attentat [atɑ̃ta] nm attack; ~ **à la bombe** bombing.

attente [atɑ̃t] nf wait; **en** ~ pending.

attentif, -ive [atɑ̃tif, iv] adj attentive.

attention [atɑ̃sjɔ̃] nf attention; ~**!** watch out!; **faire** ~ (**à**) (se concentrer) to pay attention (to); (être prudent) to be careful (of).

atténuer [atenɥe] vt (son) to reduce; (douleur) to ease.

atterrir [aterir] vi to land.

atterrissage [aterisaʒ] nm landing; **à l'**~ on landing.

attestation [atɛstasjɔ̃] nf cer-

tificate.

attirant, -e [atirɑ̃, ɑ̃t] adj attractive.

attirer [atire] vt to attract; ~ **l'attention de qqn** to attract sb's attention ❑ **s'attirer** vp: **s'**~ **des ennuis** to get (o.s.) into trouble.

attiser [atize] vt to poke.

attitude [atityd] nf (comportement) attitude.

attraction [atraksjɔ̃] nf attraction.

attrait [atrɛ] nm (charme) appeal.

attrape-nigaud, -s [atrapnigo] nm con.

attraper [atrape] vt to catch; (gronder) to tell off; ~ **un coup de soleil** to get sunburned.

attrayant, -e [atrɛjɑ̃, ɑ̃t] adj attractive.

attribuer [atribɥe] vt: ~ **qqch à qqn** to award sthg to sb.

attroupement [atrupmɑ̃] nm crowd.

au [o]= **à** + **le**, → **à**.

aube [ob] nf dawn; **à l'**~ at dawn.

auberge [obɛrʒ] nf inn; ~ **de jeunesse** youth hostel.

aubergine [obɛrʒin] nf aubergine (Br), eggplant (Am).

aucun, -e [okœ̃, yn] adj no ❖ pron none; ~ **train ne va à Bordeaux** none of the trains go to Bordeaux; **nous n'avons** ~ **dépliant** we haven't got any leaflets; **sans** ~ **doute** without doubt; ~**e idée!** I've no idea!; ~ **des deux** neither (of them); ~ **d'entre nous** none of us.

audace [odas] nf boldness.

audacieux, -ieuse [odasjø,

jøz] *adj* bold.

au-delà [odla] *adv* beyond; ~ **de** beyond.

au-dessous [odsu] *adv* below; *(à l'étage inférieur)* downstairs; **les enfants de 12 ans et** ~ children aged 12 and under; ~ **de** below; *(à l'étage inférieur)* downstairs from; **les enfants** ~ **de 16 ans** children under (the age of) 16.

au-dessus [odsy] *adv* above; *(à l'étage supérieur)* upstairs; **les gens de 50 ans et** ~ people aged 50 and over; ~ **de** over; *(à l'étage supérieur)* upstairs from; ~ **de 1 000 F** over 1,000 francs.

audience [odjãs] *nf* audience.

audiovisuel, -elle [odjovizɥɛl] *adj* audio-visual.

auditeur, -trice [oditœr, tris] *nm, f* listener.

audition [odisjɔ̃] *nf (examen)* audition; *(sens)* hearing.

auditoire [oditwar] *nm* audience.

auditorium [oditɔrjɔm] *nm* auditorium.

augmentation [ogmãtasjɔ̃] *nf* increase; ~ **(de salaire)** (pay) rise *(Br)*; raise *(Am)*; **en** ~ **on** the increase.

augmenter [ogmãte] *vt* to raise, to increase ♦ *vi* to increase; *(devenir plus cher)* to go up.

aujourd'hui [oʒurdɥi] *adv* today.

auparavant [oparavã] *adv (d'abord)* first; *(avant)* before.

auprès [oprɛ] : **auprès de** *prép* near; *(en s'adressant à)* with.

auquel [okɛl] = **à** + **lequel**, → **lequel**.

aura *etc* → **avoir**.

auréole [oreɔl] *nf (tache)* ring.

aurore [orɔr] *nf* dawn.

ausculter [oskylte] *vt* : ~ **qqn** to listen to sb's chest.

aussi [osi] *adv* **1.** *(également)* also, too; **j'ai faim - moi** ~! I'm hungry - so am I!
2. *(introduit une comparaison)* : ~ ... **que as** ... as; **il n'est pas** ~ **intelligent que son frère** he's not as clever as his brother.
3. *(à ce point)* so; **je n'ai jamais rien vu d'**~ **beau** I've never seen anything so beautiful.
♦ *conj (par conséquent)* so.

aussitôt [osito] *adv* immediately; ~ **que as** soon as.

austère [oster] *adj* austere.

Australie [ostrali] *nf* : **l'**~ Australia.

australien, -ienne [ostraljɛ̃, jɛn] *adj* Australian.

autant [otã] *adv* **1.** *(exprime la comparaison)* : ~ **que as** much as; **l'aller simple coûte presque** ~ **que l'aller et retour** a single costs almost as much as a return; ~ **de** ... **que** *(argent, patience)* as much ... as; *(amis, valises)* as many ... as.
2. *(exprime l'intensité)* so much; **je ne savais pas qu'il pleuvait** ~ **ici** I didn't know it rained so much here; ~ **de** *(argent, patience)* so much; *(amis, valises)* so many.
3. *(il vaut mieux)* : ~ **partir demain** I/we may as well leave tomorrow.
4. *(dans des expressions)* : **j'aime** ~ ... I'd rather ...; **d'**~ **que** especially since; **d'**~ **plus que** all the more so because; **pour** ~ **que je sache** as far as I know.

autel [otɛl] *nm* altar.

auteur [otœr] *nm (d'une chanson)* composer; *(d'un livre)* author; *(d'un crime)* person responsible.

authentique [otɑ̃tik] *adj* genuine.

auto [oto] *nf* car; **~s tamponneuses** dodgems.

autobiographie [otobjɔgrafi] *nf* autobiography.

autobus [otobys] *nm* bus; **~ à impériale** double-decker (bus).

autocar [otokar] *nm* coach.

autocollant [otokɔlɑ̃] *nm* sticker.

autocouchettes [otokuʃɛt] *adj inv:* **train ~** ≈ Motorail® train.

autocuiseur [otokɥizœr] *nm* pressure cooker.

auto-école, -s [otoekɔl] *nf* driving school.

autographe [otograf] *nm* autograph.

automate [otomat] *nm (jouet)* mechanical toy.

automatique [otomatik] *adj (système)* automatic; *(geste, réaction)* instinctive.

automne [otɔn] *nm* autumn *(Br)*, fall *(Am)*; **en ~** in autumn *(Br)*, in the fall *(Am)*.

automobile [otomɔbil] *adj* car *(avant n)*.

automobiliste [otomobilist] *nmf* motorist.

autonome [otonɔm] *adj* autonomous.

autonomie [otonɔmi] *nf* autonomy.

autopsie [otopsi] *nf* postmortem (examination).

autoradio [otoradjo] *nm* car radio.

autorisation [otorizasjɔ̃] *nf* permission; *(document)* permit.

autoriser [otorize] *vt* to authorize; **~ qqn à faire qqch** to give sb permission to do sthg.

autoritaire [otoriter] *adj* authoritarian.

autorité [otorite] *nf* authority; **les ~s** the authorities.

autoroute [otorut] *nf* motorway *(Br)*, freeway *(Am)*; **~ à péage** toll motorway *(Br)*, turnpike *(Am)*.

auto-stop [otostɔp] *nm* hitchhiking; **faire de l'~** to hitch(hike).

autour [otur] *adv* around; **tout ~** all around; **~ de** around.

autre [otr] *adj* **1.** *(différent)* other; **j'aimerais essayer une ~ couleur** I'd like to try another OU a different colour.
2. *(supplémentaire):* **une ~ bouteille d'eau minérale, s'il vous plaît** another bottle of mineral water, please; **il n'y a rien d'~ à voir ici** there's nothing else to see here; **veux-tu quelque chose d'~?** do you want anything else?
3. *(restant)* other; **tous les ~s passagers sont maintenant priés d'embarquer** could all remaining passengers now come forward for boarding.
4. *(dans des expressions):* **~ part** somewhere else; **d'~ part** besides. ◆ *pron:* **l'~** the other (one); **un ~** another (one); **il ne se soucie pas des ~s** he doesn't think of others; **d'une minute à l'~** any minute now; **entre ~s** among others, **~ un.**

autrefois [otrəfwa] *adv* formerly.

autrement [otrəmɑ̃] *adv (différemment)* differently; *(sinon)* otherwise; **~ dit** in other words.

Autriche [otriʃ] *nf:* **l'~** Austria.

autrichien, -ienne [otriʃjɛ̃, jɛn] *adj* Austrian ❏ **Autrichien, -ienne** *nm, f* Austrian.

autruche [otryʃ] *nf* ostrich.

auvent [ovɑ̃] *nm* awning.

Auvergne [overɲ] *nf* → **bleu**.

aux [o] = **à** + **les**, → **à**.

auxiliaire [oksiljɛr] *nmf* assistant ❖ *nm* (GRAMM) auxiliary.

auxquelles [okɛl] = **à** + **lesquelles**, → **lequel**.

auxquels [okɛl] = **à** + **lesquels**, → **lequel**.

av. (*abr de* avenue) Ave.

avachi, -e [avaʃi] *adj* (canapé, chaussures) misshapen; (personne) lethargic.

aval [aval] *nm*: **aller vers l'~** to go downstream; **en ~ (de)** downstream (from).

avalanche [avalɑ̃ʃ] *nf* avalanche.

avaler [avale] *vt* to swallow.

avance [avɑ̃s] *nf* advance; **à l'~**, **d'~** in advance; **en ~** early.

avancer [avɑ̃se] *vt* to move forward; (main, assiette) to hold out; (anticiper) to bring forward; (prêter) to advance ❖ *vi* to move forward; (progresser) to make progress; (montre) to be fast; **~ de cinq minutes** to be five minutes fast ❏ **s'avancer** *vp* to move forward; (partir devant) to go ahead.

avant [avɑ̃] *prép* before ❖ *adv* earlier; (autrefois) formerly; (d'abord) first; (dans un classement) ahead ❖ *nm* front; (SPORT) forward ❖ *adj* inv front; **~ de faire qqch** before doing sth; **~ que** before; **~ tout** (surtout) above all; (d'abord) first of all; **l'année d'~** the year before; **en ~** (tomber) forward, forwards; **partir en ~** to go on ahead.

avantage [avɑ̃taʒ] *nm* advantage.

avantager [avɑ̃taʒe] *vt* to favour.

avantageux, -euse [avɑ̃taʒø, øz] *adj* (prix, offre) good.

avant-bras [avɑ̃bra] *nm inv* forearm.

avant-dernier, -ière, -s [avɑ̃dernje, jɛr] *adj* penultimate ❖ *nm, f* last but one.

avant-hier [avɑ̃tjɛr] *adv* the day before yesterday.

avant-première, -s [avɑ̃prəmjɛr] *nf* preview.

avant-propos [avɑ̃prɔpo] *nm inv* foreword.

avare [avar] *adj* mean ❖ *nmf* miser.

avarice [avaris] *nf* avarice.

avarié, -e [avarje] *adj* bad.

avec [avɛk] *prép* with; **~ élégance** elegantly; **et ~ ça?** anything else?

avenir [avnir] *nm* future; **à l'~** in future; **d'~** (technique) promising; (métier) with a future.

aventure [avɑ̃tyr] *nf* adventure; (amoureuse) affair.

aventurer [avɑ̃tyre] : **s'aventurer** *vp* to venture.

aventurier, -ière [avɑ̃tyrje, jɛr] *nm, f* adventurer.

avenue [avny] *nf* avenue.

avérer [avere] : **s'avérer** *vp* (se révéler) to turn out to be.

averse [avers] *nf* downpour.

avertir [avertir] *vt* to inform; **~ qqn de qqch** to warn sb of sth.

avertissement [avertismɑ̃] *nm* warning.

aveu, -x [avø] *nm* confession.

aveugle [avœgl] *adj* blind ❖ *nmf*

blind person.

aveugler [avœgle] *vt* to blind.

aveuglette [avœglɛt] **: à l'aveuglette** *adv*: **avancer à l'~** to grope one's way.

aviateur [avjatœr] *nm* aviator.

aviation [avjasjɔ̃] *nf* (MIL) airforce.

avide [avid] *adj* greedy; **~ de** greedy for.

avion [avjɔ̃] *nm* (aero)plane *(Br)*, (air)plane *(Am)*; **~ à réaction** jet (plane); **«par ~»** "airmail".

aviron [avirɔ̃] *nm* (rame) oar; (sport) rowing.

avis [avi] *nm* (opinion) opinion; (information) notice; **changer d'~** to change one's mind; **à mon ~** in my opinion; **~ de réception** acknowledgment of receipt.

avisé, -e [avize] *adj* sensible.

av. J-C (abr de avant Jésus-Christ) BC.

avocat [avɔka] *nm* (homme de loi) lawyer; (fruit) avocado (pear).

avoine [avwan] *nf* oats (pl).

avoir [avwar] *vt* 1. (posséder) to have (got); **j'ai deux frères et une sœur** I've got two brothers and a sister.

2. (comme caractéristique) to have; **les cheveux bruns** to have brown hair; **~ de l'ambition** to be ambitious.

3. (être âgé de): **quel âge as-tu?** how old are you?; **j'ai 13 ans** I'm 13 (years old).

4. (obtenir) to get.

5. (éprouver) to feel; **~ du chagrin** to be sad.

6. (fam: duper): **je t'ai bien eu!** I really had you going!; **se faire ~** (se faire escroquer) to be conned;

(tomber dans le piège) to be caught out.

7. (exprime l'obligation): **~ à faire qqch** to have to do sthg; **vous n'avez qu'à remplir ce formulaire** you just need to fill in this form.

8. (dans des expressions): **vous en avez encore pour longtemps?** will it take much longer?; **nous en avons eu pour 200 F** it cost us 200 francs.

♦ *v aux* to have; **j'ai terminé** I have finished; **hier nous avons visité le château** we visited the castle yesterday.

❏ **il y a** *v impers* 1. (il existe) there is/are; **il y a un problème** there's a problem; **y a-t-il des toilettes dans les environs?** are there any toilets nearby?; **qu'est-ce qu'il y a?** what is it?; **il n'y a qu'à revenir demain** we'll just have to come back tomorrow.

2. (temporel): **il y a trois ans** three years ago; **il y a plusieurs années que nous venons ici** we've been coming here for several years now.

avortement [avɔrtəmã] *nm* abortion.

avorter [avɔrte] *vi* (MÉD) to have an abortion; (fig: projet) to fail.

avouer [avwe] *vt* to admit.

avril [avril] *nm* April; **le premier ~** April Fools' Day, → **septembre**.

LE PREMIER AVRIL

In France it is traditional on April Fools' Day for children to stick cut-out paper fishes on the backs of their friends, or even passers-by in the street, without them knowing.

---

axe [aks] *nm* axis; (routier) major

road; *(ferroviaire)* main line; ~ **rouge** section of Paris road system where parking is prohibited to avoid congestion.

ayant [ɛjɑ̃] *ppr* → **avoir**.

ayons → **avoir**.

azote [azɔt] *nm* nitrogen.

Azur [azyr] *n* → **côte**.

B

B *(abr de bien)* G.

baba [baba] *nm*: ~ **au rhum** rum baba.

babines [babin] *nfpl* chops.

babiole [babjɔl] *nf* trinket.

bâbord [babɔr] *nm* port; **à ~** to port.

baby-foot [babifut] *nm inv* table football.

baby-sitter, -s [bebisitœr] *nmf* baby-sitter.

bac [bak] *nm (récipient)* container; *(bateau)* ferry; *(fam)* = **baccalauréat.**

baccalauréat [bakalɔrea] *nm* = A levels *(Br)*, = SATs *(Am)*.

ⓘ BACCALAURÉAT

In France the "baccalauréat" is the exam taken by students in their final year at "lycée" who want to go on to further education. It covers a wide range of subjects but students may select one major subject area

---

relevant to their chosen career, eg arts, science, engineering or fine art.

---

bâche [baʃ] *nf* tarpaulin.

bâcler [bakle] *vt (fam)* to botch.

bacon [bekɔn] *nm* bacon.

bactérie [bakteri] *nf* bacterium.

badge [badʒ] *nm* badge.

badigeonner [badiʒone] *vt (mur)* to whitewash.

badminton [badmintɔn] *nm* badminton.

baffe [baf] *nf (fam)* clip on the ear.

baffle [bafl] *nm* speaker.

bafouiller [bafuje] *vi* to mumble.

bagage [bagaʒ] *nm* piece of luggage OU baggage; *(fig: connaissances)* knowledge; **~s** luggage *(sg)*, baggage *(sg)*; **~s à main** hand luggage.

bagarre [bagar] *nf* fight.

bagarrer [bagare] **: se bagarrer** *vp* to fight.

bagarreur, -euse [bagarœr, øz] *adj* violent.

bagnes [baɲ] *nm* hard strong Swiss cheese made from cow's milk.

bagnole [baɲɔl] *nf (fam)* car.

bague [bag] *nf* ring.

baguette [bagɛt] *nf (tige)* stick; *(de chef d'orchestre)* baton; *(chinoise)* chopstick; *(pain)* French stick; **~ magique** magic wand.

baie [bɛ] *nf (fruit)* berry; *(golfe)* bay; *(fenêtre)* bay window; **~ vitrée** picture window.

baignade [beɲad] *nf* swim; **«~ interdite»** "no swimming".

baigner [beɲe] *vt* to bath; *(suj:*

sueur, larmes) to bathe ♦ vi: ~ **dans** to be swimming in ❑ **se baigner** vp (dans la mer) to go for a swim; (dans une baignoire) to have a bath.

baignoire [bɛɲwar] nf bath.

bail [baj] (pl **baux**) nm lease.

bâiller [baje] vi to yawn; (être ouvert) to gape.

bâillonner [bajɔne] vt to gag.

bain [bɛ̃] nm bath; **prendre un ~** to have a bath; **prendre un ~ de soleil** to sunbathe; **grand ~** main pool; **petit ~** children's pool.

bain-marie [bɛ̃mari] nm cooking method in which a pan is placed inside a larger pan containing boiling water.

baïonnette [bajɔnɛt] nf (arme) bayonet; (d'ampoule) bayonet fitting.

baiser [beze] nm kiss.

baisse [bɛs] nf drop; **en ~** falling.

baisser [bese] vt to lower; (son) to turn down ♦ vi (descendre) to go down; (diminuer) to drop ❑ **se baisser** vp to bend down.

bal [bal] nm ball.

balade [balad] nf (à pied) walk; (en voiture) drive; (en vélo) ride.

balader [balade] : **se balader** vp (à pied) to go for a walk; (en voiture) to go for a drive; (en vélo) to go for a ride.

baladeur [baladœr] nm Walkman®.

balafre [balafr] nf gash.

balai [balɛ] nm broom, brush; (d'essuie-glace) blade.

balance [balɑ̃s] nf scales (pl) ❑ **Balance** nf Libra.

balancer [balɑ̃se] vt to swing; (fam: jeter) to throw away ❑ **se balancer** vp (sur une chaise) to rock;

(sur une balançoire) to swing.

balancier [balɑ̃sje] nm (de pendule) pendulum.

balançoire [balɑ̃swar] nf (bascule) seesaw; (suspendue) swing.

balayer [baleje] vt to sweep.

balayeur [balejœr] nm roadsweeper.

balbutier [balbysje] vi to stammer.

balcon [balkɔ̃] nm balcony; (au théâtre) circle.

baleine [balɛn] nf (animal) whale; (de parapluie) rib.

balise [baliz] nf (NAVIG) marker (buoy); (de randonnée) marker.

ballant, -e [balɑ̃, ɑ̃t] adj: **les bras ~s** arms dangling.

balle [bal] nf (SPORT) ball; (d'arme à feu) bullet; (fam: franc) franc; **~ à blanc** blank.

ballerine [balrin] nf (chaussure) ballet shoe; (danseuse) ballerina.

ballet [balɛ] nm ballet.

ballon [balɔ̃] nm (SPORT) ball; (pour fête, montgolfière) balloon; (verre) round wineglass.

ballonné, -e [balɔne] adj swollen.

ballotter [balɔte] vi to roll around.

balnéaire [balneɛr] adj → **station.**

balustrade [balystrad] nf balustrade.

bambin [bɑ̃bɛ̃] nm toddler.

bambou [bɑ̃bu] nm bamboo.

banal, -e [banal] adj banal.

banane [banan] nf banana; (porte-monnaie) bum bag (Br), fanny pack (Am).

banc [bɑ̃] nm bench; (de poissons)

shoal; ~ **public** park bench; ~ **de sable** sandbank.

bancaire [bɑ̃kɛr] adj bank (avant n), banking (avant n).

bancal, -e [bɑ̃kal] adj wobbly.

bandage [bɑ̃daʒ] nm bandage.

bande [bɑ̃d] nf (de tissu, de papier) strip; (pansement) bandage; (groupe) band; ~ **d'arrêt d'urgence** hard shoulder (Br), shoulder (Am); ~ **blanche** (sur route) white line; ~ **dessinée** comic strip; ~ **magnétique** tape; ~ **originale** original soundtrack.

bandeau, -x [bɑ̃do] nm (dans les cheveux) headband; (sur les yeux) blindfold.

bander [bɑ̃de] vt (yeux) to blindfold; (blessure) to bandage.

banderole [bɑ̃drɔl] nf streamer.

bandit [bɑ̃di] nm bandit.

bandoulière [bɑ̃duljɛr] nf shoulder strap; **en** ~ across the shoulder.

banjo [bɑ̃dʒo] nm banjo.

banlieue [bɑ̃ljø] nf suburbs (pl); **les** ~**s** the suburbs (usually associated with social problems).

banlieusard, -e [bɑ̃ljøzar, ard] nm, f person living in the suburbs.

banque [bɑ̃k] nf bank.

banquet [bɑ̃kɛ] nm banquet.

banquette [bɑ̃kɛt] nf seat.

banquier [bɑ̃kje] nm banker.

banquise [bɑ̃kiz] nf ice field.

baptême [batɛm] nm baptism; ~ **de l'air** maiden flight.

bar [bar] nm bar; ~ **à café** (Helv) café.

baraque [barak] nf (de jardin) shed; (de fête foraine) stall; (fam: maison) house.

baratin [baratɛ̃] nm (fam) smooth talk.

barbare [barbar] adj barbaric.

Barbarie [barbari] n → **orgue**.

barbe [barb] nf beard; ~ **à papa** candyfloss (Br), cotton candy (Am).

barbecue [barbəkju] nm barbecue.

barbelé [barbəle] nm: (fil de fer) ~ barbed wire.

barboter [barbɔte] vi to splash about.

barbouillé, -e [barbuje] adj: **être** ~ to feel sick.

barbouiller [barbuje] vt (feuille) to daub.

barbu [barby] adj m bearded.

barème [barɛm] nm (de prix) list; (de notes) scale.

baril [baril] nm barrel.

bariolé, -e [barjɔle] adj multicoloured.

barman [barman] nm barman.

baromètre [barɔmɛtr] nm barometer.

baron, -onne [barɔ̃, ɔn] nm, f baron (f baroness).

barque [bark] nf small boat.

barrage [baraʒ] nm (sur une rivière) dam; ~ **de police** police roadblock.

barre [bar] nf (de fer, de chocolat) bar; (trait) stroke; (NAVIG) tiller.

barreau, -x [baro] nm bar.

barrer [bare] vt (rue, route) to block; (mot, phrase) to cross out; (NAVIG) to steer.

barrette [barɛt] nf (à cheveux) hair slide (Br), barrette (Am).

barricade [barikad] nf barricade.

barricader [barikade] *vt* to barricade ❏ **se barricader** *vp* to barricade o.s.

barrière [barjɛr] *nf* barrier.

bar-tabac [bartaba] (*pl* **bars-tabacs**) *nm* bar also selling cigarettes and tobacco.

bas, basse [ba, bas] *adj* low ◆ *nm* bottom; (*vêtement*) stocking ◆ *adv* (*dans l'espace*) low; (*parler*) softly; **en ~** at the bottom; (*à l'étage inférieur*) downstairs; **en ~ de** at the bottom of; (*à l'étage inférieur*) downstairs from.

bas-côté, -s [bakote] *nm* (*de la route*) verge.

bascule [baskyl] *nf* (*pour peser*) weighing machine; (*jeu*) seesaw.

basculer [baskyle] *vt* to tip up ◆ *vi* to overbalance.

base [baz] *nf* (*partie inférieure*) base; (*origine, principe*) basis; **à ~ de whisky** whisky-based; **de ~** basic; **~ de données** database.

baser [baze] *vt*: **~ qqch sur** to base sthg on ❏ **se baser sur** *vp + prép* to base one's argument on.

basilic [bazilik] *nm* basil.

basilique [bazilik] *nf* basilica.

basket [baskɛt] *nm ou nf* (*chaussure*) trainer (*Br*), sneaker (*Am*).

basket(-ball) [baskɛt(bol)] *nm* basketball.

basquaise [baskɛz] *adj* → **poulet**.

basque [bask] *adj* Basque ◆ *nm* (*langue*) Basque ❏ **Basque** *nmf* Basque.

basse → **bas**.

basse-cour [baskur] (*pl* **basses-cours**) *nf* farmyard.

bassin [basɛ̃] *nm* (*plan d'eau*)

pond; (*ANAT*) pelvis; **le Bassin parisien** the Paris Basin; **grand ~** (*de piscine*) main pool; **petit ~** (*de piscine*) children's pool.

bassine [basin] *nf* bowl.

Bastille [bastij] *nf*: **l'opéra ~** Paris opera house on the site of the former Bastille prison.

bataille [bataj] *nf* battle.

batailleur, -euse [batajœr, øz] *adj* aggressive.

bâtard, -e [batar, ard] *nm, f* (*chien*) mongrel.

bateau, -x [bato] *nm* boat; (*grand*) ship; (*sur le trottoir*) driveway entrance; **~ de pêche** fishing boat; **~ à voiles** sailing boat.

bateau-mouche [batomuʃ] (*pl* **bateaux-mouches**) *nm* pleasure boat on the Seine.

bâtiment [batimɑ̃] *nm* building; **le ~** (*activité*) the building trade.

bâtir [batir] *vt* to build.

bâton [batɔ̃] *nm* stick; **~ de rouge à lèvres** lipstick.

bâtonnet [batonɛ] *nm* stick.

battant [batɑ̃] *nm* door (*of double doors*).

battement [batmɑ̃] *nm* (*coup*) beat, beating; (*intervalle*) break.

batterie [batri] *nf* (*AUT*) battery; (*MUS*) drums (*pl*); **~ de cuisine** kitchen utensils (*pl*).

batteur, -euse [batœr, øz] *nm, f* (*MUS*) drummer ◆ *nm* (*mélangeur*) whisk.

battre [batr] *vt* to beat ◆ *vi* (*cœur*) to beat; (*porte, volet*) to bang; **~ des œufs en neige** to beat egg whites until stiff; **la mesure** to beat time; **~ des mains** to clap (one's hands) ❏ **se battre** *vp*: **se ~** (**avec qqn**) to fight (with sb).

baume [bom] *nm* balm.

baux [bo] → **bail**.

bavard, -e [bavar, ard] *adj* talkative ♦ *nm, f* chatterbox.

bavardage [bavardaʒ] *nm* chattering.

bavarder [bavarde] *vi* to chat.

bavarois [bavarwa] *nm (CULIN) cold dessert consisting of a sponge base and layers of fruit mousse, cream and custard.*

bave [bav] *nf* dribble; *(d'un animal)* slaver.

baver [bave] *vi* to dribble; *(animal)* to slaver; **en ~** *(fam)* to have a rough time (of it).

bavette [bavɛt] *nf (CULIN) lower part of sirloin.*

baveux, -euse [bavø, øz] *adj (omelette)* runny.

bavoir [bavwar] *nm* bib.

bavure [bavyr] *nf (tache)* smudge; *(erreur)* mistake.

bazar [bazar] *nm (magasin)* general store; *(fam: désordre)* shambles (sg).

BCBG *adj (abr de bon chic bon genre)* term used to describe an upper-class lifestyle reflected especially in expensive, conservative clothes.

Bd *abr* = boulevard.

BD *nf (fam)* = bande dessinée.

beau, bel [bo, bɛl] *(f belle* [bɛl], *mpl beaux* [bo]*) adj* beautiful; *(personne)* good-looking; *(agréable)* lovely ♦ *adv* : **il fait ~ the weather is good; j'ai ~ essayer ... try as I may ...; ~ travail!** *(iron)* well done!; **j'ai un ~ rhume** I've got a nasty cold; **un ~ jour** one fine day.

beaucoup [boku] *adv* a lot; **~ de** a lot of; **~ plus cher** much more expensive; **il a ~ plus d'argent que moi** he's got much more money than me; **il y a ~ plus de choses à voir ici** there are many more things to see here.

beau-fils [bofis] *(pl* **beaux-fils***) nm (fils du conjoint)* stepson; *(gendre)* son-in-law.

beau-frère [bofrɛr] *(pl* **beaux-frères***) nm* brother-in-law.

beau-père [boper] *(pl* **beaux-pères***) nm (père du conjoint)* father-in-law; *(conjoint de la mère)* stepfather.

beauté [bote] *nf* beauty.

beaux-parents [boparɑ̃] *nmpl* in-laws.

bébé [bebe] *nm* baby.

bec [bɛk] *nm* beak; **~ verseur** spout.

béchamel [beʃamɛl] *nf:* **(sauce) ~** béchamel sauce.

bêche [bɛʃ] *nf* spade.

bêcher [beʃe] *vt* to dig.

bée [be] *adj f:* **bouche ~** open-mouthed.

bégayer [begeje] *vi* to stammer.

bégonia [begɔnja] *nm* begonia.

beige [bɛʒ] *adj & nm* beige.

beigne [bɛɲ] *nf (Can)* ring doughnut.

beignet [beɲɛ] *nm* fritter.

bel [bɛl] → **beau**.

bêler [bele] *vi* to bleat.

belge [bɛlʒ] *adj* Belgian ❑ **Belge** *nmf* Belgian.

Belgique [bɛlʒik] *nf:* **la ~** Belgium.

bélier [belje] *nm* ram ❑ **Bélier** *nm* Aries.

belle-fille [bɛlfij] *(pl* **belles-filles***) nf (fille du conjoint)* stepdaughter; *(conjointe du fils)* daughter-in-law.

Belle-Hélène [bɛlelɛn] *adj* → poire.

belle-mère [bɛlmɛr] *(pl belles-mères)* *nf (mère du conjoint)* mother-in-law; *(conjointe du père)* stepmother.

belle-sœur [bɛlsœr] *(pl belles-sœurs)* *nf* sister-in-law.

belote [bəlɔt] *nf* French card game.

bénéfice [benefis] *nm (FIN)* profit; *(avantage)* benefit.

bénéficier [benefisje] : **bénéficier de** *v + prép* to benefit from.

bénéfique [benefik] *adj* beneficial.

bénévole [benevɔl] *adj* voluntary.

bénin, -igne [benɛ̃, iɲ] *adj* benign.

bénir [benir] *vt* to bless.

bénite [benit] *adj f* → **eau.**

bénitier [benitje] *nm* font.

benne [bɛn] *nf* skip.

BEP *nm* vocational school-leaver's diploma (taken at age 18).

béquille [bekij] *nf* crutch; *(de vélo, de moto)* stand.

berceau, -x [bɛrso] *nm* cradle.

bercer [bɛrse] *vt* to rock.

berceuse [bɛrsøz] *nf* lullaby.

Bercy [bɛrsi] *n*: **le palais omnisports de Paris-)~** *large sports and concert hall in Paris.*

béret [berɛ] *nm* beret.

berge [bɛrʒ] *nf (d'un cours d'eau)* bank.

berger, -ère [bɛrʒe, ɛr] *nm, f* shepherd *(f* shepherdess); **~ allemand** Alsatian.

bergerie [bɛrʒəri] *nf* sheepfold.

berlingot [bɛrlɛ̃go] *nm (bonbon)* boiled sweet; *(de lait, de Javel)* plastic bag.

bermuda [bɛrmyda] *nm* Bermuda shorts *(pl).*

berner [bɛrne] *vt* to fool.

besogne [bəzɔɲ] *nf* job.

besoin [bəzwɛ̃] *nm* need; **avoir ~ de qqch** to need sthg; **avoir ~ de faire qqch** to need to do sthg; **faire ses ~s** to relieve o.s.

bestiole [bɛstjɔl] *nf* creepy-crawly.

best-seller, -s [bɛstselœr] *nm* best-seller.

bétail [betaj] *nm* cattle *(pl).*

bête [bɛt] *adj* stupid ♦ *nf* animal.

bêtement [bɛtmɑ̃] *adv* stupidly.

bêtise [betiz] *nf (acte, parole)* stupid thing; *(stupidité)* stupidity.

béton [betɔ̃] *nm* concrete.

bette [bɛt] *nf* (Swiss) chard.

betterave [bɛtrav] *nf* beetroot.

beurre [bœr] *nm* butter.

beurrer [bœre] *vt* to butter.

biais [bjɛ] *nm (moyen)* way; **en ~** *(couper)* diagonally.

bibelot [biblo] *nm* knick-knack.

biberon [bibrɔ̃] *nm* baby's bottle; **donner le ~ à** to bottle-feed.

Bible [bibl] *nf*: **la ~** the Bible.

bibliothécaire [biblijoteker] *nmf* librarian.

bibliothèque [biblijotɛk] *nf* library; *(meuble)* bookcase.

biceps [bisɛps] *nm* biceps.

biche [biʃ] *nf* doe.

bicyclette [bisiklɛt] *nf* bicycle.

bidet [bidɛ] *nm* bidet.

bidon [bidɔ̃] *nm* can ♦ *adj inv (fam)* fake.

bidonville [bidɔvil] *nm* shanty-town.

bien [bjɛ̃] (*compar & superl* **mieux**) *adv* 1. (*de façon satisfaisante*) well; **avez-vous ~ dormi?** did you sleep well?; **tu as ~ fait** you did the right thing.
2. (*très*) very; **une personne ~ sympathique** a very nice person; **mieux** much better; **j'espère ~ que ...** I do hope that ...
3. (*au moins*) at least; **cela fait ~ deux mois qu'il n'a pas plu** it hasn't rained for at least two months.
4. (*effectivement*) **c'est ~ ce qu'il me semblait** that's (exactly) what I thought; **c'est ~ lui** it really is him.
5. (*dans des expressions*): **~ des gens** a lot of people; **il a ~ de la chance** he's really lucky; **c'est ~ fait pour toi!** (it) serves you right!; **nous ferions ~ de réserver à l'avance** we would be wise to book in advance.
◆ *adj inv* 1. (*de bonne qualité*) good.
2. (*moralement*) decent, respectable; **c'est une fille ~** she's a decent person.
3. (*en bonne santé*) well; **être/se sentir ~** to be/feel well.
4. (*à l'aise*) comfortable.
5. (*joli*) nice; (*physiquement*) good-looking.
◆ *excl* right!
◆ *nm* 1. (*intérêt*) interest; **c'est pour ton ~** it's for your own good.
2. (*sens moral*) good.
3. (*dans des expressions*): **dire du ~ de** to praise; **faire du ~ à qqn** to do sb good.
❑ **biens** *nmpl* (*richesse*) property (*sg*).

bien-être [bjɛ̃nɛtr] *nm* well-being.

bienfaisant, -e [bjɛ̃fəzɑ̃, ɑ̃t] *adj* beneficial.

bientôt [bjɛ̃to] *adv* soon; **à ~!** see you soon!

bienveillant, -e [bjɛ̃vɛjɑ̃, ɑ̃t] *adj* kind.

bienvenu, -e [bjɛ̃vəny] *adj* welcome.

bienvenue [bjɛ̃vəny] *nf*: **~!** welcome!; **souhaiter la ~ à qqn** to welcome sb.

bière [bjɛr] *nf* beer.

bifteck [biftɛk] *nm* steak.

bifurquer [bifyrke] *vi* (*route*) to fork; (*voiture*) to turn off.

Bigé® [biʒe] *adj inv*: **billet ~** *discount rail ticket for students and young people under the age of 26 for travel in Europe.*

bigorneau, -x [bigɔrno] *nm* winkle.

bigoudi [bigudi] *nm* roller.

bijou, -x [biʒu] *nm* jewel.

bijouterie [biʒutri] *nf* jeweller's (shop).

Bikini® [bikini] *nm* bikini.

bilan [bilɑ̃] *nm* (*en comptabilité*) balance sheet; (*résultat*) result; **faire le ~ (de)** to take stock of).

bilingue [bilɛ̃g] *adj* bilingual.

billard [bijar] *nm* (*jeu*) billiards (*sg*); (*table*) billiard table; **~ américain** pool.

bille [bij] *nf* ball; (*pour jouer*) marble.

billet [bije] *nm* (*de transport, de spectacle*) ticket; **~ (de banque)** (bank) note; **~ aller et retour** return (ticket); **~ simple** single (ticket).

billetterie [bijɛtri] *nf* ticket office; **~ automatique** ~ de billets de *train)* ticket machine; *(de banque)* cash dispenser.

bimensuel, -elle [bimãsɥɛl] *adj* fortnightly.

biographie [bjɔgrafi] *nf* biography.

biologie [bjɔlɔʒi] *nf* biology.

biologique [bjɔlɔʒik] *adj* biological; *(culture, produit)* organic.

bis [bis] *excl* encore! ◆ *adv:* **6 ~** 6a.

biscornu, -e [biskɔrny] *adj (objet)* misshapen; *(idée)* weird.

biscotte [biskɔt] *nf* toasted bread sold in packets.

biscuit [biskɥi] *nm* biscuit (Br), cookie (Am); **~ salé** cracker.

bise [biz] *nf (baiser)* kiss; *(vent)* north wind; **faire une ~ à qqn** to kiss sb on the cheek; **grosses ~s** *(dans une lettre)* lots of love.

bison [bizɔ̃] *nm* bison; **Bison Futé** French road traffic information organization.

i BISON FUTÉ

This organization was created in 1975 to provide information on traffic flow and road conditions at busy times of the year. It also suggests "itinéraires bis", less busy roads often through attractive countryside, which are indicated by green signposts.

bisou [bizu] *nm (fam)* kiss.

bisque [bisk] *nf* thick soup made with shellfish and cream.

bissextile [bisɛkstil] *adj →* **année.**

bistro(t) [bistro] *nm* bar.

bitume [bitym] *nm* asphalt.

bizarre [bizar] *adj* strange.

blafard, -e [blafar, ard] *adj* pale.

blague [blag] *nf (histoire drôle)* joke; *(farce)* trick; **sans ~!** no kidding!

blaguer [blage] *vi* to joke.

blâmer [blame] *vt* to blame.

blanc, blanche [blã, blãʃ] *adj* white; *(vierge)* blank ◆ *nm (couleur)* white; *(vin)* white wine; *(espace)* blank; **à ~** *(chauffer)* until white-hot; **tirer à ~** to fire blanks; **~ cassé** off-white; **~ d'œuf** egg white; **~ de poulet** chicken breast (Br), white meat (Am) ❑ **Blanc, Blanche** *nm, f* white (man) (f white (woman).

blancheur [blãʃœr] *nf* whiteness.

blanchir [blãʃir] *vt (à l'eau de Javel)* to bleach; *(linge)* to launder ◆ *vi* to go white.

blanchisserie [blãʃisri] *nf* laundry.

blanquette [blãkɛt] *nf (plat)* stew made with white wine; *(vin)* sparkling white wine from the south of France; **~ de veau** veal stew made with white wine.

blasé, -e [blaze] *adj* blasé.

blazer [blazɛr] *nm* blazer.

blé [ble] *nm* wheat; **~ d'Inde** (Can) corn.

blême [blɛm] *adj* pale.

blessant, -e [blɛsã, ãt] *adj* hurtful.

blessé, -e [blese] *nm, f* injured person.

blesser [blese] *vt* to injure; *(vexer)* to hurt ❑ **se blesser** *vp* to injure o.s.; **se ~ à la main** to injure one's hand.

blessure [blesyr] *nf* injury.

blette [blɛt] = **bette.**

bleu, -e [blø] *adj* blue; *(steak)* rare ◆ *nm (couleur)* blue; *(hématome)* bruise; **~ (d'Auvergne)** blue cheese from the Auvergne; **~ ciel** sky blue; **~ marine** navy blue; **~ de travail** overalls *(pl)* (Br), overall *(Am).*

bleuet [bløɛ] *nm (fleur)* cornflower; *(Can: fruit)* blueberry.

blindé, -e [blēde] *adj (porte)* reinforced.

blizzard [blizar] *nm* blizzard.

bloc [blɔk] *nm* block; *(de papier)* pad; **à ~** *(visser, serrer)* tight; **en ~** as a whole.

blocage [blɔkaʒ] *nm (des prix, des salaires)* freeze; *(psychologique)* block.

bloc-notes [blɔknɔt] *(pl* **blocs-notes)** *nm* notepad.

blocus [blɔkys] *nm* blockade.

blond, -e [blɔ̃, blɔ̃d] *adj* blond.

blonde [blɔ̃d] *nf; (de cigarette)* Virginia cigarette; **(bière) ~** lager.

bloquer [blɔke] *vt (route, passage)* to block; *(mécanisme)* to jam; *(prix, salaires)* to freeze.

blottir [blɔtir] **: se blottir** *vp* to snuggle up.

blouse [bluz] *nf (d'élève)* coat worn by schoolchildren; *(de médecin)* white coat; *(chemisier)* blouse.

blouson [bluzɔ̃] *nm* bomber jacket.

blues [bluz] *nm* blues.

bob [bɔb] *nm* sun hat.

bobine [bɔbin] *nf* reel.

bobsleigh [bɔbslɛg] *nm* bobsleigh.

bocal, -aux [bɔkal, o] *nm* jar; *(à*

poissons) bowl.

body [bɔdi] *nm* body.

body-building [bɔdibildiŋ] *nm* body-building.

bœuf [bœf, *pl* bø] *nm* ox; *(CULIN)* beef; **~ bourguignon** beef cooked in red wine sauce with bacon and onions.

bof [bɔf] *excl* term expressing lack of interest or enthusiasm; **comment tu as trouvé le film? - ~!** how did you like the film? - it was all right I suppose.

bohémien, -ienne [bɔemjɛ̃, jɛn] *nm, f* gipsy.

boire [bwar] *vt* to drink; *(absorber)* to soak up ◆ *vi* to drink; **~ un coup** to have a drink.

bois [bwa] *nm* wood ◆ *nmpl (d'un cerf)* antlers.

boisé, -e [bwaze] *adj* wooded.

boiseries [bwazri] *nfpl* panelling *(sg).*

boisson [bwasɔ̃] *nf* drink.

boîte [bwat] *nf* box; **~ d'allumettes** box of matches; **~ de conserve** tin *(Br)*, can; **~ aux lettres** *(pour l'envoi)* postbox *(Br)*, mailbox *(Am)*; *(pour la réception)* letterbox *(Br)*, mailbox *(Am)*; **~ (de nuit)** (night)club; **~ à outils** toolbox; **~ postale** post office box; **~ de vitesses** gearbox.

boiter [bwate] *vi* to limp.

boiteux, -euse [bwatø, øz] *adj* lame.

boîtier [bwatje] *nm (de montre, de cassette)* case; *(d'appareil photo)* camera body.

bol [bɔl] *nm* bowl.

bolide [bɔlid] *nm* racing car.

bombardement [bɔ̃bardəmã] *nm* bombing.

bombarder [bɔ̃barde] *vt* to bomb; **~ qqn de questions** to bombard sb with questions.

bombe [bɔ̃b] *nf (arme)* bomb; *(vaporisateur)* spraycan; **~ atomique** nuclear bomb.

bon, bonne *(compar & superl* **meilleur)** *adj* 1. *(gén)* good; **nous avons passé de très bonnes vacances** we had a very good holiday; **être ~ en qqch** to be good at sthg.

2. *(correct)* right; **est-ce le ~ numéro?** is this the right number?

3. *(utile)*: **c'est ~ pour la santé** it's good for you; **il n'est ~ à rien** he's useless; **c'est ~ à savoir** that's worth knowing.

4. *(passeport, carte)* valid.

5. *(en intensif)*: **ça fait une bonne heure que j'attends** I've been waiting for a good hour.

6. *(dans l'expression des souhaits)*: **bonne année!** Happy New Year!; **bonnes vacances!** have a nice holiday!

7. *(dans des expressions)*: **~! right!; ah ~?** really?; **c'est ~!** *(soit)* all right!; **pour de ~** for good.

♦ *adv*: **il fait ~** it's lovely; **sentir ~** to smell nice; **tenir ~** to hold out.

♦ *nm (formulaire)* form; *(en cadeau)* voucher.

bonbon [bɔ̃bɔ̃] *nm* sweet *(Br)*, candy *(Am)*.

bond [bɔ̃] *nm* leap.

bondé, -e [bɔ̃de] *adj* packed.

bondir [bɔ̃dir] *vi* to leap; **ça va te faire ~** he'll hit the roof.

bonheur [bɔnœr] *nm* happiness; *(chance, plaisir)* good luck).

bonhomme [bɔnɔm] *(pl* **bons-hommes** [bɔ̃zɔm]) *nm (fam: homme)*

fellow; *(silhouette)* man; **~ de neige** snowman.

bonjour [bɔ̃ʒur] *excl* hello!; **dire ~ à qqn** to say hello to sb.

bonne [bɔn] *nf* maid.

bonnet [bɔnɛ] *nm* hat; **~ de bain** swimming cap.

bonsoir [bɔ̃swar] *excl (en arrivant)* good evening!; *(en partant)* good night!; **dire ~ à qqn** *(en arrivant)* to say good evening to sb; *(en partant)* to say good night to sb.

bonté [bɔ̃te] *nf* kindness.

bord [bɔr] *nm* edge; **à ~ (de)** on board; **monter à ~ (de)** to board; **au ~ (de)** at the edge (of); **au ~ de la mer** at the seaside; **au ~ de la route** at the roadside.

bordelaise [bɔrdəlɛz] *adj* → **entrecôte.**

border [bɔrde] *vt (entourer)* to line; *(enfant)* to tuck in; **bordé de** lined with.

bordure [bɔrdyr] *nf* edge; *(liseré)* border; **en ~ de** on the edge of.

borgne [bɔrɲ] *adj* one-eyed.

borne [bɔrn] *nf (sur la route)* ≃ milestone; **dépasser les ~s** *(fig)* to go too far.

borné, -e [bɔrne] *adj* narrow-minded.

bosquet [bɔskɛ] *nm* copse.

bosse [bɔs] *nf* bump.

bossu, -e [bɔsy] *adj* hunch-backed.

botanique [bɔtanik] *adj* botanical ♦ *nf* botany.

botte [bɔt] *nf* boot; *(de légumes)* bunch; *(de foin)* bundle.

Bottin® [bɔtɛ̃] *nm* phone book.

bottine [bɔtin] *nf* ankle boot.

bouc [buk] *nm (animal)* (billy) goat; *(barbe)* goatee (beard).

bouche [buʃ] *nf* mouth; ~ **d'égout** manhole; ~ **de métro** metro entrance.

bouchée [buʃe] *nf* mouthful; *(au chocolat)* filled chocolate ; ~ **à la reine** chicken vol-au-vent.

boucher[1] [buʃe] *vt (remplir)* to fill up; *(bouteille)* to cork; *(oreilles, passage)* to block.

boucher[2], **-ère** [buʃe, ɛr] *nm, f* butcher.

boucherie [buʃri] *nf* butcher's (shop).

bouchon [buʃɔ̃] *nm (à vis)* top; *(en liège)* cork; *(embouteillage)* traffic jam; *(de pêche)* float.

boucle [bukl] *nf* loop; *(de cheveux)* curl; *(de ceinture)* buckle; ~ **d'oreille** earring.

bouclé, -e [bukle] *adj* curly.

boucler [bukle] *vt (valise, ceinture)* to buckle; *(fam: enfermer)* to lock up ♦ *vi (cheveux)* to curl.

bouclier [buklije] *nm* shield.

bouddhiste [budist] *adj & nmf* Buddhist.

bouder [bude] *vi* to sulk.

boudin [budɛ̃] *nm (cylindre)* roll; ~ **blanc** white pudding *(Br)*, white sausage *(Am)*; ~ **noir** black pudding *(Br)*, blood sausage *(Am)*.

boue [bu] *nf* mud.

bouée [bwe] *nf (pour nager)* rubber ring; *(balise)* buoy; ~ **de sauvetage** life belt.

boueux, -euse [buø, øz] *adj* muddy.

bouffant, -e [bufɑ̃, ɑ̃t] *adj (pantalon)* baggy; **manches ~es** puff sleeves.

bouffée [bufe] *nf* puff; *(de colère, d'angoisse)* fit; **une ~ d'air frais** a breath of fresh air.

bouffi, -e [bufi] *adj* puffy.

bougeotte [buʒɔt] *nf*: **avoir la ~** *(fam)* to have itchy feet.

bouger [buʒe] *vt* to move ♦ *vi* to move; *(changer)* to change; **j'ai une dent qui bouge** I've got a loose tooth.

bougie [buʒi] *nf* candle; *(TECH)* spark plug.

bouillabaisse [bujabɛs] *nf fish soup, a speciality of Provence.*

bouillant, -e [bujɑ̃, ɑ̃t] *adj* boiling (hot).

bouillie [buji] *nf* puree; *(pour bébé)* baby food.

bouillir [bujir] *vi* to boil.

bouilloire [bujwar] *nf* kettle.

bouillon [bujɔ̃] *nm* stock.

bouillonner [bujɔne] *vi* to bubble.

bouillotte [bujɔt] *nf* hot-water bottle.

boulanger, -ère [bulɑ̃ʒe, ɛr] *nm, f* baker.

boulangerie [bulɑ̃ʒri] *nf* baker's (shop), bakery.

boule [bul] *nf* ball; *(de pétanque)* bowl; **jouer aux ~s** to play boules; ~ **de Bâle** *(Helv)* large sausage served with a vinaigrette.

bouledogue [buldɔg] *nm* bulldog.

boulet [bule] *nm* cannonball.

boulette [bulet] *nf* pellet; ~ **de viande** meatball.

boulevard [bulvar] *nm* boulevard; **les grands ~s** *(à Paris)* the main boulevards between la Madeleine and République.

bouleversement [bulvɛrsəmɑ̃] nm upheaval.

bouleverser [bulvɛrse] vt (émouvoir) to move deeply; (modifier) to disrupt.

boulon [bulɔ̃] nm bolt.

boulot [bulo] nm (fam) (travail, lieu) work; (emploi) job.

boum [bum] nf (fam) party.

bouquet [bukɛ] nm bunch; (crevette) prawn; (d'un vin) bouquet.

bouquin [bukɛ̃] nm (fam) book.

bourbeux, -euse [burbø, øz] adj muddy.

bourdon [burdɔ̃] nm bumblebee.

bourdonner [burdɔne] vi to buzz.

bourgeois, -e [burʒwa, waz] adj (quartier, intérieur) middle-class; (péj) bourgeois.

bourgeoisie [burʒwazi] nf bourgeoisie.

bourgeon [burʒɔ̃] nm bud.

bourgeonner [burʒɔne] vi to bud.

Bourgogne [burgɔɲ] nf: la ~ Burgundy.

bourguignon, -onne [burginɔ̃, ɔn] adj → **bœuf, fondue.**

bourrasque [burask] nf gust of wind.

bourratif, -ive [buratif, iv] adj stodgy.

bourré, -e [bure] adj (plein) packed; (vulg: ivre) pissed (Br), bombed (Am); ~ **de** packed with.

bourreau, -x [buro] nm executioner.

bourrelet [burlɛ] nm (isolant) draught excluder; (de graisse) roll of fat.

bourru, -e [bury] adj surly.

bourse [burs] nf (d'études) grant; (porte-monnaie) purse; **la Bourse** the Stock Exchange.

boursier, -ière [bursje, jɛr] adj (étudiant) on a grant; (transaction) stock-market.

boursouflé, -e [bursufle] adj swollen.

bousculade [buskylad] nf scuffle.

bousculer [buskyle] vt to jostle; (fig: presser) to rush.

boussole [busɔl] nf compass.

bout [bu] nm (extrémité) end; (morceau) piece; **au ~ de** (après) after; **arriver au ~ de** to reach the end of; **être à ~ de** to be at the end of one's tether.

boute-en-train [butɑ̃trɛ̃] nm inv: **le ~ de la soirée** the life and soul of the party.

bouteille [butɛj] nf bottle; ~ **de gaz** gas cylinder; ~ **d'oxygène** oxygen cylinder.

boutique [butik] nf shop; ~ **franche** OU **hors taxes** duty-free shop.

bouton [butɔ̃] nm (de vêtement) button; (sur la peau) spot; (de réglage) knob; (de fleur) bud.

bouton-d'or [butdɔr] (pl **boutons-d'or**) nm buttercup.

boutonner [butɔne] vt to button (up).

boutonnière [butɔnjɛr] nf buttonhole.

bowling [bulin] nm (jeu) ten-pin bowling; (salle) bowling alley.

box [bɔks] nm inv (garage) lock-up garage; (d'écurie) stall.

boxe [bɔks] nf boxing.

boxer [bɔksɛr] *nm (chien)* boxer.

boxeur [bɔksœr] *nm* boxer.

boyau, -x [bwajo] *nm (de roue)* inner tube ❏ **boyaux** *nmpl (ANAT)* guts.

boycotter [bɔjkɔte] *vt* to boycott.

BP *(abr de boîte postale)* P.O. Box.

bracelet [braslɛ] *nm* bracelet; *(de montre)* strap.

bracelet-montre [braslɛmɔ̃tr] *(pl* **bracelets-montres***) nm* wristwatch.

braconnier [brakɔnje] *nm* poacher.

brader [brade] *vt* to sell off; **«on brade»** "clearance sale".

braderie [bradri] *nf* clearance sale.

braguette [bragɛt] *nf* flies *(pl)*.

braille [braj] *nm* braille.

brailler [braje] *vi (fam)* to bawl.

braise [brɛz] *nf* embers *(pl)*.

brancard [brɑ̃kar] *nm* stretcher.

branchages [brɑ̃ʃaʒ] *nmpl* branches.

branche [brɑ̃ʃ] *nf* branch; *(de lunettes)* arm.

branchement [brɑ̃ʃmɑ̃] *nm* connection.

brancher [brɑ̃ʃe] *vt (appareil)* to plug in; *(prise)* to put in.

brandade [brɑ̃dad] *nf:* ~ *(de morue)* salt cod puree.

brandir [brɑ̃dir] *vt* to brandish.

branlant, -e [brɑ̃lɑ̃, ɑ̃t] *adj* wobbly.

braquer [brake] *vi (automobiliste)* to turn (the wheel) ♦ *vt:* ~ **qqch sur** to aim sthg at ❏ **se braquer** *vp (s'entêter)* to dig one's heels in.

bras [bra] *nm* arm.

brassard [brasar] *nm* armband.

brasse [bras] *nf (nage)* breaststroke.

brasser [brase] *vt (remuer)* to stir; *(bière)* to brew; *(fig: manipuler)* to handle.

brasserie [brasri] *nf (café)* large café serving light meals; *(usine)* brewery.

brassière [brasjɛr] *nf (pour bébé)* baby's vest *(Br)*, baby's undershirt *(Am)*; *(Can: soutien-gorge)* bra.

brave [brav] *adj (courageux)* brave; *(gentil)* decent.

bravo [bravo] *excl* bravo!

bravoure [bravur] *nf* bravery.

break [brɛk] *nm (voiture)* estate (car) *(Br)*, station wagon *(Am)*.

brebis [brəbi] *nf* ewe.

brèche [brɛʃ] *nf* gap.

bredouiller [brəduje] *vi* to mumble.

bref, brève [brɛf, brɛv] *adj* brief ♦ *adv* in short.

Brésil [brezil] *nm:* **le** ~ Brazil.

Bretagne [brətaɲ] *nf:* **la** ~ Brittany.

bretelle [brətɛl] *nf (de vêtement)* shoulder strap; *(d'autoroute)* slip road *(Br)*, access road ❏ **bretelles** *nfpl* braces *(Br)*, suspenders *(Am)*.

breton, -onne [brətɔ̃, ɔn] *adj* Breton ♦ *nm (langue)* Breton ❏ **Breton, -onne** *nm, f* Breton.

brève → **bref**.

brevet [brəvɛ] *nm* diploma; *(d'invention)* patent; ~ **(des collèges)** exam taken at the age of 15.

bribes [brib] *nfpl* snatches.

bricolage [brikɔlaʒ] *nm* do-it-yourself, DIY *(Br)*; **aimer faire du** ~ to enjoy DIY.

bricole [brikɔl] *nf* trinket.

bricoler [brikɔle] *vt* to fix up ◆ *vi* to do odd jobs.

bricoleur, -euse [brikɔlœr, øz] *nm, f* DIY enthusiast.

bride [brid] *nf* bridle.

bridé, -e [bride] *adj*: **avoir les yeux ~s** to have slanting eyes.

bridge [bridʒ] *nm* bridge.

brie [bri] *nm* Brie.

brièvement [brijɛvmɑ̃] *adv* briefly.

brigade [brigad] *nf* brigade.

brigand [brigɑ̃] *nm* bandit.

brillamment [brijamɑ̃] *adv* brilliantly.

brillant, -e [brijɑ̃, ɑ̃t] *adj* shiny; *(remarquable)* brilliant ◆ *nm* brilliant.

briller [brije] *vi* to shine; **faire ~** *(meuble)* to shine.

brimer [brime] *vt* to bully.

brin [brɛ̃] *nm (de laine)* strand; **~ d'herbe** blade of grass; **~ de muguet** sprig of lily of the valley.

brindille [brɛ̃dij] *nf* twig.

brioche [brijɔʃ] *nf* round, sweet bread roll eaten for breakfast.

brique [brik] *nf* brick; *(de lait, de jus de fruit)* carton.

briquer [brike] *vt* to scrub.

briquet [brikɛ] *nm (cigarette)* lighter.

brise [briz] *nf* breeze.

briser [brize] *vt* to break.

britannique [britanik] *adj* British ❏ **Britannique** *nmf* British person; **les Britanniques** the British.

brocante [brɔkɑ̃t] *nf (magasin)* second-hand shop.

brocanteur, -euse [brɔkɑ̃tœr,

øz] *nm, f* dealer in second-hand goods.

broche [brɔʃ] *nf (bijou)* brooch; *(CULIN)* spit.

brochet [brɔʃɛ] *nm* pike.

brochette [brɔʃɛt] *nf (plat)* kebab.

brochure [brɔʃyr] *nf* brochure.

brocoli [brɔkɔli] *nm* broccoli.

broder [brɔde] *vt* to embroider.

broderie [brɔdri] *nf* embroidery.

bronches [brɔ̃ʃ] *nfpl* bronchial tubes.

bronchite [brɔ̃ʃit] *nf* bronchitis.

bronzage [brɔ̃zaʒ] *nm* suntan.

bronze [brɔ̃z] *nm* bronze.

bronzer [brɔ̃ze] *vi* to tan; **se faire ~** to get a tan.

brosse [brɔs] *nf* brush; **avoir les cheveux en ~** to have a crewcut; **~ à cheveux** hairbrush; **~ à dents** toothbrush.

brosser [brɔse] *vt* to brush ❏ **se brosser** *vp* to brush o.s. (down); **se ~ les dents** to brush one's teeth.

brouette [bruɛt] *nf* wheelbarrow.

brouhaha [bruaa] *nm* hubbub.

brouillard [brujar] *nm* fog.

brouillé [bruje] *adj m* → **œuf**.

brouiller [bruje] *vt (idées)* to muddle (up); *(liquide, vue)* to cloud ❏ **se brouiller** *vp (se fâcher)* to quarrel; *(idées)* to get confused; *(vue)* to become blurred.

brouillon [brujɔ̃] *nm (rough)* draft.

broussailles [brusaj] *nfpl* undergrowth *(sg)*.

brousse [brus] *nf (zone)*: **la ~** the bush.

brouter [brute] vt to graze on.

broyer [brwaje] vt to grind, to crush.

brucelles [brysɛl] nfpl (Helv) (pair of) tweezers.

brugnon [bryɲɔ̃] nm nectarine.

bruine [brɥin] nf drizzle.

bruit [brɥi] nm (son) noise, sound; (vacarme) noise; **faire du ~** to make a noise.

brûlant, -e [brylɑ̃, ɑ̃t] adj boiling (hot).

brûlé [bryle] nm: **ça sent le ~** there's a smell of burning.

brûle-pourpoint [brylpurpwɛ̃] : **à brûle-pourpoint** adv point-blank.

brûler [bryle] vt to burn ♦ vi (flamber) to burn; (chauffer) to be burning (hot); **la fumée me brûle les yeux** the smoke is making my eyes sting; **un feu rouge** to jump a red light ❏ **se brûler** vp to burn o.s.; **se ~ la main** to burn one's hand.

brûlure [brylyr] nf burn; (sensation) burning sensation; **~s d'estomac** heartburn.

brume [brym] nf mist.

brumeux, -euse [brymø, øz] adj misty.

brun, -e [brœ̃, bryn] adj dark.

brune [bryn] nf (cigarette) cigarette made with dark tobacco; (bière) ~ brown ale.

Brushing® [brœʃiŋ] nm blow-dry.

brusque [brysk] adj (personne, geste) brusque; (changement, arrêt) sudden.

brut, -e [bryt] adj (matière) raw; (pétrole) crude; (poids, salaire) gross; (cidre, champagne) dry.

brutal, -e, -aux [brytal, o] adj (personne, geste) violent; (changement, arrêt) sudden.

brutaliser [brytalize] vt to mistreat.

brute [bryt] nf bully.

Bruxelles [bry(k)sɛl] n Brussels.

bruyant, -e [brɥijɑ̃, ɑ̃t] adj noisy.

bruyère [bryjɛr] nf heather.

BTS nm (abr de brevet de technicien supérieur) advanced vocational training certificate.

bu, -e [by] pp → **boire**.

buanderie [bɥɑ̃dri] nf (Can: blanchisserie) laundry.

bûche [byʃ] nf log; ~ **de Noël** Yule log.

bûcheron [byʃrɔ̃] nm lumberjack.

budget [bydʒɛ] nm budget.

buée [bɥe] nf condensation.

buffet [byfɛ] nm (meuble) sideboard; (repas, restaurant) buffet; ~ **froid** cold buffet.

building [bildiŋ] nm skyscraper.

buisson [bɥisɔ̃] nm bush.

buissonnière [bɥisɔnjɛr] adj f → **école**.

Bulgarie [bylgari] nf: **la ~** Bulgaria.

bulldozer [byldozɛr] nm bulldozer.

bulle [byl] nf bubble; **faire des ~s** (avec un chewing-gum) to blow bubbles; (savon) to lather.

bulletin [byltɛ̃] nm (papier) form; (d'informations) news bulletin; (SCOL) report; ~ **météorologique** weather forecast; ~ **de salaire** pay slip; ~ **de vote** ballot paper.

bungalow [bœ̃galo] nm chalet.

bureau [byʀo] nm office; (meuble) desk; ~ **de change** bureau de change; ~ **de poste** post office; ~ **de tabac** tobacconist's (Br), tobacco shop (Am).

burlesque [byʀlɛsk] adj funny.

bus [bys] nm bus.

buste [byst] nm chest; (statue) bust.

but [byt] nm (intention) aim; (destination) destination; (point) goal; **les ~s** (SPORT: zone) the goal; **dans le ~ de** with the intention of.

butane [bytan] nm Calor® gas.

buté, -e [byte] adj stubborn.

buter [byte] vi: ~ **sur** OU **contre** (objet) to trip over; (difficulté) to come up against ❏ **se buter** vp to dig one's heels in.

butin [bytɛ̃] nm booty.

butte [byt] nf hillock.

buvard [byvaʀ] nm blotting paper.

buvette [byvɛt] nf refreshment stall.

C

c' → ce.

ça [sa] pron that; ~ **n'est pas facile** it's not easy; ~ **va?** - ~ **va!** how are you? - I'm fine!; **comment ~?** what?; **c'est ~** (c'est exact) that's right.

cabane [kaban] nf hut.

cabaret [kabaʀɛ] nm nightclub.

cabillaud [kabijo] nm cod.

cabine [kabin] nf (de bateau) cabin; (de téléphérique) cable car; (sur la plage) hut; ~ **de douche** shower cubicle; ~ **d'essayage** fitting room; ~ **(de pilotage)** cockpit; ~ **(téléphonique)** phone box.

cabinet [kabinɛ] nm (de médecin) surgery (Br), office (Am); (d'avocat) office; ~ **de toilette** bathroom ❏ **cabinets** nmpl toilet (sg).

câble [kabl] nm cable; (télévision par) ~ cable (television).

cabosser [kabɔse] vt to dent.

cabriole [kabʀijɔl] nf somersault.

caca [kaka] nm: **faire ~** (fam) to do a poo.

cacah(o)uète [kakawɛt] nf peanut.

cacao [kakao] nm cocoa.

cache-cache [kaʃkaʃ] nm inv: **jouer à ~** to play hide-and-seek.

cachemire [kaʃmir] nm cashmere.

cache-nez [kaʃne] nm inv scarf.

cacher [kaʃe] vt to hide; (vue, soleil) to block ❏ **se cacher** vp to hide.

cachet [kaʃɛ] nm (comprimé) tablet; (tampon) stamp; (allure) style.

cachette [kaʃɛt] nf hiding place; **en ~** secretly.

cachot [kaʃo] nm dungeon.

cacophonie [kakɔfɔni] nf cacophony.

cactus [kaktys] nm cactus.

cadavre [kadavʀ] nm corpse.

Caddie® [kadi] nm (supermarket) trolley (Br), (grocery) cart (Am).

cadeau, -x [kado] nm present; **faire un ~ à qqn** to give sb a present; **faire ~ de qqch à qqn** to give sb sthg.

cadenas [kadna] nm padlock.

cadence [kadɑ̃s] nf rhythm; **en ~** in time.

cadet, -ette [kadɛ, ɛt] adj & nm, f (de deux) younger; (de plusieurs) youngest.

cadran [kadrɑ̃] nm dial; **~ solaire** sundial.

cadre [kadr] nm frame; (tableau) painting; (décor) surroundings (pl); (d'une entreprise) executive; **dans le ~ de** as part of.

cafard [kafar] nm (insecte) cockroach; **avoir le ~** (fam) to feel down.

café [kafe] nm (établissement) café; (boisson, grains) coffee; **~ crème** OU **au lait** white coffee; **~ épicé** (Helv) black coffee flavoured with cinnamon and cloves; **~ liégeois** coffee ice cream topped with whipped cream; **~ noir** black coffee.

CAFÉ

French cafés serve a wide range of drinks and sometimes sandwiches or light meals. They often have pavement seating areas or large plate-glass windows looking directly onto the street. Paris cafés have also traditionally played an important role in French political, cultural and literary life.

Coffee served in French cafés comes in various forms such as "café crème" (served with frothy hot milk), "grand crème" (a large "café crème"), "café noisette" (with just a tiny amount of milk) and "express" or "expresso" (strong black coffee served in small cups). The expression "café au lait" is used at home to mean the same as a "grand crème".

---

cafétéria [kafeterja] nf cafeteria.

café-théâtre [kafeteatr] (pl **cafés-théâtres**) nm café where theatre performances take place.

cafetière [kaftjɛr] nf (récipient) coffeepot; (électrique) coffeemaker; (à piston) cafetière.

cage [kaʒ] nf cage; (SPORT) goal; **~ d'escalier** stairwell.

cagoule [kagul] nf balaclava.

cahier [kaje] nm exercise book; **~ de brouillon** rough book; **~ de textes** homework book.

caille [kaj] nf quail.

cailler [kaje] vi (lait) to curdle; (sang) to coagulate.

caillot [kajo] nm clot.

caillou, x [kaju] nm stone.

caisse [kɛs] nf box; (de magasin, de cinéma) cash desk; (de supermarché) checkout; (de banque) cashier's desk; (enregistreuse) cash register; **~ d'épargne** savings bank; **~ rapide** express checkout.

caissier, -ière [kesje, jɛr] nm, f cashier.

cajou [kaʒu] nm → **noix**.

cake [kɛk] nm fruit cake.

calamars [kalamar] nmpl squid.

calcaire [kalkɛr] nm limestone ◆ adj (eau) hard; (terrain) chalky.

calciné, -e [kalsine] adj charred.

calcium [kalsjɔm] nm calcium.

calcul [kalkyl] nm calculation; (arithmétique) arithmetic; (MÉD) stone; **~ mental** mental arithmetic.

calculatrice [kalkylatris] *nf* calculator.

calculer [kalkyle] *vt* to calculate; *(prévoir)* to plan.

cale [kal] *nf (pour stabiliser)* wedge.

calé, -e [kale] *adj (fam: doué)* clever.

caleçon [kalsɔ̃] *nm (sous-vêtement)* boxer shorts *(pl)*; *(pantalon)* leggings *(pl)*.

calembour [kalãbur] *nm* pun.

calendrier [kalãdrije] *nm* calendar.

cale-pied, -s [kalpje] *nm* toe clip.

caler [kale] *vt* to wedge ♦ *vi (voiture, moteur)* to stall; *(fam: à table)* to be full up.

califourchon [kalifurʃɔ̃] : **à califourchon sur** *prép* astride.

câlin [kalɛ̃] *nm* cuddle; **faire un ~ à qqn** to give sb a cuddle.

calmant [kalmã] *nm* painkiller.

calmars [kalmar] = **calamars**.

calme [kalm] *adj & nm* calm; **du ~!** calm down!

calmer [kalme] *vt (douleur)* to soothe; *(personne)* to calm down ❏ **se calmer** *vp (personne)* to calm down; *(tempête, douleur)* to die down.

calorie [kalɔri] *nf* calorie.

calque [kalk] *nm*: **(papier-)~** tracing paper.

calvados [kalvadɔs] *nm* calvados, apple brandy.

camarade [kamarad] *nmf* friend; **~ de classe** classmate.

cambouis [kãbwi] *nm* dirty grease.

cambré, -e [kãbre] *adj (dos)* arched; *(personne)* with an arched back.

cambriolage [kãbrijɔlaʒ] *nm* burglary.

cambrioler [kãbrijɔle] *vt* to burgle *(Br)*, to burglarize *(Am)*.

cambrioleur [kãbrijɔlœr] *nm* burglar.

camembert [kamãber] *nm* Camembert (cheese).

caméra [kamera] *nf* camera.

Caméscope® [kameskɔp] *nm* camcorder.

camion [kamjɔ̃] *nm* lorry *(Br)*, truck *(Am)*.

camion-citerne [kamjɔ̃sitern] *(pl* **camions-citernes)** *nm* tanker *(Br)*, tank truck *(Am)*.

camionnette [kamjɔnɛt] *nf* van.

camionneur [kamjɔnœr] *nm (chauffeur)* lorry driver *(Br)*, truck driver *(Am)*.

camp [kã] *nm* camp; *(de joueurs, de sportifs)* side, team; **faire un ~** to go camping; **~ de vacances** holiday camp.

campagne [kãpaɲ] *nf* country(side); *(électorale, publicitaire)* campaign.

camper [kãpe] *vi* to camp.

campeur, -euse [kãpœr, øz] *nm, f* camper.

camping [kãpiŋ] *nm (terrain)* campsite; *(activité)* camping; **faire du ~** to go camping; **~ sauvage** camping not on a campsite.

camping-car, -s [kãpiŋkar] *nm* camper-van *(Br)*, RV *(Am)*.

Camping-Gaz® [kãpiŋgaz]

inv camping stove.

Canada [kanada] *nm*: **le ~** Canada.

canadien, -ienne [kanadjɛ̃, jɛn] *adj* Canadian ❏ **Canadien, -ienne** *nm, f* Canadian.

canadienne [kanadjɛn] *nf (veste)* fur-lined jacket; *(tente)* (ridge) tent.

canal, -aux [kanal, o] *nm* canal; **Canal +** *French TV pay channel.*

canalisation [kanalizasjɔ̃] *nf* pipe.

canapé [kanape] *nm (siège)* sofa; *(toast)* canapé; **~ convertible** sofa bed.

canapé-lit [kanapeli] *(pl* **canapés-lits)** *nm* sofa bed.

canard [kanar] *nm* duck; *(sucre)* sugar lump *(dipped in coffee or spirits)*; **~ laqué** Peking duck; **~ à l'orange** duck in orange sauce.

canari [kanari] *nm* canary.

cancer [kɑ̃sɛr] *nm* cancer.

Cancer [kɑ̃sɛr] *nm* Cancer.

cancéreux, -euse [kɑ̃serø, øz] *adj (tumeur)* malignant.

candidat, -e [kɑ̃dida, at] *nm, f* candidate.

candidature [kɑ̃didatyr] *nf* application; **poser sa ~ (à)** to apply (for).

caneton [kantɔ̃] *nm* duckling.

canette [kanɛt] *nf (bouteille)* bottle.

caniche [kaniʃ] *nm* poodle.

canicule [kanikyl] *nf* heatwave.

canif [kanif] *nm* penknife.

canine [kanin] *nf* canine (tooth).

caniveau [kanivo] *nm* gutter.

canne [kan] *nf* walking stick; **~ à pêche** fishing rod.

canneberge [kanbɛrʒ] *nf* cran-

berry.

cannelle [kanɛl] *nf* cinnamon.

cannelloni(s) [kanelɔni] *nmpl* cannelloni *(sg)*.

cannette [kanɛt] = **canette.**

canoë [kanɔe] *nm* canoe; **faire du ~** to go canoeing.

canoë-kayak [kanɔekajak] *(pl* **canoës-kayaks)** *nm* kayak; **faire du ~** to go canoeing.

canon [kanɔ̃] *nm (ancien)* cannon; *(d'une arme à feu)* barrel; **chanter en ~** to sing in canon.

canot [kano] *nm* dinghy; **~ pneumatique** inflatable dinghy; **~ de sauvetage** lifeboat.

cantal [kɑ̃tal] *nm* mild cheese from the Auvergne, similar to cheddar.

cantatrice [kɑ̃tatris] *nf (opera)* singer.

cantine [kɑ̃tin] *nf (restaurant)* canteen.

cantique [kɑ̃tik] *nm* hymn.

canton [kɑ̃tɔ̃] *nm (en France)* division of an "arrondissement"; *(en Suisse)* canton.

---

i | **CANTON**

S witzerland is a confederation of 23 districts known as "cantons", three of which are themselves divided into "demi-cantons". Although they are to a large extent self-governing, the federal government reserves control over certain areas such as foreign policy, the treasury, customs and the postal service.

---

cantonais [kɑ̃tɔne] *adj m →* **riz.**

caoutchouc [kautʃu] *nm* rubber.

cap [kap] *nm (pointe de terre)* cape; *(NAVIG)* course; **mettre le ~ sur** to head for.

CAP *nm vocational school-leaver's diploma (taken at age 16).*

capable [kapabl] *adj* capable; **être ~ de faire qqch** to be capable of doing sthg.

capacités [kapasite] *nfpl* ability *(sg)*.

cape [kap] *nf* cloak.

capitaine [kapitɛn] *nm* captain.

capital, -e, -aux [kapital, o] *adj* essential ♦ *nm* capital.

capitale [kapital] *nf* capital.

capot [kapo] *nm (AUT)* bonnet *(Br)*, hood *(Am)*.

capote [kapɔt] *nf (AUT)* hood *(Br)*, top *(Am)*.

capoter [kapɔte] *vi (Can: fam: perdre la tête)* to lose one's head.

câpre [kapr] *nf* caper.

caprice [kapris] *nm (colère)* tantrum; *(envie)* whim; **faire un ~** to throw a tantrum.

capricieux, -ieuse [kaprisjø, jøz] *adj (personne)* temperamental.

Capricorne [kaprikɔrn] *nm* Capricorn.

capsule [kapsyl] *nf (de bouteille)* top, cap; **~ spatiale** space capsule.

capter [kapte] *vt (station de radio)* to pick up.

captivité [kaptivite] *nf* captivity; **en ~** *(animal)* in captivity.

capturer [kaptyre] *vt* to catch.

capuche [kapyʃ] *nf* hood.

capuchon [kapyʃɔ̃] *nm (d'une veste)* hood; *(d'un stylo)* top.

caquelon [kaklɔ̃] *nm (Helv)* fondue pot.

car[1] [kar] *conj* because.

car[2] [kar] *nm* coach *(Br)*, bus *(Am)*.

carabine [karabin] *nf* rifle.

caractère [karaktɛr] *nm* character; *(spécificité)* characteristic; **avoir du ~** *(personne)* to have personality; *(maison)* to have character; **avoir bon ~** to be good-natured; **avoir mauvais ~** to be bad-tempered; **~s d'imprimerie** block letters.

caractéristique [karakteristik] *nf* characteristic ♦ *adj:* **~ de** characteristic of.

carafe [karaf] *nf* carafe.

Caraïbes [karaib] *nfpl:* **les ~** the Caribbean, the West Indies.

carambolage [karɑ̃bɔlaʒ] *nm (fam)* pile-up.

caramel [karamɛl] *nm (sucre brûlé)* caramel; *(bonbon dur)* toffee; *(bonbon mou)* fudge.

carapace [karapas] *nf* shell.

caravane [karavan] *nf* caravan.

carbonade [karbɔnad] *nf:* **~s flamandes** beef and onion stew, cooked with beer.

carbone [karbɔn] *nm* carbon; **(papier) ~** carbon paper.

carburant [karbyrɑ̃] *nm* fuel.

carburateur [karbyratœr] *nm* carburettor.

carcasse [karkas] *nf (d'animal)* carcass; *(de voiture)* body.

cardiaque [kardjak] *adj (maladie)* heart; **être ~** to have a heart condition.

cardigan [kardigɑ̃] *nm* cardigan.

cardinaux [kardino] *adj mpl →* **point**.

cardiologue [kardjɔlɔg] *nmf* cardiologist.

caresse [kaʀɛs] *nf* caress.

caresser [kaʀese] *vt* to stroke.

cargaison [kaʀgɛzɔ̃] *nf* cargo.

cargo [kaʀgo] *nm* freighter.

caricature [kaʀikatyʀ] *nf* caricature.

carie [kaʀi] *nf* caries.

carillon [kaʀijɔ̃] *nm* chime.

carnage [kaʀnaʒ] *nm* slaughter.

carnaval [kaʀnaval] *nm* carnival.

CARNAVAL

During February in some French towns there are large processions of carnival floats and people in fancy dress. The most famous carnival is held in Nice and is known for its colourful floats decked with flowers. In Belgium the most famous carnival is held in the town of Binche where people dress up as giant characters called "gilles".

carnet [kaʀnɛ] *nm* notebook; *(de tickets, de timbres)* book; **~ d'adresses** address book; **~ de chèques** chequebook; **~ de notes** report card.

carotte [kaʀɔt] *nf* carrot.

carpe [kaʀp] *nf* carp.

carpette [kaʀpɛt] *nf* rug.

carré, -e [kaʀe] *adj* square ♦ *nm* square; *(d'agneau)* rack; **deux mètres ~s** two metres squared; **deux au ~** two squared.

carreau, -x [kaʀo] *nm (vitre)* window pane; *(sur le sol, les murs)* tile; *(carré)* check; *(aux cartes)* diamond; **à ~x** checked.

carrefour [kaʀfuʀ] *nm* crossroads *(sg)*.

carrelage [kaʀlaʒ] *nm* tiles *(pl)*.

carrément [kaʀemɑ̃] *adv (franchement)* bluntly; *(très)* completely.

carrière [kaʀjɛʀ] *nf (de pierre)* quarry; *(profession)* career; **faire ~ dans qqch** to make a career (for o.s.) in sthg.

carrossable [kaʀɔsabl] *adj* suitable for motor vehicles.

carrosse [kaʀɔs] *nm* coach.

carrosserie [kaʀɔsʀi] *nf* body.

carrure [kaʀyʀ] *nf* build.

cartable [kaʀtabl] *nm* schoolbag.

carte [kaʀt] *nf* card; *(plan)* map; *(de restaurant)* menu; **à la ~** à la carte; **~ bancaire** bank card for withdrawing cash and making purchases; **Carte Bleue®** = Visa® card; **~ de crédit** credit card; **~ d'embarquement** boarding card; **~ grise** vehicle registration document; **~ (nationale) d'identité** identity card; **Carte Orange** season ticket for use on public transport in Paris; **~ postale** postcard; **~ téléphonique** OU **~ de téléphone** phonecard; **~ des vins** wine list; **~ de visite** visiting card *(Br)*, calling card *(Am)*.

CARTE (NATIONALE) D'IDENTITÉ

Official documents giving personal details (name, address, age, height etc) and a photograph of the holder, identity cards must be carried by all French citizens and presented to the police on request (at checks in the street or on public transport, for example). They can also be used instead of a passport for travel within the European Union and may be asked for as proof of identity when paying by cheque.

cartilage [kartilaʒ] *nm* cartilage.

carton [kartɔ̃] *nm* (*matière*) cardboard; (*boîte*) cardboard box; (*feuille*) card.

cartouche [kartuʃ] *nf* cartridge; (*de cigarettes*) carton.

cas [ka] *nm* case; **au ~ où** in case; **dans ce ~** in that case; **en ~ de** in case of; **en ~ d'accident** in the event of an accident; **en tout ~** in any case.

cascade [kaskad] *nf* (*chute d'eau*) waterfall; (*au cinéma*) stunt.

cascadeur, -euse [kaskadœr, øz] *nm*, *f* stuntman (*f* stuntwoman).

case [kaz] *nf* (*de damier, de mots croisés*) square; (*compartiment*) compartment; (*hutte*) hut.

caserne [kazɛrn] *nf* barracks (*sg ou pl*); **~ des pompiers** fire station.

casier [kazje] *nm* (*compartiment*) pigeonhole; **~ à bouteilles** bottle rack; **~ judiciaire** criminal record.

casino [kazino] *nm* casino.

casque [kask] *nm* helmet; (*d'ouvrier*) hard hat; (*écouteurs*) headphones (*pl*).

casquette [kaskɛt] *nf* cap.

casse-cou [kasku] *nmf inv* daredevil.

casse-croûte [kaskrut] *nm inv* snack.

casse-noix [kasnwa] *nm inv* nutcrackers (*pl*).

casser [kase] *vt* to break; **~ les oreilles à qqn** to deafen sb; **~ les pieds à qqn** (*fam*) to get on sb's nerves ❑ **se casser** *vp* to break; **se**

~ le bras to break one's arm; **se ~ la figure** (*fam: tomber*) to take a tumble.

casserole [kasrɔl] *nf* saucepan.

casse-tête [kastɛt] *nm inv* puzzle; (*fig: problème*) headache.

cassette [kasɛt] *nf* (*de musique*) cassette, tape; **~ vidéo** video cassette.

cassis [kasis] *nm* blackcurrant.

cassoulet [kasulɛ] *nm* haricot bean stew with pork, lamb or duck.

catalogue [katalɔg] *nm* catalogue.

catastrophe [katastrɔf] *nf* disaster.

catastrophique [katastrɔfik] *adj* disastrous.

catch [katʃ] *nm* wrestling.

catéchisme [kateʃism] *nm =* Sunday school.

catégorie [kategɔri] *nf* category.

catégorique [kategɔrik] *adj* categorical.

cathédrale [katedral] *nf* cathedral.

catholique [katɔlik] *adj & nmf* Catholic.

cauchemar [koʃmar] *nm* nightmare.

cause [koz] *nf* cause, reason; «**fermé pour ~ de ...**» "closed due to ..."; **à ~ de** because of.

causer [koze] *vt* to cause ◆ *vi* to chat.

caution [kosjɔ̃] *nf* (*pour une location*) deposit; (*personne*) guarantor.

cavalier, -ière [kavalje, jɛr] *nm*, *f* (*à cheval*) rider; (*partenaire*) partner ◆ *nm* (*aux échecs*) knight.

cave [kav] *nf* cellar.

caverne [kavɛrn] *nf* cave.

caviar [kavjar] *nm* caviar.

CB *abr* = **Carte Bleue**®.

CD *nm (abr de Compact Disc*®*)* CD.

CDI *nm (abr de centre de documentation et d'information)* school library.

CD-I *nm (abr de Compact Disc*® *interactif)* CDI.

CD-ROM [sederɔm] *nm* CD-ROM.

ce, cet [sə, sɛt] *(f* **cette** [sɛt], *mpl* **ces** [se]) *adj* **1.** *(proche dans l'espace ou dans le temps)* this, these *(pl)*; **cette plage** this beach; **cette nuit** *(passée)* last night; *(prochaine)* tonight. **2.** *(éloigné dans l'espace ou dans le temps)* that, those *(pl)*; **je n'aime pas cette chambre, je préfère celle-ci** I don't like that room, I prefer this one.
♦ *pron* **1.** *(pour mettre en valeur)*: **c'est it is, this is;** ~ **sont they are, these are; c'est votre collègue qui m'a renseigné** it was your colleague who told me. **2.** *(dans des interrogations)*: **est-~ bien là?** is it the right place?; **qui est-~?** who is it? **3.** *(avec un relatif)*: ~ **que tu voudras** whatever you want; ~ **qui nous intéresse, ce sont les musées** the museums are what we're interested in; ~ **dont vous aurez besoin en camping** what you'll need when you're camping. **4.** *(en intensif)*: ~ **qu'il fait chaud!** it's so hot!

CE *nm (abr de cours élémentaire)*: ~**1** second year of primary school; ~**2** third year of primary school.

ceci [səsi] *pron* this.

céder [sede] *vt (laisser)* to give up ♦ *vi (ne pas résister)* to give in; *(cas-*

ser) to give way; **«cédez le passage»** "give way" *(Br)*, "yield" *(Am)*; ~ **à** to give in to.

CEDEX [sedɛks] *nm* code written after large companies' addresses, ensuring rapid delivery.

cédille [sedij] *nf* cedilla.

CEE *nf (abr de Communauté économique européenne)* EEC.

CEI *nf (abr de Communauté d'États indépendants)* CIS.

ceinture [sɛ̃tyr] *nf* belt; *(d'un vêtement)* waist; ~ **de sécurité** seat belt.

cela [səla] *pron dém* that; ~ **ne fait rien** it doesn't matter; **comment** ~? what?; **c'est** ~ *(c'est exact)* that's right.

célèbre [selɛbr] *adj* famous.

célébrer [selebre] *vt* to celebrate.

célébrité [selebrite] *nf (gloire)* fame; *(star)* celebrity.

céleri [sɛlri] *nm* celery; ~ **rémoulade** grated celeriac, mixed with mustard mayonnaise, served cold.

célibataire [selibatɛr] *adj* single ♦ *nmf* single man *(f* single woman).

celle → **celui.**

celle-ci → **celui-ci.**

celle-là → **celui-là.**

cellule [selyl] *nf* cell.

cellulite [selylit] *nf* cellulite.

celui [səlɥi] *(f* **celle** [sɛl], *mpl* **ceux** [sø]) *pron* the one; ~ **de devant** the one in front; ~ **de Pierre** Pierre's (one); ~ **qui part à 13 h 30** the one which leaves at 1.30 pm; **ceux dont je t'ai parlé** the ones I told you about.

celui-ci [səlɥisi] *(f* **celle-ci** [sɛlsi],

mpl ceux-ci [søsi]) *pron* this one; *(dont on vient de parler)* the latter.

celui-là [səlɥila] *(f* **celle-là** [sɛla], *mpl* **ceux-là** [søla]) *pron* that one; *(dont on a parlé)* the former.

cendre [sɑ̃dr] *nf* ash.

cendrier [sɑ̃drije] *nm* ashtray.

censurer [sɑ̃syre] *vt* to censor.

cent [sɑ̃] *num* a hundred, → **six**.

centaine [sɑ̃tɛn] *nf:* **une ~ (de)** about a hundred.

centième [sɑ̃tjɛm] *num* hundredth, → **sixième**.

centime [sɑ̃tim] *nm* centime.

centimètre [sɑ̃timɛtr] *nm* centimetre.

central, -e, -aux [sɑ̃tral, o] *adj* central.

centrale [sɑ̃tral] *nf (électrique)* power station; **~ nucléaire** nuclear power station.

centre [sɑ̃tr] *nm* centre; *(point essentiel)* heart; **~ aéré** holiday activity centre for children; **~ commercial** shopping centre.

centre-ville [sɑ̃trəvil] *(pl* **centres-villes**) *nm* town centre.

cèpe [sɛp] *nm* type of dark mushroom with a rich flavour.

cependant [səpɑ̃dɑ̃] *conj* however.

céramique [seramik] *nf (matière)* ceramic; *(objet)* piece of pottery.

cercle [sɛrkl] *nm* circle.

cercueil [sɛrkœj] *nm* coffin *(Br)*, casket *(Am)*.

céréale [sereal] *nf* cereal; **des ~s** *(de petit déjeuner)* (breakfast) cereal.

cérémonie [seremɔni] *nf* ceremony.

cerf [sɛr] *nm* stag.

cerf-volant [sɛrvɔlɑ̃] *(pl* **cerfs-**

volants) *nm* kite.

cerise [səriz] *nf* cherry.

cerisier [sərizje] *nm* cherry tree.

cerner [sɛrne] *vt* to surround; *(fig: problème)* to define.

cernes [sɛrn] *nmpl* shadows.

certain, -e [sɛrtɛ̃, ɛn] *adj* certain; **être ~ de qqch** to be certain of sthg; **être ~ de faire qqch** to be certain to do sthg; **être ~ que** to be certain that; **un ~ temps** a while; **un ~ Jean** someone called Jean ❏ **certains, certaines** *adj* some ◆ *pron* some (people).

certainement [sɛrtɛnmɑ̃] *adv (probablement)* probably; *(bien sûr)* certainly.

certes [sɛrt] *adv* of course.

certificat [sɛrtifika] *nm* certificate; **~ médical** doctor's certificate; **~ de scolarité** school attendance certificate.

certifier [sɛrtifje] *vt* to certify; **certifié conforme** certified.

certitude [sɛrtityd] *nf* certainty.

cerveau, -x [sɛrvo] *nm* brain.

cervelas [sɛrvəla] *nm* ≃ saveloy *(sausage)*.

cervelle [sɛrvɛl] *nf* brains *(sg)*.

ces → **ce**.

CES *nm (abr de collège d'enseignement secondaire)* secondary school.

cesse [sɛs] **: sans cesse** *adv* continually.

cesser [sese] *vi* to stop; **~ de faire qqch** to stop doing sthg.

c'est-à-dire [sɛtadir] *adv* in other words.

cet → **ce**.

cette → **ce**.

ceux → **celui**.

ceux-ci → **celui-ci**.

ceux-là → **celui-là**.

cf. *(abr de confer)* cf.

chacun, -e [ʃakœ̃, yn] *pron (chaque personne)* each (one); *(tout le monde)* everyone; ~ **à son tour** each person in turn.

chagrin [ʃagrɛ̃] *nm* grief; **avoir du** ~ to be very upset.

chahut [ʃay] *nm* rumpus; **faire du** ~ to make a racket.

chahuter [ʃayte] *vt* to bait.

chaîne [ʃɛn] *nf* chain; *(suite)* series; *(de télévision)* channel; **à la** ~ *(travailler)* on a production line; ~ **(hi-fi)** hi-fi (system); ~ **laser** CD system; ~ **de montagnes** mountain range ❑ **chaînes** *nfpl (de voiture)* (snow) chains.

chair [ʃɛr] *nf & adj* flesh; ~ **à saucisse** sausage meat; **en** ~ **et en os** in the flesh; **avoir la** ~ **de poule** to have goose pimples.

chaise [ʃɛz] *nf* chair; ~ **longue** deckchair.

châle [ʃal] *nm* shawl.

chalet [ʃalɛ] *nm* chalet; *(Can: maison de campagne)* (holiday) cottage.

chaleur [ʃalœr] *nf* heat; *(fig: enthousiasme)* warmth.

chaleureux, -euse [ʃalœrø, øz] *adj* warm.

chaloupe [ʃalup] *nf (Can: barque)* rowing boat *(Br)*, rowboat *(Am)*.

chalumeau, -x [ʃalymo] *nm* blowlamp *(Br)*, blowtorch *(Am)*.

chalutier [ʃalytje] *nm* trawler.

chamailler [ʃamaje] : **se chamailler** *vp* to squabble.

chambre [ʃɑ̃br] *nf*: ~ **(à coucher)** bedroom; ~ **à air** inner tube; ~

d'amis spare room; **Chambre des députés** = House of Commons *(Br)*, = House of Representatives *(Am)*; ~ **double** double room; ~ **simple** single room.

chameau, -x [ʃamo] *nm* camel.

chamois [ʃamwa] *nm* → **peau**.

champ [ʃɑ̃] *nm* field; ~ **de bataille** battlefield; ~ **de courses** racecourse.

champagne [ʃɑ̃paɲ] *nm* champagne.

$\boxed{i}$ CHAMPAGNE

The famous sparkling wine can properly speaking only be called champagne if it is made from grapes grown in the Champagne region in northeast France. It can be combined with blackcurrant liqueur to make the cocktail "kir royal".

champignon [ʃɑ̃piɲɔ̃] *nm* mushroom; **~s à la grecque** *mushrooms served cold in a sauce of olive oil, lemon and herbs*; ~ **de Paris** button mushroom.

champion, -ionne [ʃɑ̃pjɔ̃, jɔn] *nm, f* champion.

championnat [ʃɑ̃pjɔna] *nm* championship.

chance [ʃɑ̃s] *nf (sort favorable)* luck; *(probabilité)* chance; **avoir de la** ~ to be lucky; **avoir des ~s de faire qqch** to have a chance of doing sthg; **bonne ~!** good luck!

chanceler [ʃɑ̃sle] *vi* to wobble.

chandail [ʃɑ̃daj] *nm* sweater.

Chandeleur [ʃɑ̃dlœr] *nf*: **la** ~ Candlemas.

CHANDELEUR

The French celebrate Candlemas, 2 February, by making pancakes which they toss in a frying pan held in one hand whilst holding a coin in the other hand. Tradition has it that you will have good luck in the coming year if you successfully catch the pancake.

chandelier [ʃɑ̃dəlje] *nm* candlestick; *(à plusieurs branches)* candelabra.

chandelle [ʃɑ̃dɛl] *nf* candle.

change [ʃɑ̃ʒ] *nm (taux)* exchange rate.

changement [ʃɑ̃ʒmɑ̃] *nm* change; ~ **de vitesse** gear lever (Br), gear shift (Am).

changer [ʃɑ̃ʒe] *vt & vi* to change; ~ **des francs en dollars** to change francs into dollars; ~ **de train/vitesse** to change trains/gear □ **se changer** *vp (s'habiller)* to get changed; **se** ~ **en** to change into.

chanson [ʃɑ̃sɔ̃] *nf* song.

chant [ʃɑ̃] *nm* song; *(art)* singing.

chantage [ʃɑ̃taʒ] *nm* blackmail.

chanter [ʃɑ̃te] *vt & vi* to sing.

chanteur, -euse [ʃɑ̃tœr, øz] *nm, f* singer.

chantier [ʃɑ̃tje] *nm* (building) site.

chantilly [ʃɑ̃tiji] *nf*: **(crème)** ~ whipped cream.

chantonner [ʃɑ̃tɔne] *vi* to hum.

chapeau, -x [ʃapo] *nm* hat; ~ **de paille** straw hat.

chapelet [ʃaplɛ] *nm* rosary beads; *(succession)* string.

chapelle [ʃapɛl] *nf* chapel.

chapelure [ʃaplyr] *nf* (dried) breadcrumbs *(pl)*.

chapiteau, -x [ʃapito] *nm (de cirque)* big top.

chapitre [ʃapitr] *nm* chapter.

chapon [ʃapɔ̃] *nm* capon.

chaque [ʃak] *adj (un)* each; *(tout)* every.

char [ʃar] *nm (de carnaval)* float; *(Can: voiture)* car; ~ **(d'assaut)** tank; ~ **à voile** sand yacht.

charabia [ʃarabja] *nm (fam)* gibberish.

charade [ʃarad] *nf* charade.

charbon [ʃarbɔ̃] *nm* coal.

charcuterie [ʃarkytri] *nf (aliments)* cooked meats *(pl)*; *(magasin)* delicatessen.

chardon [ʃardɔ̃] *nm* thistle.

charge [ʃarʒ] *nf (cargaison)* load; *(fig: gêne)* burden; *(responsabilité)* responsibility; **prendre qqch en** ~ to take responsibility for sthg □ **charges** *nfpl (d'un appartement)* service charge *(sg)*.

chargement [ʃarʒəmɑ̃] *nm* load.

charger [ʃarʒe] *vt* to load; ~ **qqn de faire qqch** to put sb in charge of doing sthg □ **se charger de** *vp + prép* to take care of.

chariot [ʃarjo] *nm (charrette)* wagon; *(au supermarché)* trolley (Br), cart (Am); *(de machine à écrire)* carriage.

charité [ʃarite] *nf* charity; **demander la** ~ to beg.

charlotte [ʃarlɔt] *nf (cuite)* charlotte; *(froide)* cold dessert of chocolate or fruit mousse encased in sponge fingers.

charmant, -e [ʃarmã, ãt] *adj* charming.

charme [ʃarm] *nm* charm.

charmer [ʃarme] *vt* to charm.

charnière [ʃarnjɛr] *nf* hinge.

charpente [ʃarpãt] *nf* framework.

charpentier [ʃarpãtje] *nm* carpenter.

charrette [ʃarɛt] *nf* cart.

charrue [ʃary] *nf* plough.

charter [ʃarter] *nm:* **(vol)** ~ charter flight.

chas [ʃa] *nm* eye *(of a needle)*.

chasse [ʃas] *nf* hunting; **aller à la** ~ to go hunting; **tirer la** ~ **(d'eau)** to flush the toilet.

chasselas [ʃasla] *nm variety of Swiss white wine.*

chasse-neige [ʃasnɛʒ] *nm inv* snowplough.

chasser [ʃase] *vt (animal)* to hunt; *(personne)* to drive away ♦ *vi* to hunt; ~ **qqn de** to throw sb out of.

chasseur [ʃasœr] *nm* hunter.

châssis [ʃasi] *nm (de voiture)* chassis; *(de fenêtre)* frame.

chat, chatte [ʃa, ʃat] *nm, f* cat; **avoir un** ~ **dans la gorge** to have a frog in one's throat.

châtaigne [ʃatɛɲ] *nf* chestnut.

châtaignier [ʃatɛɲe] *nm* chestnut (tree).

châtain [ʃatɛ̃] *adj* brown; **être** ~ to have brown hair.

château, -x [ʃato] *nm* castle; ~ **d'eau** water tower; ~ **fort** (fortified) castle.

The Renaissance "châteaux" found in the Loire valley in the west of France are royal or stately residences built in the 15th and 16th centuries. The best-known "châteaux" include the one at Chambord, which was built for François I; Chenonceaux, where the "château" stands on arches over the river Cher; and Azay-le-Rideau, where the "château" stands on a tiny island in the river Indre.

chaton [ʃatɔ̃] *nm (chat)* kitten.

chatouiller [ʃatuje] *vt* to tickle.

chatouilleux, -euse [ʃatujø, øz] *adj* ticklish.

chatte → **chat**.

chaud, -e [ʃo, ʃod] *adj* hot; *(vêtement)* warm ♦ *nm:* **rester au** ~ to stay in the warm; **il fait** ~ it's hot; **avoir** ~ to be hot; **cette veste me tient** ~ this is a warm jacket.

chaudière [ʃodjɛr] *nf* boiler.

chaudronnée [ʃodrɔne] *nf (Can)* various types of seafish cooked with onion in stock.

chauffage [ʃofaʒ] *nm* heating; ~ **central** central heating.

chauffante [ʃofãt] *adj f* → **plaque**.

chauffard [ʃofar] *nm* reckless driver.

chauffe-eau [ʃofo] *nm inv* water heater.

chauffer [ʃofe] *vt* to heat (up) ♦ *vi (eau, aliment)* to heat up; *(radiateur)* to give out heat; *(soleil)* to be hot; *(surchauffer)* to overheat.

chauffeur [ʃofœr] *nm* driver; ~ **de taxi** taxi driver.

chaumière [ʃomjɛr] *nf* thatched cottage.

chaussée [ʃose] *nf* road; «~ **déformée**» "uneven road surface".

chausse-pied, -s [ʃospje] *nm* shoehorn.

chausser [ʃose] *vi:* ~ **du 38** to take a size 38 (shoe) □ **se chausser** *vp* to put one's shoes on.

chaussette [ʃosɛt] *nf* sock.

chausson [ʃosɔ̃] *nm* slipper; ~ **aux pommes** apple turnover; ~**s de danse** ballet shoes.

chaussure [ʃosyr] *nf* shoe; ~**s de marche** walking boots.

chauve [ʃov] *adj* bald.

chauve-souris [ʃovsuri] (*pl* chauves-souris) *nf* bat.

chauvin, -e [ʃovɛ̃, in] *adj* chauvinistic.

chavirer [ʃavire] *vi* to capsize.

chef [ʃɛf] *nm* head; *(cuisinier)* chef; ~ **d'entreprise** company manager; ~ **d'État** head of state; ~ **de gare** station master; ~ **d'orchestre** conductor.

chef-d'œuvre [ʃɛdœvr] (*pl* chefs-d'œuvre) *nm* masterpiece.

chef-lieu [ʃɛfljø] (*pl* chefs-lieux) *nm* administrative centre of a region or district.

chemin [ʃəmɛ̃] *nm* path; *(parcours)* way; **en** ~ on the way.

chemin de fer [ʃəmɛ̃dəfɛr] (*pl* chemins de fer) *nm* railway (Br), railroad (Am).

cheminée [ʃəmine] *nf* chimney; *(dans un salon)* mantelpiece.

chemise [ʃəmiz] *nf* shirt; *(en carton)* folder; ~ **de nuit** nightdress.

chemisier [ʃəmizje] *nm* blouse.

chêne [ʃɛn] *nm* *(arbre)* oak (tree); *(bois)* oak.

chenil [ʃənil] *nm* kennels *(sg)*; *(Helv: objets sans valeur)* junk.

chenille [ʃənij] *nf* caterpillar.

chèque [ʃɛk] *nm* cheque (Br), check (Am); ~ **barré** crossed cheque; ~ **en blanc** blank cheque; **il a fait un** ~ **sans provision** his cheque bounced; ~ **de voyage** traveller's cheque.

Chèque-Restaurant® [ʃɛk-rɛstɔrɑ̃] (*pl* Chèques-Restaurant) *nm* ≈ luncheon voucher.

chéquier [ʃekje] *nm* chequebook (Br), checkbook (Am).

cher, chère [ʃɛr] *adj* expensive ♦ *adv:* **coûter** ~ to be expensive; ~ **Monsieur/Laurent** Dear Sir/ Laurent.

chercher [ʃɛrʃe] *vt* to look for; **aller** ~ to fetch □ **chercher à** *v* + *prép:* ~ **à faire qqch** to try to do sthg.

chercheur, -euse [ʃɛrʃœr, øz] *nm, f* researcher.

chéri, -e [ʃeri] *adj* darling ♦ *nm, f:* **mon** ~ my darling.

cheval, -aux [ʃəval, o] *nm* horse; **monter à** ~ to ride (a horse); **faire du** ~ to go riding; **être à** ~ **sur** *(chaise, branche)* to be sitting astride; *(lieux, périodes)* to straddle.

chevalier [ʃəvalje] *nm* knight.

chevelure [ʃəvlyr] *nf* hair.

chevet [ʃəvɛ] *nm* → **lampe, table.**

cheveu, -x [ʃəvø] *nm* hair □ **cheveux** *nmpl* hair *(sg)*.

cheville [ʃəvij] *nf* *(ANAT)* ankle; *(en plastique)* Rawlplug®.

chèvre 54

chèvre [ʃɛvʁ] *nf* goat.

chevreuil [ʃəvʁœj] *nm (animal)* roe deer; *(CULIN)* venison.

chewing-gum, -s [ʃwiŋɡɔm] *nm* chewing gum.

chez [ʃe] *prép (sur une adresse)* c/o; **allons ~ les Marceau** let's go to the Marceaus' (place); **je reste ~ moi** I'm staying (at) home; **je rentre ~ moi** I'm going home; **~ le dentiste** at/to the dentist's; **ce que j'aime ~ lui, c'est …** what I like about him is …

chic [ʃik] *adj* smart.

chiche [ʃiʃ] *adj m* → **pois**.

chicon [ʃikɔ̃] *nm (Belg)* chicory.

chicorée [ʃikɔʁe] *nf* chicory.

chien, chienne [ʃjɛ̃, ʃjɛn] *nm, f* dog (*f* bitch).

chiffon [ʃifɔ̃] *nm* cloth; **~ (à poussière)** duster.

chiffonner [ʃifɔne] *vt* to crumple.

chiffre [ʃifʁ] *nm (MATH)* figure; *(montant)* sum.

chignon [ʃiɲɔ̃] *nm* bun *(in hair)*.

chimie [ʃimi] *nf* chemistry.

chimique [ʃimik] *adj* chemical.

Chine [ʃin] *nf*: **la ~** China.

chinois, -e [ʃinwa, waz] *adj* Chinese ♦ *nm (langue)* Chinese □ **Chinois, -e** *nm, f* Chinese person.

chiot [ʃjo] *nm* puppy.

chipolata [ʃipɔlata] *nf* chipolata.

chips [ʃips] *nfpl* crisps *(Br)*, chips *(Am)*.

chirurgie [ʃiʁyʁʒi] *nf* surgery; **~ esthétique** cosmetic surgery.

chirurgien, -ienne [ʃiʁyʁʒjɛ̃, jɛn] *nm, f* surgeon.

chlore [klɔʁ] *nm* chlorine.

choc [ʃɔk] *nm (physique)* impact; *(émotion)* shock.

chocolat [ʃɔkɔla] *nm* chocolate; **~ blanc** white chocolate; **~ au lait** milk chocolate; **~ liégeois** *chocolate ice cream topped with whipped cream*; **~ noir** plain chocolate.

chocolatier [ʃɔkɔlatje] *nm* confectioner's *(selling chocolates)*.

choesels [tʃuzɛl] *nmpl (Belg)* meat, liver and heart stew, cooked with beer.

chœur [kœʁ] *nm (chorale)* choir; **en ~** all together.

choisir [ʃwaziʁ] *vt* to choose.

choix [ʃwa] *nm* choice; **avoir le ~** to be able to choose; **«fromage ou dessert au ~»** "a choice of cheese or dessert"; **de premier ~** top-quality; **articles de second ~** seconds.

cholestérol [kɔlɛsteʁɔl] *nm* cholesterol.

chômage [ʃomaʒ] *nm* unemployment; **être au ~** to be unemployed.

chômeur, -euse [ʃomœʁ, øz] *nm, f* unemployed person.

choquant, -e [ʃɔkɑ̃, ɑ̃t] *adj* shocking.

choquer [ʃɔke] *vt* to shock.

chorale [kɔʁal] *nf* choir.

chose [ʃoz] *nf* thing.

chou, -x [ʃu] *nm* cabbage; **~ de Bruxelles** Brussels sprout; **~ à la crème** cream puff; **~ rouge** red cabbage.

chouchou, -oute [ʃuʃu, ut] *nm, f (fam)* favourite ♦ *nm* scrunchy.

choucroute [ʃukʁut] *nf*: **~ (garnie)** sauerkraut *(with pork and sausage)*.

chouette [ʃwɛt] *nf* owl ♦ *adj (fam)* great.

chou-fleur [ʃuflœr] (*pl* choux-fleurs) *nm* cauliflower.

chrétien, -ienne [kretjɛ̃, jɛn] *adj & nm, f* Christian.

chromé, -e [krome] *adj* chrome-plated.

chromes [krom] *nmpl (d'une voiture)* chrome *(sg).*

chronique [krɔnik] *adj* chronic ♦ *nf (de journal)* column.

chronologique [krɔnɔlɔʒik] *adj* chronological.

chronomètre [krɔnɔmɛtr] *nm* stopwatch.

chronométrer [krɔnɔmetre] *vt* to time.

CHU *nm teaching hospital.*

chuchotement [ʃyʃɔtmɑ̃] *nm* whisper.

chuchoter [ʃyʃɔte] *vt & vi* to whisper.

chut [ʃyt] *excl* sh!

chute [ʃyt] *nf (fait de tomber)* fall; ~ **d'eau** waterfall; ~ **de neige** snowfall.

ci [si] *adv*: **ce livre-~** this book; **ces jours-~** these days.

cible [sibl] *nf* target.

ciboulette [sibulɛt] *nf* chives *(pl).*

cicatrice [sikatris] *nf* scar.

cicatriser [sikatrize] *vi* to heal.

cidre [sidr] *nm* cider *(Br)*, hard cider *(Am).*

Cie *(abr de compagnie)* Co.

ciel [sjɛl] *nm* sky; *(paradis: pl* cieux*)* heaven.

cierge [sjɛrʒ] *nm* candle *(in church).*

cieux [sjø] → **ciel.**

cigale [sigal] *nf* cicada.

cigare [sigar] *nm* cigar.

cigarette [sigarɛt] *nf* cigarette; ~ **filtre** filter-tipped cigarette; ~ **russe** cylindrical wafer.

cigogne [sigɔɲ] *nf* stork.

ci-joint, -e [siʒwɛ̃, ɛt] *adj & adv* enclosed.

cil [sil] *nm* eyelash.

cime [sim] *nf* top.

ciment [simɑ̃] *nm* cement.

cimetière [simtjɛr] *nm* cemetery.

cinéaste [sineast] *nmf* filmmaker.

ciné-club, -s [sineklœb] *nm* film club.

cinéma [sinema] *nm* cinema.

cinémathèque [sinematɛk] *nf* art cinema *(showing old films).*

cinéphile [sinefil] *nmf* film lover.

cinq [sɛ̃k] *num* five, → **six.**

cinquantaine [sɛ̃kɑ̃tɛn] *nf*: **une ~ (de)** about fifty; **avoir la ~** to be middle-aged.

cinquante [sɛ̃kɑ̃t] *num* fifty, → **six.**

cinquantième [sɛ̃kɑ̃tjɛm] *num* fiftieth, → **sixième.**

cinquième [sɛ̃kjɛm] *num* fifth ♦ *nf (SCOL)* second year *(Br)*, seventh grade *(Am)*; *(vitesse)* fifth (gear), → **sixième.**

cintre [sɛ̃tr] *nm* coat hanger.

cintré, -e [sɛ̃tre] *adj (vêtement)* waisted.

cipâte [sipat] *nm (Can)* savoury tart consisting of many alternating layers of diced potato and meat (usually beef and pork).

cirage [siraʒ] *nm* shoe polish.

circonflexe [sirkɔ̃flɛks] *adj* → accent.

circonstances [sirkɔ̃stɑ̃s] *nfpl* circumstances.

circuit [sirkɥi] *nm* circuit; *(trajet)* tour; ~ **touristique** organized tour.

circulaire [sirkyler] *adj & nf* circular.

circulation [sirkylasjɔ̃] *nf* (routière) traffic; *(du sang)* circulation.

circuler [sirkyle] *vi* (piéton) to move; *(voiture)* to drive; *(sang, électricité)* to circulate.

cire [sir] *nf* (pour meubles) (wax) polish.

ciré [sire] *nm* oilskin.

cirer [sire] *vt* to polish.

cirque [sirk] *nm* circus.

ciseaux [sizo] *nmpl*: **(une paire de)** ~ (a pair of) scissors.

citadin, -e [sitadɛ̃, in] *nm, f* city-dweller.

citation [sitasjɔ̃] *nf* quotation.

cité [site] *nf* (ville) city; *(groupe d'immeubles)* housing estate; ~ **universitaire** hall of residence.

citer [site] *vt* (phrase, auteur) to quote; *(nommer)* to mention.

citerne [sitɛrn] *nf* tank.

citoyen, -enne [sitwajɛ̃, jɛn] *nm, f* citizen.

citron [sitrɔ̃] *nm* lemon; ~ **vert** lime.

citronnade [sitrɔnad] *nf* lemon squash.

citrouille [sitruj] *nf* pumpkin.

civet [sive] *nm* rabbit or hare stew made with red wine, shallots and onion.

civière [sivjɛr] *nf* stretcher.

civil, -e [sivil] *adj* (non militaire) civilian; *(non religieux)* civil ◆ *nm*

(personne) civilian; **en** ~ in plain clothes.

civilisation [sivilizasjɔ̃] *nf* civilization.

cl *(abr de centilitre)* cl.

clafoutis [klafuti] *nm* flan made with cherries or other fruit.

clair, -e [klɛr] *adj* (lumineux) bright; *(couleur)* light; *(teint)* fair; *(pur)* clear; *(compréhensible)* clear ◆ *adv* clearly ◆ *nm*: ~ **de lune** moonlight; **il fait encore** ~ it's still light.

clairement [klɛrmɑ̃] *adv* clearly.

clairière [klɛrjɛr] *nf* clearing.

clairon [klɛrɔ̃] *nm* bugle.

clairsemé, -e [klɛrsəme] *adj* sparse.

clandestin, -e [klɑ̃dɛstɛ̃, in] *adj* clandestine.

claque [klak] *nf* slap.

claquement [klakmɑ̃] *nm* banging.

claquer [klake] *vt* (porte) to slam ◆ *vi* (volet, porte) to bang; **je claque des dents** my teeth are chattering; ~ **des doigts** to click one's fingers ❑ **se claquer** *vp*: **se ~ un muscle** to pull a muscle.

claquettes [klakɛt] *nfpl* (chaussures) flip-flops; *(danse)* tap dancing *(sg)*.

clarifier [klarifje] *vt* to clarify.

clarinette [klarinɛt] *nf* clarinet.

clarté [klarte] *nf* light; *(d'un raisonnement)* clarity.

classe [klas] *nf* class; *(salle)* classroom; **aller en** ~ to go to school; **première** ~ first class; ~ **affaires** business class; ~ **de mer** seaside trip *(with school)*; ~ **de neige** skiing trip *(with school)*; ~ **touriste** econo-

57 clown

my class; ~ **verte** field trip *(with school)*.

CLASSE VERTE/DE MER/DE NEIGE

In France schools organize trips for one or two weeks to the countryside, to the seaside, or to go skiing. As well as offering sporting activities, they are intended to encourage children to explore their environment and mix with the local people.

classement [klasmɑ̃] *nm (rangement)* classification.

classer [klase] *vt (dossiers)* to file; *(grouper)* to classify ❑ **se classer** *vpr:* **se ~ premier** *(élève, sportif)* to come first.

classeur [klasœʁ] *nm* folder.

classique [klasik] *adj (traditionnel)* classic; *(musique, auteur)* classical.

clavicule [klavikyl] *nf* collarbone.

clavier [klavje] *nm* keyboard.

clé [kle] *nf* key; *(outil)* spanner *(Br)*, wrench *(Am)*; **fermer qqch à ~** to lock sthg; **~ anglaise** monkey wrench; **~ à molette** adjustable spanner.

clef [kle] = **clé**.

clémentine [klemɑ̃tin] *nf* clementine.

cliché [kliʃe] *nm (photo)* photo; *(idée banale)* cliché.

client, -e [klijɑ̃, ɑ̃t] *nm, f (d'une boutique)* customer; *(d'un médecin)* patient.

clientèle [klijɑ̃tɛl] *nf (d'une boutique)* customers *(pl)*; *(de médecin)* patients *(pl)*.

cligner [kliɲe] *vi:* **~ des yeux** to blink.

clignotant [kliɲɔtɑ̃] *nm* indicator *(Br)*, turn signal *(Am)*.

clignoter [kliɲɔte] *vi* to blink.

climat [klima] *nm* climate.

climatisation [klimatizasjɔ̃] *nf* air-conditioning.

climatisé, -e [klimatize] *adj* air-conditioned.

clin d'œil [klɛ̃dœj] *nm:* **faire un ~ à qqn** to wink at sb; **en un ~** in a flash.

clinique [klinik] *nf (private)* clinic.

clip [klip] *nm (boucle d'oreille)* clip-on earring; *(film)* video.

clochard, -e [klɔʃaʁ, aʁd] *nm, f* tramp *(Br)*, bum *(Am)*.

cloche [klɔʃ] *nf* bell; **~ à fromage** cheese dish *(with cover)*.

cloche-pied [klɔʃpje] **: à cloche-pied** *adv:* **sauter à ~** to hop.

clocher [klɔʃe] *nm* church tower.

clochette [klɔʃɛt] *nf* small bell.

cloison [klwazɔ̃] *nf* wall *(inside building)*.

cloître [klwatʁ] *nm* cloister.

cloque [klɔk] *nf* blister.

clôture [klotyʁ] *nf (barrière)* fence.

clôturer [klotyʁe] *vt (champ, jardin)* to enclose.

clou [klu] *nm* nail; **~ de girofle** clove ❑ **clous** *nmpl (passage piétons)* pedestrian crossing *(Br)*, crosswalk *(Am)*.

clouer [klue] *vt* to nail.

clouté [klute] *adj m* → **passage**.

clown [klun] *nm* clown.

club [klœb] *nm* club.

cm (*abr de* centimètre) cm.

CM *nm* (*abr de* cours moyen): ~**1** *fourth year of primary school;* ~**2** *fifth year of primary school.*

coaguler [kɔagyle] *vi* to clot.

cobaye [kɔbaj] *nm* guinea pig.

Coca(-Cola)® [kɔka(kɔla)] *nm inv* Coke®, Coca-Cola®.

coccinelle [kɔksinɛl] *nf* ladybird (*Br*), ladybug (*Am*).

cocher [kɔʃe] *vt* to tick (off) (*Br*), to check (off) (*Am*).

cochon, -onne [kɔʃɔ̃, ɔn] *nm, f* (*fam: personne sale*) pig ◆ *nm* pig; ~ **d'Inde** guinea pig.

cocktail [kɔktɛl] *nm* (*boisson*) cocktail; (*réception*) cocktail party.

coco [kɔko] *nm* → **noix.**

cocotier [kɔkɔtje] *nm* coconut tree.

cocotte [kɔkɔt] *nf* (*casserole*) casserole dish; ~ **en papier** paper bird.

Cocotte-Minute® [kɔkɔtminyt] (*pl* **Cocottes-Minute**) *nf* pressure cooker.

code [kɔd] *nm* code; ~ **confidentiel** PIN number; ~ **postal** postcode (*Br*), zip code (*Am*); ~ **de la route** highway code □ **codes** *nmpl* (*AUT*) dipped headlights.

codé, -e [kɔde] *adj* coded.

code-barres [kɔdbar] (*pl* **codesbarres**) *nm* bar code.

cœur [kœr] *nm* heart; **avoir bon** ~ to be kind-hearted; **de bon** ~ willingly; **par** ~ by heart; ~ **d'artichaut** artichoke heart; ~ **de palmier** palm heart.

coffre [kɔfr] *nm* (*de voiture*) boot; (*malle*) chest.

coffre-fort [kɔfrəfɔr] (*pl* **coffresforts**) *nm* safe.

coffret [kɔfrɛ] *nm* casket; (*COMM: de parfums, de savons*) boxed set.

cognac [kɔɲak] *nm* cognac.

cogner [kɔɲe] *vi* (*frapper*) to hit; (*faire du bruit*) to bang □ **se cogner** *vp* to knock o.s.; **se** ~ **la tête** bang one's head.

cohabiter [kɔabite] *vi* to live together; (*idées*) to coexist.

cohérent, -e [kɔerɑ̃, ɑ̃t] *adj* coherent.

cohue [kɔy] *nf* crowd.

coiffer [kwafe] *vt*: ~ **qqn** to do sb's hair; **coiffé d'un chapeau** wearing a hat □ **se coiffer** *vp* to do one's hair.

coiffeur, -euse [kwafœr, øz] *nm, f* hairdresser.

coiffure [kwafyr] *nf* hairstyle.

coin [kwɛ̃] *nm* corner; (*fig: endroit*) spot; **au** ~ **de** on the corner of; **dans le** ~ (*dans les environs*) in the area.

coincer [kwɛ̃se] *vt* (*mécanisme, porte*) to jam □ **se coincer** *vp* to jam; **se** ~ **le doigt** to catch one's finger.

coïncidence [kɔɛ̃sidɑ̃s] *nf* coincidence.

coïncider [kɔɛ̃side] *vi* to coincide.

col [kɔl] *nm* (*de vêtement*) collar; (*en montagne*) pass; ~ **roulé** polo neck; ~ **en pointe** OU **en V** V-neck.

colère [kɔlɛr] *nf* anger; **être en** ~ (**contre qqn**) to be angry (with sb); **se mettre en** ~ to get angry.

colin [kɔlɛ̃] *nm* hake.

colique [kɔlik] *nf* diarrhoea.

colis [kɔli] *nm* : ~ **(postal)** parcel.

collaborer [kɔlabɔre] *vi* to collaborate; ~ **à qqch** to take part in sthg.

collant, -e [kɔlɑ̃, ɑ̃t] *adj (adhésif)* sticky; *(étroit)* skin-tight ♦ *nm* tights *(pl)* (Br), panty hose (Am).

colle [kɔl] *nf* glue; *(devinette)* tricky question; *(SCOL: retenue)* detention.

collecte [kɔlɛkt] *nf* collection.

collectif, -ive [kɔlɛktif, iv] *adj* collective.

collection [kɔlɛksjɔ̃] *nf* collection; **faire la** ~ **de** to collect.

collectionner [kɔlɛksjɔne] *vt* to collect.

collège [kɔlɛʒ] *nm* school.

collégien, -ienne [kɔleʒjɛ̃, jɛn] *nm, f* schoolboy *(f* schoolgirl).

collègue [kɔlɛg] *nmf* colleague.

coller [kɔle] *vt* to stick; *(fam: donner)* to give; *(SCOL: punir)* to keep in.

collier [kɔlje] *nm* necklace; *(de chien)* collar.

colline [kɔlin] *nf* hill.

collision [kɔlizjɔ̃] *nf* crash.

Cologne [kɔlɔɲ] *n* → **eau.**

colombe [kɔlɔ̃b] *nf* dove.

colonie [kɔlɔni] *nf (territoire)* colony; ~ **de vacances** holiday camp.

colonne [kɔlɔn] *nf* column; ~ **vertébrale** spine.

colorant [kɔlɔrɑ̃] *nm (alimentaire)* (food) colouring; **«sans ~s»** "no artificial colourings".

colorier [kɔlɔrje] *vt* to colour in.

coloris [kɔlɔri] *nm* shade.

coma [kɔma] *nm* coma; **être dans le** ~ to be in a coma.

combat [kɔ̃ba] *nm* fight.

combattant [kɔ̃batɑ̃] *nm* fighter; **ancien** ~ veteran.

combattre [kɔ̃batr] *vt* to fight (against) ♦ *vi* to fight.

combien [kɔ̃bjɛ̃] *adv (quantité)* how much; *(nombre)* how many; ~ **d'argent te reste-t-il?** how much money have you got left?; ~ **de bagages désirez-vous** enregistrer? how many bags would you like to check in?; ~ **de temps?** how long?; ~ **ça coûte?** how much is it?

combinaison [kɔ̃binezɔ̃] *nf (code)* combination; *(sous-vêtement)* slip; *(de skieur)* suit; *(de motard)* leathers *(pl)*; ~ **de plongée** wet suit.

combiné [kɔ̃bine] *nm* : ~ **(téléphonique)** receiver.

combiner [kɔ̃bine] *vt* to combine; *(fam: préparer)* to plan.

comble [kɔ̃bl] *nm* : **c'est un** ~! that's the limit!; **le** ~ **de** the height of.

combler [kɔ̃ble] *vt (boucher)* to fill in; *(satisfaire)* to fulfil.

combustible [kɔ̃bystibl] *nm* fuel.

comédie [kɔmedi] *nf* comedy; *(fam: caprice)* act; **jouer la** ~ *(faire semblant)* to put on an act; ~ **musicale** musical.

comédien, -ienne [kɔmedjɛ̃, jɛn] *nm, f (acteur)* actor *(f* actress).

comestible [kɔmɛstibl] *adj* edible.

comique [kɔmik] *adj (genre, acteur)* comic; *(drôle)* comical.

comité [kɔmite] *nm* committee; ~ **d'entreprise** works council.

commandant [kɔmɑ̃dɑ̃] *nm (MIL: gradé)* = major; *(d'un bateau,*

commande

d'un avion) captain.

commande [kɔmɑ̃d] *nf (COMM)* order; *(TECH)* control mechanism; *(INFORM)* command; **les ~s** *(d'un avion)* the controls.

commander [kɔmɑ̃de] *vt (diriger)* to command; *(dans un bar, par correspondance)* to order; *(TECH)* to control; **~ à qqn de faire qqch** to order sb to do sth.

comme [kɔm] *conj* **1.** *(introduit une comparaison)* like; **elle est blonde, ~ sa mère** she's blonde, like her mother; **~ si rien ne s'était passé** as if nothing had happened. **2.** *(de la manière que)* as; **~ vous voudrez** as you like; ♦ **il faut** *adv (correctement)* properly ♦ *adj (convenable)* respectable. **3.** *(par exemple)* like, such as; **les villes fortifiées ~ Carcassonne** fortified towns like Carcassonne. **4.** *(en tant que)* as; **qu'est-ce que vous avez ~ desserts?** what do you have in the way of dessert? **5.** *(étant donné que)* as, since; **vous n'arriviez pas, nous sommes passés à table** as you didn't arrive, we sat down to eat. **6.** *(dans des expressions)*: **~ ça** *(de cette façon)* like that; *(par conséquent)* that way; **fais ~ ça** do it this way; **~ ci ~ ça** *(fam)* so-so; **tout ~** *(fam: très)* really.

♦ *adv (marque l'intensité)*: **~ c'est grand!** it's so big!; **vous savez ~ il est difficile de se loger ici** you know how hard it is to find accommodation here.

commencement [kɔmɑ̃smɑ̃] *nm* beginning.

commencer [kɔmɑ̃se] *vt* to start ♦ *vi* to start, to begin; **~ à faire qqch** to start ou begin to do

sth; **~ par qqch** to start with sth; **~ par faire qqch** to start by doing sth.

comment [kɔmɑ̃] *adv* how; **~ tu t'appelles?** what's your name?; **~ allez-vous?** how are you?; **~?** *(pour faire répéter)* sorry?

commentaire [kɔmɑ̃tɛʀ] *nm (d'un documentaire, d'un match)* commentary; *(remarque)* comment; **~ de texte** commentary on a text.

commerçant, -e [kɔmɛʀsɑ̃, ɑ̃t] *adj (quartier, rue)* shopping ♦ *nm, f* shopkeeper.

commerce [kɔmɛʀs] *nm (activité)* trade; *(boutique)* business; **dans le ~** in the shops.

commercial, -e, -iaux [kɔmɛʀsjal, jo] *adj* commercial.

commettre [kɔmɛtʀ] *vt* to commit.

commis, -e [kɔmi, iz] *pp* → **commettre**.

commissaire [kɔmisɛʀ] *nm:* **~ (de police)** *(police)* superintendent *(Br)*, *(police)* captain *(Am)*.

commissariat [kɔmisaʀja] *nm:* **~ (de police)** police station.

commission [kɔmisjɔ̃] *nf* commission; *(message)* message ❏ **commissions** *nfpl (courses)* shopping *(sg)*; **faire les ~s** to do the shopping.

commode [kɔmɔd] *adj (facile)* convenient; *(pratique)* handy ♦ *nf* chest of drawers.

commun, -e [kɔmœ̃, yn] *adj* common; *(salle de bains, cuisine)* shared; **mettre qqch en ~** to share sth.

communauté [kɔmynote] *nf* community; **la Communauté économique européenne** the European

Economic Community.

commune [kɔmyn] *nf* town.

communication [kɔmynika-sjɔ̃] *nf (message)* message; *(contact)* communication; ~ **(téléphonique)** (phone) call.

communion [kɔmynjɔ̃] *nf* Communion.

communiqué [kɔmynike] *nm* communiqué.

communiquer [kɔmynike] *vt* to communicate ♦ *vi (dialoguer)* to communicate; *(pièces)* to interconnect; ~ **avec** to communicate with.

communisme [kɔmynism] *nm* communism.

communiste [kɔmynist] *adj &* *nmf* communist.

compact, -e [kɔpakt] *adj (dense)* dense; *(petit)* compact ♦ *nm:* **(disque)** ~ compact disc, CD.

Compact Disc®, -s [kɔpakt-disk] *nm* compact disc, CD.

compagne [kɔpaɲ] *nf (camarade)* companion; *(dans un couple)* partner.

compagnie [kɔpaɲi] *nf* company; **en** ~ **de** in the company of; **tenir** ~ **à qqn** to keep sb company; ~ **aérienne** airline.

compagnon [kɔpaɲɔ̃] *nm (camarade)* companion; *(dans un couple)* partner.

comparable [kɔparabl] *adj* comparable; ~ **à** comparable with.

comparaison [kɔparɛzɔ̃] *nf* comparison.

comparer [kɔpare] *vt* to compare; ~ **qqch à** OU **avec** to compare sthg to OU with.

compartiment [kɔpartimã]

nm compartment; ~ **fumeurs** smoking compartment; ~ **non-fumeurs** no smoking compartment.

compas [kɔpa] *nm (MATH)* pair of compasses; *(boussole)* compass.

compatible [kɔpatibl] *adj* compatible.

compatriote [kɔpatrijɔt] *nmf* compatriot.

compensation [kɔpɑ̃sasjɔ̃] *nf* compensation.

compenser [kɔpɑ̃se] *vt* to compensate for.

compétence [kɔpetɑ̃s] *nf* skill.

compétent, -e [kɔpetɑ̃, ɑ̃t] *adj* competent.

compétitif, -ive [kɔpetitif, iv] *adj* competitive.

compétition [kɔpetisjɔ̃] *nf* competition.

complément [kɔplemã] *nm (supplément)* supplement; *(différence)* rest; *(GRAMM)* complement; ~ **d'objet** object.

complémentaire [kɔplemã-tɛr] *adj (supplémentaire)* additional.

complet, -ète [kɔplɛ, ɛt] *adj (entier)* complete; *(plein)* full; *(pain, farine)* wholemeal; **riz** ~ brown rice; **«complet»** *(hôtel)* "no vacancies"; *(parking)* "full".

complètement [kɔplɛtmã] *adv* completely.

compléter [kɔplete] *vt* to complete ❑ **se compléter** *vp* to complement one another.

complexe [kɔplɛks] *adj &* *nm* complex.

complice [kɔplis] *adj* knowing ♦ *nmf* accomplice.

compliment [kɔplimã] *nm* compliment; **faire un ~ à qqn** to pay sb a compliment.

compliqué, -e [kɔ̃plike] *adj* complicated.

compliquer [kɔ̃plike] *vt* to complicate ❑ **se compliquer** *vp* to get complicated.

complot [kɔ̃plo] *nm* plot.

comportement [kɔ̃pɔrtəmã] *nm* behaviour.

comporter [kɔ̃pɔrte] *vt* to consist of ❑ **se comporter** *vp* to behave.

composer [kɔ̃poze] *vt (faire partie de)* to make up; *(assembler)* to put together; *(MUS)* to compose; *(code, numéro)* to dial; **composé de** composed of ❑ **se composer de** *vp + prép* to be made up of.

compositeur, -trice [kɔ̃pozitœr, tris] *nm, f* composer.

composition [kɔ̃pozisjɔ̃] *nf* composition; *(SCOL)* essay.

composter [kɔ̃pɔste] *vt* to date-stamp; «**compostez vos billets**» "stamp your ticket here".

compote [kɔ̃pɔt] *nf* compote; **~ de pommes** stewed apple.

compréhensible [kɔ̃preãsibl] *adj* comprehensible.

compréhensif, -ive [kɔ̃preãsif, iv] *adj* understanding.

comprendre [kɔ̃prãdr] *vt* to understand; *(comporter)* to consist of ❑ **se comprendre** *vp* to understand each other; **ça se comprend** it's understandable.

compresse [kɔ̃pres] *nf* compress.

comprimé [kɔ̃prime] *nm* tablet.

comprimer [kɔ̃prime] *vt* to compress.

compris, -e [kɔ̃pri, iz] *pp →* **comprendre** ♦ *adj (inclus)* included; **non ~** not included; **tout ~** all inclusive; **y ~** including.

compromettre [kɔ̃prɔmetr] *vt* to compromise.

compromis, -e [kɔ̃prɔmi, iz] *pp →* **compromettre** ♦ *nm* compromise.

comptabilité [kɔ̃tabilite] *nf (science)* accountancy; *(département, calculs)* accounts *(pl)*.

comptable [kɔ̃tabl] *nmf* accountant.

comptant [kɔ̃tã] *adv:* **payer ~** to pay cash.

compte [kɔ̃t] *nm (bancaire)* account; *(calcul)* calculation; **faire le ~ de** to count; **se rendre ~ de** to realize; **se rendre ~ que** to realize that; **~ postal** post office account; **en fin de ~, tout ~ fait** all things considered ❑ **comptes** *nmpl* accounts; **faire ses ~s** to do one's accounts.

compte-gouttes [kɔ̃tgut] *nm inv* dropper.

compter [kɔ̃te] *vt & vi* to count; **~ faire qqch** *(avoir l'intention de)* to intend to do sthg; *(s'attendre à)* to expect to do sthg ❑ **compter sur** *v + prép* to count on.

compte-rendu [kɔ̃trãdy] *(pl* **comptes-rendus)** *nm* report.

compteur [kɔ̃tœr] *nm* meter; **~ (kilométrique)** = mileometer; **~ (de vitesse)** speedometer.

comptoir [kɔ̃twar] *nm (de bar)* bar; *(de magasin)* counter.

comte, -esse [kɔ̃t, kɔ̃tes] *nm, f* count *(f* countess).

con, conne [kɔ̃, kɔn] *adj (vulg)* bloody stupid.

concentration [kɔ̃sɑ̃trasjɔ̃] *nf* concentration.

concentré, -e [kɔ̃sɑ̃tre] *adj (jus d'orange)* concentrated ♦ *nm*: ~ **de tomate** tomato puree; **être** ~ to concentrate (hard).

concentrer [kɔ̃sɑ̃tre] *vt (efforts, attention)* to concentrate ❑ **se concentrer (sur)** *vp (+ prép)* to concentrate (on).

conception [kɔ̃sɛpsjɔ̃] *nf* design; *(notion)* idea.

concerner [kɔ̃sɛrne] *vt* to concern.

concert [kɔ̃sɛr] *nm* concert.

concessionnaire [kɔ̃sesjɔnɛr] *nm (automobile)* dealer.

concevoir [kɔ̃səvwar] *vt (objet)* to design; *(projet, idée)* to conceive.

concierge [kɔ̃sjɛrʒ] *nmf* caretaker, janitor *(Am)*.

concis, -e [kɔ̃si, iz] *adj* concise.

conclure [kɔ̃klyr] *vt* to conclude.

conclusion [kɔ̃klyzjɔ̃] *nf* conclusion.

concombre [kɔ̃kɔ̃br] *nm* cucumber.

concorder [kɔ̃kɔrde] *vi* to agree.

concours [kɔ̃kur] *nm (examen)* competitive examination; *(jeu)* competition; ~ **de circonstances** combination of circumstances.

concret, -ète [kɔ̃krɛ, ɛt] *adj* concrete.

concrétiser [kɔ̃kretize] : **se concrétiser** *vp* to materialize.

concurrence [kɔ̃kyrɑ̃s] *nf* competition.

concurrent, -e [kɔ̃kyrɑ̃, ɑ̃t] *nm, f* competitor.

condamnation [kɔ̃danasjɔ̃] *nf* sentence.

condamner [kɔ̃dane] *vt (accusé)* to convict; *(porte, fenêtre)* to board up; ~ **qqn à** to sentence sb to.

condensation [kɔ̃dɑ̃sasjɔ̃] *nf* condensation.

condensé, -e [kɔ̃dɑ̃se] *adj (lait)* condensed.

condiment [kɔ̃dimɑ̃] *nm* condiment.

condition [kɔ̃disjɔ̃] *nf* condition; **à** ~ **de faire qqch** providing (that) I/we do sthg, provided (that) I/we do sthg; **à** ~ **qu'il fasse beau** providing (that) it's fine, provided (that) it's fine.

conditionné [kɔ̃disjɔne] *adj m* → **air**.

conditionnel [kɔ̃disjɔnɛl] *nm* conditional.

condoléances [kɔ̃dɔleɑ̃s] *nfpl*: **présenter ses** ~ **à qqn** to offer one's condolences to sb.

conducteur, -trice [kɔ̃dyktœr, tris] *nm, f* driver.

conduire [kɔ̃dɥir] *vt (véhicule)* to drive; *(accompagner)* to take; *(guider)* to lead ♦ *vi* to drive; ~ **à** *(chemin, couloir)* to lead to ❑ **se conduire** *vp* to behave.

conduit, -e [kɔ̃dɥi, it] *pp* → **conduire**.

conduite [kɔ̃dɥit] *nf (attitude)* behaviour; *(tuyau)* pipe; ~ **à gauche** left-hand drive.

cône [kon] *nm* cone.

confection [kɔ̃fɛksjɔ̃] *nf (couture)* clothing industry.

confectionner [kɔ̃fɛksjɔne] *vt* to make.

conférence [kɔ̃ferɑ̃s] *nf (réunion)* conference; *(discours)* lecture.

confesser [kɔ̃fese] : **se confesser** vp to go to confession.

confession [kɔ̃fesjɔ̃] nf confession.

confettis [kɔ̃feti] nmpl confetti (sg).

confiance [kɔ̃fjɑ̃s] nf confidence; **avoir ~ en** to trust; **faire ~ à** to trust.

confiant, -e [kɔ̃fjɑ̃, ɑ̃t] adj trusting.

confidence [kɔ̃fidɑ̃s] nf confidence; **faire des ~s à qqn** to confide in sb.

confidentiel, -ielle [kɔ̃fidɑ̃sjɛl] adj confidential.

confier [kɔ̃fje] vt : ~ **qqch à qqn** to entrust sb with sthg ❑ **se confier (à)** vp (+ prép) to confide (in).

confirmation [kɔ̃firmasjɔ̃] nf confirmation.

confirmer [kɔ̃firme] vt to confirm ❑ **se confirmer** vp to be confirmed.

confiserie [kɔ̃fizri] nf (sucreries) sweets pl (Br), candy (Am); (magasin) sweetshop (Br), candy store (Am).

confisquer [kɔ̃fiske] vt to confiscate.

confit [kɔ̃fi] adj m → **fruit** ♦ nm : ~ **de canard/d'oie** potted duck or goose.

confiture [kɔ̃fityr] nf jam.

conflit [kɔ̃fli] nm conflict.

confondre [kɔ̃fɔ̃dr] vt (mélanger) to confuse.

conforme [kɔ̃fɔrm] adj : ~ **à** in accordance with.

conformément [kɔ̃fɔrmemɑ̃] : **conformément à** prép in accordance with.

confort [kɔ̃fɔr] nm comfort; **«tout ~»** "all mod cons".

confortable [kɔ̃fɔrtabl] adj comfortable.

confrère [kɔ̃frɛr] nm colleague.

confronter [kɔ̃frɔ̃te] vt to compare.

confus, -e [kɔ̃fy, yz] adj (compliqué) confused; (embarrassé) embarrassed.

confusion [kɔ̃fyzjɔ̃] nf confusion; (honte) embarrassment.

congé [kɔ̃ʒe] nm holiday (Br), vacation (Am); **être en ~** to be on holiday (Br), to be on vacation (Am); ~ **(de) maladie** sick leave; ~**s payés** paid holidays (Br), paid vacation (Am).

congélateur [kɔ̃ʒelatœr] nm freezer.

congeler [kɔ̃ʒle] vt to freeze.

congestion [kɔ̃ʒɛstjɔ̃] nf (MÉD) congestion; ~ **cérébrale** stroke.

congolais [kɔ̃gɔlɛ] nm coconut cake.

congrès [kɔ̃grɛ] nm congress.

conjoint [kɔ̃ʒwɛ̃] nm spouse.

conjonction [kɔ̃ʒɔ̃ksjɔ̃] nf conjunction.

conjonctivite [kɔ̃ʒɔ̃ktivit] nf conjunctivitis.

conjoncture [kɔ̃ʒɔ̃ktyr] nf situation.

conjugaison [kɔ̃ʒygɛzɔ̃] nf conjugation.

conjuguer [kɔ̃ʒyge] vt (verbe) to conjugate.

connaissance [kɔnɛsɑ̃s] nf knowledge; (relation) acquaintance; **avoir des ~s en** to know something about; **faire la ~ de qqn**

to meet sb; **perdre ~** to lose consciousness.

connaisseur, -euse [kɔnɛsœr, øz] *nm, f* connoisseur.

connaître [kɔnɛtr] *vt* to know; *(rencontrer)* to meet ❏ **s'y connaître en** *vp + prép* to know about.

conne → **con.**

connecter [kɔnɛkte] *vt* to connect.

connu, -e [kɔny] *pp* → **connaître ♦** *adj* well-known.

conquérir [kɔkerir] *vt* to conquer.

conquête [kɔkɛt] *nf* conquest.

conquis, -e [kɔki, iz] *pp* → **conquérir.**

consacrer [kɔsakre] *vt*: **~ qqch à** to devote sth to ❏ **se consacrer à** *vp + prép* to devote o.s. to.

consciemment [kɔsjamã] *adv* knowingly.

conscience [kɔsjɑ̃s] *nf (connaissance)* consciousness; *(moralité)* conscience; **avoir ~ de qqch** to be aware of sth; **prendre ~ de qqch** to become aware of sth; **avoir mauvaise ~** to have a guilty conscience.

consciencieux, -ieuse [kɔsjɑ̃sjø, jøz] *adj* conscientious.

conscient, -e [kɔsjɑ̃, jɑ̃t] *adj (éveillé)* conscious; **être ~ de** to be aware of.

consécutif, -ive [kɔsekytif, iv] *adj* consecutive; **~ à** resulting from.

conseil [kɔsɛj] *nm (avis)* piece of advice; *(assemblée)* council; **demander ~ à qqn** to ask sb's advice; **des ~s** advice *(sg).*

conseiller[1] [kɔseje] *vt (personne)* to advise; **~ qqch à qqn** to recom-

mend sth to sb; **~ à qqn de faire qqch** to advise sb to do sthg.

conseiller[2]**, -ère** [kɔseje, ɛr] *nm, f* adviser; **~ d'orientation** careers adviser.

conséquence [kɔsekɑ̃s] *nf* consequence.

conséquent [kɔsekɑ̃] : **par conséquent** *adv* consequently.

conservateur [kɔservatœr] *nm (alimentaire)* preservative.

conservatoire [kɔservatwar] *nm (de musique)* academy.

conserve [kɔsɛrv] *nf (boîte)* tin (of food); **des ~s** tinned food.

conserver [kɔsɛrve] *vt* to keep; *(aliments)* to preserve.

considérable [kɔsiderabl] *adj* considerable.

considération [kɔsiderasjɔ̃] *nf*: **prendre qqn/qqch en ~** to take sb/sthg into consideration.

considérer [kɔsidere] *vt*: **~ que** to consider that; **~ qqn/qqch comme** to look on sb/sthg as.

consigne [kɔsiɲ] *nf (de gare)* left-luggage office; *(instructions)* instructions *(pl)*; **~ automatique** left-luggage lockers *(pl).*

consistance [kɔsistɑ̃s] *nf* consistency.

consistant, -e [kɔsistɑ̃, ɑ̃t] *adj (épais)* thick; *(nourrissant)* substantial.

consister [kɔsiste] *vi*: **~ à faire qqch** to consist in doing sthg; **~ en** to consist of.

consœur [kɔsœr] *nf (female)* colleague.

consolation [kɔsɔlasjɔ̃] *nf* consolation.

console [kɔsɔl] *nf (INFORM)* console; ~ **de jeux** video game console.

consoler [kɔ̃sɔle] *vt* to comfort.

consommateur, -trice [kɔ̃sɔmatœr, tris] *nm, f* consumer; *(dans un bar)* customer.

consommation [kɔ̃sɔmasjɔ̃] *nf* consumption; *(boisson)* drink.

consommé [kɔ̃sɔme] *nm* clear soup.

consommer [kɔ̃sɔme] *vt* to consume; «à ~ **avant le** ...» "use before ...".

consonne [kɔ̃sɔn] *nf* consonant.

constamment [kɔ̃stamɑ̃] *adv* constantly.

constant, -e [kɔ̃stɑ̃, ɑ̃t] *adj* constant.

constat [kɔ̃sta] *nm (d'accident)* report.

constater [kɔ̃state] *vt* to notice.

consterné, -e [kɔ̃stɛrne] *adj* dismayed.

constipé, -e [kɔ̃stipe] *adj* constipated.

constituer [kɔ̃stitɥe] *vt (former)* to make up; **être constitué de** to consist of.

construction [kɔ̃stryksjɔ̃] *nf* building.

construire [kɔ̃strɥir] *vt* to build.

construit, -e [kɔ̃strɥi, it] *pp* → **construire**.

consulat [kɔ̃syla] *nm* consulate.

consultation [kɔ̃syltasjɔ̃] *nf* consultation.

consulter [kɔ̃sylte] *vt* to consult.

contact [kɔ̃takt] *nm (toucher)* feel; *(d'un moteur)* ignition; *(relation)* contact; **couper le** ~ to switch

off the ignition; **mettre le** ~ to switch on the ignition; **entrer en** ~ **avec** *(heurter)* to come into contact with; *(entrer en relation)* to contact.

contacter [kɔ̃takte] *vt* to contact.

contagieux, -ieuse [kɔ̃taʒjø, jøz] *adj* infectious.

contaminer [kɔ̃tamine] *vt (rivière, air)* to contaminate; *(personne)* to infect.

conte [kɔ̃t] *nm* story; ~ **de fées** fairy tale.

contempler [kɔ̃tɑ̃ple] *vt* to contemplate.

contemporain, -e [kɔ̃tɑ̃pɔrɛ̃, ɛn] *adj* contemporary.

contenir [kɔ̃tnir] *vt* to contain; *(un litre, deux cassettes, etc)* to hold.

content, -e [kɔ̃tɑ̃, ɑ̃t] *adj* happy; **être ~ de faire qqch** to be happy to do sthg; **être ~ de qqch** to be happy with sthg.

contenter [kɔ̃tɑ̃te] *vt* to satisfy ❑ **se contenter de** *vp + prép* to be happy with; **se ~ de faire qqch** to content o.s. with doing sthg.

contenu, -e [kɔ̃tny] *pp* → **contenir** ♦ *nm* contents *(pl)*.

contester [kɔ̃tɛste] *vt* to dispute.

contexte [kɔ̃tɛkst] *nm* context.

continent [kɔ̃tinɑ̃] *nm* continent.

continu, -e [kɔ̃tiny] *adj* continuous.

continuel, -elle [kɔ̃tinɥɛl] *adj* constant.

continuellement [kɔ̃tinɥɛlmɑ̃] *adv* constantly.

continuer [kɔ̃tinɥe] *vt & vi* to continue; ~ **à** OU **de faire qqch** to continue doing OU to do sthg.

contour [kɔ̃tur] *nm* outline.

contourner [kɔ̃turne] *vt* to go round; *(ville, montagne)* to bypass.

contraceptif, -ive [kɔ̃traseptif, iv] *adj & nm* contraceptive.

contraception [kɔ̃trasepsjɔ̃] *nf* contraception.

contracter [kɔ̃trakte] *vt* to contract; *(assurance)* to take out.

contradictoire [kɔ̃tradiktwar] *adj* contradictory.

contraindre [kɔ̃trɛ̃dr] *vt* to force; ~ qqn à faire qqch to force sb to do sthg.

contraire [kɔ̃trɛr] *adj & nm* opposite; ~ à contrary to; au ~ on the contrary.

contrairement [kɔ̃trɛrmɑ̃] : contrairement à *prép* contrary to.

contrarier [kɔ̃trarje] *vt (ennuyer)* to annoy.

contraste [kɔ̃trast] *nm* contrast.

contrat [kɔ̃tra] *nm* contract.

contravention [kɔ̃travɑ̃sjɔ̃] *nf* fine; *(pour stationnement interdit)* parking ticket.

contre [kɔ̃tr] *prép* against; *(en échange de)* (in exchange) for; un sirop ~ la toux some cough syrup; par ~ on the other hand.

contre-attaque, -s [kɔ̃tratak] *nf* counterattack.

contrebande [kɔ̃trəbɑ̃d] *nf* smuggling; passer qqch en ~ to smuggle sthg.

contrebasse [kɔ̃trəbas] *nf* (double) bass.

contrecœur [kɔ̃trəkœr] : à contrecœur *adv* reluctantly.

contrecoup [kɔ̃trəku] *nm* consequence.

contredire [kɔ̃trədir] *vt* to contradict.

contre-indication, -s [kɔ̃trɛ̃dikasjɔ̃] *nf* contraindication.

contre-jour [kɔ̃trəʒur] : à contre-jour *adv* against the light.

contrepartie [kɔ̃trəparti] *nf* compensation; en ~ in return.

contreplaqué [kɔ̃trəplake] *nm* plywood.

contrepoison [kɔ̃trəpwazɔ̃] *nm* antidote.

contresens [kɔ̃trəsɑ̃s] *nm (dans une traduction)* mistranslation; à ~ the wrong way.

contretemps [kɔ̃trətɑ̃] *nm* delay.

contribuer [kɔ̃tribɥe] : contribuer à *v + prép* to contribute to.

contrôle [kɔ̃trol] *nm (technique)* check; *(des billets, des papiers)* inspection; *(SCOL)* test; ~ aérien air traffic control; ~ d'identité identity card check.

contrôler [kɔ̃trole] *vt (vérifier)* to check; *(billets, papiers)* to inspect.

contrôleur [kɔ̃trolœr] *nm (dans les trains)* ticket inspector; *(dans les bus)* conductor *(f conductress)*.

contrordre [kɔ̃trɔrdr] *nm* countermand.

convaincre [kɔ̃vɛ̃kr] *vt* to convince; ~ qqn de faire qqch to persuade sb to do sthg; ~ qqn de qqch to convince sb of sthg.

convalescence [kɔ̃valesɑ̃s] *nf* convalescence.

convenable [kɔ̃vnabl] *adj (adapté)* suitable; *(décent)* proper.

convenir [kɔ̃vnir] : **convenir à** v + prép (satisfaire) to suit; (être adapté à) to be suitable for.

convenu, -e [kɔ̃vny] pp → convenir.

conversation [kɔ̃vɛrsasjɔ̃] nf conversation.

convertible [kɔ̃vɛrtibl] adj → canapé.

convocation [kɔ̃vɔkasjɔ̃] nf notification to attend.

convoi [kɔ̃vwa] nm convoy.

convoiter [kɔ̃vwate] vt to covet.

convoquer [kɔ̃vɔke] vt (salarié, suspect) to summon.

coopération [kɔɔperasjɔ̃] nf cooperation.

coopérer [kɔɔpere] vi to cooperate; **~ à qqch** to cooperate in sthg.

coordonné, -e [kɔɔrdɔne] adj (assorti) matching.

coordonnées [kɔɔrdɔne] nfpl (adresse) address and telephone number.

coordonner [kɔɔrdɔne] vt to coordinate.

copain, copine [kɔpɛ̃, kɔpin] nm, f (fam) (ami) friend; (petit ami) boyfriend (f girlfriend).

copie [kɔpi] nf copy; (devoir) paper; (feuille) sheet (of paper).

copier [kɔpje] vt to copy; **~ (qqch) sur qqn** to copy (sthg) from sb.

copieux, -ieuse [kɔpjø, jøz] adj large.

copilote [kɔpilɔt] nmf copilot.

copine [kɔpin] → copain.

coq [kɔk] nm cock, rooster; **~ au vin** chicken cooked with red wine, bacon, mushrooms and shallots.

coque [kɔk] nf (de bateau) hull; (coquillage) shell.

coquelet [kɔklɛ] nm cockerel.

coquelicot [kɔkliko] nm poppy.

coqueluche [kɔklyʃ] nf (MÉD) whooping cough.

coquet, -ette [kɔkɛ, ɛt] adj (qui aime s'habiller) smart.

coquetier [kɔktje] nm eggcup.

coquillage [kɔkijaʒ] nm (mollusque) shellfish; (coquille) shell.

coquille [kɔkij] nf shell; **~ Saint-Jacques** scallop.

coquillettes [kɔkijɛt] nfpl short macaroni.

coquin, -e [kɔkɛ̃, in] adj (enfant) mischievous.

cor [kɔr] nm (instrument) horn; (MÉD) corn.

corail, -aux [kɔraj, o] nm coral; (train) Corail ≃ express train.

Coran [kɔrɑ̃] nm Koran.

corbeau, -x [kɔrbo] nm crow.

corbeille [kɔrbɛj] nf basket; **~ à papiers** wastepaper basket.

corbillard [kɔrbijar] nm hearse.

corde [kɔrd] nf rope; (d'instrument de musique) string; **~ à linge** clothesline; **~ à sauter** skipping rope; **~s vocales** vocal cords.

cordon [kɔrdɔ̃] nm string; (électrique) lead.

cordonnerie [kɔrdɔnri] nf shoe repair shop.

cordonnier [kɔrdɔnje] nm shoe repairer.

coriandre [kɔrjɑ̃dr] nf coriander.

corne [kɔrn] nf horn.

cornet [kɔrnɛ] nm (de glace) cornet; (de frites) bag.

cornettes [kɔrnɛt] nfpl (Helv)

short macaroni.

cornichon [kɔʀniʃɔ̃] *nm* gherkin.

corps [kɔʀ] *nm* body; **le ~ en-seignant** the teachers; **~ gras** fat.

correct, -e [kɔʀɛkt] *adj (juste)* correct; *(poli)* proper.

correction [kɔʀɛksjɔ̃] *nf (SCOL)* marking; *(rectification)* correction; *(punition)* beating.

correspondance [kɔʀɛspɔ̃-dɑ̃s] *nf (courrier)* correspondence; *(TRANSP)* connection; **cours par ~** correspondence course.

correspondant, -e [kɔʀɛspɔ̃-dɑ̃, ɑ̃t] *adj* corresponding ◆ *nm, f (à qui on écrit)* correspondent; *(au téléphone)* person making or receiving a call.

correspondre [kɔʀɛspɔ̃dʀ] *vi* to correspond; **~ à** to correspond to.

corrida [kɔʀida] *nf* bullfight.

corridor [kɔʀidɔʀ] *nm* corridor.

corriger [kɔʀiʒe] *vt* to correct; *(examen)* to mark ☐ **se corriger** *vp* to improve.

corrosif, -ive [kɔʀozif, iv] *adj* corrosive.

corsage [kɔʀsaʒ] *nm* blouse.

corse [kɔʀs] *adj* Corsican ☐ **Corse** *nmf* Corsican ◆ *nf:* **la Corse** Corsica.

cortège [kɔʀtɛʒ] *nm* procession.

corvée [kɔʀve] *nf* chore.

costaud [kɔsto] *adj (fam) (musclé)* beefy; *(solide)* sturdy.

costume [kɔstym] *nm (d'homme)* suit; *(de théâtre, de déguisement)* costume.

côte [kot] *nf (pente)* hill, slope; *(ANAT)* rib; *(d'agneau, de porc, etc)* chop; *(bord de mer)* coast; **~ à ~** side by side; **la Côte d'Azur** the

French Riviera.

côté [kote] *nm* side; **de quel ~ dois-je aller?** which way should I go?; **à ~** nearby; *(dans la maison voisine)* next door; **à ~ de** next to; *(comparé à)* compared with; **de l'autre ~ (de)** on the other side (of); **de ~** *(de travers)* sideways; **mettre qqch de ~** to put sthg aside.

Côte d'Ivoire [kotdivwaʀ] *nf:* **la ~** the Ivory Coast.

côtelé [kotle] *adj m →* **velours**.

côtelette [kotlɛt] *nf (de veau)* cutlet; *(d'agneau, de porc)* chop.

cotisation [kɔtizasjɔ̃] *nf (à un club)* subscription ☐ **cotisations** *nfpl (sociales)* contributions.

coton [kɔtɔ̃] *nm* cotton; **~ (hydrophile)** cotton wool.

Coton-Tige® [kɔtɔ̃tiʒ] *(pl* **Cotons-Tiges)** *nm* cotton bud.

cou [ku] *nm* neck.

couchage [kuʃaʒ] *nm →* **sac**.

couchant [kuʃɑ̃] *adj m →* **soleil**.

couche [kuʃ] *nf (épaisseur)* layer; *(de peinture)* coat; *(de bébé)* nappy *(Br)*, diaper *(Am)*.

couche-culotte [kuʃkylɔt] *(pl* **couches-culottes)** *nf* disposable nappy *(Br)*, disposable diaper *(Am)*.

coucher [kuʃe] *vt (mettre au lit)* to put to bed; *(étendre)* to lay down ◆ *vi (dormir)* to sleep; **être couché** *(être étendu)* to be lying down; *(être au lit)* to be in bed; **~ avec qqn** *(fam)* to sleep with sb ☐ **se coucher** *vp (personne)* to go to bed; *(soleil)* to set.

couchette [kuʃɛt] *nf (de train)* couchette; *(de bateau)* berth.

coucou [kuku] *nm (oiseau)*

coude

cuckoo; *(horloge)* cuckoo clock ◆ *excl* peekaboo!

coude [kud] *nm (ANAT)* elbow; *(courbe)* bend.

coudre [kudʀ] *vt (bouton)* to sew on; *(réparer)* to sew up ◆ *vi* to sew.

couette [kwɛt] *nf (édredon)* duvet □ **couettes** *nfpl* bunches.

cougnou [kuɲu] *nm (Belg)* large flat "brioche" eaten on St Nicholas' Day, 6 December, and shaped like the infant Jesus.

couler [kule] *vi* to flow; *(bateau)* to sink ◆ *vt (bateau)* to sink.

couleur [kulœʀ] *nf* colour; *(de cartes)* suit; **de quelle ~ est ...?** what colour is ...?

couleuvre [kulœvʀ] *nf* grass snake.

coulis [kuli] *nm* liquid puree of fruit, vegetables or shellfish.

coulisser [kulise] *vi* to slide.

coulisses [kulis] *nfpl* wings.

couloir [kulwaʀ] *nm* corridor; *(de bus)* lane.

coup [ku] *nm* **1.** *(choc physique)* blow; **donner un ~ à qqn** to hit sb; **donner un ~ de coude à qqn** to nudge sb; **~ de feu** (gun)shot; **donner un ~ de pied à qqn/dans qqch** to kick sb/sthg; **donner un ~ de poing à qqn** to punch sb. **2.** *(avec un instrument):* **passer un ~ de balai** to give the floor a sweep; **passe un ~ de fer sur ta chemise** give your shirt a quick iron. **3.** *(choc moral)* blow; **il m'est arrivé un ~ dur** *(fam)* something bad happened to me. **4.** *(bruit):* **~ de sifflet** whistle. **5.** *(à la porte)* knock. **6.** *(aux échecs)* move; *(au tennis)*

stroke; *(au foot)* kick; **~ franc** free kick. **7.** *(action malhonnête)* trick; **faire un ~ à qqn** to play a trick on sb. **8.** *(fam: fois)* time; **du premier ~** first time; **d'un (seul) ~** *(en une fois)* in one go; *(soudainement)* all of a sudden. **9.** *(dans des expressions):* **~ de chance** stroke of luck; **~ de fil** OU **de téléphone** telephone call; **donner un ~ de main à qqn** to give sb a hand; **jeter un ~ d'œil (à)** to have a look (at); **prendre un ~ de soleil** to get sunburned; **boire un ~** *(fam)* to have a drink; **du ~ ... ...** to hold out.

coupable [kupabl] *adj* guilty ◆ *nmf* culprit; **~ de** guilty of.

coupe [kup] *nf (récipient)* bowl; *(SPORT)* cup; *(de vêtements)* cut; **à la ~** *(fromage, etc)* cut from a larger piece and sold by weight at a delicatessen counter; **~ à champagne** champagne glass; **~ (de cheveux)** haircut.

coupe-papier [kuppapje] *nm inv* paper knife.

couper [kupe] *vt* to cut; *(gâteau, viande)* to cut (up); *(gaz, électricité)* to cut off ◆ *vi (être tranchant)* to cut; *(prendre un raccourci)* to take a short cut; **~ la route à qqn** to cut across in front of sb □ **se couper** *vp* to cut o.s.; **se ~ le doigt** to cut one's finger.

couple [kupl] *nm* couple; *(d'animaux)* pair.

couplet [kuplɛ] *nm* verse.

coupure [kupyʀ] *nf* cut; *(arrêt)* break; **~ de courant** power cut; **~ de journal** (newspaper) cutting.

couque [kuk] *nf (Belg) (biscuit)* biscuit *(Br)*, cookie *(Am)*; *(pain*

d'épices) gingerbread; *(brioche)* sweet bread roll.

cour [kur] *nf (d'immeuble)* courtyard; *(de ferme)* farmyard; *(tribunal, d'un roi)* court; **~ (de récréation)** playground.

courage [kuraʒ] *nm* courage; **bon ~!** good luck!

courageux, -euse [kuraʒø, øz] *adj* brave.

couramment [kuramɑ̃] *adv (fréquemment)* commonly; *(parler)* fluently.

courant, -e [kurɑ̃, ɑ̃t] *adj (fréquent)* common ♦ *nm* current; **être au ~ (de)** to know (about); **tenir qqn au ~ (de)** to keep sb informed (of); **~ d'air** draught; **~ alternatif** alternating current; **~ continu** direct current.

courbatures [kurbatyr] *nfpl* aches and pains.

courbe [kurb] *adj* curved ♦ *nf* curve.

courber [kurbe] *vt* to bend.

coureur, -euse [kurœr, øz] *nm, f*: **~ automobile** racing driver; **~ cycliste** racing cyclist; **~ à pied** runner.

courgette [kurʒɛt] *nf* courgette *(Br)*, zucchini *(Am)*.

courir [kurir] *vi* to run; *(cycliste, coureur automobile)* to race ♦ *vt (épreuve sportive)* to run (in); *(risque, danger)* to run.

couronne [kurɔn] *nf* crown; *(de fleurs)* wreath.

courrier [kurje] *nm* letters *(pl)*, post *(Br)*, mail *(Am)*.

courroie [kurwa] *nf* strap.

cours [kur] *nm (leçon)* lesson; *(d'une marchandise)* price; *(d'une monnaie)* rate; **au ~ de** during; **en ~**

in progress; **~ d'eau** waterway.

course [kurs] *nf (épreuve sportive)* race; *(démarche)* errand; *(en taxi)* journey ❑ **courses** *nfpl* shopping *(sg)*; **faire les ~s** to go shopping.

court, -e [kur, kurt] *adj* short ♦ *nm (de tennis)* court ♦ *adv* short; **être à ~ de** to be short of.

court-bouillon [kurbujɔ̃] *(pl* **courts-bouillons)** *nm* highly flavoured stock used especially for cooking fish.

court-circuit [kursirkɥi] *(pl* **courts-circuits)** *nm* short circuit.

court-métrage [kurmetraʒ] *(pl* **courts-métrages)** *nm* short (film).

courtois, -e [kurtwa, waz] *adj* courteous.

couru, -e [kury] *pp →* **courir**.

couscous [kuskus] *nm* couscous, *traditional North African dish of semolina served with a spicy stew of meat and vegetables.*

cousin, -e [kuzɛ̃, in] *nm, f* cousin; **~ germain** first cousin.

coussin [kusɛ̃] *nm* cushion.

cousu, -e [kuzy] *pp →* **coudre**.

coût [ku] *nm* cost.

couteau, -x [kuto] *nm* knife.

coûter [kute] *vi & vt* to cost; **combien ça coûte?** how much is it?

coutume [kutym] *nf* custom.

couture [kutyr] *nf (sur un vêtement)* seam; *(activité)* sewing.

couturier, -ière [kutyrje, jɛr] *nm, f* tailor; **grand ~** fashion designer.

couvent [kuvɑ̃] *nm* convent.

couver [kuve] *vt (œufs)* to sit on ♦ *vi (poule)* to brood.

couvercle [kuvɛrkl] *nm (de*

casserole, de poubelle) lid; *(d'un bocal)* top.

couvert, -e [kuvɛr, ɛrt] *pp* → **couvrir** ♦ *nm (couteau, fourchette)* place *(setting)* ♦ *adj (ciel)* overcast; *(marché, parking)* covered; *(vêtu)*: **bien ~** well wrapped up; **~ de** covered in OU with; **mettre le ~** to set OU lay the table.

couverture [kuvɛrtyr] *nf* blanket; *(de livre)* cover.

couvrir [kuvrir] *vt* to cover; **~ qqch de** to cover sthg with ❏ **se couvrir** *vp (ciel)* to cloud over; *(s'habiller)* to wrap up; **se ~ de** to become covered in OU with.

cow-boy, -s [kɔbɔj] *nm* cowboy.

CP *nm (abr de cours préparatoire)* first year of primary school.

crabe [krab] *nm* crab.

cracher [kraʃe] *vi* to spit ♦ *vt* to spit out.

craie [krɛ] *nf* chalk.

craindre [krɛ̃dr] *vt* to fear, to be afraid of; *(être sensible à)* to be sensitive to.

craint, -e [krɛ̃, ɛ̃t] *pp* → **craindre**.

crainte [krɛ̃t] *nf* fear; **de ~ que** for fear that.

craintif, -ive [krɛ̃tif, iv] *adj* timid.

cramique [kramik] *nm (Belg)* "brioche" with raisins.

crampe [krɑ̃p] *nf* cramp.

cramponner [krɑ̃pɔne] **: se cramponner (à)** *vp (+ prép)* to hang on (to).

crampons [krɑ̃pɔ̃] *nmpl (de foot, de rugby)* studs.

cran [krɑ̃] *nm (de ceinture)* hole;

(entaille) notch; *(courage)* guts *(pl)*; *(couteau à)* **~ d'arrêt** flick knife.

crâne [krɑn] *nm* skull.

crapaud [krapo] *nm* toad.

craquement [krakmɑ̃] *nm* crack.

craquer [krake] *vi (faire un bruit)* to crack; *(casser)* to split; *(nerveusement)* to crack up ♦ *vt (allumette)* to strike.

crasse [kras] *nf* filth.

cravate [kravat] *nf* tie.

crawl [krol] *nm* crawl.

crayon [krɛjɔ̃] *nm* pencil; **~ de couleur** crayon.

création [kreasjɔ̃] *nf* creation.

crèche [krɛʃ] *nf (garderie)* playgroup; *(RELIG)* crib.

crédit [kredi] *nm (argent emprunté)* loan; **acheter qqch à ~** to buy sthg on credit.

créditer [kredite] *vt (compte)* to credit.

créer [kree] *vt* to create; *(fonder)* to found.

crémaillère [kremajɛr] *nf*: **pendre la ~** to have a housewarming party.

crème [krɛm] *nf (dessert)* cream dessert; *(pour la peau)* cream; **~ anglaise** custard; **~ caramel** crème caramel; **~ fraîche** fresh cream; **~ glacée** ice cream; **~ pâtissière** confectioner's custard.

crémerie [kremri] *nf* dairy.

crémeux, -euse [kremø, øz] *adj* creamy.

créneau, -x [kreno] *nm*: **faire un ~** to reverse into a parking space ❏ **créneaux** *nmpl (de château)* battlements.

crêpe [krɛp] *nf* pancake; **~ bretonne** sweet or savoury pancake, often *made with buckwheat, a speciality of Brittany.*

crêperie [kʀepʀi] *nf* pancake restaurant.

crépi [kʀepi] *nm* roughcast.

crépu, -e [kʀepy] *adj* frizzy.

cresson [kʀesɔ̃] *nm* watercress.

crête [kʀɛt] *nf (de montagne)* ridge; *(de coq)* crest.

cretons [kʀətɔ̃] *nmpl (Can)* potted pork.

creuser [kʀøze] *vt* to dig; **ça creuse!** it gives you an appetite! ❑ **se creuser** *vp*: **se ~ la tête** OU **la cervelle** to rack one's brains.

creux, creuse [kʀø, kʀøz] *adj* hollow ◆ *nm (de la main)* hollow; *(sur la route)* dip.

crevaison [kʀəvezɔ̃] *nf* puncture.

crevant, -e [kʀəvɑ̃, ɑ̃t] *adj (fam: fatigant)* knackering.

crevasse [kʀəvas] *nf (en montagne)* crevasse.

crevé, -e [kʀəve] *adj (fam: fatigué)* knackered.

crever [kʀəve] *vt (percer)* to burst; *(fam: fatiguer)* to wear out ◆ *vi (exploser)* to burst; *(avoir une crevaison)* to have a puncture; *(fam: mourir)* to kick the bucket.

crevette [kʀəvɛt] *nf* prawn; **~ grise** shrimp; **~ rose** prawn.

cri [kʀi] *nm* shout; *(de joie, de douleur)* cry; *(d'animal)* call; **pousser un ~** to cry (out).

cric [kʀik] *nm* jack.

cricket [kʀikɛt] *nm* cricket.

crier [kʀije] *vi* to cry (out) ◆ *vt* to shout (out).

crime [kʀim] *nm (meurtre)* mur-

der; *(faute grave)* crime.

criminel, -elle [kʀiminɛl] *nm, f* criminal.

crinière [kʀinjɛʀ] *nf* mane.

crise [kʀiz] *nf (économique)* crisis; *(de rire, de larmes)* fit; **~ cardiaque** heart attack; **~ de foie** bilious attack; **~ de nerfs** attack of nerves.

crispé, -e [kʀispe] *adj (personne, sourire)* tense; *(poing)* clenched.

cristal, -aux [kʀistal, o] *nm* crystal.

critère [kʀitɛʀ] *nm* criterion.

critique [kʀitik] *adj* critical ◆ *nmf* critic ◆ *nf (reproche)* criticism; *(article de presse)* review.

critiquer [kʀitike] *vt* to criticize.

croc [kʀo] *nm (canine)* fang.

croche-pied, -s [kʀɔʃpje] *nm*: **faire un ~ à qqn** to trip sb (up).

crochet [kʀɔʃɛ] *nm* hook; *(tricot)* crochet; *(fig: détour)* detour.

crocodile [kʀɔkɔdil] *nm* crocodile.

croire [kʀwaʀ] *vt* to believe; *(penser)* to think ◆ *vi*: **~ à** to believe in; **~ en** to believe in ❑ **se croire** *vp*: **il se croit intelligent** he thinks he's clever; **on se croirait au Moyen Âge** you'd think you were (back) in the Middle Ages.

croisement [kʀwazmɑ̃] *nm (carrefour)* junction; *(de races)* crossbreeding.

croiser [kʀwaze] *vt* to cross; *(personne)* to pass; *(regard)* to meet ❑ **se croiser** *vp (voitures, personnes)* to pass each other; *(lettres)* to cross (in the post).

croisière [kʀwazjɛʀ] *nf* cruise.

croissance [kʀwasɑ̃s] *nf* growth.

croissant [krwasɑ̃] nm (pâtisserie) croissant; (de lune) crescent.

croix [krwa] nf cross; **en ~** in the shape of a cross; **les bras en ~** arms out.

Croix-Rouge [krwaruʒ] nf: **la ~** the Red Cross.

croque-madame [krɔkmadam] nm inv croque-monsieur with a fried egg.

croque-monsieur [krɔkməsjø] nm inv toasted cheese and ham sandwich.

croquer [krɔke] vt to crunch ♦ vi to be crunchy.

croquette [krɔkɛt] nf croquette; **~s pour chiens** dog meal (sg).

cross [krɔs] nm inv (course) cross-country race; (sport) cross-country racing.

crotte [krɔt] nf dropping.

crottin [krɔtɛ̃] nm dung; (fromage) small round goat's cheese.

croustade [krustad] nf vol au vent.

croustillant, -e [krustijɑ̃, ɑ̃t] adj crunchy.

croûte [krut] nf (de pain) crust; (de fromage) rind; (MÉD) scab; **~ au fromage** (Helv) melted cheese with wine, served on toast.

croûton [krutɔ̃] nm (pain frit) crouton; (extrémité du pain) crust.

croyant, -e [krwajɑ̃, ɑ̃t] adj: **être ~** to be a believer.

CRS nmpl French riot police.

cru, -e [kry] pp → croire ♦ adj raw; (choquant) crude ♦ nm (vin) vintage.

crudités [krydite] nfpl raw vegetables.

crue [kry] nf flood; **être en ~** to be in spate.

cruel, -elle [kryɛl] adj cruel.

crustacés [krystase] nmpl shellfish.

cube [kyb] nm cube; **mètre ~** cubic metre.

cueillir [kœjir] vt to pick.

cuiller [kɥijer] = **cuillère**.

cuillère [kɥijer] nf spoon; **~ à café, petite ~** teaspoon; **~ à soupe** soup spoon.

cuillerée [kɥijere] nf spoonful.

cuir [kɥir] nm (matériau) leather.

cuire [kɥir] vt & vi to cook; (pain, gâteau) to bake; **faire ~** to cook.

cuisine [kɥizin] nf kitchen; (art) cooking; **faire la ~** to cook.

cuisiner [kɥizine] vt & vi to cook.

cuisinier, -ière [kɥizinje, jɛr] nm, f cook.

cuisinière [kɥizinjɛr] nf cooker.

cuisse [kɥis] nf thigh; (de volaille) leg; **~ de grenouille** frog's legs.

cuisson [kɥisɔ̃] nf cooking.

cuit, -e [kɥi, kɥit] adj cooked; **bien ~** well-done.

cuivre [kɥivr] nm copper.

cul [ky] nm (vulg: fesses) arse (Br), ass (Am).

culasse [kylas] nf → **joint**.

culotte [kylɔt] nf (slip) knickers (pl); **~ de cheval** (vêtement) jodhpurs (pl).

culte [kylt] nm (adoration) worship; (religion) religion.

cultivateur, -trice [kyltivatœr, tris] nm, f farmer.

cultiver [kyltive] vt (terre, champ) to cultivate; (blé, maïs, etc) to grow ❏ **se cultiver** vp to improve one's mind.

culture [kyltyr] nf (agricole) farming; (connaissances) knowledge; (civilisation) culture ❏ **cultures** nfpl cultivated land.

culturel, -elle [kyltyrɛl] adj cultural.

cumin [kymɛ̃] nm cumin.

curé [kyre] nm parish priest.

cure-dents [kyrdɑ̃] nm inv toothpick.

curieux, -ieuse [kyrjø, jøz] adj (indiscret) inquisitive; (étrange) curious ♦ nmpl onlookers.

curiosité [kyrjozite] nf curiosity ❏ **curiosités** nfpl (touristiques) unusual things to see.

curry [kyri] nm (épice) curry powder; (plat) curry.

cutanée [kytane] adj f → **éruption**.

cuvette [kyvɛt] nf basin.

CV nm (abr de curriculum vitae) CV; (AUT: abr de cheval) hp.

cyclable [siklabl] adj → **piste**.

cycle [sikl] nm cycle; (de films) season.

cyclisme [siklism] nm cycling.

cycliste [siklist] nmf cyclist ♦ nm (short) cycling shorts (pl) ♦ adj: **course ~** (épreuve) cycle race; (activité) cycling.

cyclone [siklon] nm cyclone.

cygne [siɲ] nm swan.

cylindre [silɛ̃dr] nm cylinder.

cynique [sinik] adj cynical.

cyprès [siprɛ] nm cypress.

D

DAB [dab] nm (abr de distributeur automatique de billets) ATM.

dactylo [daktilo] nf (secrétaire) typist.

daim [dɛ̃] nm (animal) (fallow) deer; (peau) suede.

dalle [dal] nf slab.

dame [dam] nf lady; (aux cartes) queen ❏ **dames** nfpl (jeu) draughts (Br), checkers (Am).

damier [damje] nm (de dames) draughtboard (Br), checkerboard (Am).

Danemark [danmark] nm: **le ~** Denmark.

danger [dɑ̃ʒe] nm danger; **être en ~** to be in danger.

dangereux, -euse [dɑ̃ʒrø, øz] adj dangerous.

danois, -e [danwa, waz] adj Danish ♦ nm (langue) Danish ❏ **Danois, -e** nm, f Dane.

dans [dɑ̃] prép 1. (indique la situation) in; **je vis ~ le sud de la France** I live in the south of France.
2. (indique la direction) into; **vous allez ~ la mauvaise direction** you're going in the wrong direction.
3. (indique la provenance) from; **choisissez un dessert ~ le menu** choose a dessert from the menu.
4. (indique le moment) in; **~ combien de temps arrivons-nous?** how long before we get there?; **le spectacle commence ~ cinq minutes** the show begins in five minutes.

5. *(indique une approximation):* ça doit coûter ~ **les 200 F** that must cost around 200 francs.

danse [dãs] *nf:* la ~ dancing; une ~ a dance; ~ **classique** ballet dancing; ~ **moderne** modern dancing.

danser [dãse] *vt & vi* to dance.

danseur, -euse [dãsœr, øz] *nm, f (de salon)* dancer; *(classique)* ballet dancer.

darne [darn] *nf* steak *(of fish).*

date [dat] *nf* date; ~ **limite** deadline; **«~ limite de consommation»** "use-by date"; **«~ limite de vente»** "sell-by date"; ~ **de naissance** date of birth.

dater [date] *vt* to date ♦ *vi (être vieux)* to be dated; ~ **de** *(remonter à)* to date from.

datte [dat] *nf* date.

daube [dob] *nf:* **(bœuf en)** ~ beef stew cooked with wine.

dauphin [dofɛ̃] *nm (animal)* dolphin.

dauphine [dofin] *nf →* **pomme.**

dauphinois [dofinwa] *adj m →* **gratin.**

daurade [dɔrad] *nf* sea bream.

davantage [davãtaʒ] *adv* more; ~ **de temps** more time.

de [də] *prép* **1.** *(indique l'appartenance)* of; **la porte du salon** the living room door; **le frère** ~ **Pierre** Pierre's brother.

2. *(indique la provenance)* from; **d'où êtes-vous? -** ~ **Bordeaux** where are you from? - Bordeaux.

3. *(avec «à»):* ~ **Paris à Tokyo** from Paris to Tokyo; ~ **la mi-août à début septembre** from mid-August to the beginning of September.

4. *(indique une caractéristique):* **une statue** ~ **pierre** a stone statue; **des**

billets ~ **100 F** 100-franc notes; **l'avion** ~ **7 h 20** the seven twenty plane; **un jeune homme** ~ **25 ans** a young man of 25.

5. *(introduit un complément):* **parler** ~ **qqch** to talk about sthg; **arrêter** ~ **faire qqch** to stop doing sthg.

6. *(désigne le contenu)* of; **une bouteille d'eau minérale** a bottle of mineral water.

7. *(parmi)* of; **certaines** ~ **ces plages sont polluées** some of these beaches are polluted; **la moitié du temps/~ nos clients** half (of) the time/(of) our customers.

8. *(indique le moyen)* with; **saluer qqn d'un mouvement de tête** to greet sb with a nod.

9. *(indique la manière):* **d'un air distrait** absent-mindedly.

10. *(indique la cause):* **hurler** ~ **douleur** to scream with pain; **je meurs** ~ **faim!** I'm starving!

♦ *art* some; **je voudrais du vin/du lait** I'd like some wine/some milk; **ils n'ont pas d'enfants** they don't have any children; **avez-vous du pain?** do you have any bread?

dé [de] *nm (à jouer)* dice; ~ **(à coudre)** thimble.

déballer [debale] *vt (affaires)* to unpack; *(cadeau)* to unwrap.

débarbouiller [debarbuje] **: se débarbouiller** *vp* to wash one's face.

débardeur [debardœr] *nm (T-shirt)* vest top.

débarquer [debarke] *vt* to unload ♦ *vi* to disembark.

débarras [debara] *nm* junk room; **bon ~!** good riddance!

débarrasser [debarase] *vt* to clear up; *(table)* to clear; ~ **qqn de** *(vêtement, paquets)* to relieve sb of

❏ **se débarrasser de** *vp + prép* (*vêtement*) to take off; (*paquets*) to put down; (*personne*) to get rid of.

débat [deba] *nm* debate.

débattre [debatʀ] *vt* to discuss ♦ *vi* to debate; **~ (de) qqch** to debate sthg ❏ **se débattre** *vp* to struggle.

débit [debi] *nm* (*d'eau*) flow; (*bancaire*) debit.

débiter [debite] *vt* (*compte*) to debit; (*couper*) to cut up; (*péj: dire*) to spout.

déblayer [debleje] *vt* to clear.

débloquer [deblɔke] *vt* to un-jam; (*crédits*) to unfreeze.

déboîter [debwate] *vt* (*objet*) to dislodge; (*os*) to dislocate ♦ *vi* (*voiture*) to pull out ❏ **se déboîter** *vp:* **se ~ l'épaule** to dislocate one's shoulder.

débordé, -e [debɔʀde] *adj:* **être ~ (de travail)** to be snowed under (with work).

déborder [debɔʀde] *vi* to over-flow.

débouché [debuʃe] *nm* (*de vente*) outlet; (*de travail*) opening.

déboucher [debuʃe] *vt* (*bouteille*) to open; (*nez, tuyau*) to unblock ❏ **déboucher sur** *v + prép* to lead to.

débourser [debuʀse] *vt* to pay out.

debout [dabu] *adv* (*sur ses pieds*) standing (up); (*verticalement*) up-right; (*réveillé*) to be up; **être ~** (*nez, tuyau*) to stand up; **se mettre ~** to stand up; **tenir ~** to stand up.

déboutonner [debutɔne] *vt* to unbutton.

débraillé, -e [debʀaje] *adj* di-shevelled.

débrancher [debʀɑ̃ʃe] *vt* (*appareil*) to unplug; (*prise*) to remove.

débrayer [debʀeje] *vi* to de-clutch.

débris [debʀi] *nmpl* pieces.

débrouiller [debʀuje] : **se dé-brouiller** *vp* to get by; **se ~ pour faire qqch** to manage to do sthg.

début [deby] *nm* start; **au ~ (de)** at the start (of).

débutant, -e [debytɑ̃, ɑ̃t] *nm, f* beginner.

débuter [debyte] *vi* to start; (*dans une carrière*) to start out.

décaféiné, -e [dekafeine] *adj* decaffeinated.

décalage [dekalaʒ] *nm* gap; **~ horaire** time difference.

décalcomanie [dekalkɔmani] *nf* transfer.

décaler [dekale] *vt* (*déplacer*) to move; (*avancer dans le temps*) to bring forward; (*retarder*) to put back.

décalquer [dekalke] *vt* to trace.

décapant [dekapɑ̃] *nm* stripper.

décaper [dekape] *vt* to strip.

décapiter [dekapite] *vt* to be-head.

décapotable [dekapɔtabl] *adj & nf* convertible.

décapsuler [dekapsyle] *vt* to open.

décapsuleur [dekapsylœʀ] *nm* bottle opener.

décéder [desede] *vi* (*sout*) to pass away.

décembre [desɑ̃bʀ] *nm* December, → **septembre**.

décent, -e [desɑ̃, ɑ̃t] *adj* decent.

déception [desɛpsjɔ̃] *nf* disap-pointment.

décerner [deserne] vt (prix) to award.

décès [dese] nm death.

décevant, -e [desəvã, ãt] adj disappointing.

décevoir [desəvwar] vt to disappoint.

déchaîner [deʃene] vt (colère, rires) to spark off ❏ se déchaîner vp (personne) to fly into a rage; (tempête) to break.

décharge [deʃarʒ] nf (d'ordures) rubbish dump (Br), garbage dump (Am); (électrique) electric shock.

décharger [deʃarʒe] vt to unload; (tirer avec) to fire.

déchausser [deʃose] : se déchausser vp to take one's shoes off.

déchets [deʃe] nmpl waste (sg).

déchiffrer [deʃifre] vt (lire) to decipher; (décoder) to decode.

déchiqueter [deʃikte] vt to shred.

déchirer [deʃire] vt (lettre, page) to tear up; (vêtement, nappe) to tear ❏ se déchirer vp to tear.

déchirure [deʃiryr] nf tear; ~ musculaire torn muscle.

déci [desi] nm (Helv) small glass of wine.

décidé, -e [deside] adj determined; c'est ~ it's settled.

décidément [desidemã] adv really.

décider [deside] vt to decide; ~ qqn (à faire qqch) to persuade sb (to do sthg); ~ de faire qqch to decide to do sthg ❏ se décider vp: se ~ (à faire qqch) to make up one's mind (to do sthg).

décimal, -e, -aux [desimal, o] adj decimal.

décisif, -ive [desizif, iv] adj decisive.

décision [desizjɔ̃] nf decision; (fermeté) decisiveness.

déclaration [deklarasjɔ̃] nf announcement; ~ d'impôts tax return; faire une ~ de vol to report a theft.

déclarer [deklare] vt to declare; (vol) to report; rien à ~ nothing to declare ❏ se déclarer vp (épidémie, incendie) to break out.

déclencher [deklãʃe] vt (mécanisme) to set off; (guerre) to trigger off.

déclic [deklik] nm click; j'ai eu un ~ (fig) it suddenly clicked.

décoiffer [dekwafe] vt: ~ qqn to mess up sb's hair.

décollage [dekɔlaʒ] nm take-off.

décoller [dekɔle] vt to unstick; (papier peint) to strip ♦ vi (avion) to take off ❏ se décoller vp to come unstuck.

décolleté, -e [dekɔlte] adj lowcut ♦ nm neckline.

décolorer [dekɔlɔre] vt to bleach.

décombres [dekɔ̃br] nmpl debris (sg).

décommander [dekɔmɑ̃de] vt to cancel ❏ se décommander vp to cancel.

décomposer [dekɔ̃poze] vt: ~ qqch en to break sthg down into ❏ se décomposer vp (pourrir) to decompose.

déconcentrer [dekɔ̃sɑ̃tre] : se déconcentrer vp to lose one's concentration.

déconcerter [dekɔ̃serte] vt to disconcert.

déconseiller [dekɔ̃seje] vt: ~ qqch à qqn to advise sb against sthg; ~ à qqn de faire qqch to advise sb against doing sthg.

décontracté, -e [dekɔ̃trakte] adj relaxed.

décor [dekɔr] nm scenery; (d'une pièce) décor.

décorateur, -trice [dekɔratœr, tris] nm, f (d'intérieurs) (interior) decorator; (de théâtre) designer.

décoration [dekɔrasjɔ̃] nf decoration.

décorer [dekɔre] vt to decorate.

décortiquer [dekɔrtike] vt to shell; (fig: texte) to dissect.

découdre [dekudr] vt to unpick ❏ **se découdre** vp to come unstitched.

découler [dekule] : **découler de** v + prép to follow from.

découper [dekupe] vt (gâteau) to cut (up); (viande) to carve; (images, photos) to cut out.

découragé, -e [dekuraʒe] adj dismayed.

décourager [dekuraʒe] vt to discourage ❏ **se décourager** vp to lose heart.

décousu, -e [dekuzy] adj undone; (raisonnement, conversation) disjointed.

découvert, -e [dekuvɛr, ɛrt] pp → **découvrir** ✦ nm (bancaire) overdraft.

découverte [dekuvɛrt] nf discovery.

découvrir [dekuvrir] vt to discover; (ôter ce qui couvre) to uncover ❏ **se découvrir** vp (ôter son chapeau) to take off one's hat; (au lit) to throw back the bedclothes.

décrire [dekrir] vt to describe.

décrocher [dekrɔʃe] vt (tableau) to take down; ~ **(le téléphone)** (pour répondre) to pick up the phone ❏ **se décrocher** vp to fall down.

déçu, -e [desy] pp → **décevoir** ✦ adj disappointed.

dédaigner [dedeɲe] vt to despise.

dédaigneux, -euse [dedɛɲø, øz] adj disdainful.

dédain [dedɛ̃] nm disdain.

dedans [dədɑ̃] adv & nm inside; **en ~** inside.

dédicacer [dedikase] vt: ~ qqch à qqn to autograph sthg for sb.

dédier [dedje] vt: ~ qqch à qqn to dedicate sthg to sb.

dédommager [dedɔmaʒe] vt to compensate.

déduction [dedyksjɔ̃] nf deduction.

déduire [dedɥir] vt: ~ qqch (de) (soustraire) to deduct sthg (from); (conclure) to deduce sthg (from).

déduit, -e [dedɥi, ɥit] pp → **déduire**.

déesse [dees] nf goddess.

défaillant, -e [defajɑ̃, ɑ̃t] adj (vue) failing.

défaire [defɛr] vt (nœud) to undo; (valise) to unpack; (lit) to strip ❏ **se défaire** vp (nœud, coiffure) to come undone.

défait, -e [defɛ, ɛt] pp → **défaire**.

défaite [defɛt] nf defeat.

défaut [defo] nm (de caractère) fault; (imperfection) flaw; **à ~ de** for lack of.

défavorable [defavɔrabl] adj unfavourable.

défavoriser [defavɔrize] vt to penalize.

défectueux, -euse [defektɥø, øz] adj defective.

défendre [defɑ̃dr] vt to defend; ~ qqch à qqn to forbid sb sthg; ~ à qqn de faire qqch to forbid sb to do sthg ❏ se défendre vp to defend o.s.

défense [defɑ̃s] nf defence; (d'éléphant) tusk; prendre la ~ de qqn to stand up for sb; «~ de déposer des ordures» "no dumping"; «~ d'entrer» "no entry".

---

i LA DÉFENSE

This business district to the west of Paris was started during the 1960s and 70s. It consists mainly of ultramodern glass skyscrapers and its most recognizable landmark is the "Grande Arche", a huge office building shaped like a square archway.

---

défi [defi] nm challenge; lancer un ~ à qqn to challenge sb.

déficit [defisit] nm deficit.

déficitaire [defisitɛr] adj in deficit.

défier [defje] vt to challenge; ~ qqn de faire qqch to challenge sb to do sthg.

défigurer [defigyre] vt to disfigure.

défilé [defile] nm (militaire) parade; (gorges) defile; ~ de mode fashion show.

défiler [defile] vi (manifestants, soldats) to march past.

définir [definir] vt to define.

définitif, -ive [definitif, iv] adj definitive; en définitive when all is said and done.

définition [definisjɔ̃] nf definition.

définitivement [definitivmɑ̃] adv permanently.

défoncer [defɔ̃se] vt (porte, voiture) to smash in; (terrain, route) to break up.

déformé, -e [defɔrme] adj (vêtement) shapeless; (route) uneven.

déformer [defɔrme] vt to deform; (fig: réalité) to distort.

défouler [defule] : se défouler vp to unwind.

défricher [defriʃe] vt to clear.

dégager [degaʒe] vt (déblayer) to clear; (fumée, odeur) to give off; ~ qqn/qqch de to free sb/sthg from ❏ se dégager vp to free o.s.; (ciel) to clear; se ~ de (se libérer de) to free o.s. from; (suj: fumée, odeur) to be given off from.

dégainer [degɛne] vt & vi to draw.

dégarni, -e [degarni] adj (crâne, personne) balding.

dégâts [dega] nmpl damage; faire des ~ to cause damage.

dégel [deʒɛl] nm thaw.

dégeler [deʒle] vt to de-ice; (atmosphère) to warm up ♦ vi to thaw.

dégénérer [deʒenere] vi to degenerate.

dégivrage [deʒivraʒ] nm (AUT) de-icing.

dégivrer [deʒivre] vt (pare-brise) to de-ice; (réfrigérateur) to defrost.

dégonfler [degɔ̃fle] vt to let down ❏ se dégonfler vp to go down; (fam: renoncer) to chicken out.

dégouliner [deguline] *vi* to trickle.

dégourdi, -e [degurdi] *adj* smart.

dégourdir [degurdir] : se dégourdir *vp*: se ~ les jambes to stretch one's legs.

dégoût [degu] *nm* disgust.

dégoûtant, -e [degutã, ãt] *adj* disgusting.

dégoûter [degute] *vt* to disgust; ~ qqn de qqch to put sb off sthg.

dégrafer [degrafe] *vt (papiers)* to unstaple; *(vêtement)* to undo.

degré [dagre] *nm* degree; du vin à 12 ~s 12% proof wine.

dégressif, -ive [degresif, iv] *adj* decreasing.

dégringoler [degrẽgɔle] *vi* to tumble.

dégueulasse [degœlas] *adj (fam)* filthy

déguisement [degizmã] *nm (pour bal masqué)* fancy dress.

déguiser [degize] *vt* to disguise ☐ se déguiser *vp*: se ~ (en) *(à un bal masqué)* to dress up (as).

dégustation [degystasjɔ̃] *nf* tasting.

déguster [degyste] *vt (goûter)* to taste.

dehors [dəɔr] *adv & nm* outside; jeter OU mettre qqn ~ to throw sb out; se pencher en ~ to lean out; en ~ outside; *(sauf)* apart from.

déjà [deʒa] *adv* already; es-tu ~ allé à Bordeaux? have you ever been to Bordeaux?

déjeuner [deʒœne] *nm* lunch; *(petit déjeuner)* breakfast ♦ *vi* to have lunch; *(le matin)* to have breakfast.

délabré, -e [delabre] *adj* ruined.

délacer [delase] *vt* to undo.

délai [dele] *nm (durée)* deadline; *(temps supplémentaire)* extension; dans un ~ de trois jours within three days.

délasser [delase] *vt* to refresh.

délavé, -e [delave] *adj* faded.

délayer [deleje] *vt* to mix.

Delco® [delko] *nm* distributor.

délégué, -e [delege] *nm, f* delegate.

délibérément [deliberemã] *adv* deliberately.

délicat, -e [delika, at] *adj* delicate; *(plein de tact)* sensitive; *(exigeant)* fussy.

délicatement [delikatmã] *adv* delicately.

délicieux, -ieuse [delisjø, jøz] *adj* delicious.

délimiter [delimite] *vt (terrain)* to demarcate.

délinquant, -e [delẽkã, ãt] *nm, f* delinquent.

délirer [delire] *vi* to be delirious.

délit [deli] *nm* offence *(Br)*, misdemeanor *(Am)*.

délivrer [delivre] *vt (prisonnier)* to release; *(autorisation, reçu)* to issue.

déloyal, -e, -aux [delwajal, jo] *adj* unfair.

delta [dɛlta] *nm* delta.

deltaplane [dɛltaplan] *nm* hang-glider.

déluge [delyʒ] *nm (pluie)* downpour.

demain [damẽ] *adv* tomorrow; à ~! see you tomorrow!; ~ matin/

soir tomorrow morning/evening.

demande [dəmãd] nf (réclamation) application; (formulaire) application form; «~s d'emploi» "situations wanted".

demander [dəmãde] vt to ask for; (heure) to ask; (nécessiter) to require; ~ **qqch à qqn** (interroger) to ask sb sthg; (exiger) to ask sb for sthg; ~ **à qqn de faire qqch** to ask sb to do sthg ▫ **se demander** vp to wonder.

demandeur, -euse [dəmãdœr, øz] nm, f: ~ **d'emploi** job-seeker.

démangeaison [demãʒɛzõ] nf itch; **avoir des ~s** to itch.

démanger [demãʒe] vt: **mon bras me démange** my arm is itchy.

démaquillant [demakijã] nm cleanser.

démarche [demarʃ] nf (allure) bearing; (administrative) step.

démarrage [demaraʒ] nm start.

démarrer [demare] vi to start.

démarreur [demarœr] nm starter.

démasquer [demaske] vt (identifier) to expose.

démêler [demele] vt to untangle.

déménagement [demenaʒmã] nm removal.

déménager [demenaʒe] vi to move (house) ◆ vt to move.

démener [demne] : **se démener** vp (bouger) to struggle; (faire des efforts) to exert o.s.

dément, -e [demã, ãt] adj demented; (fam: incroyable) crazy.

démentir [demãtir] vt to deny.

démesuré, -e [deməzyre] adj enormous.

démettre [demetr] : **se démettre** vp: **se ~ l'épaule** to dislocate one's shoulder.

demeure [dəmœr] nf (manoir) mansion.

demeurer [dəmœre] vi (sout) (habiter) to live; (rester) to remain.

demi, -e [dəmi] adj half ◆ nm (bière) ≃ half-pint; **cinq heures et ~e** half past five; **un ~-kilo de** half a kilo of; **à ~ fermé** half-closed.

demi-finale, -s [dəmifinal] nf semifinal.

demi-frère, -s [dəmifrɛr] nm half-brother.

demi-heure, -s [dəmijœr] nf: **une ~** half an hour; **toutes les ~s** every half hour.

demi-pension, -s [dəmipãsjõ] nf (à l'hôtel) half board; (à l'école): **être en ~** to have school dinners.

demi-pensionnaire, -s [dəmipãsjɔnɛr] nmf child who has school dinners.

démis, -e [demi, iz] pp → **démettre**.

demi-saison, -s [dəmisɛzõ] nf: **de ~** (vêtement) mid-season.

demi-sœur, -s [dəmisœr] nf half-sister.

démission [demisjõ] nf resignation; **donner sa ~** to hand in one's notice.

démissionner [demisjɔne] vi to resign.

demi-tarif, -s [dəmitarif] nm half price.

demi-tour, -s [dəmitur] nm (à pied) about-turn; (en voiture) U-turn; **faire ~** to turn back.

démocratie [demɔkrasi] nf democracy.

démocratique [demɔkratik] adj democratic.

démodé, -e [demɔde] adj old-fashioned.

demoiselle [dəmwazɛl] nf young lady; ~ **d'honneur** (à un mariage) bridesmaid.

démolir [demɔlir] vt to demolish.

démon [demɔ̃] nm devil.

démonstratif, -ive [demɔ̃stratif, iv] adj demonstrative.

démonstration [demɔ̃strasjɔ̃] nf demonstration.

démonter [demɔ̃te] vt to take apart.

démontrer [demɔ̃tre] vt to demonstrate.

démoraliser [demɔralize] vt to demoralize.

démouler [demule] vt (gâteau) to turn out of a mould.

démuni, -e [demyni] adj (pauvre) destitute.

dénicher [deniʃe] vt (trouver) to unearth.

dénivellation [denivɛlasjɔ̃] nf dip.

dénoncer [denɔ̃se] vt to denounce.

dénouement [denumɑ̃] nm (d'intrigue) outcome; (d'une pièce de théâtre) denouement.

dénouer [denwe] vt to untie.

dénoyauter [denwajote] vt (olives) to pit.

denrée [dɑ̃re] nf commodity.

dense [dɑ̃s] adj dense.

dent [dɑ̃] nf tooth; (d'une fourchette) prong; ~ **de lait** milk tooth; ~ **de sagesse** wisdom tooth.

dentelle [dɑ̃tɛl] nf lace.

dentier [dɑ̃tje] nm dentures (pl).

dentifrice [dɑ̃tifris] nm toothpaste.

dentiste [dɑ̃tist] nm dentist.

Denver [dɑ̃vɛr] n → **sabot**.

déodorant [deɔdɔrɑ̃] nm deodorant.

dépannage [depanaʒ] nm repair; **service de ~** (AUT) breakdown service.

dépanner [depane] vt to repair; (fig: aider) to bail out.

dépanneur [depanœr] nm repairman; (Can: épicerie) corner shop (Br), convenience store (Am).

dépanneuse [depanøz] nf (breakdown) recovery vehicle.

dépareillé, -e [depareje] adj (service) incomplete; (gant, chaussette) odd.

départ [depar] nm departure; (d'une course) start; **au ~** (au début) at first; **«~s»** "departures".

départager [departaʒe] vt to decide between.

département [departamɑ̃] nm (division administrative) territorial and administrative division of France; (service) department.

départementale [departamɑ̃tal] nf: (**route**) ~ = B road (Br), secondary road.

dépassement [depasmɑ̃] nm (sur la route) overtaking (Br), passing.

dépasser [depase] vt (passer devant) to pass; (doubler) to overtake (Br); (en taille) to be taller than; (somme, limite) to exceed ♦ vi (déborder) to stick out.

dépaysement [depeizmɑ̃] nm

change of scenery.

dépêcher [depeʃe] : **se dépêcher** vp to hurry (up); **se ~ de faire qqch** to hurry to do sthg.

dépendre [depãdr] vi: **~ de** to depend on; **ça dépend** it depends.

dépens [depã] : **aux dépens de** prép at the expense of.

dépense [depãs] nf expense.

dépenser [depãse] vt to spend ❑ **se dépenser** vp (physiquement) to exert o.s.

dépensier, -ière [depãsje, jɛr] adj extravagant.

dépêtrer [depetre] : **se dépêtrer de** v + prép to get out of.

dépit [depi] nm spite; **en ~ de** in spite of.

déplacement [deplasmã] nm (voyage) trip; **en ~** away on business.

déplacer [deplase] vt to move ❑ **se déplacer** vp to move; (voyager) to travel.

déplaire [depler] : **déplaire à** v + prép: **ça me déplaît** I don't like it.

déplaisant, -e [deplɛzã, ãt] adj unpleasant.

dépliant [deplijã] nm leaflet.

déplier [deplije] vt to unfold ❑ **se déplier** vp (chaise) to unfold; (canapé) to fold down.

déplorable [deplɔrabl] adj deplorable.

déployer [deplwaje] vt (ailes) to spread; (carte) to open out.

déporter [depɔrte] vt (prisonnier) to deport; (voiture) to cause to swerve.

déposer [depoze] vt (poser) to put down; (laisser) to leave; (argent) to deposit; (en voiture) to

drop (off) ❑ **se déposer** vp to settle.

dépôt [depo] nm deposit; (de marchandises) warehouse; (de bus) depot.

dépotoir [depɔtwar] nm rubbish dump (Br), garbage dump (Am).

dépouiller [depuje] vt (voler) to rob.

dépourvu, -e [depurvy] adj: **~ de** without; **prendre qqn au ~** to catch sb unawares.

dépression [depresjɔ̃] nf (atmosphérique) low; **~ (nerveuse)** (nervous) breakdown.

déprimer [deprime] vt to depress ◆ vi to be depressed.

depuis [dəpɥi] prép & adv since; **je travaille ici ~ trois ans** I've been working here for three years; **~ quand est-il marié?** how long has he been married?; **~ que nous sommes ici** since we've been here.

député [depyte] nm Member of Parliament (Br), Representative (Am).

déraciner [derasine] vt to uproot.

dérailler [deraje] vi (train) to be derailed.

dérailleur [derajœr] nm derailleur.

dérangement [derãʒmã] nm (gêne) trouble; **en ~** out of order.

déranger [derãʒe] vt (gêner) to bother; (objets, affaires) to disturb; **ça vous dérange si ...?** do you mind if ...? ❑ **se déranger** vp (se déplacer) to move.

dérapage [derapaʒ] nm skid.

déraper [derape] vi (voiture, personne) to skid; (lame) to slip.

dérégler [deregle] vt to put out

of order ❏ **se dérégler** *vp* to go wrong.

dérive [deriv] *nf* (NAVIG) centre-board; **aller à la ~** to drift.

dériver [derive] *vi* (bateau) to drift.

dermatologue [dɛrmatɔlɔg] *nmf* dermatologist.

dernier, -ière [dɛrnje, jɛr] *adj* last; (récent) latest ♦ *nm, f* last; **le ~ étage** the top floor; **la semaine dernière** last week; **en ~** (enfin) lastly; (arriver) last.

dernièrement [dɛrnjɛrmɑ̃] *adv* lately.

dérouler [derule] *vt* (fil) to un-wind; (papier) to unroll ❏ **se dérouler** *vp* (avoir lieu) to take place.

dérouter [derute] *vt* (surprendre) to disconcert; (dévier) to divert.

derrière [dɛrjɛr] *prép* behind ♦ *adv* behind; (dans une voiture) in the back ♦ *nm* (partie arrière) back; (fesses) bottom.

des [de] = **de + les**, → **de, un**.

dès [de] *prép*: **~ demain** from tomorrow; **~ notre arrivée** as soon as we arrive/arrived; **~ que** as soon as; **~ que tu seras prêt** as soon as you're ready.

désaccord [dezakɔr] *nm* disagreement; **être en ~ avec** to disagree with.

désaffecté, -e [dezafɛkte] *adj* disused.

désagréable [dezagreabl] *adj* unpleasant.

désaltérer [dezaltere] **: se désaltérer** *vp* to quench one's thirst.

désappointé, -e [dezapwɛ̃te] *adj* disappointed.

désapprouver [dezapruve] *vt* to disapprove of.

désarçonner [dezarsɔne] *vt* to throw.

désarmant, -e [dezarmɑ̃, ɑ̃t] *adj* disarming.

désarmer [dezarme] *vt* to dis-arm.

désastre [dezastr] *nm* disaster.

désastreux, -euse [dezastrø, øz] *adj* disastrous.

désavantage [dezavɑ̃taʒ] *nm* disadvantage.

désavantager [dezavɑ̃taʒe] *vt* to put at a disadvantage.

descendant, -e [desɑ̃dɑ̃, ɑ̃t] *nm, f* descendant.

descendre [desɑ̃dr] *vt* (aux avoir) (rue, escalier) to go/come down; (transporter) to bring/take down ♦ *vi* (aux être) to go/come down; (être en pente) to slope down; (baisser) to fall; **~ les escaliers en courant** to run down the stairs; **~ de** (voiture, train) to get out of; (vélo) to get off; (ancêtres) to be descended from.

descente [desɑ̃t] *nf* (en avion) descent; (pente) slope; **~ de lit** bed-side rug.

description [dɛskripsjɔ̃] *nf* description.

désemparé, -e [dezɑ̃pare] *adj* helpless.

déséquilibre [dezekilibr] *nm* (différence) imbalance; **en ~** (insta-ble) unsteady.

déséquilibré, -e [dezekilibre] *nm, f* unbalanced person.

déséquilibrer [dezekilibre] *vt* to throw off balance.

désert, -e [dezɛr, ɛrt] *adj* de-serted ♦ *nm* desert.

déserter [dezɛrte] *vi* to desert.

désertique [dezɛrtik] *adj* desert.

désespéré, -e [dezɛspere] *adj* desperate.

désespoir [dezɛspwar] *nm* despair.

déshabiller [dezabije] *vt (personne)* to undress ❑ **se déshabiller** *vp* to get undressed.

désherbant [dezɛrbɑ̃] *nm* weedkiller.

désherber [dezɛrbe] *vt* to weed.

déshonorer [dezɔnɔre] *vt* to disgrace.

déshydraté, -e [dezidrate] *adj (aliment)* dried; *(fig: assoiffé)* dehydrated.

déshydrater [dezidrate] *vt* to dehydrate ❑ **se déshydrater** *vp* to become dehydrated.

désigner [dezine] *vt (montrer)* to point out; *(choisir)* to appoint.

désillusion [dezilyzjɔ̃] *nf* disillusion.

désinfectant [dezɛ̃fɛktɑ̃] *nm* disinfectant.

désinfecter [dezɛ̃fɛkte] *vt* to disinfect.

désintéressé, -e [dezɛ̃terese] *adj* disinterested.

désintéresser [dezɛ̃terese] **: se désintéresser de** *vp + prép* to lose interest in.

désinvolte [dezɛ̃vɔlt] *adj* carefree.

désir [dezir] *nm* desire.

désirer [dezire] *vt* to want; **vous désirez?** can I help you?; **laisser à ~** to leave something to be desired.

désobéir [dezɔbeir] *vi* to disobey; **~ à** to disobey.

désobéissant, -e [dezɔbeisɑ̃,

ɑ̃t] *adj* disobedient.

désodorisant [dezɔdɔrizɑ̃] *nm* air freshener.

désolant, -e [dezɔlɑ̃, ɑ̃t] *adj* shocking.

désolé, -e [dezɔle] *adj (personne)* distressed; *(paysage)* desolate; **je suis ~ (de)** I'm sorry (to).

désordonné, -e [dezɔrdɔne] *adj* untidy; *(gestes)* wild.

désordre [dezɔrdr] *nm* mess; *(agitation)* disorder; **être en ~** to be untidy.

désorienté, -e [dezɔrjɑ̃te] *adj* disorientated.

désormais [dezɔrmɛ] *adv* from now on.

desquelles [dekɛl] = **de + lesquelles**, → **lequel**.

desquels [dekɛl] = **de + lesquels**, → **lequel**.

dessécher [deseʃe] *vt* to dry out ❑ **se dessécher** *vp (peau)* to dry out; *(plante)* to wither.

desserrer [desere] *vt (vis, ceinture)* to loosen; *(dents, poing)* to unclench; *(frein)* to release.

dessert [desɛr] *nm* dessert.

desservir [desɛrvir] *vt (ville, gare)* to serve; *(table)* to clear; *(nuire à)* to be harmful to.

dessin [desɛ̃] *nm* drawing; **~ animé** cartoon.

dessinateur, -trice [desinatœr, tris] *nm, f (artiste)* artist; *(technicien)* draughtsman *(f* draughtswoman).

dessiner [desine] *vt (portrait, paysage)* to draw; *(vêtement, voiture)* to design.

dessous [dəsu] *adv* underneath ◆ *nm (d'une table)* bottom; *(d'une* *carte, d'une feuille*) other side; **les voisins du ~** the downstairs neighbours; **en ~** underneath; **en ~ de** (*valeur, prévisions*) below.

dessous-de-plat [dəsudpla] *nm inv* place mat.

dessus [dəsy] *adv* on top ♦ *nm* top; **il a écrit ~** he wrote on it; **les voisins du ~** the upstairs neighbours; **avoir le ~** to have the upper hand.

dessus-de-lit [dəsydli] *nm inv* bedspread.

destin [destɛ̃] *nm* destiny; **le ~** fate.

destinataire [destinatɛr] *nmf* addressee.

destination [destinasjɔ̃] *nf* destination; **arriver à ~** to reach one's destination; **vol 392 à ~ de Londres** flight 392 to London.

destiné, -e [destine] *adj*: **être ~ à qqn** (*adressé à*) to be addressed to sb; **être ~ à qqn/qqch** (*conçu pour*) to be meant for sb/sthg; **être ~ à faire qqch** to be meant to do sthg.

destruction [destryksjɔ̃] *nf* destruction.

détachant [detaʃɑ̃] *nm* stain remover.

détacher [detaʃe] *vt* to untie; (*ceinture*) to undo; (*découper*) to detach; (*nettoyer*) to remove stains from ❑ **se détacher** *vp* (*se défaire*) to come undone; (*se séparer*) to come off.

détail [detaj] *nm* (*d'une histoire, d'un tableau*) detail; **au ~** retail; **en ~** in detail.

détaillant [detajɑ̃] *nm* retailer.

détaillé, -e [detaje] *adj* detailed; (*facture*) itemized.

détartrant [detartrɑ̃] *nm* de-

scaler.

détaxé, -e [detakse] *adj* duty-free.

détecter [detɛkte] *vt* to detect.

détective [detɛktiv] *nm* detective.

déteindre [detɛ̃dr] *vi* to fade; **~ sur** (*vêtement*) to discolour.

déteint, -e [detɛ̃, ɛ̃t] *pp* → **déteindre**.

détendre [detɑ̃dr] *vt* (*corde, élastique*) to slacken; (*personne, atmosphère*) to relax ❑ **se détendre** *vp* (*corde, élastique*) to slacken; (*se décontracter*) to relax.

détendu, -e [detɑ̃dy] *adj* (*décontracté*) relaxed.

détenir [detnir] *vt* (*fortune, secret*) to have; (*record*) to hold.

détenu, -e [detny] *pp* → **détenir** ♦ *nm, f* prisoner.

détergent [detɛrʒɑ̃] *nm* detergent.

détériorer [deterjɔre] *vt* to damage ❑ **se détériorer** *vp* to deteriorate.

déterminé, -e [detɛrmine] *adj* (*précis*) specific; (*décidé*) determined.

déterminer [detɛrmine] *vt* (*préciser*) to specify; **~ qqn à faire qqch** to make sb decide to do sthg.

déterrer [detɛre] *vt* to dig up.

détester [detɛste] *vt* to detest.

détonation [detɔnasjɔ̃] *nf* detonation.

détour [detur] *nm*: **faire un ~** (*voyageur*) to make a detour.

détourner [deturne] *vt* (*circulation, attention*) to divert; (*argent*) to embezzle; **~ qqn de** to distract sb from ❑ **se détourner** *vp* to turn

away; **se ~ de** to move away
from.

détraqué, -e [detrake] *adj* broken; *(fam: fou)* cracked.

détritus [detrity(s)] *nmpl* rubbish *(Br)(sg)*, garbage *(Am)(sg)*.

détroit [detrwa] *nm* strait.

détruire [detrɥir] *vt* to destroy.

détruit, -e [detrɥi, ɥit] *pp* →
détruire.

dette [dɛt] *nf* debt.

DEUG [dœg] *nm university diploma
taken after two years.*

deuil [dœj] *nm (décès)* death; **être
en ~** to be in mourning.

deux [dø] *num* two; **à ~** together;
~ points *(signe de ponctuation)*
colon, → **six.**

deuxième [døzjɛm] *num* second, → **sixième.**

deux-pièces [døpjɛs] *nm (maillot de bain)* two-piece (costume);
(appartement) two-room flat *(Br)*,
two-room apartment *(Am).*

deux-roues [døru] *nm* two-
wheeled vehicle.

dévaliser [devalize] *vt* to rob.

devancer [dəvɑ̃se] *vt (arriver
avant)* to arrive before.

devant [dəvɑ̃] *prép* in front of;
(avant) before ◆ *adv* in front;
(en avant) ahead ◆ *nm* front; **de ~**
(pattes, roues) front; **(sens) ~ derrière** back to front.

devanture [dəvɑ̃tyr] *nf* shop
window.

dévaster [devaste] *vt* to devastate.

développement [devlɔpmɑ̃]
nm development; *(de photos)* developing.

développer [devlɔpe] *vt* to de-

velop; **faire ~ des photos** to have
some photos developed ❑ **se
développer** *vp (grandir)* to grow.

devenir [dəvnir] *vi* to become.

devenu, -e [dəvny] *pp* → **devenir.**

déviation [devjasjɔ̃] *nf* diversion.

dévier [devje] *vt (trafic)* to divert;
(balle) to deflect.

deviner [dəvine] *vt* to guess;
(apercevoir) to make out.

devinette [dəvinɛt] *nf* riddle;
jouer aux ~s to play guessing
games.

devis [dəvi] *nm* estimate.

dévisager [devizaʒe] *vt* to stare
at.

devise [dəviz] *nf (slogan)* motto;
(argent) currency.

deviser [dəvize] *vt (Helv)* to estimate.

dévisser [devise] *vt* to unscrew.

dévoiler [devwale] *vt (secret, in-
tentions)* to reveal.

devoir [dəvwar] *vt* 1. *(argent,
explications)*: **~ qqch à qqn** to owe
sb sthg.
2. *(exprime l'obligation)*: **~ faire
qqch** to have to do sthg; **je dois y
aller, maintenant** I have to OU must go
now.
3. *(pour suggérer)*: **vous devriez essayer le rafting** you should try
whitewater rafting.
4. *(exprime le regret)*: **j'aurais dû/je
n'aurais pas dû l'écouter** I should
have/shouldn't have listened to
him.
5. *(exprime la probabilité)*: **ça doit
coûter cher** that must cost a lot; **le
temps devrait s'améliorer cette
semaine** the weather should im-

prove this week.

6. *(exprime l'intention)*: **nous devions partir hier, mais …** we were due to leave yesterday, but …

◆ *nm* **1.** *(obligation)* duty.

2. *(SCOL)*: ~ **(à la maison)** homework exercise; ~ **(sur table)** classroom test.

❑ **devoirs** *nmpl* *(SCOL)* homework *(sg)*; ~**s de vacances** holiday homework *(Br)*, vacation homework *(Am)*.

dévorer [devɔre] *vt* to devour.

dévoué, -e [devwe] *adj* devoted.

dévouer [devwe] : **se dévouer** *vp* to make a sacrifice; **se ~ pour faire qqch** to sacrifice o.s. to do sthg.

devra *etc* → **devoir**.

diabète [djabɛt] *nm* diabetes.

diabétique [djabetik] *adj* diabetic.

diable [djabl] *nm* devil.

diabolo [djabɔlo] *nm* *(boisson)* fruit cordial and lemonade; ~ **menthe** mint *(cordial)* and lemonade.

diagnostic [djagnɔstik] *nm* diagnosis.

diagonale [djagɔnal] *nf* diagonal; **en ~** *(traverser)* diagonally; **lire en ~** to skim.

dialecte [djalɛkt] *nm* dialect.

dialogue [djalɔg] *nm* dialogue.

diamant [djamɑ̃] *nm* diamond; *(d'un électrophone)* needle.

diamètre [djamɛtr] *nm* diameter.

diapositive [djapozitiv] *nf* slide.

diarrhée [djare] *nf* diarrhoea.

dictateur [diktatœr] *nm* dictator.

dictature [diktatyr] *nf* dictatorship.

dictée [dikte] *nf* dictation.

dicter [dikte] *vt* to dictate.

dictionnaire [diksjɔnɛr] *nm* dictionary.

dicton [diktɔ̃] *nm* saying.

diesel [djezɛl] *nm* *(moteur)* diesel engine; *(voiture)* diesel ◆ *adj* diesel.

diététique [djetetik] *adj*: **produits** ~ health foods.

dieu, -x [djø] *nm* god ❑ **Dieu** *nm* God; **mon Dieu!** my God!

différence [diferɑ̃s] *nf* difference; *(MATH)* result.

différent, -e [diferɑ̃, ɑ̃t] *adj* different; ~ **de** different from ❑ **différents, -es** *adj* *(divers)* various.

différer [difere] *vt* to postpone ◆ *vi* to differ; ~ **de** to differ from.

difficile [difisil] *adj* difficult; *(exigeant)* fussy.

difficulté [difikylte] *nf* difficulty; **avoir des** ~**s à faire qqch** to have difficulty in doing sthg; **en ~** in difficulties.

diffuser [difyze] *vt* *(RADIO)* to broadcast; *(chaleur, lumière, parfum)* to give off.

digérer [diʒere] *vt* to digest; **ne pas ~ qqch** *(ne pas supporter)* to object to sthg.

digeste [diʒɛst] *adj* *(easily)* digestible.

digestif, -ive [diʒɛstif, iv] *adj* digestive ◆ *nm* liqueur.

digestion [diʒɛstjɔ̃] *nf* digestion.

Digicode® [diʒikɔd] *nm* code number *(for entry system)*.

digital, -e, -aux [diʒital, o] *adj* digital.

digne [diɲ] *adj* dignified; ~ **de** *(qui mérite)* worthy of; *(qui correspond à)* befitting.

digue [dig] *nf* dike.

dilater [dilate] *vt* to expand ❏ **se dilater** *vp* to dilate.

diluer [dilɥe] *vt* to dilute.

dimanche [dimɑ̃ʃ] *nm* Sunday, → **samedi**.

dimension [dimɑ̃sjɔ̃] *nf* dimension.

diminuer [diminɥe] *vt* to reduce; *(physiquement)* to weaken ◆ *vi* to fall.

diminutif [diminytif] *nm* diminutive.

dinde [dɛ̃d] *nf* turkey; ~ **aux marrons** *roast turkey with chestnuts, traditionally eaten at Christmas.*

dîner [dine] *nm* dinner; *(repas du midi)* lunch ◆ *vi* to have dinner; *(le midi)* to have lunch.

diplomate [diplɔmat] *adj* diplomatic ◆ *nmf* diplomat ◆ *nm (CULIN)* ≈ trifle.

diplomatie [diplɔmasi] *nf* diplomacy.

diplôme [diplom] *nm* diploma.

dire [dir] *vt* **1.** *(prononcer)* to say. **2.** *(exprimer)* to say; ~ **la vérité** to tell the truth; ~ **à qqn que/pourquoi** to tell sb that/why; **comment dit-on «de rien» en anglais?** how do you say "de rien" in English? **3.** *(prétendre)* to say; **on dit que ...** people say that ... **4.** *(ordonner)*: ~ **à qqn de faire qqch** to tell sb to do sthg. **5.** *(penser)* to think; **qu'est-ce que vous en dites?** what do you think?; **que dirais-tu de ...?** what would you say to ...?; **on dirait qu'il va**

pleuvoir it looks like it's going to rain. **6.** *(dans des expressions)*: **ça ne me dit rien** it doesn't do much for me; **cela dit ...** having said that ...; **disons ...** let's say ... ❏ **se dire** *vp (penser)* to say to o.s.

direct, -e [dirɛkt] *adj* direct ◆ *nm*: **en ~ (de)** live (from).

directement [dirɛktəmɑ̃] *adv* directly.

directeur, -trice [dirɛktœr, tris] *nm, f* director; *(d'une école)* headmaster *(f* headmistress).

direction [dirɛksjɔ̃] *nf (gestion, dirigeants)* management; *(sens)* direction; *(AUT)* steering; **un train en ~ de Paris** a train for Paris; **«toutes ~s»** "all routes".

dirigeant, -e [diriʒɑ̃, ɑ̃t] *nm, f (POL)* leader; *(d'une entreprise, d'un club)* manager.

diriger [diriʒe] *vt* to manage; *(véhicule)* to steer; *(orchestre)* to conduct; ~ **qqch sur** to point sthg at ❏ **se diriger vers** *vp + prép* to go towards.

dis → **dire**.

discipline [disiplin] *nf* discipline.

discipliné, -e [disipline] *adj* disciplined.

disc-jockey, -s [diskʒɔkɛ] *nm* disc jockey.

disco [disko] *nf (fam: discothèque)* disco.

discothèque [diskɔtɛk] *nf (boîte de nuit)* discotheque; *(de prêt)* record library.

discours [diskur] *nm* speech.

discret, -ète [diskrɛ, ɛt] *adj* discreet.

discrétion [diskresjɔ̃] *nf* discretion.

discrimination [diskriminasjɔ̃]
nf discrimination.

discussion [diskysjɔ̃] *nf* discussion.

discuter [diskyte] *vi* to talk;
(protester) to argue; ~ **de qqch (avec qqn)** to discuss sthg (with sb).

dise → **dire**.

disjoncteur [disʒɔ̃ktœr] *nm* circuit breaker.

disons → **dire**.

disparaître [disparɛtr] *vi* to disappear; *(mourir)* to die.

disparition [disparisjɔ̃] *nf* disappearance.

disparu, -e [dispary] *pp* → **disparaître ♦** *nm, f* missing person.

dispensaire [dispɑ̃ser] *nm* clinic.

dispenser [dispɑ̃se] *vt*: ~ **qqn de qqch** to excuse sb from sthg.

disperser [disperse] *vt* to scatter.

disponible [disponibl] *adj* available.

disposé, -e [dispoze] *adj*: **être ~ à faire qqch** to be willing to do sthg.

disposer [dispoze] *vt* to arrange ❑ **disposer de** *v + prép* to have (at one's disposal); **se disposer à** *vp + prép* to prepare to.

dispositif [dispozitif] *nm* device.

disposition [dispozisjɔ̃] *nf (ordre)* arrangement; **prendre ~s** to make arrangements; **à la ~ de qqn** at sb's disposal.

disproportionné, -e [dispro-porsjɔne] *adj (énorme)* unusually large.

dispute [dispyt] *nf* argument.

disputer [dispyte] *vt (match)* to contest; *(épreuve)* to compete in ❑ **se disputer** *vp* to fight.

disquaire [diskɛr] *nmf* record dealer.

disqualifier [diskalifje] *vt* to disqualify.

disque [disk] *nm (enregistrement)* record; *(objet rond)* disc; *(INFORM)* disk; *(SPORT)* discus; ~ **laser** compact disc; ~ **dur** hard disk.

disquette [diskɛt] *nf* floppy disk.

dissertation [disertasjɔ̃] *nf* essay.

dissimuler [disimyle] *vt* to conceal.

dissipé, -e [disipe] *adj* badly behaved.

dissiper [disipe] : **se dissiper** *vp (brouillard)* to clear; *(élève)* to misbehave.

dissolvant [disɔlvɑ̃] *nm* solvent; *(à ongles)* nail varnish remover.

dissoudre [disudr] *vt* to dissolve.

dissous, -oute [disu, ut] *pp* → **dissoudre**.

dissuader [disɥade] *vt*: ~ **qqn de faire qqch** to persuade sb not to do sthg.

distance [distɑ̃s] *nf* distance; **à une ~ de 20 km, à 20 km de ~** 20 km away; **à ~ *(commander)*** by remote control.

distancer [distɑ̃se] *vt* to outstrip.

distinct, -e [distɛ̃, ɛ̃kt] *adj* distinct.

distinction [distɛ̃ksjɔ̃] *nf*: **faire une ~ entre** to make a distinction between.

distingué, -e [distɛ̃ge] adj distinguished.

distinguer [distɛ̃ge] vt to distinguish; (voir) to make out ▫ **se distinguer de** vp + prép to stand out from.

distraction [distraksjɔ̃] nf (étourderie) absent-mindedness; (loisir) source of entertainment.

distraire [distrɛr] vt (amuser) to amuse; (déconcentrer) to distract ▫ **se distraire** vp to amuse o.s.

distrait, -e [distrɛ, ɛt] pp → **distraire** ♦ adj absent-minded.

distribuer [distribɥe] vt to distribute; (cartes) to deal; (courrier) to deliver.

distributeur [distribɥtœr] nm (de billets de train) ticket machine; (de boissons) drinks machine; ~ **(automatique) de billets** (FIN) cash dispenser.

distribution [distribysjɔ̃] nf distribution; (du courrier) delivery; (dans un film) cast; ~ **des prix** prizegiving.

dit, -e [di, dit] pp → **dire**.

dites → **dire**.

divan [divɑ̃] nm couch.

divers, -es [divɛr, ɛrs] adj various.

divertir [divɛrtir] vt to entertain ▫ **se divertir** vp to entertain o.s.

divertissement [divɛrtismɑ̃] nm (distraction) pastime.

divin, -e [divɛ̃, in] adj divine.

diviser [divize] vt to divide.

division [divizjɔ̃] nf division.

divorce [divɔrs] nm divorce.

divorcé, -e [divɔrse] adj divorced ♦ nm, f divorced person.

divorcer [divɔrse] vi to divorce.

dix [dis] num ten, → **six**.

dix-huit [dizɥit] num eighteen, → **six**.

dix-huitième [dizɥitjɛm] num eighteenth, → **sixième**.

dixième [dizjɛm] num tenth, → **sixième**.

dix-neuf [diznœf] num nineteen, → **six**.

dix-neuvième [diznœvjɛm] num nineteenth, → **sixième**.

dix-sept [disɛt] num seventeen, → **six**.

dix-septième [disɛtjɛm] num seventeenth, → **sixième**.

dizaine [dizɛn] nf: une ~ **(de)** about ten.

DJ [didʒe] nm (abr de disc-jockey) DJ.

docile [dɔsil] adj docile.

docks [dɔk] nmpl docks.

docteur [dɔktœr] nm doctor.

document [dɔkymɑ̃] nm document.

documentaire [dɔkymɑ̃tɛr] nm documentary.

documentaliste [dɔkymɑ̃talist] nmf (SCOL) librarian.

documentation [dɔkymɑ̃tasjɔ̃] nf (documents) literature.

documenter [dɔkymɑ̃te] : **se documenter** vp to do some research.

doigt [dwa] nm finger; (petite quantité) drop; ~ **de pied** toe; à **deux ~s de** within inches of.

dois → **devoir**.

doive → **devoir**.

dollar [dɔlar] nm dollar.

domaine [dɔmɛn] nm (propriété) estate; (secteur) field.

dôme [dom] nm dome.

dorénavant

domestique [dɔmɛstik] *adj (tâche)* domestic ♦ *nmf* servant.

domicile [dɔmisil] *nm* residence; **à ~** at OU from home; **livrer à ~** to do deliveries.

dominer [dɔmine] *vt (être plus fort que)* to dominate; *(être plus haut que)* to overlook; *(colère, émotion)* to control ♦ *vi (face à un adversaire)* to dominate; *(être important)* to predominate.

dominos [dɔmino] *nmpl* dominoes.

dommage [dɔmaʒ] *nm:* **(quel) ~!** what a shame!; **c'est ~ de ...** it's a shame to ...; **c'est ~ que ...** it's a shame that ...; ❑ **dommages** *nmpl* damage *(sg)*.

dompter [dɔ̃(p)te] *vt* to tame.

dompteur, -euse [dɔ̃(p)tœr, øz] *nm, f* tamer.

DOM-TOM [dɔmtɔm] *nmpl* French overseas *départements* and territories.

---

i **DOM-TOM**

The "DOM" (French overseas "départements" with the same status as mainland "départements") include the islands of Martinique, Guadeloupe, Réunion, and St Pierre and Miquelon. The "TOM" (French overseas territories having more independence from the "DOM") include the islands of New Caledonia, Wallis and Futuna, French Polynesia and Mayotte. Their inhabitants are all French citizens.

---

don [dɔ̃] *nm (aptitude)* gift.

donc [dɔ̃k] *conj* so; **viens ~!** come on!

donjon [dɔ̃ʒɔ̃] *nm* keep.

données [dɔne] *nfpl* data.

donner [dɔne] *vt* to give; **~ qqch à qqn** to give sb sthg; **~ un coup à qqn** to hit sb; **~ à manger à qqn** to feed sb; **ce pull me donne chaud** this jumper is making me hot; **ça donne soif** it makes you feel thirsty ❑ **donner sur** *v + prép (suj: fenêtre)* to look out onto; *(suj: porte)* to lead to.

dont [dɔ̃] *pron relatif* **1.** *(complément du verbe, de l'adjectif):* **la façon ~ ça s'est passé** the way (in which) it happened; **la région ~ je viens** the region I come from; **c'est le camping ~ on nous a parlé** this is the campsite we were told about; **l'établissement ~ ils sont responsables** the establishment for which they are responsible.

2. *(complément d'un nom d'objet)* of which; *(complément d'un nom de personne)* whose; **le parti ~ il est le chef** the party of which he is the leader; **celui ~ les parents sont divorcés** the one whose parents are divorced; **une région ~ le vin est très réputé** a region famous for its wine.

3. *(parmi lesquels):* **certaines personnes, ~ moi, pensent que ...** some people, including me, think that ...; **deux piscines, ~ l'une couverte** two swimming pools, one of which is indoors.

dopage [dɔpaʒ] *nm* doping.

doré, -e [dɔre] *adj (métal, bouton)* gilt; *(lumière, peau)* golden; *(aliment)* golden brown ♦ *nm* walleyed pike.

dorénavant [dɔrenavɑ̃] *adv*

dorin

from now on.

dorin [dɔrɛ̃] *nm (Helv) collective name for white wines from the Vaud region of Switzerland.*

dormir [dɔrmir] *vi* to sleep.

dorin [dɔrɛ̃] *nm (Helv) collective name for white wines from the vaud region.*

dortoir [dɔrtwar] *nm* dormitory.

dos [do] *nm* back; **au ~ (de)** on the back (of); **de ~** from behind; **de ~ à** with one's back to.

dose [doz] *nf* dose.

dossier [dosje] *nm (d'un siège)* back; *(documents)* file.

douane [dwan] *nf* customs *(pl)*.

douanier [dwanje] *nm* customs officer.

doublage [dublaʒ] *nm (d'un film)* dubbing.

double [dubl] *adj & adv* double ♦ *nm (copie)* copy; *(partie de tennis)* doubles *(pl)*; **le ~ du prix normal** twice the normal price; **avoir qqch en ~** to have two of sthg; **mettre qqch en ~** to fold sthg in half.

doubler [duble] *vt* to double; *(vêtement)* to line; *(AUT)* to overtake *(Br)*, to pass; *(film)* to dub ♦ *vi* to double; *(AUT)* to overtake *(Br)*, to pass.

doublure [dublyr] *nf (d'un vêtement)* lining.

douce → **doux**.

doucement [dusmã] *adv (bas)* softly; *(lentement)* slowly.

douceur [dusœr] *nf (gentillesse)* gentleness; *(au toucher)* softness; *(du climat)* mildness; **en ~** smoothly.

douche [duʃ] *nf* shower; **prendre une ~** to take OU have a shower; *(fig: sous la pluie)* to get soaked.

doucher [duʃe] : **se doucher** *vp* to take OU have a shower.

doué, -e [dwe] *adj* gifted; **être ~ pour** OU **en qqch** to have a gift for sthg.

douillet, -ette [duje, ɛt] *adj (délicat)* soft; *(confortable)* cosy.

douleur [dulœr] *nf (physique)* pain; *(morale)* sorrow.

douloureux, -euse [dulurø, øz] *adj* painful.

doute [dut] *nm* doubt; **avoir un ~ sur** to have doubts about; **sans ~** no doubt.

douter [dute] *vt*: **~ que** to doubt that □ **douter de** *v* + *prép* to doubt; **se douter** *vp*: **se ~ de** to suspect; **se ~ que** to suspect that.

Douvres [duvr] *n* Dover.

doux, douce [du, dus] *adj (aliment, temps)* mild; *(au toucher)* soft; *(personne)* gentle.

douzaine [duzɛn] *nf*: **une ~ (de)** *(douze)* a dozen; *(environ douze)* about twelve.

douze [duz] *num* twelve, → **six**.

douzième [duzjɛm] *num* twelfth, → **sixième**.

dragée [draʒe] *nf* sugared almond.

dragon [dragɔ̃] *nm* dragon.

draguer [drage] *vt (fam: personne)* to chat up *(Br)*, to hit on *(Am)*.

dramatique [dramatik] *adj (de théâtre)* dramatic; *(grave)* tragic ♦ *nf* TV drama.

drame [dram] *nm (pièce de théâtre)* drama; *(catastrophe)* tragedy.

drap [dra] *nm* sheet.

drapeau, -x [drapo] *nm* flag.

drap-housse [draus] (pl **draps-housses**) nm fitted sheet.

dresser [drese] vt (mettre debout) to put up; (animal) to train; (plan) to draw up; (procès-verbal) to make out ❑ **se dresser** vp (se mettre debout) to stand up; (arbre, obstacle) to stand.

drogue [drɔg] nf: la ~ drugs (pl).

drogué, -e [drɔge] nm, f drug addict.

droguer [drɔge]: **se droguer** vp to take drugs.

droguerie [drɔgri] nf hardware shop.

droit, -e [drwa, drwat] adj & adv straight; (côté, main) right ◆ nm (autorisation) right; (taxe) duty; **tout** ~ straight ahead; **le** ~ (JUR) law; **avoir le** ~ **de faire qqch** to have the right to do sthg; **avoir** ~ **à qqch** to be entitled to sthg; **~s d'inscription** registration fee.

droite [drwat] nf: la ~ the right; (POL) the right (wing); à ~ (de) on the right (of); **de** ~ (du côté droit) right-hand.

droitier, -ière [drwatje, jɛr] adj right-handed.

drôle [drol] adj funny; **un ~ de bonhomme** an odd fellow.

drôlement [drolmɑ̃] adv (fam: très) tremendously.

drugstore [drœgstɔr] nm drugstore.

du [dy] = **de + le**, → **de**.

dû, due [dy] pp → **devoir**.

duc, duchesse [dyk, dyʃɛs] nm, f duke (f duchess).

duel [dɥɛl] nm duel.

duffle-coat, -s [dœfœlkot] nm duffel coat.

dune [dyn] nf dune.

duo [dɥo] nm (MUS) duet; (d'artistes) duo.

duplex [dypleks] nm (appartement) maisonette (Br), duplex (Am).

duplicata [dyplikata] nm duplicate.

duquel [dykɛl] = **de + lequel**, → **lequel**.

dur, -e [dyr] adj & adv hard; (viande) tough.

durant [dyrɑ̃] prép during.

durcir [dyrsir] vi to harden ❑ **se durcir** vp to harden.

durée [dyre] nf (longueur) length; (période) period.

durer [dyre] vi to last.

dureté [dyrte] nf (résistance) hardness; (manque de pitié) harshness.

duvet [dyvɛ] nm (plumes) down; (sac de couchage) sleeping bag.

dynamique [dinamik] adj dynamic.

dynamite [dinamit] nf dynamite.

dynamo [dinamo] nf dynamo.

dyslexique [disleksik] adj dyslexic.

E

E (abr de est) E.

eau, -x [o] nf water; ~ **bénite** holy water; ~ **de Cologne** eau de Cologne; ~ **douce** fresh water; ~ **gazeuse** fizzy water; ~ **minérale**

mineral water; ~ **oxygénée** hydrogen peroxide; ~ **potable** drinking water; ~ **non potable** water not fit for drinking; ~ **plate** still water; ~ **du robinet** tap water; ~ **salée** salt water; ~ **de toilette** toilet water.

eau-de-vie [odvi] *nf (pl* **eaux-de-vie)** *nf* brandy.

ébéniste [ebenist] *nm* cabinet-maker.

éblouir [ebluir] *vt* to dazzle.

éblouissant, -e [ebluisɑ̃, ɑ̃t] *adj* dazzling.

éboueur [ebwœr] *nm* dustman *(Br),* garbage collector *(Am).*

ébouillanter [ebujɑ̃te] *vt* to scald.

éboulement [ebulmɑ̃] *nm* rock slide.

ébouriffé, -e [eburife] *adj* dishevelled.

ébrécher [ebreʃe] *vt* to chip.

ébrouer [ebrue] : **s'ébrouer** *vp* to shake o.s.

ébruiter [ebrɥite] *vt* to spread.

ébullition [ebylisjɔ̃] *nf*: **porter qqch à ~** to bring sthg to the boil.

écaille [ekaj] *nf (de poisson)* scale; *(d'huître)* shell; *(matière)* tortoiseshell.

écailler [ekaje] *vt (poisson)* to scale ❑ **s'écailler** *vp* to peel off.

écarlate [ekarlat] *adj* scarlet.

écarquiller [ekarkije] *vt*: ~ **les yeux** to stare (wide-eyed).

écart [ekar] *nm (distance)* gap; *(différence)* difference; **faire un ~** *(véhicule)* to swerve; **à l'~ (de)** out of the way (of); **faire le grand ~** to do the splits.

écarter [ekarte] *vt (ouvrir)* to spread; *(éloigner)* to move away; *(fig: exclure)* to exclude.

échafaudage [eʃafodaʒ] *nm* scaffolding.

échalote [eʃalɔt] *nf* shallot.

échancré, -e [eʃɑ̃kre] *adj (robe)* low-necked; *(maillot de bain)* high-cut.

échange [eʃɑ̃ʒ] *nm* exchange; *(au tennis)* rally; **en ~ (de)** in exchange (for).

échanger [eʃɑ̃ʒe] *vt* to exchange; ~ **qqch contre** to exchange sthg for.

échangeur [eʃɑ̃ʒœr] *nm (d'autoroute)* interchange.

échantillon [eʃɑ̃tijɔ̃] *nm* sample.

échappement [eʃapmɑ̃] *nm* → **pot, tuyau.**

échapper [eʃape] : **échapper à** *v + prép (mort)* to escape; *(corvée)* to avoid; *(personne)* to escape from; **son nom m'échappe** his name escapes me; **ça m'a échappé** *(paroles)* it just slipped out; **ça m'a échappé des mains** it slipped out of my hands ❑ **s'échapper** *vp* to escape; **s'~ de** to escape from; *(sortir)* to come out from.

écharde [eʃard] *nf* splinter.

écharpe [eʃarp] *nf (cache-nez)* scarf; **en ~** in a sling.

échauffement [eʃofmɑ̃] *nm (sportif)* warm-up.

échauffer [eʃofe] : **s'échauffer** *vp (sportif)* to warm up.

échec [eʃɛk] *nm* failure; ~**!** check!; ~ **et mat!** checkmate! ❑ **échecs** *nmpl* chess *(sg);* **jouer aux** ~**s** to play chess.

échelle [eʃɛl] *nf* ladder; *(sur une carte)* scale; **faire la courte ~ à** qqn

to give sb a leg-up.
échelon [eʃlɔ̃] *nm* (*d'échelle*) rung; (*grade*) grade.
échevelé, -e [eʃəvle] *adj* dishevelled.
échine [eʃin] *nf* (CULIN) cut of meat taken from pig's back.
échiquier [eʃikje] *nm* chessboard.
écho [eko] *nm* echo.
échographie [ekɔgrafi] *nf* (ultrasound) scan.
échouer [eʃwe] *vi* to fail ▫ **s'échouer** *vp* to run aground.
éclabousser [eklabuse] *vt* to splash.
éclaboussure [eklabusyr] *nf* splash.
éclair [eklɛr] *nm* flash of lightning; (*gâteau*) éclair.
éclairage [eklɛraʒ] *nm* lighting.
éclaircie [eklɛrsi] *nf* sunny spell.
éclaircir [eklɛrsir] *vt* to make lighter ▫ **s'éclaircir** *vp* (*ciel*) to brighten (up); (*fig: mystère*) to be solved.
éclaircissement [eklɛrsismɑ̃] *nm* (*explication*) explanation.
éclairer [eklere] *vt* (*pièce*) to light; (*fig: personne*) to enlighten ▫ **s'éclairer** *vp* (*visage*) to light up; (*fig: mystère*) to become clear.
éclaireur, -euse [eklɛrœr, øz] *nm, f* (scout) Scout (*f* Guide); **partir en ~** to scout around.
éclat [ekla] *nm* (*de verre*) splinter; (*d'une lumière*) brightness; **~s de rire** bursts of laughter; **~s de voix** loud voices.
éclatant, -e [eklatɑ̃, ɑ̃t] *adj* brilliant.
éclater [eklate] *vi* (*bombe*) to explode; (*pneu, ballon*) to burst; (*guerre, scandale*) to break out; **~ de rire** to burst out laughing; **~ en sanglots** to burst into tears.
éclipse [eklips] *nf* eclipse.
éclosion [eklozjɔ̃] *nf* (*d'œufs*) hatching.
écluse [eklyz] *nf* lock.
écœurant, -e [ekœrɑ̃, ɑ̃t] *adj* disgusting.
écœurer [ekœre] *vt* to disgust.
école [ekɔl] *nf* school; **aller à l'~** to go to school; **faire l'~ buissonnière** to play truant (*Br*), to play hooky (*Am*).
écolier, -ière [ekɔlje, jɛr] *nm, f* schoolboy (*f* schoolgirl).
écologie [ekɔlɔʒi] *nf* ecology.
écologique [ekɔlɔʒik] *adj* ecological.
écologiste [ekɔlɔʒist] *nmf*: **les ~s** the Greens.
économie [ekɔnɔmi] *nf* (*d'un pays*) economy; (*science*) economics (*sg*) ▫ **économies** *nfpl* savings; **faire des ~s** to save money.
économique [ekɔnɔmik] *adj* (*peu coûteux*) economical; (*crise, développement*) economic.
économiser [ekɔnɔmize] *vt* to save.
écorce [ekɔrs] *nf* (*d'arbre*) bark; (*d'orange*) peel.
écorcher [ekɔrʃe] : **s'écorcher** *vp* to scratch o.s.; **s'~ le genou** to scrape one's knee.
écorchure [ekɔrʃyr] *nf* graze.
écossais, -e [ekɔsɛ, ɛz] *adj* Scottish; (*tissu*) tartan ▫ **Écossais, -e** *nm, f* Scotsman (*f* Scotswoman); **les Écossais** the Scots.

Écosse [ekɔs] *nf*: l'~ Scotland.

écouler [ekule] : **s'écouler** *vp (temps)* to pass; *(liquide)* to flow (out).

écouter [ekute] *vt* to listen to.

écouteur [ekutœr] *nm (de téléphone)* earpiece; **~s** *(casque)* headphones.

écran [ekrɑ̃] *nm* screen; **(crème)** ~ **total** sun block; **le grand** ~ *(le cinéma)* the big screen; **le petit** ~ *(la télévision)* television.

écrasant, -e [ekrazɑ̃, ɑ̃t] *adj* overwhelming.

écraser [ekraze] *vt* to crush; *(cigarette)* to stub out; *(en voiture)* to run over; **se faire** ~ *(par une voiture)* to be run over □ **s'écraser** *vp (avion)* to crash.

écrémé, -e [ekreme] *adj* skimmed; **demi-~** semi-skimmed.

écrevisse [ekrəvis] *nf* crayfish.

écrier [ekrije] : **s'écrier** *vp* to cry out.

écrin [ekrɛ̃] *nm* box.

écrire [ekrir] *vt & vi* to write; **~ à qqn** to write to sb *(Br)*, to write sb *(Am)* □ **s'écrire** *vp (correspondre)* to write (to each other); *(s'épeler)* to be spelled.

écrit, -e [ekri, it] *pp* → **écrire** ♦ *nm*: **par** ~ in writing.

écriteau, -x [ekrito] *nm* notice.

écriture [ekrityr] *nf* writing.

écrivain [ekrivɛ̃] *nm* writer.

écrou [ekru] *nm* nut.

écrouler [ekrule] : **s'écrouler** *vp* to collapse.

écru, -e [ekry] *adj (couleur)* ecru.

ÉCU [eky] *nm (monnaie européenne)* ECU.

écume [ekym] *nf* foam.

écumoire [ekymwar] *nf* strainer.

écureuil [ekyrœj] *nm* squirrel.

écurie [ekyri] *nf* stable.

écusson [ekysɔ̃] *nm (sur un vêtement)* badge.

eczéma [egzema] *nm* eczema.

édenté, -e [edɑ̃te] *adj* toothless.

édifice [edifis] *nm* building.

Édimbourg [edɛ̃bur] *n* Edinburgh.

éditer [edite] *vt* to publish.

édition [edisjɔ̃] *nf (exemplaires)* edition; *(industrie)* publishing.

édredon [edrədɔ̃] *nm* eiderdown.

éducatif, -ive [edykatif, iv] *adj* educational.

éducation [edykasjɔ̃] *nf* education; *(politesse)* good manners *(pl)*; ~ **physique** PE.

éduquer [edyke] *vt* to bring up.

effacer [efase] *vt (mot)* to rub out; *(tableau)* to wipe; *(bande magnétique, chanson)* to erase; *(INFORM)* to delete □ **s'effacer** *vp (disparaître)* to fade (away).

effaceur [efasœr] *nm* rubber *(Br)*, eraser *(Am)*.

effectif [efɛktif] *nm (d'une classe)* size; *(d'une armée)* strength.

effectivement [efɛktivmɑ̃] *adv (réellement)* really; *(en effet)* indeed.

effectuer [efɛktɥe] *vt (travail)* to carry out; *(trajet)* to make.

efféminé, -e [efemine] *adj* effeminate.

effervescent, -e [efɛrvesɑ̃, ɑ̃t] *adj* effervescent.

effet [efɛ] *nm (résultat)* effect; *(impression)* impression; **faire de l'~** *(être efficace)* to be effective; **en** ~

indeed.

efficace [efikas] *adj (médicament, mesure)* effective; *(personne, travail)* efficient.

efficacité [efikasite] *nf* effectiveness.

effilé, -e [efile] *adj (frange)* thinned; *(lame)* sharp.

effilocher [efilɔʃe] : **s'effilocher** *vp* to fray.

effleurer [eflœre] *vt* to brush (against).

effondrer [efɔ̃dre] : **s'effondrer** *vp* to collapse.

efforcer [efɔrse] : **s'efforcer de** *vp* + *prép*: **s'~ de faire qqch** to try to do sthg.

effort [efɔr] *nm* effort; **faire des ~s (pour faire qqch)** to make an effort (to do sthg).

effrayant, -e [efrejɑ̃, ɑ̃t] *adj* frightening.

effrayer [efreje] *vt* to frighten.

effriter [efrite] : **s'effriter** *vp* to crumble.

effroyable [efrwajabl] *adj* terrible.

égal, -e, -aux [egal, o] *adj (identique)* equal; *(régulier)* even; **ça m'est ~** I don't care; **~ à** equal to.

également [egalmɑ̃] *adv (aussi)* also, as well.

égaliser [egalize] *vt (cheveux)* to trim; *(sol)* to level (out) ◆ *vi (SPORT)* to equalize.

égalité [egalite] *nf* equality; *(au tennis)* deuce; **être à ~ (SPORT)** to be drawing.

égard [egar] *nm*: **à l'~ de** towards.

égarer [egare] *vt* to lose □ **s'égarer** *vp* to get lost; *(sortir du sujet)*

to stray from the point.

égayer [egeje] *vt* to brighten up.

église [egliz] *nf* church; **l'Église** the Church.

égoïste [egɔist] *adj* selfish ◆ *nmf* selfish person.

égorger [egɔrʒe] *vt*: **~ qqn** to cut sb's throat.

égouts [egu] *nmpl* sewers.

égoutter [egute] *vt* to drain.

égouttoir [egutwar] *nm (à légumes)* colander; *(pour la vaisselle)* draining board.

égratigner [egratiɲe] *vt* to graze □ **s'égratigner** *vp*: **s'~ le genou** to graze one's knee.

égratignure [egratiɲyr] *nf* graze.

égrener [egrəne] *vt (maïs, pois)* to shell.

Égypte [eʒipt] *nf*: **l'~** Egypt.

égyptien, -ienne [eʒipsjɛ̃, jɛn] *adj* Egyptian.

eh [e] *excl* hey!; **~ bien!** well!

Eiffel [efel] *n* → **tour**.

élan [elɑ̃] *nm (pour sauter)* run-up; *(de tendresse)* rush; **prendre de l'~** to take a run-up.

élancer [elɑ̃se] : **s'élancer** *vp (pour sauter)* to take a run-up.

élargir [elarʒir] *vt (route)* to widen; *(vêtement)* to let out; *(débat, connaissances)* to broaden □ **s'élargir** *vp (route)* to widen; *(vêtement)* to stretch.

élastique [elastik] *adj* elastic ◆ *nm* rubber band.

électeur, -trice [elektœr, tris] *nm, f* voter.

élections [eleksjɔ̃] *nfpl* elections.

électricien [elektrisjɛ̃] *nm* elec-

électricité

trician.

électricité [elektrisite] *nf* electricity; ~ **statique** static electricity.

électrique [elektrik] *adj* electric.

électrocuter [elektrɔkyte] : **s'électrocuter** *vp* to electrocute o.s.

électroménager [elektrɔmenaʒe] *nm* household electrical appliances.

électronique [elektrɔnik] *adj* electronic ♦ *nf* electronics (*sg*).

électrophone [elektrɔfɔn] *nm* record player.

électuaire [elektɥer] *nm* (*Helv*) jam.

élégance [elegãs] *nf* elegance.

élégant, -e [elegã, ãt] *adj* smart.

élément [elemã] *nm* element; (*de meuble, de cuisine*) unit.

élémentaire [elemãter] *adj* basic.

éléphant [elefã] *nm* elephant.

élevage [elvaʒ] *nm* breeding; (*troupeau de moutons*) flock; (*troupeau de vaches*) herd.

élève [elev] *nmf* pupil.

élevé, -e [elve] *adj* high; **bien ~** well brought-up; **mal ~** ill-mannered.

élever [elve] *vt* (*enfant*) to bring up; (*animaux*) to breed; (*niveau, voix*) to raise ☐ **s'élever** *vp* to rise; **s'~ à** to add up to.

éleveur, -euse [elvœr, øz] *nm, f* stock breeder.

éliminatoire [eliminatwar] *adj* qualifying ♦ *nf* qualifying round.

éliminer [elimine] *vt* to eliminate ♦ *vi* (*en transpirant*) to detoxify one's system.

élire [elir] *vt* to elect.

elle [el] *pron* (*personne, animal*) she; (*chose*) it; (*après prép ou comparaison*) her; **~-même** herself ☐ **elles** *pron* (*sujet*) they; (*après prép ou comparaison*) them; **~s-mêmes** themselves.

éloigné, -e [elwaɲe] *adj* distant; **~ de** far from.

éloigner [elwaɲe] *vt* to move away ☐ **s'éloigner (de)** *vp* (+ *prép*) to move away (from).

élongation [elɔ̃gasjɔ̃] *nf* pulled muscle.

élu, -e [ely] *pp* → **élire** ♦ *nm, f* elected representative.

Élysée [elize] *nm*: **(le palais de) l'~** *the official residence of the French President and, by extension, the President himself.*

émail, -aux [emaj, o] *nm* enamel ☐ **émaux** *nmpl* (*objet*) enamel ornament.

emballage [ãbalaʒ] *nm* packaging.

emballer [ãbale] *vt* to wrap (up); (*fam: enthousiasmer*) to thrill.

embarcadère [ãbarkader] *nm* landing stage.

embarcation [ãbarkasjɔ̃] *nf* small boat.

embarquement [ãbarkəmã] *nm* boarding; **«~ immédiat»** "now boarding".

embarquer [ãbarke] *vt* (*marchandises*) to load; (*passagers*) to board; (*fam: prendre*) to cart off ♦ *vi* to board ☐ **s'embarquer** *vp* to board; **s'~ dans** (*affaire, aventure*) to embark on.

embarras [ãbara] *nm* embarrassment; **mettre qqn dans l'~** to put sb in an awkward position.

embarrassant, -e [ãbarasã,

āt] *adj* embarrassing.

embarrasser [ābarase] *vt* (*gêner*) to embarrass; (*encombrer*) to embarrass; ~ **qqn** to be in sb's way ❑ **s'embarrasser de** *vp* + *prép* to burden o.s. with.

embaucher [āboʃe] *vt* to recruit.

embellir [ābelir] *vt* to make prettier; (*histoire, vérité*) to embellish ♦ *vi* to grow more attractive.

embêtant, -e [ābetā, āt] *adj* annoying.

embêter [ābete] *vt* to annoy ❑ **s'embêter** *vp* (*s'ennuyer*) to be bored.

emblème [āblɛm] *nm* emblem.

emboîter [ābwate] *vt* to fit together ❑ **s'emboîter** *vp* to fit together.

embouchure [ābuʃyr] *nf* (*d'un fleuve*) mouth.

embourber [āburbe] : **s'embourber** *vp* to get stuck in the mud.

embout [ābu] *nm* tip.

embouteillage [ābutejaʒ] *nm* traffic jam.

embranchement [ābrāʃmā] *nm* (*carrefour*) junction.

embrasser [ābrase] *vt* to kiss ❑ **s'embrasser** *vp* to kiss (each other).

embrayage [ābrejaʒ] *nm* clutch.

embrayer [ābreje] *vi* to engage the clutch.

embrouiller [ābruje] *vt* (*fil, cheveux*) to tangle (up); (*histoire, personne*) to muddle (up) ❑ **s'embrouiller** *vp* to get muddled (up).

embruns [ābrœ̃] *nmpl* (sea) spray (*sg*).

embuscade [ābyskad] *nf* ambush.

éméché, -e [emeʃe] *adj* tipsy.

émeraude [emrod] *nf* emerald ♦ *adj* emerald green.

émerger [emɛrʒe] *vi* to emerge.

émerveillé, -e [emɛrveje] *adj* filled with wonder.

émetteur [emetœr] *nm* transmitter.

émettre [emɛtr] *vt* (*sons, lumière*) to emit; (*billets, chèque*) to issue ♦ *vi* to broadcast.

émeute [emøt] *nf* riot.

émietter [emjete] *vt* to crumble.

émigrer [emigre] *vi* to emigrate.

émincé [emɛ̃se] *nm* thin slices of meat in a sauce; ~ **de veau à la zurichoise** veal and kidneys cooked in a cream, mushroom and white wine sauce.

émis, -e [emi, iz] *pp* → **émettre**.

émission [emisjɔ̃] *nf* programme.

emmagasiner [āmagazine] *vt* to store up.

emmanchure [āmāʃyr] *nf* armhole.

emmêler [āmele] *vt* (*fil, cheveux*) to tangle (up) ❑ **s'emmêler** *vp* (*fil, cheveux*) to get tangled (up); (*souvenirs, dates*) to get mixed up.

emménager [āmenaʒe] *vi* to move in.

emmener [āmne] *vt* to take along.

emmental [emɛtal] *nm* Emmental (cheese).

emmitoufler [āmitufle] : **s'emmitoufler** *vp* to wrap up (well).

émotif, -ive [emɔtif, iv] *adj*

emotional.

émotion [emosjɔ̃] *nf* emotion.

émouvant, -e [emuvɑ̃, ɑ̃t] *adj* moving.

émouvoir [emuvwar] *vt* to move.

empaillé, -e [ɑ̃paje] *adj* stuffed.

empaqueter [ɑ̃pakte] *vt* to package.

emparer [ɑ̃pare] : **s'emparer de** *vp* + *prép* (*prendre vivement*) to grab (hold of).

empêchement [ɑ̃pɛʃmɑ̃] *nm* obstacle; **j'ai un ~** something has come up.

empêcher [ɑ̃peʃe] *vt* to prevent; **~ qqn/qqch de faire qqch** to prevent sb/sthg from doing sthg; (**il**) **n'empêche que** nevertheless ◆ **s'empêcher de** *vp* + *prép*: **je n'ai pas pu m'~ de rire** I couldn't stop myself from laughing.

empereur [ɑ̃prœr] *nm* emperor.

empester [ɑ̃pɛste] *vt* (*sentir*) to stink of ◆ *vi* to stink.

empêtrer [ɑ̃petre] : **s'empêtrer dans** *vp* + *prép* (*fils*) to get tangled up in; (*mensonges*) to get caught up in.

empiffrer [ɑ̃pifre] : **s'empiffrer (de)** *vp* (+ *prép*) (*fam*) to stuff o.s. (with).

empiler [ɑ̃pile] *vt* to pile up ❑ **s'empiler** *vp* to pile up.

empire [ɑ̃pir] *nm* empire.

empirer [ɑ̃pire] *vi* to get worse.

emplacement [ɑ̃plasmɑ̃] *nm* site; (*de parking*) parking space; **«~ réservé»** "reserved parking space".

emploi [ɑ̃plwa] *nm* (*poste*) job; (*d'un objet, d'un mot*) use; **l'~** (*en économie*) employment; **~ du**

temps timetable.

employé, -e [ɑ̃plwaje] *nm, f* employee; **~ de bureau** office worker.

employer [ɑ̃plwaje] *vt* (*salarié*) to employ; (*objet, mot*) to use.

employeur, -euse [ɑ̃plwajœr, øz] *nm, f* employer.

empoigner [ɑ̃pwaɲe] *vt* to grasp.

empoisonnement [ɑ̃pwazɔnmɑ̃] *nm* poisoning.

empoisonner [ɑ̃pwazɔne] *vt* to poison.

emporter [ɑ̃pɔrte] *vt* to take; (*suj: vent, rivière*) to carry away; **à ~** (*plats*) to take away (*Br*), to go (*Am*); **l'~ sur** to get the better of ❑ **s'emporter** *vp* to lose one's temper.

empreinte [ɑ̃prɛ̃t] *nf* (*d'un corps*) imprint; **~s digitales** fingerprints; **~ de pas** footprint.

empresser [ɑ̃prese] : **s'empresser de** *vp*: **s'~ de faire qqch** to hurry to do sthg.

emprisonner [ɑ̃prizɔne] *vt* to imprison.

emprunt [ɑ̃prœ̃] *nm* loan.

emprunter [ɑ̃prœ̃te] *vt* to borrow; (*itinéraire*) to take; **~ qqch à qqn** to borrow sthg from sb.

ému, -e [emy] *pp* → **émouvoir** ◆ *adj* moved.

en [ɑ̃] 1. (*indique le moment*) in; **~ été/1995** in summer/1995.
2. (*indique le lieu où l'on est*) in; **être ~ classe** to be in class; **habiter ~ Angleterre** to live in England.
3. (*indique le lieu où l'on va*) to; **aller ~ ville/~ Dordogne** to go into town/to the Dordogne.
4. (*désigne la matière*) made of; **un**

pull ~ **laine** a woollen jumper.
5. *(indique la durée)* in; ~ **dix minutes** in ten minutes.
6. *(indique l'état)*: **être ~ vacances** to
be on holiday; **s'habiller ~ noir** to
dress in black; **combien ça fait ~
francs?** how much is that in
francs?; **ça se dit «custard» ~ anglais** it's called "custard" in
English.
7. *(indique le moyen)* by; **voyager ~
avion/voiture** to travel by plane/
car.
8. *(pour désigner la taille)* in; **auriez-
vous celles-ci ~ 38/~ plus petit?** do
you have these in a 38/a smaller
size?
9. *(devant un participe présent)*: ~
arrivant à Paris on arriving in
Paris; ~ **faisant un effort** by making an effort; **partir ~ courant** to
run off.
◆ *pron* **1.** *(objet indirect)*: **n'~ parlons
plus** let's not say any more about
it; **il s'~ est souvenu** he remembered it.
2. *(avec un indéfini)*: ~ **reprendrez-
vous?** will you have some more?;
je n'~ ai plus I haven't got any
left; **il y ~ a plusieurs** there are
several (of them).
3. *(indique la provenance)* from
there; **j'~ viens** I've just been
there.
4. *(complément du nom)* of it, of
them *(pl)*; **j'~ garde un excellent
souvenir** I have excellent memo-
ries of it.
5. *(complément de l'adjectif)*: **il ~ est
fou** he's mad about it.

encadrer [ãkadre] *vt (tableau)* to
frame.

encaisser [ãkese] *vt (argent)* to
cash.

encastré, -e [ãkastre] *adj* built-
in.

enceinte [ãsɛ̃t] *adj f* pregnant ◆
nf (haut-parleur) speaker; *(d'une
ville)* walls *(pl)*.

encens [ãsã] *nm* incense.

encercler [ãserkle] *vt (personne,
ville)* to surround; *(mot)* to circle.

enchaîner [ãʃene] *vt (attacher)*
to chain together; *(idées, phrases)*
to string together ❑ **s'enchaîner**
vp (se suivre) to follow one another.

enchanté, -e [ãʃãte] *adj* delighted; ~ **(de faire votre connaissance)!** pleased to meet you!

enchères [ãʃer] *nfpl* auction
(sg); **vendre qqch aux** ~ to sell sthg
at auction.

enclencher [ãklãʃe] *vt (mécanisme)* to engage; *(guerre, processus)*
to begin.

enclos [ãklo] *nm* enclosure.

encoche [ãkɔʃ] *nf* notch.

encolure [ãkɔlyr] *nf (de vêtement)*
neck.

encombrant, -e [ãkɔ̃brã, ãt]
adj (paquet) bulky.

encombrements [ãkɔ̃brəmã]
nmpl (embouteillage) hold-up.

encombrer [ãkɔ̃bre] *vt*: ~ **qqn**
to be in sb's way; **encombré de**
(pièce, table) cluttered with.

encore [ãkɔr] *adv* **1.** *(toujours)*
still; **il reste ~ une centaine de kilomètres** there are still about a hundred kilometres to go; **pas ~** not
yet.
2. *(de nouveau)* again; **j'ai ~ oublié
mes clefs!** I've forgotten my keys
again!; ~ **une fois** once more.
3. *(en plus)*: ~ **un peu de légumes?** a
few more vegetables?; **reste un**

peu stay a bit longer; **~ un jour** another day.

4. *(en intensif)* even; **c'est ~ plus cher ici** it's even more expensive here.

encourager [ɑ̃kuraʒe] *vt* to encourage; **~ qqn à faire qqch** to encourage sb to do sthg.

encrasser [ɑ̃krase] *vt* to clog up.

encre [ɑ̃kr] *nf* ink; **~ de Chine** Indian ink.

encyclopédie [ɑ̃siklɔpedi] *nf* encyclopedia.

endetter [ɑ̃dete] **: s'endetter** *vp* to get into debt.

endive [ɑ̃div] *nf* chicory.

endommager [ɑ̃dɔmaʒe] *vt* to damage.

endormi, -e [ɑ̃dɔrmi] *adj* sleeping.

endormir [ɑ̃dɔrmir] *vt* *(enfant)* to send to sleep; *(anesthésier)* to put to sleep ❑ **s'endormir** *vp* to fall asleep.

endroit [ɑ̃drwa] *nm* place; *(côté)* right side; **à l'~** the right way round.

endurant, -e [ɑ̃dyrɑ̃, ɑ̃t] *adj* resistant.

endurcir [ɑ̃dyrsir] **: s'endurcir** *vp* to become hardened.

énergie [enerʒi] *nf* energy.

énergique [enerʒik] *adj* energetic.

énerver [enɛrve] *vt* to annoy ❑ **s'énerver** *vp* to get annoyed.

enfance [ɑ̃fɑ̃s] *nf* childhood.

enfant [ɑ̃fɑ̃] *nmf* child; **~ de chœur** altar boy.

enfantin, -e [ɑ̃fɑ̃tɛ̃, in] *adj* *(sourire)* childlike; *(péj: attitude)* childish.

enfer [ɑ̃fer] *nm* hell.

enfermer [ɑ̃ferme] *vt* to lock away.

enfiler [ɑ̃file] *vt* *(aiguille, perles)* to thread; *(vêtement)* to slip on.

enfin [ɑ̃fɛ̃] *adv* *(finalement)* finally, at last; *(en dernier)* finally, lastly.

enflammer [ɑ̃flame] **: s'enflammer** *vp* *(prendre feu)* to catch fire; *(MÉD)* to get inflamed.

enfler [ɑ̃fle] *vi* to swell.

enfoncer [ɑ̃fɔ̃se] *vt* *(clou)* to drive in; *(porte)* to break down; *(aile de voiture)* to dent; **~ qqch dans** to drive something into ❑ **s'enfoncer** *vp* *(s'enliser)* to sink (in); *(s'effondrer)* to give way.

enfouir [ɑ̃fwir] *vt* to hide.

enfreindre [ɑ̃frɛ̃dr] *vt* to infringe.

enfreint, -e [ɑ̃frɛ̃, ɛ̃t] *pp* → **enfreindre**.

enfuir [ɑ̃fɥir] **: s'enfuir** *vp* to run away.

enfumé, -e [ɑ̃fyme] *adj* smoky.

engagement [ɑ̃gaʒmɑ̃] *nm* *(promesse)* commitment; *(SPORT)* kick-off.

engager [ɑ̃gaʒe] *vt* *(salarié)* to take on; *(conversation, négociations)* to start ❑ **s'engager** *vp* *(dans l'armée)* to enlist; **s'~ à faire qqch** to undertake to do sthg; **s'~ dans** *(lieu)* to enter.

engelure [ɑ̃ʒlyr] *nf* chilblain.

engin [ɑ̃ʒɛ̃] *nm* machine.

engloutir [ɑ̃glutir] *vt* *(nourriture)* to gobble up; *(submerger)* to swallow up.

engouffrer [ɑ̃gufre] **: s'engouffrer dans** *vp + prép* to rush into.

engourdi, -e [ɑ̃gurdi] *adj*

numb.

engrais [ãgrɛ] *nm* fertilizer.

engraisser [ãgrese] *vt* to fatten ♦ *vi* to put on weight.

engrenage [ãgrənaʒ] *nm* (*mécanique*) gears (*pl*).

énigmatique [enigmatik] *adj* enigmatic.

énigme [enigm] *nf* (*devinette*) riddle; (*mystère*) enigma.

enjamber [ãʒãbe] *vt* (*flaque, fossé*) to step over; (*suj: pont*) to cross.

enjoliveur [ãʒɔlivœr] *nm* hubcap.

enlaidir [ãledir] *vt* to make ugly.

enlèvement [ãlɛvmã] *nm* (*kidnapping*) abduction.

enlever [ãlve] *vt* to remove, to take off; (*kidnapper*) to abduct ❏ **s'enlever** *vp* (*tache*) to come off.

enliser [ãlize] : **s'enliser** *vp* to get stuck.

enneigé, -e [ãneʒe] *adj* snow-covered.

ennemi, -e [enmi] *nm, f* enemy.

ennui [ãnɥi] *nm* (*lassitude*) boredom; (*problème*) problem; **avoir des ~s** to have problems.

ennuyé, -e [ãnɥije] *adj* (*contrarié*) annoyed.

ennuyer [ãnɥije] *vt* (*lasser*) to bore; (*contrarier*) to annoy ❏ **s'ennuyer** *vp* to be bored.

ennuyeux, -euse [ãnɥijø, øz] *adj* (*lassant*) boring; (*contrariant*) annoying.

énorme [enɔrm] *adj* enormous.

énormément [enɔrmemã] *adv* enormously; **~ de** an awful lot of.

enquête [ãkɛt] *nf* (*policière*) investigation; (*sondage*) survey.

enquêter [ãkete] *vi*: **~ (sur)** to inquire (into).

enragé, -e [ãraʒe] *adj* (*chien*) rabid; (*fanatique*) fanatical.

enrayer [ãreje] *vt* (*maladie, crise*) to check ❏ **s'enrayer** *vp* (*arme*) to jam.

enregistrement [ãrəʒistrəmã] *nm* (*musical*) recording; **~ des bagages** baggage check-in.

enregistrer [ãrəʒistre] *vt* to record; (*INFORM*) to store; (*bagages*) to check in.

enregistreuse [ãrəʒistrøz] *adj f* → **caisse**.

enrhumé, -e [ãryme] *adj*: **être ~** to have a cold.

enrhumer [ãryme] : **s'enrhumer** *vp* to catch a cold.

enrichir [ãriʃir] *vt* to make rich; (*collection*) to enrich ❏ **s'enrichir** *vp* to become rich.

enrobé, -e [ãrɔbe] *adj*: **~ de** coated with.

enroué, -e [ãrwe] *adj* hoarse.

enrouler [ãrule] *vt* to roll up ❏ **s'enrouler** *vp*: **s'~ autour de qqch** to wind around sthg.

enseignant, -e [ãseɲã, ãt] *nm, f* teacher.

enseigne [ãseɲ] *nf* sign; **~ lumineuse** neon sign.

enseignement [ãseɲmã] *nm* (*éducation*) education; (*métier*) teaching.

enseigner [ãseɲe] *vt & vi* to teach; **~ qqch à qqn** to teach sb sthg.

ensemble [ãsãbl] *adv* together ♦ *nm* set; (*vêtement*) suit; **l'~ du groupe** the whole group; **l'~ des touristes** all the tourists; **dans l'~** on the whole.

ensevelir [ɑ̃səvlir] vt to bury.

ensoleillé, -e [ɑ̃sɔleje] adj sunny.

ensuite [ɑ̃sɥit] adv then.

entaille [ɑ̃taj] nf notch; (blessure) cut.

entamer [ɑ̃tame] vt to start; (bouteille) to open.

entasser [ɑ̃tase] vt (mettre en tas) to pile up; (serrer) to squeeze in □ **s'entasser** vp (voyageurs) to pile in.

entendre [ɑ̃tɑ̃dr] vt to hear; ~ **dire que** to hear that; ~ **parler de** to hear about □ **s'entendre** vp (sympathiser) to get on; **s'~ bien avec qqn** to get on well with sb.

entendu, -e [ɑ̃tɑ̃dy] adj (convenu) agreed; **(c'est) ~!** OK then!; **bien ~** of course.

enterrement [ɑ̃tɛrmɑ̃] nm funeral.

enterrer [ɑ̃tere] vt to bury.

en-tête, -s [ɑ̃tɛt] nm heading.

entêter [ɑ̃tete] : **s'entêter** vp to persist; **s'~ à faire qqch** to persist in doing sthg.

enthousiasme [ɑ̃tuzjasm] nm enthusiasm.

enthousiasmer [ɑ̃tuzjasme] vt to fill with enthusiasm □ **s'enthousiasmer pour** vp + prép to be enthusiastic about.

enthousiaste [ɑ̃tuzjast] adj enthusiastic.

entier, -ière [ɑ̃tje, jɛr] adj (intact) whole, entire; (total) complete; (lait) full-fat; **dans le monde ~** in the whole world; **pendant des journées entières** for days on end; **en ~** in its entirety.

entièrement [ɑ̃tjɛrmɑ̃] adv completely.

entonnoir [ɑ̃tɔnwar] nm funnel.

entorse [ɑ̃tɔrs] nf (MÉD) sprain; **se faire une ~ à la cheville** to sprain one's ankle.

entortiller [ɑ̃tɔrtije] vt to twist.

entourage [ɑ̃turaʒ] nm (famille) family; (amis) circle of friends.

entourer [ɑ̃ture] vt (cerner) to surround; (mot, phrase) to circle; **entouré de** surrounded by.

entracte [ɑ̃trakt] nm interval.

entraider [ɑ̃trede] : **s'entraider** vp to help one another.

entrain [ɑ̃trɛ̃] nm: **avec ~** with gusto; **plein d'~** full of energy.

entraînant, -e [ɑ̃trenɑ̃, ɑ̃t] adj catchy.

entraînement [ɑ̃trenmɑ̃] nm (sportif) training; (pratique) practice.

entraîner [ɑ̃trene] vt (emporter) to carry away; (emmener) to drag along; (provoquer) to lead to, to cause; (SPORT) to coach □ **s'entraîner** vp (sportif) to train; **s'~ à faire qqch** to practise doing sthg.

entraîneur, -euse [ɑ̃trenœr, øz] nm, f (SPORT) coach.

entraver [ɑ̃trave] vt (mouvements) to hinder; (circulation) to hold up.

entre [ɑ̃tr] prép between; ~ **amis** between friends; **l'un d'~ nous** one of us.

entrebâiller [ɑ̃trəbaje] vt to open slightly.

entrechoquer [ɑ̃trəʃɔke] : **s'entrechoquer** vp (verres) to chink.

entrecôte [ɑ̃trəkot] nf entrecote (steak); ~ **à la bordelaise** grilled entrecote steak served with a red wine and shallot sauce.

entrée [ãtre] *nf (accès)* entry, entrance; *(pièce)* (entrance) hall; *(CULIN)* starter; «~ **gratuite**» "admission free"; «~ **interdite**» "no entry"; «~ **libre**» *(dans un musée)* "admission free"; *(dans une boutique)* "browsers welcome".

entremets [ãtrəmɛ] *nm* dessert.

entreposer [ãtrəpoze] *vt* to store.

entrepôt [ãtrəpo] *nm* warehouse.

entreprendre [ãtrəprãdr] *vt* to undertake.

entrepreneur [ãtrəprənœr] *(en bâtiment)* contractor.

entrepris, -e [ãtrəpri, iz] *pp* → entreprendre.

entreprise [ãtrəpriz] *nf (société)* company.

entrer [ãtre] *vi (aux être)* to enter, to go/come in ♦ *vt (aux avoir)* *(INFORM)* to enter; **entrez!** come in!; ~ **dans** to enter, to go/come into; *(foncer dans)* to bang into.

entre-temps [ãtrətã] *adv* meanwhile.

entretenir [ãtrətnir] *vt (maison, plante)* to look after □ **s'entretenir** *vp:* **s'~ (de qqch) avec qqn** to talk (about sthg) with sb.

entretenu, -e [ãtrətny] *pp* → entretenir.

entretien [ãtrətjɛ̃] *nm (d'un jardin, d'une machine)* upkeep; *(d'un vêtement)* care; *(conversation)* discussion; *(interview)* interview.

entrevue [ãtrəvy] *nf* meeting.

entrouvert, -e [ãtruvɛr, ɛrt] *adj* half-open.

énumération [enymerasjɔ̃] *nf* list.

énumérer [enymere] *vt* to list.

envahir [ãvair] *vt* to invade; *(suj: herbes)* to overrun; *(fig: suj: sentiment)* to seize.

envahissant, -e [ãvaisã, ãt] *adj (personne)* intrusive.

enveloppe [ãvlɔp] *nf* envelope.

envelopper [ãvlɔpe] *vt* to wrap (up).

envers [ãvɛr] *prép* towards ♦ *nm:* **l'~** the back; **à l'~** *(devant derrière)* back to front; *(en sens inverse)* backwards.

envie [ãvi] *nf (désir)* desire; *(jalousie)* envy; **avoir ~ de qqch** to feel like sthg; **avoir ~ de faire qqch** to feel like doing sthg.

envier [ãvje] *vt* to envy.

environ [ãvirɔ̃] *adv* about □ **environs** *nmpl* surrounding area *(sg)*; **aux ~s de** *(heure, nombre)* round about; *(lieu)* near; **dans les ~s** in the surrounding area.

environnant, -e [ãvirɔnã, ãt] *adj* surrounding.

environnement [ãvirɔnmã] *nm (milieu)* background; *(nature)* environment.

envisager [ãvizaʒe] *vt* to consider; ~ **de faire qqch** to consider doing sthg.

envoi [ãvwa] *nm (colis)* parcel.

envoler [ãvɔle] : **s'envoler** *vp (avion)* to take off; *(oiseau)* to fly away; *(feuilles)* to blow away.

envoyé, -e [ãvwaje] *nm, f* envoy; ~ **spécial** special correspondent.

envoyer [ãvwaje] *vt* to send; *(balle, objet)* to throw; ~ **qqch à qqn** to send sb sthg.

épagneul [epaɲœl] *nm* spaniel.

épais, -aisse [epɛ, ɛs] *adj* thick.

épaisseur [epɛsœr] *nf* thickness.

épaissir [epesir] *vi (CULIN)* to thicken □ **s'épaissir** *vp* to thicken.

épanouir [epanwir] : **s'épanouir** *vp (fleur)* to bloom; *(visage)* to light up.

épargner [eparɲe] *vt (argent)* to save; *(ennemi, amour-propre)* to spare; **~ qqch à qqn** to spare sb sthg.

éparpiller [eparpije] *vt* to scatter □ **s'éparpiller** *vp* to scatter.

épatant, -e [epatɑ̃, ɑ̃t] *adj* splendid.

épater [epate] *vt* to amaze.

épaule [epol] *nf* shoulder; **~ d'agneau** shoulder of lamb.

épaulette [epolɛt] *nf (décoration)* epaulet; *(rembourrage)* shoulder pad.

épave [epav] *nf* wreck.

épée [epe] *nf* sword.

épeler [eple] *vt* to spell.

éperon [eprɔ̃] *nm* spur.

épi [epi] *nm (de blé)* ear; *(de maïs)* cob; *(de cheveux)* tuft.

épice [epis] *nf* spice.

épicé, -e [epise] *adj* spicy.

épicerie [episri] *nf (denrées)* groceries *(pl)*; *(magasin)* grocer's *(shop)*; **~ fine** delicatessen.

épicier, -ière [episje, jɛr] *nm, f* grocer.

épidémie [epidemi] *nf* epidemic.

épier [epje] *vt* to spy on.

épilepsie [epilɛpsi] *nf* epilepsy.

épiler [epile] *vt (jambes)* to remove unwanted hair from; *(sour-*

cils) to pluck.

épinards [epinar] *nmpl* spinach *(sg)*.

épine [epin] *nf* thorn.

épingle [epɛ̃gl] *nf* pin; **~ à cheveux** hairpin; **~ de nourrice** safety pin.

épingler [epɛ̃gle] *vt* to pin.

épinière [epinjɛr] *adj f →* **moelle**.

épisode [epizɔd] *nm* episode.

éplucher [eplyʃe] *vt* to peel.

épluchures [eplyʃyr] *nfpl* peelings.

éponge [epɔ̃ʒ] *nf* sponge; *(tissu)* towelling.

éponger [epɔ̃ʒe] *vt (liquide)* to mop (up); *(visage)* to wipe.

époque [epɔk] *nf* period.

épouse → **époux**.

épouser [epuze] *vt* to marry.

épousseter [epuste] *vt* to dust.

épouvantable [epuvɑ̃tabl] *adj* awful.

épouvantail [epuvɑ̃taj] *nm* scarecrow.

épouvante [epuvɑ̃t] *nf →* **film**.

épouvanter [epuvɑ̃te] *vt* to terrify.

époux, épouse [epu, epuz] *nm, f* spouse.

épreuve [eprœv] *nf (difficulté, malheur)* ordeal; *(sportive)* event; *(examen)* paper.

éprouvant, -e [epruvɑ̃, ɑ̃t] *adj* trying.

éprouver [epruve] *vt (ressentir)* to feel; *(faire souffrir)* to distress.

éprouvette [epruvɛt] *nf* test tube.

EPS *nf (abr de éducation physique et sportive)* PE.

épuisant, -e [epɥizɑ̃, ɑ̃t] *adj* exhausting.

épuisé, -e [epɥize] *adj* exhausted; *(article)* sold out; *(livre)* out of print.

épuiser [epɥize] *vt* to exhaust.

épuisette [epɥizɛt] *nf* landing net.

équateur [ekwatœr] *nm* equator.

équation [ekwasjɔ̃] *nf* equation.

équerre [ekɛr] *nf* set square; *(en T)* T-square.

équilibre [ekilibr] *nm* balance; **en ~** stable; **perdre l'~** to lose one's balance.

équilibré, -e [ekilibre] *adj (mentalement)* well-balanced; *(nourriture, repas)* balanced.

équilibriste [ekilibrist] *nmf* tightrope walker.

équipage [ekipaʒ] *nm* crew.

équipe [ekip] *nf* team.

équipement [ekipmɑ̃] *nm* equipment.

équiper [ekipe] *vt* to equip ❏ **s'équiper (de)** *vp* (+ *prép*) to equip o.s. (with).

équipier, -ière [ekipje, jɛr] *nm, f (SPORT)* team member; *(NAVIG)* crew member.

équitable [ekitabl] *adj* fair.

équitation [ekitasjɔ̃] *nf* (horse-)riding; **faire de l'~** to go (horse-)riding.

équivalent, -e [ekivalɑ̃, ɑ̃t] *adj & nm* equivalent.

équivaloir [ekivalwar] *vi:* ça **équivaut à (faire)** ... that is equivalent to (doing) ...

équivalu [ekivaly] *pp* → **équivaloir**.

érable [erabl] *nm* maple.

érafler [erafle] *vt* to scratch.

éraflure [eraflyr] *nf* scratch.

érotique [erɔtik] *adj* erotic.

erreur [erœr] *nf* mistake; **faire une ~** to make a mistake.

éruption [erypsjɔ̃] *nf (de volcan)* eruption; **~ cutanée** rash.

es → **être**.

escabeau, -x [ɛskabo] *nm* stepladder.

escalade [ɛskalad] *nf* climbing.

escalader [ɛskalade] *vt* to climb.

Escalator® [ɛskalatɔr] *nm* escalator.

escale [ɛskal] *nf* stop; **faire ~ (à)** *(bateau)* to put in (at); *(avion)* to make a stopover (at); **vol sans ~** direct flight.

escalier [ɛskalje] *nm* (flight of) stairs; **les ~s** the stairs; **~ roulant** escalator.

escalope [ɛskalɔp] *nf* escalope.

escargot [ɛskargo] *nm* snail.

escarpé, -e [ɛskarpe] *adj* steep.

escarpin [ɛskarpɛ̃] *nm* court shoe.

escavèches [ɛskavɛʃ] *nfpl (Belg)* jellied eels, eaten with French fries.

esclaffer [ɛsklafe] **: s'esclaffer** *vp* to burst out laughing.

esclavage [ɛsklavaʒ] *nm* slavery.

esclave [ɛsklav] *nmf* slave.

escorte [ɛskɔrt] *nf* escort.

escrime [ɛskrim] *nf* fencing.

escroc [ɛskro] *nm* swindler.

escroquerie [ɛskrɔkri] *nf* swindle.

espace [ɛspas] *nm* space; **en l'~ de** in the space of; **~ fumeurs** smoking area; **~ non-fumeurs** nonsmoking area; **~s verts** open spaces.

espacer [espase] *vt* to space out.

espadrille [espadrij] *nf* espadrille.

Espagne [espaɲ] *nf*: l'~ Spain.

espagnol, -e [espaɲɔl] *adj* Spanish ♦ *nm (langue)* Spanish ▭ **Espagnol, -e** *nm, f* Spaniard; **les Espagnols** the Spanish.

espèce [espes] *nf (race)* species; **une ~ de** a kind of; **~ d'imbécile!** you stupid idiot! ▭ **espèces** *nfpl* cash *(sg)*; **en ~s** in cash.

espérer [espere] *vt* to hope for; **~ faire qqch** to hope to do sthg; **~ que** to hope (that); **j'espère (bien)!** I hope so!

espion, -ionne [espjɔ̃, jɔn] *nm, f* spy.

espionnage [espjɔnaʒ] *nm* spying; **film/roman d'~** spy film/novel.

espionner [espjɔne] *vt* to spy on.

esplanade [esplanad] *nf* esplanade.

espoir [espwar] *nm* hope.

esprit [espri] *nm (pensée)* mind; *(humour)* wit; *(caractère, fantôme)* spirit.

Esquimau, -aude, -x [eskimo, od] *nm, f* Eskimo; **Esquimau®** *(glace)* choc-ice on a stick *(Br)*, Eskimo *(Am)*.

esquisser [eskise] *vt (dessin)* to sketch; **~ un sourire** to half-smile.

esquiver [eskive] *vt* to dodge ▭ **s'esquiver** *vp* to slip away.

essai [ese] *nm (test)* test; *(tentative)* attempt; *(littéraire)* essay; *(SPORT)* try.

essaim [esɛ̃] *nm* swarm.

essayage [esejaʒ] *nm* → **cabine**.

essayer [eseje] *vt (vêtement, chaussures)* to try on; *(tester)* to try out; *(tenter)* to try; **~ de faire qqch** to try to do sthg.

essence [esɑ̃s] *nf* petrol *(Br)*, gas *(Am)*; **~ sans plomb** unleaded (petrol).

essentiel, -ielle [esɑ̃sjɛl] *adj* essential ♦ *nm*: l'~ *(le plus important)* the main thing; *(le minimum)* the essentials *(pl)*.

essieu, -x [esjø] *nm* axle.

essorage [esɔraʒ] *nm (sur un lave-linge)* spin cycle.

essorer [esɔre] *vt* to spin-dry.

essoufflé, -e [esufle] *adj* out of breath.

essuie-glace, -s [esɥiglas] *nm* windscreen wiper *(Br)*, windshield wiper *(Am)*.

essuie-mains [esɥimɛ̃] *nm inv* hand towel.

essuyer [esɥije] *vt (sécher)* to dry; *(enlever)* to wipe up ▭ **s'essuyer** *vp* to dry o.s.; **s'~ les mains** to dry one's hands.

est¹ [e] → **être**.

est² [est] *adj inv* east, eastern ♦ *nm*: **à l'~** in the east; **à l'~ de** east of; **l'Est** *(l'est de la France)* the East *(of France)*; *(l'Alsace et la Lorraine)* north-eastern part of France.

est-ce que [eskə] *adv*: **est-ce qu'il est là?** is he there?; **~ tu as mangé?** have you eaten?; **comment ~ ça s'est passé?** how did it go?

esthéticienne [estetisjen] *nf* beautician.

esthétique [estetik] *adj (beau)* attractive.

estimation [estimasjɔ̃] *nf (de dégâts)* estimate; *(d'un objet d'art)* valuation.

estimer [estime] *vt* *(dégâts)* to estimate; *(objet d'art)* to value; *(respecter)* to respect; ~ **que** to think that.

estivant, -e [estivã, ãt] *nm, f* holidaymaker *(Br)*, vacationer *(Am)*.

estomac [estoma] *nm* stomach.

estrade [estrad] *nf* platform.

estragon [estragõ] *nm* tarragon.

estuaire [estyer] *nm* estuary.

et [e] *conj and;* ~ **après?** *(pour défier)* so what?; **je l'aime bien, ~ toi?** I like him, what about you?; **vingt** ~ **un** twenty-one.

étable [etabl] *nf* cowshed.

établi [etabli] *nm* workbench.

établir [etablir] *vt* *(commerce, entreprise)* to set up; *(liste, devis)* to draw up; *(contacts)* to establish ❑ **s'établir** *vp* *(emménager)* to settle; *(professionnellement)* to set o.s. up (in business); *(se créer)* to build up.

établissement [etablismã] *nm* establishment; ~ **scolaire** school.

étage [etaʒ] *nm* floor; *(couche)* tier; **au premier** ~ on the first floor *(Br)*, on the second floor *(Am)*; **à l'~** upstairs.

étagère [etaʒer] *nf* shelf; *(meuble)* (set of) shelves.

étain [etɛ̃] *nm* tin.

étais → **être**.

étal [etal] *nm* *(sur les marchés)* stall.

étalage [etalaʒ] *nm* *(vitrine)* display.

étaler [etale] *vt* to spread (out); *(beurre, confiture)* to spread; *(connaissances, richesse)* to show off ❑ **s'étaler** *vp* *(se répartir)* to be

spread.

étanche [etɑ̃ʃ] *adj* *(montre)* waterproof; *(joint)* watertight.

étang [etɑ̃] *nm* pond.

étant [etɑ̃] *ppr* → **être**.

étape [etap] *nf* *(période)* stage; *(lieu)* stop; **faire** ~ **à** to stop off at.

état [eta] *nm* state, condition; **en** ~ **(de marche)** in working order; **en bon** ~ in good condition; **en mauvais** ~ in poor condition; ~ **civil** *(d'une personne)* personal details; ~ **d'esprit** state of mind ❑ **État** *nm* *(POL)* state.

États-Unis [etazyni] *nmpl:* **les** ~ the United States.

etc *(abr de et cetera)* etc.

et cetera [etsetera] *adv* et cetera.

été¹ [ete] *pp* → **être**.

été² [ete] *nm* summer; **en** ~ in (the) summer.

éteindre [etɛ̃dr] *vt* *(lumière, appareil)* to turn off; *(cigarette, incendie)* to put out ❑ **s'éteindre** *vp* to go out.

éteint, -e [etɛ̃, ɛ̃t] *pp* → **éteindre**.

étendre [etɑ̃dr] *vt* *(nappe, carte)* to spread (out); *(linge)* to hang out; *(jambe, personne)* to stretch (out) ❑ **s'étendre** *vp* *(se coucher)* to lie down; *(être situé)* to stretch; *(se propager)* to spread.

étendu, -e [etɑ̃dy] *adj* *(grand)* extensive.

étendue [etɑ̃dy] *nf* area; *(fig: importance)* extent.

éternel, -elle [etɛrnel] *adj* eternal.

éternité [etɛrnite] *nf* eternity; **cela fait une** ~ **que** ... it's been ages since …

éternuement [etɛʀnymɑ̃] nm sneeze.

éternuer [etɛʀnɥe] vi to sneeze.

êtes → être.

étinceler [etɛ̃sle] vi to sparkle.

étincelle [etɛ̃sɛl] nf spark.

étiquette [etikɛt] nf label.

étirer [etiʀe] vt to stretch (out) □ **s'étirer** vp to stretch.

étoffe [etɔf] nf material.

étoile [etwal] nf star; **hôtel deux/trois ~s** two-/three-star hotel; **dormir à la belle ~** to sleep out in the open; **~ de mer** starfish.

étonnant, -e [etɔnɑ̃, ɑ̃t] adj amazing.

étonné, -e [etɔne] adj surprised.

étonner [etɔne] vt to surprise; **ça m'étonnerait (que)** I would be surprised (if); **tu m'étonnes!** (fam) I'm not surprised! □ **s'étonner** vp: **s'~ que** to be surprised that.

étouffant, -e [etufɑ̃, ɑ̃t] adj stifling.

étouffer [etufe] vt to suffocate; (bruit) to muffle ◆ vi (manquer d'air) to choke; (avoir chaud) to suffocate □ **s'étouffer** vp to choke; (mourir) to choke to death.

étourderie [etuʀdəʀi] nf (caractère) thoughtlessness; **faire une ~** to make a careless mistake.

étourdi, -e [etuʀdi] adj (distrait) scatterbrained.

étourdir [etuʀdiʀ] vt (assommer) to daze; (donner le vertige à) to make dizzy.

étourdissement [etuʀdismɑ̃] nm dizzy spell.

étrange [etʀɑ̃ʒ] adj strange.

étranger, -ère [etʀɑ̃ʒe, ɛʀ] adj (ville, coutume) foreign; (inconnu) unfamiliar ◆ nm, f (d'un autre pays) foreigner; (inconnu) stranger ◆ nm: **à l'~** abroad.

étrangler [etʀɑ̃gle] vt to strangle □ **s'étrangler** vp to choke.

être [etʀ] vi 1. (pour décrire) to be; **~ content** to be happy; **je suis architecte** I'm an architect.

2. (pour désigner le lieu, l'origine) to be; **nous serons à Naples/à la maison à partir de demain** we will be in Naples/at home from tomorrow onwards; **d'où êtes-vous?** where are you from?

3. (pour donner la date): **quel jour sommes-nous?** what day is it?; **c'est jeudi** it's Thursday.

4. (aller): **j'ai été trois fois en Écosse** I've been to Scotland three times.

5. (pour exprimer l'appartenance): **~ à qqn** to belong to sb; **cette voiture est à vous?** is this your car?; **c'est à Daniel** it's Daniel's.

◆ v impers 1. (pour désigner le moment): **il est huit heures/tard** it's eight o'clock/late.

2. (avec un adjectif ou un participe passé): **il est difficile de savoir si …** it is difficult to know whether …; **il est recommandé de réserver à l'avance** advance booking is recommended.

◆ v aux 1. (pour former le passé composé) to have/to be; **nous sommes partis hier** we left yesterday; **je suis née en 1976** I was born in 1976; **tu t'es coiffé?** have you brushed your hair?

2. (pour former le passif) to be; **le train a été retardé** the train was delayed.

◆ nm (créature) being; **~ humain**

human being.

étrenner [etrene] *vt* to use for the first time.

étrennes [etrɛn] *nfpl* Christmas bonus.

étrier [etrije] *nm* stirrup.

étroit, -e [etrwa, at] *adj (rue, siège)* narrow; *(vêtement)* tight; ~ **d'esprit** narrow-minded; **on est à l'~ ici** it's cramped in here.

étude [etyd] *nf* study; *(salle d'école)* study room; *(de notaire)* office □ **études** *nfpl* studies; **faire des ~s (de)** to study.

étudiant, -e [etydjã, ãt] *adj & nm, f* student.

étudier [etydje] *vt & vi* to study.

étui [etɥi] *nm* case.

eu, -e [y] *pp* → **avoir**.

euh [ø] *excl* er.

eurochèque [øʀɔʃɛk] *nm* Eurocheque.

Europe [øʀɔp] *nf*: **l'~** Europe; **l'~ de l'Est** Eastern Europe.

européen, -enne [øʀɔpeɛ̃, ɛn] *adj* European □ **Européen, -enne** *nm, f* European.

eux [ø] *pron (après prép ou comparaison)* them; *(pour insister)* they; **~-mêmes** themselves.

évacuer [evakɥe] *vt* to evacuate; *(liquide)* to drain.

évader [evade] : **s'évader** *vp* to escape.

évaluer [evalɥe] *vt (dégâts)* to estimate; *(tableau)* to value.

Évangile [evãʒil] *nm (livre)* Gospel.

évanouir [evanwir] : **s'évanouir** *vp* to faint; *(disparaître)* to vanish.

évaporer [evapɔʀe] : **s'évapo-**

rer *vp* to evaporate.

évasé, -e [evaze] *adj* flared.

évasion [evazjɔ̃] *nf* escape.

éveillé, -e [eveje] *adj (vif)* alert.

éveiller [eveje] *vt (soupçons, attention)* to arouse; *(intelligence, imagination)* to awaken □ **s'éveiller** *vp (sensibilité, curiosité)* to be aroused.

événement [evɛnmã] *nm* event.

éventail [evãtaj] *nm* fan; *(variété)* range.

éventrer [evãtre] *vt* to disembowel; *(ouvrir)* to rip open.

éventuel, -elle [evãtɥɛl] *adj* possible.

éventuellement [evãtɥɛlmã] *adv* possibly.

évêque [evɛk] *nm* bishop.

évidemment [evidamã] *adv* obviously.

évident, -e [evidã, ãt] *adj* obvious; **c'est pas ~!** *(pas facile)* it's not (that) easy!

évier [evje] *nm* sink.

évitement [evitmã] *nm (Belg: déviation)* diversion.

éviter [evite] *vt* to avoid; ~ **qqch à qqn** to spare sb sthg; ~ **de faire qqch** to avoid doing sthg.

évolué, -e [evolɥe] *adj (pays)* advanced; *(personne)* broad-minded.

évoluer [evolɥe] *vi* to change; *(maladie)* to develop.

évolution [evolysjɔ̃] *nf* development.

évoquer [evoke] *vt (faire penser à)* to evoke; *(mentionner)* to mention; ~ **qqch à qqn** to remind sb of sthg.

ex- [ɛks] *préf (ancien)* ex-.

exact

114

exact, -e [ɛgzakt] *adj (correct)* correct; *(précis)* exact; *(ponctuel)* punctual; **c'est ~** *(c'est vrai)* that's right.

exactement [ɛgzaktəmɑ̃] *adv* exactly.

exactitude [ɛgzaktityd] *nf* accuracy; *(ponctualité)* punctuality.

ex aequo [ɛgzeko] *adj inv* level.

exagérer [ɛgzaʒere] *vt & vi* to exaggerate.

examen [ɛgzamɛ̃] *nm (médical)* examination; *(SCOL)* exam; **~ blanc** mock exam *(Br)*, practise test *(Am)*.

examinateur, -trice [ɛgzaminatœr, tris] *nm, f* examiner.

examiner [ɛgzamine] *vt* to examine.

exaspérer [ɛgzaspere] *vt* to exasperate.

excédent [ɛksedɑ̃] *nm* surplus; **~ de bagages** excess baggage.

excéder [ɛksede] *vt (dépasser)* to exceed; *(énerver)* to exasperate.

excellent, -e [ɛkselɑ̃, ɑ̃t] *adj* excellent.

excentrique [ɛksɑ̃trik] *adj (extravagant)* eccentric.

excepté [ɛksɛpte] *prép* except.

exception [ɛksɛpsjɔ̃] *nf* exception; **faire une ~** to make an exception; **à l'~ de** with the exception of; **sans ~** without exception.

exceptionnel, -elle [ɛksɛpsjɔnɛl] *adj* exceptional.

excès [ɛksɛ] *nm* excess ◆ *nmpl*: **faire des ~** to eat and drink too much; **~ de vitesse** speeding *(Br)*.

excessif, -ive [ɛksesif, iv] *adj* excessive; *(personne, caractère)* extreme.

excitant, -e [ɛksitɑ̃, ɑ̃t] *adj* exciting ◆ *nm* stimulant.

excitation [ɛksitasjɔ̃] *nf* excitement.

exciter [ɛksite] *vt* to excite.

exclamation [ɛksklamasjɔ̃] *nf* exclamation.

exclamer [ɛksklame] **: s'exclamer** *vp* to exclaim.

exclure [ɛksklyr] *vt (ne pas compter)* to exclude; *(renvoyer)* to expel.

exclusif, -ive [ɛksklyzif, iv] *adj (droit, interview)* exclusive; *(personne)* possessive.

exclusivité [ɛksklyzivite] *nf (d'un film, d'une interview)* exclusive rights *(pl)*; **en ~** *(film)* on general release.

excursion [ɛkskyrsjɔ̃] *nf* excursion.

excuse [ɛkskyz] *nf* excuse ❑ **excuses** *nfpl*: **faire des ~s à qqn** to apologize to sb.

excuser [ɛkskyze] *vt* to excuse; **excusez-moi** *(pour exprimer ses regrets)* I'm sorry; *(pour interrompre)* excuse me ❑ **s'excuser** *vp* to apologize; **s'~ de faire qqch** to apologize for doing sthg.

exécuter [ɛgzekyte] *vt (travail, ordre)* to carry out; *(œuvre musicale)* to perform; *(personne)* to execute.

exécution [ɛgzekysjɔ̃] *nf* execution.

exemplaire [ɛgzɑ̃plɛr] *nm* copy.

exemple [ɛgzɑ̃pl] *nm* example; **par ~** for example.

exercer [ɛgzɛrse] *vt* to exercise; *(voix, mémoire)* to train; **~ le métier d'infirmière** to work as a nurse ❑ **s'exercer** *vp (s'entraîner)* to practise; **s'~ à faire qqch** to practise doing sthg.

exercice [ɛgzɛrsis] *nm* exercise; **faire de l'~** to exercise.

exhiber [ɛgzibe] *vt (péj)* to show off ❏ **s'exhiber** *vp (péj)* to make an exhibition of o.s.

exigeant, -e [ɛgziʒɑ̃, ɑ̃t] *adj* demanding.

exigence [ɛgziʒɑ̃s] *nf (demande)* demand.

exiger [ɛgziʒe] *vt* to demand; *(avoir besoin de)* to require.

exiler [ɛgzile] **: s'exiler** *vp* to go into exile.

existence [ɛgzistɑ̃s] *nf* existence.

exister [ɛgziste] *vi* to exist; **il existe** *(il y a)* there is/are.

exorbitant, -e [ɛgzɔrbitɑ̃, ɑ̃t] *adj* exorbitant.

exotique [ɛgzɔtik] *adj* exotic.

expatrier [ɛkspatrije] **: s'expatrier** *vp* to leave one's country.

expédier [ɛkspedje] *vt* to send; *(péj: bâcler)* to dash off.

expéditeur, -trice [ɛkspeditœr, tris] *nm, f* sender.

expédition [ɛkspedisjɔ̃] *nf (voyage)* expedition; *(envoi)* dispatch.

expérience [ɛksperjɑ̃s] *nf* experience; *(scientifique)* experiment; **~ (professionnelle)** experience.

expérimenté, -e [ɛksperimɑ̃te] *adj* experienced.

expert [ɛkspɛr] *nm* expert; **~ en vins** wine expert.

expertiser [ɛkspɛrtize] *vt* to value.

expirer [ɛkspire] *vi (souffler)* to breathe out; *(finir)* to expire.

explication [ɛksplikasjɔ̃] *nf* ex-

planation; *(discussion)* discussion; **~ de texte** commentary on a text.

expliquer [ɛksplike] *vt* to explain; **~ qqch à qqn** to explain sthg to sb ❏ **s'expliquer** *vp* to explain o.s.; *(se disputer)* to have it out.

exploit [ɛksplwa] *nm* exploit.

exploitation [ɛksplwatasjɔ̃] *nf (d'une terre, d'une mine)* working; *(de personnes)* exploitation; **~ (agricole)** farm.

exploiter [ɛksplwate] *vt (terre, mine)* to work; *(personnes, naïveté)* to exploit.

exploration [ɛksplɔrasjɔ̃] *nf* exploration.

explorer [ɛksplɔre] *vt* to explore.

exploser [ɛksploze] *vi* to explode.

explosif, -ive [ɛksplozif, iv] *adj & nm* explosive.

explosion [ɛksplozjɔ̃] *nf* explosion; *(fig: de colère, de joie)* outburst.

exportation [ɛkspɔrtasjɔ̃] *nf* export.

exporter [ɛkspɔrte] *vt* to export.

exposé, -e [ɛkspoze] *adj (en danger)* exposed ◆ *nm* account; *(SCOL)* presentation; **~ au sud** south-facing; **une maison bien ~e** a house which gets a lot of sun.

exposer [ɛkspoze] *vt (tableaux)* to exhibit; *(théorie, motifs)* to explain; **~ qqn/qqch à qqch** to expose sb/sthg to sthg ❏ **s'exposer à** *vp + prép (danger, critiques)* to lay o.s. open to.

exposition [ɛkspozisjɔ̃] *nf* exhibition; *(d'une maison)* aspect.

exprès[1] [ɛksprɛs] *adj inv (lettre)* special delivery ◆ *nm*: **par ~** (by) special delivery.

exprès² [ɛksprɛ] *adv (volontairement)* on purpose, deliberately; *(spécialement)* specially; **faire ~ de faire qqch** to do sthg deliberately OU on purpose.

express [ɛksprɛs] *nm (café)* = **expresso**; *(train)* ~ express (train).

expression [ɛkspresjɔ̃] *nf* expression; ~ **écrite** written language; ~ **orale** oral language.

expresso [ɛkspreso] *nm* expresso.

exprimer [ɛksprime] *vt (idée, sentiment)* to express ❑ **s'exprimer** *vp (parler)* to express o.s.

expulser [ɛkspylse] *vt* to expel.

exquis, -e [ɛkski, iz] *adj* exquisite.

extensible [ɛkstɑ̃sibl] *adj (vêtement)* stretchy.

exténué, -e [ɛkstenye] *adj* exhausted.

extérieur, -e [ɛksterjœr] *adj (escalier, poche)* outside; *(surface)* outer; *(commerce, politique)* foreign; *(gentillesse, calme)* outward ♦ *nm* outside; *(apparence)* exterior; **à l'~** outside; **jouer à l'~** *(SPORT)* to play away; **à l'~ de** outside.

exterminer [ɛkstɛrmine] *vt* to exterminate.

externe [ɛkstɛrn] *adj* external ♦ *nmf (élève)* day pupil.

extincteur [ɛkstɛ̃ktœr] *nm* (fire) extinguisher.

extinction [ɛkstɛ̃ksjɔ̃] *nf*: ~ **de voix** loss of voice.

extra [ɛkstra] *adj inv (qualité)* first-class; *(fam: formidable)* great ♦ *préf (très)* extra.

extraire [ɛkstrɛr] *vt* to extract; ~ **qqn/qqch de** to extract sb/

sthg from.

extrait [ɛkstrɛ] *nm* extract.

extraordinaire [ɛkstraɔrdinɛr] *adj (incroyable)* incredible; *(excellent)* wonderful.

extravagant, -e [ɛkstravagɑ̃, ɑ̃t] *adj* extravagant.

extrême [ɛkstrɛm] *adj & nm* extreme; **l'Extrême-Orient** the Far East.

extrêmement [ɛkstrɛmmɑ̃] *adv* extremely.

extrémité [ɛkstremite] *nf* end.

F

F *(abr de franc, Fahrenheit)* F.

fable [fabl] *nf* fable.

fabricant [fabrikɑ̃] *nm* manufacturer.

fabrication [fabrikasjɔ̃] *nf* manufacture.

fabriquer [fabrike] *vt* to make; *(produit)* to manufacture; **mais qu'est-ce que tu fabriques?** *(fam)* what are you up to?

fabuleux, -euse [fabylø, øz] *adj (énorme)* enormous; *(excellent)* tremendous.

fac [fak] *nf (fam)* college.

façade [fasad] *nf* facade.

face [fas] *nf (côté)* side; *(d'une pièce)* heads *(sg)*; *(visage)* face; **faire ~ à** *(être devant)* to face; *(affronter)* to face up to; **de ~** from the front; **en ~ (de)** opposite; ~ **à ~** face

fâché, -e [faʃe] *adj* angry; *(brouillé)* on bad terms.

fâcher [faʃe] : **se fâcher** *vp* to get angry; *(se brouiller)* to quarrel.

facile [fasil] *adj* easy; *(aimable)* easygoing.

facilement [fasilmɑ̃] *adv* easily.

facilité [fasilite] *nf (aisance)* ease.

faciliter [fasilite] *vt* to make easier.

façon [fasɔ̃] *nf* way; **de ~ (à ce) que** so that; **de toute ~** anyway; **non merci, sans ~** no thank you ❑ **façons** *nfpl (comportement)* manners; **faire des ~s** *(être maniéré)* to put on airs.

facteur, -trice [faktœr, tris] *nm, f* postman (*f* postwoman) *(Br)*, mailman (*f* mailwoman) *(Am)* ◆ *nm* factor.

facture [faktyr] *nf* bill.

facturer [faktyre] *vt* to invoice.

facturette [faktyrɛt] *nf* (credit card slip) receipt.

facultatif, -ive [fakyltatif, iv] *adj* optional.

faculté [fakylte] *nf (université)* faculty; *(possibilité)* right.

fade [fad] *adj (aliment)* bland; *(couleur)* dull.

fagot [fago] *nm* bundle of sticks.

faible [fɛbl] *adj* weak; *(son, lumière)* faint; *(revenus, teneur)* low; *(quantité, volume)* small ◆ *nm*: **avoir un ~ pour qqch** to have a weakness for sthg; **avoir un ~ pour qqun** to have a soft spot for sb.

faiblement [fɛblǝmɑ̃] *adv* weakly; *(augmenter)* slightly.

faiblesse [fɛblɛs] *nf* weakness.

faiblir [feblir] *vi (physiquement)* to

get weaker; *(son)* to get fainter; *(lumière)* to fade.

faïence [fajɑ̃s] *nf* earthenware.

faille [faj] *nf (du terrain)* fault; *(défaut)* flaw.

faillir [fajir] *vi*: **il a failli tomber** he nearly fell over.

faillite [fajit] *nf* bankruptcy; **faire ~** to go bankrupt.

faim [fɛ̃] *nf* hunger; **avoir ~** to be hungry.

fainéant, -e [feneɑ̃, ɑ̃t] *adj* lazy ◆ *nm, f* layabout.

faire [fɛr] *vt* 1. *(fabriquer, préparer)* to make.

2. *(effectuer)* to do; **~ une promenade** to go for a walk.

3. *(arranger, nettoyer)*: **~ son lit** to make one's bed; **~ la vaisselle** to wash up; **~ ses valises** to pack (one's bags).

4. *(s'occuper à)* to do; **que faites-vous comme métier?** what do you do for a living?

5. *(sport, musique, discipline)* to do; **~ des études** to study; **~ du piano** to play the piano.

6. *(provoquer)*: **~ du bruit** to make a noise; **~ mal à qqn** to hurt sb; **~ de la peine à qqn** to upset sb.

7. *(imiter)*: **~ l'imbécile** to act the fool.

8. *(parcourir)* to do; **nous avons fait 150 km en deux heures** we did 150 miles in two hours; **~ du 80 (à l'heure)** to do 50 (miles an hour).

9. *(avec des mesures)* to be; **je fais 1,68 m** I'm 1.68 m tall; **je fais du 40** I take a size 40.

10. *(MATH)*: **10 et 3 font 13** 10 and 3 are ou make 13.

11. *(dire)* to say.

12. *(dans des expressions)*: **ça ne fait rien** never mind; **il ne fait que**

pleuvoir it's always raining; **qu'est-ce que ça peut te ~?** what's it to do with you?; **qu'est-ce que j'ai fait de mes clefs?** what have I done with my keys?

♦ vi **1.** (agir): **vas-y, mais fais vite** go on, but be quick; **tu feriez mieux de ...** you'd better ...; **faites comme chez vous** make yourself at home.

2. (avoir l'air): **~ jeune/vieux** to look young/old.

♦ v impers **1.** (climat, température): **il fait chaud/-2° C** it's hot/-2° C.

2. (exprime la durée): **ça fait trois jours que nous avons quitté Rouen** it's three days since we left Rouen; **ça fait dix ans que j'habite ici** I've lived here for ten years.

♦ v aux **1.** (indique que l'on provoque une action) to make; **~ cuire qqch** to cook sthg; **~ tomber qqch** to make sthg fall.

2. (indique que l'on commande une action): **~ faire qqch (par qqn)** to have OU get sthg done (by sb); **~ nettoyer un vêtement** to have a garment cleaned.

♦ v substitut to do; **on lui a conseillé de réserver mais il ne l'a pas fait** he was advised to book, but he didn't.

❑ **se faire** vp **1.** (être convenable, à la mode): **ça se fait** (c'est convenable) it's polite; (c'est à la mode) it's fashionable; **ça ne se fait pas** (ce n'est pas convenable) it's not polite; (ce n'est pas à la mode) it's not fashionable.

2. (avoir, provoquer): **se ~ des amis** to make friends; **se ~ mal** to hurt o.s.

3. (avec un infinitif): **se ~ couper les cheveux** to have one's hair cut; **se ~ opérer** to have an operation; **je**

me suis fait arrêter par la police I was stopped by the police.

4. (devenir): **se ~ vieux** to get old; **il se fait tard** it's getting late.

5. (dans les expressions): **comment se fait-il que ...?** how come ...?; **ne t'en fais pas** don't worry; **se faire à** vp + prép (s'habituer à) to get used to.

faire-part [fɛrpar] nm inv announcement.

fais → faire.

faisable [fəzabl] adj feasible.

faisan [fəzɑ̃] nm pheasant.

faisant [fəzɑ̃] ppr → faire.

faisons → faire.

fait, -e [fɛ, fɛt] pp → faire ♦ adj (tâche) done; (objet, lit) made; (fromage) ripe ♦ nm fact; **(c'est) bien ~!** it serves you/him right!; **~s divers** minor news stories; **au ~** (à propos) by the way; **du ~ de** because of; **en ~** in fact; **prendre qqn sur le ~** to catch sb in the act.

faites → faire.

fait-tout [fɛtu] nm inv cooking pot.

falaise [falɛz] nf cliff.

falloir [falwar] v impers: **il faut du courage pour faire ça** you need courage to do that; **il faut y aller** OU **que nous y allions** we must go; **il me faut 2 kilos d'oranges** I want 2 kilos of oranges; **il me faut y retourner** I have to go back there.

fallu [faly] pp → falloir.

falsifier [falsifje] vt (document, écriture) to forge.

fameux, -euse [famø, øz] adj (célèbre) famous; (très bon) great.

familial, -e, -iaux [familjal, jo] adj (voiture, ennuis) family.

familiarité [familjarite] nf familiarity.

familier, -ière [familje, jɛr] *adj* familiar; *(langage, mot)* colloquial.

famille [famij] *nf* family; **en ~** with one's family; **j'ai de la ~ à Paris** I have relatives in Paris.

fan [fan] *nmf (fam)* fan.

fanatique [fanatik] *adj* fanatical ♦ *nmf* fanatic.

fané, -e [fane] *adj (fleur)* withered; *(couleur, tissu)* faded.

faner [fane] **: se faner** *vp (fleur)* to wither.

fanfare [fɑ̃far] *nf* brass band.

fanfaron, -onne [fɑ̃farɔ̃, ɔn] *adj* boastful.

fantaisie [fɑ̃tezi] *nf (imagination)* imagination; *(caprice)* whim; **bijoux ~** costume jewellery.

fantastique [fɑ̃tastik] *adj* fantastic; *(littérature, film)* fantasy.

fantôme [fɑ̃tom] *nm* ghost.

far [far] *nm*: **~ breton** *Breton custard tart with prunes.*

farce [fars] *nf (plaisanterie)* practical joke; *(CULIN)* stuffing; **faire une ~ à qqn** to play a trick on sb.

farceur, -euse [farsœr, øz] *nm, f* practical joker.

farci, -e [farsi] *adj* stuffed.

fard [far] *nm*: **~ à joues** blusher; **~ à paupières** eyeshadow.

farfelu, -e [farfəly] *adj* weird.

farine [farin] *nf* flour.

farouche [faruʃ] *adj (animal)* wild; *(enfant)* shy; *(haine, lutte)* fierce.

fascinant, -e [fasinɑ̃, ɑ̃t] *adj* fascinating.

fasciner [fasine] *vt* to fascinate.

fasse *etc* → **faire**.

fatal, -e [fatal] *adj (mortel)* fatal;

(inévitable) inevitable.

fatalement [fatalmɑ̃] *adv* inevitably.

fataliste [fatalist] *adj* fatalistic.

fatigant, -e [fatigɑ̃, ɑ̃t] *adj* tiring; *(agaçant)* tiresome.

fatigue [fatig] *nf* tiredness.

fatigué, -e [fatige] *adj* tired; **être ~ de faire qqch** to be tired of doing sthg.

fatiguer [fatige] *vt* to tire (out); *(agacer)* to annoy ❑ **se fatiguer** *vp* to get tired; **se ~ à faire qqch** to wear o.s. out doing sthg.

faubourg [fobur] *nm* suburb.

faucher [foʃe] *vt (blé)* to cut; *(piéton, cycliste)* to run down; *(fam: voler)* to pinch.

faudra → **falloir**.

faufiler [fofile] **: se faufiler** *vp* to slip in.

faune [fon] *nf* fauna.

fausse → **faux**.

fausser [fose] *vt (résultat)* to distort; *(clef)* to bend; *(mécanisme)* to damage.

faut → **falloir**.

faute [fot] *nf* mistake; *(responsabilité)* fault; **c'est (de) ma ~** it's my fault; **~ de** for lack of.

fauteuil [fotœj] *nm* armchair; *(de cinéma, de théâtre)* seat; **~ à bascule** rocking chair; **~ roulant** wheelchair.

fauve [fov] *nm* big cat.

faux, fausse [fo, fos] *adj (incorrect)* wrong; *(artificiel)* false; *(billet)* fake ♦ *adv (chanter, jouer)* out of tune; **fausse note** wrong note; **~ numéro** wrong number.

faux-filet, -s [fofile] *nm* sirloin.

faveur [favœr] *nf (service)* favour;

en ~ de in favour of.

favorable [favɔrabl] *adj* favourable; **être ~ à** to be favourable to.

favori, -ite [favɔri, it] *adj* favourite.

favoriser [favɔrize] *vt (personne)* to favour; *(situation)* to help.

fax [faks] *nm* fax.

faxer [fakse] *vt* to fax.

féculent [fekylɑ̃] *nm* starchy food.

fédéral, -e, -aux [federal, o] *adj* federal.

fédération [federasjɔ̃] *nf* federation.

fée [fe] *nf* fairy.

feignant, -e [feɲɑ̃, ɑ̃t] *adj (fam)* lazy.

feinte [fɛ̃t] *nf (ruse)* ruse; *(SPORT)* dummy.

fêler [fele] : **se fêler** *vp* to crack.

félicitations [felisitasjɔ̃] *nfpl* congratulations.

féliciter [felisite] *vt* to congratulate.

félin [felɛ̃] *nm* cat.

femelle [fəmɛl] *nf* female.

féminin, -e [feminɛ̃, in] *adj* feminine; *(mode, travail)* women's.

femme [fam] *nf* woman; *(épouse)* wife; **~ de chambre** chambermaid; **~ de ménage** cleaning woman; **bonne ~** *(inf)* woman.

fendant [fɑ̃dɑ̃] *nm* white wine from the Valais region of Switzerland.

fendre [fɑ̃dr] *vt (vase, plat)* to crack; *(bois)* to split.

fenêtre [fənɛtr] *nf* window.

fenouil [fənuj] *nm* fennel.

fente [fɑ̃t] *nf (fissure)* crack; *(de tirelire, de distributeur)* slot.

fer [fɛr] *nm* iron; **~ à cheval**

horseshoe; **~ forgé** wrought iron; **~ à repasser** iron.

fera *etc* → **faire**.

féra [fera] *nf fish from Lake Geneva.*

fer-blanc [fɛrblɑ̃] *nm* tin.

férié [ferje] *adj m* → **jour**.

ferme [fɛrm] *adj* firm ♦ *nf* farm; **~ auberge** farm providing holiday accommodation.

fermé, -e [fɛrme] *adj* closed; *(caractère)* introverted.

fermement [fɛrməmɑ̃] *adv* firmly.

fermenter [fɛrmɑ̃te] *vi* to ferment.

fermer [fɛrme] *vt* to shut, to close; *(magasin, société)* to close down; *(électricité, radio)* to turn off, to switch off ♦ *vi* to close, to shut; **~ qqch à clef** to lock sthg; **ça ne ferme pas** *(porte, boîte)* it won't shut ❑ **se fermer** *vp* to shut, to close; *(vêtement)* to do up.

fermeté [fɛrməte] *nf* firmness.

fermeture [fɛrmətyr] *nf* closing; *(mécanisme)* fastener; **«~ annuelle»** "annual closing"; **~ Éclair®** zip *(Br)*, zipper *(Am)*.

fermier, -ière [fɛrmje, jɛr] *nm, f* farmer.

fermoir [fɛrmwar] *nm* clasp.

féroce [feros] *adj* ferocious.

ferraille [feraj] *nf* scrap iron.

ferrée [fere] *adj f* → **voie**.

ferroviaire [ferɔvjɛr] *adj* rail.

ferry [feri] *(pl* ferries*) nm* ferry.

fertile [fɛrtil] *adj* fertile.

fesse [fɛs] *nf* buttock ❑ **fesses** *nfpl* bottom *(sg)*.

fessée [fese] *nf* spanking.

festin [fɛstɛ̃] *nm* feast.

festival [fɛstival] *nm* festival.

FESTIVAL D'AVIGNON

Founded in 1947 by Jean Vilar, a leading French theatre director, this festival takes place each year in and around the town of Avignon in southeast France. As well as important new plays and dance pieces performed here for the first time before touring France, more informal street performances take place throughout the town.

 FESTIVAL DE CANNES

During this international film festival held each year in May in this fashionable seaside resort in the south of France, prizes are awarded for acting, directing etc. The most sought-after prize is the Palme d'Or, given to the best film in the festival.

fête [fɛt] *nf (congé)* holiday; *(réception)* party; *(kermesse)* fair; *(jour du saint)* saint's day; **faire la ~ to** party; **bonne ~!** Happy Saint's Day!; **~ foraine** funfair; **~ des Mères** Mother's day; **~ des Pères** Father's day; **la ~ de la Musique** *annual music festival which takes place in the streets*; **~ nationale** national holiday ▫ **fêtes** *nfpl*: **les ~s (de fin d'année)** the Christmas holidays.

 BONNE FÊTE!

In France each day is associated with a certain saint. It is traditional to wish "bonne fête" (Happy Saint's Day) to people whose Christian name is the same as the saint for that day.

 FÊTE DE LA MUSIQUE

This public event was started at the beginning of the 1980s to promote music in France. It takes place every year on 21 June when both professional and amateur musicians play for free in the streets in the evening.

fêter [fete] *vt* to celebrate.

feu, -x [fø] *nm* fire; *(lumière)* light; **avez-vous du ~!** have you got a light?; **faire du ~** to make a fire; **mettre le ~ à** to set fire to; **à ~ doux** on a low flame; **~ d'artifice** firework; **~ de camp** campfire; **~ rouge** red light; **~x de signalisation** OU **tricolores** traffic lights; **~x arrière** rear lights; **~x de croisement** dipped headlights; **~x de recul** reversing lights; **au ~!** fire!; **en ~** *(forêt, maison)* on fire.

feuillage [fœjaʒ] *nm* foliage.

feuille [fœj] *nf (d'arbre)* leaf; *(de papier)* sheet; **~ morte** dead leaf.

feuilleté, -e [fœjte] *adj* → **pâte** ◆ *nm* dessert or savoury dish made from puff pastry.

feuilleter [fœjte] *vt* to flick through.

feuilleton [fœjtɔ̃] *nm* serial.

feutre [føtr] *nm (stylo)* felt-tip pen; *(chapeau)* felt hat.

fève [fɛv] *nf* broad bean; *(de galette)* charm put in a "galette des Rois".

février [fevrije] *nm* February, →

septembre.

FF *(abr de franc français)* FF.

fiable [fjabl] *adj* reliable.

fiançailles [fjɑ̃saj] *nfpl* engagement *(sg)*.

fiancé, -e [fjɑ̃se] *nm, f* fiancé (f fiancée).

fiancer [fjɑ̃se] **: se fiancer** *vp* to get engaged.

fibre [fibr] *nf* fibre.

ficeler [fisle] *vt* to tie up.

ficelle [fisel] *nf* string; *(pain)* thin French stick.

fiche [fiʃ] *nf (de carton, de papier)* card; *(TECH)* pin; **~ de paie** payslip.

ficher [fiʃe] *vt (planter)* to drive in; *(fam: faire)* to do; *(fam: mettre)* to stick; **mais qu'est-ce qu'il fiche?** *(fam)* what on earth is he doing?; **fiche-moi la paix!** *(fam)* leave me alone!; **fiche le camp!** *(fam)* get lost! ❑ **se ficher de** *vp + prép (fam: ridiculiser)* to make fun of; **je m'en fiche** *(fam: ça m'est égal)* I don't give a damn.

fichier [fiʃje] *nm (boîte)* card-index box; *(INFORM)* file.

fichu, -e [fiʃy] *adj (fam)*: **c'est ~** *(raté)* that's blown it; *(cassé, abîmé)* it's had it; **être bien ~** *(beau)* to have a good body; **être mal ~** *(malade)* to feel rotten.

fidèle [fidel] *adj* loyal.

fidélité [fidelite] *nf* loyalty.

fier[1] [fje] **: se fier à** *vp + prép (personne, instinct)* to rely on.

fier[2]**, fière** [fjer] *adj* proud; **être ~ de** to be proud of.

fierté [fjerte] *nf* pride.

fièvre [fjevr] *nf* fever; **avoir de la ~** to have a (high) temperature.

fiévreux, -euse [fjevrø, øz] *adj*

feverish.

fig. *(abr de figure)* fig.

figé, -e [fiʒe] *adj (sauce)* congealed; *(personne)* motionless.

figer [fiʒe] **: se figer** *vp (sauce)* to congeal.

figue [fig] *nf* fig.

figure [figyr] *nf (visage)* face; *(schéma)* figure.

figurer [figyre] *vi* to appear ❑ **se figurer** *vp*: **~ que** to think that.

fil [fil] *nm (à coudre)* thread; *(du téléphone)* wire; *(d'eau)* trickle; **~ de fer** wire.

file [fil] *nf* line; *(sur la route)* lane; **~ (d'attente)** queue *(Br)*, line *(Am)*; **à la ~** in a row; **en ~ (indienne)** in single file.

filer [file] *vt (collant)* to ladder *(Br)*, to put a run in *(Am)* ◆ *vi (aller vite)* to fly; *(fam: partir)* to dash off; **~ qqch à qqn** *(fam)* to slip sb sthg.

filet [file] *nm* net; *(de poisson, de bœuf)* fillet; *(d'eau)* trickle; **~ américain** *(Belg)* steak tartare; **~ à bagages** luggage rack; **~ mignon** filet mignon, *small good-quality cut of beef.*

filiale [filjal] *nf* subsidiary.

filière [filjer] *nf (SCOL)*: **~ scientifique** science subjects.

fille [fij] *nf* girl; *(descendante)* daughter.

fillette [fijet] *nf* little girl.

filleul, -e [fijœl] *nm, f* godchild.

film [film] *nm* film; **~ d'horreur** OU **d'épouvante** horror film; **~ vidéo** video.

filmer [filme] *vt* to film.

fils [fis] *nm* son.

filtre [filtr] *nm* filter.

filtrer [filtre] *vt* to filter.

fin, -e [fɛ̃, fin] *adj (couche, tranche)*

thin; *(sable, cheveux)* fine; *(délicat)* delicate; *(subtil)* shrewd ◆ *nf* end; ~ **juillet** at the end of July; **à la ~ (de)** at the end (of).

final, -e, -als OU **-aux** [final, o] *adj* final.

finale [final] *nf* final.

finalement [finalmã] *adv* finally.

finaliste [finalist] *nmf* finalist.

finance [finãs] *nf*: **la ~** *(profession)* finance; **les ~s** *(publiques)* public funds; *(fam: d'un particulier)* finances.

financement [finãsmã] *nm* funding.

financer [finãse] *vt* to finance.

financier, -ière [finãsje, jɛr] *adj* financial ◆ *nm (gâteau)* small cake made with almonds and candied fruit; **sauce financière** *sauce flavoured with Madeira and truffles.*

finesse [fines] *nf* subtlety.

finir [finir] *vt* to finish ◆ *vi* to end; ~ **bien** to have a happy ending; ~ **de faire qqch** to finish doing sthg; ~ **par faire qqch** to end up doing sthg.

finlandais, -e [fɛ̃lɑ̃dɛ, ɛz] *adj* Finnish ◆ *nm* = **finnois** ❑ **Finlandais, -e** *nm, f* Finn.

Finlande [fɛ̃lɑ̃d] *nf*: **la ~** Finland.

finnois [finwa] *nm* Finnish.

fioul [fjul] *nm* fuel.

fisc [fisk] *nm* ≃ Inland Revenue (*Br*), ≃ Internal Revenue (*Am*).

fiscal, -e, -aux [fiskal, o] *adj* tax.

fissure [fisyr] *nf* crack.

fissurer [fisyre] : **se fissurer** *vp* to crack.

fixation [fiksasjõ] *nf (de ski)* binding; **faire une ~ sur qqch** to have a fixation about sthg.

fixe [fiks] *adj* fixed.

fixer [fikse] *vt (attacher)* to fix; *(regarder)* to stare at.

flacon [flakõ] *nm* small bottle.

flageolet [flaʒɔlɛ] *nm* flageolet bean.

flagrant, -e [flagrã, ãt] *adj* blatant; **en ~ délit** in the act.

flair [flɛr] *nm* sense of smell; **avoir du ~** *(fig)* to have flair.

flairer [flɛre] *vt* to smell; *(fig: deviner)* to scent.

flamand, -e [flamã, ãd] *adj* Flemish ◆ *nm (langue)* Flemish.

flambé, -e [flãbe] *adj served in alcohol which has been set on fire.*

flamber [flãbe] *vi* to burn.

flamiche [flamiʃ] *nf* savoury tart.

flamme [flam] *nf* flame; **en ~s** in flames.

flan [flã] *nm* flan.

flanc [flã] *nm* flank.

flâner [flane] *vi* to stroll.

flanquer [flãke] *vt (entourer)* to flank; *(fam: mettre)* to stick.

flaque [flak] *nf* puddle.

flash, -s OU **-es** [flaʃ] *nm (d'appareil photo)* flash; *(d'information)* newsflash.

flatter [flate] *vt* to flatter.

fléau, -x [fleo] *nm (catastrophe)* natural disaster.

flèche [flɛʃ] *nf* arrow.

fléchette [fleʃɛt] *nf* dart.

fléchir [fleʃir] *vt & vi* to bend.

flemme [flɛm] *nf (fam)*: **j'ai la ~ (de faire qqch)** I can't be bothered (to do sthg).

flétri, -e [fletri] *adj* withered.

fleur

fleur [flœr] nf flower; *(d'arbre)* blossom; ~ **d'oranger** *(CULIN)* orange blossom essence; **à ~s** flowered; **en ~(s)** *(plante)* in flower; *(arbre)* in blossom.

fleuri, -e [flœri] adj *(tissu, motif)* flowered; *(jardin)* in blossom.

fleurir [flœrir] vi to flower.

fleuriste [flœrist] nmf florist.

fleuve [flœv] nm river.

flexible [flɛksibl] adj flexible.

flic [flik] nm *(fam)* cop.

flipper [flipœr] nm pin-ball machine.

flirter [flœrte] vi to flirt.

flocon [flɔkɔ̃] nm: ~ **de neige** snowflake; ~ **d'avoine** oatmeal.

flore [flɔr] nf flora; *(livre)* guide to flowers.

flot [flo] nm stream.

flottante [flɔtɑ̃t] adj f → **île**.

flotte [flɔt] nf *(de navires)* fleet; *(fam: pluie)* rain; *(fam: eau)* water.

flotter [flɔte] vi to float.

flotteur [flɔtœr] nm float.

flou, -e [flu] adj *(photo)* blurred; *(idée, souvenir)* vague.

fluide [flɥid] adj fluid; *(circulation)* flowing freely ♦ nm fluid.

fluo [flyo] adj inv fluorescent.

fluor [flyɔr] nm fluorine.

fluorescent, -e [flyɔresɑ̃, ɑ̃t] adj fluorescent.

flûte [flyt] nf *(pain)* French stick; *(verre)* flute ♦ excl bother!; ~ **(à bec)** recorder.

FM nf FM.

FNAC [fnak] nf chain of large stores selling books, records, audio and video equipment etc.

foi [fwa] nf faith; **être de bonne ~** to be sincere; **être de mauvaise ~**

to be insincere.

foie [fwa] nm liver; ~ **gras** foie gras, duck or goose liver; ~ **de veau** calf's liver.

foin [fwɛ̃] nm hay.

foire [fwar] nf *(marché)* fair; *(exposition)* trade fair.

fois [fwa] nf time; **une ~** once; **deux ~** twice; **trois ~** three times; **3 ~ 2** 3 times 2; **à la ~** at the same time; **des ~** *(parfois)* sometimes; **une ~ que tu auras mangé** once you have eaten; **une ~ pour toutes** once and for all.

folie [fɔli] nf madness; **faire une ~** *(dépenser)* to be extravagant.

folklore [fɔlklɔr] nm folklore.

folklorique [fɔlklɔrik] adj folk.

folle → **fou.**

foncé, -e [fɔ̃se] adj dark.

foncer [fɔ̃se] vi *(s'assombrir)* to darken; *(fam: aller vite)* to get a move on; ~ **dans** to crash into; ~ **sur** to rush towards.

fonction [fɔ̃ksjɔ̃] nf function; *(métier)* post; **la ~ publique** the civil service; **en ~ de** according to.

fonctionnaire [fɔ̃ksjɔnɛr] nmf civil servant.

fonctionnel, -elle [fɔ̃ksjɔnɛl] adj functional.

fonctionnement [fɔ̃ksjɔnmɑ̃] nm working.

fonctionner [fɔ̃ksjɔne] vi to work; **faire ~ qqch** to make sthg work.

fond [fɔ̃] nm *(d'un puits, d'une boîte)* bottom; *(d'une salle)* far end; *(d'une photo, d'un tableau)* background; **au ~, dans le ~** *(en réalité)* in fact; **au ~ de** *(salle)* at the back of; *(valise)* at the bottom of; **à ~** *(respirer)* deeply; *(pousser)* all the way; (*rouler*) at top speed; ~ **d'artichaut** artichoke heart; ~ **de teint** foundation.

fondamental, -e, -aux [fɔ̃damɑ̃tal, o] *adj* basic.

fondant, -e [fɔ̃dɑ̃, ɑ̃t] *adj* which melts in the mouth ♦ *nm*: ~ **au chocolat** *chocolate cake that melts in the mouth.*

fondation [fɔ̃dasjɔ̃] *nf* foundation □ **fondations** *nfpl* (*d'une maison*) foundations.

fonder [fɔ̃de] *vt* (*société*) to found; (*famille*) to start □ **se fonder sur** *vp* + *prép* (*suj: personne*) to base one's opinion on; (*suj: raisonnement*) to be based on.

fondre [fɔ̃dr] *vi* to melt; ~ **en larmes** to burst into tears.

fonds [fɔ̃] *nmpl* (*argent*) funds.

fondue [fɔ̃dy] *nf*: ~ **bourguignonne** meat fondue; ~ **parmesan** (*Can*) *soft cheese containing Parmesan, coated in breadcrumbs, eaten hot*; ~ **savoyarde** cheese fondue.

font → **faire**.

fontaine [fɔ̃tɛn] *nf* fountain.

fonte [fɔ̃t] *nf* (*métal*) cast iron; (*des neiges*) thaw.

foot(ball) [fut(bol)] *nm* football.

footballeur [futbolœr] *nm* footballer.

footing [futiŋ] *nm* jogging; **faire un ~** to go jogging.

forain, -e [fɔrɛ̃, ɛn] *adj* → **fête** ♦ *nm* fairground worker.

force [fɔrs] *nf* strength; (*violence*) force; ~**s** (*physiques*) strength; **de ~** by force; **à ~ de faire qqch** through doing sth.

forcément [fɔrsemɑ̃] *adv*

inevitably; **pas ~** not necessarily.

forcer [fɔrse] *vt* (*porte*) to force ♦ *vi* (*faire un effort physique*) to strain o.s.; ~ **qqn à faire qqch** to force sb to do sth □ **se forcer** *vp*: **se ~ (à faire qqch)** to force o.s. (to do sth).

forêt [fɔrɛ] *nf* forest.

forêt-noire [fɔrɛnwar] (*pl* **forêts-noires**) *nf* Black Forest gâteau.

forfait [fɔrfɛ] *nm* (*abonnement*) season ticket; (*de ski*) ski pass; (*de location de voiture*) basic rate; **déclarer** ~ to withdraw.

forfaitaire [fɔrfɛtɛr] *adj* inclusive.

forgé, -e [fɔrʒe] *adj m* → **fer**.

forger [fɔrʒe] *vt* (*fer*) to forge.

formalités [fɔrmalite] *nfpl* formalities.

format [fɔrma] *nm* size.

formater [fɔrmate] *vt* to format.

formation [fɔrmasjɔ̃] *nf* (*apprentissage*) training; (*de roches, de mots*) formation.

forme [fɔrm] *nf* shape, form; **en ~ de T** T-shaped; **être en (pleine) ~** to be on (top) form.

former [fɔrme] *vt* (*créer*) to form; (*éduquer*) to train □ **se former** *vp* (*naître*) to form; (*s'éduquer*) to train o.s.

formidable [fɔrmidabl] *adj* great.

formulaire [fɔrmylɛr] *nm* form.

formule [fɔrmyl] *nf* formula; (*de restaurant*) menu.

fort, -e [fɔr, fɔrt] *adj* strong; (*gros*) large; (*doué*) bright ♦ *adv* (*parler*) loudly; (*sentir*) strongly; (*pousser*) hard; ~ **en maths** good at maths.

forteresse [fɔrtəres] nf fortress.

fortifications [fɔrtifikasjɔ̃] nfpl fortifications.

fortifier [fɔrtifje] vt to fortify.

fortune [fɔrtyn] nf fortune; **faire ~** to make one's fortune.

fosse [fos] nf pit.

fossé [fose] nm ditch.

fossette [fosɛt] nf dimple.

fossile [fosil] nm fossil.

fou, folle [fu, fɔl] adj mad; (extraordinaire) amazing ♦ nm, f madman (f madwoman) ♦ nm (aux échecs) bishop; **(avoir le) ~ rire** (to be in fits of) uncontrollable laughter.

foudre [fudr] nf lightning.

foudroyant, -e [fudrwajɑ̃, ɑ̃t] adj (poison, maladie) lethal.

foudroyer [fudrwaje] vt to strike.

fouet [fwɛ] nm whip; (CULIN) whisk; **de plein ~** head-on.

fouetter [fwete] vt to whip; (CULIN) to whisk.

fougère [fuʒɛr] nf fern.

fouiller [fuje] vt to search.

fouillis [fuji] nm muddle.

foulard [fular] nm scarf.

foule [ful] nf crowd.

fouler [fule] **: se fouler** vp: **se ~ la cheville** to sprain one's ankle.

foulure [fulyr] nf sprain.

four [fur] nm (de cuisinère, de boulanger) oven.

fourche [furʃ] nf pitchfork; (carrefour) fork; (Belg: heure libre) free period.

fourchette [furʃet] nf fork; (de prix) range.

fourchu, -e [furʃy] adj: **avoir les cheveux ~s** to have split ends.

fourgon [furgɔ̃] nm van.

fourgonnette [furgɔnɛt] nf small van.

fourmi [furmi] nf ant; **avoir des ~s dans les jambes** to have pins and needles in one's legs.

fourmilière [furmiljer] nf anthill.

fourneau, -x [furno] nm stove.

fournir [furnir] vt (effort) to make; **~ qqch à qqn** (marchandises) to supply sb with sthg; (preuve, argument) to provide sb with sthg; **~ qqn en qqch** to supply sb with sthg.

fournisseur, -euse [furnisœr, øz] nm, f supplier.

fournitures [furnityr] nfpl supplies.

fourré, -e [fure] adj (vêtement) lined; (crêpe) filled; **bonbon ~ à la fraise** sweet with a strawberry-flavoured centre.

fourrer [fure] vt (crêpe) to fill; (fam: mettre) to stick ❑ **se fourrer** vp (fam: se mettre) to put o.s.

fourre-tout [furtu] nm inv (sac) holdall.

fourrière [furjer] nf pound.

fourrure [furyr] nf fur.

foyer [fwaje] nm (d'une cheminée) hearth; (domicile) home; (pour délinquants) hostel; **femme/mère au ~** housewife.

fracasser [frakase] **: se fracasser** vp to smash.

fraction [fraksjɔ̃] nf fraction.

fracture [fraktyr] nf fracture.

fracturer [fraktyre] vt (porte, coffre) to break open ❑ **se fracturer**

vp: **se ~ le crâne** to fracture one's skull.

fragile [fraʒil] *adj* fragile; *(santé)* delicate.

fragment [fragmã] *nm* fragment.

fraîche → **frais.**

fraîcheur [frɛʃœr] *nf* coolness; *(d'un aliment)* freshness.

frais, fraîche [frɛ, frɛʃ] *adj (froid)* cool; *(aliment)* fresh ♦ *nmpl (dépenses)* expenses, costs ♦ *nm:* **mettre qqch au ~** to put sthg in a cool place; **prendre le ~** to take a breath of fresh air; **il fait ~** it's cool; **«servir ~»** "serve chilled".

fraise [frɛz] *nf* strawberry.

fraisier [frezje] *nm* strawberry plant; *(gâteau)* strawberry sponge.

framboise [frãbwaz] *nf* raspberry.

franc, franche [frã, frãʃ] *adj* frank ♦ *nm* franc; **~ belge** Belgian franc; **~ suisse** Swiss franc.

français, -e [frãsɛ, ɛz] *adj* French ♦ *nm (langue)* French ❑ **Français, -e** *nm, f* Frenchman (f Frenchwoman); **les Français** the French.

France [frãs] *nf:* **la ~** France; **~ 2** state-owned television channel; **~ 3** state-owned television channel; **~ Télécom** French state-owned telecommunications organization.

franche → **franc.**

franchement [frãʃmã] *adv* frankly; *(très)* completely.

franchir [frãʃir] *vt (frontière)* to cross; *(limite)* to exceed.

franchise [frãʃiz] *nf (franchness)*; *(d'assurance)* excess; *(de location automobile)* collision damage waiver.

francophone [frãkɔfɔn] *adj* French-speaking.

frange [frãʒ] *nf* fringe; **à ~s** fringed.

frangipane [frãʒipan] *nf (crème)* almond paste; *(gâteau)* cake consisting of layers of puff pastry and almond paste.

frappant, -e [frapã, ãt] *adj* striking.

frappé, -e [frape] *adj (frais)* chilled.

frapper [frape] *vt* to hit; *(impressionner, affecter)* to strike ♦ *vi* to strike; **~ un coup** to knock; **~ (à la porte)** to knock (at the door); **~ dans ses mains** to clap one's hands.

fraude [frod] *nf* fraud; **passer qqch en ~** to smuggle sthg through customs.

frayer [freje] *:* **se frayer** *vp:* **se ~ un chemin** to force one's way.

frayeur [frejœr] *nf* fright.

fredonner [frədɔne] *vt* to hum.

freezer [frizœr] *nm* freezer compartment.

frein [frɛ̃] *nm* brake; **~ à main** handbrake *(Br)*, parking brake *(Am).*

freiner [frene] *vt (élan, personne)* to restrain ♦ *vi* to brake.

frémir [fremir] *vi* to tremble.

fréquence [frekãs] *nf* frequency.

fréquent, -e [frekã, ãt] *adj* frequent.

fréquenter [frekãte] *vt (personnes)* to mix with; *(endroit)* to visit.

frère [frɛr] *nm* brother.

fresque [frɛsk] *nf* fresco.

friand [frijã] *nm* savoury tartlet.

friandise [frijɑ̃diz] nf delicacy.

fric [frik] nm (fam) cash.

fricassée [frikase] nf fricassee.

frictionner [friksjɔne] vt to rub.

Frigidaire® [friʒidɛr] nm fridge.

frigo [frigo] nm (fam) fridge.

frileux, -euse [frilø, øz] adj sensitive to the cold.

frimer [frime] vi (fam) to show off.

fripé, -e [fripe] adj wrinkled.

frire [frir] vt & vi to fry; **faire ~** to fry.

frisé, -e [frize] adj (personne) curly-haired; (cheveux) curly.

frisée [frize] nf curly endive.

friser [frize] vi to curl.

frisson [frisɔ̃] nm shiver; **avoir des ~s** to have the shivers.

frissonner [frisɔne] vi to shiver.

frit, -e [fri, frit] pp → **frire** ♦ adj fried.

frites [frit] nfpl: (pommes) ~ chips (Br), French fries (Am).

friteuse [fritøz] nf deep fat fryer.

friture [frityr] nf oil; (poissons) fried fish; (parasites) interference.

froid, -e [frwa, frwad] adj & nm cold ♦ adv: **avoir ~** to be cold; **il fait ~** it's cold; **prendre ~** to catch cold.

froidement [frwadmɑ̃] adv coldly.

froisser [frwase] vt to crumple; (fig: vexer) to offend ❑ **se froisser** vp to crease; (fig: se vexer) to take offence.

frôler [frole] vt to brush against.

fromage [frɔmaʒ] nm cheese; ~ **blanc** fromage frais; ~ **de tête** brawn (Br), headcheese (Am).

fronce [frɔ̃s] nf gather.

froncer [frɔ̃se] vt (vêtement) to gather; ~ **les sourcils** to frown.

fronde [frɔ̃d] nf sling.

front [frɔ̃] nm forehead; (des combats) front; **de ~** (de face) head-on; (côte à côte) abreast; (en même temps) at the same time.

frontière [frɔ̃tjɛr] nf border.

frottement [frɔtmɑ̃] nm friction.

frotter [frɔte] vt (tache) to rub; (meuble) to polish; (allumette) to strike ♦ vi to rub.

fruit [frɥi] nm fruit; ~ **de la passion** passion fruit; ~**s confits** candied fruit (sg); ~**s de mer** seafood (sg); ~**s secs** dried fruit (sg).

fruitier [frɥitje] adj m → **arbre**.

fugue [fyg] nf: **faire une ~** to run away.

fuir [fɥir] vi to flee; (robinet, eau) to leak.

fuite [fɥit] nf flight; (d'eau, de gaz) leak; **être en ~** to be on the run; **prendre la ~** to take flight.

fumé, -e [fyme] adj smoked.

fumée [fyme] nf smoke; (vapeur) steam.

fumer [fyme] vt to smoke ♦ vi (personne) to smoke; (liquide) to steam.

fumeur, -euse [fymœr, øz] nm, f smoker.

fumier [fymje] nm manure.

funambule [fynãbyl] nmf tightrope walker.

funèbre [fynɛbr] adj → pompe.

funérailles [fyneraj] nfpl (sout) funeral (sg).

funiculaire [fynikylɛr] nm funicular railway.

fur [fyr] : **au fur et à mesure** adv as I/you etc go along; **au ~ et à mesure que** as.

fureur [fyrœr] nf fury; **faire ~** to be all the rage.

furieux, -ieuse [fyrjø, jøz] adj furious.

furoncle [fyrɔ̃kl] nm boil.

fuseau, -x [fyzo] nm (pantalon) ski-pants (pl); **~ horaire** time zone.

fusée [fyze] nf rocket.

fusible [fyzibl] nm fuse.

fusil [fyzi] nm gun.

fusillade [fyzijad] nf gunfire.

fusiller [fyzije] vt to shoot; **~ qqn du regard** to look daggers at sb.

futé, -e [fyte] adj smart.

futile [fytil] adj frivolous.

futur, -e [fytyr] adj future ♦ nm (avenir) future; (GRAMM) future (tense).

G

gâcher [gaʃe] vt (détruire) to spoil; (gaspiller) to waste.

gâchette [gaʃɛt] nf trigger.

gâchis [gaʃi] nm waste.

gadget [gadʒɛt] nm gadget.

gaffe [gaf] nf: **faire une ~** to put one's foot in it; **faire ~ (à qqch)** (fam) to be careful (of sthg).

gag [gag] nm gag.

gage [gaʒ] nm (dans un jeu) forfeit; (assurance, preuve) proof.

gagnant, -e [ganã, ãt] adj winning ♦ nm, f winner.

gagner [gane] vt (concours, course, prix) to win; (argent) to earn; (temps, place) to save, (atteindre) to reach ♦ vi to win; **~ sa place** to take one's seat; **(bien) ~ sa vie** to earn a (good) living.

gai, -e [gɛ] adj cheerful; (couleur, pièce) bright.

gaiement [gemã] adv cheerfully.

gaieté [gete] nf cheerfulness.

gain [gɛ̃] nm (de temps, d'espace) saving ▫ **gains** nmpl (salaire) earnings; (au jeu) winnings.

gaine [gɛn] nf (étui) sheath; (sous-vêtement) girdle.

gala [gala] nm gala.

galant [galã] adj m gallant.

galerie [galri] nf (passage couvert) gallery; (à bagages) roof rack; **~ (d'art)** art gallery; **~ marchande** shopping centre (Br), shopping mall (Am).

galet [galɛ] nm pebble.

galette [galɛt] nf (gâteau) flat cake; (crêpe) pancake; ~ **bretonne** (biscuit) all-butter shortcake biscuit, speciality of Brittany; ~ **des Rois** cake traditionally eaten on Twelfth Night.

GALETTE DES ROIS

This large round pastry, often filled with almond paste, is traditionally eaten on Twelfth Night, 6 January. It contains a small porcelain figurine (the "fève"). The cake is shared out and the person who finds the "fève" becomes the king or queen and is given a cardboard crown to wear.

Galles [gal] n → **pays**.

gallois, -e [galwa, waz] adj Welsh ☐ **Gallois, -e** nm, f Welshman (f Welshwoman); **les Gallois** the Welsh.

galon [galɔ̃] nm (ruban) braid; (MIL) stripe.

galop [galo] nm: **aller/partir au** ~ (cheval) to gallop along/off.

galoper [galɔpe] vi (cheval) to gallop; (personne) to run about.

gambader [gɑ̃bade] vi to leap about.

gambas [gɑ̃bas] nfpl large prawns.

gamelle [gamɛl] nf mess tin (Br), kit (Am).

gamin, -e [gamɛ̃, in] nm, f (fam) kid.

gamme [gam] nf (MUS) scale; (choix) range.

ganglion [gɑ̃gliɔ̃] nm: **avoir des** ~s to have swollen glands.

gangster [gɑ̃gstɛr] nm gangster.

gant [gɑ̃] nm (de laine, de boxe, de cuisine) glove; ~ **de toilette** = flannel (Br), facecloth (Am).

garage [garaʒ] nm garage.

garagiste [garaʒist] nm (propriétaire) garage owner; (mécanicien) mechanic.

garantie [garɑ̃ti] nf guarantee; **(bon de)** ~ guarantee; **appareil sous** ~ appliance under guarantee.

garantir [garɑ̃tir] vt to guarantee; ~ **qqch à qqn** to guarantee sb sthg; ~ **à qqn que** to guarantee sb that.

garçon [garsɔ̃] nm boy; (homme) young man; ~ **(de café)** waiter.

garde¹ [gard] nm guard; ~ **du corps** bodyguard.

garde² [gard] nf (d'un endroit) guarding; (d'enfants) care; (soldats) guard; **monter la** ~ to stand guard; **mettre qqn en** ~ **(contre)** to put sb on their guard (against); **prendre** ~ **(à qqch)** to be careful (of sthg); **prendre** ~ **de ne pas faire qqch** to take care not to do sthg; **de** ~ (médecin) on duty; **pharmacie de** ~ duty chemist's.

garde-barrière [gardabarjer] (pl **gardes-barrière(s)**) nmf level crossing keeper (Br), grade crossing keeper (Am).

garde-boue [gardabu] nm inv mudguard.

garde-chasse [gardaʃas] (pl **gardes-chasse(s)**) nmm gamekeeper.

garde-fou, -s [gardafu] nm railing.

garder [garde] vt to keep; (vêtement) to keep on; (enfant, malade) to look after; (lieu, prisonnier) to guard; (souvenir, impression) to have ☐ **se garder** vp (aliment) to keep.

garderie [gardəri] nf (day) nursery (Br), day-care center (Am); (d'entreprise) crèche.

garde-robe, -s [gardərɔb] nf wardrobe.

gardien, -ienne [gardjɛ̃, jɛn] nm, f (de musée) attendant; (de prison) warder (Br), guard (Am); (d'immeuble) caretaker (Br), janitor (Am); ~ **de but** goalkeeper; ~ **de nuit** nightwatchman.

gare [gar] nf station ♦ excl: ~ **à toi!** (menace) watch it!; **entrer en** ~ to pull into the station; ~ **routière** bus station.

garer [gare] vt to park ❑ **se garer** vp (dans un parking) to park.

gargouille [garguj] nf gargoyle.

gargouiller [garguje] vi (tuyau) to gurgle; (estomac) to rumble.

garnement [garnəmɑ̃] nm rascal.

garni, -e [garni] adj (plat) served with vegetables.

garnir [garnir] vt: ~ **qqch de qqch** (équiper) to fit sthg out with sthg; (décorer) to decorate sthg with sthg.

garniture [garnityr] nf (légumes) vegetables (accompanying main dish); (décoration) trimming.

gars [ga] nm (fam) guy.

gas-oil [gazɔjl, gazwal] nm = **gazole**.

gaspillage [gaspijaʒ] nm waste.

gaspiller [gaspije] vt to waste.

gastronomique [gastrɔnɔmik] adj (guide) gastronomic; (restaurant) gourmet.

gâté, -e [gate] adj (fruit, dent) rotten.

gâteau, -x [gato] nm cake; ~

marbré marble cake; ~ **sec** biscuit (Br), cookie (Am).

gâter [gate] vt (enfant) to spoil ❑ **se gâter** vp (fruit) to go bad; (dent) to decay; (temps, situation) to get worse.

gâteux, -euse [gatø, øz] adj senile.

gauche [goʃ] adj left; (maladroit) awkward ♦ nf: **la** ~ the left; (POL) the left (wing); **à** ~ **(de)** on the left (of); **de** ~ (du côté gauche) left-hand.

gaucher, -ère [goʃe, ɛr] adj left-handed.

gaufre [gofr] nf waffle.

gaufrette [gofrɛt] nf wafer.

gaver [gave] vt: ~ **qqn de qqch** (aliments) to fill sb full of sthg ❑ **se gaver de** vp + prép (aliments) to fill o.s. up with sthg.

gaz [gaz] nm inv gas.

gaze [gaz] nf gauze.

gazeux, -euse [gazø, øz] adj (boisson, eau) fizzy.

gazinière [gazinjɛr] nf gas stove.

gazole [gazɔl] nm diesel (oil).

gazon [gazɔ̃] nm (herbe) grass; (terrain) lawn.

GB (abr de Grande-Bretagne) GB.

géant, -e [ʒeɑ̃, ɑ̃t] adj (grand) gigantic; (COMM: paquet) giant ♦ nm, f giant.

gel [ʒɛl] nm (glace) frost; (à cheveux, dentifrice) gel.

gélatine [ʒelatin] nf (CULIN) gelatine.

gelée [ʒəle] nf (glace) frost; (de fruits) jelly (Br), Jello® (Am); **en** ~ in jelly (Br).

geler [ʒəle] vt to freeze ♦ vi to freeze; (avoir froid) to be freezing;

il gèle it's freezing.

gélule [ʒelyl] nf capsule.

Gémeaux [ʒemo] nmpl Gemini (sg).

gémir [ʒemir] vi to moan.

gênant, -e [ʒenɑ̃, ɑ̃t] adj (encombrant) in the way; (embarrassant) embarrassing.

gencive [ʒɑ̃siv] nf gum.

gendarme [ʒɑ̃darm] nm policeman.

gendarmerie [ʒɑ̃darməri] nf (gendarmes) = police force; (bureau) = police station.

gendre [ʒɑ̃dr] nm son-in-law.

gêne [ʒɛn] nf (physique) discomfort; (embarras) embarrassment.

généalogique [ʒenealɔʒik] adj → arbre.

gêner [ʒene] vt (déranger) to bother; (embarrasser) to embarrass; (encombrer) ~ qqn to be in sb's way; **ça vous gêne si ...?** do you mind if ...? ☐ **se gêner** vpr: **ne te gêne pas** don't mind me.

général, -e, -aux [ʒeneral, o] adj & nm general; **en ~** (dans l'ensemble) in general; (d'habitude) generally.

généralement [ʒeneralmɑ̃] adv generally.

généraliste [ʒeneralist] nm: (médecin) ~ GP.

génération [ʒenerasjɔ̃] nf generation.

généreux, -euse [ʒenerø, øz] adj generous.

générique [ʒenerik] nm credits (pl).

générosité [ʒenerozite] nf generosity.

genêt [ʒənɛ] nm broom (plant).

génétique [ʒenetik] adj genetic.

Genève [ʒənɛv] n Geneva.

génial, -e, -iaux [ʒenjal, jo] adj brilliant.

génie [ʒeni] nm genius.

génoise [ʒenwaz] nf sponge.

genou, -x [ʒənu] nm knee; **être/se mettre à ~x** to be on/to get down on one's knees.

genre [ʒɑ̃r] nm kind, type; (GRAMM) gender; **un ~ de** a kind of.

gens [ʒɑ̃] nmpl people.

gentil, -ille [ʒɑ̃ti, ij] adj nice; (serviable) kind; (sage) good.

gentillesse [ʒɑ̃tijɛs] nf kindness.

gentiment [ʒɑ̃timɑ̃] adv kindly; (sagement) nicely; (Helv: tranquillement) quietly.

géographie [ʒeɔgrafi] nf geography.

géométrie [ʒeɔmetri] nf geometry.

géranium [ʒeranjɔm] nm geranium.

gérant, -e [ʒerɑ̃, ɑ̃t] nm, f manager (f manageress).

gerbe [ʒɛrb] nf (de blé) sheaf; (de fleurs) wreath; (d'étincelles) shower.

gercé, -e [ʒerse] adj chapped.

gérer [ʒere] vt to manage.

germain, -e [ʒermɛ̃, ɛn] adj → cousin.

germe [ʒerm] nm (de plante) sprout; (de maladie) germ.

germer [ʒerme] vi to sprout.

gésier [ʒezje] nm gizzard.

geste [ʒɛst] nm movement; (acte) gesture.

gesticuler [ʒɛstikyle] vi to gesticulate.

gestion [ʒɛstjɔ̃] nf management.

gibelotte [ʒiblɔt] nf rabbit stew with white wine, bacon, shallots and mushrooms.

gibier [ʒibje] nm game.

giboulée [ʒibule] nf sudden shower.

gicler [ʒikle] vi to spurt.

gifle [ʒifl] nf slap.

gifler [ʒifle] vt to slap.

gigantesque [ʒigɑ̃tɛsk] adj gigantic; (extraordinaire) enormous.

gigot [ʒigo] nm: ~ **d'agneau/de mouton** leg of lamb/of mutton.

gigoter [ʒigɔte] vi to wriggle about.

gilet [ʒile] nm (pull) cardigan; (sans manches) waistcoat (Br), vest (Am); ~ **de sauvetage** life jacket.

gin [dʒin] nm gin.

gingembre [ʒɛ̃ʒɑ̃br] nm ginger.

girafe [ʒiraf] nf giraffe.

giratoire [ʒiratwar] adj → **sens**.

girofle [ʒirɔfl] nm → **clou**.

girouette [ʒirwɛt] nf weathercock.

gisement [ʒizmɑ̃] nm deposit.

gitan, -e [ʒitɑ̃, an] nm, f gipsy.

gîte [ʒit] nm (de bœuf) shin (Br), shank (Am); ~ **d'étape** lodge; ~ (**rural**) gîte (self-catering accommodation in the country).

---

i   **GÎTE RURAL**

Often quite large converted farmhouses or outbuildings, "gîtes" can be rented out as self-catering accommodation by holidaymakers. They are classified according to the level of comfort and amenities provided.

givre [ʒivr] nm frost.

givré, -e [ʒivre] adj covered with frost; **orange ~e** orange sorbet served in a scooped-out orange.

glace [glas] nf ice; (crème glacée) ice cream; (miroir) mirror; (vitre) pane; (de voiture) window.

glacé, -e [glase] adj (couvert de glace) frozen; (froid) freezing cold.

glacer [glase] vt to chill.

glacial, -e, -s OU **-iaux** [glasjal, jo] adj icy.

glacier [glasje] nm (de montagne) glacier; (marchand) ice-cream seller.

glacière [glasjɛr] nf cool box.

glaçon [glasɔ̃] nm ice cube.

gland [glɑ̃] nm acorn.

glande [glɑ̃d] nf gland.

glissade [glisad] nf slip.

glissant, -e [glisɑ̃, ɑ̃t] adj slippery

glisser [glise] vt to slip ◆ vi (en patinant) to slide; (déraper) to slip; (être glissant) to be slippery ❑ **se glisser** vp to slip.

global, -e, -aux [glɔbal, o] adj global.

globalement [glɔbalmɑ̃] adv on the whole.

globe [glɔb] nm globe; **le ~ (terrestre)** the Earth.

gloire [glwar] nf fame.

glorieux, -ieuse [glɔrjø, jøz] adj glorious.

glossaire [glɔsɛr] nm glossary.

gloussement [glusmɑ̃] nm (de poule) clucking; (rire) chuckle.

glouton, -onne [glutɔ̃, ɔn] adj greedy.

gluant, -e [glyɑ̃, ɑ̃t] adj sticky.

GO (abr de grandes ondes) LW.

gobelet [gɔblɛ] nm (à boire) tumbler; (à dés) shaker.

gober [gɔbe] vt to swallow.

goéland [gɔelɑ̃] nm seagull.

goinfre [gwɛ̃fr] nmf fat pig.

golf [gɔlf] nm golf; (terrain) golf course; ~ miniature crazy golf.

golfe [gɔlf] nm gulf.

gomme [gɔm] nf (à effacer) rubber (Br), eraser (Am).

gommer [gɔme] vt (effacer) to rub out (Br), to erase (Am).

gond [gɔ̃] nm hinge.

gondoler [gɔ̃dɔle] : se gondoler vp (bois) to warp; (papier) to wrinkle.

gonflé, -e [gɔ̃fle] adj swollen; (fam: audacieux) cheeky.

gonfler [gɔ̃fle] vt to blow up ◆ vi (partie du corps) to swell (up); (pâte) to rise.

gorge [gɔrʒ] nf throat; (gouffre) gorge.

gorgée [gɔrʒe] nf mouthful.

gorille [gɔrij] nm gorilla.

gosse [gɔs] nmf (fam) kid.

gothique [gɔtik] adj Gothic.

gouache [gwaʃ] nf gouache.

goudron [gudrɔ̃] nm tar.

goudronner [gudrɔne] vt to tar.

gouffre [gufr] nm abyss.

goulot [gulo] nm neck; **boire au ~** to drink straight from the bottle.

gourde [gurd] nf flask.

gourmand, -e [gurmɑ̃, ɑ̃d] adj greedy.

gourmandise [gurmɑ̃diz] nf greed; **des ~s** sweets.

gourmet [gurmɛ] nm gourmet.

gourmette [gurmɛt] nf chain bracelet.

gousse [gus] nf: **~ d'ail** clove of garlic; **~ de vanille** vanilla pod.

goût [gu] nm taste; **avoir bon ~** (aliment) to taste good; (personne) to have good taste.

goûter [gute] nm afternoon snack ◆ vt to taste ◆ vi to have an afternoon snack; **~ à qqch** to taste sthg.

goutte [gut] nf drop; **tomber ~ à ~** to drip ❑ **gouttes** nfpl (médicament) drops.

gouttelette [gutlɛt] nf droplet.

gouttière [gutjɛr] nf gutter.

gouvernail [guvɛrnaj] nm rudder.

gouvernement [guvɛrnəmɑ̃] nm government.

gouverner [guvɛrne] vt to govern.

gozette [gɔzɛt] nf (Belg) apricot or apple turnover.

grâce [gras] nf grace ❑ **grâce à** prép thanks to.

gracieux, -ieuse [grasjø, jøz] adj graceful.

grade [grad] nm rank.

gradins [gradɛ̃] nmpl terraces.

gradué, -e [gradɥe] adj (règle) graduated; (Belg: diplômé) holding a technical diploma just below university level; **verre ~** measuring glass.

graduel, -elle [gradɥɛl] adj gradual.

graffiti(s) [grafiti] nmpl graffiti (sg).

grain [grɛ̃] nm grain; (de poussière) speck; (de café) bean; **~ de beauté** beauty spot; **~ de raisin** grape.

graine [grɛn] nf seed.

graisse [grɛs] *nf* fat; *(lubrifiant)* grease.

graisser [grese] *vt* to grease.

graisseux, -euse [gresø, øz] *adj* greasy.

grammaire [gramɛr] *nf* grammar.

grammatical, -e, -aux [gramatikal, o] *adj* grammatical.

gramme [gram] *nm* gram.

grand, -e [grɑ̃, grɑ̃d] *adj (ville, différence)* big; *(personne, immeuble)* tall; *(en durée)* long; *(important, glorieux)* great ◆ *adv*: ~ **ouvert** wide open; **il est ~ temps de partir** it's high time we left; ~ **frère** older brother; ~ **magasin** department store; ~**e surface** hypermarket; **les ~es vacances** the summer holidays *(Br)*, the summer vacation *(sg) (Am)*.

grand-chose [grɑ̃ʃoz] *pron*: **pas ~** not much.

Grande-Bretagne [grɑ̃dbrətaɲ] *nf*: **la ~** Great Britain.

grandeur [grɑ̃dœr] *nf* size; *(importance)* greatness; ~ **nature** life-size.

grandir [grɑ̃dir] *vi* to grow.

grand-mère [grɑ̃mɛr] *(pl* **grands-mères)** *nf* grandmother.

grand-père [grɑ̃pɛr] *(pl* **grands-pères)** *nm* grandfather.

grand-rue, -s [grɑ̃ry] *nf* high street *(Br)*, main street *(Am)*.

grands-parents [grɑ̃parɑ̃] *nmpl* grandparents.

grange [grɑ̃ʒ] *nf* barn.

granit(e) [granit] *nm* granite.

granulé [granyle] *nm (médicament)* tablet.

graphique [grafik] *nm* diagram.

grappe [grap] *nf (de raisin)* bunch; *(de lilas)* flower.

gras, grasse [grɑ, grɑs] *adj* greasy; *(aliment)* fatty; *(gros)* fat ◆ *nm* fat; *(caractères d'imprimerie)* bold (type); **faire la grasse matinée** to have a lie-in.

gras-double, -s [grɑdubl] *nm* (ox) tripe.

gratin [gratɛ̃] *nm* gratin *(dish with a topping of toasted breadcrumbs or cheese)*; ~ **dauphinois** sliced potatoes baked with cream and browned on top.

gratinée [gratine] *nf* French onion soup.

gratiner [gratine] *vi*: **faire ~ qqch** to brown sthg.

gratis [gratis] *adv* free (of charge).

gratitude [gratityd] *nf* gratitude.

gratte-ciel [gratsjɛl] *nm inv* skyscraper.

gratter [grate] *vt (peau)* to scratch; *(peinture, tache)* to scrape off* ❑ **se gratter** *vp* to scratch o.s.

gratuit, -e [gratɥi, ɥit] *adj* free.

gravats [grava] *nmpl* rubble *(sg)*.

grave [grav] *adj (maladie, accident, visage)* serious; *(voix, note)* deep.

gravement [gravmɑ̃] *adv* seriously.

graver [grave] *vt* to carve.

gravier [gravje] *nm* gravel.

gravillon [gravijɔ̃] *nm* fine gravel.

gravir [gravir] *vt* to climb.

gravité [gravite] *nf (attraction terrestre)* gravity; *(d'une maladie, d'une remarque)* seriousness.

gravure [gravyr] *nf* engraving.

gré [gre] *nm*: **de mon plein ~** of

my own free will; **de ~ ou de force** whether you/they *etc* like it or not; **bon ~ mal** willy-nilly.

grec, grecque [grɛk] *adj* Greek ♦ *nm* (*langue*) Greek ⬜ **Grec, Grecque** *nm, f* Greek.

Grèce [grɛs] *nf*: **la ~** Greece.

greffe [grɛf] *nf* (*d'organe*) transplant; (*de peau*) graft.

greffer [grɛfe] *vt* (*organe*) to transplant; (*peau*) to graft.

grêle [grɛl] *nf* hail.

grêler [grele] *v impers*: **il grêle** it's hailing.

grêlon [grɛlɔ̃] *nm* hailstone.

grelot [grəlo] *nm* bell.

grelotter [grəlɔte] *vi* to shiver.

grenade [grənad] *nf* (*fruit*) pomegranate; (*arme*) grenade.

grenadine [grənadin] *nf* grenadine.

grenat [grəna] *adj inv* dark red.

grenier [grənje] *nm* attic.

grenouille [grənuj] *nf* frog.

grésiller [grezije] *vi* (*huile*) to sizzle; (*radio*) to crackle.

grève [grɛv] *nf* (*arrêt de travail*) strike; **être/se mettre en ~** to be/to go on strike; **~ de la faim** hunger strike.

gréviste [grevist] *nmf* striker.

gribouillage [gribujaʒ] *nm* doodle.

gribouiller [gribuje] *vt* to scribble.

grièvement [grijɛvmɑ̃] *adv* seriously.

griffe [grif] *nf* claw; (*Belg: éraflure*) scratch.

griffer [grife] *vt* to scratch.

griffonner [grifɔne] *vt* to scribble.

grignoter [griɲɔte] *vt* to nibble (at OU on).

gril [gril] *nm* grill.

grillade [grijad] *nf* grilled meat.

grillage [grijaʒ] *nm* (*clôture*) wire fence.

grille [grij] *nf* (*de four*) shelf; (*de radiateur*) grill; (*d'un jardin*) gate; (*de mots croisés, de loto*) grid; (*tableau*) table.

grillé, -e [grije] *adj* (*ampoule*) blown.

grille-pain [grijpɛ̃] *nm inv* toaster.

griller [grije] *vt* (*aliment*) to grill (*Br*), to broil (*Am*); (*fam*): **~ un feu rouge** to go through a red light.

grillon [grijɔ̃] *nm* cricket.

grimace [grimas] *nf* grimace; **faire des ~s** to pull faces.

grimpant, -e [grɛ̃pɑ̃, ɑ̃t] *adj* climbing.

grimper [grɛ̃pe] *vt* to climb ♦ *vi* (*chemin, alpiniste*) to climb; (*prix*) to soar; **~ aux arbres** to climb trees.

grincement [grɛ̃smɑ̃] *nm* creaking.

grincer [grɛ̃se] *vi* to creak.

grincheux, -euse [grɛ̃ʃø, øz] *adj* grumpy.

griotte [grijɔt] *nf* morello (cherry).

grippe [grip] *nf* flu; **avoir la ~** to have (the) flu.

grippé, -e [gripe] *adj* (*malade*): **être ~** to have (the) flu.

gris, -e [gri, griz] *adj & nm* grey.

grivois, -e [grivwa, waz] *adj* saucy.

grognement [grɔɲmɑ̃] *nm* growl.

grogner [grɔɲe] *vi* to growl;

(protester) to grumble.

grognon, -onne [grɔɲɔ̃, ɔn] *adj* grumpy.

grondement [grɔ̃dmã] *nm (de tonnerre)* rumble.

gronder [grɔ̃de] *vt* to scold ♦ *vi (tonnerre)* to rumble; **se faire ~** to get a telling-off.

groom [grum] *nm* bellboy.

gros, grosse [gro, gros] *adj* big ♦ *adv (écrire)* in big letters; *(gagner)* a lot ♦ *nm:* **en ~** *(environ)* roughly; *(COMM)* wholesale; **~ lot** big prize; **~ mot** swearword; **~ titres** headlines.

groseille [grozɛj] *nf* redcurrant; **~ à maquereau** gooseberry.

grosse → **gros**.

grossesse [grosɛs] *nf* pregnancy.

grosseur [grosœr] *nf* size; *(MÉD)* lump.

grossier, -ière [grosje, jɛr] *adj* rude; *(approximatif)* rough; *(erreur)* crass.

grossièreté [grosjɛrte] *nf* rudeness; *(parole)* rude remark.

grossir [grosir] *vt (suj: jumelles)* to magnify; *(exagérer)* to exaggerate ♦ *vi (prendre du poids)* to put on weight.

grosso modo [grosomodo] *adv* roughly.

grotesque [grɔtɛsk] *adj* ridiculous.

grotte [grɔt] *nf* cave.

grouiller [gruje] : **grouiller de** *v + prép* to be swarming with.

groupe [grup] *nm* group; **en ~** in a group; **~ sanguin** blood group.

grouper [grupe] *vt* to group together ❑ **se grouper** *vp* to gather.

gruau [gryo] *nm (Can)* porridge.

grue [gry] *nf* crane.

grumeau, -x [grymo] *nm* lump.

gruyère [gryjɛr] *nm* Gruyère (cheese) *(hard strong cheese made from cow's milk)*.

Guadeloupe [gwadlup] *nf:* **la ~** Guadeloupe.

guadeloupéen, -enne [gwadlupeɛ̃, ɛn] *adj* of Guadeloupe.

guédille [gedij] *nf (Can)* bread roll filled with egg or chicken.

guêpe [gɛp] *nf* wasp.

guère [gɛr] *adv:* **elle ne mange ~** she hardly eats anything.

guérir [gerir] *vt* to cure ♦ *vi (personne)* to recover; *(blessure)* to heal.

guérison [gerizɔ̃] *nf* recovery.

guerre [gɛr] *nf* war; **être en ~** to be at war; **~ mondiale** world war.

guerrier [gɛrje] *nm* warrior.

guet [gɛ] *nm:* **faire le ~** to be on the lookout.

guetter [gete] *vt (attendre)* to be on the lookout for; *(menacer)* to threaten.

gueule [gœl] *nf (d'animal)* mouth; *(vulg: visage)* mug; **avoir la ~ de bois** *(fam)* to have a hangover.

gueuler [gœle] *vi (vulg: crier)* to yell (one's head off).

gueuze [gøz] *nf (Belg)* strong beer which has been fermented twice.

gui [gi] *nm* mistletoe.

guichet [giʃɛ] *nm (de gare, de poste)* window; **~ automatique (de banque)** cash dispenser.

guichetier, -ière [giʃtje, jɛr] *nm, f* counter clerk.

guide [gid] *nmf* guide ♦ *nm (routier, gastronomique)* guide book; **~**

touristique tourist guide.

guider [gide] *vt* to guide.

guidon [gidɔ̃] *nm* handlebars *(pl)*.

guignol [giɲɔl] *nm (spectacle)* = Punch and Judy show.

guillemets [gijme] *nmpl* inverted commas; **entre ~** *(mot)* in inverted commas; *(fig: soi-disant)* so-called.

guimauve [gimov] *nf* marshmallow.

guirlande [girlɑ̃d] *nf* garland.

guise [giz] *nf:* **en ~ de** by way of.

guitare [gitar] *nf* guitar; **~ électrique** electric guitar.

guitariste [gitarist] *nmf* guitarist.

Guyane [gɥijan] *nf:* **la ~ (française)** French Guiana.

gymnase [ʒimnaz] *nm* gymnasium.

gymnastique [ʒimnastik] *nf* gymnastics *(sg)*.

gynécologue [ʒinekɔlɔg] *nmf* gynaecologist.

industry *(Am)*.

habiller [abije] *vt* to dress; *(meuble)* to cover ◻ **s'habiller** *vp* to get dressed; *(élégamment)* to dress up; **s'~ bien/mal** to dress well/badly.

habitant, -e [abitɑ̃, ɑ̃t] *nm, f* inhabitant; *(Can: paysan)* farmer; **loger chez l'~** to stay with a family.

habitation [abitasjɔ̃] *nf* residence.

habiter [abite] *vt* to live in ◆ *vi* to live.

habits [abi] *nmpl* clothes.

habitude [abityd] *nf* habit, **avoir l'~ de faire qqch** to be in the habit of doing sthg; **d'~** usually; **comme d'~** as usual.

habituel, -elle [abitɥɛl] *adj* usual.

habituellement [abitɥɛlmɑ̃] *adv* usually.

habituer [abitɥe] *vt:* **~ qqn à faire qqch** to get sb used to doing sthg; **être habitué à faire qqch** to be used to doing sthg ◻ **s'habituer à** *vp + prép:* **s'~ à faire qqch** to get used to doing sthg.

hache [ˈaʃ] *nf* axe.

hacher [ˈaʃe] *vt (viande)* to mince *(Br)*, to grind *(Am)*; *(oignon)* to chop finely.

hachis [ˈaʃi] *nm* mince *(Br)*, ground meat *(Am)*; **~ Parmentier** = shepherd's pie.

hachoir [ˈaʃwar] *nm (lame)* chopping knife.

hachures [ˈaʃyr] *nfpl* hatching *(sg)*.

haddock [ˈadɔk] *nm* smoked haddock.

haie [ˈɛ] *nf* hedge; *(SPORT)* hurdle.

H

habile [abil] *adj (manuellement)* skilful; *(intellectuellement)* clever.

habileté [abilte] *nf (manuelle)* skill; *(intellectuelle)* cleverness.

habillé, -e [abije] *adj* dressed; *(tenue)* smart.

habillement [abijmɑ̃] *nm (couture)* clothing trade *(Br)*, garment

haine ['ɛn] *nf* hatred.

haïr ['aiʁ] *vt* to hate.

Haïti [aiti] *n* Haiti.

hâle ['al] *nm* (sun)tan.

haleine [alɛn] *nf* breath.

haleter ['alte] *vi* to pant.

hall ['ol] *nm* (d'un hôtel) lobby; (d'une gare) concourse.

halle ['al] *nf* (covered) market.

hallucination [alysinasjɔ̃] *nf* hallucination.

halogène [alɔʒɛn] *nm*: (lampe) ~ halogen lamp.

halte ['alt] *nf* (arrêt) stop; (lieu) stopping place; **faire** ~ to stop.

haltère [altɛʁ] *nf* dumbbell.

hamac ['amak] *nm* hammock.

hamburger ['ɑ̃buʁɡœʁ] *nm* burger.

hameçon [amsɔ̃] *nm* fish-hook.

hamster ['amstɛʁ] *nm* hamster.

hanche ['ɑ̃ʃ] *nf* hip.

handball ['ɑ̃dbal] *nm* handball.

handicap ['ɑ̃dikap] *nm* handicap.

handicapé, -e ['ɑ̃dikape] *adj* handicapped ♦ *nm, f* handicapped person.

hangar ['ɑ̃ɡaʁ] *nm* shed.

hanté, -e ['ɑ̃te] *adj* haunted.

happer ['ape] *vt* (saisir) to grab; (suj: animal) to snap up; (suj: voiture) to knock down.

harceler ['aʁsəle] *vt* to pester.

hardi, -e ['aʁdi] *adj* bold.

hareng ['aʁɑ̃] *nm* herring; ~ **saur** kipper.

hargneux, -euse ['aʁɲø, øz] *adj* aggressive; (chien) vicious.

haricot ['aʁiko] *nm* bean; ~ **blanc** white (haricot) bean; ~ **vert**

green bean.

harmonica [aʁmɔnika] *nm* harmonica.

harmonie [aʁmɔni] *nf* harmony.

harmonieux, -ieuse [aʁmɔnjø, jøz] *adj* harmonious.

harmoniser [aʁmɔnize] *vt* to harmonize.

harnais ['aʁnɛ] *nm* harness.

harpe ['aʁp] *nf* harp.

hasard ['azaʁ] *nm*: **le** ~ **chance**, fate; **un** ~ a coincidence; **au** ~ at random; **à tout** ~ just in case; **par** ~ by chance.

hasarder ['azaʁde] *vt* to venture ☐ **se hasarder** *vp* to venture; **se à faire qqch** to risk doing sth.

hasardeux, -euse ['azaʁdø, øz] *adj* dangerous.

hâte ['at] *nf* haste; **à la** ~, **en** ~ hurriedly; **sans** ~ at a leisurely pace; **avoir** ~ **de faire qqch** to be looking forward to doing sth.

hâter ['ate] : **se hâter** *vp* to hurry.

hausse ['os] *nf* rise; **être en** ~ to be on the increase.

hausser ['ose] *vt* (prix, ton) to raise; ~ **les épaules** to shrug (one's shoulders).

haut, -e ['o, 'ot] *adj & adv* high ♦ *nm* top; **tout** ~ aloud; ~ **la main** hands down; **de** ~ **en bas** from top to bottom; **en** ~ at the top (of); **en** ~ **de** at the top of; (à l'étage) upstairs; **en** ~ **de** at the top of; **la pièce fait 3 m de** ~ the room is 3 m high; **avoir des** ~**s et des bas** to have one's ups and downs.

hautain, -e ['otɛ̃, ɛn] *adj* haughty.

haute-fidélité ['otfidelite] *nf* hi-fi.

hauteur ['otœr] *nf* height; *(colline)* hill; **être à la ~** to be up to it.

haut-le-cœur ['olkœr] *nm inv*: **avoir un ~** to retch.

haut-parleur, -s ['oparlœr] *nm* loudspeaker.

hebdomadaire [ɛbdɔmadɛr] *adj & nm* weekly.

hébergement [ebɛrʒəmɑ̃] *nm* lodging.

héberger [ebɛrʒe] *vt* to put up.

hectare [ɛktar] *nm* hectare.

hein ['ɛ̃] *excl (fam)*: **tu ne lui diras pas, ~?** you won't tell him/her, will you?; **~!** what?

hélas [elɑs] *excl* unfortunately.

hélice [elis] *nf* propeller.

hélicoptère [elikɔptɛr] *nm* helicopter.

hématome [ematom] *nm* bruise.

hémorragie [emɔraʒi] *nf* hemorrhage.

hennissement ['enismɑ̃] *nm* neigh.

hépatite [epatit] *nf* hepatitis.

herbe [ɛrb] *nf* grass; **fines ~s** herbs; **mauvaises ~s** weeds.

héréditaire [erediter] *adj* hereditary.

hérisser ['erise] : **se hérisser** *vp* to stand on end.

hérisson ['erisɔ̃] *nm* hedgehog.

héritage [eritaʒ] *nm* inheritance.

hériter [erite] *vt* to inherit ❏ **hériter de** *v + prép* to inherit.

héritier, -ière [eritje, jɛr] *nm, f* heir *(f* heiress).

hermétique [ɛrmetik] *adj* airtight; *(fig: incompréhensible)* abstruse.

hernie ['ɛrni] *nf* hernia.

héroïne [erɔin] *nf (drogue)* heroin, → **héros**.

héroïsme [erɔism] *nm* heroism.

héros, héroïne ['ero, erɔin] *nm, f* hero *(f* heroine).

herve [ɛrv] *nm* soft cheese from the Liège region of Belgium, made from cow's milk.

hésitation [ezitasjɔ̃] *nf* hesitation.

hésiter [ezite] *vi* to hesitate; **~ à faire qqch** to hesitate to do sthg.

hêtre ['ɛtr] *nm* beech.

heure [œr] *nf* hour; *(moment)* time; **quelle ~ est-il?** **il est quatre ~s** what time is it? - it's four o'clock; **il est trois ~s vingt** it's twenty past three *(Br)*, it's twenty after three *(Am)*; **à quelle ~ part le train?** - **à deux ~s** what time does the train leave? - at two o'clock; **c'est l'~ de ...** it's time to ...; **à l'~** on time; **de bonne ~** early; **~s de bureau** office hours; **~s d'ouverture** opening hours; **~s de pointe** rush hour *(sg)*.

heureusement [ørøzmɑ̃] *adv* luckily, fortunately.

heureux, -euse [ørø, øz] *adj* happy; *(favorable)* fortunate.

heurter ['œrte] *vt* to bump into; *(en voiture)* to hit; *(vexer)* to offend ❏ **se heurter à** *vp + prép (obstacle, refus)* to come up against.

hexagone [ɛgzagɔn] *nm* hexagon; **l'Hexagone** (mainland) France.

hibou, -x ['ibu] *nm* owl.

hier [ijɛr] *adv* yesterday; **~ après-midi** yesterday afternoon.

hiérarchie ['jerarʃi] *nf* hierarchy.

hiéroglyphes [jerɔglif] *nmpl* hieroglyphics.

hi-fi ['ifi] *nf inv* hi-fi.

hilarant, -e [ilarɑ̃, ɑ̃t] *adj* hilarious.

hindou, -e [ɛ̃du] *adj & nm, f* Hindu.

hippodrome [ipɔdrom] *nm* racecourse.

hippopotame [ipɔpɔtam] *nm* hippopotamus.

hirondelle [irɔ̃dɛl] *nf* swallow.

hisser ['ise] *vt* to lift; *(drapeau, voile)* to hoist.

histoire [istwar] *nf* story; *(passé)* history; **faire des ~s** to make a fuss; **~ drôle** joke.

historique [istɔrik] *adj* historical; *(important)* historic.

hit-parade, -s ['itparad] *nm* charts *(pl)*.

hiver [iver] *nm* winter; **en ~** in winter.

HLM *nm inv ou nf inv* = council house/flat *(Br)*, = public housing unit *(Am)*.

hobby ['ɔbi] *(pl* **-s** OU **hobbies)** *nm* hobby.

hochepot ['ɔʃpo] *nm* Flemish stew of beef, mutton and vegetables.

hocher ['ɔʃe] *vt:* **~ la tête** *(pour accepter)* to nod; *(pour refuser)* to shake one's head.

hochet ['ɔʃɛ] *nm* rattle.

hockey ['ɔke] *nm* hockey; **~ sur glace** ice hockey.

hold-up ['ɔldœp] *nm inv* hold-up.

hollandais, -e ['ɔlɑ̃dɛ, ɛz] *adj* Dutch ♦ *nm (langue)* Dutch ❑ **Hollandais, -e** *nm, f* Dutchman *(f* Dutchwoman).

hollande ['ɔlɑ̃d] *nm (fromage)* Dutch cheese.

Hollande ['ɔlɑ̃d] *nf:* **la ~** Holland.

homard ['ɔmar] *nm* lobster; **~ à l'américaine** *lobster cooked in a sauce of white wine, brandy, herbs and tomatoes;* **~ Thermidor** *lobster Thermidor (grilled and served in its shell with a mustard sauce and grated cheese).*

homéopathie [ɔmeɔpati] *nf* homeopathy.

hommage [ɔmaʒ] *nm:* **en ~ à** in tribute to; **rendre ~ à** to pay tribute to.

homme [ɔm] *nm* man; *(mâle)* man; **~ d'affaires** businessman; **~ politique** politician.

homogène [ɔmɔʒɛn] *adj (classe)* of the same level.

homosexuel, -elle [ɔmɔsɛksɥɛl] *adj & nm, f* homosexual.

Hongrie ['ɔ̃gri] *nf:* **la ~** Hungary.

honnête [ɔnɛt] *adj* honest; *(salaire, résultats)* decent.

honnêteté [ɔnɛtte] *nf* honesty.

honneur [ɔnœr] *nm* honour; **en l'~ de** in honour of; **faire ~ à** *(famille)* to do credit to; *(repas)* to do justice to.

honorable [ɔnɔrabl] *adj* honourable; *(résultat)* respectable.

honoraires [ɔnɔrɛr] *nmpl* fee(s).

honte ['ɔ̃t] *nf* shame; **avoir ~ (de)** to be ashamed (of); **faire ~ à qqn** *(embarrasser)* to put sb to shame; *(gronder)* to make sb feel ashamed.

honteux, -euse ['ɔ̃tø, øz] *adj* ashamed; *(scandaleux)* shameful.

hôpital, -aux [ɔpital, o] *nm* hospital.

hoquet [ɔkɛ] nm: avoir le ~ to have hiccups.

horaire [ɔrɛr] nm timetable; «~s d'ouverture» "opening hours".

horizon [ɔrizɔ̃] nm horizon; à l'~ on the horizon.

horizontal, -e, -aux [ɔrizɔ̃tal, o] adj horizontal.

horloge [ɔrlɔʒ] nf clock; l'~ parlante the speaking clock.

horloger, -ère [ɔrlɔʒe, ɛr] nm, f watchmaker.

horlogerie [ɔrlɔʒri] nf watchmaker's (shop).

horoscope [ɔrɔskɔp] nm horoscope.

horreur [ɔrœr] nf horror; quelle ~! how awful!; avoir ~ de qqch to hate sthg.

horrible [ɔribl] adj (effrayant) horrible; (laid) hideous.

horriblement [ɔribləmã] adv terribly.

horrifié, -e [ɔrifje] adj horrified.

hors [ɔr] prép: ~ de outside, out of; ~ jeu offside; ~ saison out of season; «~ service» "out of order"; ~ sujet irrelevant; ~ taxes (prix) excluding tax; (boutique) duty-free; ~ d'atteinte, ~ de portée out of reach; ~ d'haleine out of breath; ~ de prix ridiculously expensive; ~ de question out of the question; être ~ de soi to be beside o.s.; ~ d'usage out of service.

hors-bord [ɔrbɔr] nm inv speedboat.

hors-d'œuvre [ɔrdœvr] nm inv starter.

hortensia [ɔrtãsja] nm hydrangea.

horticulture [ɔrtikyltyr] nf horticulture.

hospice [ɔspis] nm (de vieillards) home.

hospitaliser [ɔspitalize] vt to hospitalize.

hospitalité [ɔspitalite] nf hospitality.

hostie [ɔsti] nf host.

hostile [ɔstil] adj hostile.

hostilité [ɔstilite] nf hostility.

hot dog, -s [ˈɔtdɔg] nm hot dog.

hôte, hôtesse [ot, otɛs] nm, f (qui reçoit) host (f hostess) ◆ nm (invité) guest.

hôtel [otɛl] nm hotel; (château) mansion; ~ de ville town hall.

hôtellerie [otɛlri] nf (hôtel) hotel; (activité) hotel trade.

hôtesse [otɛs] nf (d'accueil) receptionist; ~ de l'air air hostess, → hôte.

hotte [ˈɔt] nf (panier) basket; ~ (aspirante) extractor hood.

houle [ˈul] nf swell.

hourra [ˈura] excl hurrah.

housse [ˈus] nf cover; ~ de couette duvet cover.

houx [ˈu] nm holly.

hovercraft [ɔvœrkraft] nm hovercraft.

HT abr = hors taxes.

hublot [yblo] nm porthole.

huer [ˈɥe] vt to boo.

huile [ɥil] nf oil; ~ d'arachide groundnut oil; ~ d'olive olive oil; ~ solaire suntan oil.

huiler [ɥile] vt (mécanisme) to oil; (moule) to grease.

huileux, -euse [ɥilø, øz] adj oily.

huissier [ɥisje] nm (JUR) bailiff.

huit ['ɥit] *num* eight, → **six**.

huitaine ['ɥiten] *nf*: **une ~ (de jours)** about a week.

huitième ['ɥitjɛm] *num* eighth, → **sixième**.

huître [ɥitr] *nf* oyster.

humain, -e [ymɛ̃, ɛn] *adj* human; *(compréhensif)* humane ◆ *nm* human (being).

humanitaire [ymaniter] *adj* humanitarian.

humanité [ymanite] *nf* humanity.

humble [œ̃bl] *adj* humble.

humecter [ymɛkte] *vt* to moisten.

humeur [ymœr] *nf (momentanée)* mood; *(caractère)* temper; **être de bonne/mauvaise ~** to be in a good/bad mood.

humide [ymid] *adj* damp; *(pluvieux)* humid.

humidité [ymidite] *nf (du climat)* humidity; *(d'une pièce)* dampness.

humiliant, -e [ymiljɑ̃, ɑ̃t] *adj* humiliating.

humilier [ymilje] *vt* to humiliate.

humoristique [ymɔristik] *adj* humorous.

humour [ymur] *nm* humour; **avoir de l'~** to have a sense of humour.

hurlement ['yrləmɑ̃] *nm* howl.

hurler ['yrle] *vi* to howl.

hutte ['yt] *nf* hut.

hydratant, -e [idratɑ̃, ɑ̃t] *adj* moisturizing.

hydrophile [idrɔfil] *adj* → **coton**.

hygiène [iʒjɛn] *nf* hygiene.

hygiénique [iʒjenik] *adj* hygienic.

hymne [imn] *nm (religieux)* hymn; **~ national** national anthem.

hyper- [iper] *préf (fam: très)*: **~chouette** dead brilliant.

hypermarché [ipermarʃe] *nm* hypermarket.

hypertension [ipertɑ̃sjɔ̃] *nf* high blood pressure.

hypnotiser [ipnɔtize] *vt* to hypnotize; *(fasciner)* to fascinate.

hypocrisie [ipɔkrizi] *nf* hypocrisy.

hypocrite [ipɔkrit] *adj* hypocritical ◆ *nmf* hypocrite.

hypothèse [ipɔtez] *nf* hypothesis.

hystérique [isterik] *adj* hysterical.

iceberg [ajsbɛrg] *nm* iceberg.

ici [isi] *adv* here; **d'~ là** by then; **d'~ peu** before long; **par ~** *(de ce côté)* this way; *(dans les environs)* around here.

icône [ikon] *nf* icon.

idéal, -e, -aux [ideal, o] *adj & nm* ideal; **l'~, ce serait ...** the ideal thing would be ...

idéaliste [idealist] *adj* idealistic ◆ *nmf* idealist.

idée [ide] *nf* idea; **as-tu une ~ du temps qu'il faut?** do you have any idea how long it takes?

identifier [idɑ̃tifje] *vt* to identify ❏ **s'identifier à** *vp* + *prép* to identify with.

identique [idɑ̃tik] *adj*: ~ **(à)** identical (to).

identité [idɑ̃tite] *nf* identity.

idiot, -e [idjo, jɔt] *adj* stupid ◆ *nm, f* idiot.

idiotie [idjɔsi] *nf (acte, parole)* stupid thing.

idole [idɔl] *nf* idol.

igloo [iglu] *nm* igloo.

ignoble [iɲɔbl] *adj (choquant)* disgraceful; *(laid, mauvais)* vile.

ignorant, -e [iɲɔrɑ̃, ɑ̃t] *adj* ignorant ◆ *nm, f* ignoramus.

ignorer [iɲɔre] *vt (personne, avertissement)* to ignore; **j'ignore son adresse/où il est** I don't know his address/where he is.

il [il] *pron (personne, animal)* he; *(chose)* it; *(sujet de v impers)* ~ **pleut** it's raining ❏ **ils** *pron* they.

île [il] *nf* island; ~ **flottante** *cold dessert of beaten egg whites served on custard;* **l'~ Maurice** Mauritius; **les ~s Anglo-Normandes** the Channel Islands.

Île-de-France [ildəfrɑ̃s] *nf administrative region centred on Paris.*

illégal, -e, -aux [ilegal, o] *adj* illegal.

illettré, -e [iletre] *adj & nm, f* illiterate.

illimité, -e [ilimite] *adj* unlimited.

illisible [ilizibl] *adj* illegible.

illuminer [ilymine] *vt* to light up ❏ **s'illuminer** *vp (monument, ville)* to be lit up; *(visage)* to light up.

illusion [ilyzjɔ̃] *nf* illusion; **se**

faire des ~s to delude o.s.

illusionniste [ilyzjɔnist] *nmf* conjurer.

illustration [ilystrasjɔ̃] *nf* illustration.

illustré, -e [ilystre] *adj* illustrated ◆ *nm* illustrated magazine.

illustrer [ilystre] *vt* to illustrate.

îlot [ilo] *nm* small island.

ils → **il**.

image [imaʒ] *nf* picture; *(comparaison)* image.

imaginaire [imaʒinɛr] *adj* imaginary.

imagination [imaʒinasjɔ̃] *nf* imagination; **avoir de l'~** to be imaginative.

imaginer [imaʒine] *vt (penser)* to imagine; *(inventer)* to think up ❏ **s'imaginer** *vp (soi-même)* to picture o.s.; *(scène, personne)* to picture; **s'~ que** to imagine that.

imbattable [ɛ̃batabl] *adj* unbeatable.

imbécile [ɛ̃besil] *nmf* idiot.

imbiber [ɛ̃bibe] *vt*: ~ **qqch de** to soak sthg in.

imbuvable [ɛ̃byvabl] *adj* undrinkable.

imitateur, -trice [imitatœr, tris] *nm, f* impersonator.

imitation [imitasjɔ̃] *nf* imitation; *(d'une personnalité)* impersonation; ~ **cuir** imitation leather.

imiter [imite] *vt* to imitate; *(personnalité)* to impersonate.

immangeable [ɛ̃mɑ̃ʒabl] *adj* inedible.

immatriculation [imatrikylasjɔ̃] *nf (inscription)* registration; *(numéro)* registration (number).

immédiat, -e [imedja, jat]

immediate.

immédiatement [imedjatmɑ̃]
adv immediately.

immense [imɑ̃s] adj huge.

immergé, -e [imɛrʒe] adj submerged.

immeuble [imœbl] nm block of
flats.

immigration [imigrasjɔ̃] nf
immigration.

immigré, -e [imigre] adj & nm, f
immigrant.

immobile [imɔbil] adj still.

immobilier, -ière [imɔbilje,
jɛr] adj property (Br); real estate
(Am) ♦ nm: **l'~** the property business (Br), the real-estate business
(Am).

immobiliser [imɔbilize] vt to
immobilize.

immonde [imɔ̃d] adj vile.

immoral, -e, -aux [imɔral, o]
adj immoral.

immortel, -elle [imɔrtɛl] adj
immortal.

immuniser [imynize] vt to
immunize.

impact [ɛ̃pakt] nm impact.

impair, -e [ɛ̃pɛr] adj uneven.

impardonnable [ɛ̃pardɔnabl]
adj unforgivable.

imparfait, -e [ɛ̃parfɛ, ɛt] adj
imperfect ♦ nm (GRAMM) imperfect
(tense).

impartial, -e, -iaux [ɛ̃parsjal, jo] adj impartial.

impasse [ɛ̃pas] nf dead end;
faire une ~ sur qqch (SCOL) to skip
(over) sthg in one's revision.

impassible [ɛ̃pasibl] adj impassive.

impatience [ɛ̃pasjɑ̃s] nf im-

patience.

impatient, -e [ɛ̃pasjɑ̃, jɑ̃t] adj
impatient; **être ~ de faire qqch** to
be impatient to do sthg.

impatienter [ɛ̃pasjɑ̃te] : **s'impatienter** vp to get impatient.

impeccable [ɛ̃pekabl] adj
impeccable.

imper [ɛ̃pɛr] nm raincoat.

impératif, -ive [ɛ̃peratif, iv]
adj imperative ♦ nm (GRAMM)
imperative (mood).

impératrice [ɛ̃peratris] nf
empress.

imperceptible [ɛ̃pɛrsɛptibl]
adj imperceptible.

imperfection [ɛ̃pɛrfɛksjɔ̃] nf
imperfection.

impérial, -e, -iaux [ɛ̃perjal,
jo] adj imperial.

impériale [ɛ̃perjal] nf → **autobus**.

imperméable [ɛ̃pɛrmeabl] adj
waterproof ♦ nm raincoat.

impersonnel, -elle [ɛ̃pɛrsɔnɛl] adj impersonal.

impertinent, -e [ɛ̃pɛrtinɑ̃, ɑ̃t]
adj impertinent.

impitoyable [ɛ̃pitwajabl] adj
pitiless.

implanter [ɛ̃plɑ̃te] vt (mode) to
introduce; (entreprise) to set up ❑
s'implanter vp (entreprise) to be
set up; (peuple) to settle.

impliquer [ɛ̃plike] vt (entraîner)
to imply; **~ qqn dans** to implicate
sb in ❑ **s'impliquer dans** vp +
prép to get involved in.

impoli, -e [ɛ̃pɔli] adj rude.

import [ɛ̃pɔr] nm (Belg: montant)
amount.

importance [ɛ̃pɔrtɑ̃s] nf impor-

important

tance; *(taille)* size.

important, -e [ɛ̃pɔʁtɑ̃, ɑ̃t] *adj* important; *(gros)* large.

importation [ɛ̃pɔʁtasjɔ̃] *nf* import.

importer [ɛ̃pɔʁte] *vt* to import ◆ *vi (être important)* to matter, to be important; **peu importe** it doesn't matter; **n'importe comment** *(mal)* any (old) how; **n'importe quel** any; **n'importe qui** anyone.

importuner [ɛ̃pɔʁtyne] *vt* to bother.

imposable [ɛ̃pozabl] *adj* taxable.

imposant, -e [ɛ̃pozɑ̃, ɑ̃t] *adj* imposing.

imposer [ɛ̃poze] *vt (taxer)* to tax; **~ qqch à qqn** to impose sthg on sb ❏ **s'imposer** *vp (être nécessaire)* to be essential.

impossible [ɛ̃pɔsibl] *adj* impossible; **il est ~ de/que** it's impossible to/that.

impôt [ɛ̃po] *nm* tax.

impraticable [ɛ̃pʁatikabl] *adj (chemin)* impassable.

imprégner [ɛ̃pʁeɲe] *vt* to soak; **~ qqch de** to soak sthg in ❏ **s'imprégner de** *vp* to soak up.

impression [ɛ̃pʁesjɔ̃] *nf (sentiment)* impression; *(d'un livre)* printing; **avoir l'~ que** to have the feeling that; **avoir l'~ de faire qqch** to feel as if one is doing sthg.

impressionnant, -e [ɛ̃pʁesjɔnɑ̃, ɑ̃t] *adj* impressive.

impressionner [ɛ̃pʁesjɔne] *vt* to impress.

imprévisible [ɛ̃pʁevizibl] *adj* unpredictable.

imprévu, -e [ɛ̃pʁevy] *adj* unexpected ◆ *nm*: **aimer l'~** to like surprises.

imprimante [ɛ̃pʁimɑ̃t] *nf* printer.

imprimé, -e [ɛ̃pʁime] *adj (tissu)* printed ◆ *nm (publicitaire)* booklet.

imprimer [ɛ̃pʁime] *vt* to print.

imprimerie [ɛ̃pʁimʁi] *nf (métier)* printing; *(lieu)* printing works.

imprononçable [ɛ̃pʁonɔ̃sabl] *adj* unpronounceable.

improviser [ɛ̃pʁɔvize] *vt & vi* to improvise.

improviste [ɛ̃pʁɔvist] : **à l'improviste** *adv* unexpectedly.

imprudence [ɛ̃pʁydɑ̃s] *nf* recklessness.

imprudent, -e [ɛ̃pʁydɑ̃, ɑ̃t] *adj* reckless.

impuissant, -e [ɛ̃pɥisɑ̃, ɑ̃t] *adj (sans recours)* powerless.

impulsif, -ive [ɛ̃pylsif, iv] *adj* impulsive.

impureté [ɛ̃pyʁte] *nf (saleté)* impurity.

inabordable [inabɔʁdabl] *adj (prix)* prohibitive.

inacceptable [inakseptabl] *adj* unacceptable.

inaccessible [inaksesibl] *adj* inaccessible.

inachevé, -e [inaʃve] *adj* unfinished.

inactif, -ive [inaktif, iv] *adj* idle.

inadapté, -e [inadapte] *adj* unsuitable.

inadmissible [inadmisibl] *adj* unacceptable.

inanimé, -e [inanime] *adj (sans connaissance)* unconscious; *(mort)* lifeless.

inaperçu, -e [inapɛʁsy] *adj*: **passer ~** to go unnoticed.

inapte [inapt] *adj*: être ~ à qqch to be unfit for sthg.

inattendu, -e [inatɑ̃dy] *adj* unexpected.

inattention [inatɑ̃sjɔ̃] *nf* lack of concentration; **faute d'~** careless mistake.

inaudible [inodibl] *adj* inaudible.

inauguration [inogyrasjɔ̃] *nf* (d'un monument) inauguration; (d'une exposition) opening.

inaugurer [inogyre] *vt* (monument) to inaugurate; (exposition) to open.

incalculable [ɛ̃kalkylabl] *adj* incalculable.

incandescent, -e [ɛ̃kɑ̃desɑ̃, ɑ̃t] *adj* red-hot.

incapable [ɛ̃kapabl] *nmf* incompetent person ◆ *adj*: être ~ de faire qqch to be unable to do sthg.

incapacité [ɛ̃kapasite] *nf* inability; être dans l'~ de faire qqch to be unable to do sthg.

incarner [ɛ̃karne] *vt* (personnage) to play.

incassable [ɛ̃kasabl] *adj* unbreakable.

incendie [ɛ̃sɑ̃di] *nm* fire.

incendier [ɛ̃sɑ̃dje] *vt* to set alight.

incertain, -e [ɛ̃sɛrtɛ̃, ɛn] *adj* (couleur, nombre) indefinite; (temps) unsettled; (avenir) uncertain.

incertitude [ɛ̃sɛrtityd] *nf* uncertainty.

incessamment [ɛ̃sesamɑ̃] *adv* at any moment.

incessant, -e [ɛ̃sesɑ̃, ɑ̃t] *adj* constant.

incident [ɛ̃sidɑ̃] *nm* incident.

incisive [ɛ̃siziv] *nf* incisor.

inciter [ɛ̃site] *vt*: ~ qqn à faire qqch to incite sb to do sthg.

incliné, -e [ɛ̃kline] *adj* (siège, surface) at an angle.

incliner [ɛ̃kline] *vt* to lean ❏ **s'incliner** *vp* to lean; **s'~ devant** (adversaire) to give in to.

inclure [ɛ̃klyr] *vt* to include.

inclus, -e [ɛ̃kly, yz] *pp* → **inclure** ◆ *adj* included; **jusqu'au 15 ~** up to and including the 15th.

incohérent, -e [ɛ̃kɔerɑ̃, ɑ̃t] *adj* incoherent.

incollable [ɛ̃kɔlabl] *adj* (riz) nonstick; (fam: qui sait tout) unbeatable.

incolore [ɛ̃kɔlɔr] *adj* colourless.

incommoder [ɛ̃kɔmɔde] *vt* to trouble.

incomparable [ɛ̃kɔ̃parabl] *adj* incomparable.

incompatible [ɛ̃kɔ̃patibl] *adj* incompatible.

incompétent, -e [ɛ̃kɔ̃petɑ̃, ɑ̃t] *adj* incompetent.

incomplet, -ète [ɛ̃kɔ̃plε, εt] *adj* incomplete.

incompréhensible [ɛ̃kɔ̃preɑ̃sibl] *adj* incomprehensible.

inconditionnel, -elle [ɛ̃kɔ̃disjɔnεl] *nm, f*: **un ~ de** a great fan of.

incongru, -e [ɛ̃kɔ̃gry] *adj* incongruous.

inconnu, -e [ɛ̃kɔny] *adj* unknown ◆ *nm, f* (étranger) stranger; (non célèbre) unknown (person) ◆ *nm*: l'~ the unknown.

inconsciemment [ɛ̃kɔ̃sjamɑ̃] *adv* unconsciously.

inconscient, -e [ɛ̃kɔ̃sjɑ̃, ɑ̃t] *adj*

(évanoui) unconscious; *(imprudent)* thoughtless ♦ *nm:* **l'~** the unconscious.

inconsolable [ɛ̃kɔ̃sɔlabl] *adj* inconsolable.

incontestable [ɛ̃kɔ̃testabl] *adj* indisputable.

inconvénient [ɛ̃kɔ̃venjɑ̃] *nm* disadvantage.

incorporer [ɛ̃kɔrpɔre] *vt (ingrédients)* to mix in; **~ qqch à** *(mélanger)* to mix sthg into.

incorrect, -e [ɛ̃kɔrekt] *adj* incorrect; *(impoli)* rude.

incorrigible [ɛ̃kɔriʒibl] *adj* incorrigible.

incrédule [ɛ̃kredyl] *adj* sceptical.

incroyable [ɛ̃krwajabl] *adj* incredible.

incrusté, -e [ɛ̃kryste] *adj:* **~ de** *(décoré de)* inlaid with.

incruster [ɛ̃kryste] **: s'incruster** *vp (tache, saleté)* to become ground in.

inculpé, -e [ɛ̃kylpe] *nm, f:* **l'~** the accused.

inculper [ɛ̃kylpe] *vt* to charge; **~ qqn de qqch** to charge sb with sthg.

inculte [ɛ̃kylt] *adj (terre)* uncultivated; *(personne)* uneducated.

incurable [ɛ̃kyrabl] *adj* incurable.

Inde [ɛ̃d] *nf:* **l'~** India.

indécent, -e [ɛ̃desɑ̃, ɑ̃t] *adj* indecent.

indécis, -e [ɛ̃desi, iz] *adj* undecided; *(vague)* vague.

indéfini, -e [ɛ̃defini] *adj* indeterminate.

indéfiniment [ɛ̃definimɑ̃] *adv* indefinitely.

indélébile [ɛ̃delebil] *adj* indelible.

indemne [ɛ̃demn] *adj* unharmed; **sortir ~ de** to emerge unscathed from.

indemniser [ɛ̃demnize] *vt* to compensate.

indemnité [ɛ̃demnite] *nf* compensation.

indépendamment [ɛ̃depɑ̃damɑ̃] **: indépendamment de** *prép (à part)* apart from.

indépendance [ɛ̃depɑ̃dɑ̃s] *nf* independence.

indépendant, -e [ɛ̃depɑ̃dɑ̃, ɑ̃t] *adj* independent; *(travailleur)* self-employed; *(logement)* self-contained; **être ~ de** *(sans relation avec)* to be independent of.

indescriptible [ɛ̃deskriptibl] *adj* indescribable.

index [ɛ̃deks] *nm (doigt)* index finger; *(d'un livre)* index.

indicateur [ɛ̃dikatœr] *adj m* → **poteau**.

indicatif [ɛ̃dikatif] *nm (téléphonique)* dialling code (Br), dial code (Am); *(d'une émission)* signature tune; *(GRAMM)* indicative ♦ *adj m:* **à titre ~** for information.

indication [ɛ̃dikasjɔ̃] *nf (renseignement)* (piece of) information; **«~s: …»** *(sur un médicament)* "suitable for …".

indice [ɛ̃dis] *nm (signe)* sign; *(dans une enquête)* clue.

indien, -ienne [ɛ̃djɛ̃, jɛn] *adj* Indian ❏ **Indien, -ienne** *nm, f* Indian.

indifféremment [ɛ̃diferamɑ̃] *adv* indifferently.

indifférence [ɛ̃diferɑ̃s] *nf* indifference.

indifférent, -e [ɛ̃diferɑ̃, ɑ̃t] *adj*
(*froid*) indifferent; **ça m'est ~** it's
all the same to me.

indigène [ɛ̃diʒɛn] *nmf* native.

indigeste [ɛ̃diʒɛst] *adj* indigestible.

indigestion [ɛ̃diʒɛstjɔ̃] *nf* stomach upset.

indignation [ɛ̃diɲasjɔ̃] *nf* indignation.

indigner [ɛ̃diɲe] : **s'indigner**
vp: **s'~ de qqch** to take exception
to sthg.

indiquer [ɛ̃dike] *vt* (*révéler*) to
show; **~ qqn/qqch à qqn** (*montrer*)
to point sb/sthg out to sb; (*médecin, boulangerie*) to recommend
sb/sthg to sb; **pouvez-vous m'~ le
chemin d'Oxford?** can you tell me
the way to Oxford?

indirect, -e [ɛ̃dirɛkt] *adj* indirect.

indirectement [ɛ̃dirɛktəmɑ̃]
adv indirectly.

indiscipliné, -e [ɛ̃disipline] *adj*
undisciplined.

indiscret, -ète [ɛ̃diskrɛ, ɛt] *adj*
(*personne*) inquisitive; (*question*)
personal.

indiscrétion [ɛ̃diskresjɔ̃] *nf*
(*caractère*) inquisitiveness; (*gaffe*)
indiscretion.

indispensable [ɛ̃dispɑ̃sabl] *adj*
essential.

indistinct, -e [ɛ̃distɛ̃(kt), ɛ̃kt]
adj indistinct.

individu [ɛ̃dividy] *nm* individual.

individualiste [ɛ̃dividyalist]
adj individualistic.

individuel, -elle [ɛ̃dividyɛl]

adj individual; (*maison*) detached.

indolore [ɛ̃dɔlɔr] *adj* painless.

indulgent, -e [ɛ̃dylʒɑ̃, ɑ̃t] *adj*
indulgent.

industrialisé, -e [ɛ̃dystrijalize]
adj industrialized.

industrie [ɛ̃dystri] *nf* industry.

industriel, -ielle [ɛ̃dystrijɛl]
adj industrial.

inédit, -e [inedi, it] *adj* (*livre*)
unpublished; (*film*) not released.

inefficace [inefikas] *adj* ineffective.

inégal, -e, -aux [inegal, o] *adj*
(*longueur, chances*) unequal; (*terrain*)
uneven; (*travail, résultats*)
inconsistent.

inégalité [inegalite] *nf* (*des
salaires, sociale*) inequality.

inépuisable [inepɥizabl] *adj*
inexhaustible.

inerte [inɛrt] *adj* (*évanoui*) lifeless.

inestimable [inɛstimabl] *adj*
(*très cher*) priceless; (*fig: précieux*)
invaluable.

inévitable [inevitabl] *adj*
inevitable.

inexact, -e [inegza(kt), akt] *adj*
incorrect.

inexcusable [inɛkskyzabl] *adj*
unforgivable.

inexistant, -e [inegzistɑ̃, ɑ̃t]
adj nonexistent.

inexplicable [inɛksplikabl] *adj*
inexplicable.

inexpliqué, -e [inɛksplike] *adj*
unexplained.

in extremis [inɛkstremis] *adv* at
the last minute.

infaillible [ɛ̃fajibl] *adj* infallible.

infarctus [ɛ̃farktys] *nm* coronary (thrombosis).

infatigable [ɛ̃fatigabl] *adj* tireless.

infect, -e [ɛ̃fɛkt] *adj* revolting.

infecter [ɛ̃fɛkte] **: s'infecter** *vp* to become infected.

infection [ɛ̃fɛksjɔ̃] *nf* infection; *(odeur)* stench.

inférieur, -e [ɛ̃ferjœr] *adj (du dessous)* lower; *(qualité)* inferior; **à l'étage** ~ downstairs; ~ **à** *(quantité)* less than; *(qualité)* inferior to.

infériorité [ɛ̃ferjɔrite] *nf* inferiority.

infernal, -e, -aux [ɛ̃fɛrnal, o] *adj (bruit, enfant)* diabolical.

infesté, -e [ɛ̃feste] *adj*: ~ **de** infested with.

infidèle [ɛ̃fidɛl] *adj* unfaithful.

infiltrer [ɛ̃filtre] **: s'infiltrer** *vp (eau, pluie)* to seep in.

infime [ɛ̃fim] *adj* minute.

infini, -e [ɛ̃fini] *adj* infinite ♦ *nm* infinity; **à l'~** *(se prolonger, discuter)* endlessly.

infiniment [ɛ̃finimɑ̃] *adv* extremely; **je vous remercie** ~ thank you so much.

infinitif [ɛ̃finitif] *nm* infinitive.

infirme [ɛ̃firm] *adj* disabled ♦ *nmf* disabled person.

infirmerie [ɛ̃firməri] *nf* sick bay.

infirmier, -ière [ɛ̃firmje, jɛr] *nm, f* nurse.

inflammable [ɛ̃flamabl] *adj* inflammable.

inflammation [ɛ̃flamasjɔ̃] *nf* inflammation.

inflation [ɛ̃flasjɔ̃] *nf* inflation.

inflexible [ɛ̃flɛksibl] *adj* inflexible.

infliger [ɛ̃fliʒe] *vt*: ~ **qqch à qqn** *(punition)* to inflict sthg on sb; *(amende)* to impose sthg on sb.

influence [ɛ̃flyɑ̃s] *nf* influence; **avoir de l'~ sur qqn** to have an influence on sb.

influencer [ɛ̃flyɑ̃se] *vt* to influence.

informaticien, -ienne [ɛ̃fɔrmatisjɛ̃, jɛn] *nm, f* computer scientist.

information [ɛ̃fɔrmasjɔ̃] *nf*: **une** ~ *(renseignement)* information; *(nouvelle)* a piece of news ❑ **informations** *nfpl (à la radio, à la télé)* news *(sg)*.

informatique [ɛ̃fɔrmatik] *adj* computer ♦ *nf (matériel)* computers *(pl)*; *(discipline)* computing.

informatisé, -e [ɛ̃fɔrmatize] *adj* computerized.

informe [ɛ̃fɔrm] *adj* shapeless.

informer [ɛ̃fɔrme] *vt*: ~ **qqn de/que** to inform sb of/that ❑ **s'informer** *vp (+ prép)* to ask *(about)*.

infos [ɛ̃fo] *nfpl (fam: à la radio, à la télé)* news *(sg)*.

infraction [ɛ̃fraksjɔ̃] *nf* offence; **être en** ~ to be in breach of the law.

infranchissable [ɛ̃frɑ̃ʃisabl] *adj (rivière)* uncrossable.

infusion [ɛ̃fyzjɔ̃] *nf* herbal tea.

ingénieur [ɛ̃ʒenjœr] *nm* engineer.

ingénieux, -ieuse [ɛ̃ʒenjø, jøz] *adj* ingenious.

ingrat, -e [ɛ̃gra, at] *adj* ungrateful; *(visage, physique)* unattractive.

ingratitude [ɛ̃gratityd] *nf* ingratitude.

ingrédient [ɛ̃gredjɑ̃] *nm* ingrédient.

inhabituel, -elle [inabitɥɛl] *adj* unusual.

inhumain, -e [inymɛ̃, ɛn] *adj* inhuman.

inimaginable [inimaʒinabl] *adj* incredible.

ininflammable [inɛ̃flamabl] *adj* non-flammable.

ininterrompu, -e [inɛ̃terɔ̃py] *adj* unbroken.

initial, -e, -iaux [inisjal, jo] *adj* initial.

initiale [inisjal] *nf* initial.

initiation [inisjasjɔ̃] *nf* (SCOL: *apprentissage*) introduction.

initiative [inisjativ] *nf* initiative; **prendre l'~ de faire qqch** to take the initiative in doing sthg.

injecter [ɛ̃ʒɛkte] *vt* to inject.

injection [ɛ̃ʒɛksjɔ̃] *nf* injection.

injure [ɛ̃ʒyr] *nf* insult.

injurier [ɛ̃ʒyrje] *vt* to insult.

injuste [ɛ̃ʒyst] *adj* unfair.

injustice [ɛ̃ʒystis] *nf* injustice.

injustifié, -e [ɛ̃ʒystifje] *adj* unjustified.

inné, -e [ine] *adj* innate.

innocence [inɔsɑ̃s] *nf* innocence.

innocent, -e [inɔsɑ̃, ɑ̃t] *adj* innocent ◆ *nm, f* innocent person.

innombrable [inɔ̃brabl] *adj* countless.

innover [inɔve] *vi* to innovate.

inoccupé, -e [inɔkype] *adj* empty.

inodore [inɔdɔr] *adj* odourless.

inoffensif, -ive [inɔfɑ̃sif, iv] *adj* harmless.

inondation [inɔ̃dasjɔ̃] *nf* flood.

inonder [inɔ̃de] *vt* to flood.

inoubliable [inublijabl] *adj* unforgettable.

Inox® [inɔks] *nm* stainless steel.

inoxydable [inɔksidabl] *adj* → acier.

inquiet, -iète [ɛ̃kjɛ, jɛt] *adj* worried.

inquiétant, -e [ɛ̃kjetɑ̃, ɑ̃t] *adj* worrying.

inquiéter [ɛ̃kjete] *vt* to worry ❑ **s'inquiéter** *vp* to worry.

inquiétude [ɛ̃kjetyd] *nf* worry.

inscription [ɛ̃skripsjɔ̃] *nf* (sur *une liste, à l'université*) registration; (*gravée*) inscription; (*graffiti*) graffiti.

inscrire [ɛ̃skrir] *vt* (sur *une liste, dans un club*) to register; (*écrire*) to write ❑ **s'inscrire** *vp* (sur *une liste*) to put one's name down; **s'~ à** (*club*) to join.

inscrit, -e [ɛ̃skri, it] *pp* → inscrire.

insecte [ɛ̃sɛkt] *nm* insect.

insecticide [ɛ̃sɛktisid] *nm* insecticide.

insensé, -e [ɛ̃sɑ̃se] *adj* (*aberrant*) insane; (*extraordinaire*) extraordinary.

insensible [ɛ̃sɑ̃sibl] *adj* insensitive; (*léger*) imperceptible; **être ~ à** (*douleur, froid*) to be insensitive to; (*art, charme*) to be unreceptive to.

insensiblement [ɛ̃sɑ̃sibləmɑ̃] *adv* imperceptibly.

inséparable [ɛ̃separabl] *adj* inseparable.

insérer [ɛ̃sere] *vt* to insert.

insigne [ɛ̃siɲ] *nm* badge.

insignifiant, -e [ɛ̃siɲifjɑ̃, jɑ̃t]

adj insignificant.

insinuer [ɛ̃sinɥe] *vt* to insinuate.

insistance [ɛ̃sistɑ̃s] *nf* insistence; **avec ~** insistently.

insister [ɛ̃siste] *vi* to insist; **~ sur** *(détail)* to emphasize.

insolation [ɛ̃sɔlasjɔ̃] *nf*: **attraper une ~** to get sunstroke.

insolence [ɛ̃sɔlɑ̃s] *nf* insolence.

insolent, -e [ɛ̃sɔlɑ̃, ɑ̃t] *adj* insolent.

insolite [ɛ̃sɔlit] *adj* unusual.

insoluble [ɛ̃sɔlybl] *adj* insoluble.

insomnie [ɛ̃sɔmni] *nf* insomnia; **avoir des ~s** to sleep badly.

insonorisé, -e [ɛ̃sɔnɔrize] *adj* soundproofed.

insouciant, -e [ɛ̃susjɑ̃, jɑ̃t] *adj* carefree.

inspecter [ɛ̃spekte] *vt* to inspect.

inspecteur, -trice [ɛ̃spektœr, tris] *nm, f* inspector.

inspiration [ɛ̃spirasjɔ̃] *nf* inspiration.

inspirer [ɛ̃spire] *vt* to inspire ♦ *vi (respirer)* to breathe in; **~ qqch à qqn** to inspire sb with sthg; **ça ne m'inspire pas** *(fig)* it doesn't do much for me ❑ **s'inspirer de** *vp + prép* to be inspired by.

instable [ɛ̃stabl] *adj* unstable.

installation [ɛ̃stalasjɔ̃] *nf (emménagement)* moving in; *(structure)* installation.

installer [ɛ̃stale] *vt (poser)* to put; *(eau, électricité)* to install; *(aménager)* to fit out; *(loger)* to put up ❑ **s'installer** *vp (dans un appartement)* to settle in; *(dans un fauteuil)* to settle down; *(commerçant, docteur)* to set (o.s.) up.

instant [ɛ̃stɑ̃] *nm* instant; **il sort à l'~** he's just gone out; **pour l'~** for the moment.

instantané, -e [ɛ̃stɑ̃tane] *adj* instantaneous; *(café, potage)* instant.

instinct [ɛ̃stɛ̃] *nm* instinct.

instinctif, -ive [ɛ̃stɛ̃ktif, iv] *adj* instinctive.

institut [ɛ̃stity] *nm* institute; **~ de beauté** beauty salon.

instituteur, -trice [ɛ̃stitytœr, tris] *nm, f* primary school teacher *(Br)*, grade school teacher *(Am)*.

institution [ɛ̃stitysjɔ̃] *nf* institution.

instructif, -ive [ɛ̃stryktif, iv] *adj* informative.

instruction [ɛ̃stryksjɔ̃] *nf (enseignement, culture)* education ❑ **instructions** *nfpl* instructions.

instruire [ɛ̃strɥir] : **s'instruire** *vp* to educate o.s.

instruit, -e [ɛ̃strɥi, ɥit] *pp* → **instruire** ♦ *adj (cultivé)* educated.

instrument [ɛ̃strymɑ̃] *nm* instrument; **~ (de musique)** (musical) instrument.

insuffisant, -e [ɛ̃syfizɑ̃, ɑ̃t] *adj* insufficient; *(travail)* unsatisfactory.

insuline [ɛ̃sylin] *nf* insulin.

insulte [ɛ̃sylt] *nf* insult.

insulter [ɛ̃sylte] *vt* to insult.

insupportable [ɛ̃sypɔrtabl] *adj* unbearable.

insurmontable [ɛ̃syrmɔ̃tabl] *adj (difficulté)* insurmountable.

intact, -e [ɛ̃takt] *adj* intact.

intégral, -e, -aux [ɛ̃tegral, o] *adj* complete.

intégrer [ɛ̃tegre] *vt* to include ❑
s'intégrer *vp*: **(bien) s'~** *(socialement)* to fit in.

intellectuel, -elle [ɛ̃telektɥel]
adj & nm, f intellectual.

intelligence [ɛ̃teliʒɑ̃s] *nf* intelligence.

intelligent, -e [ɛ̃teliʒɑ̃, ɑ̃t] *adj* intelligent.

intempéries [ɛ̃tɑ̃peri] *nfpl* bad weather *(sg)*.

intempestif, -ive [ɛ̃tɑ̃pestif, iv] *adj* untimely.

intense [ɛ̃tɑ̃s] *adj* intense.

intensif, -ive [ɛ̃tɑ̃sif, iv] *adj* intensive.

intensité [ɛ̃tɑ̃site] *nf* intensity.

intention [ɛ̃tɑ̃sjɔ̃] *nf* intention;
avoir l'~ de faire qqch to intend to do sthg.

intentionné, -e [ɛ̃tɑ̃sjɔne] *adj*:
bien ~ well-meaning; **mal ~** ill-intentioned.

intentionnel, -elle [ɛ̃tɑ̃sjɔnel] *adj* intentional.

intercalaire [ɛ̃terkaler] *nm* insert.

intercaler [ɛ̃terkale] *vt* to insert.

intercepter [ɛ̃tersepte] *vt* to intercept.

interchangeable [ɛ̃terʃɑ̃ʒabl] *adj* interchangeable.

interclasse [ɛ̃terklas] *nm* break.

interdiction [ɛ̃terdiksjɔ̃] *nf* ban; **«~ de fumer»** "(strictly) no smoking".

interdire [ɛ̃terdir] *vt* to forbid;
~ à qqn de faire qqch to forbid sb to do sthg.

interdit, -e [ɛ̃terdi, it] *pp* →
interdire ◆ *adj* forbidden; **il est ~**

de ... you are not allowed to ...

intéressant, -e [ɛ̃teresɑ̃, ɑ̃t] *adj* interesting.

intéresser [ɛ̃terese] *vt* to interest; *(concerner)* to concern ❑ **s'intéresser à** *vp + prép* to be interested in.

intérêt [ɛ̃tere] *nm* interest; *(avantage)* point; **avoir ~ à faire qqch** to be well-advised to do sthg; **dans l'~ de** in the interest of ❑ **intérêts** *nmpl (FIN)* interest *(sg)*.

intérieur, -e [ɛ̃terjœr] *adj* inner; *(national)* domestic ◆ *nm* inside; *(maison)* home; **à l'~ (de)** inside.

interligne [ɛ̃terliɲ] *nm* (line) spacing.

interlocuteur, -trice [ɛ̃terlɔkytœr, tris] *nm, f*: **mon ~** the man to whom I was speaking.

intermédiaire [ɛ̃termedjer] *adj* intermediate ◆ *nmf* intermediary ◆ *nm*: **par l'~ de** through.

interminable [ɛ̃terminabl] *adj* never-ending.

internat [ɛ̃terna] *nm (école)* boarding school.

international, -e, -aux [ɛ̃ternasjɔnal, o] *adj* international.

interne [ɛ̃tern] *adj* internal ◆ *nmf (SCOL)* boarder.

interner [ɛ̃terne] *vt (malade)* to commit.

interpeller [ɛ̃terpale] *vt (appeler)* to call out to.

Interphone® [ɛ̃terfɔn] *nm (d'un immeuble)* entry phone; *(dans un bureau)* intercom.

interposer [ɛ̃terpoze] : **s'interposer** *vp*: **s'~ entre** to stand between.

interprète [ɛ̃terpret] *nmf (tra-*

interpréter [ɛ̃tɛrprete] *vt (résultat, paroles)* to interpret; *(personnage, morceau)* to play.

interrogation [ɛ̃terɔgasjɔ̃] *nf (question)* question; ~ **(écrite)** (written) test.

interrogatoire [ɛ̃terɔgatwar] *nm* interrogation.

interroger [ɛ̃terɔʒe] *vt* to question; *(SCOL)* to test; ~ **qqn sur** to question sb about.

interrompre [ɛ̃terɔ̃pr] *vt* to interrupt.

interrupteur [ɛ̃teryptœr] *nm* switch.

interruption [ɛ̃terypsjɔ̃] *nf (coupure, arrêt)* break; *(dans un discours)* interruption.

intersection [ɛ̃tɛrsɛksjɔ̃] *nf* intersection.

intervalle [ɛ̃terval] *nm (distance)* space; *(dans le temps)* interval; **à deux jours d'~** after two days.

intervenir [ɛ̃tervənir] *vi* to intervene; *(avoir lieu)* to take place.

intervention [ɛ̃tervɑ̃sjɔ̃] *nf* intervention; *(MÉD)* operation.

intervenu, -e [ɛ̃tervəny] *pp* → intervenir.

interview [ɛ̃tervju] *nf* interview.

interviewer [ɛ̃tervjuve] *vt* to interview.

intestin [ɛ̃tɛstɛ̃] *nm* intestine.

intestinal, -e, -aux [ɛ̃tɛstinal, o] *adj* intestinal.

intime [ɛ̃tim] *adj (personnel)* private; *(très proche)* intimate.

intimider [ɛ̃timide] *vt* to intimidate.

intimité [ɛ̃timite] *nf* intimacy.

intituler [ɛ̃tityle] **: s'intituler** *vp* to be called.

intolérable [ɛ̃tɔlerabl] *adj (douleur)* unbearable; *(comportement)* unacceptable.

intoxication [ɛ̃tɔksikasjɔ̃] *nf*: ~ **alimentaire** food poisoning.

intraduisible [ɛ̃tradɥizibl] *adj* untranslatable.

intransigeant, -e [ɛ̃trɑ̃ziʒɑ̃, ɑ̃t] *adj* intransigent.

intrépide [ɛ̃trepid] *adj* intrepid.

intrigue [ɛ̃trig] *nf (d'une histoire)* plot.

intriguer [ɛ̃trige] *vt* to intrigue.

introduction [ɛ̃trɔdyksjɔ̃] *nf* introduction.

introduire [ɛ̃trɔdɥir] *vt* to introduce ❑ **s'introduire dans** *vp* + *prép (pénétrer dans)* to enter.

introduit, -e [ɛ̃trɔdɥi, it] *pp* → introduire.

introuvable [ɛ̃truvabl] *adj (objet perdu)* nowhere to be found.

intrus, -e [ɛ̃try, yz] *nm, f* intruder.

intuition [ɛ̃tɥisjɔ̃] *nf (pressentiment)* feeling.

inusable [inyzabl] *adj* hardwearing.

inutile [inytil] *adj (objet, recherches)* useless; *(efforts)* pointless.

inutilisable [inytilizabl] *adj* unusable.

invalide [ɛ̃valid] *nmf* disabled person.

invariable [ɛ̃varjabl] *adj* invariable.

invasion [ɛ̃vazjɔ̃] *nf* invasion.

inventaire [ɛ̃vɑ̃tɛr] *nm* inventory; **faire l'~ de** qqch to make a list of sthg.

inventer [ɛ̃vɑ̃te] *vt* to invent; *(moyen)* to think up.

inventeur, -trice [ɛ̃vɑ̃tœr, tris] *nm, f* inventor.

invention [ɛ̃vɑ̃sjɔ̃] *nf* invention.

inverse [ɛ̃vers] *nm* opposite; **à l'~** conversely; **à l'~ de** contrary to.

investir [ɛ̃vestir] *vt (argent)* to invest.

investissement [ɛ̃vestismɑ̃] *nm* investment.

invisible [ɛ̃vizibl] *adj* invisible.

invitation [ɛ̃vitasjɔ̃] *nf* invitation.

invité, -e [ɛ̃vite] *nm, f* guest.

inviter [ɛ̃vite] *vt* to invite; **~ qqn à faire** qqch to invite sb to do sthg.

involontaire [ɛ̃vɔlɔ̃ter] *adj* involuntary.

invraisemblable [ɛ̃vrɛsɑ̃blabl] *adj* unlikely.

iode [jɔd] *nm* → **teinture**.

ira *etc* → **aller**.

irlandais, -e [irlɑ̃dɛ, ɛz] *adj* Irish ❏ **Irlandais, -e** *nm, f* Irishman (*f* Irishwoman); **les Irlandais** the Irish.

Irlande [irlɑ̃d] *nf*: **l'~ du Nord** Northern Ireland; **la République d'~** the Republic of Ireland, Eire.

ironie [irɔni] *nf* irony.

ironique [irɔnik] *adj* ironic.

irrationnel, -elle [irasjɔnel] *adj* irrational.

irrécupérable [irekyperabl] *adj (objet, vêtement)* beyond repair.

irréel, -elle [ireel] *adj* unreal.

irrégulier, -ière [iregylje, jɛr]

adj irregular; *(résultats, terrain)* uneven.

irremplaçable [irɑ̃plasabl] *adj* irreplaceable.

irréparable [ireparabl] *adj* beyond repair; *(erreur)* irreparable.

irrésistible [irezistibl] *adj* irresistible.

irrespirable [irɛspirabl] *adj* unbreathable.

irrigation [irigasjɔ̃] *nf* irrigation.

irritable [iritabl] *adj* irritable.

irritation [iritasjɔ̃] *nf* irritation.

irriter [irite] *vt* to irritate.

islam [islam] *nm*: **l'~** Islam.

isolant, -e [izɔlɑ̃, ɑ̃t] *adj (acoustique)* soundproofing; *(thermique)* insulating ◆ *nm* insulator.

isolation [izɔlasjɔ̃] *nf (acoustique)* soundproofing; *(thermique)* insulation.

isolé, -e [izɔle] *adj (à l'écart)* isolated; *(contre le bruit)* soundproofed; *(thermiquement)* insulated.

isoler [izɔle] *vt (séparer)* to isolate; *(contre le bruit)* to soundproof; *(thermiquement)* to insulate ❏ **s'isoler** *vp* to isolate o.s.

Israël [israel] *n* Israel.

issu, -e [isy] *adj*: **être ~ de** *(famille)* to be descended from; *(processus, théorie)* to stem from.

issue [isy] *nf (sortie)* exit; **«voie sans ~»** "no through road"; **~ de secours** emergency exit.

Italie [itali] *nf*: **l'~** Italy.

italien, -ienne [italjɛ̃, jɛn] *adj* Italian ◆ *nm (langue)* Italian ❏ **Italien, -ienne** *nm, f* Italian.

italique [italik] *nm* italics *(pl)*.

itinéraire [itinerer] *nm* route; **~**

bis alternative route *(to avoid heavy traffic).*

ivoire [ivwar] *nm* ivory.

ivre [ivr] *adj* drunk.

ivrogne [ivrɔɲ] *nmf* drunkard.

J

j' → je.

jacinthe [ʒasɛ̃t] *nf* hyacinth.

jaillir [ʒajir] *vi (eau)* to gush.

jalousie [ʒaluzi] *nf* jealousy.

jaloux, -ouse [ʒalu, uz] *adj* jealous; **être ~ de** to be jealous of.

jamais [ʒamɛ] *adv* never; **ne ... ~** never; **je ne reviendrai ~ plus** I'm never coming back; **c'est le plus long voyage que j'aie ~ fait** it's the longest journey I've ever made; **plus que ~** more than ever; **si ~ tu le vois ...** if you happen to see him ...

jambe [ʒɑ̃b] *nf* leg.

jambon [ʒɑ̃bɔ̃] *nm* ham; **~ blanc** boiled ham; **~ cru** raw ham.

jambonneau, -x [ʒɑ̃bɔno] *nm* knuckle of ham.

jante [ʒɑ̃t] *nf (wheel)* rim.

janvier [ʒɑ̃vje] *nm* January, → **septembre.**

Japon [ʒapɔ̃] *nm*: **le ~** Japan.

japonais, -e [ʒapɔnɛ, ɛz] *adj* Japanese ◆ *nm (langue)* Japanese ◻ **Japonais, -e** *nm, f* Japanese (person).

jardin [ʒardɛ̃] *nm* garden; **~ d'en-**

fants kindergarten, playgroup; **~ public** park.

jardinage [ʒardinaʒ] *nm* gardening.

jardinier, -ière [ʒardinje, jɛr] *nm, f* gardener.

jardinière [ʒardinjɛr] *nf (bac)* window box; **~ de légumes** dish of diced mixed vegetables, → **jardinier.**

jarret [ʒarɛ] *nm*: **~ de veau** knuckle of veal.

jauge [ʒoʒ] *nf* gauge; **~ d'essence** petrol gauge; **~ d'huile** dipstick.

jaune [ʒon] *adj & nm* yellow; **~ d'œuf** egg yolk.

jaunir [ʒonir] *vi* to turn yellow.

jaunisse [ʒonis] *nf* jaundice.

Javel [ʒavɛl] *nf*: **(eau de) ~** bleach.

jazz [dʒaz] *nm* jazz.

je [ʒə] *pron* I.

jean [dʒin] *nm* jeans *(pl)*, pair of jeans.

Jeep® [dʒip] *nf* Jeep®.

jerrican [ʒerikan] *nm* jerry can.

Jésus-Christ [ʒezykri] *nm* Jesus Christ; **après ~** AD; **avant ~** BC.

jet¹ [ʒɛ] *nm (de liquide)* jet; **~ d'eau** fountain.

jet² [dʒɛt] *nm (avion)* jet (plane).

jetable [ʒətabl] *adj* disposable.

jetée [ʒəte] *nf* jetty.

jeter [ʒəte] *vt* to throw; *(mettre à la poubelle)* to throw away ◻ **se jeter** *vp*: **se ~ dans** *(suj: rivière)* to flow into; **se ~ sur** to pounce on.

jeton [ʒətɔ̃] *nm (pour jeu de société)* counter; *(au casino)* chip; **~ de téléphone** telephone token.

jeu, -x [ʒø] *nm* game; *(d'un mécanisme)* play; *(assortiment)* set; **le ~**

(au casino) gambling; ~ **de cartes** *(distraction)* card game; *(paquet)* pack of cards; ~ **d'échecs** chess set; ~ **de mots** pun; ~ **de société** board game; ~ **vidéo** video game; **les ~x Olympiques** the Olympic Games.

jeudi [ʒødi] *nm* Thursday, → **samedi**.

jeun [ʒœ̃] : **à jeun** *adv* on an empty stomach.

jeune [ʒœn] *adj* young ◆ *nmf* young person; ~ **fille** girl; ~ **homme** young man; **les ~s** young people.

jeûner [ʒøne] *vi* to fast.

jeunesse [ʒœnɛs] *nf (période)* youth; *(jeunes)* young people *(pl)*.

job [dʒɔb] *nm (fam)* job.

jockey [ʒɔkɛ] *nm* jockey.

jogging [dʒɔgiŋ] *nm (vêtement)* tracksuit; *(activité)* jogging; **faire du ~** to go jogging.

joie [ʒwa] *nf* joy.

joindre [ʒwɛ̃dʀ] *vt (relier)* to join; *(contacter)* to contact; ~ **qqch à** to attach sthg to; **je joins un chèque à ma lettre** I enclose a cheque with my letter ❑ **se joindre à** *vp* + *prép* to join.

joint, -e [ʒwɛ̃, ɛ̃t] *pp* → **joindre** ◆ *nm (TECH)* seal; *(de robinet)* washer; *(fam: drogue)* joint; ~ **de culasse** cylinder head gasket.

joker [ʒɔkɛʀ] *nm* joker.

joli, -e [ʒɔli] *adj (beau)* pretty; *(iron: désagréable)* nice; **on est dans une ~e situation!** this is a nice mess!

jongleur [ʒɔ̃glœʀ] *nm* juggler.

jonquille [ʒɔ̃kij] *nf* daffodil.

joual [ʒwal] *nm (Can)* French-Canadian dialect.

joue [ʒu] *nf* cheek.

jouer [ʒwe] *vi* to play; *(acteur)* to act ◆ *vt* to play; *(somme)* to bet; *(pièce de théâtre)* to perform; ~ **à** *(tennis, foot, cartes)* to play; ~ **de** *(instrument)* to play; ~ **un rôle dans** **qqch** *(fig)* to play a part in sthg.

jouet [ʒwɛ] *nm* toy.

joueur, -euse [ʒwœʀ, øz] *nm, f (au casino)* gambler; *(SPORT)* player; **être mauvais ~** to be a bad loser; ~ **de cartes** card player; ~ **de flûte** flautist; ~ **de foot** footballer.

jour [ʒuʀ] *nm* day; *(clarté)* daylight; **il fait ~** it's light; **le ~ de l'an** New Year's Day; ~ **férié** public holiday; ~ **ouvrable** working day; **huit ~s** a week; **quinze ~s** two weeks, a fortnight *(Br)*; **du ~** *(voyager)* by day; **du ~ au lendemain** overnight; **de nos ~s** nowadays; **être à ~** to be up-to-date; **mettre qqch à ~** to update sthg.

journal, -aux [ʒuʀnal, o] *nm* newspaper; ~ *(intime)* diary; ~ **télévisé** news (on the television).

journaliste [ʒuʀnalist] *nmf* journalist.

journée [ʒuʀne] *nf* day; **dans la ~** during the day; **toute la ~** all day (long).

joyeux, -euse [ʒwajø, øz] *adj* happy; **joyeux anniversaire!** Happy Birthday!; ~ **Noël!** Merry Christmas!

judo [ʒydo] *nm* judo.

juge [ʒyʒ] *nm* judge.

juger [ʒyʒe] *vt* to judge; *(accusé)* to try.

juif, -ive [ʒɥif, iv] *adj* Jewish ❑ **Juif, -ive** *nm, f* Jew.

juillet [ʒɥijɛ] *nm* July; **le 14-**

Juillet *French national holiday,* →
septembre.

| *i* | LE 14-JUILLET |

The fourteenth of July is a
national holiday in France, in
commemoration of the storming of
the Bastille on the same day in 1789.
Celebrations take place throughout
France and often last several days,
with outdoor public dances, firework displays etc. A grand military
parade is held in Paris on the morning of the fourteenth, in the presence of the President of France.

---

juin [ʒɥɛ̃] *nm* June, → **septembre**.

juke-box [dʒukbɔks] *nm inv*
jukebox.

jumeau, -elle, -eaux [ʒymo,
ɛl, o] *adj (maisons)* semidetached ◆
nm, f: **des ~x** twins; **frère ~** twin
brother.

jumelé, -e [ʒymle] *adj:* **«ville ~e
avec …»** "twinned with …".

jumelles [ʒymɛl] *nfpl* binoculars.

jument [ʒymã] *nf* mare.

jungle [ʒœ̃gl] *nf* jungle.

jupe [ʒyp] *nf* skirt; **~ droite**
straight skirt; **~ plissée** pleated
skirt.

jupon [ʒypɔ̃] *nm* underskirt, slip.

jurer [ʒyre] *vi* to swear ◆ *vt:* **~ (à
qqn) que** to swear (to sb) that; **~
de faire qqch** to swear to do sthg.

jury [ʒyri] *nm* jury.

jus [ʒy] *nm* juice; *(de viande)*
gravy; **~ d'orange** orange juice.

jusque [ʒysk(ə)] **: jusque** *prép:*

allez jusqu'à l'église go as far as the
church; **jusqu'à midi** until noon;
jusqu'à ce que je parte until I
leave; **jusqu'à présent** up until
now, so far **◆ jusqu'ici** *adv (dans
l'espace)* up to here; *(dans le temps)*
up until now, so far; **jusque-là**
adv (dans l'espace) up to there;
(dans le temps) up to then, up until
then.

justaucorps [ʒystokɔr] *nm* leotard.

juste [ʒyst] *adj (équitable)* fair;
(addition, raisonnement) right, correct; *(note)* in tune; *(vêtement)* tight
◆ *adv* just; *(chanter, jouer)* in tune;
**ce gâteau est un peu ~ pour six
people; il est huit heures ~** it's
exactly eight o'clock; **au ~** exactly.

justement [ʒystəmã] *adv (précisément)* just; *(à plus forte raison)*
exactly.

justesse [ʒystɛs] **: de justesse**
adv only just.

justice [ʒystis] *nf* justice.

justifier [ʒystifje] *vt* to justify □
se justifier *vp* to justify o.s.

jute [ʒyt] *nm:* **(toile de) ~** jute.

juteux, -euse [ʒytø, øz] *adj*
juicy.

K

K7 [kaset] *nf (abr de cassette)* cassette.

kaki [kaki] *adj inv* khaki.

kangourou [kãguru] *nm* kangaroo.

karaté [karate] *nm* karate.

kart [kart] *nm* go-kart.

karting [kartiŋ] *nm* go-karting.

kayak [kajak] *nm (bateau)* kayak; *(SPORT)* canoeing.

képi [kepi] *nm* kepi.

kermesse [kɛrmɛs] *nf* fête.

 KERMESSE

These outdoor events, organized to raise money and with stalls selling homemade produce, are similar to British fêtes. In the north of France a "kermesse" is specifically a church fête held on the feast of the patron saint of the village or town *(see box at* **fête***)*.

---

kérosène [kerɔzɛn] *nm* kerosene.

ketchup [kɛtʃœp] *nm* ketchup.

kg *(abr de* kilogramme*)* kg.

kidnapper [kidnape] *vt* to kidnap.

kilo(gramme) [kilo, kilogram] *nm* kilo(gram).

kilométrage [kilɔmetraʒ] *nm (distance)* ≈ mileage; ~ **illimité** = unlimited mileage.

kilomètre [kilɔmɛtr] *nm* kilometre; **100 ~s (à l')heure** 100 kilometres per hour.

kilt [kilt] *nm* kilt.

kinésithérapeute [kineziterapøt] *nmf* physiotherapist.

kiosque [kjɔsk] *nm* pavilion; ~ **à journaux** newspaper kiosk.

kir [kir] *nm* aperitif made with white wine and blackcurrant liqueur; ~ **royal** aperitif made with champagne and blackcurrant liqueur.

kirsch [kirʃ] *nm* kirsch.

kit [kit] *nm* kit; **en ~** in kit form.

kiwi [kiwi] *nm* kiwi (fruit).

Klaxon® [klaksɔn] *nm* horn.

klaxonner [klaksɔne] *vi* to hoot (one's horn).

Kleenex® [klinɛks] *nm* Kleenex®.

km *(abr de* kilomètre*)* km.

km/h *(abr de* kilomètre par heure*)* kph.

K-O [kao] *adj inv* KO'd; *(fam: épuisé)* dead beat.

kouglof [kuglɔf] *nm* light dome-shaped cake with currants and almonds, a speciality of Alsace.

K-way® [kawe] *nm inv* cagoule.

kyste [kist] *nm* cyst.

l *(abr de* litre*)* l.

l' → **le**.

la → **le**.

là [la] *adv (lieu)* there; *(temps)* then; **elle n'est pas ~** she's not in; **par ~** *(de ce côté)* that way; *(dans les environs)* over there; **cette fille-~** that girl; **ce jour-~** that day.

là-bas [laba] *adv* there.

laboratoire [labɔratwar] *nm* laboratory.

labourer [labure] *vt* to plough.

labyrinthe [labirɛ̃t] *nm* maze.

lac [lak] *nm* lake.

lacer [lase] *vt* to tie.

lacet [lasɛ] *nm (de chaussures)* lace; *(virage)* bend.

lâche [laʃ] *adj (peureux)* cowardly; *(nœud, corde)* loose ♦ *nmf* coward.

lâcher [laʃe] *vt* to let go of; *(desserrer)* to loosen; *(parole)* to let slip ♦ *vi (corde)* to give way; *(freins)* to fail.

lâcheté [laʃte] *nf* cowardice.

là-dedans [ladadɑ̃] *adv (lieu)* in there; *(dans cela)* in that.

là-dessous [ladsu] *adv (lieu)* under there; *(dans cette affaire)* behind that.

là-dessus [ladsy] *adv (lieu)* on there; *(à ce sujet)* about that.

là-haut [lao] *adv* up there.

laid, -e [lɛ, lɛd] *adj* ugly.

laideur [lɛdœr] *nf* ugliness.

lainage [lɛnaʒ] *nm (vêtement)* woollen garment.

laine [lɛn] *nf* wool; **en ~** woollen.

laïque [laik] *adj* secular.

laisse [lɛs] *nf* lead; **tenir un chien en ~** to keep a dog on a lead.

laisser [lese] *vt* to leave ♦ *aux:* **~ qqn faire qqch** to let sb do sthg; **~ tomber** to drop; **~ qqch à qqn** *(donner)* to leave sb sthg; *(vendre)* to let sb have sthg □ **se laisser** *vp:* **se ~ aller** to relax; **se ~ faire** *(par lâcheté)* to let o.s. be taken advantage of; *(se laisser tenter)* to let o.s. be persuaded; **se ~ influencer** to allow o.s. to be influenced.

lait [lɛ] *nm* milk; **~ démaquillant** cleanser; **~ solaire** suntan lotion;
~ de toilette cleanser.

laitage [lɛtaʒ] *nm* dairy product.

laitier [lɛtje] *adj m* → **produit**.

laiton [lɛtɔ̃] *nm* brass.

laitue [lɛty] *nf* lettuce.

lambeau, -x [lɑ̃bo] *nm* strip.

lambic [lɑ̃bik] *nm (Belg)* strong malt- and wheat-based beer.

lambris [lɑ̃bri] *nm* panelling.

lame [lam] *nf* blade; *(de verre, de métal)* strip; *(vague)* wave; **~ de rasoir** razor blade.

lamelle [lamɛl] *nf* thin slice.

lamentable [lamɑ̃tabl] *adj (pitoyable)* pitiful; *(très mauvais)* appalling.

lamenter [lamɑ̃te] **: se lamenter** *vp* to moan.

lampadaire [lɑ̃padɛr] *nm (dans un appartement)* standard lamp *(Br)*, floor lamp *(Am)*; *(dans la rue)* street lamp.

lampe [lɑ̃p] *nf* lamp; **~ de chevet** bedside lamp; **~ de poche** torch *(Br)*, flashlight *(Am)*.

lance [lɑ̃s] *nf (arme)* spear; **~ d'incendie** fire hose.

lancée [lɑ̃se] *nf:* **sur sa/ma ~** *(en suivant)* while he/I was at it.

lancement [lɑ̃smɑ̃] *nm (d'un produit)* launch.

lance-pierres [lɑ̃spjɛr] *nm inv* catapult.

lancer [lɑ̃se] *vt* to throw; *(produit, mode)* to launch □ **se lancer** *vp (se jeter)* to throw; *(oser)* to take the plunge; **se ~ dans qqch** to embark on sthg.

landau [lɑ̃do] *nm* pram.

lande [lɑ̃d] *nf* moor.

langage [lɑ̃gaʒ] *nm* language.

langer [lɑ̃ʒe] *vt* to change.

langouste [lãgust] nf spiny lobster.

langoustine [lãgustin] nf langoustine.

langue [lãg] nf (ANAT & CULIN) tongue; (langage) language; ~ étrangère foreign language; ~ maternelle mother tongue; ~ vivante modern language.

langue-de-chat [lãgdəʃa] (pl langues-de-chat) nf thin sweet fingershaped biscuit.

languette [lãget] nf (de chaussures) tongue; (d'une canette) ringpull.

lanière [lanjer] nf (de cuir) strap.

lanterne [lãtern] nf lantern; (AUT: feu de position) sidelight (Br), parking light (Am).

lapin [lapɛ̃] nm rabbit.

laque [lak] nf (pour coiffer) hair spray, lacquer; (peinture) lacquer.

laqué [lake] adj m → canard.

laquelle → lequel.

larcin [larsɛ̃] nm (sout) theft.

lard [lar] nm bacon.

lardon [lardɔ̃] nm strip or cube of bacon.

large [larʒ] adj (rivière, route) wide; (vêtement) big; (généreux) generous; (tolérant) open ♦ nm: **le** ~ the open sea ♦ adv: **prévoir** ~ (temps) to allow plenty of time; **2 mètres de** ~ 2 metres wide; **au** ~ **de** off (the coast of).

largement [larʒəmã] adv (au minimum) easily; **avoir** ~ **le temps** to have ample time; **il y en a** ~ **assez** there's more than enough.

largeur [larʒœr] nf width.

larme [larm] nf tear; **être en** ~**s** to be in tears.

lasagne(s) [lazaɲ] nfpl lasagne.

laser [lazer] nm laser.

lassant, -e [lasã, ãt] adj tedious.

lasser [lase] vt to bore ❑ **se lasser de** vp + prép to grow tired of.

latéral, -e, -aux [lateral, o] adj (porte, rue) side.

latin [latɛ̃] nm Latin.

latitude [latityd] nf latitude.

latte [lat] nf slat.

lauréat, -e [lɔrea, at] nm, f prizewinner.

laurier [lɔrje] nm (arbuste) laurel; **feuille de** ~ bay leaf.

lavable [lavabl] adj washable.

lavabo [lavabo] nm washbasin ❑ **lavabos** nmpl (toilettes) toilets.

lavage [lavaʒ] nm washing.

lavande [lavãd] nf lavender.

lave-linge [lavlɛ̃ʒ] nm inv washing machine.

laver [lave] vt to wash; (plaie) to bathe; (tache) to wash out OU off ❑ **se laver** vp to wash o.s.; **se** ~ **les dents** to brush one's teeth; **se** ~ **les mains** to wash one's hands.

laverie [lavri] nf: ~ **(automatique)** launderette.

lavette [lavet] nf (tissu) dishcloth.

lave-vaisselle [lavvesel] nm inv dishwasher.

lavoir [lavwar] nm communal sink for washing clothes.

laxatif [laksatif] nm laxative.

layette [lejet] nf layette.

le [lə] (f **la** [la], pl **les** [le]) article défini 1. (gén) the; ~ **lac** the lake; **la fenêtre** the window; **l'homme** the man; **les enfants** the children; **j'adore** ~ **thé** I love tea; **l'amour** love.

lécher

2. *(désigne le moment)*: **nous sommes ~ 3 août** it's the 3rd of August; **Bruxelles, ~ 9 juillet 1994** Brussels, 9 July 1994; **~ samedi** *(habituellement)* on Saturdays; *(moment précis)* on Saturday.

3. *(marque l'appartenance)*: **se laver les mains** to wash one's hands; **elle a les yeux bleus** she has (got) blue eyes.

4. *(chaque)*: **c'est 250 F la nuit** it's 250 francs a night; **25 F l'un** 25 francs each.

♦ *pron* 1. *(personne)* him (*f* her), them (*pl*); *(chose, animal)* it, them (*pl*); **je ~/la/les connais bien** I know him/her/them well; **laissez-les nous** leave them to us.

2. *(reprend un mot, une phrase)*: **je l'ai entendu dire** I've heard about it.

lécher [leʃe] *vt* to lick.

lèche-vitrines [leʃvitrin] *nm inv*: **faire du ~** to go window-shopping.

leçon [ləsɔ̃] *nf* lesson; *(devoirs)* homework; **faire la ~ à qqn** to lecture sb.

lecteur, -trice [lektœr, tris] *nm, f* reader ♦ *nm (INFORM)* reader; **~ de cassettes** cassette player; **~ laser** OU **de CD** CD player.

lecture [lektyr] *nf* reading.

légal, -e, -aux [legal, o] *adj* legal.

légende [leʒɑ̃d] *nf (conte)* legend; *(d'une photo)* caption; *(d'un schéma)* key.

léger, -ère [leʒe, ɛr] *adj* light; *(café)* weak; *(cigarette)* mild; *(peu important)* slight; **à la légère** lightly.

légèrement [leʒɛrmɑ̃] *adv (un peu)* slightly; **s'habiller ~** to wear

light clothes.

légèreté [leʒɛrte] *nf* lightness; *(insouciance)* casualness.

législation [leʒislasjɔ̃] *nf* legislation.

légitime [leʒitim] *adj* legitimate; **~ défense** self-defence.

léguer [lege] *vt* to bequeath; *(fig: tradition, passion)* to pass on.

légume [legym] *nm* vegetable.

lendemain [lɑ̃dmɛ̃] *nm*: **le ~** the next day; **le ~ matin** the next morning; **le ~ de notre départ** the day after we left.

lent, -e [lɑ̃, lɑ̃t] *adj* slow.

lentement [lɑ̃tmɑ̃] *adv* slowly.

lenteur [lɑ̃tœr] *nf* slowness.

lentille [lɑ̃tij] *nf (légume)* lentil; *(verre de contact)* (contact) lens.

léopard [leɔpar] *nm* leopard.

lequel [ləkɛl] *(f* **laquelle** [lakɛl], *mpl* **lesquels** [lekɛl], *fpl* **lesquelles** [lekɛl]) *pron (sujet de personne)* who; *(sujet de chose)* which; *(complément de personne)* whom; *(complément de chose)* which; *(interrogatif)* which (one); **par/pour ~** *(personne)* by/for whom; *(chose)* by/for which.

les → le.

léser [leze] *vt* to wrong.

lésion [lezjɔ̃] *nf* injury.

lesquelles → lequel.

lesquels → lequel.

lessive [lesiv] *nf (poudre, liquide)* detergent; *(linge)* washing; **faire la ~** to do the washing.

lessiver [lesive] *vt* to wash; *(fam: fatiguer)* to wear out.

leste [lɛst] *adj (agile)* nimble.

lettre [lɛtr] *nf* letter; **en toutes ~s** in full.

leucémie [løsemi] *nf* leukemia.

leur [lœr] *adj* their ◆ *pron* (to) them ❑ **le leur** (*f* **la leur**, *pl* **les leurs**) *pron* theirs.

levant [ləvɑ̃] *adj m* → **soleil**.

levé, -e [ləve] *adj* (*hors du lit*) up.

levée [ləve] *nf* (*du courrier*) collection.

lever [ləve] *vt* (*bras, yeux, doigt*) to raise; (*relever*) to lift ◆ *vi*: **au ~** when one gets up; **le ~ du jour** dawn; **le ~ du soleil** sunrise ❑ **se lever** *vp* (*personne*) to get up; (*jour*) to break; (*soleil*) to rise; (*temps*) to clear.

levier [ləvje] *nm* lever; **~ de vitesse** gear lever (*Br*), gear shift (*Am*).

lèvre [lɛvr] *nf* lip.

levure [ləvyr] *nf* (*CULIN*) baking powder.

lexique [lɛksik] *nm* (*dictionnaire*) glossary.

lézard [lezar] *nm* lizard.

lézarder [lezarde] **: se lézarder** *vp* to crack.

liaison [ljɛzɔ̃] *nf* (*aérienne, routière*) link; (*amoureuse*) affair; (*phonétique*) liaison; **être en ~ avec** to be in contact with.

liane [ljan] *nf* creeper.

liasse [ljas] *nf* wad.

Liban [libɑ̃] *nm*: **le ~** Lebanon.

libéral, -e, -aux [liberal, o] *adj* liberal.

libération [liberasjɔ̃] *nf* (*d'une ville*) liberation; (*d'un prisonnier*) release.

libérer [libere] *vt* (*prisonnier*) to release ❑ **se libérer** *vp* to free o.s.; (*de ses occupations*) to get away.

liberté [liberte] *nf* freedom; **en ~** (*animaux*) in the wild.

libraire [librɛr] *nmf* bookseller.

librairie [librɛri] *nf* bookshop.

libre [libr] *adj* free; (*ouvert, dégagé*) clear; **~ de faire qqch** free to do sthg.

librement [librəmɑ̃] *adv* freely.

libre-service [librəsɛrvis] (*pl* **libres-services**) *nm* (*magasin*) self-service store; (*restaurant*) self-service restaurant.

licence [lisɑ̃s] *nf* licence; (*diplôme*) degree; (*sportive*) membership card.

licenciement [lisɑ̃simɑ̃] *nm* (*pour faute*) dismissal; (*économique*) redundancy.

licencier [lisɑ̃sje] *vt* (*pour faute*) to dismiss; **être licencié** (*économique*) to be made redundant.

liège [ljɛʒ] *nm* cork.

liégeois [ljeʒwa] *adj m* → **café**, **chocolat**.

lien [ljɛ̃] *nm* (*ruban, sangle*) tie; (*relation*) link.

lier [lje] *vt* (*attacher*) to tie up; (*par contrat*) to bind; (*phénomènes, idées*) to connect; **~ conversation avec qqn** to strike up a conversation with sb ❑ **se lier** *vp*: **se ~ (d'amitié) avec qqn** to make friends with sb.

lierre [ljɛr] *nm* ivy.

lieu, -x [ljø] *nm* place; **avoir ~** to take place; **au ~ de** instead of.

lièvre [ljɛvr] *nm* hare.

ligne [liɲ] *nf* line; **avoir la ~** to be slim; **aller à la ~** to start a new paragraph; **se mettre en ~** to line up; **~ blanche** (*sur la route*) white line; **(en) ~ droite** (in a) straight line; **«grandes ~s»** sign directing rail passengers to platforms for intercity trains.

ligoter [ligote] *vt* to tie up.

lilas [lila] *nm* lilac.

limace [limas] *nf* slug.

limande [limɑ̃d] *nf* dab.

lime [lim] *nf* file; ~ **à ongles** nail file.

limer [lime] *vt* to file.

limitation [limitasjɔ̃] *nf* restriction; ~ **de vitesse** speed limit.

limite [limit] *nf (bord)* edge; *(frontière)* border; *(maximum ou minimum)* limit ♦ *adj (prix, vitesse)* maximum; **à la** ~ if necessary.

limiter [limite] *vt* to limit □ **se limiter à** *vp* + *prép (se contenter de)* to limit o.s. to; *(être restreint à)* to be limited to.

limonade [limɔnad] *nf* lemonade.

limpide [lɛ̃pid] *adj* (crystal) clear.

lin [lɛ̃] *nm* linen.

linge [lɛ̃ʒ] *nm (de maison)* linen; *(lessive)* washing.

lingerie [lɛ̃ʒri] *nf (sous-vêtements)* lingerie; *(local)* linen room.

lingot [lɛ̃go] *nm*: ~ **(d'or)** (gold) ingot.

lino(léum) [lino, linɔleɔm] *nm* lino(leum).

lion [ljɔ̃] *nm* lion □ **Lion** *nm* Leo.

liqueur [likœr] *nf* liqueur.

liquidation [likidasjɔ̃] *nf*: «~ **totale**» "stock clearance".

liquide [likid] *adj & nm* liquid; *(argent)* cash; **payer en (argent)** ~ to pay cash; ~ **de frein** brake fluid.

liquider [likide] *vt (vendre)* to sell off; *(fam: terminer)* to polish off.

lire [lir] *vt & vi* to read.

lisible [lizibl] *adj* legible.

lisière [lizjɛr] *nf* edge.

lisse [lis] *adj* smooth.

liste [list] *nf* list; ~ **d'attente**

waiting list; **être sur** ~ **rouge** to be ex-directory *(Br)*, to have an unlisted number *(Am)*.

lit [li] *nm* bed; **aller au** ~ to go to bed; ~ **de camp** camp bed; ~ **double, grand** ~ double bed; ~ **simple,** ~ **à une place, petit** ~ single bed; ~**s jumeaux** twin beds; ~**s superposés** bunk beds.

litchi [litʃi] *nm* lychee.

literie [litri] *nf* mattress and base.

litière [litjɛr] *nf* litter.

litige [litiʒ] *nm* dispute.

litre [litr] *nm* litre.

littéraire [literɛr] *adj* literary.

littérature [literatyr] *nf* literature.

littoral, -aux [litɔral, o] *nm* coast.

livide [livid] *adj* pallid.

living(-room), -s [liviŋ(rum)] *nm* living room.

livraison [livrɛzɔ̃] *nf* delivery; «~ **à domicile**» "we deliver"; «~ **des bagages**» "baggage reclaim".

livre[1] [livr] *nm* book; ~ **de français** French book.

livre[2] [livr] *nf (demi-kilo, monnaie)* pound; ~ **(sterling)** pound (sterling).

livrer [livre] *vt (marchandise)* to deliver; *(trahir)* to hand over.

livret [livrɛ] *nm* booklet; ~ **(de caisse) d'épargne** savings book; ~ **de famille** family record book; ~ **scolaire** school report (book).

livreur, -euse [livrœr, øz] *nm, f* delivery man *f* delivery woman.

local, -e, -aux [lɔkal, o] *adj* local ♦ *nm (d'un club, commercial)* premises; *(pour fête)* place; **dans les locaux** on the premises.

locataire [lɔkatɛr] *nmf* tenant.

location [lɔkasjɔ̃] nf (d'une maison) renting; (d'un billet) booking; (logement) rented accommodation; «~ de voitures» "car hire" (Br), "car rental" (Am).

locomotive [lɔkɔmɔtiv] nf locomotive.

loge [lɔʒ] nf (de concierge) lodge; (d'acteur) dressing room.

logement [lɔʒmɑ̃] nm accommodation; (appartement) flat (Br), apartment (Am); le ~ (secteur) housing.

loger [lɔʒe] vt (héberger) to put up ♦ vi to live ❏ se loger vp (pénétrer) to get stuck.

logiciel [lɔʒisjel] nm software.

logique [lɔʒik] adj logical ♦ nf logic.

logiquement [lɔʒikmɑ̃] adv logically.

logo [logo] nm logo.

loi [lwa] nf law; la ~ the law.

loin [lwɛ̃] adv far away; (dans le temps) far off; au ~ in the distance; de ~ from a distance; (fig: nettement) by far; ~ de far (away) from; ~ de là (fig: au contraire) far from it.

lointain, -e [lwɛ̃tɛ̃, ɛn] adj distant ♦ nm: dans le ~ in the distance.

Loire [lwar] nf: la ~ (fleuve) the (River) Loire.

loisirs [lwazir] nmpl (temps libre) leisure (sg); (activités) leisure activities.

Londonien, -ienne [lɔ̃dɔnjɛ̃, jɛn] nm, f Londoner.

Londres [lɔ̃dr] n London.

long, longue [lɔ̃, lɔ̃g] adj long; ça fait 10 mètres de ~ it's 10 metres long; le ~ de along; de ~ en large up and down; à la longue in the long run.

longeole [lɔ̃ʒɔl] nf smoked sausage from the Geneva region of Switzerland.

longer [lɔ̃ʒe] vt to follow.

longitude [lɔ̃ʒityd] nf longitude.

longtemps [lɔ̃tɑ̃] adv (for) a long time; ça fait trop ~ it's been too long; il y a ~ a long time ago.

longue → **long**.

longuement [lɔ̃gmɑ̃] adv for a long time.

longueur [lɔ̃gœr] nf length; à ~ de semaine/d'année all week/year long; ~ d'onde wavelength.

longue-vue [lɔ̃gvy] (pl longues-vues) nf telescope.

loquet [lɔke] nm latch.

lorraine [lɔrɛn] adj f → **quiche**.

lors [lɔr] : lors de prép (pendant) during.

lorsque [lɔrskə] conj when.

losange [lɔzɑ̃ʒ] nm lozenge.

lot [lo] nm (de loterie) prize; (COMM: en offre spéciale) (special offer) pack.

loterie [lɔtri] nf lottery.

lotion [losjɔ̃] nf lotion.

lotissement [lɔtismɑ̃] nm housing development.

loto [loto] nm (national) the French national lottery; le ~ sportif = the football pools (Br), = the soccer sweepstakes (Am).

LOTO

The French national lottery, "loto", has been running since 1976 on a similar basis to the lotteries in Britain and the US with a twice-weekly televized prize draw. French people can also bet on the results of football matches in the "loto sportif".

lotte [lɔt] *nf* monkfish; **~ à l'américaine** *monkfish tails cooked in a sauce of white wine, brandy, herbs and tomatoes.*

louche [luʃ] *adj* shady ♦ *nf* ladle.

loucher [luʃe] *vi* to squint.

louer [lwe] *vt* to rent; **"à ~"** "to let".

loup [lu] *nm* wolf.

loupe [lup] *nf* magnifying glass.

louper [lupe] *vt (fam) (examen)* to flunk; *(train)* to miss.

lourd, -e [lur, lurd] *adj* heavy; *(sans finesse)* unsubtle; *(erreur)* serious; *(orageux)* sultry ♦ *adv:* **peser ~** to be heavy.

lourdement [lurdəmã] *adv* heavily; *(se tromper)* greatly.

lourdeur [lurdœr] *nf:* **avoir des ~s d'estomac** to feel bloated.

Louvre [luvr] *nm:* **le ~** the Louvre.

---

i **LE LOUVRE**

One of the largest museums in the world, the Louvre contains a huge collection of antiques, sculptures and paintings. Following the addition of rooms which formerly housed the French Treasury department and renovation of the exterior, the museum is now referred to as the "Grand Louvre". There is a new entrance via a glass pyramid built in the front courtyard, and an under-

ground shopping centre and car park have been built.

---

loyal, -e, -aux [lwajal, o] *adj* loyal.

loyauté [lwajote] *nf* loyalty.

loyer [lwaje] *nm (d'un appartement)* rent.

lu, -e [ly] *pp* → **lire.**

lubrifiant [lybrifjã] *nm* lubricant.

lucarne [lykarn] *nf* skylight.

lucide [lysid] *adj (conscient)* conscious; *(sur soi-même)* lucid.

lueur [lɥœr] *nf* light; *(d'intelligence, de joie)* glimmer.

luge [lyʒ] *nf* toboggan; **faire de la ~** to toboggan.

lugubre [lygybr] *adj (ambiance)* gloomy; *(bruit)* mournful.

lui [lɥi] *pron* 1. *(complément d'objet indirect)* (to) him/her/it; **je ~ ai parlé** I spoke to him/her; **dites-le-~** *(sur soi-même)* tell him/her straightaway; **je ~ ai serré la main** I shook his/her hand.

2. *(après une préposition, un comparatif)* him/it; **j'en ai eu moins que ~** I had less than him.

3. *(pour renforcer le sujet)* he; **et ~, qu'est-ce qu'il en pense?** what does HE think about it?; **c'est ~ qui nous a renseignés** he was the one who informed us.

4. *(dans des expressions):* **c'est ~-même qui l'a dit** he said it himself; **il se contredit ~-même** he contradicts himself.

lui [lɥi] *pp* → **luire.**

luire [lɥir] *vi* to shine.

luisant, -e [lɥizã, ãt] *adj* shining.

madame

lumière [lymjɛr] *nf* light.
luminaires [lyminɛr] *nmpl* lighting *(sg)*.
lumineux, -euse [lyminø, øz] *adj* bright; *(teint, sourire)* radiant; *(explication)* crystal clear.
lunch, -s OU **-es** [lœʃ] *nm (buffet)* buffet lunch.
lundi [lœdi] *nm* Monday, → **samedi.**
lune [lyn] *nf* moon; ~ **de miel** honeymoon; **pleine** ~ full moon.
lunette [lynɛt] *nf (astronomique)* telescope; ~ **arrière** rear window ❏ **lunettes** *nfpl* glasses; ~**s de soleil** sunglasses.
lustre [lystr] *nm* ceiling light.
lutte [lyt] *nf* struggle, fight; *(SPORT)* wrestling.
lutter [lyte] *vi* to fight; ~ **contre** to fight (against).
luxation [lyksasjɔ̃] *nf* dislocation.
luxe [lyks] *nm* luxury; **de (grand)** ~ luxury.
Luxembourg [lyksɑ̃bur] *nm*: **le** ~ Luxembourg.
Luxembourgeois, -e [lyksɑ̃burʒwa, waz] *nm, f* person from Luxembourg.
luxueux, -euse [lyksɥø, øz] *adj* luxurious.
lycée [lise] *nm* = secondary school *(Br)*, = high school *(Am)*; ~ **professionnel** = technical college.
lycéen, -enne [liseɛ̃, ɛn] *nm, f* = secondary school student *(Br)*, = high school student *(Am)*.
Lycra® [likra] *nm* Lycra®.
Lyon [ljɔ̃] *n* Lyons.

M

m *(abr de* mètre*)* m.
m' → **me.**
M. *(abr de* Monsieur*)* Mr.
ma → **mon.**
macadam [makadam] *nm* Tarmac®.
macaron [makarɔ̃] *nm (gâteau)* macaroon.
macaronis [makarɔni] *nmpl* macaroni *(sg).*
macédoine [masedwan] *nf*: ~ **(de légumes)** (diced) mixed vegetables *(pl)*; ~ **de fruits** fruit salad.
macérer [masere] *vi (CULIN)* to steep.
mâcher [maʃe] *vt* to chew.
machin [maʃɛ̃] *nm (fam)* thingamajig.
machinal, -e, -aux [maʃinal, o] *adj* mechanical.
machine [maʃin] *nf* machine; ~ **à coudre** sewing machine; ~ **à écrire** typewriter; ~ **à laver** washing machine; ~ **à sous** one-armed bandit.
machiniste [maʃinist] *nm (d'autobus)* driver; «**faire signe au** ~» sign telling bus passengers to let the driver know when they want to get off.
mâchoire [maʃwar] *nf* jaw.
maçon [masɔ̃] *nm* bricklayer.
madame [madam] *(pl* **mesdames** [medam]*) nf*: ~ **X** Mrs X; **bonjour** ~**/mesdames!** good morning (Madam/ladies)!; **Madame,** *(dans une lettre)* Dear Madam,; **Madame!**

(pour appeler le professeur) Miss!

madeleine [madlɛn] *nf* small sponge cake flavoured with lemon or orange.

mademoiselle [madmwazɛl] *(pl* **mesdemoiselles** [medmwazɛl]) *nf:* ~ X Miss X; **bonjour ~/mesdemoiselles!** good morning (Miss/ladies)!; **Mademoiselle,** *(dans une lettre)* Dear Madam,; **Mademoiselle!** *(pour appeler le professeur)* Miss!

madère [madɛr] *mm* → **sauce**.

maf(f)ia [mafja] *nf* mafia; **la Maf(f)ia** *(sicilienne)* the Mafia.

magasin [magazɛ̃] *mm* shop *(Br)*, store *(Am)*; **en ~** in stock.

magazine [magazin] *nm* magazine.

Maghreb [magrɛb] *mm:* **le ~** North Africa, the Maghreb.

Maghrébin, -e [magrebɛ̃, in] *nm, f* North African.

magicien, -ienne [maʒisjɛ̃, jɛn] *nm, f* magician.

magie [maʒi] *nf* magic.

magique [maʒik] *adj* magic.

magistrat [maʒistra] *nm* magistrate.

magnésium [maɲezjɔm] *nm* magnesium.

magnétique [maɲetik] *adj* magnetic.

magnétophone [maɲetɔfɔn] *nm* tape recorder.

magnétoscope [maɲetɔskɔp] *nm* videorecorder.

magnifique [maɲifik] *adj* magnificent.

magret [magrɛ] *nm:* ~ **(de canard)** fillet of duck breast.

mai [mɛ] *nm* May; **le premier ~** May Day, → **septembre**.

The first day of May is a national holiday in France celebrating Labour Day, and traditionally there are large processions lead by trade unions in the larger cities. Also on this day, bunches of lily of the valley are sold in the streets and given as presents. The flowers are supposed to bring good luck.

maigre [mɛgr] *adj* thin; *(viande)* lean; *(yaourt)* low-fat.

maigrir [megrir] *vi* to lose weight.

maille [maj] *nf (d'un tricot)* stitch; *(d'un filet)* mesh.

maillon [majɔ̃] *nm* link.

maillot [majo] *nm (de foot)* jersey; *(de danse)* leotard; ~ **de bain** bathing costume; ~ **de corps** vest *(Br)*, undershirt *(Am)*; ~ **jaune** *(du Tour de France)* yellow jersey *(worn by the leading cyclist in the Tour de France)*.

main [mɛ̃] *nf* hand; **à ~ gauche** on the left-hand side; **se donner la ~** to hold hands; **fait (à la) ~** handmade; **prendre qqch en ~** to take sthg in hand.

main-d'œuvre [mɛ̃dœvr] *(pl* **mains-d'œuvre)** *nf* labour.

maintenant [mɛ̃tnɑ̃] *adv* now; *(de nos jours)* nowadays.

maintenir [mɛ̃tnir] *vt* to maintain; *(soutenir)* to support ❏ **se maintenir** *vp (temps, tendance)* to remain.

maintenu, -e [mɛ̃tny] *pp* → **maintenir**.

maire [mɛr] *nm* mayor.

mairie [meri] *nf (bâtiment)* town hall *(Br)*, city hall *(Am)*.

mais [mɛ] *conj* but; ~ **non!** of course not!

maïs [mais] *nm* maize *(Br)*, corn *(Am)*.

maison [mɛzɔ̃] *nf (domicile)* house, home; *(bâtiment)* house ♦ *adj inv* homemade; **rester à la ~** to stay at home; **rentrer à la ~** to go home; ~ **de campagne** house in the country; ~ **des jeunes et de la culture** = youth and community centre.

maître, -esse [mɛtr, mɛtrɛs] *nm, f (d'un animal)* master *(f* mistress*)*; ~ **(d'école)** schoolteacher; ~ **d'hôtel** *(au restaurant)* head waiter; ~ **nageur** swimming instructor.

maîtresse [mɛtrɛs] *nf (amie)* mistress, → **maître**.

maîtrise [mɛtriz] *nf (diplôme)* = master's degree.

maîtriser [mɛtrize] *vt* to master; *(personne)* to overpower; *(incendie)* to bring under control.

majestueux, -euse [maʒɛstɥø, øz] *adj* majestic.

majeur, -e [maʒœr] *adj (principal)* major ♦ *nm (doigt)* middle finger; **être ~** *(adulte)* to be of age; **la ~e partie (de)** the majority (of).

majoration [maʒɔrasjɔ̃] *nf* increase.

majorette [maʒɔrɛt] *nf* majorette.

majorité [maʒɔrite] *nf* majority; **en ~** in the majority; **la ~ de** the majority of.

majuscule [maʒyskyl] *nf* capital letter.

mal [mal] *(pl* **maux** [mo]*)* *nm (contraire du bien)* evil ♦ *adv* badly; **j'ai**

~ it hurts; **avoir ~ au cœur** to feel sick; **avoir ~ aux dents** to have toothache; **avoir ~ au dos** to have backache; **avoir ~ à la gorge** to have a sore throat; **avoir ~ à la tête** to have a headache; **avoir ~ au ventre** to have a(a) stomachache; **ça fait ~** it hurts; **faire ~ à qqn** to hurt sb; **se faire ~** to hurt o.s.; **se donner du ~ (pour faire qqch)** to make an effort (to do sthg); ~ **de gorge** sore throat; ~ **de mer** seasickness; **avoir le ~ du pays** to feel homesick; **maux de tête** headaches; **pas ~** *(fam: assez bon, assez beau)* not bad; **pas ~ de** *(fam: beaucoup)* quite a lot of.

malade [malad] *adj* ill, sick; *(sur un bateau, en avion)* sick ♦ *nmf* sick person; ~ **mental** mentally ill person.

maladie [maladi] *nf* illness.

maladresse [maladrɛs] *nf* clumsiness; *(acte)* blunder.

maladroit, -e [maladrwa, wat] *adj* clumsy.

malaise [malɛz] *nm (MÉD)* faintness; *(angoisse)* unease; **avoir un ~** to faint.

malaxer [malakse] *vt* to knead.

malchance [malʃɑ̃s] *nf* bad luck.

mâle [mal] *adj & nm* male.

malentendu [malɑ̃tɑ̃dy] *nm* misunderstanding.

malfaiteur [malfɛtœr] *nm* criminal.

malfamé, -e [malfame] *adj* disreputable.

malformation [malfɔrmasjɔ̃] *nf* malformation.

malgré [malgre] *prép* in spite of; ~ **tout** despite everything.

malheur [malœr] *nm* misfortune.

malheureusement [malørøzmã] *adv* unfortunately.

malheureux, -euse [malørø, øz] *adj* unhappy.

malhonnête [malɔnɛt] *adj* dishonest.

Mali [mali] *nm*: **le ~** Mali.

malicieux, -ieuse [malisjø, jøz] *adj* mischievous.

malin, -igne [malɛ̃, iɲ] *adj (habile, intelligent)* crafty.

malle [mal] *nf* trunk.

mallette [malɛt] *nf* small suitcase.

malmener [malməne] *vt* to manhandle.

malnutrition [malnytrisjɔ̃] *nf* malnutrition.

malpoli, -e [malpɔli] *adj* rude.

malsain, -e [malsɛ̃, ɛn] *adj* unhealthy.

maltraiter [maltrete] *vt* to mistreat.

malveillant, -e [malvɛjɑ̃, jɑ̃t] *adj* spiteful.

maman [mamã] *nf* mum *(Br)*, mom *(Am)*.

mamie [mami] *nf (fam)* granny.

mammifère [mamifɛr] *nm* mammal.

manager [manadʒœr] *nm* manager.

manche [mɑ̃ʃ] *nf (de vêtement)* sleeve; *(de jeu)* round; *(au tennis)* set ♦ *nm* handle; **à ~s courtes/longues** short-/long-sleeved.

Manche [mɑ̃ʃ] *nf*: **la ~** the (English) Channel.

manchette [mɑ̃ʃɛt] *nf (d'une manche)* cuff.

mandarine [mɑ̃darin] *nf* mandarin.

mandat [mɑ̃da] *nm (postal)* money order.

manège [manɛʒ] *nm (attraction)* merry-go-round *(Br)*, carousel *(Am)*; *(d'équitation)* riding school.

manette [manɛt] *nf* lever; **~ de jeux** joystick.

mangeoire [mɑ̃ʒwar] *nf* trough.

manger [mɑ̃ʒe] *vt & vi* to eat; **donner à ~ à qqn** to give sb something to eat; *(bébé)* to feed sb.

mangue [mɑ̃g] *nf* mango.

maniable [manjabl] *adj* easy to use.

maniaque [manjak] *adj* fussy.

manie [mani] *nf* funny habit.

manier [manje] *vt* to handle.

manière [manjɛr] *nf* way; **de ~ à** **faire qqch** in order to do sthg; **de ~ à ce que so** (that); **de toute ~** at any rate ❑ **manières** *nfpl (attitude)* manners; **faire des ~s** to be difficult.

maniéré, -e [manjere] *adj* affected.

manif [manif] *nf (fam)* demo.

manifestant, -e [manifɛstɑ̃, ɑ̃t] *nm, f* demonstrator.

manifestation [manifɛstasjɔ̃] *nf (défilé)* demonstration; *(culturelle)* event.

manifester [manifɛste] *vt (exprimer)* to express ♦ *vi* to demonstrate ❑ **se manifester** *vp (apparaître)* to appear.

manigancer [manigɑ̃se] *vt* to dream up.

manipulation [manipylasjɔ̃] *nf* handling; *(tromperie)* manipulation.

manipuler [manipyle] vt to handle; (fig: personne) to manipulate.

manivelle [manivɛl] nf crank.

mannequin [mankɛ̃] nm (de défilé) model; (dans une vitrine) dummy.

manœuvre [manœvr] nf manoeuvre.

manœuvrer [manœvre] vt & vi to manoeuvre.

manoir [manwar] nm manor house.

manquant, -e [mãkã, ãt] adj missing.

manque [mãk] nm: **le ~ de** the lack of.

manquer [mãke] vt to miss ◆ vi (échouer) to fail; (élève, employé) to be absent; **elle nous manque** we miss her; **il manque deux pages** there are two pages missing; **il me manque dix francs** I'm ten francs short; **~ de** (argent, temps, café) to be short of; (humour, confiance en soi) to lack; **il a manqué (de) se faire écraser** he nearly got run over.

mansardé, -e [mãsarde] adj in the attic.

manteau, -x [mãto] nm coat.

manucure [manykyr] nmf manicurist.

manuel, -elle [manɥɛl] adj & nm manual.

manuscrit [manyskri] nm manuscript.

mappemonde [mapmɔ̃d] nf (carte) map of the world; (globe) globe.

maquereau, -x [makro] nm mackerel.

maquette [makɛt] nf scale model.

maquillage [makijaʒ] nm (fard, etc) make-up.

maquiller [makije] : **se maquiller** vp to make o.s. up.

marais [marɛ] nm marsh.

LE MARAIS

This district in the fourth "arrondissement" of Paris stretches between the Bastille and the Hôtel de Ville. It is famous for its many fashionable town houses built on and around the Place des Vosges, and is historically associated with the Jewish community.

---

marathon [maratɔ̃] nm marathon.

marbre [marbr] nm marble.

marbré, -e [marbre] adj marbled.

marchand, -e [marʃã, ãd] nm, f shopkeeper (Br), storekeeper (Am); **~ ambulant** street pedlar; **~ de fruits et légumes** OU **de primeurs** greengrocer; **~ de journaux** newsagent.

marchander [marʃãde] vi to haggle.

marchandises [marʃãdiz] nfpl merchandise (sg).

marche [marʃ] nf (à pied) walk; (d'escalier) step; (fonctionnement) operation; **~ arrière** reverse; **en ~** (en fonctionnement) running; **mettre qqch en ~** to start sthg up; **descendre d'un train en ~** to get off a train while it's still moving.

marché [marʃe] nm market;

marchepied

(contrat) deal; **faire son ~** to do one's shopping; **le Marché commun** the Common Market; **~ couvert** covered market; **~ aux puces** flea market; **bon ~** cheap; **par-dessus le ~** what's more.

 MARCHÉ

Almost every French town, however small, has its own open-air or covered market which takes place once or twice a week. It usually consists of stalls selling fresh produce, flowers, clothes or household goods; but there are also specialized markets selling, for example, just flowers, cheese or livestock.

---

marchepied [marʃəpje] *nm* step.

marcher [marʃe] *vi* to walk; *(fonctionner)* to work; *(bien fonctionner)* to go well; **faire ~ qqch** to operate sthg; **faire ~ qqn** *(fam)* to pull sb's leg.

mardi [mardi] *nm* Tuesday; **~ gras** Shrove Tuesday, → **samedi**.

mare [mar] *nf* pool.

marécage [marekaʒ] *nm* marsh.

marée [mare] *nf* tide; **(à) basse/haute** (at) low/high tide.

margarine [margarin] *nf* margarine.

marge [marʒ] *nf* margin.

marginal, -e, -aux [marʒinal, o] *nm, f* dropout.

marguerite [margərit] *nf* daisy.

mari [mari] *nm* husband.

mariage [marjaʒ] *nm* *(noce)* wedding; *(institution)* marriage.

marié, -e [marje] *adj* married ◆

nm, f bridegroom *(f* bride); **jeunes ~s** newlyweds.

marier [marje] **: se marier** *vp* to get married; **se ~ avec qqn** to marry sb.

marin, -e [marē, in] *adj (courant, carte)* sea ◆ *nm* sailor.

marine [marin] *adj inv & nm* navy (blue) ◆ *nf* navy.

mariner [marine] *vi* to marinate.

marinière [marinjɛr] *nf* → **moule²**.

marionnette [marjɔnɛt] *nf* puppet.

maritime [maritim] *adj (ville)* seaside.

marketing [marketiŋ] *nm* marketing.

marmelade [marməlad] *nf* stewed fruit.

marmite [marmit] *nf* (cooking) pot.

marmonner [marmɔne] *vt* to mumble.

Maroc [marɔk] *nm:* **le ~** Morocco.

marocain, -e [marɔkē, ɛn] *adj* Moroccan ❑ **Marocain, -e** *nm, f* Moroccan.

maroquinerie [marɔkinri] *nf (objets)* leather goods *(pl); (boutique)* leather shop *(Br),* leather store *(Am).*

marque [mark] *nf (trace)* mark; *(commerciale)* make; *(nombre de points)* score.

marqué, -e [marke] *adj (différence, tendance)* marked; *(ridé)* lined.

marquer [marke] *vt (écrire)* to note (down); *(impressionner)* to mark; *(point, but)* to score ◆ *vi*

matériel

(stylo) to write.

marqueur [markœr] nm marker (pen).

marquis, -e [marki, iz] nm, f marquis (f marchioness).

marraine [marɛn] nf godmother.

marrant, -e [marɑ̃, ɑ̃t] adj (fam) funny.

marre [mar] adv: **en avoir ~ (de)** (fam) to be fed up (with).

marrer [mare] : **se marrer** vp (fam) (rire) to laugh; (s'amuser) to have a (good) laugh.

marron [marɔ̃] adj inv brown ♦ nm (fruit) chestnut; (couleur) brown; ~ **glacé** marron glacé, crystallized chestnut.

marronnier [marɔnje] nm chestnut tree.

mars [mars] nm March, → **septembre**.

Marseille [marsɛj] n Marseilles.

marteau, -x [marto] nm hammer; ~ **piqueur** pneumatic drill.

martiniquais, -e [martinike, ɛz] adj of Martinique.

Martinique [martinik] nf: **la ~** Martinique.

martyr, -e [martir] adj (enfant) battered ♦ nm, f martyr.

martyre [martir] nm (douleur, peine) agony.

martyriser [martirize] vt to ill-treat.

mascara [maskara] nm mascara.

mascotte [maskɔt] nf mascot.

masculin, -e [maskylɛ̃, in] adj & nm masculine.

masque [mask] nm mask.

masquer [maske] vt (cacher à la vue) to conceal.

massacre [masakr] nm massacre.

massacrer [masakre] vt to massacre.

massage [masaʒ] nm massage.

masse [mas] nf (bloc) mass; (outil) sledgehammer; **une ~ ou des ~s de** loads of; **en ~** en masse.

masser [mase] vt (dos, personne) to massage; (grouper) to assemble ❑ **se masser** vp (se grouper) to assemble.

masseur, -euse [masœr, øz] nm, f masseur (f masseuse).

massif, -ive [masif, iv] adj (bois, or) solid; (lourd) massive ♦ nm (d'arbustes, de fleurs) clump; (montagneux) massif; **le Massif central** the Massif Central (upland region in southern central France).

massivement [masivmɑ̃] adv en masse.

massue [masy] nf club.

mastic [mastik] nm putty.

mastiquer [mastike] vt (mâcher) to chew.

mat, -e [mat] adj (métal, photo) matt; (peau) olive ♦ adj inv (aux échecs) mate.

mât [ma] nm mast.

match [matʃ] (pl -s ou -es) nm match; **faire ~ nul** to draw.

matelas [matla] nm mattress; ~ **pneumatique** airbed.

matelassé, -e [matlase] adj (vêtement) lined; (tissu) quilted.

mater [mate] vt to put down.

matérialiser [materjalize] : **se matérialiser** vp to materialize.

matériaux [materjo] nmpl materials.

matériel, -ielle [materjɛl] adj

material ◆ *nm* equipment; *(IN-FORM)* hardware; **~ de camping** camping equipment.

maternel, -elle [matɛrnɛl] *adj* maternal.

maternelle [matɛrnɛl] *nf*: **(école) ~** nursery school.

maternité [matɛrnite] *nf (hôpital)* maternity hospital.

mathématiques [matematik] *nfpl* mathematics.

maths [mat] *nfpl (fam)* maths *(Br)*, math *(Am)*.

matière [matjɛr] *nf (matériau)* material; *(SCOL)* subject; **~ première** raw material; **~s grasses** fats.

Matignon [matiɲɔ̃] *n*: **(l'hôtel) ~** *building in Paris where the offices of the Prime Minister are based and, by extension, the Prime Minister himself.*

matin [matɛ̃] *nm* morning; **le ~** *(tous les jours)* in the morning; **deux heures du ~** two in the morning.

matinal, -e, -aux [matinal, o] *adj*: **être ~** to be an early riser.

matinée [matine] *nf* morning; *(spectacle)* matinée.

matraque [matrak] *nf* truncheon *(Br)*, nightstick *(Am)*.

maudire [modir] *vt* to curse.

maudit, -e [modi, it] *pp* ◆ **maudire** ◆ *adj* damned.

Maurice [moris] *n* → **île**.

maussade [mosad] *adj (humeur)* glum; *(temps)* dismal.

mauvais, -e [movɛ, ɛz] *adj* bad; *(faux)* wrong; *(méchant)* nasty; **il fait ~** the weather's bad; **~ en** to be at.

mauve [mov] *adj* mauve.

maux → **mal**.

max. *(abr de maximum)* max.

maximum [maksimɔm] *nm* maximum; **au ~** *(à la limite)* at the most.

mayonnaise [majɔnɛz] *nf* mayonnaise.

mazout [mazut] *nm* fuel oil.

me [mə] *pron (objet direct)* me; *(objet indirect)* (to) me; *(réfléchi)*: **je ~** lève tôt I get up early.

mécanicien, -ienne [mekanisjɛ̃, jɛn] *nm, f (de garage)* mechanic.

mécanique [mekanik] *adj* mechanical ◆ *nf (mécanisme)* mechanism; *(automobile)* car mechanics *(sg)*.

mécanisme [mekanism] *nm* mechanism.

méchamment [meʃamɑ̃] *adv* nastily.

méchanceté [meʃɑ̃ste] *nf* nastiness.

méchant, -e [meʃɑ̃, ɑ̃t] *adj* nasty.

mèche [mɛʃ] *nf (de cheveux)* lock; *(de lampe)* wick; *(de perceuse)* bit; *(d'explosif)* fuse.

méchoui [meʃwi] *nm* barbecue of a whole sheep roasted on a spit.

méconnaissable [mekɔnɛsabl] *adj* unrecognizable.

mécontent, -e [mekɔ̃tɑ̃, ɑ̃t] *adj* unhappy.

médaille [medaj] *nf (récompense)* medal; *(bijou)* medallion.

médaillon [medajɔ̃] *nm (bijou)* locket; *(CULIN)* medallion.

médecin [medsɛ̃] *nm* doctor; **mon ~ traitant** my (usual) doctor.

médecine [medsin] *nf* medicine.

médias [medja] *nmpl (mass)* media.

médiatique [medjatik] *adj*: être

~ to look good on TV.

médical, -e, -aux [medikal, o] *adj* medical.

médicament [medikamɑ̃] *nm* medicine.

médiéval, -e, -aux [medjeval, o] *adj* medieval.

médiocre [medjɔkr] *adj* mediocre.

médisant, -e [medizɑ̃, ɑ̃t] *adj* spiteful.

méditation [meditasjɔ̃] *nf* meditation.

méditer [medite] *vt* to think about ♦ *vi* to meditate.

Méditerranée [mediterane] *nf*: **la (mer)** ~ the Mediterranean (Sea).

méditerranéen, -enne [mediteraneɛ̃, ɛn] *adj* Mediterranean.

méduse [medyz] *nf* jellyfish.

meeting [mitiŋ] *nm* (POL) (public) meeting; (SPORT) meet.

méfiance [mefjɑ̃s] *nf* suspicion.

méfiant, -e [mefjɑ̃, ɑ̃t] *adj* mistrustful.

méfier [mefje] : **se méfier** *vp* to be careful; **se** ~ **de** to distrust.

mégot [mego] *nm* cigarette butt.

meilleur, -e [mɛjœr] *adj* (comparatif) better; (superlatif) best ♦ *nm*, *f* best.

mélancolie [melɑ̃kɔli] *nf* melancholy.

mélange [melɑ̃ʒ] *nm* mixture.

mélanger [melɑ̃ʒe] *vt* to mix; (salade) to toss; (cartes) to shuffle; (confondre) to mix up.

Melba [mɛlba] *adj inv* → **pêche**.

mêlée [mele] *nf* (au rugby) scrum.

mêler [mele] *vt* (mélanger) to mix; ~ **qqn à qqch** to involve sb in sthg

❑ **se mêler** *vp*: **se** ~ **à** (foule, manifestation) to join; **se** ~ **de qqch** to interfere in sthg.

mélodie [melɔdi] *nf* melody.

melon [məlɔ̃] *nm* melon.

membre [mɑ̃br] *nm* (bras, jambe) limb; (d'un club) member.

même [mɛm] *adj* 1. (identique) same; **nous avons les** ~**s places qu'à l'aller** we've got the same seats as on the way out.

2. (sert à renforcer): **ce sont ses paroles** ~**s** those are his very words.

♦ *pron*: **le/la** ~ **(que)** the same one (as).

♦ *adv* 1. (sert à renforcer): even; ~ **les sandwichs sont chers ici** even the sandwiches are expensive here; **il n'y a** ~ **pas de cinéma** there isn't even a cinema.

2. (exactement): **c'est aujourd'hui** ~ it's this very day; **ici** ~ right here.

3. (dans des expressions): **coucher à** ~ **le sol** to sleep on the floor; **être à** ~ **de faire qqch** to be able to do sthg; **bon appétit! - vous de** ~ enjoy your meal! - you too; **faire de** ~ to do the same; **de** ~ **que (et)** and.

mémé [meme] *nf* (fam) granny.

mémoire [memwar] *nf* memory; **de** ~ (réciter, jouer) from memory; ~ **morte** read-only memory; ~ **vive** random-access memory.

menace [mənas] *nf* threat.

menacer [mənase] *vt* to threaten ♦ *vi*: **la pluie menace** it looks like rain; ~ **de faire qqch** to threaten to do sthg.

ménage [menaʒ] *nm* (rangement) housework; (famille) couple; **faire le** ~ to do the housework.

ménager[1] [menaʒe] vt (forces) to conserve.

ménager[2], **-ère** [menaʒe, ɛr] adj (produit, équipement) household; travaux ~s housework (sg).

ménagère [menaʒɛr] nf (couverts) canteen.

ménagerie [menaʒri] nf menagerie.

mendiant, -e [mɑ̃djɑ̃, ɑ̃t] nm, f beggar ♦ nm (gâteau) biscuit containing dried fruit and nuts.

mendier [mɑ̃dje] vi to beg.

mener [məne] vt to lead; (emmener) to take ♦ vi (SPORT) to lead.

menottes [mənɔt] nfpl handcuffs.

mensonge [mɑ̃sɔ̃ʒ] nm lie.

mensualité [mɑ̃syalite] nf (versement) monthly instalment.

mensuel, -elle [mɑ̃sɥel] adj & nm monthly.

mensurations [mɑ̃syrasjɔ̃] nfpl measurements.

mental, -e, -aux [mɑ̃tal, o] adj mental.

mentalité [mɑ̃talite] nf mentality.

menteur, -euse [mɑ̃tœr, øz] nm, f liar.

menthe [mɑ̃t] nf mint; ~ à l'eau mint cordial.

mention [mɑ̃sjɔ̃] nf (à un examen) distinction; «rayer les ~s inutiles» "delete as appropriate".

mentionner [mɑ̃sjɔne] vt to mention.

mentir [mɑ̃tir] vi to lie.

menton [mɑ̃tɔ̃] nm chin.

menu, -e [məny] adj (très mince) slender ♦ adv (hacher) finely ♦ nm menu; (à prix fixe) set menu; ~ gas-

tronomique gourmet menu; ~ touristique set menu.

menuisier [mənɥizje] nm carpenter.

mépris [mepri] nm contempt.

méprisant, -e [meprizɑ̃, ɑ̃t] adj contemptuous.

mépriser [meprize] vt to despise.

mer [mɛr] nf sea; **en** ~ at sea; **la** ~ **du Nord** the North Sea.

mercerie [mɛrsəri] nf (boutique) haberdasher's shop (Br), notions store (Am).

merci [mɛrsi] excl thank you!; ~ **beaucoup!** thank you very much!; ~ **de** ... thank you for ...

mercredi [mɛrkrədi] nm Wednesday, → **samedi**.

merde [mɛrd] excl (vulg) shit! ♦ nf (vulg) shit.

mère [mɛr] nf mother.

merguez [mɛrgɛz] nf spicy North African sausage.

méridional, -e, -aux [meridjɔnal, o] adj (du Midi) Southern (French).

meringue [mərɛ̃g] nf meringue.

mérite [merit] nm (qualité) merit; **avoir du** ~ to deserve praise.

mériter [merite] vt to deserve.

merlan [mɛrlɑ̃] nm whiting.

merle [mɛrl] nm blackbird.

merlu [mɛrly] nm hake.

merveille [mɛrvɛj] nf marvel; (beignet) = doughnut.

merveilleux, -euse [mɛrvɛjø, øz] adj marvellous.

mes → **mon**.

mésaventure [mezavɑ̃tyr] nf misfortune.

mesdames → **madame**.

mesdemoiselles → **mademoiselle.**

mesquin, -e [mɛskɛ̃, in] *adj*
mean.

message [mesaʒ] *nm* message.

messager, -ère [mesaʒe, ɛr]
nm, f messenger.

messagerie [mesaʒri] *nf:* ~
électronique electronic mail.

messe [mɛs] *nf* mass.

messieurs → **monsieur.**

mesure [mazyr] *nf* measurement; *(rythme)* time; *(décision)*
measure; **sur** ~ *(vêtement)* made-to-
measure; **dans la** ~ **du possible** as
far as possible; **(ne pas) être en** ~
de faire qqch (not) to be in a position to do sthg.

mesuré, -e [mazyre] *adj* (modéré) measured.

mesurer [mazyre] *vt* to measure; **il mesure 1,80 mètres** he's 6
foot tall.

met *etc* → **mettre.**

métal, -aux [metal, o] *nm* metal.

métallique [metalik] *adj* (pièce)
metal; (son) metallic.

météo [meteo] *nf:* (bulletin) ~
weather forecast; ~ **marine** ship-
ping forecast.

météorologique [meteɔrɔlɔ-
ʒik] *adj* meteorological.

méthode [metɔd] *nf* method;
(manuel) handbook.

méthodique [metɔdik] *adj* methodical.

méticuleux, -euse [metikylø,
øz] *adj* meticulous.

métier [metje] *nm* occupation,
job.

métis, -isse [metis] *nm, f* per-

son of mixed race.

mètre [mɛtr] *nm* metre; (ruban)
tape measure.

métro [metro] *nm (réseau)* underground (Br), subway (Am); (train)
train; ~ **aérien** elevated railway.

_i_ **MÉTRO**

The Paris "métro" was built in
1900 and consists of fifteen
lines serving the whole of the city
with trains running between 5.30
am and 1.00 am. The entrances to
"métro" stations are known as
"bouches de métro" and some of the
older ones feature ornate art nouveau wrought-iron railings and the
sign "Métropolitain".

---

métropole [metrɔpɔl] *nf (ville)*
metropolis; *(pays)* home country.

metteur [metœr] *nm:* ~ **en
scène** director.

mettre [mɛtr] *vt* **1.** *(placer, poser)*
to put; ~ **qqch debout** to stand
sthg up.
2. *(vêtement)* to put on; **je ne mets
plus ma robe noire** I don't wear
my black dress any more.
3. *(temps)* to take; **nous avons mis
deux heures par l'autoroute** it took
us two hours on the motorway.
4. *(argent)* to spend; **combien
voulez-vous y** ~? how much do
you want to spend?
5. *(déclencher)* to switch on, to turn
on; ~ **le chauffage** to put the heating on; ~ **le contact** to switch on
the ignition.
6. *(dans un état différent):* ~ **qqn en
colère** to make sb angry; ~ **qqch en
marche** to start sthg (up).

7. (écrire) to write.
❑ **se mettre** vp **1.** (se placer): **mets-toi sur cette chaise** sit on this chair; **se ~ debout** to stand up; **se ~ au lit** to get into bed; **où est-ce que ça se met?** where does it go? **2.** (dans un état différent): **se ~ en colère** to get angry; **se ~ d'accord** to agree. **3.** (vêtement, maquillage) to put on. **4.** (commencer): **se ~ à faire qqch** to start doing sthg; **se ~ au travail** to set to work; **s'y ~** to get down to it.

meuble [mœbl] nm piece of furniture; ~s furniture (sg).

meublé [mœble] nm furnished accommodation.

meubler [mœble] vt to furnish.

meugler [møgle] vi to moo.

meule [møl] nf (de foin) haystack.

meunière [mønjɛr] nf → **sole**.

meurt → **mourir**.

meurtre [mœrtr] nm murder.

meurtrier, -ière [mœrtrije, jɛr] nm, f murderer.

meurtrière [mœrtrijɛr] nf arrow slit.

meurtrir [mœrtrir] vt to bruise.

meurtrissure [mœrtrisyr] nf bruise.

meute [møt] nf pack.

Mexique [mɛksik] nm: **le ~** Mexico.

mezzanine [mɛdzanin] nf (dans une pièce) mezzanine.

mi- [mi] préf half; **à la ~mars** in mid-March; **à ~chemin** halfway.

miauler [mjole] vi to miaow.

miche [miʃ] nf round loaf.

micro [mikro] nm (amplificateur) mike; (micro-ordinateur) micro.

microbe [mikrɔb] nm (maladie) bug.

micro-ondes [mikrɔɔd] nmpl inv: **(four à) ~** microwave (oven).

micro-ordinateur, -s [mikrɔordinatœr] nm microcomputer.

microprocesseur [mikrɔprosesœr] nm microprocessor.

microscope [mikrɔskɔp] nm microscope.

microscopique [mikrɔskɔpik] adj microscopic.

midi [midi] nm midday, noon; **à ~** at midday, at noon; (à l'heure du déjeuner) at lunchtime; **le Midi** the South of France.

mie [mi] nf soft part (of loaf).

miel [mjɛl] nm honey.

mien [mjɛ̃] : **le mien** (f **la mienne** [lamjɛn], mpl **les miens** [lemjɛ̃], fpl **les miennes** [lemjɛn]) pron mine.

miette [mjɛt] nf crumb; **en ~s** (en morceaux) in tiny pieces.

mieux [mjø] adv better ◆ adj better; (plus joli) nicer; (plus séduisant) better-looking; **c'est ce qu'il fait le ~** it's what he does best; **le ~ situé des deux hôtels** the hotel best situated of the two hotels; **aller ~** to be better; **ça vaut ~** it's better; **de ~ en ~** better and better; **c'est le ~ de tous** (le plus beau) it's the nicest of all; **c'est le ~ à faire** (la meilleure chose à faire) it's the best idea.

mignon, -onne [miɲɔ̃, ɔn] adj sweet.

migraine [migrɛn] nf migraine.

mijoter [miʒɔte] vi to simmer.

milieu, -x [miljø] nm middle; (naturel) environment; (familial, social) background; **au ~ (de)** in the middle (of).

militaire [militɛr] *adj* military ◆ *nm* soldier.

militant, -e [militɑ̃, ɑ̃t] *nm, f* militant.

milk-shake, -s [milkʃɛk] *nm* milkshake.

mille [mil] *num* a thousand; **trois ~** three thousand; **~ neuf cent quatre-vingt-seize** nineteen ninety-six, → **six.**

mille-feuille, -s [milfœj] *nm* millefeuille *(Br)*, napoleon *(Am)*, dessert consisting of layers of thin sheets of puff pastry and confectioner's custard.

mille-pattes [milpat] *nm inv* millipede.

milliard [miljar] *nm* thousand million *(Br)*, billion *(Am)*.

milliardaire [miljardɛr] *nmf* multimillionaire.

millier [milje] *nm* thousand; **des ~s de** thousands of.

millilitre [mililitr] *nm* millilitre.

millimètre [milimetr] *nm* millimetre.

million [miljɔ̃] *nm* million.

millionnaire [miljɔnɛr] *nmf* millionaire.

mime [mim] *nm (acteur)* mime artist.

mimer [mime] *vt* to mimic.

mimosa [mimoza] *nm* mimosa.

min *(abr de* minute*)* min.

min. *(abr de* minimum*)* min.

minable [minabl] *adj (fam: logement, bar)* shabby.

mince [mɛ̃s] *adj (personne)* slim; *(tissu, tranche)* thin ◆ *excl* sugar! *(Br)*, shoot! *(Am)*.

mine [min] *nf (de charbon)* mine; *(de crayon)* lead; *(visage)* look; **avoir**

bonne/mauvaise ~ to look well/ill; **faire ~ de faire qqch** to pretend to do sthg.

miner [mine] *vt (terrain)* to mine; *(fig: moral)* to undermine.

minerai [minrɛ] *nm* ore.

minéral, -e, -aux [mineral, o] *adj & nm* mineral.

minéralogique [mineralɔʒik] *adj* → **plaque.**

mineur, -e [minœr] *adj (enfant)* underage; *(peu important)* minor ◆ *nm (ouvrier)* miner; *(enfant)* minor.

miniature [minjatyr] *adj & nf* miniature; **en ~** in miniature.

minibar [minibar] *nm* minibar.

minijupe [miniʒyp] *nf* miniskirt.

minimiser [minimize] *vt* to minimize.

minimum [minimɔm] *adj & nm* minimum; **au ~** at the least.

ministère [ministɛr] *nm* department.

ministre [ministr] *nm (POL)* minister *(Br)*, secretary *(Am)*.

Minitel® [minitɛl] *nm French teletext network.*

ⓘ MINITEL®

A French national information network, Minitel® is also the name of the computer hardware used to access this network. The services available are both informative (information on weather and road conditions, an electronic telephone directory etc) and interactive (allowing users to correspond by e-mail or, for example, to buy train or concert tickets). To access these services, the user dials a four-figure code (3614, 3615 etc) and then keys in the relevant codeword for the service they require.

---

minorité [minɔrite] *nf* minority.

minuit [minɥi] *nm* midnight.

minuscule [minyskyl] *adj* tiny.

minute [minyt] *nf* minute.

minuterie [minytri] *nf* time switch.

minuteur [minytœr] *nm* timer.

minutieux, -ieuse [minysjø, jøz] *adj* meticulous.

mirabelle [mirabɛl] *nf* mirabelle plum.

miracle [mirakl] *nm* miracle.

mirage [miraʒ] *nm* mirage.

miroir [mirwar] *nm* mirror.

mis, -e [mi, miz] *pp* → **mettre**.

mise [miz] *nf* (enjeu) stake; **~ en plis** set (of hair); **~ en scène** production.

miser [mize] : **miser sur** *v* + *prép* (au jeu) to bet on; (compter sur) to count on.

misérable [mizerabl] *adj* (pauvre) poor; (lamentable) miserable.

misère [mizɛr] *nf* (pauvreté) poverty.

missile [misil] *nm* missile.

mission [misjɔ̃] *nf* mission.

mistral [mistral] *nm* cold wind in southeast of France, blowing towards the Mediterranean.

mitaine [mitɛn] *nf* fingerless glove.

mite [mit] *nf* (clothes) moth.

mi-temps [mitɑ̃] *nf inv* (moitié d'un match) half; (pause) half time; **travailler à ~** to work part-time.

mitigé, -e [mitiʒe] *adj* mixed.

mitoyen, -enne [mitwajɛ̃, jɛn]

adj (maisons) adjoining; **mur ~** party wall.

mitrailler [mitraje] *vt* to machinegun; (fam: photographier) to snap away at.

mitraillette [mitrajɛt] *nf* submachinegun.

mitrailleuse [mitrajøz] *nf* machinegun.

mixer [mikse] *vt* to mix.

mixe(u)r [miksœr] *nm* (food) mixer.

mixte [mikst] *adj* mixed.

MJC *abr* = **maison des jeunes et de la culture.**

ml (abr de millilitre) ml.

Mlle (abr de mademoiselle) Miss.

mm (abr de millimètre) mm.

Mme (abr de madame) Mrs.

mobile [mɔbil] *adj* (pièce) moving; (cloison) movable; (visage, regard) animated ♦ *nm* (d'un crime) motive; (objet suspendu) mobile.

mobilier [mɔbilje] *nm* furniture.

mobiliser [mɔbilize] *vt* to mobilize.

Mobylette® [mɔbilɛt] *nf* moped.

mocassin [mɔkasɛ̃] *nm* moccasin.

moche [mɔʃ] *adj* (fam) (laid) ugly; (méchant) rotten.

mode [mɔd] *nf* fashion ♦ *nm* (manière) method; (GRAMM) mood; **à la ~** fashionable; **~ d'emploi** instructions (pl); **~ de vie** lifestyle.

modèle [mɔdɛl] *nm* model; (de pull, de chaussures) style; **~ réduit** scale model.

modeler [mɔdle] *vt* to shape.

modélisme [mɔdelism] *nm* model-making.

modem [mɔdɛm] *nm* modem.

modération [mɔderasjɔ̃] *nf* moderation; «à consommer avec **~»** *health warning on adverts for strong drink.*

modéré, -e [mɔdere] *adj* moderate.

moderne [mɔdɛrn] *adj* modern.

moderniser [mɔdɛrnize] *vt* to modernize.

modeste [mɔdɛst] *adj* modest.

modestie [mɔdɛsti] *nf* modesty.

modification [mɔdifikasjɔ̃] *nf* modification.

modifier [mɔdifje] *vt* to modify.

modulation [mɔdylasjɔ̃] *nf:* **~ de fréquence** frequency modulation.

moduler [mɔdyle] *vt* to adjust.

moelle [mwal] *nf* bone marrow; **~ épinière** spinal cord.

moelleux, -euse [mwalø, øz] *adj* soft; (*gâteau*) moist.

mœurs [mœr(s)] *nfpl* (*habitudes*) customs.

mohair [mɔɛr] *nm* mohair.

moi [mwa] *pron* (*objet direct, après prép ou comparaison*) me; (*objet indirect*) (to) me; (*pour insister*): **~ je crois que ...** I think that ...; **~-même** myself.

moindre [mwɛ̃dr] *adj* smaller; **le ~ ...** (*le moins important*) the slightest ...; (*le moins grand*) the smallest ...

moine [mwan] *nm* monk.

moineau, -x [mwano] *nm* sparrow.

moins [mwɛ̃] *adv* 1. (*pour comparer*) less; **~ vieux (que)** younger (than); **~ vite (que)** not as fast (as).

2. (*superlatif*): **c'est la nourriture qui coûte le ~** the food costs the least; **la ville la ~ intéressante que nous ayons visitée** the least interesting town we visited; **le ~ possible** as little as possible.

3. (*en quantité*) less; **ils ont accepté de gagner ~** they have agreed to earn less; **~ de viande** less meat; **~ de gens** fewer people; **~ de dix** fewer than ten.

4. (*dans des expressions*): **à ~ de, à ~ que: à ~ d'un imprévu ...** unless anything unforeseen happens ...; **à ~ de rouler OU que nous roulions toute la nuit ...** unless we drive all night ...; **au ~** at least; **de OU en ~** less; **j'ai deux ans de ~ qu'elle** I'm two years younger than her; **de ~ en ~** less and less; **tu y penseras, mieux ça ira** the less you think about it the better.

♦ *prép* 1. (*pour indiquer l'heure*): **trois heures ~ le quart** quarter to three (*Br*), quarter of three (*Am*).

2. (*pour soustraire, indiquer la température*) minus.

mois [mwa] *nm* month; **au ~ de juillet** in July.

moisi, -e [mwazi] *adj* mouldy ♦ *nm* mould; **sentir le ~** to smell musty.

moisir [mwazir] *vi* to go mouldy.

moisissure [mwazisyr] *nf* (*moisi*) mould.

moisson [mwasɔ̃] *nf* harvest.

moissonner [mwasɔne] *vt* to harvest.

moissonneuse [mwasɔnøz] *nf* harvester.

moite [mwat] *adj* clammy.

moitié [mwatje] *nf* half; **la ~ de** half (of); **à ~ plein** half-full; **à ~ prix** half-price.

moka [mɔka] *nm (gâteau)* coffee cake.

molaire [mɔlɛr] *nf* molar.

molle → **mou**.

mollet [mɔlɛ] *nm* calf.

molletonné, -e [mɔltɔne] *adj* lined.

mollusque [mɔlysk] *nm* mollusc.

môme [mom] *nmf (fam)* kid.

moment [mɔmɑ̃] *nm* moment; **c'est le ~ de ...** it's time to ...; **au ~ où** just as; **du ~ que** since; **en ce ~** at the moment; **par ~s** at times; **pour le ~** for the moment.

momentané, -e [mɔmɑ̃tane] *adj* temporary.

momie [mɔmi] *nf* mummy.

mon [mɔ̃] (*f* **ma** [ma], *pl* **mes** [me]) *adj* my.

Monaco [mɔnako] *n* Monaco.

monarchie [mɔnarʃi] *nf* monarchy.

monastère [mɔnastɛr] *nm* monastery.

monde [mɔ̃d] *nm* world; **il y a du ~ ou beaucoup de ~** there are a lot of people; **tout le ~** everyone, everybody.

mondial, -e, -iaux [mɔ̃djal, jo] *adj* world (*avant n*).

moniteur, -trice [mɔnitœr, tris] *nm, f (de colonie)* leader; *(d'auto-école)* instructor ◆ *nm (écran)* monitor.

monnaie [mɔnɛ] *nf (argent)* money; *(devise)* currency; *(pièces)* change; **la ~ de 100 francs** change for 100 francs; **faire de la ~** to get some change; **rendre la ~ à qqn** to give sb change.

monologue [mɔnɔlɔg] *nm* monologue.

monopoliser [mɔnɔpɔlize] *vt* to monopolize.

monotone [mɔnɔtɔn] *adj* monotonous.

monotonie [mɔnɔtɔni] *nf* monotony.

monsieur [məsjø] (*pl* **messieurs** [mesjø]) *nm* gentleman; **~ X** Mr X; **bonjour ~/messieurs!** good morning (sir/gentlemen)!; **Monsieur,** *(dans une lettre)* Dear Sir,; **Monsieur!** Sir!

monstre [mɔ̃str] *nm* monster; *(personne très laide)* hideous person ◆ *adj (fam: énorme)* enormous.

monstrueux, -euse [mɔ̃stryø, øz] *adj (très laid)* hideous; *(moralement)* monstrous; *(très grand, très gros)* huge.

mont [mɔ̃] *nm* mountain; **le ~ Blanc** Mont Blanc; **le Mont-Saint-Michel** Mont-Saint-Michel.

ℹ️ MONT-SAINT-MICHEL

A rocky island standing off the northwest coast of France, Mont-Saint-Michel is joined to the mainland by a causeway. It is a popular tourist attraction famous for its Gothic Benedictine abbey which dominates the island, and has been designated by UNESCO as one of the most important heritage sites in the world. It has also entered into French folklore as the home of the "omelette de la mère Poulard" ("Mother Poulard's omelette") named after a 19th-century cook who lived on the island.

---

montage [mɔ̃taʒ] *nm* assembly.

montagne [mɔ̃taɲ] *nf* mountain; **à la ~** in the mountains; **~s russes** roller coaster.

montagneux, -euse [mɔ̃taɲø, øz] *adj* mountainous.

montant, -e [mɔ̃tɑ̃, ɑ̃t] *adj* (*marée*) rising; (*col*) high ♦ *nm* (*somme*) total; (*d'une fenêtre, d'une échelle*) upright.

montée [mɔ̃te] *nf* (*pente*) slope; (*ascension*) climb; (*des prix*) rise.

monter [mɔ̃te] *vi* (*aux être*) (*personne*) to go/come up; (*route, avion, grimpeur*) to climb; (*dans un train*) to get on; (*dans une voiture*) to get in; (*niveau, prix, température*) to rise ♦ *vt* (*aux avoir*) (*escalier, côte*) to climb, to go/come up; (*porter en haut*) to take/bring up; (*son, chauffage*) to turn up; (*meuble*) to assemble; (*tente*) to put up; (*société*) to set up; (*cheval*) to ride; (*CULIN*) to beat; **ça monte** (*route*) it's steep; **~ à bord (d'un avion)** to board (a plane); **~ à cheval** to ride (horses) ❑ **se monter** *vp + prép* (*s'élever à*) to come to.

montre [mɔ̃tr] *nf* watch.

montrer [mɔ̃tre] *vt* to show; **~ qqch à qqn** to show sb sthg; **~ qqn/qqch du doigt** to point at sb/sthg ❑ **se montrer** *vp* (*apparaître*) to appear; **se ~ courageux** to be brave.

monture [mɔ̃tyr] *nf* (*de lunettes*) frame; (*cheval*) mount.

monument [mɔnymɑ̃] *nm* monument; **~ aux morts** war memorial.

moquer [mɔke] : **se moquer de** *vp + prép* (*plaisanter*) to make fun of; (*ignorer*) not to care about; **je m'en moque** I don't care.

moques [mɔk] *nfpl* (Belg) sweet cake spiced with cloves, a speciality of Ghent.

moquette [mɔkɛt] *nf* carpet.

moqueur, -euse [mɔkœr, øz] *adj* mocking.

moral, -e, -aux [mɔral, o] *adj* (*conduite, principes*) moral; (*psychologique*) mental ♦ *nm* morale; **avoir le ~** to be in good spirits.

morale [mɔral] *nf* (*valeurs*) morals (*pl*); (*d'une histoire*) moral; **faire la ~ à qqn** to preach at sb.

moralement [mɔralmɑ̃] *adv* (*psychologiquement*) mentally; (*du point de vue de la morale*) morally.

morceau, -x [mɔrso] *nm* piece; **~ de sucre** lump of sugar; **en mille ~x** in a thousand pieces.

mordiller [mɔrdije] *vt* to nibble.

mordre [mɔrdr] *vt* to bite; **~ (sur)** (*dépasser*) to cross over.

morille [mɔrij] *nf* type of mushroom, considered a delicacy.

mors [mɔr] *nm* bit.

morse [mɔrs] *nm* (*animal*) walrus; (*code*) Morse code.

morsure [mɔrsyr] *nf* bite.

mort, -e [mɔr, mɔrt] *pp* ♦ *adj* dead ♦ *nm, f* dead person ♦ *nf* death; **être ~ de peur** to be scared to death.

mortel, -elle [mɔrtɛl] *adj* (*qui peut mourir*) mortal; (*qui tue*) fatal.

morue [mɔry] *nf* cod.

mosaïque [mɔzaik] *nf* mosaic.

Moscou [mɔsku] *n* Moscow.

mosquée [mɔske] *nf* mosque.

mot [mo] *nm* word; (*message*) note; **~ à ~** word for word; **~ de passe** password; **~s croisés** crossword (*sg*); **avoir le dernier ~** to have the last word.

motard [mɔtar] *nm* motorcyclist; *(gendarme, policier)* motorcycle policeman.

motel [mɔtɛl] *nm* motel.

moteur [mɔtœr] *nm* engine, motor.

motif [mɔtif] *nm (dessin)* pattern; *(raison)* motive.

motivation [mɔtivasjɔ̃] *nf* motivation.

motivé, -e [mɔtive] *adj* motivated.

moto [mɔto] *nf* motorbike.

motocross [mɔtɔkrɔs] *nm* motocross.

motocycliste [mɔtɔsiklist] *nmf* motorcyclist.

motte [mɔt] *nf (de terre)* clod; *(de beurre)* pat; *(de gazon)* sod.

mou, molle [mu, mɔl] *adj* soft; *(sans énergie)* lethargic.

mouche [muʃ] *nf* fly.

moucher [muʃe] : **se moucher** *vp* to blow one's nose.

moucheron [muʃrɔ̃] *nm* gnat.

mouchoir [muʃwar] *nm* handkerchief; **~ en papier** (paper) tissue.

moudre [mudr] *vt* to grind.

moue [mu] *nf* pout; **faire la ~** to pout.

mouette [mwɛt] *nf* seagull.

moufle [mufl] *nf* mitten.

mouillé, -e [muje] *adj* wet.

mouiller [muje] *vt* to wet ❑ **se mouiller** *vp* to get wet; *(fig: s'avancer)* to commit o.s.

mouillette [mujɛt] *nf* strip of bread *(for dunking)*.

moulant, -e [mulɑ̃, ɑ̃t] *adj* tight-fitting.

moule[1] [mul] *nm* mould; **~ à gâteau** cake tin.

moule[2] [mul] *nf* mussel; **~s marinière** *mussels in white wine.*

mouler [mule] *vt (statue)* to cast; *(suj: vêtement)* to fit tightly.

moulin [mulɛ̃] *nm (à farine)* mill; **~ à café** coffee grinder; **~ à poivre** pepper mill; **~ à vent** windmill.

moulinet [mulinɛ] *nm (de canne à pêche)* reel.

Moulinette® [mulinɛt] *nf* liquidizer.

moulu, -e [muly] *adj* ground.

moulure [mulyr] *nf* moulding.

mourant, -e [murɑ̃, ɑ̃t] *adj* dying.

mourir [murir] *vi* to die; *(civilisation)* to die out; *(son)* to die away; **~ de faim** to starve to death; *(fig)* to be starving (hungry); **~ d'envie de faire qqch** to be dying to do sthg.

moussaka [musaka] *nf* moussaka.

mousse [mus] *nf (bulles)* foam; *(plante)* moss; *(CULIN)* mousse; **~ à raser** shaving foam; **~ au chocolat** chocolate mousse.

mousseline [muslin] *nf (tissu)* muslin ♦ *adj inv*: **purée ~** pureed potatoes; **sauce ~** *light hollandaise sauce made with whipped cream.*

mousser [muse] *vi (savon)* to lather; *(boisson)* to foam.

mousseux, -euse [musø, øz] *adj (chocolat)* frothy ♦ *nm*: **du (vin) ~** sparkling wine.

moustache [mustaʃ] *nf* moustache; **des ~s** *(d'animal)* whiskers.

moustachu, -e [mustaʃy] *adj*

musculaire

with a moustache.

moustiquaire [mustikɛr] *nf* mosquito net.

moustique [mustik] *nm* mosquito.

moutarde [mutard] *nf* mustard.

mouton [mutɔ̃] *nm* sheep; *(CULIN)* mutton.

mouvants [muvɑ̃] *adj mpl* → **sable**.

mouvement [muvmɑ̃] *nm* movement.

mouvementé, -e [muvmɑ̃te] *adj* eventful.

moyen, -enne [mwajɛ̃, jɛn] *adj* average; *(intermédiaire)* medium ◆ *nm* way; **il n'y a pas ~ de faire qqch** there's no way of doing sthg; **~ de transport** means of transport; **au ~ de qqch** by means of sthg ❑ **moyens** *nmpl (ressources)* means; *(capacités)* ability *(sg)*; **avoir les ~s de faire qqch** *(financièrement)* to be able to afford to do sthg; **perdre ses ~s** to go to pieces.

moyenne [mwajɛn] *nf* average; *(SCOL)* pass mark *(Br)*, passing grade *(Am)*; **en ~** on average.

muer [mɥe] *vi (animal)* to moult; *(voix)* to break.

muet, muette [mɥe, mɥet] *adj* dumb; *(cinéma)* silent.

muguet [mygɛ] *nm* lily of the valley.

mule [myl] *nf* mule.

mulet [mylɛ] *nm* mule.

multicolore [myltikɔlɔr] *adj* multicoloured.

multiple [myltipl] *adj & nm* multiple.

multiplication [myltiplikasjɔ̃] *nf* multiplication.

multiplier [myltiplije] *vt* to multiply; **2 multiplié par 9** 2 multiplied by 9 ❑ **se multiplier** *vp* to multiply.

multipropriété [myltiprɔprijete] *nf*: **appartement en ~** timeshare.

multitude [myltityd] *nf*: **une ~ de** a multitude of.

municipal, -e, -aux [mynisipal, o] *adj* municipal.

municipalité [mynisipalite] *nf (mairie)* (town) council.

munir [mynir] *vt*: **~ qqn/qqch de** to equip sb/sthg with ❑ **se munir de** *vp* + *prép* to equip o.s. with.

munitions [mynisjɔ̃] *nfpl* ammunition *(sg)*.

mur [myr] *nm* wall; **~ du son** sound barrier.

mûr, -e [myr] *adj (fruit)* ripe.

muraille [myraj] *nf* wall.

mural, -e, -aux [myral, o] *adj (carte, peinture)* wall.

mûre [myr] *nf* blackberry.

murer [myre] *vt (fenêtre)* to wall up.

mûrir [myrir] *vi (fruit)* to ripen.

murmure [myrmyr] *nm* murmur.

murmurer [myrmyre] *vi* to murmur.

muscade [myskad] *nf*: **(noix) ~** nutmeg.

muscat [myska] *nm (raisin)* muscat grape; *(vin)* sweet white liqueur wine.

muscle [myskl] *nm* muscle.

musclé, -e [myskle] *adj* muscular.

musculaire [myskylɛr] *adj* muscular.

musculation [myskylasjɔ̃] *nf* body-building (exercises).

museau, -x [myzo] *nm* muzzle; *(CULIN)* brawn (Br), headcheese (Am).

musée [myze] *nm* museum; *(d'art)* gallery.

muselière [myzəljɛr] *nf* muzzle.

musical, -e, -aux [myzikal, o] *adj* musical.

music-hall, -s [myzikol] *nm* music hall.

musicien, -ienne [myzisjɛ̃, jɛn] *nm, f* musician.

musique [myzik] *nf* music; ~ **de chambre** chamber music; ~ **classique** classical music; ~ **de film** film music.

musulman, -e [myzylmɑ̃, an] *adj & nm, f* Muslim.

mutation [mytasjɔ̃] *nf (d'un employé)* transfer.

mutiler [mytile] *vt* to mutilate.

mutuel, -elle [mytɥɛl] *adj* mutual.

mutuelle [mytɥɛl] *nf* mutual insurance company.

mutuellement [mytɥɛlmɑ̃] *adv* mutually.

myope [mjɔp] *adj* shortsighted.

myosotis [mjozɔtis] *nm* forget-me-not.

myrtille [mirtij] *nf* blueberry.

mystère [mistɛr] *nm* mystery; **Mystère®** *(glace)* ice cream filled with meringue and coated with almonds.

mystérieusement [misterjøzmɑ̃] *adv* mysteriously.

mystérieux, -ieuse [misterjø, jøz] *adj* mysterious.

mythe [mit] *nm* myth.

mythologie [mitɔlɔʒi] *nf* mythology.

N

n' → **ne**.

n° *(abr de numéro)* no.

N *(abr de nord)* N.

nacre [nakr] *nf* mother-of-pearl.

nage [naʒ] *nf (natation)* swimming; *(façon de nager)* stroke; **en** ~ dripping with sweat.

nageoire [naʒwar] *nf* fin.

nager [naʒe] *vt & vi* to swim.

nageur, -euse [naʒœr, øz] *nm, f* swimmer.

naïf, naïve [naif, naiv] *adj* naive.

nain, -e [nɛ̃, nɛn] *adj & nm, f* dwarf.

naissance [nɛsɑ̃s] *nf* birth.

naître [nɛtr] *vi* to be born; *(sentiment)* to arise; **je suis né le ... à ...** I was born on ... in ...

naïve → **naïf**.

naïveté [naivte] *nf* naivety.

nappe [nap] *nf (linge)* tablecloth; *(de pétrole)* layer; *(de brouillard)* patch.

nappé, -e [nape] *adj*: ~ **de** coated with.

napperon [naprɔ̃] *nm* tablemat.

narguer [narge] *vt* to scoff at.

narine [narin] *nf* nostril.

narrateur, -trice [naratœr, tris] *nm, f* narrator.

naseaux [nazo] *nmpl* nostrils.

natal, -e [natal] *adj* native.

natalité [natalite] *nf* birth rate.

natation [natasjɔ̃] *nf* swimming; **faire de la** ~ to swim.

natif, -ive [natif, iv] *adj*: **je suis ~ de …** I was born in …

nation [nasjɔ̃] *nf* nation.

national, -e, -aux [nasjɔnal, o] *adj* national.

nationale [nasjɔnal] *nf*: **(route) ~** ≈ A road (Br), ≈ state highway (Am).

nationaliser [nasjɔnalize] *vt* to nationalize.

nationalité [nasjɔnalite] *nf* nationality.

native → **natif.**

natte [nat] *nf (tresse)* plait; *(tapis)* mat.

naturaliser [natyralize] *vt* to naturalize.

nature [natyr] *nf* nature ◆ *adj inv (yaourt, omelette)* plain; *(thé)* black; **~ morte** still life.

naturel, -elle [natyrɛl] *adj* natural ◆ *nm (caractère)* nature; *(simplicité)* naturalness.

naturellement [natyrɛlmɑ̃] *adv* naturally; *(bien sûr)* of course.

naturiste [natyrist] *nmf* naturist.

naufrage [nofraʒ] *nm* shipwreck; **faire ~** to be shipwrecked.

nausée [noze] *nf* nausea; **avoir la ~** to feel sick.

nautique [notik] *adj (carte)* nautical; **sports ~s** water sports.

naval, -e [naval] *adj* naval.

navarin [navarɛ̃] *nm* mutton and vegetable stew.

navet [navɛ] *nm* turnip; *(fam: mauvais film)* turkey.

navette [navɛt] *nf (véhicule)* shuttle; **faire la ~ (entre)** to go back and forth (between).

navigateur, -trice [navi-

gatœr, tris] *nm, f* navigator.

navigation [navigasjɔ̃] *nf* navigation; **~ de plaisance** yachting.

naviguer [navige] *vi (suj: bateau)* to sail; *(suj: marin)* to navigate.

navire [navir] *nm* ship.

navré, -e [navre] *adj* sorry.

NB *(abr de nota bene)* NB.

ne [nə] *adv* → **jamais, pas, personne, plus, que, rien.**

né, -e [ne] *pp* → **naître.**

néanmoins [neɑ̃mwɛ̃] *adv* nevertheless.

néant [neɑ̃] *nm*: **réduire qqch à ~** to reduce sthg to nothing; **«néant»** *(sur un formulaire)* "none".

nécessaire [neseser] *adj* necessary ◆ *nm (ce qui est indispensable)* bare necessities *(pl)*; *(outils)* bag; **il est ~ de faire qqch** it is necessary to do sthg; **~ de toilette** toilet bag.

nécessité [nesesite] *nf* necessity.

nécessiter [nesesite] *vt* to necessitate.

nécessiteux, -euse [nesesitø, øz] *nm, f* needy person.

nectarine [nɛktarin] *nf* nectarine.

néerlandais, -e [neerlɑ̃de, ɛz] *adj* Dutch ◆ *nm (langue)* Dutch ❑ **Néerlandais, -e** *nm, f* Dutchman *(f* Dutchwoman).

nef [nɛf] *nf* nave.

néfaste [nefast] *adj* harmful.

négatif, -ive [negatif, iv] *adj & nm* negative.

négation [negasjɔ̃] *nf (GRAMM)* negative.

négligeable [negliʒabl] *adj (quantité)* negligible; *(détail)* trivial.

négligent, -e [negliʒɑ̃, ɑ̃t] *adj* negligent.

négliger [neɡliʒe] *vt* to neglect.

négociant [neɡɔsjɑ̃] *nm*: ~ **en vins** wine merchant.

négociations [neɡɔsjasjɔ̃] *nfpl* negotiations.

négocier [neɡɔsje] *vt & vi* to negotiate.

neige [nɛʒ] *nf* snow.

neiger [neʒe] *v impers*: **il neige** it's snowing.

neigeux, -euse [neʒø, øz] *adj* snowy.

nénuphar [nenyfar] *nm* water lily.

néon [neɔ̃] *nm (tube)* neon light.

nerf [nɛr] *nm* nerve; **du ~!** put a bit of effort into it!; **être à bout de ~s** to be at the end of one's tether.

nerveusement [nɛrvøzmɑ̃] *adv* nervously.

nerveux, -euse [nɛrvø, øz] *adj* nervous.

nervosité [nɛrvozite] *nf* nervousness.

n'est-ce pas [nɛspa] *adv*: **tu viens, ~?** you're coming, aren't you?; **il aime le foot, ~?** he likes football, doesn't he?

net, nette [nɛt] *adj (précis)* clear; *(propre)* clean; *(tendance, différence)* marked; *(prix, salaire)* net ♦ *adv*: **s'arrêter ~** to stop dead; **se casser ~** to break clean off.

nettement [nɛtmɑ̃] *adv (claire-ment)* clearly; *(beaucoup, très)* definitely.

netteté [nɛtte] *nf* clearness.

nettoyage [netwajaʒ] *nm* cleaning; **~ à sec** dry cleaning.

nettoyer [netwaje] *vt (pièce)* to clean; *(tache)* to remove; **faire ~ un vête-ment** *(à la teinturerie)* to have a gar-ment dry-cleaned.

neuf, neuve [nœf, nœv] *adj* new ♦ *num* nine; **remettre qqch à ~** to do sthg up (like new); **quoi de ~?** what's new?, → **six**.

neutre [nøtr] *adj* neutral; *(GRAMM)* neuter.

neuvième [nœvjɛm] *num* ninth, → **sixième**.

neveu, -x [nəvø] *nm* nephew.

nez [ne] *nm* nose; **se trouver ~ à ~ avec qqn** to find o.s. face to face with sb.

NF *(abr de norme française)* = BS *(Br)*, = US standard *(Am)*.

ni [ni] *conj*: **je n'aime ~ la guitare ~ le piano** I don't like either the guitar or the piano; **~ l'un ~ l'autre ne sont français** neither of them is French; **elle n'est ~ mince ~ grosse** she's neither thin nor fat.

niais, -e [njɛ, njɛz] *adj* silly.

niche [niʃ] *nf (à chien)* kennel; *(dans un mur)* niche.

niçoise [niswaz] *adj f* → **salade**.

nicotine [nikɔtin] *nf* nicotine.

nid [ni] *nm* nest.

nid-de-poule [nidpul] *(pl* nids-de-poule*)* *nm* pothole.

nièce [njɛs] *nf* niece.

nier [nje] *vt* to deny; **~ avoir fait qqch** to deny having done sthg; **~ que** to deny that.

Nil [nil] *nm*: **le ~** the Nile.

n'importe [nɛ̃pɔrt] → **im-porter.**

niveau, -x [nivo] *nm* level; **au ~ de** *(de la même qualité que)* at the level of; **arriver au ~ de** *(dans l'espace)* to come up to; **~ d'huile** *(AUT)* oil level; **~ de vie** standard of living.

noble [nɔbl] *adj* noble ♦ *nmf* nobleman (*f* noblewoman).

noblesse [nɔbles] *nf* (*nobles*) nobility.

noce [nɔs] *nf* wedding; ~s d'or golden wedding (anniversary).

nocif, -ive [nɔsif, iv] *adj* noxious.

nocturne [nɔktyrn] *adj* nocturnal ♦ *nf* (*d'un magasin*) late-night opening.

Noël [nɔel] *nm* Christmas ♦ *nf*: la ~ (*jour*) Christmas Day; (*période*) Christmastime.

 i NOËL

Christmas in France begins on Christmas Eve with a family supper, traditionally turkey with chestnuts followed by a Yule log. Children used to leave their shoes by the fireplace for Father Christmas to fill with presents but today presents are usually placed around the Christmas tree and given and received on Christmas Eve.

nœud [nø] *nm* knot; (*ruban*) bow; ~ papillon bow tie.

noir, -e [nwar] *adj* black; (*sombre*) dark ♦ *nm* black; (*obscurité*) darkness; **il fait** ~ it's dark; **dans le** ~ in the dark ❑ **Noir, -e** *nmf* black.

noircir [nwarsir] *vt* to blacken ♦ *vi* to darken.

noisetier [nwaztje] *nm* hazel.

noisette [nwazɛt] *nf* hazelnut; (*morceau*) little bit ♦ *adj inv* (*yeux*) hazel.

noix [nwa] *nf* walnut; (*morceau*)

little bit; ~ **de cajou** cashew (nut); ~ **de coco** coconut.

nom [nɔ̃] *nm* name; (*GRAMM*) noun; ~ **commun** common noun; ~ **de famille** surname; ~ **de jeune fille** maiden name; ~ **propre** proper noun.

nomade [nɔmad] *nmf* nomad.

nombre [nɔ̃br] *nm* number; **un grand** ~ **de** a great number of.

nombreux, -euse [nɔ̃brø, øz] *adj* (*famille, groupe*) large; (*personnes, objets*) many; **peu** ~ (*groupe*) small; (*personnes, objets*) few.

nombril [nɔ̃bril] *nm* navel.

nommer [nɔme] *vt* (*appeler*) to name; (*à une position*) to appoint ❑ **se nommer** *vp* to be called.

non [nɔ̃] *adv* no; ~? (*exprime la surprise*) no (really)?; **je crois que** ~ I don't think so; **je ne suis pas content - moi** ~ **plus** I'm not happy - neither am I; **je n'ai plus d'argent - moi** ~ **plus** I haven't got any more money - neither have I; ~ **seulement ..., mais ...** not only ..., but ...

nonante [nɔnɑ̃t] *num* (*Belg & Helv*) ninety, → **six**.

nonchalant, -e [nɔ̃ʃalɑ̃, ɑ̃t] *adj* nonchalant.

non-fumeur, -euse [nɔ̃fymœr, øz] *nm, f* nonsmoker.

nord [nɔr] *adj inv & nm* north; **au** ~ **in the north; au** ~ **de** north of.

nord-est [nɔrɛst] *adj inv & nm* northeast; **au** ~ **in the northeast; au** ~ **de** northeast of.

nordique [nɔrdik] *adj* Nordic; (*Can: du nord canadien*) North Canadian.

nord-ouest [nɔrwɛst] *adj inv & nm* northwest; **au** ~ **in the north-**

west; **au ~ de** northwest of.

normal, -e, -aux [nɔrmal, o] *adj* normal; **ce n'est pas ~** *(pas juste)* it's not on.

normale [nɔrmal] *nf*: **la ~** *(la moyenne)* the norm.

normalement [nɔrmalmɑ̃] *adv* normally.

normand, -e [nɔrmɑ̃, ɑ̃d] *adj* Norman.

Normandie [nɔrmɑ̃di] *nf*: **la ~** Normandy.

norme [nɔrm] *nf* standard.

Norvège [nɔrvɛʒ] *nf*: **la ~** Norway.

norvégien, -ienne [nɔrveʒjɛ̃, jɛn] *adj* Norwegian ♦ *nm (langue)* Norwegian □ **Norvégien, -ienne** *nm, f* Norwegian.

nos → **notre**.

nostalgie [nɔstalʒi] *nf* nostalgia; **avoir la ~ de** to feel nostalgic about.

notable [nɔtabl] *adj & nm* notable.

notaire [nɔtɛr] *nm* lawyer.

notamment [nɔtamɑ̃] *adv* in particular.

note [nɔt] *nf* note; *(SCOL)* mark; *(facture)* bill *(Br)*, check *(Am)*; **prendre des ~s** to take notes.

noter [nɔte] *vt (écrire)* to note (down); *(élève, devoir)* to mark *(Br)*, to grade *(Am)*; *(remarquer)* to note.

notice [nɔtis] *nf (mode d'emploi)* instructions *(pl)*.

notion [nɔsjɔ̃] *nf* notion; **avoir des ~s de** to have a basic knowledge of.

notoriété [nɔtɔrjete] *nf* fame.

notre [nɔtr] *(pl nos* [no]*) adj* our.

nôtre [notr] : **le nôtre** *(f la*

nôtre, *pl* **les nôtres)** *pron* ours.

nouer [nwe] *vt (lacet, cravate)* to tie; *(cheveux)* to tie back.

nougat [nuga] *nm* nougat.

nougatine [nugatin] *nf* hard sweet mixture of caramel and chopped almonds.

nouilles [nuj] *nfpl* pasta *(sg)*.

nourrice [nuris] *nf* childminder.

nourrir [nurir] *vt* to feed □ **se nourrir** *vp* to eat; **se ~ de** to eat.

nourrissant, -e [nurisɑ̃, ɑ̃t] *adj* nutritious.

nourrisson [nurisɔ̃] *nm* baby.

nourriture [nurityr] *nf* food.

nous [nu] *pron (sujet)* we; *(complément d'objet direct)* us; *(complément d'objet indirect)* (to) us; *(réciproque)* each other; *(réfléchi)*: **nous ~ sommes habillés** we got dressed; **~-mêmes** ourselves.

nouveau, nouvel [nuvo, nuvɛl] *(f* **nouvelle** [nuvɛl]*, mpl* **nouveaux** [nuvo]*) adj* new ♦ *nm, f (dans une classe, un club)* new boy *(f* new girl*)*; **rien de ~** nothing new; **le nouvel an** New Year; **à** OU **de ~** again.

nouveau-né, -e, -s [nuvone] *nm, f* newborn baby.

nouveauté [nuvote] *nf (COMM)* new product.

nouvel → **nouveau**.

nouvelle [nuvɛl] *nf (information)* (piece of) news; *(roman)* short story; **les ~s** *(à la radio, à la télé)* the news *(sg)*; **avoir des ~s de qqn** to hear from sb.

Nouvelle-Calédonie [nuvɛlkaledɔni] *nf*: **la ~** New Caledonia.

novembre [nɔvɑ̃br] *nm* November, → **septembre.**

noyade [nwajad] *nf* drowning.

noyau, -x [nwajo] *nm* stone; *(petit groupe)* small group.

noyé, -e [nwaje] *nm, f* drowned person.

noyer [nwaje] *nm* walnut tree ◆ *vt* to drown ❑ **se noyer** *vp* to drown.

nu, -e [ny] *adj (personne)* naked; *(jambes, pièce, arbre)* bare; **pieds ~s** barefoot; **tout ~** stark naked; **visible à l'œil ~** visible to the naked eye; **~-tête** bare-headed.

nuage [nqaʒ] *nm* cloud.

nuageux, -euse [nqaʒø, øz] *adj* cloudy.

nuance [nɥɑ̃s] *nf (teinte)* shade; *(différence)* nuance.

nucléaire [nykleɛr] *adj* nuclear.

nudiste [nydist] *nmf* nudist.

nui [nɥi] *pp* → **nuire.**

nuire [nɥir] : **nuire à** *v + prép* to harm.

nuisible [nɥizibl] *adj* harmful; **~ à** harmful to.

nuit [nɥi] *nf* night; **cette ~** *(dernière)* last night; *(prochaine)* tonight; **la ~** *(tous les jours)* at night; **bonne ~!** good night!; **il fait ~** it's dark; **une ~ blanche** a sleepless night; **de ~** *adj (travail, poste)* night ◆ *adv* at night.

nul, nulle [nyl] *adj (mauvais, idiot)* hopeless; **être ~ en qqch** to be hopeless at sthg; **nulle part** nowhere.

numérique [nymerik] *adj* digital.

numéro [nymero] *nm* number; *(d'une revue)* issue; *(spectacle)* act; **~ de compte** account number; **~**

d'immatriculation registration number; **~ de téléphone** telephone number; **~ vert** = freefone number *(Br)*, ≈ 800 number *(Am)*.

numéroter [nymerɔte] *vt* to number; **place numérotée** *(au spectacle)* numbered seat.

nu-pieds [nypje] *nm inv* sandal.

nuque [nyk] *nf* nape.

Nylon® [nilɔ̃] *nm* nylon.

O *(abr de ouest)* W.

oasis [ɔazis] *nf* oasis.

obéir [ɔbeir] *vi* to obey; **~ à** to obey.

obéissant, -e [ɔbeisɑ̃, ɑ̃t] *adj* obedient.

obèse [ɔbɛz] *adj* obese.

objectif, -ive [ɔbʒɛktif, iv] *adj* objective ◆ *nm (but)* objective; *(d'appareil photo)* lens.

objection [ɔbʒɛksjɔ̃] *nf* objection.

objet [ɔbʒɛ] *nm* object; *(sujet)* subject; **(bureau des) ~s trouvés** lost property (office) *(Br)*, lost-and-found office *(Am)*; **~s de valeur** valuables.

obligation [ɔbligasjɔ̃] *nf* obligation.

obligatoire [ɔbligatwar] *adj* compulsory.

obligé, -e [ɔbliʒe] *adj (fam: inévitable)*: **c'est ~** that's for sure;

être ~ de faire qqch to be obliged to do sthg.

obliger [ɔbliʒe] vt: ~ qqn à faire qqch to force sb to do sthg.

oblique [ɔblik] adj oblique.

oblitérer [ɔblitere] vt (ticket) to punch.

obscène [ɔpsɛn] adj obscene.

obscur, -e [ɔpskyr] adj dark; (incompréhensible, peu connu) obscure.

obscurcir [ɔpskyrsir] : **s'obscurcir** vp to grow dark.

obscurité [ɔpskyrite] nf darkness.

obséder [ɔpsede] vt to obsess.

obsèques [ɔpsɛk] nfpl (sout) funeral (sg).

observateur, -trice [ɔpservatœr, tris] adj observant.

observation [ɔpsɛrvasjɔ̃] nf remark; (d'un phénomène) observation.

observatoire [ɔpsɛrvatwar] nm observatory.

observer [ɔpsɛrve] vt to observe.

obsession [ɔpsesjɔ̃] nf obsession.

obstacle [ɔpstakl] nm obstacle; (en équitation) fence.

obstiné, -e [ɔpstine] adj obstinate.

obstiner [ɔpstine] : **s'obstiner** vp to insist; **s'~ à faire qqch** to persist (stubbornly) in doing sthg.

obstruer [ɔpstrye] vt to block.

obtenir [ɔptanir] vt (récompense, faveur) to get, to obtain; (résultat) to reach.

obtenu, -e [ɔptany] pp → obtenir.

obturateur [ɔptyratœr] nm (d'appareil photo) shutter.

obus [ɔby] nm shell.

OC (abr de ondes courtes) SW.

occasion [ɔkazjɔ̃] nf (chance) chance; (bonne affaire) bargain; avoir l'~ de faire qqch to have the chance to do sthg; à l'~ de on the occasion of; d'~ second-hand.

occasionnel, -elle [ɔkazjɔnɛl] adj occasional.

occasionner [ɔkazjɔne] vt (sout) to cause.

Occident [ɔksidɑ̃] nm: l'~ (POL) the West.

occidental, -e, -aux [ɔksidɑ̃tal, o] adj (partie, région) western; (POL) Western.

occupation [ɔkypasjɔ̃] nf occupation.

occupé, -e [ɔkype] adj busy; (place) taken; (toilettes) engaged; (ligne de téléphone) engaged (Br), busy (Am); **ça sonne ~** the line's engaged (Br), the line's busy (Am).

occuper [ɔkype] vt to occupy; (poste, fonctions) to hold; **ça l'occupe** it keeps him busy ⊐ **s'occuper** vp (se distraire) to occupy o.s.; **s'~ de** to take care of.

occurrence [ɔkyrɑ̃s] : **en l'occurrence** adv in this case.

océan [ɔseɑ̃] nm ocean.

Océanie [ɔseani] nf: l'~ Oceania.

ocre [ɔkr] adj inv ochre.

octane [ɔktan] nm: indice d'~ octane rating.

octante [ɔktɑ̃t] num (Belg & Helv) eighty, → six.

octet [ɔktɛ] nm byte.

octobre [ɔktɔbr] nm October, → septembre.

oculiste [ɔkylist] *nmf* ophthalmologist.

odeur [ɔdœr] *nf* smell.

odieux, -ieuse [ɔdjø, jøz] *adj* hateful.

odorat [ɔdɔra] *nm* (sense of) smell.

œil [œj] (*pl* **yeux** [jø]) *nm* eye; **à l'~** *(fam)* for nothing; **avoir qqn à l'~** *(fam)* to have one's eye on sb; **mon ~!** *(fam)* my foot!

œillet [œjɛ] *nm* carnation; *(de chaussure)* eyelet.

œsophage [ezɔfaʒ] *nm* oesophagus.

œuf [œf, *pl* ø] *nm* egg; **~ à la coque** boiled egg; **~ dur** hard-boiled egg; **~ de Pâques** Easter egg; **~ poché** poached egg; **~ sur le plat** fried egg; **~s brouillés** scrambled eggs; **~s à la neige** *cold dessert of beaten egg whites served on custard.*

œuvre [œvr] *nf* work; **mettre qqch en ~** to make use of sthg; **~ d'art** work of art.

offense [ɔfɑ̃s] *nf* insult.

offenser [ɔfɑ̃se] *vt* to offend.

offert, -e [ɔfɛr, ɛrt] *pp* → **offrir**.

office [ɔfis] *nm* (organisme) office; (messe) service; **faire ~ de** to act as; **~ de tourisme** tourist office; **d'~** automatically.

officiel, -ielle [ɔfisjɛl] *adj* official.

officiellement [ɔfisjɛlmɑ̃] *adv* officially.

officier [ɔfisje] *nm* officer.

offre [ɔfr] *nf* offer; **«~ spéciale»** "special offer"; **~s d'emploi** situations vacant.

offrir [ɔfrir] *vt*: **~ qqch à qqn** *(mettre à sa disposition)* to offer sthg

to sb; *(en cadeau)* to give sthg to sb; **~ (à qqn) de faire qqch** to offer to do sthg (for sb) ❑ **s'offrir** *vp* (cadeau, vacances) to treat o.s. to.

oie [wa] *nf* goose.

oignon [ɔɲɔ̃] *nm* onion; (de fleur) bulb; **petits ~s** pickling onions.

oiseau, -x [wazo] *nm* bird.

OK [ɔke] *excl* OK!

olive [ɔliv] *nf* olive; **~ noire** black olive; **~ verte** green olive.

olivier [ɔlivje] *nm* olive tree.

olympique [ɔlɛ̃pik] *adj* Olympic.

omble-chevalier [ɔblʃəvalje] *nm fish found especially in Lake Geneva, with a light texture and flavour.*

ombragé, -e [ɔ̃braʒe] *adj* shady.

ombre [ɔ̃br] *nf* (forme) shadow; (obscurité) shade; **à l'~ (de)** in the shade (of) ; **~s chinoises** shadow theatre; **~ à paupières** eye shadow.

ombrelle [ɔ̃brɛl] *nf* parasol.

omelette [ɔmlɛt] *nf* omelette; **~ norvégienne** baked Alaska.

omettre [ɔmɛtr] *vt* (sout) to omit; **~ de faire qqch** to omit to do sthg.

omis, -e [ɔmi, iz] *pp* → **omettre**.

omission [ɔmisjɔ̃] *nf* omission.

omnibus [ɔmnibys] *nm*: (train) ~ slow train (Br), local train (Am).

omoplate [ɔmɔplat] *nf* shoulder blade.

on [ɔ̃] *pron* (quelqu'un) somebody; (les gens) people; (fam: nous) we; **~ n'a pas le droit de fumer ici** you're not allowed to smoke here.

oncle [5kl] *nm* uncle.

onctueux, -euse [5ktɥø, øz] *adj* creamy.

onde [5d] *nf* (TECH) wave; **grandes ~s** long wave (sg); **~s courtes/moyennes** short/medium wave (sg).

ondulé, -e [5dyle] *adj* (cheveux) wavy.

onéreux, -euse [ɔnerø, øz] *adj* (sout) costly.

ongle [5gl] *nm* nail.

ont → **avoir**.

ONU [ɔny] *nf* (abr de Organisation des Nations unies) UN.

onze [5z] *num* eleven, → **six**.

onzième [5zjɛm] *num* eleventh, → **sixième**.

opaque [ɔpak] *adj* opaque.

opéra [ɔpera] *nm* opera.

opérateur, -trice [ɔperatœr, tris] *nm, f* (au téléphone) operator.

opération [ɔperasjɔ̃] *nf* (MATH) calculation; (chirurgicale) operation; (financière, commerciale) deal.

opérer [ɔpere] *vt* (malade) to operate on ♦ *vi* (médicament) to take effect; **se faire ~** to have an operation; **se faire ~ du cœur** to have heart surgery.

opérette [ɔperet] *nf* operetta.

ophtalmologiste [ɔftalmɔlɔʒist] *nmf* ophthalmologist.

opinion [ɔpinjɔ̃] *nf* opinion; **l'~ (publique)** public opinion.

opportun, -e [ɔpɔrtœ̃, yn] *adj* opportune.

opportuniste [ɔpɔrtynist] *adj* opportunist.

opposé, -e [ɔpoze] *adj & nm* opposite; **~ à** (inverse) opposite; (hostile à) opposed to; **à l'~ de** (du

côté opposé à) opposite; (contrairement à) unlike.

opposer [ɔpoze] *vt* (argument) to put forward; (résistance) to put up; (personnes, équipes) to pit against each other ❑ **s'opposer** *vp* (s'affronter) to clash; **s'~ à** to oppose.

opposition [ɔpozisjɔ̃] *nf* (différence) contrast; (désapprobation) opposition; (POL) Opposition; **faire ~ (à un chèque)** to stop a cheque.

oppresser [ɔprese] *vt* to oppress.

oppression [ɔpresjɔ̃] *nf* oppression.

opprimer [ɔprime] *vt* to oppress.

opticien, -ienne [ɔptisjɛ̃, jen] *nm, f* optician.

optimisme [ɔptimism] *nm* optimism.

optimiste [ɔptimist] *adj* optimistic ♦ *nmf* optimist.

option [ɔpsjɔ̃] *nf* (SCOL) option; (accessoire) optional extra.

optionnel, -elle [ɔpsjɔnɛl] *adj* optional.

optique [ɔptik] *adj* (nerf) optic ♦ *nf* (point de vue) point of view.

or [ɔr] *conj* but, now ♦ *nm* gold; **en ~** gold.

orage [ɔraʒ] *nm* storm.

orageux, -euse [ɔraʒø, øz] *adj* stormy.

oral, -e, -aux [ɔral, o] *adj & nm* oral; **«voie ~e»** "to be taken orally".

orange [ɔrɑ̃ʒ] *adj inv, nm & nf* orange.

orangeade [ɔrɑ̃ʒad] *nf* orange squash.

oranger [ɔrɑ̃ʒe] *nm* → **fleur**.

Orangina® [ɔrɑ̃ʒina] *nm* Orangina®.

orbite [ɔrbit] *nf (de planète)* orbit; *(de l'œil)* (eye) socket.

orchestre [ɔrkɛstr] *nm* orchestra; *(au théâtre)* stalls *(pl)* (Br), orchestra (Am).

orchidée [ɔrkide] *nf* orchid.

ordinaire [ɔrdinɛr] *adj (normal)* normal; *(banal)* ordinary ♦ *nm (essence)* = two-star petrol (Br), = regular (Am); **sortir de l'~** to be out of the ordinary; ~ usually.

ordinateur [ɔrdinatœr] *nm* computer.

ordonnance [ɔrdɔnɑ̃s] *nf (médicale)* prescription.

ordonné, -e [ɔrdɔne] *adj* tidy.

ordonner [ɔrdɔne] *vt (commander)* to order; *(ranger)* to put in order; ~ **à qqn de faire qqch** to order sb to do sthg.

ordre [ɔrdr] *nm* order; *(organisation)* tidiness; **donner l'~ de faire qqch** to give the order to do sthg; **jusqu'à nouvel ~** until further notice; **en ~** in order; **mettre de l'~ dans qqch** to tidy up sthg; **dans l'~** in order; **à l'~ de** *(chèque)* payable to.

ordures [ɔrdyr] *nfpl* rubbish *(sg)* (Br), garbage *(sg)* (Am).

oreille [ɔrɛj] *nf* ear.

oreiller [ɔreje] *nm* pillow.

oreillons [ɔrɛjɔ̃] *nmpl* mumps *(sg)*.

organe [ɔrgan] *nm (du corps)* organ.

organisateur, -trice [ɔrganizatœr, tris] *nm, f* organizer.

organisation [ɔrganizasjɔ̃] *nf* organization.

organisé, -e [ɔrganize] *adj* organized.

organiser [ɔrganize] *vt* to organize ❑ **s'organiser** *vp* to get (o.s.) organized.

organisme [ɔrganism] *nm (corps)* organism; *(organisation)* body.

orge [ɔrʒ] *nf* → **sucre**.

orgue [ɔrg] *nm* organ; ~ **de Barbarie** barrel organ.

orgueil [ɔrgœj] *nm* pride.

orgueilleux, -euse [ɔrgœjø, jøz] *adj* proud.

Orient [ɔrjɑ̃] *nm*: **l'~** the Orient.

oriental, -e, -aux [ɔrjɑ̃tal, o] *adj (de l'Orient)* oriental; *(partie, région)* eastern.

orientation [ɔrjɑ̃tasjɔ̃] *nf (direction)* direction; *(d'une maison)* aspect; *(SCOL: conseil)* careers guidance.

orienter [ɔrjɑ̃te] *vt (SCOL)* to guide ❑ **s'orienter** *vp (se repérer)* to get one's bearings; **s'~ vers** *(se tourner vers)* to move towards; *(SCOL)* to take.

orifice [ɔrifis] *nm* orifice.

originaire [ɔriʒinɛr] *adj*: **être ~ de** to come from.

original, -e, -aux [ɔriʒinal, o] *adj (excentrique)* eccentric ♦ *nm, f* eccentric ♦ *nm (peinture, écrit)* original.

originalité [ɔriʒinalite] *nf* originality; *(excentricité)* eccentricity.

origine [ɔriʒin] *nf* origin; **être à l'~ de qqch** to be behind sthg; **à l'~** originally; **d'~** *(ancien)* original; **pays d'~** native country.

ORL [ɔɛrɛl] *nmf (abr de oto-rhino-laryngologiste)* ENT specialist.

ornement [ɔrnəmɑ̃] *nm* ornament.

orner [ɔrne] vt to decorate; ~ qqch de to decorate sthg with.

ornière [ɔrnjɛr] nf rut.

orphelin, -e [ɔrfəlɛ̃, in] nm, f orphan.

orphelinat [ɔrfəlina] nm orphanage.

Orsay [ɔrse] n: **le musée d'~** museum in Paris specializing in 19th-century art.

orteil [ɔrtɛj] nm toe; **gros ~** big toe.

orthographe [ɔrtɔgraf] nf spelling.

orthophoniste [ɔrtɔfɔnist] nmf speech therapist.

ortie [ɔrti] nf nettle.

os [ɔs, pl o] nm bone.

oscillation [ɔsilasjɔ̃] nf oscillation.

osciller [ɔsile] vi (se balancer) to sway; (varier) to vary.

osé, -e [oze] adj daring.

oseille [ozɛj] nf sorrel.

oser [oze] vt: ~ **faire qqch** to dare (to) do sthg.

osier [ozje] nm wicker.

osselets [ɔslɛ] nmpl (jeu) jacks.

ostensible [ɔstɑ̃sibl] adj conspicuous.

otage [ɔtaʒ] nm hostage; **prendre qqn en ~** to take sb hostage.

otarie [ɔtari] nf sea lion.

ôter [ote] vt to take off; ~ **qqch à qqn** to take sthg away from sb; ~ **qqch de qqch** to take sthg off sthg; **3 ôté de 10 égale 7** 3 from 10 is 7.

otite [ɔtit] nf ear infection.

oto-rhino-laryngologiste, -s [ɔtorinolarɛ̃gɔlɔʒist] nmf ear, nose and throat specialist.

ou [u] conj or; ~ **bien** or else; ~ ... ~ either ... or.

où [u] adv 1. (pour interroger) where; ~ **habitez-vous?** where do you live?; **d'~ êtes-vous?** where are you from?; **par ~ faut-il passer?** how do you get there? 2. (dans une interrogation indirecte) where; **nous ne savons pas ~ dormir** we don't know where to sleep.
♦ pron 1. (spatial) where; **le village ~ j'habite** the village where I live, the village I live in; **le pays d'~ je viens** the country I come from; **la région ~ nous sommes allés** the region we went to; **la ville par ~ nous venons de passer** the town we've just gone through. 2. (temporel): **le jour ~ ...** the day (that) ...; **juste au moment ~ ...** at the very moment (that) ...

ouate [wat] nf cotton wool.

oubli [ubli] nm oversight.

oublier [ublije] vt to forget; (laisser quelque part) to leave (behind); ~ **de faire qqch** to forget to do sthg.

oubliettes [ublijɛt] nfpl dungeon (sg).

ouest [wɛst] adj inv & nm west; **à l'~** in the west; **à l'~ de** west of.

ouf [uf] excl phew!

oui [wi] adv yes; **je pense que ~** I think so.

ouïe [wi] nf hearing ❑ **ouïes** nfpl (de poisson) gills.

ouragan [uragɑ̃] nm hurricane.

ourlet [urlɛ] nm hem.

ours [urs] nm bear; ~ **en peluche** teddy bear.

oursin [ursɛ̃] nm sea urchin.

outil [uti] nm tool.

outillage [utijaʒ] *nm* tools *(pl)*.

outre [utr] *prép* as well as; **en ~** moreover; **~ mesure** unduly.

outré, -e [utre] *adj* indignant.

outre-mer [utramer] *adv* overseas.

ouvert, -e [uver, ert] *pp* → **ouvrir ♦** *adj* open; **«~ le lundi»** "open on Mondays".

ouvertement [uvertəmã] *adv* openly.

ouverture [uvertyr] *nf* opening; **~ d'esprit** open-mindedness.

ouvrable [uvrabl] *adj* → **jour**.

ouvrage [uvraʒ] *nm* work.

ouvre-boîtes [uvrəbwat] *nm inv* tin opener.

ouvre-bouteilles [uvrəbutej] *nm inv* bottle opener.

ouvreur, -euse [uvrœr, øz] *nm, f* usher *(f* usherette).

ouvrier, -ière [uvrije, jer] *adj* working-class **♦** *nm, f* worker.

ouvrir [uvrir] *vt* to open; *(robinet)* to turn on **♦** *vi* to open ❑ **s'ouvrir** *vp* to open.

ovale [ɔval] *adj* oval.

oxyder [ɔkside] **: s'oxyder** *vp* to rust.

oxygène [ɔksiʒen] *nm* oxygen.

oxygénée [ɔksiʒene] *adj f* → **eau**.

ozone [ozon] *nm* ozone.

pacifique [pasifik] *adj* peaceful; **l'océan Pacifique, le Pacifique** the Pacific (Ocean).

pack [pak] *nm (de bouteilles)* pack.

pacte [pakt] *nm* pact.

paella [paela] *nf* paella.

pagayer [pageje] *vi* to paddle.

page [paʒ] *nf* page; **~ de garde** flyleaf; **les ~s jaunes** the Yellow Pages.

paie [pe] = **paye**.

paiement [pemã] *nm* payment.

paillasson [pajasõ] *nm* doormat.

paille [paj] *nf* straw.

paillette [pajet] *nf* sequin.

pain [pẽ] *nm* bread; **un ~** a loaf (of bread); **~ au chocolat** *sweet flaky pastry with chocolate filling;* **~ complet** wholemeal bread (Br), wholewheat bread (Am); **~ doré** *(Can)* French toast; **~ d'épice** ≈ gingerbread; **~ de mie** sandwich bread; **~ perdu** French toast; **~ aux raisins** *sweet pastry containing raisins, rolled into a spiral shape.*

 PAIN

B read is an essential element of every French meal. The basic French loaf is a long stick known as a "baguette" but there are also other types: a "ficelle" (long and thin), a "bâtard" (short), and a "pain de 400 g" (long and fat). The traditional British sliced loaf is rarely found.

pair, -e [pɛr] *adj (MATH)* even ◆ *nm:* **jeune fille au ~** au pair.

paire [pɛr] *nf* pair.

paisible [pezibl] *adj (endroit)* peaceful; *(animal)* tame.

paître [pɛtr] *vi* to graze.

paix [pɛ] *nf* peace; **avoir la ~** to have peace and quiet; **laisser qqn en ~** to leave sb in peace.

Pakistan [pakistɑ̃] *nm:* **le ~** Pakistan.

pakistanais, -e [pakistanɛ, ɛz] *adj* Pakistani.

palace [palas] *nm* luxury hotel.

palais [palɛ] *nm (résidence)* palace; *(ANAT)* palate; **Palais de justice** law courts.

pâle [pal] *adj* pale.

palette [palɛt] *nf (de peintre)* palette; *(viande)* shoulder.

palier [palje] *nm* landing.

pâlir [palir] *vi* to turn pale.

palissade [palisad] *nf* fence.

palmarès [palmarɛs] *nm (de victoires)* record; *(de chansons)* pop charts *(pl)*.

palme [palm] *nf (de plongée)* flipper.

palmé, -e [palme] *adj (pattes)* webbed.

palmier [palmje] *nm (arbre)* palm tree; *(gâteau)* large, heart-shaped, hard dry biscuit.

palourde [palurd] *nf* clam.

palper [palpe] *vt* to feel.

palpitant, -e [palpitɑ̃, ɑ̃t] *adj* thrilling.

palpiter [palpite] *vi* to pound.

pamplemousse [pɑ̃pləmus] *nm* grapefruit.

pan [pɑ̃] *nm (de chemise)* shirt tail; **~ de mur** wall.

panaché [panaʃe] *nm:* **(demi) ~** shandy.

panaris [panari] *nm* finger infection.

pan-bagnat [pɑ̃baɲa] *(pl* **pans-bagnats)** *nm* roll filled with lettuce, tomatoes, anchovies and olives.

pancarte [pɑ̃kart] *nf (de manifestation)* placard; *(de signalisation)* sign.

pané, -e [pane] *adj* in breadcrumbs, breaded.

panier [panje] *nm* basket; **~ à provisions** shopping basket.

panier-repas [panjerapa] *(pl* **paniers-repas)** *nm* packed lunch.

panique [panik] *nf* panic.

paniquer [panike] *vt & vi* to panic.

panne [pan] *nf* breakdown; **être en ~** to have broken down; **tomber en ~** to break down; **~ d'électricité** OU **de courant** power failure; **tomber en ~ d'essence** OU **sèche** to run out of petrol; **«en ~»** "out of order".

panneau, -x [pano] *nm (d'indication)* sign; *(de bois, de verre)* panel; **~ d'affichage** notice board *(Br)*, bulletin board *(Am)*; **~ de signalisation** road sign.

panoplie [panɔpli] *nf (déguisement)* outfit.

panorama [panɔrama] *nm* panorama.

pansement [pɑ̃smɑ̃] *nm* bandage; **~ adhésif** (sticking) plaster *(Br)*, Band-Aid® *(Am)*.

pantalon [pɑ̃talɔ̃] *nm* trousers *(pl) (Br)*, pants *(pl) (Am)*, pair of trousers *(Br)*, pair of pants *(Am)*.

panthère [pɑ̃tɛr] *nf* panther.

pantin [pɑ̃tɛ̃] *nm* puppet.

pantoufle [pɑ̃tufl] *nf* slipper.

PAO *nf* DTP.

paon [pɑ̃] *nm* peacock.

papa [papa] *nm* dad.

pape [pap] *nm* pope.

papet [papε] *nm*: ~ *vaudois* stew of leeks and potatoes plus sausage made from cabbage and pig's liver, a speciality of the canton of Vaud in Switzerland.

papeterie [papεtri] *nf* (*magasin*) stationer's; (*usine*) paper mill.

papi [papi] *nm* (*fam*) grandad.

papier [papje] *nm* paper; (*feuille*) piece of paper; ~ **aluminium** aluminium foil; ~ **cadeau** gift wrap; ~ **d'emballage** wrapping paper; ~ **à en-tête** headed paper; ~ **hygiénique** OU **toilette** toilet paper; ~ **à lettres** writing paper; ~ **peint** wallpaper; ~ **de verre** sandpaper; ~**s (d'identité)** (identity) papers.

papillon [papijɔ̃] *nm* butterfly; (*brasse*) ~ butterfly (stroke).

papillote [papijɔt] *nf*: **en** ~ (*CULIN*) baked in foil or greaseproof paper.

papoter [papɔte] *vi* to chatter.

paquebot [pakbo] *nm* liner.

pâquerette [pakrεt] *nf* daisy.

Pâques [pak] *nm* Easter.

paquet [pakε] *nm* (*colis*) parcel, package; (*de cigarettes, de chewing-gum*) packet; (*de cartes*) pack; **je vous fais un** ~**-cadeau?** shall I gift-wrap it for you?

par [par] *prép* **1.** (*à travers*) through; **passer** ~ to go through; **regarder** ~ **la fenêtre** to look out of the window.
2. (*indique le moyen*) by; **voyager** ~ **(le) train** to travel by train.
3. (*introduit l'agent*) by.

4. (*indique la cause*) by; ~ **accident** by accident; **faire qqch** ~ **amitié** to do sthg out of friendship.
5. (*distributif*) per, a; **deux comprimés** ~ **jour** two tablets a day; **150 F** ~ **personne** 150 francs per person; **un** ~ **un** one by one.
6. (*dans des expressions*): ~ **endroits** in places; ~ **moments** sometimes; ~**-ci** ~**-là** here and there.

parabolique [parabɔlik] *adj* → antenne.

paracétamol [parasetamɔl] *nm* paracetamol.

parachute [paraʃyt] *nm* parachute.

parade [parad] *nf* (*défilé*) parade.

paradis [paradi] *nm* paradise.

paradoxal, -e, -aux [paradɔksal, o] *adj* paradoxical.

paradoxe [paradɔks] *nm* paradox.

parages [paraʒ] *nmpl*: **dans les** ~ in the area.

paragraphe [paragraf] *nm* paragraph.

paraître [parεtr] *vi* (*sembler*) to seem; (*apparaître: soleil*) to appear; (*livre*) to be published; **il paraît que** it would appear that.

parallèle [paralεl] *adj & nm* parallel; ~ **à** parallel to.

paralyser [paralize] *vt* to paralyse.

paralysie [paralizi] *nf* paralysis.

parapente [parapɑ̃t] *nm* paragliding.

parapet [parapε] *nm* parapet.

parapluie [paraplɥi] *nm* umbrella.

parasite [parazit] *nm* parasite ❑

parasites *nmpl* (*perturbation*) interference (sg).

parasol [parasɔl] nm parasol.

paratonnerre [paratɔnɛr] nm lightning conductor.

paravent [paravɑ̃] nm screen.

parc [park] nm park; (de bébé) playpen; ~ **d'attractions** amusement park; ~ **de stationnement** car park (Br), parking lot (Am); ~ **zoologique** zoological gardens (pl).

ℹ **PARCS NATIONAUX**

There are six national parks in France, the best-known being la Vanoise (in the Alps), Cévennes (in the southeast) and Mercantour (in the southern Alps). There are stricter regulations on the protection of wildlife than in regional parks.

ℹ **PARCS NATURELS RÉGIONAUX**

There are 20 regional parks in France, including Brière (in southern Brittany), Camargue and Lubéron (in the southeast), and Morvan (to the southeast of Paris). Within these designated areas wildlife is protected and tourism is encouraged.

---

parce que [parsk(ə)] conj because.

parchemin [parʃəmɛ̃] nm parchment.

parcmètre [parkmɛtr] nm parking meter.

parcourir [parkurir] vt (distance) to cover; (lieu) to go all over; (livre, article) to glance through.

parcours [parkur] nm (itinéraire) route; ~ **santé** trail in the countryside where signs encourage people to do exercises for their health.

parcouru, -e [parkury] pp → parcourir.

par-derrière [pardɛrjɛr] adv (passer) round the back; (attaquer) from behind ♦ prép round the back of.

par-dessous [pardəsu] adv & prép underneath.

pardessus [pardəsy] nm overcoat.

par-dessus [pardəsy] adv over (the top) ♦ prép over (the top of).

par-devant [pardəvɑ̃] adv round the front ♦ prép round the front of.

pardon [pardɔ̃] nm: demander ~ à qqn to apologize to sb; ~! (pour s'excuser) (I'm) sorry!; (pour appeler) excuse me!

ℹ **PARDON**

The Breton word for "pilgrimage", "pardon" has come to mean a celebration held in spring and summer in Brittany in honour of the patron saint of a village or town. People come from far around, often dressed in traditional costumes, to take part in processions and in the general festivities.

---

pardonner [pardɔne] vt to forgive; ~ (qqch) à qqn to forgive sb (for sthg); ~ à qqn d'avoir fait qqch to forgive sb for doing sthg.

pare-brise [parbriz] nm inv windscreen (Br), windshield (Am).

part

pare-chocs [paʁʃɔk] *nm inv*
bumper.

pareil, -eille [paʁɛj] *adj* the
same ♦ *adv (fam)* the same (way);
un culot ~ such cheek; **~ que** the
same as.

parent, -e [paʁɑ̃, ɑ̃t] *nm, f (de la
famille)* relative, relation; **mes ~s**
(le père et la mère) my parents.

parenthèse [paʁɑ̃tɛz] *nf* bracket; *(commentaire)* digression; **entre
~s** *adj (mot)* in brackets ♦ *adv
(d'ailleurs)* by the way.

parer [paʁe] *vt (éviter)* to ward
off.

paresse [paʁɛs] *nf* laziness.

paresseux, -euse [paʁesø, øz]
adj lazy ♦ *nm, f* lazy person.

parfait, -e [paʁfɛ, ɛt] *adj* perfect
♦ *nm (CULIN)* frozen dessert made
from cream with fruit.

parfaitement [paʁfɛtmɑ̃] *adv*
perfectly; *(en réponse)* absolutely.

parfois [paʁfwa] *adv* sometimes.

parfum [paʁfœ̃] *nm (odeur)* scent;
(pour femme) perfume, scent; *(pour
homme)* aftershave; *(goût)* flavour.

parfumé, -e [paʁfyme] *adj*
sweet-smelling; **être ~** *(personne)*
to be wearing perfume.

parfumer [paʁfyme] *vt* to perfume; *(aliment)* to flavour; **parfumé
au citron** *(aliment)* lemon-flavoured
❏ **se parfumer** *vp* to put perfume
on.

parfumerie [paʁfymʁi] *nf* per-
fumery.

pari [paʁi] *nm* bet; **faire un ~** to
have a bet.

parier [paʁje] *vt* to bet; **je (te)
parie que ...** I bet (you) that ...; **~
sur** to bet on.

Paris [paʁi] *n* Paris.

paris-brest [paʁibʁɛst] *nm inv*
choux pastry ring filled with hazelnut-
flavoured cream and sprinkled with
almonds.

parisien, -ienne [paʁizjɛ̃, jɛn]
adj (vie, société) Parisian; *(métro,
banlieue, région)* Paris ❏ **Parisien,
-ienne** *nm, f* Parisian.

parka [paʁka] *nm ou nf* parka.

parking [paʁkiŋ] *nm* car park
(Br), parking lot (Am).

parlante [paʁlɑ̃t] *adj f* → **horloge.**

parlement [paʁləmɑ̃] *nm* parliament.

parler [paʁle] *vi* to talk, to speak
♦ *vt (langue)* to speak; **~ à qqn** to
talk to sb ou speak to sb about.

Parmentier [paʁmɑ̃tje] *n* →
hachis.

parmesan [paʁməzɑ̃] *nm* Parmesan (cheese).

parmi [paʁmi] *prép* among.

parodie [paʁɔdi] *nf* parody.

paroi [paʁwa] *nf (mur)* wall; *(montagne)* cliff face; *(d'un objet)* inside.

paroisse [paʁwas] *nf* parish.

parole [paʁɔl] *nf* word; **adresser
la ~ à qqn** to speak to sb; **couper la
~ à qqn** to interrupt sb; **prendre la
~** to speak; **tenir (sa) ~** to keep
one's word ❏ **paroles** *nfpl (d'une
chanson)* lyrics.

parquet [paʁkɛ] *nm (plancher)*
wooden floor.

parrain [paʁɛ̃] *nm* godfather.

parrainer [paʁene] *vt* to sponsor.

parsemer [paʁsəme] *vt*: **~ qqch
de qqch** to scatter sthg with sthg.

part [paʁ] *nf (de gâteau)* portion;
(d'un héritage) share; **prendre ~ à** to

take part in; **à ~** (*sauf*) apart from; **de la ~ de** from; (*remercier*) on behalf of; **c'est de la ~ de qui?** (*au téléphone*) who's calling?; **d'une ~ ...**, **d'autre ~** on the one hand ..., on the other hand; **autre ~** somewhere else; **nulle ~** nowhere; **quelque ~** somewhere.

partage [partaʒ] *nm* sharing (out).

partager [partaʒe] *vt* to divide (up) □ **se partager** *vp*: **se ~ qqch** to share sthg out.

partenaire [partɑnɛr] *nmf* partner.

parterre [partɛr] *nm* (*fam: sol*) floor; (*de fleurs*) flower)bed; (*au théâtre*) stalls (*pl*) (*Br*), orchestra (*Am*).

parti [parti] *nm* (*politique*) party; **prendre ~ pour** to decide in favour of; **tirer ~ de qqch** to make (good) use of sthg; **~ pris** bias.

partial, -e, -iaux [parsjal, jo] *adj* biased.

participant, -e [partisipɑ̃, ɑ̃t] *nm, f* (*à un jeu, un concours*) competitor.

participation [partisipasjɔ̃] *nf* participation; (*financière*) contribution.

participer [partisipe] : **participer à** *v* + *prép* to take part in; (*payer pour*) to contribute to.

particularité [partikylarite] *nf* distinctive feature.

particulier, -ière [partikylje, jɛr] *adj* (*personnel*) private; (*spécial*) special, particular; (*peu ordinaire*) unusual; **en ~** (*surtout*) in particular.

particulièrement [partikyljermɑ̃] *adv* particularly.

partie [parti] *nf* part; (*au jeu, en sport*) game; **en ~** partly; **faire ~ de** to be part of.

partiel, -ielle [parsjɛl] *adj* partial.

partiellement [parsjɛlmɑ̃] *adv* partially.

partir [partir] *vi* to go, to leave; (*moteur*) to start; (*coup de feu*) to go off; (*tache*) to come out; **être bien/mal parti** to get off to a good/bad start; **~ de** (*chemin*) to start from; **à ~ de** from.

partisan [partizɑ̃] *nm* supporter ♦ *adj*: **être ~ de qqch** to be in favour of sthg.

partition [partisjɔ̃] *nf* (MUS) score.

partout [partu] *adv* everywhere.

paru, -e [pary] *pp* → **paraître**.

parution [parysjɔ̃] *nf* publication.

parvenir [parvənir] : **parvenir à** *v* + *prép* (*but*) to achieve; (*personne, destination*) to reach; **~ à faire qqch** to manage to do sthg.

parvenu, -e [parvəny] *pp* → **parvenir**.

parvis [parvi] *nm* square (*in front of a large building*).

pas¹ [pɑ] *adv* 1. (*avec «ne»*) not; **je n'aime ~ les épinards** I don't like spinach; **elle ne dort ~ encore** she's not asleep yet; **je n'ai ~ terminé** I haven't finished; **il n'y a ~ de train pour Oxford aujourd'hui** there are no trains to Oxford today; **les passagers sont priés de ne ~ fumer** passengers are requested not to smoke.
2. (*sans «ne»*) not; **tu viens ou ~?** are you coming or not?; **elle a aimé**

l'exposition, moi ~ OU ~ **moi** she liked the exhibition, but I didn't; **c'est un endroit ~ très agréable** it's not a very nice place; **~ du tout** not at all.

pas² [pɑ] *nm* step; *(allure)* pace; **à deux ~** de very near; **~ à ~** step by step; **sur le ~ de la porte** on the doorstep.

Pas-de-Calais [pɑdkalɛ] *nm* "département" in the north of France, containing the port of Calais.

passable [pɑsabl] *adj* passable.

passage [pɑsaʒ] *nm (de livre, de film)* passage; *(chemin)* way; **être de ~** to be passing through; **~ clouté** OU **(pour) piétons** pedestrian crossing; **~ à niveau** level crossing *(Br)*, grade crossing *(Am)*; **~ protégé** crossroads where priority is given to traffic on the main road; **~ souterrain** subway; **«premier ~»** *(d'un bus)* "first bus".

passager, -ère [pɑsaʒe, ɛr] *adj* passing ♦ *nm, f* passenger; **~ clandestin** stowaway.

passant, -e [pɑsɑ̃, ɑ̃t] *nm, f* passer-by ♦ *nm* (belt) loop.

passe [pɑs] *nf (SPORT)* pass.

passé, -e [pase] *adj (terminé)* past; *(précédent)* last; *(décoloré)* faded ♦ *nm* past.

passe-partout [pɑspartu] *nm inv (clé)* skeleton key.

passe-passe [pɑspɑs] *nm inv:* **tour de ~** conjuring trick.

passeport [pɑspɔr] *nm* passport.

passer [pɑse] *vi (aux être)* **1.** *(aller, défiler)* to go by OU past; **~ par** *(lieu)* to pass through.
2. *(faire une visite rapide)* to drop in; **~ voir qqn** to drop in on sb.

3. *(facteur, autobus)* to come.
4. *(se frayer un chemin)* to get past; **laisser ~ qqn** to let sb past.
5. *(à la télé, à la radio, au cinéma)* to be on.
6. *(s'écouler)* to pass.
7. *(douleur)* to go away; *(couleur)* to fade.
8. *(à un niveau différent)* to move up; **je passe en 3ᵉ** *(SCOL)* I'm moving up into the fifth year; **~ en seconde** *(vitesse)* to change into second.
9. *(dans des expressions):* **passons!** *(pour changer de sujet)* let's move on!; **en passant** in passing.

♦ *vt (aux avoir)* **1.** *(temps, vacances)* to spend; **nous avons passé l'après-midi à chercher un hôtel** we spent the afternoon looking for a hotel.
2. *(obstacle, frontière)* to cross; *(douane)* to go through.
3. *(examen)* to take; *(visite médicale, entretien)* to have.
4. *(vidéo, disque)* to play; *(au cinéma, à la télé)* to show.
5. *(vitesse)* to change into.
6. *(mettre, faire passer)* to put; **~ le bras par la portière** to put one's arm out of the door; **~ l'aspirateur** to do the vacuuming.
7. *(filtrer)* to strain.
8. *(sauter):* **son tour** to pass.
9. *(donner, transmettre)* to pass on; **~ qqch à qqn** *(objet)* to pass sb sthg; *(maladie)* to give sb sthg; **je vous le passe** *(au téléphone)* I'll put him on.
❏ **passer pour** *v + prép* to be thought of as; **se faire ~ pour** to pass o.s. off as; **se passer** *vp* **1.** *(arriver)* to happen; **qu'est-ce qui se passe?** what's going on?; **se ~ bien/mal** to go well/badly. **2.** *(crème, eau):* **je vais me ~ de l'huile**

solaire sur les jambes I'm going to put suntan oil on my legs; **se passer de** *vp + prép* to do without.

passerelle [pasʀɛl] *nf (pont)* footbridge; *(d'embarquement)* gangway; *(sur un bateau)* bridge.

passe-temps [pastɑ̃] *nm inv* pastime.

passible [pasibl] *adj:* ~ **de** liable to.

passif, -ive [pasif, iv] *adj & nm* passive.

passion [pasjɔ̃] *nf* passion.

passionnant, -e [pasjɔnɑ̃, ɑ̃t] *adj* fascinating.

passionné, -e [pasjɔne] *adj* passionate; ~ **de musique** mad on music.

passionner [pasjɔne] *vt* to grip ❏ **se passionner pour** *vp + prép* to have a passion for.

passoire [paswaʀ] *nf (à thé)* strainer; *(à légumes)* colander.

pastel [pastɛl] *adj inv* pastel.

pastèque [pastɛk] *nf* watermelon.

pasteurisé, -e [pastœʀize] *adj* pasteurized.

pastille [pastij] *nf* pastille.

pastis [pastis] *nm* aniseed-flavoured aperitif.

patate [patat] *nf (fam: pomme de terre)* spud; ~**s pilées** *(Can)* mashed potato.

patauger [patoʒe] *vi* to splash about.

pâte [pat] *nf (à pain)* dough; *(à tarte)* pastry; *(à gâteau)* mixture; ~ **d'amandes** almond paste; ~ **brisée** shortcrust pastry; ~ **feuilletée** puff pastry; ~ **de fruits** jelly made from

fruit paste; ~ **à modeler** Plasticine®; ~ **sablée** shortcrust pastry ❏ **pâtes** *nfpl (nouilles)* pasta *(sg)*.

pâté [pate] *nm (charcuterie)* pâté; *(de sable)* sandpie; *(tache)* blot; ~ **chinois** *(Can)* shepherd's pie with a layer of sweetcorn; ~ **de maisons** block (of houses).

pâtée [pate] *nf (pour chien)* food.

paternel, -elle [patɛʀnɛl] *adj* paternal.

pâteux, -euse [patø, øz] *adj* chewy.

patiemment [pasjamɑ̃] *adv* patiently.

patience [pasjɑ̃s] *nf* patience.

patient, -e [pasjɑ̃, ɑ̃t] *adj & nm, f* patient.

patienter [pasjɑ̃te] *vi* to wait.

patin [patɛ̃] *nm:* ~**s à glace** ice skates; ~**s à roulettes** roller skates.

patinage [patinaʒ] *nm* skating; ~ **artistique** figure skating.

patiner [patine] *vi (patineur)* to skate; *(voiture)* to skid; *(roue)* to spin.

patineur, -euse [patinœʀ, øz] *nm, f* skater.

patinoire [patinwaʀ] *nf* ice rink.

pâtisserie [patisʀi] *nf (gâteau)* pastry; *(magasin)* = cake shop.

pâtissier, -ière [patisje, jɛʀ] *nm, f* pastrycook.

patois [patwa] *nm* dialect.

patrie [patʀi] *nf* native country.

patrimoine [patʀimwan] *nm (d'une famille)* inheritance; *(d'un pays)* heritage.

patriote [patʀijɔt] *nmf* patriot.

patriotique [patʀijɔtik] *adj* patriotic.

patron, -onne [patʀɔ̃, ɔn] *nm, f*

boss ◆ *nm (modèle de vêtement)* pattern.

patrouille [patruj] *nf* patrol.

patrouiller [patruje] *vi* to patrol.

patte [pat] *nf (jambe)* leg; *(pied de chien, de chat)* paw; *(pied d'oiseau)* foot; *(de boutonnage)* loop; *(de cheveux)* sideburn.

pâturage [patyraʒ] *nm* pasture land.

paume [pom] *nf* palm.

paupière [popjɛr] *nf* eyelid.

paupiette [popjɛt] *nf* thin slice of meat rolled around a filling.

pause [poz] *nf* break; «pause» *(sur un lecteur CD, un magnétoscope)* "pause".

pause-café [pozkafe] *(pl* **pauses-café)** *nf* coffee break.

pauvre [povr] *adj* poor.

pauvreté [povrəte] *nf* poverty.

pavé, -e [pave] *adj* cobbled ◆ *nm (pierre)* paving stone; ~ **numérique** numeric keypad.

pavillon [pavijɔ̃] *nm (maison individuelle)* detached house.

payant, -e [pejɑ̃, ɑ̃t] *adj (spectacle)* with an admission charge; *(hôte)* paying.

paye [pɛ] *nf* pay.

payer [peje] *vt* to pay; *(achat)* to pay for; **bien/mal payé** well/badly paid; ~ **qqch à qqn** *(fam: offrir)* to buy sthg for sb, to treat sb to sthg; «payez ici» "pay here".

pays [pei] *nm* country; **les gens du ~** *(de la région)* the local people; **de ~** *(jambon, fromage)* local; **le ~ de Galles** Wales.

paysage [peizaʒ] *nm* landscape.

paysan, -anne [peizɑ̃, an] *nm, f* (small) farmer.

Pays-Bas [peiba] *nmpl:* **les ~** the Netherlands.

PC *nm (abr de Parti communiste)* CP; *(ordinateur)* PC.

PCV *nm:* **appeler en ~** to make a reverse-charge call *(Br)*, to call collect *(Am)*.

P-DG *nm (abr de président-directeur général)* ≈ MD *(Br)*, ≈ CEO *(Am)*.

péage [peaʒ] *nm (taxe)* toll; *(lieu)* tollbooth.

peau, -x [po] *nf* skin; ~ **de chamois** chamois leather.

pêche [pɛʃ] *nf (fruit)* peach; *(activité)* fishing; ~ **à la ligne** angling; ~ **en mer** sea fishing; ~ **Melba** peach Melba.

péché [peʃe] *nm* sin.

pêcher [peʃe] *vt (poisson)* to catch ◆ *vi* to go fishing ◆ *nm* peach tree.

pêcheur, -euse [peʃœr, øz] *nm, f* fisherman *(f* fisherwoman*)*.

pédagogie [pedagɔʒi] *nf (qualité)* teaching ability.

pédale [pedal] *nf* pedal.

pédaler [pedale] *vi* to pedal.

pédalier [pedalje] *nm* pedals and chain wheel assembly.

Pédalo® [pedalo] *nm* pedal boat.

pédant, -e [pedɑ̃, ɑ̃t] *adj* pedantic.

pédestre [pedɛstr] *adj →* **randonnée**.

pédiatre [pedjatr] *nmf* pediatrician.

pédicure [pedikyr] *nmf* chiropodist *(Br)*, podiatrist *(Am)*.

pedigree [pedigre] *nm* pedigree.

peigne [pɛɲ] *nm* comb.

peigner [peɲe] *vt* to comb ❏ **se**

peigner *vp* to comb one's hair.

peignoir [pɛɲwar] *nm* dressing gown (Br), robe (Am); ~ **de bain** bathrobe.

peindre [pɛdr] *vt* to paint; ~ **qqch en blanc** to paint sthg white.

peine [pɛn] *nf* (*tristesse*) sorrow; (*effort*) difficulty; (*de prison*) sentence; **avoir de la** ~ to be sad; **avoir de la** ~ **à faire qqch** to have difficulty doing sthg; **faire de la** ~ **à qqn** to upset sb; **ce n'est pas la** ~ it's not worth it; **ce n'est pas la** ~ **d'y aller** it's not worth going; **valoir la** ~ to be worth it; **sous** ~ **de** on pain of; ~ **de mort** death penalty; **à** ~ hardly.

peiner [pene] *vt* to sadden ◆ *vi* to struggle.

peint, -e [pɛ̃, pɛt] *pp* → **peindre**.

peintre [pɛtr] *nm* painter.

peinture [pɛtyr] *nf* (*matière*) paint; (*œuvre d'art*) painting; (*art*) painting.

pelage [pəlaʒ] *nm* coat.

pêle-mêle [pɛlmɛl] *adv* higgledy-piggledy.

peler [pəle] *vt & vi* to peel.

pèlerinage [pɛlrinaʒ] *nm* pilgrimage.

pelle [pɛl] *nf* shovel; (*jouet d'enfant*) spade.

pellicule [pelikyl] *nf* film ❏ **pellicules** *nfpl* dandruff (*sg*).

pelote [pəlɔt] *nf* (*de fil, de laine*) ball.

peloton [pəlɔtɔ̃] *nm* (*de cyclistes*) pack.

pelotonner [pəlɔtɔne] : **se pelotonner** *vp* to curl up.

pelouse [pəluz] *nf* lawn; «~

interdite» "keep off the grass".

peluche [pəlyʃ] *nf* (*jouet*) soft toy; **animal en** ~ cuddly animal.

pelure [pəlyr] *nf* peel.

pénaliser [penalize] *vt* to penalize.

penalty [penalti] (*pl* -**s** OU -**ies**) *nm* penalty.

penchant [pɑ̃ʃɑ̃] *nm*: **avoir un** ~ **pour** to have a liking for.

pencher [pɑ̃ʃe] *vt* (*tête*) to bend; (*objet*) to tilt ◆ *vi* to lean; ~ **pour** to incline towards ❏ **se pencher** *vp* (*s'incliner*) to lean over; (*se baisser*) to bend down; **se** ~ **par la fenêtre** to lean out of the window.

pendant [pɑ̃dɑ̃] *prép* during; ~ **deux semaines** for two weeks; ~ **que** while.

pendentif [pɑ̃dɑ̃tif] *nm* pendant.

penderie [pɑ̃dri] *nf* wardrobe (*Br*), closet (*Am*).

pendre [pɑ̃dr] *vt & vi* to hang ❏ **se pendre** (*se tuer*) to hang o.s.

pendule [pɑ̃dyl] *nf* clock.

pénétrer [penetre] *vi*: ~ **dans** (*entrer dans*) to enter; (*s'incruster dans*) to penetrate.

pénible [penibl] *adj* (*travail*) tough; (*souvenir, sensation*) painful; (*fam: agaçant*) tiresome.

péniche [peniʃ] *nf* barge.

pénicilline [penisilin] *nf* penicillin.

péninsule [penɛ̃syl] *nf* peninsula.

pénis [penis] *nm* penis.

pense-bête, -s [pɑ̃sbɛt] *nm* reminder.

pensée [pɑ̃se] *nf* thought; (*esprit*) mind; (*fleur*) pansy.

penser [pɑ̃se] vt & vi to think; **qu'est-ce que tu en penses?** what do you think (of it)?; ~ **faire qqch** to plan to do sthg; ~ **à** (réfléchir à) to think about; ~ **faire qqch** (ne pas oublier de) to remember; ~ **à faire qqch** to think of doing sthg.

pensif, -ive [pɑ̃sif, iv] adj thoughtful.

pension [pɑ̃sjɔ̃] nf (hôtel) guest house; (allocation) pension; **être en ~** (élève) to be at boarding school; ~ **complète** full board; ~ **de famille** family-run guest house.

pensionnaire [pɑ̃sjɔner] nmf (élève) boarder; (d'un hôtel) resident.

pensionnat [pɑ̃sjɔna] nm boarding school.

pente [pɑ̃t] nf slope; **en ~** sloping.

Pentecôte [pɑ̃tkot] nf Whitsun.

pénurie [penyri] nf shortage.

pépé [pepe] nm (fam) grandad.

pépin [pepɛ̃] nm pip; (fam: ennui) hitch.

perçant, -e [persɑ̃, ɑ̃t] adj (cri) piercing; (vue) sharp.

percepteur [perseptœr] nm tax collector.

perceptible [perseptibl] adj perceptible.

percer [perse] vt to pierce; (avec une perceuse) to drill a hole in; (trou, ouverture) to make ♦ vi (dent) to come through.

perceuse [persøz] nf drill.

percevoir [persəvwar] vt to perceive; (argent) to receive.

perche [perʃ] nf (tige) pole.

percher [perʃe] : **se percher** vp to perch.

perchoir [perʃwar] nm perch.

perçu, -e [persy] pp → **percevoir**.

percussions [perkysjɔ̃] nfpl percussion (sg).

percuter [perkyte] vt to crash into.

perdant, -e [perdɑ̃, ɑ̃t] nm, f loser.

perdre [perdr] vt to lose; (temps) to waste ♦ vi to lose; ~ **qqn de vue** (ne plus voir) to lose sight of sb; (ne plus avoir de nouvelles) to lose touch with sb ❏ **se perdre** vp to get lost.

perdreau, -x [perdro] nm young partridge.

perdrix [perdri] nf partridge.

perdu, -e [perdy] adj (village, coin) out-of-the-way.

père [per] nm father; **le ~ Noël** Father Christmas, Santa Claus.

perfection [perfɛksjɔ̃] nf perfection.

perfectionné, -e [perfɛksjɔne] adj sophisticated.

perfectionnement [perfɛksjɔnmɑ̃] nm improvement.

perfectionner [perfɛksjɔne] vt to improve ❏ **se perfectionner** vp to improve.

perforer [perfɔre] vt to perforate.

performance [perfɔrmɑ̃s] nf performance; ~**s** (d'un ordinateur, d'une voiture) performance (sg.).

perfusion [perfyzjɔ̃] nf: **être sous ~** to be on a drip.

péril [peril] nm peril; **en ~** in danger.

périlleux, -euse [perijø, jøz] adj perilous.

périmé, -e [perime] *adj* out-of-date.

périmètre [perimetr] *nm* perimeter.

période [perjɔd] *nf* period; ~ **blanche/bleue** *periods during which train fares are at a reduced price.*

périodique [perjɔdik] *adj* periodic ◆ *nm* periodical.

péripéties [peripesi] *nfpl* events.

périphérique [periferik] *adj* (*quartier*) outlying ◆ *nm* (INFORM) peripheral; **le** ~ the Paris ring road (*Br*), the Paris beltway (*Am*).

périr [perir] *vi* (*sout*) to perish.

périssable [perisabl] *adj* perishable.

perle [perl] *nf* pearl.

permanence [permanɑ̃s] *nf* (*bureau*) office; (SCOL) free period; **de** ~ on duty; **en** ~ permanently.

permanent, -e [permanɑ̃, ɑ̃t] *adj* permanent.

permanente [permanɑ̃t] *nf* perm.

perméable [permeabl] *adj* permeable.

permettre [permetr] *vt* to allow; ~ **à qqn de faire qqch** to allow sb to do sthg ◻ **se permettre** *vp*: **se** ~ **de faire qqch** to take the liberty of doing sthg; **pouvoir se** ~ **qqch** (*financièrement*) to be able to afford sthg.

permis, -e [permi, iz] *pp* → **permettre** ◆ *nm* licence; **il n'est pas** ~ **de fumer** smoking is not permitted; ~ **de conduire** driving licence (*Br*), driver's license (*Am*); ~ **de pêche** fishing permit.

permission [permisjɔ̃] *nf* permission; (MIL) leave; **demander la**

~ **de faire qqch** to ask permission to do sthg.

perpendiculaire [pɛrpɑ̃dikylɛr] *adj* perpendicular.

perpétuel, -elle [perpetɥel] *adj* perpetual.

perplexe [perpleks] *adj* perplexed.

perron [perɔ̃] *nm* steps (*pl*) (*leading to building*).

perroquet [perɔkɛ] *nm* parrot.

perruche [peryʃ] *nf* budgerigar.

perruque [peryk] *nf* wig.

persécuter [persekyte] *vt* to persecute.

persécution [persekysjɔ̃] *nf* persecution.

persévérant, -e [perseverɑ̃, ɑ̃t] *adj* persistent.

persévérer [persevere] *vi* to persevere.

persienne [persjen] *nf* shutter.

persil [persi] *nm* parsley.

persillé, -e [persije] *adj* sprinkled with chopped parsley.

persistant, -e [persistɑ̃, ɑ̃t] *adj* persistent.

persister [persiste] *vi* to persist; ~ **à faire qqch** to persist in doing sthg.

personnage [persɔnaʒ] *nm* character; (*personnalité*) person.

personnaliser [persɔnalize] *vt* to personalize; (*voiture*) to customize.

personnalité [persɔnalite] *nf* personality.

personne [persɔn] *nf* person ◆ *pron* no one, nobody; **il n'y a** ~ there is no one there; **je n'ai vu** ~ I didn't see anyone; **en** ~ in person;

par ~ per head; ~ **âgée** elderly person.

personnel, -elle [pɛʁsɔnɛl] adj personal ♦ nm staff.

personnellement [pɛʁsɔnɛlmã] adv personally.

personnifier [pɛʁsɔnifje] vt to personify.

perspective [pɛʁspɛktiv] nf perspective; (panorama) view; (possibilité) prospect.

persuader [pɛʁsɥade] vt to persuade; ~ **qqn de faire qqch** to persuade sb to do sthg.

persuasif, -ive [pɛʁsɥazif, iv] adj persuasive.

perte [pɛʁt] nf loss; (gaspillage) waste; ~ **de temps** waste of time.

pertinent, -e [pɛʁtinã, ãt] adj relevant.

perturbation [pɛʁtyʁbasjɔ̃] nf disturbance.

perturber [pɛʁtyʁbe] vt (plans, fête) to disrupt; (troubler) to disturb.

pesant, -e [pəzã, ãt] adj (gros) heavy.

pesanteur [pəzãtœʁ] nf gravity.

pèse-personne [pɛzpɛʁsɔn] nm inv scales (pl).

peser [pəze] vt & vi to weigh; ~ **lourd** to be heavy.

pessimisme [pesimism] nm pessimism.

pessimiste [pesimist] adj pessimistic ♦ nmf pessimist.

peste [pɛst] nf plague.

pétale [petal] nm petal.

pétanque [petãk] nf ≃ bowls (sg).

pétard [petaʁ] nm (explosif) firecracker.

péter [pete] vi (fam) (se casser) to bust; (personne) to fart.

pétillant, -e [petijã, ãt] adj sparkling.

pétiller [petije] vi (champagne) to fizz; (yeux) to sparkle.

petit, -e [p(ə)ti, it] adj small, little; (en durée) short; (peu important) small ♦ nm, f (à l'école) junior; ~**s** (d'un animal) young; ~ **ami** boyfriend; ~**e amie** girlfriend; ~ **déjeuner** breakfast; ~ **pain** (bread) roll; ~ **pois** (garden) pea; ~ **pot** jar (of baby food); **à** ~ little by little.

petit-beurre [p(ə)tibœʁ] nm (pl petits-beurre) nm square dry biscuit made with butter.

petite-fille [p(ə)titfij] nf (pl petites-filles) nf granddaughter.

petit-fils [p(ə)tifis] nm (pl petits-fils) nm grandson.

petit-four [p(ə)tifuʁ] nm (pl petits-fours) nm petit four, small sweet cake or savoury.

pétition [petisjɔ̃] nf petition.

petits-enfants [p(ə)tizãfã] nmpl grandchildren.

petit-suisse [p(ə)tisɥis] nm (pl petits-suisses) nm thick fromage frais sold in small individual portions and eaten as a dessert.

pétrole [petʁɔl] nm oil.

pétrolier [petʁɔlje] nm oil tanker.

peu [pø] adv 1. (avec un verbe) not much; (avec un adjectif, un adverbe) not very; **j'ai** ~ **voyagé** I haven't travelled much; ~ **aimable** not very nice; **ils sont** ~ **nombreux** there aren't many of them; ~ **après** soon afterwards.
2. (avec un nom): ~ **de** (sel, temps) not much, a little; (gens, vêtements)

not many, few.

3. *(dans le temps)*: **avant ~** soon; **il y a ~** a short time ago.

4. *(dans des expressions)*: **à ~ près** about; **~ à ~** little by little.
♦ *nm*: **un ~ a** bit, a little; **un petit ~** a little bit; **un ~ de** a little.

peuple [pœpl] *nm* people.

peupler [pœple] *vt (pays)* to populate; *(rivière)* to stock; *(habiter)* to inhabit.

peuplier [pœplije] *nm* poplar.

peur [pœr] *nf* fear; **avoir ~** to be afraid; **avoir ~ de qqch** to be afraid of sthg; **avoir ~ de faire qqch** to be afraid of doing sthg; **faire ~ à qqn** to frighten sb.

peureux, -euse [pœrø, øz] *adj* timid.

peut → **pouvoir**.

peut-être [pøtɛtr] *adv* perhaps, maybe; **~ qu'il est parti** perhaps he's left.

peux → **pouvoir**.

phalange [falɑ̃ʒ] *nf* finger bone.

pharaon [faraɔ̃] *nm* pharaoh.

phare [far] *nm (de voiture)* headlight; *(sur la côte)* lighthouse.

pharmacie [farmasi] *nf (magasin)* chemist's *(Br)*, drugstore *(Am)*; *(armoire)* medicine cabinet.

pharmacien, -ienne [farmasjɛ̃, jɛn] *nm, f* chemist *(Br)*, druggist *(Am)*.

phase [faz] *nf* phase.

phénoménal, -e, -aux [fenɔmenal, o] *adj* phenomenal.

phénomène [fenɔmɛn] *nm* phenomenon.

philatélie [filateli] *nf* stamp-collecting.

philosophe [filɔzɔf] *adj* philo-

sophical ♦ *nmf* philosopher.

philosophie [filɔzɔfi] *nf* philosophy.

phonétique [fɔnetik] *adj* phonetic.

phoque [fɔk] *nm* seal.

photo [fɔto] *nf* photo; *(art)* photography; **prendre qqn/qqch en ~** to take a photo of sb/sthg; **prendre une ~ (de)** to take a photo (of).

photocopie [fɔtɔkɔpi] *nf* photocopy.

photocopier [fɔtɔkɔpje] *vt* to photocopy.

photocopieuse [fɔtɔkɔpjøz] *nf* photocopier.

photographe [fɔtɔgraf] *nmf (artiste)* photographer; *(commerçant)* camera dealer and film developer.

photographie [fɔtɔgrafi] *nf (procédé, art)* photography; *(image)* photograph.

photographier [fɔtɔgrafje] *vt* to photograph.

Photomaton® [fɔtɔmatɔ̃] *nm* photo booth.

phrase [fraz] *nf* sentence.

physionomie [fizjɔnɔmi] *nf (d'un visage)* physiognomy.

physique [fizik] *adj* physical ♦ *nf* physics *(sg)* ♦ *nm (apparence)* physique.

pianiste [pjanist] *nmf* pianist.

piano [pjano] *nm* piano.

pic [pik] *nm (montagne)* peak; **à ~** *(descendre)* vertically; *(fig: tomber, arriver)* at just the right moment; **couler à ~** to sink like a stone.

pichet [piʃe] *nm* jug.

pickpocket [pikpɔkɛt] *nm* pickpocket.

picorer [pikɔre] *vt* to peck.

picotement [pikɔtmɑ̃] *nm* prickling.

picoter [pikɔte] *vt* to sting.

pie [pi] *nf* magpie.

pièce [pjɛs] *nf* (*argent*) coin; (*salle*) room; (*sur un vêtement*) patch; (*morceau*) piece; **20 F ~** 20 francs each; (*maillot de bain*) **une ~** one-piece (swimming costume); **~ d'identité** identity card; **~ de monnaie** coin; **~ montée** wedding cake; **~ de rechange** spare part; **~ (de théâtre)** play.

pied [pje] *nm* foot; **à ~** on foot; **au ~ de** at the foot of; **avoir ~** to be able to touch the bottom; **mettre sur ~** to get off the ground.

piège [pjɛʒ] *nm* trap.

piéger [pjeʒe] *vt* to trap; (*voiture, valise*) to booby-trap.

pierre [pjɛr] *nf* stone; **~ précieuse** precious stone.

piétiner [pjetine] *vt* to trample ♦ *vi* (*foule*) to mill around; (*fig: enquête*) to make no headway.

piéton, -onne [pjetɔ̃, ɔn] *nm, f* pedestrian ♦ *adj* = **piétonnier**.

piétonnier, -ière [pjetɔnje, jɛr] *adj* pedestrianized.

pieu, -x [pjø] *nm* post.

pieuvre [pjœvr] *nf* octopus.

pigeon [piʒɔ̃] *nm* pigeon.

pilaf [pilaf] *nm* ~ **riz**.

pile [pil] *nf* (*tas*) pile; (*électrique*) battery ♦ *adv* (*arriver*) at just the right moment; **jouer qqch à ~ ou face** to toss (up) for sthg; **~ ou face?** heads or tails?; **s'arrêter ~** to stop dead; **trois heures ~** three o'clock on the dot.

piler [pile] *vt* to crush ♦ *vi* (*fam: freiner*) to brake hard.

pilier [pilje] *nm* pillar.

piller [pije] *vt* to loot.

pilote [pilɔt] *nm* (*d'avion*) pilot; (*de voiture*) driver.

piloter [pilɔte] *vt* (*avion*) to fly; (*voiture*) to drive; (*diriger*) to show around.

pilotis [pilɔti] *nm* stilts (*pl*).

pilule [pilyl] *nf* pill; **prendre la ~** to be on the pill.

piment [pimɑ̃] *nm* (*condiment*) chilli; **~ doux** sweet pepper; **~ rouge** chilli (pepper).

pimenté, -e [pimɑ̃te] *adj* spicy.

pin [pɛ̃] *nm* pine.

pince [pɛ̃s] *nf* (*outil*) pliers (*pl*); (*de crabe*) pincer; (*de pantalon*) pleat; **~ à cheveux** hair clip; **~ à épiler** tweezers (*pl*); **~ à linge** clothes peg.

pinceau, -x [pɛ̃so] *nm* brush.

pincée [pɛ̃se] *nf* pinch.

pincer [pɛ̃se] *vt* (*serrer*) to pinch; (*coincer*) to catch.

pingouin [pɛ̃gwɛ̃] *nm* penguin.

ping-pong [piŋpɔ̃g] *nm* table tennis.

pin's [pinz] *nm inv* badge.

pintade [pɛ̃tad] *nf* guinea fowl.

pinte [pɛ̃t] *nf* (*Helv: café*) café.

pioche [pjɔʃ] *nf* pick.

piocher [pjɔʃe] *vi* (*aux cartes, aux dominos*) to pick.

pion [pjɔ̃] *nm* (*aux échecs*) pawn; (*aux dames*) piece.

pionnier, -ière [pjɔnje, jɛr] *nm, f* pioneer.

pipe [pip] *nf* pipe.

pipi [pipi] *nm* (*fam*): **faire ~** to have a wee.

piquant, -e [pikɑ̃, ɑ̃t] *adj* (*épicé*) spicy ♦ *nm* (*épine*) thorn.

pique [pik] *nf (remarque)* spiteful remark ♦ *nm (aux cartes)* spades *(pl)*.

pique-nique, -s [piknik] *nm* picnic.

pique-niquer [piknike] *vi* to have a picnic.

piquer [pike] *vt (suj: aiguille, pointe)* to prick; *(suj: guêpe, ortie, fumée)* to sting; *(suj: moustique)* to bite; *(planter)* to stick ♦ *vi (insecte)* to sting; *(épice)* to be hot.

piquet [pikɛ] *nm* stake.

piqueur [pikœr] *adj m* → **marteau**.

piqûre [pikyr] *nf (d'insecte)* sting; *(de moustique)* bite; *(MED)* injection.

piratage [pirataʒ] *nm (INFORM)* hacking; *(de vidéos, de cassettes)* pirating.

pirate [pirat] *nm* pirate ♦ *adj (radio, cassette)* pirate; **~ de l'air** hijacker.

pirater [pirate] *vt* to pirate.

pire [pir] *adj (comparatif)* worse; *(superlatif)* worst ♦ *nm*: **le ~** the worst.

pirouette [pirwɛt] *nf* pirouette.

pis [pi] *nm (de vache)* udder.

piscine [pisin] *nf* swimming pool.

pissenlit [pisɑ̃li] *nm* dandelion.

pistache [pistaʃ] *nf* pistachio (nut).

piste [pist] *nf* track, trail; *(indice)* lead; *(de cirque)* (circus) ring; *(de ski)* run; *(d'athlétisme)* track; **~ (d'atterrissage)** runway; **~ cyclable** cycle track; *(sur la route)* cycle lane; **~ de danse** dance floor; **~ verte/bleue/rouge/noire** green/blue/red/black run *(in order of difficulty)*.

pistolet [pistɔlɛ] *nm* gun.

piston [pistɔ̃] *nm (de moteur)* piston.

pithiviers [pitivje] *nm* puff pastry cake filled with almond cream.

pitié [pitje] *nf* pity; **avoir ~ de** qqn to feel pity for sb; **elle me fait ~** I feel sorry for her.

pitoyable [pitwajabl] *adj* pitiful.

pitre [pitr] *nm* clown; **faire le ~** to play the fool.

pittoresque [pitɔrɛsk] *adj* picturesque.

pivoter [pivɔte] *vi (personne)* to turn round; *(fauteuil)* to swivel.

pizza [pidza] *nf* pizza.

pizzeria [pidzerja] *nf* pizzeria.

placard [plakar] *nm* cupboard.

placarder [plakarde] *vt (affiche)* to stick up.

place [plas] *nf (endroit, dans un classement)* place; *(de parking)* space; *(siège)* seat; *(d'une ville)* square; *(espace)* room, space; *(emploi)* job; **changer qqch de ~** to move sthg; **à la ~ de** instead of; **sur ~** on the spot; **~ assise** seat; **~ debout** *(au concert)* standing ticket; **«30 ~s debout»** *(dans un bus)* "standing room for 30".

placement [plasmɑ̃] *nm (financier)* investment.

placer [plase] *vt* to place; *(argent)* to invest ❑ **se placer** *vp (se mettre debout)* to stand; *(s'asseoir)* to sit (down); *(se classer)* to come.

plafond [plafɔ̃] *nm* ceiling.

plafonnier [plafɔnje] *nm* ceiling light.

plage [plaʒ] *nf* beach; *(de disque)* track; **~ arrière** back shelf.

plaie [plɛ] *nf* wound.

plaindre [plɛ̃dr] *vt* to feel sorry for ❏ **se plaindre** *vp* to complain; **se ~ de** to complain about.

plaine [plɛn] *nf* plain.

plaint, -e [plɛ̃, plɛ̃t] *pp* → **plaindre.**

plainte [plɛ̃t] *nf* (*gémissement*) moan; (*en justice*) complaint; **porter ~** to lodge a complaint.

plaintif, -ive [plɛ̃tif, iv] *adj* plaintive.

plaire [plɛr] *vi*: **elle me plaît** I like her; **le film m'a beaucoup plu** I enjoyed the film a lot; **s'il vous/te plaît** please ❏ **se plaire** *vp*: **tu te plais ici?** do you like it here?

plaisance [plezɑ̃s] *nf* → **navigation, port.**

plaisanter [plezɑ̃te] *vi* to joke.

plaisanterie [plezɑ̃tri] *nf* joke.

plaisir [plezir] *nm* pleasure; **votre lettre m'a fait très ~** I was delighted to receive your letter; **avec ~!** with pleasure!

plan [plɑ̃] *nm* plan; (*carte*) map; (*niveau*) level; **au premier/second ~** in the foreground/background; **~ d'eau** lake.

planche [plɑ̃ʃ] *nf* plank; **faire la ~** to float; **~ à roulettes** skateboard; **~ à voile** sailboard; **faire de la ~ à voile** to windsurf.

plancher [plɑ̃ʃe] *nm* floor.

planer [plane] *vi* to glide.

planète [planɛt] *nf* planet.

planeur [planœr] *nm* glider.

planifier [planifje] *vt* to plan.

planning [planiŋ] *nm* schedule.

plantation [plɑ̃tasjɔ̃] *nf* (*exploitation agricole*) plantation; **~s** (*plantes*) plants.

plante [plɑ̃t] *nf* plant; **~ du pied** sole (of the foot); **~ grasse** succulent (plant); **~ verte** houseplant.

planter [plɑ̃te] *vt* (*graines*) to plant; (*enfoncer*) to drive in.

plaque [plak] *nf* sheet; (*de chocolat*) bar; (*de beurre*) pack; (*sur un mur*) plaque; (*tache*) patch; **~ chauffante** hotplate; **~ d'immatriculation** ou **minéralogique** numberplate (*Br*), license plate (*Am*).

plaqué, -e [plake] *adj*: **~ or/argent** gold/silver-plated.

plaquer [plake] *vt* (*aplatir*) to flatten; (*au rugby*) to tackle.

plaquette [plakɛt] *nf* (*de beurre*) pack; (*de chocolat*) bar; **~ de frein** brake pad.

plastifié, -e [plastifje] *adj* plastic-coated.

plastique [plastik] *nm* plastic; **sac en ~** plastic bag.

plat, -e [pla, plat] *adj* flat; (*eau*) still ♦ *nm* dish; (*de menu*) course; **à ~** (*pneu, batterie*) flat; (*fam: fatigué*) exhausted; **se mettre à ~ ventre** to lie face down; **~ cuisiné** ready-cooked dish; **~ du jour** dish of the day; **~ de résistance** main course.

platane [platan] *nm* plane tree.

plateau, -x [plato] *nm* (*de cuisine*) tray; (*plaine*) plateau; (*de télévision, de cinéma*) set; **~ à fromages** cheese board; **~ de fromages** cheese board.

plate-bande [platbɑ̃d] (*pl* **plates-bandes**) *nf* flowerbed.

plate-forme [platfɔrm] (*pl* **plates-formes**) *nf* platform.

platine [platin] *nf*: **~ cassette** cassette deck; **~ laser** compact disc player.

plâtre [platr] *nm* plaster; (*MÉD*) plaster cast.

plâtrer

plâtrer [plɑtre] *vt* (*MÉD*) to put in plaster.

plausible [plozibl] *adj* plausible.

plébiscite [plebisit] *nm* (*Helv: référendum*) referendum.

plein, -e [plɛ̃, plɛn] *adj* full ♦ *nm*: **faire le ~ (d'essence)** to fill up; **~ de** full of; (*fam: beaucoup de*) lots of; **en ~ air** in the open air; **en ~ devant moi** right in front of me; **en ~ forme** in good form; **en ~e nuit** in the middle of the night; **en ~ milieu** bang in the middle; **~s phares** full beams (*Br*), high beams (*Am*).

pleurer [plœre] *vi* to cry.

pleureur [plœrœr] *adj m* → **saule**.

pleurnicher [plœrniʃe] *vi* to whine.

pleut → **pleuvoir**.

pleuvoir [pløvwar] *vi* (*insultes, coups, bombes*) to rain down ♦ *v impers*: **il pleut** it's raining; **il pleut à verse** it's pouring (down).

Plexiglas® [pleksiglas] *nm* Plexiglas®.

pli [pli] *nm* (*d'un papier, d'une carte*) fold; (*d'une jupe*) pleat; (*d'un pantalon*) crease; (*aux cartes*) trick; (*faux*) ~ crease.

pliant, -e [plijɑ̃, ɑ̃t] *adj* folding ♦ *nm* folding chair.

plier [plije] *vt* to fold; (*lit, tente*) to fold up; (*courber*) to bend ♦ *vi* (*se courber*) to bend.

plinthe [plɛ̃t] *nf* (*en bois*) skirting board.

plissé, -e [plise] *adj* (*jupe*) pleated.

plisser [plise] *vt* (*papier*) to fold; (*tissu*) to pleat; (*yeux*) to screw up.

plomb [plɔ̃] *nm* (*matière*) lead;

(*fusible*) fuse; (*de pêche*) sinker; (*de chasse*) shot.

plombage [plɔ̃baʒ] *nm* (*d'une dent*) filling.

plomberie [plɔ̃bri] *nf* plumbing.

plombier [plɔ̃bje] *nm* plumber.

plombières [plɔ̃bjɛr] *nf* tutti-frutti ice cream.

plongeant, -e [plɔ̃ʒɑ̃, ɑ̃t] *adj* (*décolleté*) plunging; (*vue*) from above.

plongée [plɔ̃ʒe] *nf* diving; **~ sous-marine** scuba diving.

plongeoir [plɔ̃ʒwar] *nm* diving board.

plongeon [plɔ̃ʒɔ̃] *nm* dive.

plonger [plɔ̃ʒe] *vi* to dive ♦ *vt* to plunge ❑ **se plonger dans** *vp* + *prép* (*activité*) to immerse o.s. in.

plongeur, -euse [plɔ̃ʒœr, øz] *nm, f* (*sous-marin*) diver.

plu [ply] *pp* → **plaire, pleuvoir**.

pluie [plɥi] *nf* rain.

plumage [plymaʒ] *nm* plumage.

plume [plym] *nf* feather; (*pour écrire*) nib.

plupart [plypar] *nf*: **la ~ (de)** most (of); **la ~ du temps** most of the time.

pluriel [plyrjɛl] *nm* plural.

plus [ply(s)] *adv* **1.** (*pour comparer*) more; **~ intéressant (que)** more interesting (than); **~ souvent (que)** more often (than); **~ court (que)** shorter (than).

2. (*superlatif*): **c'est ce qui me plaît le ~ ici** it's what I like best about this place; **l'hôtel le ~ confortable où nous ayons logé** the most comfortable hotel we've stayed in; **le ~ souvent** (*d'habitude*) usually; **le ~**

vite possible as quickly as possible.
3. *(davantage)* more; **je ne veux pas dépenser ~** I don't want to spend any more; **~ de** *(encore de)* more; *(au-delà de)* more than.
4. *(avec «ne»)*: **il ne vient ~ me voir** he doesn't come to see me any more, he no longer comes to see me; **je n'en veux ~, merci** I don't want any more, thank you.
5. *(dans des expressions)*: **de** OU **en ~** *(d'autre part)* what's more; **trois de** OU **en ~** three more; **il a deux ans de ~ que moi** he's two years older than me; **en ~ de** *(en plus de)* more and more; **en ~ de** in addition to; **~ ou moins** more or less; **~ tu y penseras, pire ce sera** the more you think about it, the worse.

♦ *prép* plus.

plusieurs [plyzjœr] *adj & pron* several.

plus-que-parfait [plyskəparfɛ] *nm* pluperfect.

plutôt [plyto] *adv* rather; **allons ~ à la plage** let's go to the beach instead; **~ que (de) faire qqch** rather than do sth.

pluvieux, -ieuse [plyvjø, jøz] *adj* rainy.

PMU *nm* system for betting on horses; *(bar)* = betting shop.

pneu [pnø] *nm* tyre.

pneumatique [pnømatik] *adj* → **canot, matelas.**

pneumonie [pnømɔni] *nf* pneumonia.

PO *(abr de petites ondes)* MW.

poche [pɔʃ] *nf* pocket; **de ~** *(livre, lampe)* pocket.

poché, -e [pɔʃe] *adj*: **avoir un œil ~** to have a black eye.

pocher [pɔʃe] *vt* *(CULIN)* to poach.

pochette [pɔʃɛt] *nf* *(de rangement)* wallet; *(de disque)* sleeve; *(sac à main)* clutch bag; *(mouchoir)* (pocket) handkerchief.

podium [pɔdjɔm] *nm* podium.

poêle¹ [pwal] *nm* stove; **~ à mazout** oil-fired stove.

poêle² [pwal] *nf*: **~ (à frire)** frying pan.

poème [pɔɛm] *nm* poem.

poésie [pɔezi] *nf* *(art)* poetry; *(poème)* poem.

poète [pɔɛt] *nm* poet.

poétique [pɔetik] *adj* poetic.

poids [pwa] *nm* weight; **lancer le ~** *(SPORT)* to put the shot; **perdre/prendre du ~** to lose/put on weight; **~ lourd** *(camion)* heavy goods vehicle.

poignard [pwaɲar] *nm* dagger.

poignarder [pwaɲarde] *vt* to stab.

poignée [pwaɲe] *nf* *(de porte, de valise)* handle; *(de sable, de bonbons)* handful; **une ~ de** *(très peu de)* a handful of; **~ de main** handshake.

poignet [pwaɲe] *nm* wrist; *(de vêtement)* cuff.

poil [pwal] *nm* hair; *(de pinceau, de brosse à dents)* bristle; **à ~** *(fam)* stark naked; **au ~** *(fam: excellent)* great.

poilu, -e [pwaly] *adj* hairy.

poinçonner [pwɛ̃sɔne] *vt (ticket)* to punch.

poing [pwɛ̃] *nm* fist.

point [pwɛ̃] ♦ *nm (petite tache)* dot, spot; *(de ponctuation)* full stop *(Br)*, period *(Am)*; *(problème, dans une note, un score)* point; *(de couture, de*

point de vue 216

tricot) stitch; ~ **de côté** stitch; ~ **de départ** starting point; ~ **d'exclamation** exclamation mark; ~ **faible** weak point; ~ **final** full stop *(Br)*, period *(Am)*; ~ **d'interrogation** question mark; **(au)** ~ **mort** (in) neutral; ~ **de repère** *(concret)* landmark; ~**s cardinaux** points of the compass; ~**s de suspension** suspension points; ~**s (de suture)** stitches; **à** ~ *(steak)* medium; **au** ~ *(méthode)* perfected; **au** ~ **OU à tel** ~ **que** to such an extent that; **mal en** ~ in a bad way; **être sur le** ~ **de faire qqch** to be on the point of doing sthg.

point de vue [pwɛd(ə)vy] *(pl* **points de vue)** *nm (endroit)* viewpoint; *(opinion)* point of view.

pointe [pwɛt] *nf (extrémité)* point, tip; *(clou)* panel pin; **sur la** ~ **des pieds** on tiptoe; **de** ~ *(technique)* state-of-the-art; **en** ~ *(tailler)* to a point ❑ **pointes** *nfpl (chaussons)* points.

pointer [pwɛte] *vt (diriger)* to point ◆ *vi (à l'entrée)* to clock in; *(à la sortie)* to clock out.

pointillé [pwɛtije] *nm (ligne)* dotted line; *(perforations)* perforated line.

pointu, -e [pwɛty] *adj* pointed.

pointure [pwɛtyr] *nf (shoe)* size.

point-virgule [pwɛvirgyl] *(pl* **points-virgules)** *nm* semicolon.

poire [pwar] *nf* pear; ~ **Belle-Hélène** pear served on vanilla ice cream and covered with chocolate sauce.

poireau, -x [pwaro] *nm* leek.

poirier [pwarje] *nm* pear tree.

pois [pwa] *nm (rond)* spot; **à** ~

spotted; ~ **chiche** chickpea.

poison [pwazɔ̃] *nm* poison.

poisseux, -euse [pwasø, øz] *adj* sticky.

poisson [pwasɔ̃] *nm* fish; ~ **d'avril!** April Fool!; **faire un** ~ **d'avril à qqn** to play an April Fool's trick on sb; ~**s du lac** *(Helv)* fish caught in Lake Geneva; ~ **rouge** goldfish ❑ **Poissons** *nmpl* Pisces *(sg)*.

poissonnerie [pwasɔnri] *nf* fishmonger's (shop).

poissonnier, -ière [pwasɔnje, jɛr] *nm, f* fishmonger.

poitrine [pwatrin] *nf (buste)* chest; *(seins)* bust; *(de porc)* belly.

poivre [pwavr] *nm* pepper.

poivré, -e [pwavre] *adj* peppery.

poivrier [pwavrije] *nm (sur la table)* pepper pot.

poivrière [pwavrijɛr] *nf =* **poivrier.**

poivron [pwavrɔ̃] *nm* pepper.

poker [pɔkɛr] *nm* poker.

polaire [pɔlɛr] *adj* polar.

Polaroid® [pɔlarɔid] *nm* Polaroid®.

pôle [pol] *nm (géographique)* pole; ~ **Nord/Sud** North/South Pole.

poli, -e [pɔli] *adj* polite; *(verre, bois)* polished.

police [pɔlis] *nf* police *(pl)*; ~ **d'assurance** insurance policy; ~ **secours** emergency call-out service provided by the police.

policier, -ière [pɔlisje, jɛr] *adj (roman, film)* detective; *(enquête)* police ◆ *nm* police officer.

poliment [pɔlimɑ̃] *adv* politely.

politesse [pɔlitɛs] *nf* politeness.

politicien, -ienne [pɔlitisjɛ̃, jɛn] *nm, f* politician.

politique [pɔlitik] *adj* political ◆ *nf (activité)* politics *(sg); (extérieure, commerciale, etc)* policy.

pollen [pɔlɛn] *nm* pollen.

pollué, -e [pɔlɥe] *adj* polluted.

pollution [pɔlysjɔ̃] *nf* pollution.

polo [pɔlo] *nm (vêtement)* polo shirt.

polochon [pɔlɔʃɔ̃] *nm* bolster.

Pologne [pɔlɔɲ] *nf*: **la ~** Poland.

polycopié [pɔlikɔpje] *nm* photo-copied notes *(pl)*.

polyester [pɔliɛstɛr] *nm* poly-ester.

Polynésie [pɔlinezi] *nf*: **la ~** Polynesia; **la ~ française** French Polynesia.

polystyrène [pɔlistirɛn] *nm* polystyrene.

polyvalent, -e [pɔlivalɑ̃, ɑ̃t] *adj (salle)* multi-purpose; *(employé)* versatile.

pommade [pɔmad] *nf* ointment.

pomme [pɔm] *nf* apple; *(de douche)* head; *(d'arrosoir)* rose; **tomber dans les ~s** *(fam)* to pass out; **~ de pin** pine cone; **~s dauphine** mashed potato coated in batter and deep-fried; **~s noisettes** fried potato balls.

pomme de terre [pɔmdətɛr] *(pl* **pommes de terre**) *nf* potato.

pommette [pɔmɛt] *nf* cheek-bone.

pommier [pɔmje] *nm* apple tree.

pompe [pɔ̃p] *nf* pump; **~ à essence** petrol pump *(Br)*, gas pump *(Am)*; **~ à vélo** bicycle pump; **~s funèbres** funeral direc-

tor's *(sg) (Br)*, mortician's *(sg) (Am)*.

pomper [pɔ̃pe] *vt* to pump.

pompier [pɔ̃pje] *nm* fireman *(Br)*, firefighter *(Am)*.

pompiste [pɔ̃pist] *nmf* forecourt attendant.

pompon [pɔ̃pɔ̃] *nm* pompom.

poncer [pɔ̃se] *vt* to sand down.

ponctuation [pɔ̃ktɥasjɔ̃] *nf* punctuation.

ponctuel, -elle [pɔ̃ktɥɛl] *adj (à l'heure)* punctual; *(limité)* specific.

pondre [pɔ̃dr] *vt* to lay.

poney [pɔne] *nm* pony.

pont [pɔ̃] *nm* bridge; *(de bateau)* deck; **faire le ~** to have the day off *between a national holiday and a weekend*.

pont-levis [pɔ̃lvi] *(pl* **ponts-levis)** *nm* drawbridge.

ponton [pɔ̃tɔ̃] *nm* pontoon.

pop [pɔp] *adj inv & nf* pop.

pop-corn [pɔpkɔrn] *nm inv* pop-corn.

populaire [pɔpylɛr] *adj (quartier, milieu)* working-class; *(apprécié)* popular.

population [pɔpylasjɔ̃] *nf* popu-lation.

porc [pɔr] *nm* pig; *(CULIN)* pork.

porcelaine [pɔrsəlɛn] *nf (maté-riau)* porcelain.

porche [pɔrʃ] *nm* porch.

pore [pɔr] *nm* pore.

poreux, -euse [pɔrø, øz] *adj* porous.

pornographique [pɔrnɔgrafik] *adj* pornographic.

port [pɔr] *nm* port; **«~ payé»** "postage paid"; **~ de pêche** fishing port; ~ **de plaisance** sailing harbour.

portable [pɔrtabl] *adj* portable.

portail [pɔrtaj] *nm* gate.

portant, -e [pɔrtɑ̃, ɑ̃t] *adj*: **être bien/mal** ~ to be in good/poor health; **à bout** ~ point-blank.

portatif, -ive [pɔrtatif, iv] *adj* portable.

porte [pɔrt] *nf* door; *(d'un jardin, d'une ville)* gate; **mettre qqn à la** ~ to throw sb out; ~ **(d'embarquement)** gate; ~ **d'entrée** front door.

porte-avions [pɔrtavjɔ̃] *nm inv* aircraft carrier.

porte-bagages [pɔrtbagaʒ] *nm inv (de vélo)* bike rack.

porte-bébé, -s [pɔrtbebe] *nm (harnais)* baby sling.

porte-bonheur [pɔrtbɔnœr] *nm inv* lucky charm.

porte-clefs [pɔrtəkle] = **porte-clés.**

porte-clés [pɔrtəkle] *nm inv* key ring.

portée [pɔrte] *nf (d'un son, d'une arme)* range; *(d'une femelle)* litter; *(MUS)* stave; **à la** ~ **de qqn** *(intellectuelle)* within sb's understanding; **à** ~ **de (la) main** within reach; **à** ~ **de voix** within earshot.

porte-fenêtre [pɔrtfənɛtr] *(pl* **portes-fenêtres)** *nf* French window *(Br)*, French door *(Am).*

portefeuille [pɔrtafœj] *nm* wallet.

porte-jarretelles [pɔrtʒartɛl] *nm inv* suspender belt *(Br)*, garter belt *(Am).*

portemanteau, -x [pɔrtmɑ̃to] *nm (au mur)* coat rack; *(sur pied)* coat stand.

porte-monnaie [pɔrtmɔnɛ] *nm inv* purse.

porte-parole [pɔrtparɔl] *nm inv* spokesman *(f* spokeswoman).

porter [pɔrte] *vt (tenir)* to carry; *(vêtement, lunettes)* to wear; *(nom, date, responsabilité)* to bear; *(apporter)* to take ♦ *vi (son)* to carry; *(remarque, menace)* to hit home; ~ **bonheur/malheur à qqn** to bring sb good luck/bad luck; ~ **sur** *(suj: discussion)* to be about □ **se porter** *vp*: **se** ~ **bien/mal** to be well/unwell.

porte-savon, -s [pɔrtsavɔ̃] *nm* soap dish.

porte-serviette, -s [pɔrtservjɛt] *nm* towel rail.

porteur, -euse [pɔrtœr, øz] *nm, f (de bagages)* porter; *(d'une maladie)* carrier.

portier [pɔrtje] *nm* doorman.

portière [pɔrtjɛr] *nf* door.

portillon [pɔrtijɔ̃] *nm* barrier; ~ **automatique** *(TRANSP)* automatic barrier.

portion [pɔrsjɔ̃] *nf* portion; *(que l'on se sert soi-même)* helping.

portique [pɔrtik] *nm (de balançoire)* frame.

porto [pɔrto] *nm* port.

portrait [pɔrtrɛ] *nm* portrait.

portuaire [pɔrtɥɛr] *adj*: **ville** ~ port.

portugais, -e [pɔrtygɛ, ɛz] *adj* Portuguese ♦ *nm (langue)* Portuguese □ **Portugais, -e** *nm, f* Portuguese (person).

Portugal [pɔrtygal] *nm*: **le** ~ Portugal.

pose [poz] *nf (de moquette)* laying; *(de vitre)* fitting; *(attitude)* pose; **prendre la** ~ to assume a pose.

posé, -e [poze] *adj (calme)* composed.

poser [poze] *vt* to put; *(rideaux, tapisserie)* to hang; *(vitre)* to fit; *(moquette)* to lay; *(question)* to ask; *(problème)* to pose ♦ *vi (pour une photo)* to pose ❏ **se poser** *vp (oiseau, avion)* to land.

positif, -ive [pozitif, iv] *adj* positive.

position [pozisjɔ̃] *nf* position.

posologie [pozɔlɔʒi] *nf* dosage.

posséder [pɔsede] *vt* to possess; *(maison, voiture)* to own.

possessif, -ive [pɔsesif, iv] *adj* possessive.

possibilité [pɔsibilite] *nf* possibility; **avoir la ~ de faire qqch** to have the chance to do sthg ❏ **possibilités** *nfpl (financières)* means; *(intellectuelles)* potential *(sg)*.

possible [pɔsibl] *adj* possible ♦ *nm*: **faire son ~ (pour faire qqch)** to do one's utmost (to do sthg); **le plus de vêtements ~** as many clothes as possible; **le plus d'argent ~** as much money as possible; **dès que ~, le plus tôt ~** as soon as possible; **si ~** if possible.

postal, -e, -aux [pɔstal, o] *adj (service)* postal *(Br)*, mail *(Am)*; *(wagon)* mail.

poste¹ [pɔst] *nm (emploi)* post; *(de ligne téléphonique)* extension; **~ (de police)** police station; **~ de radio** radio; **~ de télévision** television (set).

poste² [pɔst] *nf (administration)* post *(Br)*, mail *(Am)*; *(bureau)* post office; **~ restante** poste restante *(Br)*, general delivery *(Am)*.

poster¹ [pɔste] *vt (lettre)* to post *(Br)*, to mail *(Am)*.

poster² [pɔstɛr] *nm* poster.

postérieur, -e [pɔsterjœr] *adj (dans le temps)* later; *(partie, membres)* rear ♦ *nm* posterior.

postier, -ière [pɔstje, jɛr] *nm, f* post-office worker.

postillonner [pɔstijɔne] *vi* to splutter.

post-scriptum [pɔstskriptɔm] *nm inv* postscript.

posture [pɔstyr] *nf* posture.

pot [po] *nm (de yaourt, de peinture)* pot; *(de confiture)* jar; **~ d'échappement** exhaust (pipe); **~ de fleurs** flowerpot; **~ à lait** milk jug.

potable [pɔtabl] *adj → eau*.

potage [pɔtaʒ] *nm* soup.

potager [pɔtaʒe] *nm*: **(jardin) ~** vegetable garden.

pot-au-feu [pɔtofø] *nm inv* boiled beef and carrots.

pot-de-vin [podvɛ̃] *nm (pl pots-de-vin)* bribe.

poteau, -x [pɔto] *nm* post; **~ indicateur** signpost.

potée [pɔte] *nf* stew of meat, usually pork, and vegetables.

potentiel, -ielle [pɔtɑ̃sjɛl] *adj & nm* potential.

poterie [pɔtri] *nf (art)* pottery; *(objet)* piece of pottery.

potiron [pɔtirɔ̃] *nm* pumpkin.

pot-pourri [popuri] *nm (pl pots-pourris)* *nm* potpourri.

pou, -x [pu] *nm* louse.

poubelle [pubɛl] *nf* dustbin *(Br)*, trashcan *(Am)*; **mettre qqch à la ~** to put sthg in the dustbin *(Br)*, to put sthg in the trash *(Am)*.

pouce [pus] *nm* thumb.

pouding [pudiŋ] *nm* sweet cake made from bread and candied fruit; **~**

de cochon French-Canadian dish of meatloaf made from chopped pork and pigs' livers.

poudre [pudr] nf powder; **en ~** (lait, amandes) powdered; **chocolat en ~** chocolate powder.

poudreux, -euse [pudrø, øz] adj powdery.

pouf [puf] nm pouffe.

pouffer [pufe] vi: **~ (de rire)** to titter.

poulailler [pulaje] nm hen-house.

poulain [pulɛ̃] nm foal.

poule [pul] nf hen; (CULIN) fowl; **~ au pot** chicken and vegetable stew.

poulet [pulɛ] nm chicken; **~ basquaise** sauteed chicken in a rich tomato, pepper and garlic sauce.

poulie [puli] nf pulley.

pouls [pu] nm pulse; **prendre le ~ à qqn** to take sb's pulse.

poumon [pumɔ̃] nm lung.

poupée [pupe] nf doll.

pour prép 1. (exprime le but, la destination) for; **c'est ~ vous** it's for you; **faire qqch ~ l'argent** to do sthg for money; **~ rien** for nothing; **le vol ~ Londres** the flight for London; **partir ~** to leave for.

2. (afin de): **faire qqch ~** in order to do sthg; **~ que** so that.

3. (en raison de) for; **~ avoir fait qqch** for doing sthg.

4. (exprime la durée) for.

5. (somme): **je voudrais ~ 20 F de bonbons** I'd like 20 francs' worth of sweets.

6. (pour donner son avis): **~ moi** as far as I'm concerned.

7. (à la place de) for; **signe ~ moi** sign for me.

8. (en faveur de) for; **être ~ qqch** to be in favour of sthg; **je suis ~!** I'm all for it!

pourboire [purbwar] nm tip.

pourcentage [pursɑ̃taʒ] nm percentage.

pourquoi [purkwa] adv why; **c'est ~ ...** that's why ...; **~ pas?** why not?

pourra etc → **pouvoir**.

pourrir [purir] vi to rot.

pourriture [purityr] nf (partie moisie) rotten part.

poursuite [pursɥit] nf chase; **se lancer à la ~ de qqn** to set off after sb ❑ **poursuites** nfpl (JUR) proceedings.

poursuivi, -e [pursɥivi] pp → **poursuivre**.

poursuivre [pursɥivr] vt (voleur) to chase; (criminel) to prosecute; (voisin) to sue; (continuer) to continue ❑ **se poursuivre** vp to continue.

pourtant [purtɑ̃] adv yet.

pourvu [purvy] : **pourvu que** conj (condition) provided (that); (souhait) let's hope (that).

pousse-pousse [puspus] nm inv (Helv: poussette) pushchair.

pousser [puse] vt to push; (déplacer) to move; (cri) to give ♦ vi to push; (plante) to grow; **~ qqn à faire qqch** to urge sb to do sthg; **faire ~** (plante, légumes) to grow; **«poussez»** "push" ❑ **se pousser** vp to move up.

poussette [pusɛt] nf pushchair.

poussière [pusjɛr] nf dust.

poussiéreux, -euse [pusjerø, øz] adj dusty.

poussin [pusɛ̃] nm chick.

poutine [putin] nf (Can) fried

potato topped with grated cheese and brown sauce.

poutre [putr] *nf* beam.

pouvoir [puvwar] *nm (influence)* power; **le ~** *(politique)* power; **les ~s publics** the authorities.

♦ *vt* 1. *(être capable de)* can, to be able; **pourriez-vous …?** could you …?; **tu aurais pu faire ça avant!** you could have done that before!; **je n'en peux plus** *(je suis fatigué)* I'm exhausted; *(j'ai trop mangé)* I'm full up; **je n'y peux rien** there's nothing I can do about it.

2. *(être autorisé à)*: **vous ne pouvez pas stationner ici** you can't park here.

3. *(exprime la possibilité)*: **il peut faire très froid ici** it can get very cold here; **attention, tu pourrais te blesser** careful, you might hurt yourself.

❏ **se pouvoir** *vp*: **il se peut que le vol soit annulé** the flight may OU might be cancelled; **ça se pourrait (bien)** it's (quite) possible.

prairie [preri] *nf* meadow.

praline [pralin] *nf* praline, sugared almond; *(Belg: chocolat)* chocolate.

praliné, -e [praline] *adj* hazelnut- or almond-flavoured.

pratiquant, -e [pratikɑ̃, ɑ̃t] *adj (RELIG)* practising.

pratique [pratik] *adj (commode)* handy; *(concret)* practical.

pratiquement [pratikmɑ̃] *adv* practically.

pratiquer [pratike] *vt*: **~ un sport** to do some sport; **~ le golf** to play golf.

pré [pre] *nm* meadow.

préau, -x [preo] *nm (de récréa-*

tion) (covered) play area.

précaire [preker] *adj* precarious.

précaution [prekosjɔ̃] *nf* precaution; **prendre des ~s** to take precautions; **avec ~** carefully.

précédent, -e [presedɑ̃, ɑ̃t] *adj* previous.

précéder [presede] *vt* to precede.

précieux, -ieuse [presjø, jøz] *adj* precious.

précipice [presipis] *nm* precipice.

précipitation [presipitasjɔ̃] *nf* haste ❏ **précipitations** *nfpl (pluie)* precipitation *(sg)*.

précipiter [presipite] *vt (pousser)* to push; *(allure)* to quicken; *(départ)* to bring forward ❏ **se précipiter** *vp (tomber)* to throw o.s.; *(se dépêcher)* to rush; **se ~ dans/vers** to rush into/towards; **se ~ sur qqn** to jump on sb.

précis, -e [presi, iz] *adj (clair, rigoureux)* precise; *(exact)* accurate; **à cinq heures ~es** at five o'clock sharp.

préciser [presize] *vt (déterminer)* to specify; *(clarifier)* to clarify ❏ **se préciser** *vp* to become clear.

précision [presizjɔ̃] *nf (exactitude)* accuracy; *(explication)* detail.

précoce [prekɔs] *adj (enfant)* precocious; *(printemps)* early.

prédécesseur [predesesœr] *nm* predecessor.

prédiction [prediksjɔ̃] *nf* prediction.

prédire [predir] *vt* to predict.

prédit, -e [predi, it] *pp* → **prédire**.

préfabriqué, -e [prefabrike]

adj prefabricated.

préface [prefas] *nf* preface.

préfecture [prefɛktyr] *nf* town where a *préfet*'s office is situated, and the office itself.

préféré, -e [prefere] *adj & nm, f* favourite.

préférence [preferɑ̃s] *nf* preference; **de ~** preferably.

préférer [prefere] *vt* to prefer; **~ faire qqch** to prefer to do sthg; **je préférerais qu'elle s'en aille** I'd rather she left.

préfet [prefɛ] *nm* senior local government official.

préhistoire [preistwar] *nf* prehistory.

préhistorique [preistɔrik] *adj* prehistoric.

préjugé [preʒyʒe] *nm* prejudice.

prélèvement [prelɛvmɑ̃] *nm* (*d'argent*) deduction; (*de sang*) sample.

prélever [prelve] *vt* (*somme, part*) to deduct; (*sang*) to take.

prématuré, -e [prematyre] *adj* premature ◆ *nm, f* premature baby.

prémédité, -e [premedite] *adj* premeditated.

premier, -ière [prəmje, jɛr] *adj & nm, f* first; **en ~** first; **le ~ de l'an** New Year's Day; **Premier ministre** Prime Minister, → **sixième**.

première [prəmjɛr] *nf* (*SCOL*) = lower sixth (*Br*), = eleventh grade (*Am*); (*vitesse*) first (gear); (*TRANSP*) first class; **voyager en ~ (classe)** to travel first class.

premièrement [prəmjɛrmɑ̃] *adv* firstly.

prenais *etc* → **prendre**.

prendre [prɑ̃dr] *vt* 1. (*saisir, emporter, enlever*) to take; **~ qqch à qqn** to take sthg from sb. 2. (*passager, auto-stoppeur*) to pick up; **passer ~ qqn** to pick sb up. 3. (*repas, boisson*) to have; **qu'est-ce que vous prendrez?** (*à boire*) what would you like to drink?; **~ un verre** to have a drink. 4. (*utiliser*) to take; **quelle route dois-je ~?** which route should I take?; **~ l'avion** to fly; **~ le train** to take the train. 5. (*attraper, surprendre*) to catch; **se faire ~** to be caught. 6. (*air, ton*) to put on. 7. (*considérer*): **~ qqn pour** (*par erreur*) to mistake sb for; (*sciemment*) to take sb for. 8. (*notes, photo, mesures*) to take. 9. (*poids*) to put on. 10. (*dans des expressions*): **qu'est-ce qui te prend?** what's the matter with you?

◆ *vi* 1. (*sauce, ciment*) to set. 2. (*feu*) to catch. 3. (*se diriger*): **prenez à droite** turn right.

❑ **se prendre** *vp*: **pour qui tu te prends?** who do you think you are?; **s'en ~ à qqn** (*en paroles*) to take it out on sb; **s'y ~ mal** to go about things the wrong way.

prenne *etc* → **prendre**.

prénom [prenɔ̃] *nm* first name.

préoccupé, -e [preɔkype] *adj* preoccupied.

préoccuper [preɔkype] *vt* to preoccupy ❑ **se préoccuper de** *vp + prép* to think about.

préparatifs [preparatif] *nmpl* preparations.

préparation [preparasjɔ̃] *nf* preparation.

préparer [prepare] *vt* to prepare; *(affaires)* to get ready; *(départ, examen)* to prepare for ❑ **se préparer** *vp* to get ready; *(s'annoncer)* to be imminent; **se ~ à faire qqch** to be about to do sthg.

préposition [prepozisjɔ̃] *nf* preposition.

près [prɛ] *adv*: **de ~** closely; **tout ~** very close, very near; **~ de** near (to); *(presque)* nearly.

prescrire [prɛskrir] *vt* to prescribe.

prescrit, -e [prɛskri, it] *pp* → **prescrire**.

présence [prezɑ̃s] *nf* presence; **en ~ de** in the presence of.

présent, -e [prezɑ̃, ɑ̃t] *adj & nm* present; **à ~ (que)** now (that).

présentateur, -trice [prezɑ̃tatœr, tris] *nm, f* presenter.

présentation [prezɑ̃tasjɔ̃] *nf* presentation ❑ **présentations** *nfpl*: **faire les ~s** to make the introductions.

présenter [prezɑ̃te] *vt* to present; *(montrer)* to show; **~ qqn à qqn** to introduce sb to sb ❑ **se présenter** *vp (occasion, difficulté)* to arise; *(à un rendez-vous)* to present o.s.; *(dire son nom)* to introduce o.s.; **se ~ bien/mal** to look good/bad.

préservatif [prezɛrvatif] *nm* condom.

préserver [prezɛrve] *vt* to protect; **~ qqn/qqch de** to protect sb/sthg from.

président, -e [prezidɑ̃, ɑ̃t] *nm, f (d'une assemblée, d'une société)* chairman *(f* chairwoman); **le ~ de la République** the French President.

présider [prezide] *vt (assemblée)* to chair.

presque [prɛsk] *adv* almost; **~ pas** de hardly any.

presqu'île [prɛskil] *nf* peninsula.

pressant, -e [prɛsɑ̃, ɑ̃t] *adj* pressing.

presse [prɛs] *nf (journaux)* press; **la ~ à sensation** the tabloids *(pl)*.

pressé, -e [prɛse] *adj* in a hurry; *(urgent)* urgent; *(citron, orange)* freshly squeezed; **être ~ de faire qqch** to be in a hurry to do sthg.

presse-citron [prɛssitrɔ̃] *nm inv* lemon squeezer.

pressentiment [prɛsɑ̃timɑ̃] *nm* premonition.

presser [prɛse] *vt (fruit)* to squeeze; *(bouton)* to press; *(faire se dépêcher)* to rush ❖ *vi*: **le temps presse** there isn't much time; **rien ne presse** there's no rush ❑ **se presser** *vp* to hurry.

pressing [prɛsiŋ] *nm* dry cleaner's.

pression [prɛsjɔ̃] *nf* pressure; *(bouton)* press stud *(Br)*, snap fastener *(Am)*; *(bière)* ~ draught beer.

prestidigitateur, -trice [prɛstidiʒitatœr, tris] *nm, f* conjurer.

prestige [prɛstiʒ] *nm* prestige.

prêt, -e [prɛ, prɛt] *adj* ready ❖ *nm (FIN)* loan; **être ~ à faire qqch** to be ready to do sthg.

prêt-à-porter [prɛtaporte] *nm* ready-to-wear clothing.

prétendre [pretɑ̃dr] *vt*: **~ que** to claim (that).

prétentieux, -ieuse [pretɑ̃sjø, jøz] *adj* pretentious.

prétention [pretɑ̃sjɔ̃] *nf* pretentiousness.

prêter [prete] *vt* to lend; ~ qqch
à qqn to lend sb sthg; ~ attention
à to pay attention to.

prétexte [pretɛkst] *nm* pretext;
sous ~ que under the pretext that.

prêtre [prɛtr] *nm* priest.

preuve [prœv] *nf* proof, evidence; **faire ~ de** to show; **faire ses
~s** *(méthode)* to prove successful;
(employé) to prove one's worth.

prévaloir [prevalwar] *vi (sout)* to
prevail.

prévenir [prevnir] *vt (avertir)* to
warn; *(empêcher)* to prevent.

préventif, -ive [prevãtif, iv] *adj*
preventive.

prévention [prevãsjɔ̃] *nf* prevention; ~ **routière** road safety
(measures).

prévenu, -e [prevny] *pp* →
prévenir.

prévisible [previzibl] *adj* fore-
seeable.

prévision [previzjɔ̃] *nf* forecast;
en ~ de in anticipation of; ~s
météo(rologiques) weather forecast *(sg)*.

prévoir [prevwar] *vt (anticiper)* to
anticipate, to expect; *(organiser,
envisager)* to plan; **comme prévu** as
planned.

prévoyant, -e [prevwajã, ãt]
adj: **être ~** to think ahead.

prévu, -e [prevy] *pp* → **prévoir**.

prier [prije] *vi* to pray ♦ *vt (RELIG)*
to pray to; ~ **qqn de faire qqch** to
ask sb to do sthg; **je te/vous prie**
please; **je t'en prie** *(ne vous
gênez/te gêne pas)* please do; *(de
rien)* don't mention it; **les passagers sont priés de ne pas fumer**
passengers are kindly requested
not to smoke.

prière [prijer] *nf (RELIG)* prayer;
«~ de ne pas fumer» "you are
requested not to smoke".

primaire [primer] *adj (SCOL)* primary; *(péj: raisonnement, personne)*
limited.

prime [prim] *nf (d'assurance)* premium; *(de salaire)* bonus; **en ~**
(avec un achat) as a free gift.

primeurs [primœr] *nfpl* early
produce *(sg)*.

primevère [primver] *nf* primrose.

primitif, -ive [primitif, iv] *adj*
primitive.

prince [prɛ̃s] *nm* prince.

princesse [prɛ̃sɛs] *nf* princess.

principal, -e, -aux [prɛ̃sipal,
o] *adj* main ♦ *nm (d'un collège)*
headmaster *(f* headmistress); **le ~**
(l'essentiel) the main thing.

principalement [prɛ̃sipalmã]
adv mainly.

principe [prɛ̃sip] *nm* principle;
en ~ in principle.

printemps [prɛ̃tã] *nm* spring.

priori → **a priori**.

prioritaire [prijoriter] *adj*: **être
~** *(urgent)* to be a priority; *(sur la
route)* to have right of way.

priorité [prijorite] *nf* priority;
(sur la route) right of way; ~ **à
droite** right of way to traffic coming from the right; **laisser la ~** to
give way *(Br)*, to yield *(Am)*; **«vous
n'avez pas la ~»** "give way" *(Br)*,
"yield" *(Am)*.

pris, -e [pri, iz] *pp* → **prendre**.

prise [priz] *nf (à la pêche)* catch;
(point d'appui) hold; ~ **(de courant)**
(dans le mur) socket; *(fiche)* plug; ~
multiple adapter; ~ **de sang** blood
test.

prison [prizɔ̃] nf prison; **en ~** in prison.

prisonnier, -ière [prizɔnje, jɛr] nm, f prisoner.

privé, -e [prive] adj private; **en ~** in private.

priver [prive] vt : **qqn de qqch** to deprive sb of sthg ❑ **se priver** vp to deprive o.s.; **se ~ de qqch** to go without sthg.

privilège [privilɛʒ] nm privilege.

privilégié, -e [privileʒje] adj privileged.

prix [pri] nm price; (récompense) prize; **à tout ~** at all costs.

probable [prɔbabl] adj probable.

probablement [prɔbabləmɑ̃] adv probably.

problème [prɔblɛm] nm problem.

procédé [prɔsede] nm process.

procès [prɔsɛ] nm trial.

processus [prɔsesys] nm process.

procès-verbal, -aux [prɔsɛvɛrbal, o] nm (contravention) ticket.

prochain, -e [prɔʃɛ̃, ɛn] adj next; **la semaine ~e** next week.

proche [prɔʃ] adj near; **être ~ de** (lieu, but) to be near (to); (personne, ami) to be close to; **le Proche-Orient** the Near East.

procuration [prɔkyrasjɔ̃] nf mandate; **voter par ~** to vote by proxy.

procurer [prɔkyre] : **se procurer** vp (marchandise) to obtain.

prodigieux, -ieuse [prɔdiʒjø, jøz] adj incredible.

producteur, -trice [prɔdyktœr, tris] nm, f producer.

production [prɔdyksjɔ̃] nf pro-

duction.

produire [prɔdɥir] vt to produce ❑ **se produire** vp (avoir lieu) to happen.

produit, -e [prɔdɥi, ɥit] pp → **produire** ♦ nm product; **~s de beauté** beauty products; **~s laitiers** dairy products.

prof [prɔf] nmf (fam) teacher.

professeur [prɔfesœr] nm teacher; **~ d'anglais/de piano** English/piano teacher.

profession [prɔfesjɔ̃] nf occupation.

professionnel, -elle [prɔfesjɔnɛl] adj & nm, f professional.

profil [prɔfil] nm profile; **de ~** in profile.

profit [prɔfi] nm (avantage) benefit; (d'une entreprise) profit; **tirer ~ de qqch** to benefit from sthg.

profiter [prɔfite] : **profiter de** v + prép to take advantage of.

profiterole [prɔfitrɔl] nf profiterole.

profond, -e [prɔfɔ̃, ɔ̃d] adj deep.

profondeur [prɔfɔ̃dœr] nf depth; **à 10 mètres de ~** 10 metres deep.

programmateur [prɔgramatœr] nm (d'un lave-linge) programme selector.

programme [prɔgram] nm programme; (SCOL) syllabus; (INFORM) program.

programmer [prɔgrame] vt (projet, activité) to plan; (magnétoscope, four) to set; (INFORM) to program.

programmeur, -euse [prɔgramœr, øz] nm, f computer programmer.

progrès [prɔgrɛ] nm progress; **être en ~** to be making (good) progress; **faire des ~** to make progress.

progresser [prɔgrese] vi to make progress.

progressif, -ive [prɔgresif, iv] adj progressive.

progressivement [prɔgresivmɑ̃] adv progressively.

prohiber [prɔibe] vt (sout) to prohibit.

proie [prwa] nf prey.

projecteur [prɔʒɛktœr] nm (lumière) floodlight; (de films, de diapositives) projector.

projection [prɔʒɛksjɔ̃] nf (de films, de diapositives) projection.

projectionniste [prɔʒɛksjɔnist] nmf projectionist.

projet [prɔʒɛ] nm plan.

projeter [prɔʒte] vt (film, diapositives) to project; (lancer) to throw; (envisager) to plan; **~ de faire qqch** to plan to do sthg.

prolongation [prɔlɔ̃gasjɔ̃] nf extension ❑ **prolongations** nfpl (SPORT) extra time (sg).

prolongement [prɔlɔ̃ʒmɑ̃] nm extension; **être dans le ~ de** (dans l'espace) to be a continuation of.

prolonger [prɔlɔ̃ʒe] vt (séjour) to prolong; (route) to extend ❑ **se prolonger** vp to go on.

promenade [prɔmnad] nf (à pied) walk; (en vélo) ride; (en voiture) drive; (lieu) promenade; **faire une ~** (à pied) to go for a walk; (en vélo) to go for a (bike) ride; (en voiture) to go for a drive.

promener [prɔmne] vt (à pied) to take out for a walk; (en voiture) to take out for a drive ❑ **se**

promener vp (à pied) to go for a walk; (en vélo) to go for a (bike) ride; (en voiture) to go for a drive.

promesse [prɔmɛs] nf promise.

promettre [prɔmɛtr] vt: **~ qqch à qqn** to promise sb sthg; **~ à qqn de faire qqch** to promise sb to do sthg; **c'est promis** it's a promise; **ça promet!** (fam) that looks promising!

promis, -e [prɔmi, iz] pp → **promettre.**

promotion [prɔmɔsjɔ̃] nf promotion; **en ~** (article) on special offer.

pronom [prɔnɔ̃] nm pronoun.

prononcer [prɔnɔ̃se] vt (mot) to pronounce; (discours) to deliver ❑ **se prononcer** vp (mot) to be pronounced.

prononciation [prɔnɔ̃sjasjɔ̃] nf pronunciation.

pronostic [prɔnɔstik] nm forecast.

propagande [prɔpagɑ̃d] nf propaganda.

propager [prɔpaʒe] vt to spread ❑ **se propager** vp to spread.

prophétie [prɔfesi] nf prophecy.

propice [prɔpis] adj favourable.

proportion [prɔpɔrsjɔ̃] nf proportion.

proportionnel, -elle [prɔpɔrsjɔnɛl] adj: **~ à** proportional to.

propos [prɔpo] nmpl words ♦ nm: **à ~,** by the way, ...; **à ~ de** about.

proposer [prɔpoze] vt (offrir) to offer; (suggérer) to propose; **~ à qqn de faire qqch** to suggest doing sthg to sb.

proposition [prɔpozisjɔ̃] nf proposal.

propre [prɔpr] adj clean; (sens) proper; (à soi) own; **avec ma ~ voiture** in my own car.

proprement [prɔprəmã] adv (découper, travailler) neatly; **à ~ parler** strictly speaking.

propreté [prɔprəte] nf cleanness.

propriétaire [prɔprijetɛr] nmf owner.

propriété [prɔprijete] nf property; **α~ privées** "private property".

prose [proz] nf prose.

prospectus [prɔspɛktys] nm (advertising) leaflet.

prospère [prɔspɛr] adj prosperous.

prostituée [prɔstitɥe] nf prostitute.

protection [prɔtɛksjɔ̃] nf protection.

protège-cahier, -s [prɔtɛʒkaje] nm exercise book cover.

protéger [prɔteʒe] vt to protect; **~ qqn** de OU **contre qqch** to protect sb from OU against sthg ❑ **se protéger de** vp + prép to shelter from; (pluie) to shelter from.

protestant, -e [prɔtɛstã, ãt] adj & nm, f Protestant.

protester [prɔteste] vi to protest.

prothèse [prɔtɛz] nf prosthesis.

prototype [prɔtɔtip] nm prototype.

prouesse [prues] nf feat.

prouver [pruve] vt to prove.

provenance [prɔvnãs] nf origin; **en ~ de** (vol, train) from.

provençal, -e, -aux [prɔ-

văsal, o] adj of Provence.

Provence [prɔvãs] nf: **la ~** Provence (region in the southeast of France).

provenir [prɔvnir] : **provenir de** v + prép to come from.

proverbe [prɔvɛrb] nm proverb.

province [prɔvɛ̃s] nf (région) province; **la ~** (hors Paris) the provinces (pl).

provincial, -e, -iaux [prɔvɛ̃sjal, jo] adj (hors Paris) provincial ◆ nm: **le ~** (Can) provincial government.

proviseur [prɔvizœr] nm ≈ headteacher (Br), ≈ principal (Am).

provisions [prɔvizjɔ̃] nfpl provisions; **faire ses ~** to buy some food.

provisoire [prɔvizwar] adj temporary.

provocant, -e [prɔvɔkã, ãt] adj provocative.

provoquer [prɔvɔke] vt (occasionner) to cause; (défier) to provoke.

proximité [prɔksimite] nf: **à ~ (de)** near.

prudemment [prydamã] adv carefully.

prudence [prydãs] nf care; **avec ~** carefully.

prudent, -e [prydã, ãt] adj careful.

prune [pryn] nf plum.

pruneau, -x [pryno] nm prune.

PS nm (abr de post-scriptum) PS; (abr de parti socialiste) French party to the left of the political spectrum.

psychanalyste [psikanalist] nmf psychoanalyst.

psychiatre [psikjatr] nmf psychiatrist.

psychologie [psikɔlɔʒi] *nf* psychology; *(tact)* tactfulness.

psychologique [psikɔlɔʒik] *adj* psychological.

psychologue [psikɔlɔg] *nmf* psychologist.

PTT *nfpl French Post Office.*

pu [py] *pp* → **pouvoir.**

pub[1] [pœb] *nm* pub.

pub[2] [pyb] *nf (fam)* advert.

public, -ique [pyblik] *adj & nm* public; **en ~** in public.

publication [pyblikasjɔ̃] *nf* publication.

publicitaire [pyblisitɛr] *adj (campagne, affiche)* advertising.

publicité [pyblisite] *nf (activité, technique)* advertising; *(annonce)* advert.

publier [pyblije] *vt* to publish.

puce [pys] *nf* flea; *(INFORM)* (silicon) chip.

pudding [pudiŋ] = **pouding.**

pudique [pydik] *adj (décent)* modest; *(discret)* discreet.

puer [pɥe] *vi* to stink ◆ *vt* to stink of.

puéricultrice [pɥerikyltris] *nf* nursery nurse.

puéril, -e [pɥeril] *adj* childish.

puis [pɥi] *adv* then.

puisque [pɥiskə] *conj* since.

puissance [pɥisɑ̃s] *nf* power.

puissant, -e [pɥisɑ̃, ɑ̃t] *adj* powerful.

puisse *etc* → **pouvoir.**

puits [pɥi] *nm* well.

pull(-over), -s [pyl(ɔvɛr)] *nm* sweater, jumper.

pulpe [pylp] *nf* pulp.

pulsation [pylsasjɔ̃] *nf* beat.

pulvérisateur [pylverizatœr]

nm spray.

pulvériser [pylverize] *vt (projeter)* to spray; *(détruire)* to smash.

punaise [pynɛz] *nf (insecte)* bug; *(clou)* drawing pin *(Br)*, thumbtack *(Am)*.

punch[1] [pɔ̃ʃ] *nm (boisson)* punch.

punch[2] [pœnʃ] *nm (fam: énergie)* oomph.

punir [pynir] *vt* to punish.

punition [pynisjɔ̃] *nf* punishment.

pupille [pypij] *nf (de l'œil)* pupil.

pupitre [pypitr] *nm (bureau)* desk; *(à musique)* stand.

pur, -e [pyr] *adj* pure; *(alcool)* neat.

purée [pyre] *nf* puree; **~ (de pommes de terre)** mashed potatoes *(pl)*.

pureté [pyrte] *nf* purity.

purger [pyrʒe] *vt (MÉD)* to purge; *(radiateur)* to bleed; *(tuyau)* to drain; *(peine de prison)* to serve.

purifier [pyrifje] *vt* to purify.

pur-sang [pyrsɑ̃] *nm inv* thoroughbred.

pus [py] *nm* pus.

puzzle [pœzl] *nm* jigsaw (puzzle).

PV *abr* = **procès-verbal.**

PVC *nm* PVC.

pyjama [piʒama] *nm* pyjamas *(pl)*.

pylône [pilon] *nm* pylon.

pyramide [piramid] *nf* pyramid.

Pyrénées [pirene] *nfpl*: **les ~** the Pyrenees.

Pyrex® [pirɛks] *nm* Pyrex®.

Q

QI nm (abr de quotient intellectuel) IQ.

quadrillé, -e [kadrije] adj (papier) squared.

quadruple [k(w)adrypl] nm: **le ~ du prix normal** four times the normal price.

quai [kɛ] nm (de port) quay; (de gare) platform.

qualification [kalifikasjɔ̃] nf qualification.

qualifié, -e [kalifje] adj (personnel, ouvrier) skilled.

qualifier [kalifje] vt: **~ qqn/qqch de** to describe sb/sthg as ❑ **se qualifier** vp (équipe, sportif) to qualify.

qualité [kalite] nf quality; **de ~** quality.

quand [kɑ̃] adv & conj when; **~ tu le verras** when you see him; **jusqu'à ~ restez-vous?** how long are you staying for?; **~ même** (malgré tout) all the same; **~ même!** (exprime l'indignation) really!; (enfin) at last!

quant [kɑ̃]: **quant à** prép as for.

quantité [kɑ̃tite] nf quantity; **une ~** OU **des ~s de** (beaucoup de) a lot OU lots of.

quarantaine [karɑ̃tɛn] nf (isolement) quarantine; **une ~ (de)** about forty; **avoir la ~** to be in one's forties.

quarante [karɑ̃t] num forty, → **six**.

quarantième [karɑ̃tjɛm] num fortieth, → **sixième**.

quart [kar] nm quarter; **cinq heures et ~** quarter past five (Br), quarter after five (Am); **cinq heures moins le ~** quarter to five (Br), quarter of five (Am); **un ~ d'heure** a quarter of an hour.

quartier [kartje] nm (de pomme) piece; (d'orange) segment; (d'une ville) area, district.

QUARTIER LATIN

This district on the south bank of the Seine in Paris has long been associated with students and artists. It straddles the 5th and 6th "arrondissements", with the Sorbonne university at its centre. It is also famous for its numerous bookshops, libraries, cafés and cinemas.

---

quartz [kwarts] nm quartz; **montre à ~** quartz watch.

quasiment [kazimɑ̃] adv almost.

quatorze [katɔrz] num fourteen, → **six**.

quatorzième [katɔrzjɛm] num fourteenth, → **sixième**.

quatre [katr] num four; **monter les escaliers ~ à ~** to run up the stairs; **à ~ pattes** on all fours, → **six**.

quatre-quarts [kat(rə)kar] nm inv cake made with equal weights of flour, butter, sugar and eggs.

quatre-quatre [kat(rə)katr] nm inv four-wheel drive.

quatre-vingt [katrəvɛ̃] = **quatre-vingts**.

quatre-vingt-dix [katrəvɛ̃dis] *num* ninety, → **six**.

quatre-vingt-dixième [katrəvɛ̃dizjɛm] *num* ninetieth, → **sixième**.

quatre-vingtième [katrəvɛ̃tjɛm] *num* eightieth, → **sixième**.

quatre-vingts [katrəvɛ̃] *num* eighty, → **six**.

quatrième [katrijɛm] *num* fourth ♦ *nf (SCOL)* = third year (Br), = ninth grade (Am); *(vitesse)* fourth (gear), → **sixième**.

que [kə] *conj* 1. *(introduit une subordonnée)* that; **voulez-vous ~ je ferme la fenêtre?** would you like me to close the window?; **je sais ~ tu es là** I know (that) you're there.
2. *(dans une comparaison)* → **aussi, autant, même, moins, plus**.
3. *(exprime l'hypothèse)*: ~ **nous parlions aujourd'hui ou demain ...** whether we leave today or tomorrow ...
4. *(remplace une autre conjonction)*: **comme il pleut et ~ je n'ai pas de parapluie ...** since it's raining and I haven't got an umbrella ...
5. *(exprime une restriction)*: **ne ... ~** only; **je n'ai qu'une sœur** I've only got one sister.
♦ *pron relatif* 1. *(désigne une personne)* that; **la personne ~ vous voyez là-bas** the person (that) you can see over there.
2. *(désigne une chose)* that, which; **le train ~ nous prenons part dans 10 minutes** the train (that) we're catching leaves in 10 minutes; **les livres qu'il m'a prêtés** the books (that) he lent me.
♦ *pron interr* what; **qu'a-t-il dit?, qu'est-ce qu'il a dit?** what did he say?; **qu'est-ce qui ne va pas?**

what's wrong?; **je ne sais plus ~ faire** I don't know what to do any more.

~ *adv (dans une exclamation)*: **~ c'est beau!, qu'est-ce ~ c'est beau!** it's really beautiful!

Québec [kebɛk] *nm*: **le ~** Quebec.

québécois, -e [kebekwa, waz] *adj* of Quebec ❑ **Québécois, -e** *nm, f* Quebecker.

quel, quelle [kɛl] *adj* 1. *(interrogatif: personne)* which; **~s amis comptez-vous aller voir?** which friends are you planning to go and see?; **quelle est la vendeuse qui vous a servi?** which shop assistant served you?
2. *(interrogatif: chose)* which, what; **quelle heure est il?** what time is it?; **~ est ton vin préféré?** what's your favourite wine?
3. *(exclamatif)*: **~ beau temps!** what beautiful weather!; **~ dommage!** what a shame!
4. *(avec «que»)*: **tous les Français ~s qu'ils soient** all French people, whoever they may be; **~ que soit le temps** whatever the weather.
♦ *pron (interrogatif)* which; **~ est le plus intéressant de deux musées?** which of the two museums is the most interesting?

quelconque [kɛlkɔ̃k] *adj (banal)* mediocre; *(n'importe quel)*: **un chiffre ~** any number.

quelque [kɛlk(ə)] *adj* 1. *(un peu de)* some; **dans ~ temps** in a while.
2. *(avec «que»)* whatever; **~ route que je prenne** whatever route I take.
❑ **quelques** *adj* 1. *(plusieurs)* some, a few; **j'ai ~s lettres à écrire** I have some letters to write;

aurais-tu ~s pièces pour le téléphone? have you got any change for the phone?

2. *(dans des expressions)*: **200 F et ~s** just over 200 francs; **il est midi et ~s** it's just gone midday.

quelque chose [kɛlkəʃoz] *pron* something; *(dans les questions, les négations)* anything; **il y a ~ de bizarre** there's something funny.

quelquefois [kɛlkəfwa] *adv* sometimes.

quelque part [kɛlkəpar] *adv* somewhere; *(dans les questions, les négations)* anywhere.

quelques-uns, quelques-unes [kɛlkəzœ̃, yn] *pron* some.

quelqu'un [kɛlkœ̃, yn] *pron* someone, somebody; *(dans les questions, les négations)* anyone, anybody.

qu'en-dira-t-on [kɑ̃diratɔ̃] *nm inv*: **le ~** tittle-tattle.

quenelle [kɛnɛl] *nf* minced fish or chicken mixed with egg and shaped into rolls.

quereller [kərele] : **se quereller** *vp (sout)* to quarrel.

qu'est-ce que [kɛskə] → **que.**

qu'est-ce qui [kɛski] → **que.**

question [kɛstjɔ̃] *nf* question; **l'affaire en ~** the matter in question; **dans ce chapitre, il est ~ de ...** this chapter deals with ...; **il est ~ de faire qqch** there's some talk of doing sthg; **(il n'en est) pas ~!** (it's) out of the question!; **remettre qqch en ~** to question sthg.

questionnaire [kɛstjɔnɛr] *nm* questionnaire.

questionner [kɛstjɔne] *vt* to question.

quête [kɛt] *nf (d'argent)* collec-

tion; **faire la ~** to collect money.

quêter [kete] *vi* to collect money.

quetsche [kwɛtʃ] *nf* dark red plum.

queue [kø] *nf* tail; *(d'un train, d'un peloton)* rear; *(file d'attente)* queue *(Br)*, line *(Am)*; **faire la ~** to queue *(Br)*, to stand in line *(Am)*; **à la ~ leu leu** in single file; **faire une ~ de poisson à qqn** to cut sb up.

queue-de-cheval [kødʃəval] *(pl* queues-de-cheval*) nf* ponytail.

qui [ki] *pron relatif* **1.** *(sujet: désigne une personne)* who; **les passagers ~ doivent changer d'avion** passengers who have to change planes.

2. *(sujet: désigne une chose)* which, that; **la route ~ mène à Calais** the road which OU that goes to Calais.

3. *(complément d'objet direct)* who; **tu vois ~ je veux dire?** do you see who I mean?; **invite ~ tu veux** invite whoever you like.

4. *(complément d'objet indirect)* who, whom; **la personne à ~ j'ai parlé** the person to who OU whom I spoke.

5. *(quiconque)*: **~ que ce soit** whoever it may be.

6. *(dans des expressions)*: **~ plus est,** ... what's more, ...

♦ *pron interr* **1.** *(sujet)* who; **~ êtes-vous?** who are you?; **je voudrais savoir ~ sera là** I would like to know who's going to be there.

2. *(complément d'objet direct)* who; **~ cherchez-vous?, ~ est-ce que vous cherchez?** who are you looking for?; **dites-moi ~ vous cherchez** tell me who you are looking for.

3. *(complément d'objet indirect)* who, whom; **à ~ dois-je m'adresser?**

who should I speak to?

quiche [kiʃ] nf: ~ **(lorraine)** quiche (lorraine).

quiconque [kikɔ̃k] pron (dans une phrase négative) anyone, anybody; (celui qui) anyone who.

quille [kij] nf (de jeu) skittle; (d'un bateau) keel.

quincaillerie [kɛ̃kajri] nf (boutique) hardware shop.

quinte [kɛ̃t] nf: ~ **de toux** coughing fit.

quintuple [kɛ̃typl] nm: **le ~ du prix normal** five times the normal price.

quinzaine [kɛ̃zɛn] nf (deux semaines) fortnight; **une ~ (de)** (environ quinze) about fifteen.

quinze [kɛ̃z] num fifteen, → **six**.

quinzième [kɛ̃zjɛm] num fifteenth, → **sixième**.

quiproquo [kiproko] nm misunderstanding.

quittance [kitɑ̃s] nf receipt.

quitte [kit] adj: **être ~** (envers qqn) to be quits (with sb); **restons un peu, ~ à rentrer en taxi** let's stay a bit longer, even if it means getting a taxi home.

quitter [kite] vt to leave; **ne quittez pas** (au téléphone) hold the line ❑ **se quitter** vp to part.

quoi [kwa] pron interr 1. (employé seul): **c'est ~?** (fam) what is it?; **~ de neuf?** what's new?; **~?** (pour faire répéter) what?

2. (complément d'objet direct) what; **je ne sais pas ~ dire** I don't know what to say.

3. (après une préposition) what; **à ~ penses-tu?** what are you thinking about?; **à ~ bon?** what's the point?

4. (dans des expressions): **tu viens ou**

~? (fam) are you coming or what?; **~ que** whatever; **~ qu'il en soit, ...** be that as it may, ...

◆ pron relatif (après une préposition): **ce à ~ je pense** what I'm thinking about; **avoir de ~ manger/vivre** to have enough to eat/live on; **avez-vous de ~ écrire?** have you got something to write with?; **merci - il n'y a pas de ~** thank you - don't mention it.

quoique [kwakə] conj although.

quotidien, -ienne [kɔtidjɛ̃, jɛn] adj & nm daily.

quotient [kɔsjɑ̃] nm quotient; **~ intellectuel** intelligence quotient.

R

rabâcher [rabaʃe] vt (fam) to go over (and over).

rabais [rabɛ] nm discount.

rabaisser [rabese] vt to belittle.

rabat [raba] nm flap.

rabat-joie [rabaʒwa] nm inv killjoy.

rabattre [rabatr] vt (replier) to turn down; (gibier) to drive ❑ **se rabattre** vp (automobiliste) to cut in; **se ~ sur** (choisir) to fall back on.

rabbin [rabɛ̃] nm rabbi.

rabot [rabo] nm plane.

raboter [rabɔte] vt to plane.

rabougri, -e [rabugri] adj (personne) shrivelled; (végétation) stunted.

raccommoder [rakɔmɔde] vt

to mend.

raccompagner [rakɔ̃paɲe] *vt* to take home.

raccord [rakɔr] *nm (de tuyau, de papier peint)* join.

raccourci [rakursi] *nm* short cut.

raccourcir [rakursir] *vt* to shorten ◆ *vi (jours)* to grow shorter.

raccrocher [rakrɔʃe] *vt (remorque)* to hitch up again; *(tableau)* to hang back up ◆ *vi (au téléphone)* to hang up.

race [ras] *nf (humaine)* race; *(animale)* breed; **de ~** *(chien)* pedigree; *(cheval)* thoroughbred.

racheter [raʃte] *vt (acheter plus de)* to buy more; **~ qqch à qqn** *(d'occasion)* to buy sthg from sb.

racial, -e, -iaux [rasjal, jo] *adj* racial.

racine [rasin] *nf* root; **~ carrée** square root.

racisme [rasism] *nm* racism.

raciste [rasist] *adj* racist.

racket [raket] *nm* racketeering.

racler [rakle] *vt* to scrape ❏ **se racler** *vp*: **se ~ la gorge** to clear one's throat.

raclette [raklɛt] *nf (plat)* melted Swiss cheese served with jacket potatoes.

racontars [rakɔ̃tar] *nmpl (fam)* gossip *(sg)*.

raconter [rakɔ̃te] *vt* to tell; **~ qqch à qqn** to tell sb sthg; **~ à qqn que** to tell sb that.

radar [radar] *nm* radar.

radeau, -x [rado] *nm* raft.

radiateur [radjatœr] *nm* radiator.

radiations [radjasjɔ̃] *nfpl* radiation *(sg)*.

radical, -e, -aux [radikal, o] *adj* radical ◆ *nm (d'un mot)* stem.

radieux, -ieuse [radjø, jøz] *adj (soleil)* bright; *(sourire)* radiant.

radin, -e [radɛ̃, in] *adj (fam)* stingy.

radio [radjo] *nf (appareil)* radio; *(station)* radio station; *(MÉD)* X-ray; **à la ~** on the radio.

radioactif, -ive [radjoaktif, iv] *adj* radioactive.

radiocassette [radjokasɛt] *nf* radio cassette player.

radiographie [radjografi] *nf* X-ray.

radiologue [radjolɔg] *nmf* radiologist.

radio-réveil [radjorevɛj] *(pl* radios-réveils) *nm* radio alarm.

radis [radi] *nm* radish.

radoter [radɔte] *vi* to ramble.

radoucir [radusir] : **se radoucir** *vp (temps)* to get milder.

rafale [rafal] *nf (de vent)* gust.

raffermir [rafɛrmir] *vt (muscle, peau)* to tone.

raffiné, -e [rafine] *adj* refined.

raffinement [rafinmɑ̃] *nm* refinement.

raffinerie [rafinri] *nf* refinery.

raffoler [rafɔle] : **raffoler de** *v +* *prép* to be mad about.

rafler [rafle] *vt (fam: emporter)* to swipe.

rafraîchir [rafreʃir] *vt (atmosphère, pièce)* to cool; *(boisson)* to chill; *(coiffure)* to trim ❏ **se rafraîchir** *vp (boire)* to have a drink; *(temps)* to get cooler.

rafraîchissant, -e [rafreʃisɑ̃,

ɑ̃t] *adj* refreshing.

rafraîchissement [rafreʃismɑ̃]
nm (boisson) cold drink.

rage [raʒ] *nf (maladie)* rabies;
(colère) rage; **~ de dents** toothache.

ragots [rago] *nmpl (fam)* gossip
(sg).

ragoût [ragu] *nm* stew.

raide [rɛd] *adj (cheveux)* straight;
(corde) taut; *(personne, démarche)*
stiff; *(pente)* steep ◆ *adv*: **tomber ~**
mort to drop dead.

raidir [rɛdir] *vt (muscles)* to tense
❑ **se raidir** *vp* to stiffen.

raie [rɛ] *nf (rayure)* stripe; *(dans les
cheveux)* parting *(Br)*, part *(Am)*;
(poisson) skate.

rails [raj] *nmpl* tracks.

rainure [rɛnyr] *nf* groove.

raisin [rɛzɛ̃] *nm* grape; **~s secs**
raisins.

raison [rɛzɔ̃] *nf* reason; **à ~ de** at
the rate of; **avoir ~ (de faire qqch)**
to be right (to do sthg); **en ~ de**
owing to.

raisonnable [rɛzɔnabl] *adj* reasonable.

raisonnement [rɛzɔnmɑ̃] *nm*
reasoning.

raisonner [rɛzɔne] *vi* to think ◆
vt (calmer) to reason with.

rajeunir [raʒœnir] *vi (paraître
plus jeune)* to look younger; *(se sentir plus jeune)* to feel younger ◆ *vt*:
~ qqn *(suj: vêtement)* to make sb
look younger; *(suj: événement)* to
make sb feel younger.

rajouter [raʒute] *vt* to add.

ralenti [ralɑ̃ti] *nm (d'un moteur)*
idling speed; *(au cinéma)* slow
motion; **tourner au ~** *(fonctionner)*
to tick over; **au ~** *(au cinéma)* in

slow motion.

ralentir [ralɑ̃tir] *vt & vi* to slow
down.

râler [rale] *vi (fam)* to moan.

rallonge [ralɔ̃ʒ] *nf (de table)* leaf;
(électrique) extension (lead).

rallonger [ralɔ̃ʒe] *vt* to lengthen
◆ *vi (jours)* to get longer.

rallumer [ralyme] *vt (lampe)* to
switch on again; *(feu, cigarette)* to
relight.

rallye [rali] *nm (course automobile)*
rally.

RAM [ram] *nf inv* RAM.

ramadan [ramadɑ̃] *nm* Ramadan.

ramassage [ramasaʒ] *nm*: **~ scolaire** school bus service.

ramasser [ramase] *vt (objet tom-
bé)* to pick up; *(fleurs, champignons)* to pick.

rambarde [rɑ̃bard] *nf* guardrail.

rame [ram] *nf (aviron)* oar; *(de
métro)* train.

ramener [ramne] *vt (raccompagner)* to take home; *(amener de nouveau)* to take back.

ramequin [ramkɛ̃] *nm* cheese
tartlet.

ramer [rame] *vi* to row.

ramollir [ramɔlir] *vt* to soften ❑
se ramollir *vp* to soften.

ramoner [ramɔne] *vt* to sweep.

rampe [rɑ̃p] *nf (d'escalier)* banister; *(d'accès)* ramp.

ramper [rɑ̃pe] *vi* to crawl.

rampon [rɑ̃pɔ̃] *nm (Helv)* lamb's
lettuce.

rance [rɑ̃s] *adj* rancid.

ranch [rɑ̃tʃ] *(pl* **-s** OU **-es)** *nm*
ranch.

rançon [rɑ̃sɔ̃] *nf* ransom.

rassembler

rancune [ʀɑ̃kyn] *nf* spite; **sans ~!**
no hard feelings!

rancunier, -ière [ʀɑ̃kynje, jɛʀ]
adj spiteful.

randonnée [ʀɑ̃dɔne] *nf* (à pied)
hike; (à vélo) ride; **faire de la ~
(pédestre)** to go hiking.

rang [ʀɑ̃] *nm* (rangée) row; (place)
place; **se mettre en ~s** to line up.

rangé, -e [ʀɑ̃ʒe] *adj* (chambre)
tidy.

rangée [ʀɑ̃ʒe] *nf* row.

rangement [ʀɑ̃ʒmɑ̃] *nm* (placard) storage unit; **faire du ~** to
tidy up.

ranger [ʀɑ̃ʒe] *vt* (chambre) to tidy
(up); (objets) to put away ❑ **se
ranger** *vp* (en voiture) to park.

ranimer [ʀanime] *vt* (blessé) to
revive; (feu) to rekindle.

rap [ʀap] *nm* rap.

rapace [ʀapas] *nm* bird of prey.

rapatrier [ʀapatʀije] *vt* to send
home.

râpe [ʀap] *nf* grater; (Helv: fam:
avare) skinflint.

râper [ʀape] *vt* (aliment) to grate.

rapetisser [ʀaptise] *vt* to shrink.

râpeux, -euse [ʀapø, øz] *adj*
rough.

raphia [ʀafja] *nm* raffia.

rapide [ʀapid] *adj* (cheval, pas,
voiture) fast; (décision, guérison)
quick.

rapidement [ʀapidmɑ̃] *adv*
quickly.

rapidité [ʀapidite] *nf* speed.

rapiécer [ʀapjese] *vt* to patch
up.

rappel [ʀapɛl] *nm* (de paiement)
reminder; «rappel» sign reminding
drivers of speed limit or other traffic
restriction.

rappeler [ʀaple] *vt* to call back;
~ qqch à qqn to remind sb of sthg
❑ **se rappeler** *vp* to remember.

rapport [ʀapɔʀ] *nm* (compte-
rendu) report; (point commun) connection; **par ~ à** in comparison to
❑ **rapports** *nmpl* (relation) relationship (sg).

rapporter [ʀapɔʀte] *vt* (rendre)
to take back; (ramener) to bring
back; (suj: investissement) to yield;
(suj: travail) to bring in ◆ *vi* (être
avantageux) to be lucrative; (répéter) to tell tales ❑ **se rapporter à** *vp* + *prép* to relate to.

rapporteur, -euse [ʀapɔʀtœʀ,
øz] *nm, f* telltale ◆ *nm* (MATH) protractor.

rapprocher [ʀapʀɔʃe] *vt* to
bring closer ❑ **se rapprocher** *vp*
to approach; **se ~ de** to approach;
(affectivement) to get closer to.

raquette [ʀakɛt] *nf* (de tennis)
racket; (de ping-pong) bat; (pour la
neige) snowshoe.

rare [ʀaʀ] *adj* rare.

rarement [ʀaʀmɑ̃] *adv* rarely.

ras, -e [ʀa, ʀaz] *adj* (très court)
short; (verre, cuillère) full ◆ *adv*: (à)
~ (couper) short; **au ~ de** just
above; **à ~ bord** to the brim; **en
avoir ~ le bol** (fam) to be fed up.

raser [ʀaze] *vt* (barbe) to shave
off; (personne) to shave; (frôler) to
hug ❑ **se raser** *vp* to shave.

rasoir [ʀazwaʀ] *nm* razor; **~ électrique** (electric) shaver.

rassasié, -e [ʀasazje] *adj* full
(up).

rassembler [ʀasɑ̃ble] *vt* to gather ❑ **se rassembler** *vp* (manifestants) to gather; (famille) to get

together.

rasseoir [raswar] : **se rasseoir**
vp to sit down again.

rassis, -e [rasi, iz] *pp* →
rasseoir ♦ *adj (pain)* stale.

rassurant, -e [rasyrɑ̃, ɑ̃t] *adj*
reassuring.

rassurer [rasyre] *vt* to reassure.

rat [ra] *nm* rat.

ratatiné, -e [ratatine] *adj* shrivelled.

ratatouille [ratatuj] *nf* ratatouille.

râteau, -x [rato] *nm* rake.

rater [rate] *vt (cible, train)* to miss;
(examen) to fail ♦ *vi (échouer)* to fail.

ration [rasjɔ̃] *nf* ration.

rationnel, -elle [rasjɔnɛl] *adj*
rational.

ratisser [ratise] *vt (allée)* to rake.

RATP *nf Paris public transport
authority.*

rattacher [rataʃe] *vt:* ~ **qqch à**
(relier) to link sthg to.

rattrapage [ratrapaʒ] *nm (SCOL)*
remedial teaching.

rattraper [ratrape] *vt (évadé)* to
recapture; *(objet)* to catch; *(retard)*
to make up ❑ **se rattraper** *vp (se
retenir)* to catch o.s.; *(d'une erreur)*
to make up for it; *(sur le temps
perdu)* to catch up.

rature [ratyr] *nf* crossing out.

rauque [rok] *adj* hoarse.

ravages [ravaʒ] *nmpl:* **faire des** ~
(dégâts) to wreak havoc.

ravaler [ravale] *vt (façade)* to
restore.

ravi, -e [ravi] *adj* delighted.

ravin [ravɛ̃] *nm* ravine.

ravioli(s) [ravjɔli] *nmpl* ravioli
(sg).

raviser [ravize] : **se raviser** *vp*
to change one's mind.

ravissant, -e [ravisɑ̃, ɑ̃t] *adj*
gorgeous.

ravisseur, -euse [ravisœr, øz]
nm, f kidnapper.

ravitaillement [ravitajmɑ̃] *nm*
supplying; *(provisions)* food supplies.

ravitailler [ravitaje] *vt* to supply
❑ **se ravitailler** *vp (avion)* to refu-
el.

rayé, -e [rɛje] *adj (tissu)* striped;
(disque, verre) scratched.

rayer [rɛje] *vt (abîmer)* to scratch;
(barrer) to cross out.

rayon [rɛjɔ̃] *nm (de soleil, de
lumière)* ray; *(de roue)* spoke; *(MATH)*
radius; ~s **X** X-rays.

rayonnage [rɛjɔnaʒ] *nm* shelves
(pl).

rayonner [rɛjɔne] *vi (visage, personne)* to be radiant; *(touriste, ran-
donneur)* to tour around.

rayure [rɛjyr] *nf (sur un tissu)*
stripe; *(sur un disque, sur du verre)*
scratch; **à ~s** striped.

raz(-)de(-)marée [radmare]
nm inv tidal wave.

réacteur [reaktœr] *nm (d'avion)*
jet engine.

réaction [reaksjɔ̃] *nf* reaction.

réagir [reaʒir] *vi* to react.

réalisateur, -trice [realiza-
tœr, tris] *nm, f (de cinéma, de télévision)* director.

réaliser [realize] *vt (projet,
exploit)* to carry out; *(rêve)* to fulfil;
(film) to direct; *(comprendre)* to realize ❑ **se réaliser** *vp (rêve, souhait)*
to come true.

réaliste [realist] *adj* realistic.

réalité [realite] *nf* reality; **~ virtuelle** virtual reality; **en ~** in reality.

réanimation [reanimasjɔ̃] *nf (service)* intensive care.

rebeller [rəbele] **: se rebeller** *vp* to rebel.

rebondir [rəbɔ̃dir] *vi* to bounce.

rebondissement [rəbɔ̃dismɑ̃] *nm* new development.

rebord [rəbɔr] *nm (d'une fenêtre)* sill.

reboucher [rəbuʃe] *vt (bouteille)* to recork; *(trou)* to fill in.

rebrousse-poil [rəbruspwal] **: à rebrousse-poil** *loc* the wrong way.

rebrousser [rəbruse] *vt:* **~ chemin** to retrace one's steps.

rébus [rebys] *nm game where pictures represent the syllables of words.*

récapituler [rekapityle] *vt* to summarize.

récemment [resamɑ̃] *adv* recently.

recensement [rəsɑ̃smɑ̃] *nm (de la population)* census.

récent, -e [resɑ̃, ɑ̃t] *adj* recent.

récépissé [resepise] *nm* receipt.

récepteur [reseptœr] *nm* receiver.

réception [resepsjɔ̃] *nf* reception.

réceptionniste [resepsjɔnist] *nmf* receptionist.

recette [rəset] *nf (de cuisine)* recipe; *(argent gagné)* takings *(pl)*.

receveur [rəsəvœr] *nm (des postes)* postmaster.

recevoir [rəsəvwar] *vt (colis, lettre)* to receive; *(balle, coup)* to get; *(à dîner)* to entertain; *(accueillir)* to

welcome; **être reçu à un examen** to pass an exam.

rechange [rəʃɑ̃ʒ] **: de rechange** *adj (vêtement)* spare; *(solution)* alternative.

recharge [rəʃarʒ] *nf* refill.

rechargeable [rəʃarʒabl] *adj* refillable.

recharger [rəʃarʒe] *vt (briquet, stylo)* to refill; *(arme)* to reload.

réchaud [reʃo] *nm (portable)* stove; **~ à gaz** (portable) gas stove.

réchauffer [reʃofe] *vt* to warm up ❑ **se réchauffer** *vp (temps)* to get warmer; **se ~ les mains** to warm one's hands.

recherche [rəʃerʃ] *nf (scientifique)* research; **faire des ~s (pour un devoir)** to do some research; **être à la ~ de** to be looking for.

rechercher [rəʃerʃe] *vt* to look for.

rechute [rəʃyt] *nf* relapse.

rechuter [rəʃyte] *vi* to relapse.

récif [resif] *nm* reef.

récipient [resipjɑ̃] *nm* container.

réciproque [resiprɔk] *adj* mutual.

récit [resi] *nm* story.

récital [resital] *nm* recital.

récitation [resitasjɔ̃] *nf (SCOL)* recitation piece.

réciter [resite] *vt* to recite.

réclamation [reklamasjɔ̃] *nf* complaint.

réclame [reklam] *nf (annonce)* advertisement.

réclamer [reklame] *vt* to ask for.

recoiffer [rəkwafe] **: se recoiffer** *vp* to do one's hair again.

recoin [rəkwɛ̃] *nm* corner.

récolte

récolte [rekɔlt] *nf* harvest.

récolter [rekɔlte] *vt* to harvest.

recommandation [rəkɔmɑ̃dasjɔ̃] *nf* recommendation.

recommandé, -e [rəkɔmɑ̃de] *adj* (lettre, paquet) registered ♦ *nm*: envoyer qqch en ~ to send sthg by registered post *(Br)*, to send sthg by registered mail *(Am)*.

recommander [rəkɔmɑ̃de] *vt* to recommend ❑ **se recommander** *vp (Helv: insister)* to insist.

recommencer [rəkɔmɑ̃se] *vt & vi* to start again; ~ à faire qqch to start to do sthg again.

récompense [rekɔ̃pɑ̃s] *nf* reward.

récompenser [rekɔ̃pɑ̃se] *vt* to reward.

réconcilier [rekɔ̃silje] *vt* to reconcile ❑ **se réconcilier** *vp* to make up.

reconduire [rəkɔ̃dɥir] *vt (raccompagner)* to take back.

reconduit, -e [rəkɔ̃dɥi, ɥit] *pp* → **reconduire**.

réconforter [rekɔ̃fɔrte] *vt* to comfort.

reconnaissance [rəkɔnɛsɑ̃s] *nf (gratitude)* gratitude.

reconnaissant, -e [rəkɔnɛsɑ̃, ɑ̃t] *adj* grateful.

reconnaître [rəkɔnɛtr] *vt (se rappeler)* to recognize; *(admettre)* to admit.

reconnu, -e [rəkɔny] *pp* → **reconnaître**.

reconstituer [rəkɔ̃stitɥe] *vt (puzzle, objet cassé)* to piece together.

reconstruire [rəkɔ̃strɥir] *vt* to rebuild.

reconstruit, -e [rəkɔ̃strɥi, ɥit] *pp* → **reconstruire**.

reconvertir [rəkɔ̃vertir] : **se reconvertir dans** *vp + prép (profession)* to go into.

recopier [rəkɔpje] *vt* to copy out.

record [rəkɔr] *nm* record.

recoucher [rəkuʃe] : **se recoucher** *vp* to go back to bed.

recoudre [rəkudr] *vt (bouton)* to sew back on; *(vêtement)* to sew up again.

recourbé, -e [rəkurbe] *adj* curved.

recours [rəkur] *nm*: avoir ~ à to have recourse to.

recouvert, -e [rəkuver, ɛrt] *pp* → **recouvrir**.

recouvrir [rəkuvrir] *vt* to cover; ~ qqch de to cover sthg with.

récréation [rekreasjɔ̃] *nf (SCOL)* break *(Br)*, recess *(Am)*.

recroqueviller [rəkrɔkvije] : **se recroqueviller** *vp* to curl up.

recruter [rəkryte] *vt* to recruit.

rectangle [rektɑ̃gl] *nm* rectangle.

rectangulaire [rektɑ̃gylɛr] *adj* rectangular.

rectifier [rektifje] *vt* to correct.

rectiligne [rektilin] *adj* straight.

recto [rekto] *nm* right side; ~ verso on both sides.

reçu, -e [rəsy] *pp* → **recevoir** ♦ *nm* receipt.

recueil [rəkœj] *nm* collection.

recueillir [rəkœjir] *vt (rassembler)* to collect; *(accueillir)* to take in ❑ **se recueillir** *vp* to meditate.

recul [rəkyl] *nm (d'une arme)* recoil; prendre du ~ *(pour sauter)* to step back.

reculer [rəkyle] vt to move back; (date) to postpone ◆ vi to move back.

reculons [rəkylɔ̃] : à reculons adv backwards.

récupérer [rekypere] vt (reprendre) to get back; (pour réutiliser) to salvage; (heures, journées de travail) to make up ◆ vi to recover.

récurer [rekyre] vt to scour.

recyclage [rəsiklaʒ] nm (de déchets) recycling; (professionnel) retraining.

recycler [rəsikle] vt (déchets) to recycle.

rédaction [redaksjɔ̃] nf (SCOL) essay.

redescendre [rədesɑ̃dr] vi to go/come down again; (avion) to descend.

redevance [rədəvɑ̃s] nf fee.

rediffusion [rədifyzjɔ̃] nf (émission) repeat.

rédiger [rediʒe] vt to write.

redire [rədir] vt to repeat.

redonner [rədɔne] vt: ~ qqch à qqn (rendre) to give sb back sthg; (donner plus) to give sb more sthg.

redoubler [rəduble] vt (SCOL) to repeat ◆ vi (SCOL) to repeat a year; (pluie) to intensify.

redoutable [rədutabl] adj formidable.

redouter [rədute] vt to fear.

redresser [rədrese] vt (tête, buste) to lift; (parasol, étagère, barre) to straighten ◆ vi (conducteur) to straighten up ❑ **se redresser** vp (personne) to sit/stand up straight.

réduction [redyksjɔ̃] nf reduction; (copie) (scale) model.

réduire [reduir] vt to reduce; ~ qqch en miettes to smash sthg to pieces; ~ qqch en poudre (écraser) to grind sthg.

réduit, -e [redui, uit] pp → **réduire** ◆ adj (chiffre, vitesse) low.

rééducation [reedykasjɔ̃] nf (MÉD) rehabilitation.

réel, -elle [reɛl] adj real.

réellement [reɛlmɑ̃] adv really.

réexpédier [reɛkspedje] vt (rendre) to send back; (faire suivre) to forward.

refaire [rəfɛr] vt (faire à nouveau) to do again; (remettre en état) to repair.

refait, -e [rəfɛ, ɛt] pp → **refaire**.

réfectoire [refɛktwar] nm refectory.

référence [referɑ̃s] nf reference; (numéro) reference number; faire ~ à to refer to.

référendum [referɛ̃dɔm] nm referendum.

refermer [rəfɛrme] vt to close ❑ **se refermer** vp to close.

réfléchi, -e [reflefi] adj (GRAMM) reflexive.

réfléchir [reflefir] vt (lumière) to reflect ◆ vi to think ❑ **se réfléchir** vp to be reflected.

reflet [rəflɛ] nm (dans un miroir) reflection; (de cheveux) tint.

refléter [rəflete] vt to reflect ❑ **se refléter** vp to be reflected.

réflexe [reflɛks] nm reflex.

réflexion [reflɛksjɔ̃] nf (pensée) thought; (remarque, critique) remark.

réforme [refɔrm] nf reform.

réformer [refɔrme] vt to reform; (MIL) to discharge.

refouler

refouler [rəfule] *vt (foule)* to drive back; *(sentiment, larmes)* to hold back.

refrain [rəfrɛ̃] *nm* chorus.

réfrigérateur [refriʒeratœr] *nm* refrigerator.

refroidir [rəfrwadir] *vt (aliment)* to cool; *(décourager)* to discourage ◆ *vi* to cool ❑ **se refroidir** *vp (temps)* to get colder.

refroidissement [rəfrwadismã] *nm (de la température)* drop in temperature; *(rhume)* chill.

refuge [rəfyʒ] *nm (en montagne)* mountain lodge; *(pour sans-abri)* refuge.

réfugié, -e [refyʒje] *nm, f* refugee.

réfugier [refyʒje] : **se réfugier** *vp* to take refuge.

refus [rəfy] *nm* refusal.

refuser [rəfyze] *vt* to refuse; *(candidat)* to fail; **~ qqch à qqn** to refuse sb sthg; **~ de faire qqch** to refuse to do sthg.

regagner [rəgaɲe] *vt (reprendre)* to regain; *(rejoindre)* to return to.

régaler [regale] : **se régaler** *vp (en mangeant)* to have a great meal; *(s'amuser)* to have a great time.

regard [rəgar] *nm* look.

regarder [rəgarde] *vt* to look at; *(télévision, spectacle)* to watch; *(concerner)* to concern; **ça ne te regarde pas** it's none of your business.

reggae [rege] *nm* reggae.

régime [reʒim] *nm* diet; *(d'un moteur)* speed; *(de bananes)* bunch; *(POL)* regime; **être/se mettre au ~** to be/go on a diet.

régiment [reʒimã] *nm* regiment.

région [reʒjɔ̃] *nf* region.

régional, -e, -aux [reʒjɔnal, o] *adj* regional.

registre [rəʒistr] *nm* register.

réglable [reglabl] *adj* adjustable.

réglage [reglaʒ] *nm* adjustment.

règle [rɛgl] *nf (instrument)* ruler; *(loi)* rule; **être en ~** *(papiers)* to be in order; **en ~ générale** as a rule; **~s du jeu** rules of the game ❑ **règles** *nfpl* period *(sg).*

règlement [rɛgləmã] *nm (lois)* regulations *(pl); (paiement)* payment.

réglementer [rɛgləmãte] *vt* to regulate.

régler [regle] *vt (appareil, moteur)* to adjust; *(payer)* to pay; *(problème)* to sort out.

réglisse [reglis] *nf* liquorice.

règne [rɛɲ] *nm* reign.

régner [reɲe] *vi* to reign.

regret [rəgrɛ] *nm* regret.

regrettable [rəgretabl] *adj* regrettable.

regretter [rəgrete] *vt (erreur, décision)* to regret; *(personne)* to miss; **~ de faire qqch** to be sorry to do sthg; **je regrette de lui avoir dit ça** I wish I hadn't told him; **~ que** to be sorry that.

regrouper [rəgrupe] *vt* to regroup ❑ **se regrouper** *vp* to gather.

régulier, -ière [regylje, jɛr] *adj (constant)* steady; *(fréquent, habituel)* regular; *(légal)* legal.

régulièrement [regyljɛrmã] *adv (de façon constante)* steadily; *(souvent)* regularly.

rein [rɛ̃] *nm* kidney ❑ **reins** *nmpl*

(dos) back *(sg).*

reine [ʀɛn] *nf* queen.

rejeter [ʀəʒte] *vt (renvoyer)* to throw back; *(refuser)* to reject.

rejoindre [ʀəʒwɛ̃dʀ] *vt (personne, route)* to join; *(lieu)* to return to.

rejoint, -e [ʀəʒwɛ̃, ɛ̃t] *pp* → **rejoindre**.

réjouir [ʀeʒwiʀ] **: se réjouir** *vp* to be delighted; **se ~ de qqch** to be delighted about sthg.

réjouissant, -e [ʀeʒwisɑ̃, ɑ̃t] *adj* joyful.

relâcher [ʀəlɑʃe] *vt (prisonnier)* to release ❑ **se relâcher** *vp (corde)* to go slack; *(discipline)* to become lax.

relais [ʀəlɛ] *nm (auberge)* inn; *(SPORT)* relay; **prendre le ~ (de qqn)** to take over (from sb); **~ routier** roadside café *(Br),* truck stop *(Am).*

relancer [ʀəlɑ̃se] *vt (balle)* to throw back; *(solliciter)* to pester.

relatif, -ive [ʀəlatif, iv] *adj* relative; **~ à** relating to.

relation [ʀəlasjɔ̃] *nf* relationship; *(personne)* acquaintance; **être/entrer en ~(s) avec qqn** to be in/make contact with sb.

relativement [ʀəlativmɑ̃] *adv* relatively.

relaxation [ʀəlaksasjɔ̃] *nf* relaxation.

relaxer [ʀəlakse] **: se relaxer** *vp* to relax.

relayer [ʀəleje] *vt* to take over from ❑ **se relayer** *vp*: **se ~ (pour faire qqch)** to take turns (in doing sthg).

relevé, -e [ʀəlve] *adj (épicé)* spicy ◆ *nm*: **~ de compte** bank statement.

relever [ʀəlve] *vt (tête)* to lift; *(col)* to turn up; *(remettre debout)* to pick

up; *(remarquer)* to notice; *(épicer)* to season ❑ **se relever** *vp (du lit)* to get up again; *(après une chute)* to get up.

relief [ʀəljɛf] *nm* relief; **en ~** *(carte)* relief; *(film)* three-D.

relier [ʀəlje] *vt* to connect.

religieuse [ʀəliʒjøz] *nf (gâteau)* choux pastry with a chocolate or coffee filling. → **religieux**.

religieux, -ieuse [ʀəliʒjø, jøz] *adj* religious ◆ *nm, f* monk *(f* nun).

religion [ʀəliʒjɔ̃] *nf* religion.

relire [ʀəliʀ] *vt (lire à nouveau)* to reread; *(pour corriger)* to read over.

reliure [ʀəljyʀ] *nf* binding.

relu, -e [ʀəly] *pp* → **relire**.

remanier [ʀəmanje] *vt (texte)* to revise; *(équipe)* to reshuffle.

remarquable [ʀəmaʀkabl] *adj* remarkable.

remarque [ʀəmaʀk] *nf* remark.

remarquer [ʀəmaʀke] *vt (s'apercevoir de)* to notice; **faire ~ qqch à qqn** to point sthg out to sb; **remarque, ...** mind you, ...; **se remarquer** *vp* to be noticeable; **se faire ~** to draw attention to o.s.

rembobiner [ʀɑ̃bɔbine] *vt* to rewind.

rembourré, -e [ʀɑ̃buʀe] *adj (fauteuil, veste)* padded.

remboursement [ʀɑ̃buʀsəmɑ̃] *nm* refund.

rembourser [ʀɑ̃buʀse] *vt* to pay back.

remède [ʀəmɛd] *nm* cure.

remédier [ʀəmedje] **: remédier à** *v + prép (problème)* to solve; *(situation)* to put right.

remerciements [ʀəmɛʀsimɑ̃] *nmpl* thanks.

remercier [ʀəmɛʀsje] *vt* to

thank; **~ qqn de** OU **pour qqch** to thank sb for sthg; **~ qqn d'avoir fait qqch** to thank sb for having done sthg.

remettre [rəmetr] vt (reposer) to put back; (vêtement) to put back on; (retarder) to put off; **~ qqch à qqn** to hand sthg over to sb; **~ qqch en état** to repair sthg □ **se remettre** vp to recover; **se ~ à qqch** to take sthg up again; **se ~ à faire qqch** to go back to doing sthg; **se ~ de qqch** to get over sthg.

remis, -e [rəmi, iz] pp → remettre.

remise [rəmiz] nf (abri) shed; (rabais) discount; **faire une ~ à qqn** to give sb a discount.

remontant [rəmɔ̃tɑ̃] nm tonic.

remontée [rəmɔ̃te] nf: **~s mécaniques** ski lifts.

remonte-pente, -s [rəmɔ̃t-pɑ̃t] nm ski tow.

remonter [rəmɔ̃te] vt (aux avoir) (mettre plus haut) to raise; (manches, chaussettes) to pull up; (côte, escalier) to come/go back up; (moteur, pièces) to put together again; (montre) to wind up ◆ vi (aux être) to come/go back up; (dans une voiture) to get back in; (augmenter) to rise; **~ à (dater de)** to go back to.

remords [rəmɔr] nm remorse.

remorque [rəmɔrk] nf trailer.

remorquer [rəmɔrke] vt to tow.

rémoulade [remulad] nf → céleri.

remous [rəmu] nm eddy; (derrière un bateau) wash.

remparts [rɑ̃par] nmpl ramparts.

remplaçant, -e [rɑ̃plasɑ̃, ɑ̃t]

nm, f (de sportif) substitute; (d'enseignant) supply teacher; (de médecin) locum.

remplacer [rɑ̃plase] vt (changer) to replace; (prendre la place de) to take over from; **~ qqn/qqch par** to replace sb/sthg with.

remplir [rɑ̃plir] vt to fill; (questionnaire) to fill in; **~ qqch de** to fill sthg with □ **se remplir (de)** vp (+ prép) to fill (with).

remporter [rɑ̃pɔrte] vt (reprendre) to take back; (gagner) to win.

remuant, -e [rəmɥɑ̃, ɑ̃t] adj restless.

remue-ménage [rəmymena] nm inv confusion.

remuer [rəmɥe] vt to move; (mélanger) to stir; (salade) to toss.

rémunération [remynerasjɔ̃] nf remuneration.

rémunérer [remynere] vt to pay.

renard [rənar] nm fox.

rencontre [rɑ̃kɔ̃tr] nf meeting; (sportive) match; **aller à la ~ de qqn** to go to meet sb.

rencontrer [rɑ̃kɔ̃tre] vt to meet □ **se rencontrer** vp to meet.

rendez-vous [rɑ̃devu] nm (d'affaires) appointment; (amoureux) date; (lieu) meeting place; **~ chez moi à 14 h** let's meet at my house at two o'clock; **avoir ~ avec qqn** to have a meeting with sb; **donner ~ à qqn** to arrange to meet sb; **prendre ~** to make an appointment.

rendormir [rɑ̃dɔrmir] : **se rendormir** vp to go back to sleep.

rendre [rɑ̃dr] vt to give back; (sourire, coup) to return; (faire devenir) to make ◆ vi (vomir) to be sick; **~ visite à qqn** to visit sb □ **se**

rendre *vp (armée, soldat)* to surrender; **se ~ à** *(sout)* to go to; **se utile/malade** to make o.s. useful/ill.

rênes [ren] *nfpl* reins.

renfermé, -e [rɑ̃fɛrme] *adj* withdrawn ◆ *nm*: sentir le ~ to smell musty.

renfermer [rɑ̃fɛrme] *vt* to contain.

renfoncement [rɑ̃fɔ̃smɑ̃] *nm* recess.

renforcer [rɑ̃fɔrse] *vt* to reinforce.

renforts [rɑ̃fɔr] *nmpl* reinforcements.

renfrogné, -e [rɑ̃frɔɲe] *adj* sullen.

renier [rənje] *vt (idées)* to repudiate.

renifler [rəniflə] *vi* to sniff.

renommé, -e [rənɔme] *adj* famous.

renommée [rənɔme] *nf* fame.

renoncer [rənɔ̃se] : **renoncer à** *v + prép* to give up; **~ à faire qqch** to give up doing sthg.

renouer [rənwe] *vt (relation, conversation)* to resume ◆ *vi*: **~ avec qqn** to get back together with sb.

renouvelable [rənuvlabl] *adj* renewable.

renouveler [rənuvle] *vt (changer)* to change; *(recommencer, prolonger)* to renew ❑ **se renouveler** *vp (se reproduire)* to recur.

rénovation [renɔvasjɔ̃] *nf* renovation.

rénover [renɔve] *vt* to renovate.

renseignement [rɑ̃sɛɲmɑ̃] *nm*: **un ~** information; **des ~s** information *(sg)*; **les ~s** *(bureau)* enquiries; *(téléphoniques)* directory enquiries *(Br)*, information *(Am)*.

renseigner [rɑ̃seɲe] *vt*: **~ qqn (sur)** to give sb information (about) ❑ **se renseigner (sur)** *vp (+ prép)* to find out (about).

rentable [rɑ̃tabl] *adj* profitable.

rente [rɑ̃t] *nf (revenu)* income.

rentrée [rɑ̃tre] *nf*: **~ (d'argent)** income; **~ (des classes)** start of the school year.

rentrer [rɑ̃tre] *vi (aux être) (entrer)* to go/come in; *(chez soi)* to go/come home; *(être contenu)* to fit ◆ *vt (aux avoir) (faire pénétrer)* to fit; *(dans la maison)* to bring/take in; *(chemise)* to tuck in; **~ dans** *(entrer dans)* to go/come into; *(heurter)* to crash into; **~ le ventre** to pull in one's stomach ❑ **se rentrer dedans** *vp (fam: voitures)* to smash into one another.

ronverse [rɑ̃vɛrs] : **à la renverse** *adv* backwards.

renverser [rɑ̃vɛrse] *vt (liquide)* to spill; *(piéton)* to knock over; *(gouvernement)* to overthrow ❑ **se renverser** *vp (bouteille)* to fall over; *(liquide)* to spill.

renvoi [rɑ̃vwa] *nm (d'un salarié)* dismissal; *(d'un élève)* expulsion; *(rot)* belch.

renvoyer [rɑ̃vwaje] *vt (balle, lettre)* to return; *(image, rayon)* to reflect; *(salarié)* to dismiss; *(élève)* to expel.

réorganiser [reɔrganize] *vt* to reorganize.

répandre [repɑ̃dr] *vt (renverser)* to spill; *(nouvelle)* to spread ❑ **se répandre** *vp (liquide)* to spill; *(nouvelle, maladie)* to spread.

répandu, -e [repãdy] adj (fréquent) widespread.

réparateur, -trice [reparatœr, tris] nm, f repairer.

réparation [reparasjɔ̃] nf repair; en ~ under repair.

réparer [repare] vt to repair; faire ~ qqch to get sthg repaired.

repartir [rapartir] vi (partir) to set off again; (rentrer) to return.

répartir [repartir] vt to share out.

répartition [repartisjɔ̃] nf distribution.

repas [rapa] nm meal.

repassage [rapasaʒ] nm (de linge) ironing.

repasser [rapase] vt (linge) to iron ♦ vi (rendre visite) to drop by again later.

repêchage [rapeʃaʒ] nm (examen) resit.

repêcher [rapeʃe] vt (retirer de l'eau) to fish out; (à un examen): être repêché to pass a resit.

repeindre [rapɛ̃dr] vt to repaint.

repeint, -e [rapɛ̃, ɛ̃t] pp → repeindre.

répercussions [reperkysjɔ̃] nfpl (conséquences) repercussions.

repère [raper] nm (marque) mark.

repérer [rapere] vt (remarquer) to spot □ se repérer vp to get one's bearings.

répertoire [repertwar] nm (carnet) notebook; (d'un acteur, d'un musicien) repertoire; (INFORM) directory.

répéter [repete] vt to repeat; (rôle, œuvre) to rehearse □ se répéter vp (se reproduire) to be re-

peated.

répétition [repetisjɔ̃] nf (dans un texte) repetition; (au théâtre) rehearsal; ~ générale dress rehearsal.

replacer [raplase] vt to replace.

replier [raplije] vt to fold up.

réplique [replik] nf (réponse) reply; (copie) replica.

répliquer [replike] vt to reply ♦ vi (avec insolence) to answer back.

répondeur [repɔ̃dœr] nm: ~ (téléphonique OU automatique) answering machine.

répondre [repɔ̃dr] vi to answer; (freins) to respond ♦ vt to answer; ~ à qqn to answer sb; (avec insolence) to answer sb back.

réponse [repɔ̃s] nf answer.

reportage [raportaʒ] nm report.

reporter[1] [raportɛr] nm reporter.

reporter[2] [raporte] vt (rapporter) to take back; (date, réunion) to postpone.

repos [rapo] nm (détente) rest; jour de ~ day off.

reposant, -e [rapozã, ãt] adj relaxing.

reposer [rapoze] vt (remettre) to put back □ se reposer vp to rest.

repousser [rapuse] vt (faire reculer) to push back; (retarder) to put back ♦ vi to grow back.

reprendre [raprãdr] vt (objet) to take back; (lecture, conversation) to continue; (études, sport) to take up again; (prisonnier) to recapture; (corriger) to correct; **reprenez du dessert** have some more dessert; ~ **son souffle** to get one's breath back □ se reprendre vp (se ressaisir) to pull o.s. together; (cor-

riger) to correct o.s.

représailles [ʀapʀezaj] *nfpl* reprisals.

représentant, -e [ʀapʀezɑ̃tɑ̃, ɑ̃t] *nm, f (porte-parole)* representative; ~ **(de commerce)** sales rep.

représentatif, -ive [ʀapʀezɑ̃tatif, iv] *adj* representative.

représentation [ʀapʀezɑ̃tasjɔ̃] *nf (spectacle)* performance; *(image)* representation.

représenter [ʀapʀezɑ̃te] *vt* to represent.

répression [ʀepʀesjɔ̃] *nf* repression.

réprimer [ʀepʀime] *vt (révolte)* to put down.

repris, -e [ʀapʀi, iz] *pp* → **reprendre**.

reprise [ʀapʀiz] *nf (couture)* mending; *(économique)* recovery; *(d'un appareil, d'une voiture)* part exchange; **à plusieurs ~s** several times.

repriser [ʀapʀize] *vt* to mend.

reproche [ʀapʀɔʃ] *nm* reproach.

reprocher [ʀapʀɔʃe] *vt:* ~ **qqch à qqn** to reproach sb for sth.

reproduction [ʀapʀɔdyksjɔ̃] *nf* reproduction.

reproduire [ʀapʀɔdɥiʀ] *vt* to reproduce ❑ **se reproduire** *vp (avoir de nouveau lieu)* to recur; *(animaux)* to reproduce.

reproduit, -e [ʀapʀɔdɥi, ɥit] *pp* → **reproduire**.

reptile [ʀɛptil] *nm* reptile.

repu, -e [ʀapy] *adj* full (up).

république [ʀepyblik] *nf* republic.

répugnant, -e [ʀepyɲɑ̃, ɑ̃t] *adj* repulsive.

réputation [ʀepytasjɔ̃] *nf* reputation.

réputé, -e [ʀepyte] *adj* well-known.

requin [ʀəkɛ̃] *nm* shark.

RER *nm* *Paris rail network.*

ⓘ RER

The RER is a rail network extending throughout the Paris region linking the centre with the suburbs and Orly and Charles de Gaulle airports. There are three main lines (A, B and C) which connect with Paris metro stations as well as train stations.

---

rescapé, -e [ʀɛskape] *nm, f* survivor.

rescousse [ʀɛskus] *nf:* **appeler qqn à la** ~ to call on sb for help; **aller à la** ~ **de qqn** to go to sb's rescue.

réseau, -x [ʀezo] *nm* network.

réservation [ʀezɛʀvasjɔ̃] *nf* reservation, booking; *(TRANSP: ticket)* reservation.

réserve [ʀezɛʀv] *nf* reserve; **en** ~ in reserve.

réservé, -e [ʀezɛʀve] *adj* reserved.

réserver [ʀezɛʀve] *vt (billet, chambre)* to reserve, to book; ~ **qqch à qqn** to reserve sthg for sb ❑ **se réserver** *vp (pour un repas, le dessert)* to save o.s.

réservoir [ʀezɛʀvwaʀ] *nm (à essence)* tank.

résidence [ʀezidɑ̃s] *nf (sout: domicile)* residence; *(immeuble)* apartment building; ~ **secondaire**

second home.

résider [rezide] *vi (sout: habiter)* to reside.

résigner [rezine] **: se résigner à** *vp + prép* to resign o.s. to; **se ~ à faire qqch** to resign o.s. to doing sthg.

résilier [rezilje] *vt* to cancel.

résine [rezin] *nf* resin.

résistance [rezistãs] *nf* resistance; *(électrique)* element.

résistant, -e [rezistã, ãt] *adj* tough ◆ *nm, f* resistance fighter.

résister [reziste] **: résister à** *v + prép (lutter contre)* to resist; *(supporter)* to withstand.

résolu, -e [rezɔly] *pp* → **résoudre** ◆ *adj (décidé)* resolute.

résolution [rezɔlysjɔ̃] *nf (décision)* resolution.

résonner [rezɔne] *vi (faire du bruit)* to echo.

résoudre [rezudr] *vt* to solve.

respect [rɛspɛ] *nm* respect.

respecter [rɛspɛkte] *vt* to respect.

respectif, -ive [rɛspɛktif, iv] *adj* respective.

respiration [rɛspirasjɔ̃] *nf* breathing.

respirer [rɛspire] *vi & vt* to breathe.

responsabilité [rɛspɔ̃sabilite] *nf* responsibility.

responsable [rɛspɔ̃sabl] *adj* responsible ◆ *nmf (coupable)* person responsible; *(d'une administration, d'un magasin)* person in charge; **être ~ de qqch** *(coupable de)* to be responsible for sthg; *(chargé de)* to be in charge of sthg.

resquiller [rɛskije] *vi (fam) (dans*

le bus) to dodge the fare; *(au spectacle)* to sneak in without paying.

ressaisir [rəsezir] **: se ressaisir** *vp* to pull o.s. together.

ressemblant, -e [rəsãblã, ãt] *adj* lifelike.

ressembler [rəsãble] **: ressembler à** *v + prép (en apparence)* to look like; *(par le caractère)* to be like ❏ **se ressembler** *vp (en apparence)* to look alike; *(par le caractère)* to be alike.

ressemeler [rəsəmle] *vt* to resole.

ressentir [rəsãtir] *vt* to feel.

resserrer [rəsere] *vt (ceinture, nœud)* to tighten ❏ **se resserrer** *vp (route)* to narrow.

resservir [rəservir] *vt* to give another helping to ◆ *vi* to be used again ❏ **se resservir** *vp*: **se ~ (de)** *(plat)* to take another helping (of).

ressort [rəsɔr] *nm* spring.

ressortir [rəsɔrtir] *vi (sortir à nouveau)* to go out again; *(se détacher)* to stand out.

ressortissant, -e [rəsɔrtisã, ãt] *nm, f* national.

ressources [rəsurs] *nfpl* resources.

ressusciter [resysite] *vi* to come back to life.

restant, -e [rɛstã, ãt] *adj* → **poste** ◆ *nm* rest.

restaurant [rɛstɔrã] *nm* restaurant.

restauration [rɛstɔrasjɔ̃] *nf (rénovation)* restoration; *(gastronomie)* restaurant trade.

restaurer [rɛstɔre] *vt (monument)* to restore.

reste [rɛst] *nm* rest; **un ~ de**

viande/de tissu some left-over meat/material; **les ~s** *(d'un repas)* the leftovers.

rester [Rɛste] *vi (dans un lieu)* to stay; *(subsister)* to be left; *(continuer à être)* to keep, to remain; **il n'en reste que deux** there are only two left.

restituer [Rɛstitɥe] *vt (rendre)* to return.

resto [Rɛsto] *nm (fam)* restaurant; **les ~s du cœur** charity food distribution centres.

restreindre [Rɛstrɛ̃dR] *vt* to restrict.

restreint, -e [Rɛstrɛ̃, ɛ̃t] *pp* → **restreindre ♦** *adj* limited.

résultat [Rezylta] *nm* result; **~s** *(scolaires, d'une élection)* results.

résumé [Rezyme] *nm* summary; **en ~** in short.

résumer [Rezyme] *vt* to summarize.

rétablir [Retablir] *vt (l'ordre, l'électricité)* to restore ☐ **se rétablir** *vp (guérir)* to recover.

retard [RətaR] *nm* delay; *(d'un élève, d'un pays)* backwardness; **avoir du ~, être en ~** to be late; **avoir une heure de ~** to be an hour late; **être en ~ sur qqch** to be behind sthg.

retarder [Rətarde] *vi*: **ma montre retarde (de cinq minutes)** my watch is (five minutes) slow.

retenir [RətniR] *vt (empêcher de partir, de tomber)* to hold back; *(empêcher d'agir)* to stop; *(réserver)* to reserve, to book; *(se souvenir de)* to remember; **~ son souffle** to hold one's breath; **je retiens 1** *(dans une opération)* carry 1 ☐ **se retenir** *vp*: **se ~ (à qqch)** to hold on to (sthg);

se ~ (de faire qqch) to stop o.s. (from doing sthg).

retenu, -e [Rətny] *pp* → **retenir**.

retenue [Rətny] *nf (SCOL)* detention; *(dans une opération)* amount carried.

réticent, -e [Retisɑ̃, ɑ̃t] *adj* reluctant.

retirer [RətiRe] *vt (extraire)* to remove; *(vêtement)* to take off; *(argent)* to withdraw; *(billet, colis, bagages)* to collect; **~ qqch à qqn** to take sthg away from sb.

retomber [Rətɔ̃be] *vi (tomber à nouveau)* to fall over again; *(après un saut)* to land; *(pendre) to hang down;* **~ malade** to fall ill again.

retour [RətuR] *nm* return; *(TRANSP)* return journey; **être de ~** to be back; **au ~** *(sur le chemin)* on the way back.

retourner [RətuRne] *vt (mettre à l'envers)* to turn over; *(vêtement, sac)* to turn inside out; *(renvoyer)* to send back ♦ *vi* to go back, to return ☐ **se retourner** *vp (voiture, bateau)* to turn over; *(tourner la tête)* to turn round.

retrait [RətRɛ] *nm (d'argent)* withdrawal.

retraite [RətRɛt] *nf* retirement; **être à la ~** to be retired; **prendre sa ~** to retire.

retraité, -e [RətRete] *nm, f* pensioner.

retransmission [RətRɑ̃smisjɔ̃] *nf (à la radio)* broadcast.

rétrécir [RetResiR] *vi (vêtement)* to shrink ☐ **se rétrécir** *vp (route)* to narrow.

rétro [Retro] *adj inv* old-fashioned ♦ *nm (fam: rétroviseur)* (rearview) mirror.

rétrograder [retrɔgrade] *vi (automobiliste)* to change down.

rétrospective [retrɔspektiv] *nf* retrospective.

retrousser [rətruse] *vt (manches)* to roll up.

retrouvailles [rətruvaj] *nfpl* reunion *(sg)*.

retrouver [rətruve] *vt (objet perdu)* to find; *(personne perdue de vue)* to see again; *(rejoindre)* to meet □ **se retrouver** *vp (se réunir)* to meet; *(après une séparation)* to meet up again; *(dans une situation, un lieu)* to find o.s.

rétroviseur [retrɔvizœr] *nm* rearview mirror.

réunion [reynjɔ̃] *nf* meeting; **la Réunion** Réunion.

réunionnais, -e [reynjɔnɛ, ɛz] *adj* from Réunion.

réunir [reynir] *vt (personnes)* to gather together; *(informations, fonds)* to collect □ **se réunir** *vp* to meet.

réussi, -e [reysi] *adj (photo)* good; *(soirée)* successful.

réussir [reysir] *vt (plat, carrière)* to make a success of ♦ *vi* to succeed; ~ **(à) un examen** to pass an exam; ~ **à faire qqch** to succeed in doing sthg; ~ **à qqn** *(aliment, climat)* to agree with sb.

réussite [reysit] *nf* success; *(jeu)* patience *(Br)*, solitaire *(Am)*.

revanche [rəvɑ̃ʃ] *nf* revenge; *(au jeu)* return game; **en** ~ **on** the other hand.

rêve [rɛv] *nm* dream; **faire un** ~ to have a dream.

réveil [revɛj] *nm (pendule)* alarm clock; **à mon** ~ when I woke up.

réveiller [reveje] *vt* to wake up □ **se réveiller** *vp* to wake up; *(douleur, souvenir)* to come back.

réveillon [revɛjɔ̃] *nm (du 24 décembre)* Christmas Eve supper and party; *(du 31 décembre)* New Year's Eve supper and party.

---

i │ **RÉVEILLON**

The "réveillon" in France refers to celebrations on both Christmas Eve and New Year's Eve. To celebrate New Year's Eve, also known as "la Saint-Sylvestre," French people often have a large meal with friends. At midnight everyone kisses, drinks champagne and wishes one another "bonne année" ("Happy New Year"). In the streets car drivers welcome in the New Year by hooting their horns.

---

réveillonner [revɛjɔne] *vi (le 24 décembre)* to celebrate Christmas Eve with a supper or party; *(le 31 décembre)* to celebrate New Year's Eve with a supper or party.

révélation [revelasjɔ̃] *nf* revelation.

révéler [revele] *vt* to reveal □ **se révéler** *vp (s'avérer)* to prove to be.

revenant [rəvnɑ̃] *nm* ghost.

revendication [rəvɑ̃dikasjɔ̃] *nf* claim.

revendre [rəvɑ̃dr] *vt* to resell.

revenir [rəvnir] *vi* to come back; **faire** ~ **qqch** *(CULIN)* to brown sthg; ~ **cher** to be expensive; **ça nous est revenu à 2 000 F** it cost us 2,000 francs; **ça me revient maintenant** *(je me souviens)* I remember now;

ça revient au même it comes to the same thing; je n'en reviens pas I can't get over it; ~ sur sa décision to go back on one's decision; ~ sur ses pas to retrace one's steps.

revenu, -e [rəvny] pp → **revenir** ♦ nm income.

rêver [reve] vi to dream; (être distrait) to daydream ♦ vt: ~ que to dream (that); ~ de to dream about; (souhaiter) to long for; ~ de faire qqch to be longing to do sthg.

réverbère [reverber] nm street light.

revers [rəver] nm (d'une pièce) reverse side; (de la main, d'un billet) back; (d'une veste) lapel; (d'un pantalon) turn-up (Br), cuff (Am); (SPORT) backhand.

réversible [reversibl] adj reversible.

revêtement [rəvetmã] nm (d'un mur, d'un sol) covering; (d'une route) surface.

rêveur, -euse [revœr, øz] adj dreamy.

réviser [revize] vt (leçons) to revise; faire ~ sa voiture to have one's car serviced.

révision [revizjɔ̃] nf (d'une voiture) service ❑ **révisions** nfpl (SCOL) revision (sg).

revoir [rəvwar] vt (retrouver) to see again; (leçons) to revise (Br), to review (Am) ❑ **au revoir** excl goodbye!

révoltant, -e [revɔltɑ̃, ɑ̃t] adj revolting.

révolte [revɔlt] nf revolt.

révolter [revɔlte] vt (suj: spectacle, attitude) to disgust ❑ **se révolter** vp to rebel.

révolution [revɔlysjɔ̃] nf revolution; **la Révolution (française)** the French Revolution.

révolutionnaire [revɔlysjɔner] adj & nmf revolutionary.

revolver [revɔlver] nm revolver.

revue [rəvy] nf (magazine) magazine; (spectacle) revue; passer qqch en ~ to review sthg.

rez-de-chaussée [redʃose] nm inv ground floor (Br), first floor (Am).

Rhin [rɛ̃] nm: **le ~** the Rhine.

rhinocéros [rinɔseros] nm rhinoceros.

Rhône [ron] nm: **le ~** (fleuve) the (River) Rhône.

rhubarbe [rybarb] nf rhubarb.

rhum [rɔm] nm rum.

rhumatismes [rymatism] nmpl rheumatism (sg); **avoir des ~** to have rheumatism.

rhume [rym] nm cold; **avoir un ~** to have a cold; ~ **des foins** hay fever.

ri [ri] pp → **rire**.

ricaner [rikane] vi to snigger.

riche [riʃ] adj rich ♦ nmf: **les ~s** the rich; ~ **en** rich in.

richesse [riʃes] nf wealth ❑ **richesses** nfpl (minières) resources; (archéologiques) treasures.

ricocher [rikɔʃe] vi to ricochet.

ricochet [rikɔʃe] nm: **faire des ~s** to skim pebbles.

ride [rid] nf wrinkle.

ridé, -e [ride] adj wrinkled.

rideau, -x [rido] nm curtain.

ridicule [ridikyl] adj ridiculous.

rien [rjɛ̃] pron nothing; ne ... ~ nothing; **je ne fais ~ le dimanche** I do nothing on Sundays, I don't do anything on Sundays; **ça ne fait ~** it doesn't matter; **je n'en peux rien** I can't help it; **pour ~** for nothing; **~ d'intéressant** nothing interesting; **~ du tout** nothing at all; **~ que** nothing but.

rigide [riʒid] *adj* stiff.

rigole [rigɔl] *nf (caniveau)* channel; *(eau)* rivulet.

rigoler [rigɔle] *vi (fam) (rire)* to laugh; *(s'amuser)* to have a laugh; *(plaisanter)* to joke.

rigolo, -ote [rigɔlo, ɔt] *adj (fam)* funny.

rigoureux, -euse [rigurø, øz] *adj (hiver)* harsh; *(analyse, esprit)* rigorous.

rigueur [rigœr] **: à la rigueur** *adv (si nécessaire)* if necessary; *(si on veut)* at a push.

rillettes [rijɛt] *nfpl* potted pork, duck or goose.

rime [rim] *nf* rhyme.

rinçage [rɛ̃saʒ] *nm* rinse.

rincer [rɛ̃se] *vt* to rinse.

ring [riŋ] *nm (de boxe)* ring; *(Belg: route)* ring road.

riposter [ripɔste] *vi (en paroles)* to answer back; *(militairement)* to retaliate.

rire [rir] *nm* laugh ♦ *vi* to laugh; *(s'amuser)* to have fun; **~ aux éclats** to howl with laughter; **tu veux ~!** you're joking!; **pour ~** *(en plaisantant)* as a joke.

ris [ri] *nmpl*: **~ de veau** calves' sweetbreads.

risotto [rizɔto] *nm* risotto.

risque [risk] *nm* risk.

risqué, -e [riske] *adj* risky.

risquer [riske] *vt* to risk; *(proposition, question)* to venture ♦ *vi*: **~**

de faire qqch *(être en danger de)* to be in danger of doing sthg; *(exprime la probabilité)* to be likely to do sthg.

rissolé, -e [risɔle] *adj* browned.

rivage [rivaʒ] *nm* shore.

rival, -e, -aux [rival, o] *adj & nm, f* rival.

rivalité [rivalite] *nf* rivalry.

rive [riv] *nf* bank; **la ~ gauche** *(à Paris)* the south bank of the Seine *(traditionally associated with students and artists)*; **la ~ droite** *(à Paris)* the north bank of the Seine *(generally considered more affluent)*.

riverain, -e [rivrɛ̃, ɛn] *nm, f (d'une rue)* resident; **"interdit sauf aux ~s"** "residents only".

rivière [rivjɛr] *nf* river.

riz [ri] *nm* rice; **~ cantonais** fried rice; **~ au lait** rice pudding; **~ pilaf** pilaff; **~ sauvage** wild rice.

RMI *nm (abr de revenu minimum d'insertion)* minimum guaranteed benefit.

RN *abr* = **route nationale**.

robe [rɔb] *nf* dress; *(d'un cheval)* coat; **~ de chambre** dressing gown; **~ du soir** evening dress.

robinet [rɔbinɛ] *nm* tap *(Br)*, faucet *(Am)*.

robot [rɔbo] *nm (industriel)* robot; *(ménager)* food processor.

robuste [rɔbyst] *adj* sturdy.

roc [rɔk] *nm* rock.

rocade [rɔkad] *nf* ring road *(Br)*, beltway *(Am)*.

roche [rɔʃ] *nf* rock.

rocher [rɔʃe] *nm* rock; *(au chocolat)* chocolate covered with chopped hazelnuts.

rock [rɔk] *nm* rock.

rougeurs

rodage [rɔdaʒ] *nm* running in.

rôder [rode] *vi (par ennui)* to hang about; *(pour attaquer)* to loiter.

rœsti [røʃti] *nmpl (Helv)* grated potato fried to form a sort of cake.

rognons [rɔɲɔ̃] *nmpl* kidneys.

roi [rwa] *nm* king; **les Rois, la fête des Rois** Twelfth Night.

Roland-Garros [rɔlãgaros] *n*: (le tournoi de) ~ the French Open.

rôle [rol] *nm* role.

ROM [rɔm] *nf (abr de read only memory)* ROM.

romain, -e [rɔmɛ̃, ɛn] *adj* Roman.

roman, -e [rɔmã, an] *adj (architecture, église)* Romanesque ◆ *nm* novel.

romancier, -ière [rɔmɑ̃sje, jɛr] *nm, f* novelist.

romantique [rɔmɑ̃tik] *adj* romantic.

romarin [rɔmarɛ̃] *nm* rosemary.

rompre [rɔ̃pr] *vi (se séparer)* to break up.

romsteck [rɔmstɛk] *nm* rump steak.

ronces [rɔ̃s] *nfpl* brambles.

rond, -e [rɔ̃, rɔ̃d] *adj* round; *(gros)* chubby ◆ *nm* circle; **en ~** in a circle.

ronde [rɔ̃d] *nf (de policiers)* patrol.

rondelle [rɔ̃dɛl] *nf (tranche)* slice; *(TECH)* washer.

rond-point [rɔ̃pwɛ̃] *(pl* ronds-points*) nm* roundabout *(Br)*, traffic circle *(Am)*.

ronfler [rɔ̃fle] *vi* to snore.

ronger [rɔ̃ʒe] *vt (os)* to gnaw at; *(suj: rouille)* to eat away at □ **se**

ronger *vp*: **se ~ les ongles** to bite one's nails.

ronronner [rɔ̃rɔne] *vi* to purr.

roquefort [rɔkfɔr] *nm* Roquefort *(strong blue cheese)*.

rosace [rozas] *nf (vitrail)* rose window.

rosbif [rɔzbif] *nm* roast beef.

rose [roz] *adj & nm* pink ◆ *nf* rose.

rosé, -e [roze] *adj (teinte)* rosy; *(vin)* rosé ◆ *nm (vin)* rosé.

roseau, -x [rozo] *nm* reed.

rosée [roze] *nf* dew.

rosier [rozje] *nm* rose bush.

rossignol [rɔsiɲɔl] *nm* nightingale.

Rossini [rɔsini] *n* → **tournedos**.

rot [ro] *nm* burp.

roter [rɔte] *vi* to burp.

rôti [roti] *nm* joint.

rôtie [roti] *nf (Can)* piece of toast.

rotin [rɔtɛ̃] *nm* rattan.

rôtir [rotir] *vt & vi* to roast.

rôtissoire [rotiswar] *nf (électrique)* rotisserie.

rotule [rɔtyl] *nf* kneecap.

roucouler [rukule] *vi* to coo.

roue [ru] *nf* wheel; **~ de secours** spare wheel; **grande ~** ferris wheel.

rouge [ruʒ] *adj* red; *(fer)* red-hot ◆ *nm* red; *(vin)* red (wine); **le feu est passé au ~** the light has turned red; **~ à lèvres** lipstick.

rouge-gorge [ruʒgɔrʒ] *(pl* rouges-gorges*) nm* robin.

rougeole [ruʒɔl] *nf* measles *(sg)*.

rougeurs [ruʒœr] *nfpl* red blotches.

rougir [ruʒir] vi (de honte, d'émotion) to blush; (de colère) to turn red.

rouille [ruj] nf rust; (sauce) garlic and red pepper sauce for fish or soup.

rouillé, -e [ruje] adj rusty.

rouiller [ruje] vi to rust.

roulant [rulā] adj m → **fauteuil, tapis**.

rouleau, -x [rulo] nm (de papier, de tissu) roll; (pinceau, vague) roller; ~ à pâtisserie rolling pin; ~ de printemps spring roll.

roulement [rulmā] nm (tour de rôle) rota; ~ à billes ball bearings (pl); ~ de tambour drum roll.

rouler [rule] vt (nappe, tapis) to roll up; (voler) to swindle ♦ vi (balle, caillou) to roll; (véhicule) to go; (automobiliste, cycliste) to drive; « les r to roll one's r's; «roulez au pas» "dead slow" ❏ **se rouler** vp (par terre, dans l'herbe) to roll about.

roulette [rulɛt] nf (roue) wheel; la ~ (jeu) roulette.

roulotte [rulɔt] nf caravan.

Roumanie [rumani] nf: la ~ Romania.

rousse → **roux**.

rousseur [rusœr] nf → **tache**.

roussi [rusi] nm: ça sent le ~ there's a smell of burning.

route [rut] nf road; (itinéraire) route; **mettre qqch en** ~ (machine) to start sthg up; (processus) to get sthg under way; **se mettre en** ~ (voyageur) to set off; «~ barrée» "road closed".

routier, -ière [rutje, jɛr] adj (carte, transports) road ♦ nm (camionneur) lorry driver (Br), truck driver (Am); (restaurant) transport

café (Br), truck stop (Am).

routine [rutin] nf routine.

roux, rousse [ru, rus] adj (cheveux) red; (personne) red-haired; (chat) ginger ♦ nm, f redhead.

royal, -e, -aux [rwajal, o] adj royal; (cadeau, pourboire) generous.

royaume [rwajom] nm kingdom.

Royaume-Uni [rwajomyni] nm: le ~ the United Kingdom.

RPR nm French party to the right of the political spectrum.

ruade [ryad] nf kick.

ruban [rybā] nm ribbon; ~ adhésif adhesive tape.

rubéole [rybeɔl] nf German measles (sg).

rubis [rybi] nm ruby.

rubrique [rybrik] nf (catégorie) heading; (de journal) column.

ruche [ryʃ] nf beehive.

rude [ryd] adj (climat, voix) harsh; (travail) tough.

rudimentaire [rydimātɛr] adj rudimentary.

rue [ry] nf street.

ruelle [ryɛl] nf alley.

ruer [rye] vi to kick ❏ **se ruer** vp: se ~ **dans/sur** to rush into/at.

rugby [rygbi] nm rugby.

rugir [ryʒir] vi to roar.

rugueux, -euse [rygø, øz] adj rough.

ruine [ryin] nf (financière) ruin; **en** ~ (château) ruined; **tomber en** ~ to crumble ❏ **ruines** nfpl ruins.

ruiné, -e [ryine] adj ruined.

ruisseau, -x [ryiso] nm stream.

ruisseler [ryisle] vi to stream; ~ **de** (sueur, larmes) to stream with.

rumeur [ʀymœʀ] nf (nouvelle) rumour; (bruit) rumble.

ruminer [ʀymine] vi (vache) to chew the cud.

rupture [ʀyptyʀ] nf (de relations diplomatiques) breaking off; (d'une relation amoureuse) break-up.

rural, -e, -aux [ʀyʀal, o] adj rural.

ruse [ʀyz] nf (habileté) cunning; (procédé) trick.

rusé, -e [ʀyze] adj cunning.

russe [ʀys] adj Russian ◆ nm (langue) Russian □ **Russe** nmf Russian.

Russie [ʀysi] nf: **la ~** Russia.

Rustine® [ʀystin] nf rubber repair patch for bicycle tyres.

rustique [ʀystik] adj rustic.

rythme [ʀitm] nm rhythm; (cardiaque) rate; (de la marche) pace.

S

s' → se.

S (abr de sud) S.

sa → son.

SA nf (abr de société anonyme) = plc (Br), = Inc. (Am).

sable [sabl] nm sand; **~s mouvants** quicksand (sg).

sablé, -e [sable] adj (biscuit) shortbread ◆ nm shortbread biscuit (Br), shortbread cookie (Am).

sablier [sablije] nm hourglass.

sablonneux, -euse [sablɔnø, øz] adj sandy.

sabot [sabo] nm (de cheval, de vache) hoof; (chaussure) clog; **~ de Denver** wheel clamp (Br), Denver boot (Am).

sabre [sabʀ] nm sabre.

sac [sak] nm bag; (de pommes de terre) sack; **~ de couchage** sleeping bag; **~ à dos** rucksack; **~ à main** handbag (Br), purse (Am).

saccadé, -e [sakade] adj (gestes) jerky; (respiration) uneven.

saccager [sakaʒe] vt (ville, cultures) to destroy; (appartement) to wreck.

sachant [saʃɑ̃] ppr → savoir.

sache etc → savoir.

sachet [saʃɛ] nm sachet; **~ de thé** teabag.

sacoche [sakɔʃ] nf (sac) bag; (de vélo) pannier.

sac-poubelle [sakpubɛl] (pl **sacs-poubelle**) nm dustbin bag (Br), garbage bag (Am).

sacré, -e [sakʀe] adj sacred; (fam: maudit) damn; **on a passé de ~es vacances!** (fam) we had a hell of a holiday!

sacrifice [sakʀifis] nm sacrifice.

sacrifier [sakʀifje] vt to sacrifice □ **se sacrifier** vp to sacrifice o.s.

sadique [sadik] adj sadistic.

safari [safaʀi] nm safari.

safran [safʀɑ̃] nm saffron.

sage [saʒ] adj (avisé) wise; (obéissant) good, well-behaved.

sage-femme [saʒfam] (pl **sages-femmes**) nf midwife.

sagesse [saʒɛs] nf (prudence, raison) wisdom.

Sagittaire [saʒitɛʀ] nm Sagittarius.

saignant, -e [seɲɑ̃, ɑ̃t] *adj (viande)* rare.

saigner [seɲe] *vi* to bleed; ~ **du nez** to have a nosebleed.

saillant, -e [sajɑ̃, ɑ̃t] *adj (par rapport à un mur)* projecting; *(pommettes, veines)* prominent.

sain, -e [sɛ̃, sɛn] *adj* healthy; *(mentalement)* sane; ~ **et sauf** safe and sound.

saint, -e [sɛ̃, sɛt] *adj* holy ♦ *nm, f* saint; **la Saint-François** Saint Francis' day.

saint-honoré [sɛ̃tɔnɔre] *nm inv* shortcrust or puff pastry cake topped with choux pastry balls and whipped cream.

Saint-Jacques [sɛ̃ʒak] *n* → **coquille**.

Saint-Michel [sɛ̃miʃel] *n* → **mont**.

Saint-Sylvestre [sɛ̃silvɛstr] *nf:* **la** ~ New Year's Eve.

sais *etc* → **savoir**.

saisir [sezir] *vt (objet, occasion)* to grab; *(comprendre)* to understand; *(JUR: biens)* to seize; *(INFORM)* to capture.

saison [sɛzɔ̃] *nf* season; **basse** ~ low season; **haute** ~ high season.

salade [salad] *nf (verte)* lettuce; *(plat en vinaigrette)* salad; **champignons en** ~ mushroom salad; ~ **de fruits** fruit salad; ~ **mêlée** *(Helv)* mixed salad; ~ **mixte** mixed salad; ~ **niçoise** niçoise salad.

saladier [saladje] *nm* salad bowl.

salaire [salɛr] *nm* salary, wage.

salami [salami] *nm* salami.

salarié, -e [salarje] *nm, f* (salaried) employee.

sale [sal] *adj* dirty; *(fam: temps)* filthy; *(fam: journée, mentalité)* nasty.

salé, -e [sale] *adj (plat)* salted; *(eau)* salty ♦ *nm:* **petit** ~ **aux lentilles** salt pork served with lentils.

saler [sale] *vt* to salt.

saleté [salte] *nf (état)* dirtiness; *(crasse)* dirt; *(chose sale)* disgusting thing.

salière [saljɛr] *nf* saltcellar.

salir [salir] *vt* to (make) dirty ❏ **se salir** *vp* to get dirty.

salissant, -e [salisɑ̃, ɑ̃t] *adj* that shows the dirt.

salive [saliv] *nf* saliva.

salle [sal] *nf* room; *(d'hôpital)* ward; *(de cinéma)* screen; *(des fêtes, municipale)* hall; ~ **d'attente** waiting room; ~ **de bains** bathroom; ~ **de classe** classroom; ~ **d'embarquement** departure lounge; ~ **à manger** dining room; ~ **d'opération** operating theatre.

salon [salɔ̃] *nm (séjour)* living room; *(exposition)* show; ~ **de coiffure** hairdressing salon; ~ **de thé** tearoom.

salopette [salɔpɛt] *nf (d'ouvrier)* overalls *(pl)*; *(en jean, etc)* dungarees *(pl)*.

salsifis [salsifi] *nmpl* salsify *(root vegetable)*.

saluer [salɥe] *vt (dire bonjour à)* to greet; *(de la tête)* to nod; *(dire au revoir à)* to say goodbye to; *(MIL)* to salute.

salut [saly] *nm (pour dire bonjour)* greeting; *(de la tête)* nod; *(pour dire au revoir)* farewell; *(MIL)* salute ♦ *excl (fam)* *(bonjour)* hi!; *(au revoir)* bye!

salutations [salytasjɔ̃] *nfpl*

greetings.

samaritain [samaritɛ̃] *nm (Helv)* *person qualified to give first aid.*

samedi [samdi] *nm* Saturday; **nous sommes** OU **c'est** ~ it's Saturday today; ~ **13 septembre** Saturday 13 September; **nous sommes partis** ~ we left on Saturday; ~ **dernier** last Saturday; ~ **prochain** next Saturday; ~ **matin** on Saturday morning; **le** ~ on Saturdays; **à** ~! see you Saturday!

SAMU [samy] *nm* French ambulance and emergency service.

sanction [sɑ̃ksjɔ̃] *nf* sanction.

sanctionner [sɑ̃ksjɔne] *vt* to punish.

sandale [sɑ̃dal] *nf* sandal.

sandwich [sɑ̃dwitʃ] *nm* sandwich.

sang [sɑ̃] *nm* blood; **en** ~ bloody; **se faire du mauvais** ~ to be worried.

sang-froid [sɑ̃frwa] *nm inv* calm.

sanglant, -e [sɑ̃glɑ̃, ɑ̃t] *adj* bloody.

sangle [sɑ̃gl] *nf* strap.

sanglier [sɑ̃glije] *nm* boar.

sanglot [sɑ̃glo] *nm* sob.

sangloter [sɑ̃glɔte] *vi* to sob.

sangria [sɑ̃grija] *nf* sangria.

sanguin [sɑ̃gɛ̃] *adj* ~ **e groupe**.

sanguine [sɑ̃gin] *nf (orange)* blood orange.

Sanisette® [sanizɛt] *nf* superloo.

sanitaire [sanitɛʁ] *adj (d'hygiène)* sanitary ❏ **sanitaires** *nmpl (d'un camping)* toilets and showers.

sans [sɑ̃] *prép* without; ~ **faire qqch** without doing sthg; ~ **que**

personne s'en rende compte without anyone realizing.

sans-abri [sɑ̃zabri] *nmf inv* homeless person.

sans-gêne [sɑ̃ʒɛn] *adj inv* rude ◆ *nm inv* rudeness.

santé [sɑ̃te] *nf* health; **en bonne/mauvaise** ~ in good/poor health; **(à ta)** ~! cheers!

saoul, -e [su, sul] = **soûl**.

saouler [sule] = **soûler**.

saphir [safir] *nm* sapphire; *(d'un électrophone)* needle.

sapin [sapɛ̃] *nm* fir; ~ **de Noël** Christmas tree.

sardine [sardin] *nf* sardine.

SARL *nf (abr de société à responsabilité limitée)* = Ltd *(Br)*, = Inc. *(Am)*.

sarrasin [sarazɛ̃] *nm (graine)* buckwheat.

satellite [satelit] *nm* satellite.

satin [satɛ̃] *nm* satin.

satiné, -e [satine] *adj (tissu, peinture)* satin.

satirique [satirik] *adj* satirical.

satisfaction [satisfaksjɔ̃] *nf* satisfaction.

satisfaire [satisfɛʁ] *vt* to satisfy ❏ **se satisfaire de** *vp + prép* to be satisfied with.

satisfaisant, -e [satisfəzɑ̃, ɑ̃t] *adj* satisfactory.

satisfait, -e [satisfɛ, ɛt] *pp* → **satisfaire** ◆ *adj* satisfied; **être** ~ **de** to be satisfied with.

saturé, -e [satyre] *adj* saturated.

sauce [sos] *nf* sauce; **en** ~ in a sauce; ~ **blanche** white sauce made with chicken stock; ~ **chasseur** mushroom, shallot, white wine and tomato *sauce;* ~ **madère** *vegetable, mushroom and Madeira sauce;* ~ **tartare** *tartar sauce;* ~ **tomate** *tomato sauce.*

saucer [sose] *vt (assiette)* to wipe clean.

saucisse [sosis] *nf sausage;* ~ **sèche** *thin dry sausage.*

saucisson [sosisɔ̃] *nm dry sausage.*

sauf, sauve [sof, sov] *adj* → **sain** ♦ *prép (excepté)* except; ~ **erreur** *unless there is some mistake.*

sauge [soʒ] *nf sage.*

saule [sol] *nm willow;* ~ **pleureur** *weeping willow.*

saumon [somɔ̃] *nm salmon* ♦ *adj inv:* **(rose)** ~ *salmon(-pink);* ~ **fumé** *smoked salmon.*

sauna [sona] *nm sauna.*

saupoudrer [sopudre] *vt:* ~ **qqch de** *to sprinkle sthg with.*

saur [sɔr] *adj m* → **hareng.**

saura *etc* → **savoir.**

saut [so] *nm jump;* **faire un** ~ **chez qqn** *to pop round to see sb;* ~ **en hauteur** *high jump;* ~ **en longueur** *long jump;* ~ **périlleux** *somersault.*

saute [sot] *nf:* ~ **d'humeur** *mood change.*

sauté, -e [sote] *adj (CULIN)* sautéed ♦ *nm:* ~ **de veau** *sautéed veal.*

saute-mouton [sotmutɔ̃] *nm inv:* **jouer à** ~ *to play leapfrog.*

sauter [sote] *vi* to jump; *(exploser)* to blow up; *(se défaire)* to come off; *(plombs)* to blow ♦ *vt (obstacle)* to jump over; *(passage, classe)* to skip; ~ **son tour** *(dans un jeu)* to pass; **faire** ~ **qqch** *(faire exploser)* to

blow sthg up; *(CULIN)* to sauté sthg.

sauterelle [sotrel] *nf* grasshopper.

sautiller [sotije] *vi* to hop.

sauvage [sovaʒ] *adj (animal, plante)* wild; *(tribu)* primitive; *(enfant, caractère)* shy; *(cri, haine)* savage ♦ *nmf (barbare)* brute; *(personne farouche)* recluse.

sauvegarde [sovgard] *nf (INFORM)* saving; ~ **automatique** *automatic backup.*

sauvegarder [sovgarde] *vt (protéger)* to safeguard; *(INFORM)* to save.

sauver [sove] *vt* to save; ~ **qqn/qqch de qqch** *to save sb/sthg from sthg* ❏ **se sauver** *vp (s'échapper)* to run away.

sauvetage [sovtaʒ] *nm* rescue.

sauveteur [sovtœr] *nm* rescuer.

SAV *abr* = **service après-vente.**

savant, -e [savã, ãt] *adj (cultivé)* scholarly ♦ *nm* scientist.

savarin [savarɛ̃] *nm* = rum baba.

saveur [savœr] *nf* flavour.

savoir [savwar] *vt* to know; ~ **faire qqch** *to know how to do sthg;* **savez-vous parler français?** *can you speak French?;* **je n'en sais rien** *I have no idea.*

savoir-faire [savwarfɛr] *nm inv* know-how.

savoir-vivre [savwarvivr] *nm inv* good manners *(pl).*

savon [savɔ̃] *nm soap;* *(bloc)* bar of soap.

savonner [savone] *vt* to soap.

savonnette [savonet] *nf* bar of soap.

savourer [savure] *vt* to savour.

savoureux, -euse [savurø, øz] *adj (aliment)* tasty.

savoyarde [savwajard] *adj f →* fondue.

saxophone [saksɔfɔn] *nm* saxophone.

sbrinz [ʃbrints] *nm* hard crumbly Swiss cheese made from cow's milk.

scandale [skɑ̃dal] *nm (affaire)* scandal; *(fait choquant)* outrage; **faire du** OU **un ~** to make a fuss; **faire ~** to cause a stir.

scandaleux, -euse [skɑ̃dalø, øz] *adj* outrageous.

scandinave [skɑ̃dinav] *adj* Scandinavian.

Scandinavie [skɑ̃dinavi] *nf*: **la ~** Scandinavia.

scanner [skanɛr] *nm (appareil)* scanner; *(test)* scan.

scaphandre [skafɑ̃dr] *nm* diving suit.

scarole [skarɔl] *nf* endive.

sceller [sele] *vt (cimenter)* to cement.

scénario [senarjo] *nm (de film)* screenplay.

scène [sɛn] *nf (estrade)* stage; *(événement, partie d'une pièce)* scene; **mettre qqch en ~** *(film, pièce de théâtre)* to direct sthg.

sceptique [sɛptik] *adj* sceptical.

schéma [ʃema] *nm* diagram; *(résumé)* outline.

schématique [ʃematik] *adj (sous forme de schéma)* diagrammatical; *(trop simple)* simplistic.

schublig [ʃublig] *nm (Helv)* type of sausage.

sciatique [sjatik] *nf* sciatica.

scie [si] *nf* saw.

science [sjɑ̃s] *nf* science; **~s naturelles** natural sciences.

science-fiction [sjɑ̃sfiksjɔ̃] *nf* science fiction.

scientifique [sjɑ̃tifik] *adj* scientific ♦ *nmf* scientist.

scier [sje] *vt* to saw.

scintiller [sɛ̃tije] *vi* to sparkle.

sciure [sjyr] *nf* sawdust.

scolaire [skɔlɛr] *adj (vacances, manuel)* school.

scoop [skup] *nm* scoop.

scooter [skutœr] *nm* scooter; **~ des mers** jet ski.

score [skɔr] *nm* score.

Scorpion [skɔrpjɔ̃] *nm* Scorpio.

scotch [skɔtʃ] *nm (whisky)* Scotch.

Scotch® [skɔtʃ] *nm (adhésif)* ≃ Sellotape® *(Br)*, Scotch® tape *(Am)*.

scout, -e [skut] *nm, f* scout.

scrupule [skrypyl] *nm* scruple.

scrutin [skrytɛ̃] *nm* ballot.

sculpter [skylte] *vt* to sculpt; *(bois)* to carve.

sculpteur [skyltœr] *nm* sculptor.

sculpture [skyltyr] *nf* sculpture.

SDF *nmf (abr de sans domicile fixe)* homeless person.

se [sə] *pron pers* **1.** *(réfléchi: personne indéfinie)* oneself; *(personne)* himself *(f* herself*)*, themselves *(pl)*; *(chose, animal)* itself, themselves *(pl)*; **elle ~ regarde dans le miroir** she's looking at herself in the mirror; **~ faire mal** to hurt oneself.
2. *(réciproque)* each other, one another; **~ battre** to fight; **ils s'écrivent toutes les semaines** they write to each other every week.

3. *(avec certains verbes, vide de sens):* ~ **décider** to decide; ~ **mettre à faire qqch** to start doing sthg.

4. *(passif):* **ce produit ~ vend bien/partout** this product is selling well/is sold everywhere.

5. *(à valeur de possessif):* ~ **laver les mains** to wash one's hands; ~ **couper le doigt** to cut one's finger.

séance [seɑ̃s] *nf (de rééducation, de gymnastique)* session; *(de cinéma)* performance; ~ **tenante** right away.

seau, -x [so] *nm* bucket; ~ **à champagne** champagne bucket.

sec, sèche [sɛk, sɛʃ] *adj* dry; *(fruit, légume)* dried; **à** ~ *(cours d'eau)* dried-up; **au** ~ *(à l'abri de la pluie)* out of the rain; **fermer qqch d'un coup** ~ to slam sthg shut.

sécateur [sekatœr] *nm* secateurs *(pl).*

séchage [seʃaʒ] *nm* drying.

sèche → **sec**.

sèche-cheveux [sɛʃʃəvø] *nm inv* hairdryer.

sèche-linge [sɛʃlɛ̃ʒ] *nm inv* tumbledryer.

sèchement [sɛʃmɑ̃] *adv* drily.

sécher [seʃe] *vt* to dry ◆ *vi* to dry; *(fam: à un examen)* to have a mental block; ~ **les cours** *(fam)* to play truant *(Br),* to play hookey *(Am).*

sécheresse [seʃrɛs] *nf (manque de pluie)* drought.

séchoir [seʃwar] *nm:* ~ **(à cheveux)** hairdryer; ~ **(à linge)** *(sur pied)* clothes dryer; *(électrique)* tumbledryer.

second, -e [səgɔ̃, ɔ̃d] *adj* second, → **sixième**.

secondaire [səgɔ̃dɛr] *adj* sec-ondary.

seconde [səgɔ̃d] *nf (unité de temps)* second; *(SCOL)* = fifth form *(Br),* = tenth grade *(Am); (vitesse)* second *(gear);* **voyager en** ~ **(classe)** to travel second class.

secouer [səkwe] *vt* to shake; *(bouleverser, inciter à agir)* to shake up.

secourir [səkurir] *vt (d'un danger)* to rescue; *(moralement)* to help.

secouriste [səkurist] *nmf* first-aid worker.

secours [səkur] *nm* help; **appeler au** ~ to call for help; **au** ~! help!; ~ **d'urgence** emergency aid; **premiers** ~ first aid.

secouru, -e [səkury] *pp* → **se-courir**.

secousse [səkus] *nf* jolt.

secret, -ète [sɛkrɛ, ɛt] *adj & nm* secret; **en** ~ in secret.

secrétaire [səkretɛr] *nmf* secre-tary ◆ *nm (meuble)* secretaire.

secrétariat [səkretarja] *nm (bureau)* secretary's office; *(métier)* secretarial work.

secte [sɛkt] *nf* sect.

secteur [sɛktœr] *nm (zone)* area; *(électrique)* mains; *(économique, industriel)* sector; **fonctionner sur** ~ to run off the mains.

section [sɛksjɔ̃] *nf* section; *(de ligne d'autobus)* fare stage.

sectionner [sɛksjɔne] *vt* to cut.

Sécu [seky] *nf (fam):* **la** ~ French social security system.

sécurité [sekyrite] *nf (tranquillité)* safety; *(ordre)* security; **en** ~ safe; **mettre qqch en** ~ to put sthg in a safe place; **la** ~ **routière** French organization providing traffic bulletins and safety information; **la Sécurité**

sociale *French social security system.*

séduire [sedɥir] *vt* to attract.

séduisant, -e [sedɥizɑ̃, ɑ̃t] *adj* attractive.

séduit, -e [sedɥi, ɥit] *pp* → **séduire.**

segment [sɛgmɑ̃] *nm* segment.

ségrégation [segregasjɔ̃] *nf* segregation.

seigle [sɛgl] *nm* rye.

seigneur [sɛɲœr] *nm* *(d'un château)* lord; **le Seigneur** the Lord.

sein [sɛ̃] *nm* breast; **au ~ de** within.

Seine [sɛn] *nf:* **la ~** *(fleuve)* the Seine.

séisme [seism] *nm* earthquake.

seize [sɛz] *num* sixteen, → **six.**

seizième [sɛzjɛm] *num* sixteenth, → **sixième.**

séjour [seʒur] *nm* stay; **(salle de) ~** living room.

séjourner [seʒurne] *vi* to stay.

sel [sɛl] *nm* salt; **~s de bain** bath salts.

sélection [selɛksjɔ̃] *nf* selection.

sélectionner [selɛksjɔne] *vt* to select.

self-service, -s [sɛlfsɛrvis] *nm* *(restaurant)* self-service restaurant; *(station-service)* self-service petrol station *(Br)*, self-service gas station *(Am)*.

selle [sɛl] *nf* saddle.

seller [sele] *vt* to saddle.

selon [səlɔ̃] *prép* *(de l'avis de, en accord avec)* according to; *(en fonction de)* depending on; **~ que** depending on whether.

semaine [səmɛn] *nf* week; **en ~** during the week.

semblable [sɑ̃blabl] *adj* similar;

~ à similar to.

semblant [sɑ̃blɑ̃] *nm:* **faire ~ (de faire qqch)** to pretend (to do sthg).

sembler [sɑ̃ble] *vi* to seem; **il semble que** it seems that ...; **il me semble que** ... I think that ...

semelle [səmɛl] *nf* sole.

semer [səme] *vt* to sow; *(se débarrasser de)* to shake off.

semestre [səmɛstr] *nm* half-year; *(SCOL)* semester.

semi-remorque, -s [səmirəmɔrk] *nm* articulated lorry *(Br)*, semitrailer *(Am)*.

semoule [səmul] *nf* semolina.

sénat [sena] *nm* senate.

Sénégal [senegal] *nm:* **le ~** Senegal.

sens [sɑ̃s] *nm* *(direction)* direction; *(signification)* meaning; **dans le ~ inverse des aiguilles d'une montre** anticlockwise *(Br)*, counterclockwise *(Am)*; **en ~ inverse** in the opposite direction; **avoir du bon ~** to have common sense; **~ giratoire** roundabout *(Br)*, traffic circle *(Am)*; **~ interdit** *(panneau)* no-entry sign; *(rue)* one-way street; **~ unique** one-way street; **~ dessus dessous** upside-down.

sensation [sɑ̃sasjɔ̃] *nf* feeling, sensation; **faire ~** to cause a stir.

sensationnel, -elle [sɑ̃sasjɔnɛl] *adj* *(formidable)* fantastic.

sensible [sɑ̃sibl] *adj* sensitive; *(perceptible)* noticeable; **~ à** sensitive to.

sensiblement [sɑ̃sibləmɑ̃] *adv* *(à peu près)* more or less; *(de façon perceptible)* noticeably.

sensuel, -elle [sɑ̃sɥɛl] *adj* sensual.

sentence [sɑ̃tɑ̃s] nf (JUR) sentence.

sentier [sɑ̃tje] nm path.

sentiment [sɑ̃timɑ̃] nm feeling; ~s dévoués (dans une lettre) yours sincerely.

sentimental, -e, -aux [sɑ̃timɑ̃tal, o] adj sentimental.

sentir [sɑ̃tir] vt (odeur) to smell; (goût) to taste; (au toucher) to smell; (avoir une odeur de) to smell of; ~ bon to smell good; ~ mauvais to smell bad; je ne peux pas le ~ (fam) I can't bear him □ se sentir vp: se ~ mal to feel ill; se ~ bizarre to feel strange.

séparation [separasjɔ̃] nf separation.

séparément [separemɑ̃] adv separately.

séparer [separe] vt to separate; (diviser) to divide; ~ qqn/qqch de to separate sb/sthg from □ se séparer vp (couple) to split up; (se diviser) to divide; se ~ de qqn (conjoint) to separate from sb; (employé) to let sb go.

sept [sɛt] num seven, → six.

septante [sɛptɑ̃t] num (Belg & Helv) seventy, → six.

septembre [sɛptɑ̃br] nm September; en ~ au mois de ~ in September; début ~ at the beginning of September; fin ~ at the end of September; le deux ~ the second of September.

septième [sɛtjɛm] num seventh, → sixième.

séquelles [sekɛl] nfpl (MÉD) aftereffects.

séquence [sekɑ̃s] nf sequence.

sera etc → être.

séré [sere] nm (Helv) fromage frais.

serein, -e [sərɛ̃, ɛn] adj serene.

sérénité [serenite] nf serenity.

sergent [sɛrʒɑ̃] nm sergeant.

série [seri] nf (succession) series; (ensemble) set; ~ (télévisée) (television) series.

sérieusement [serjøzmɑ̃] adv seriously.

sérieux, -ieuse [serjø, jøz] adj serious ♦ nm: travailler avec ~ to take one's work seriously; garder son ~ to keep a straight face; prendre qqch au ~ to take sthg seriously.

seringue [sərɛ̃g] nf syringe.

sermon [sɛrmɔ̃] nm (RELIG) sermon; (péj: leçon) lecture.

séropositif, -ive [seropozitif, iv] adj HIV-positive.

serpent [sɛrpɑ̃] nm snake.

serpenter [sɛrpɑ̃te] vi to wind.

serpentin [sɛrpɑ̃tɛ̃] nm (de fête) streamer.

serpillière [sɛrpijɛr] nf floor cloth.

serre [sɛr] nf (à plantes) greenhouse.

serré, -e [sere] adj (vêtement) tight; (spectateurs, passagers): on est ~ ici it's packed in here.

serrer [sere] vt (comprimer) to squeeze; (dans ses bras) to hug; (dans une boîte, une valise) to pack tightly; (poings, dents) to clench; (nœud, vis) to tighten; ça me serre à la taille it's tight around the waist; ~ la main à qqn to shake sb's hand; «serrez à droite» "keep right" □ se serrer vp to squeeze up; se ~ contre qqn to huddle up against sb.

serre-tête [sɛʀtɛt] *nm inv* Alice band.

serrure [seʀyʀ] *nf* lock.

serrurier [seʀyʀje] *nm* locksmith.

sers *etc* → **servir**.

serveur, -euse [sɛʀvœʀ, øz] *nm, f (de café, de restaurant)* waiter (*f* waitress).

serviable [sɛʀvjabl] *adj* helpful.

service [sɛʀvis] *nm (manière de servir)* service; *(faveur)* favour; *(de vaisselle)* set; *(département)* department; *(SPORT)* service; **faire le ~ to** serve the food out; **rendre ~ à qqn** to be helpful to sb; **être de ~ to** be on duty; **«~ compris/non compris»** "service included/not included"; **premier/deuxième ~** *(au restaurant)* first/second sitting; **~ après-vente** after-sales service department; **~ militaire** military service.

serviette [sɛʀvjɛt] *nf (cartable)* briefcase; **~ hygiénique** sanitary towel *(Br)*, sanitary napkin *(Am)*; **~ (de table)** table napkin; **~ (de toilette)** towel.

servir [sɛʀviʀ] *vt* **1.** *(invité, client)* to serve.
2. *(plat, boisson)*: **~ qqch à qqn** to serve sb sthg; **qu'est-ce que je vous sers?** what would you like (to drink)?; **«~ frais»** "serve chilled".
♦ *vi* **1.** *(être utile)* to be of use; **~ à qqch** to be used for sthg; **~ à faire qqch** to be used for doing sthg; **ça ne sert à rien d'insister** there's no point in insisting.
2. *(avec «de»)*: **~ de qqch** *(objet)* to serve as sthg.
3. *(au tennis)* to serve.
4. *(aux cartes)* to deal.
❑ **se servir** *vp (de la nourriture, de*

la boisson) to help o.s.; **se servir de** *vp + prép (objet)* to use.

ses → **son**.

sésame [sezam] *nm (graines)* sesame seeds *(pl)*.

set [sɛt] *nm (SPORT)* set; **~ (de table)** table mat.

seuil [sœj] *nm* threshold.

seul, -e [sœl] *adj (sans personne)* alone; *(solitaire)* lonely; *(unique)* only ♦ *nm, f*: **le ~** the only one; **un ~** only one; **pas un ~** not a single one; **(tout) ~** *(sans aide)* by oneself; *(parler)* to oneself.

seulement [sœlmã] *adv* only; **non ~ … mais encore** OU **en plus** not only … but also; **si ~ …** if only …

sève [sɛv] *nf* sap.

sévère [sevɛʀ] *adj (professeur, parent)* strict; *(regard, aspect, échec)* severe; *(punition)* harsh.

sévérité [severite] *nf* severity.

sévir [seviʀ] *vi (punir)* to punish; *(épidémie, crise)* to rage.

sexe [sɛks] *nm (mâle, femelle)* sex; *(ANAT)* genitals *(pl)*.

sexiste [sɛksist] *adj* sexist.

sexuel, -elle [sɛksɥɛl] *adj* sexual.

seyant, -e [sɛjã, ãt] *adj* becoming.

Seychelles [seʃɛl] *nfpl*: **les ~** the Seychelles.

shampo(o)ing [ʃãpwɛ̃] *nm* shampoo.

short [ʃɔʀt] *nm (pair of)* shorts.

show [ʃo] *nm (de variétés)* show.

si [si] *conj* **1.** *(exprime l'hypothèse)* if; **~ tu veux, on y va** we'll go if you want; **ce serait bien ~ vous pouviez** it would be good if you could; **~**

c'est toi qui le dis, c'est que c'est
vrai since you told me, it must be
true.
2. *(dans une question)*: **(et) ~ on
allait à la piscine?** how about
going to the swimming pool?
3. *(exprime un souhait)* if; **~ seulement tu m'en avais parlé avant!** if
only you had told me earlier!
4. *(dans une question indirecte)* if,
whether; **dites-moi ~ vous venez**
tell me if you are coming.
♦ *adv* 1. *(tellement)* so; **une ~ jolie
ville** such a pretty town; **~ ... que**
so ... that; **ce n'est pas ~ facile que
ça** it's not as easy as that; **~ bien
que** with the result that.
2. *(oui)* yes; **tu n'aimes pas le café?
- ~** don't you like coffee? - yes, I
do.

SICAV [sikav] *nf inv (titre)* share
in a unit trust.

SIDA [sida] *nm* AIDS.

siècle [sjɛkl] *nm* century; **au
vingtième ~** in the twentieth century.

siège [sjɛʒ] *nm* seat; *(d'une
banque, d'une association)* head
office.

sien [sjɛ̃] : **le sien** *(f* **la sienne**
[lasjɛn], *mpl* **les siens** [lesjɛ̃], *fpl* **les
siennes** [lesjɛn]) *pron (d'homme)* his;
(de femme) hers; *(de chose, d'animal)*
its.

sieste [sjɛst] *nf* nap; **faire la ~** to
have a nap.

sifflement [sifləmɑ̃] *nm*
whistling.

siffler [sifle] *vi* to whistle ♦ *vt*
(air) to whistle; *(acteur)* to boo;
(chien) to whistle for; *(femme)* to
whistle at.

sifflet [siflɛ] *nm (instrument)*

whistle; *(au spectacle)* boo.

sigle [sigl] *nm* acronym.

signal, -aux [siɲal, o] *nm (geste,
son)* signal; *(feu, pancarte)* sign; **~
d'alarme** alarm signal.

signalement [siɲalmɑ̃] *nm*
description.

signaler [siɲale] *vt (par un geste)*
to signal; *(par une pancarte)* to signpost; *(faire remarquer)* to point out.

signalisation [siɲalizasjɔ̃] *nf
(feux, panneaux)* signs *(pl)*; *(au sol)*
road markings *(pl)*.

signature [siɲatyr] *nf* signature.

signe [siɲ] *nm (geste; dessin)* symbol; **faire ~ à qqn (de faire qqch)** to
signal to sb (to do sthg); **c'est
bon/mauvais ~** it's a good/bad
sign; **faire le ~ de croix** to cross
o.s.; **~ du zodiaque** sign of the
zodiac.

signer [siɲe] *vt & vi* to sign ❑ **se
signer** *vp* to cross o.s.

significatif, -ive [siɲifikatif, iv]
adj significant.

signification [siɲifikasjɔ̃] *nf*
meaning.

signifier [siɲifje] *vt* to mean.

silence [silɑ̃s] *nm* silence; **en ~** in
silence.

silencieux, -ieuse [silɑ̃sjø,
jøz] *adj* quiet.

silhouette [silwɛt] *nf (forme)*
silhouette; *(corps)* figure.

sillonner [sijɔne] *vt (parcourir)* **~
une région** to travel all round a
region.

similaire [similɛr] *adj* similar.

simple [sɛ̃pl] *adj* simple; *(feuille,
chambre)* single.

simplement [sɛ̃pləmɑ̃] *adv*
simply.

simplicité [sɛ̃plisite] nf simplicity.

simplifier [sɛ̃plifje] vt to simplify.

simuler [simyle] vt to feign.

simultané, -e [simyltane] adj simultaneous.

simultanément [simyltanemã] adv simultaneously.

sincère [sɛ̃sɛr] adj sincere.

sincérité [sɛ̃serite] nf sincerity.

singe [sɛ̃ʒ] nm monkey.

singulier [sɛ̃gylje] nm singular.

sinistre [sinistr] adj sinister ◆ nm (incendie) fire; (inondation) flood.

sinistré, -e [sinistre] adj disaster-stricken ◆ nm, f disaster victim.

sinon [sinɔ̃] conj (autrement) otherwise; (peut-être même) if not.

sinueux, -euse [sinɥø, øz] adj winding.

sinusite [sinyzit] nf sinusitis.

sirène [siren] nf (d'alarme, de police) siren.

sirop [siro] nm (CULIN) syrup; ~ d'érable maple syrup; ~ de fruits fruit cordial; ~ (pour la toux) cough mixture.

siroter [sirote] vt to sip.

site [sit] nm (paysage) beauty spot; (emplacement) site; ~ touristique tourist site.

situation [sitɥasjɔ̃] nf (circonstances) situation; (emplacement) location; (emploi) job.

situé, -e [sitɥe] adj situated; bien/mal ~ well/badly situated.

situer [sitɥe] : **se situer** vp to be situated.

six [sis] adj num, pron num & nm six; **il a ~ ans** he's six (years old); **il est ~ heures** it's six o'clock; **le ~**

janvier the sixth of January; **page ~** page six; **ils étaient ~** there were six of them; **le ~ de pique** the six of spades; **(au) ~ rue Lepic** at/to six, rue Lepic.

sixième [sizjɛm] adj num & pron num sixth ◆ nf (SCOL) = first form (Br), = seventh grade (Am) ◆ nm (fraction) sixth; (étage) sixth floor (Br), seventh floor (Am); (arrondissement) sixth arrondissement.

Skaï® [skaj] nm Leatherette®.

skateboard [skɛtbɔrd] nm (planche) skateboard; (SPORT) skateboarding.

sketch [skɛtʃ] nm sketch.

ski [ski] nm (planche) ski; (SPORT) skiing; **faire du ~** to go skiing; ~ alpin Alpine skiing; ~ de fond cross-country skiing; ~ nautique water skiing.

skier [skje] vi to ski.

skieur, -ieuse [skjœr, jøz] nm, f skier.

slalom [slalɔm] nm slalom.

slip [slip] nm (sous-vêtement masculin) pants (Br)(pl), shorts (Am)(pl); (sous-vêtement féminin) knickers (pl); ~ de bain (d'homme) swimming trunks (pl).

slogan [slɔgã] nm slogan.

SMIC [smik] nm guaranteed minimum wage.

smoking [smɔkiŋ] nm (costume) dinner suit.

snack(-bar), -s [snak(bar)] nm snack bar.

SNCF nf French national railway company, = BR (Br), = Amtrak (Am).

snob [snɔb] adj snobbish ◆ nmf snob.

sobre [sɔbr] adj sober.

sociable [sɔsjabl] *adj* sociable.

social, -e, -iaux [sɔsjal, jo] *adj* social.

socialisme [sɔsjalism] *nm* socialism.

socialiste [sɔsjalist] *adj & nmf* socialist.

société [sɔsjete] *nf* society; *(entreprise)* company.

socle [sɔkl] *nm (d'une statue)* pedestal.

socquette [sɔkɛt] *nf* ankle sock.

soda [sɔda] *nm* fizzy drink, soda *(Am).*

sœur [sœr] *nf* sister.

sofa [sɔfa] *nm* sofa.

soi [swa] *pron* oneself; **en ~** *(par lui-même)* in itself; **cela va de ~** that goes without saying.

soi-disant [swadizɑ̃] *adj inv* so-called ♦ *adv* supposedly.

soie [swa] *nf* silk.

soif [swaf] *nf* thirst; **avoir ~** to be thirsty; **ça donne ~** it makes you thirsty.

soigner [swaɲe] *vt (malade, maladie)* to treat; *(travail, présentation)* to take care over; *(s'occuper de)* to look after, to take care of.

soigneusement [swaɲøzmɑ̃] *adv* carefully.

soigneux, -euse [swaɲø, øz] *adj* careful.

soin [swɛ̃] *nm* care; **prendre ~ de qqch** to take care of sthg; **prendre ~ de faire qqch** to take care to do sthg ❑ **soins** *nmpl (médicaux, de beauté)* care *(sg)*; **premiers ~s** first aid *(sg).*

soir [swar] *nm* evening; **ce ~** tonight; **le ~** *(tous les jours)* in the

evening.

soirée [sware] *nf* evening; *(réception)* party.

sois, soit → **être**.

soit [swat] *conj:* **~ ... ~** either ... or.

soixante [swasɑ̃t] *num* sixty, → **six**.

soixante-dix [swasɑ̃tdis] *num* seventy, → **six**.

soixante-dixième [swasɑ̃tdizjɛm] *num* seventieth, → **sixième**.

soixantième [swasɑ̃tjɛm] *num* sixtieth, → **sixième**.

soja [sɔʒa] *nm* soya.

sol [sɔl] *nm (d'une maison)* floor; *(dehors)* ground; *(terrain)* soil.

solaire [sɔlɛr] *adj* solar.

soldat [sɔlda] *nm* soldier.

solde [sɔld] *nm (d'un compte bancaire)* balance; **en ~** in a sale ❑ **soldes** *nmpl (vente)* sales; *(articles)* sale goods.

soldé, -e [sɔlde] *adj (article)* reduced.

sole [sɔl] *nf* sole; **~ meunière** sole fried in butter and served with lemon juice and parsley.

soleil [sɔlɛj] *nm* sun; **il fait (du) ~** it's sunny; **au ~** in the sun; **~ couchant** sunset; **~ levant** sunrise.

solennel, -elle [sɔlanɛl] *adj (officiel)* solemn; *(péj: ton, air)* pompous.

solfège [sɔlfɛʒ] *nm:* **faire du ~** to learn how to read music.

solidaire [sɔlidɛr] *adj:* **être ~ de qqn** to stand by sb.

solidarité [sɔlidarite] *nf* solidarity.

solide [sɔlid] *adj (matériau,*

sortie

construction) solid; *(personne)* sturdy.

solidité [sɔlidite] *nf* solidity.

soliste [sɔlist] *nmf* soloist.

solitaire [sɔlitɛʀ] *adj* lonely ♦ *nmf* loner.

solitude [sɔlityd] *nf (calme)* solitude; *(abandon)* loneliness.

solliciter [sɔlisite] *vt (suj: mendiant)* to beg; *(entrevue, faveur)* to request.

soluble [sɔlybl] *adj (café)* instant; *(médicament)* soluble.

solution [sɔlysjɔ̃] *nf* solution.

sombre [sɔ̃bʀ] *adj* dark; *(visage, humeur, avenir)* gloomy.

sommaire [sɔmɛʀ] *adj (explication, résumé)* brief; *(repas, logement)* basic ♦ *nm* summary.

somme [sɔm] *nf* sum ♦ *nm*: **faire un ~** to have a nap; **faire la ~ de** to add up; **en ~** in short; **~ toute** all things considered.

sommeil [sɔmɛj] *nm* sleep; **avoir ~** to be sleepy.

sommelier, -ière [sɔməlje, jɛʀ] *nm, f* wine waiter (*f* wine waitress).

sommes → **être**.

sommet [sɔmɛ] *nm* top; *(d'une montagne)* peak.

sommier [sɔmje] *nm* base.

somnambule [sɔmnãbyl] *nmf* sleepwalker ♦ *adj*: **être ~** to sleepwalk.

somnifère [sɔmnifɛʀ] *nm* sleeping pill.

somnoler [sɔmnɔle] *vi* to doze.

somptueux, -euse [sɔ̃ptɥø, øz] *adj* sumptuous.

son¹ [sɔ̃] *(f* **sa** [sa], *pl* **ses** [se]*) adj (d'homme)* his; *(de femme)* her; *(de*

chose, d'animal) its.

son² [sɔ̃] *nm (bruit)* sound; *(de blé)* bran; **~ et lumière** *historical play performed at night.*

sondage [sɔ̃daʒ] *nm* survey.

sonde [sɔ̃d] *nf (MED)* probe.

songer [sɔ̃ʒe] *vi*: **~ à faire qqch** *(envisager de)* to think of doing sthg.

songeur, -euse [sɔ̃ʒœʀ, øz] *adj* thoughtful.

sonner [sɔne] *vi* to ring ♦ *vt (cloche)* to ring; *(suj: horloge)* to strike.

sonnerie [sɔnʀi] *nf (son)* ringing; *(mécanisme de réveil)* alarm; *(de porte)* bell.

sonnette [sɔnɛt] *nf (de porte)* bell; **~ d'alarme** *(dans un train)* communication cord.

sono [sɔno] *nf (fam)* sound system.

sonore [sɔnɔʀ] *adj (voix, rire)* loud; **signal ~** *(sur un répondeur)* beep.

sonorité [sɔnɔʀite] *nf* tone.

sont → **être**.

sophistiqué, -e [sɔfistike] *adj* sophisticated.

sorbet [sɔʀbɛ] *nm* sorbet.

sorcier, -ière [sɔʀsje, jɛʀ] *nm, f* wizard (*f* witch).

sordide [sɔʀdid] *adj* sordid.

sort [sɔʀ] *nm* fate; **tirer au ~** to draw lots.

sorte [sɔʀt] *nf* sort, kind; **une ~ de** a sort of, a kind of; **de (telle) ~ que** *(afin que)* so that; **en quelque ~** as it were.

sortie [sɔʀti] *nf (porte)* exit, way out; *(excursion)* outing; *(au cinéma, au restaurant)* evening out; *(d'un* *livre)* publication; *(d'un film)* release; **~ de secours** emergency exit; **«~ de véhicules»** "garage entrance".

sortir [sɔrtir] vi *(aux être)* (aller dehors, au cinéma, au restaurant) to go out; *(venir dehors)* to come out; *(livre, film)* to come out ♦ vt *(aux avoir)* (chien) to take out; *(livre, film)* to bring out; **~ de** (aller) to leave; *(venir)* to come out of; *(école, université)* to have studied at ▫ **s'en sortir** vp to pull through.

SOS nm SOS; **~ Médecins** emergency medical service.

sosie [sɔzi] nm double.

sou [su] nm: **ne plus avoir un ~** to be broke ▫ **sous** nmpl *(fam: argent)* money *(sg)*.

souche [suʃ] nf *(d'arbre)* stump; *(de carnet)* stub.

souci [susi] nm worry; **se faire du ~ (pour)** to worry (about).

soucier [susje] **: se soucier de** vp + prép to care about.

soucieux, -ieuse [susjø, jøz] adj concerned.

soucoupe [sukup] nf saucer; **~ volante** flying saucer.

soudain, -e [sudɛ̃, ɛn] adj sudden ♦ adv suddenly.

souder [sude] vt *(TECH)* to weld.

soudure [sudyr] nf *(opération)* welding; *(partie soudée)* weld.

souffert [sufɛr] pp → **souffrir**.

souffle [sufl] nm *(respiration)* breathing; *(d'une explosion)* blast; **un ~ d'air** OU **de vent** a gust of wind; **être à bout de ~** to be out of breath.

soufflé [sufle] nm soufflé.

souffler [sufle] vt *(fumée)* to blow; *(bougie)* to blow out ♦ vi

(expirer) to breathe out; *(haleter)* to puff; *(vent)* to blow; **~ qqch à qqn** *(à un examen)* to whisper sthg to sb.

soufflet [suflɛ] nm *(pour le feu)* bellows *(pl)*; *(de train)* concertina vestibule.

souffrance [sufrɑ̃s] nf suffering.

souffrant, -e [sufrɑ̃, ɑ̃t] adj *(sout)* unwell.

souffrir [sufrir] vi to suffer; **~ de** to suffer from.

soufre [sufr] nm sulphur.

souhait [swɛ] nm wish; **à tes ~s!** bless you!

souhaitable [swɛtabl] adj desirable.

souhaiter [swete] vt: **~ que** to hope that; **~ faire qqch** to hope to do sthg; **~ bonne chance/bon anniversaire à qqn** to wish sb good luck/happy birthday.

soûl, -e [su, sul] adj drunk.

soulagement [sulaʒmɑ̃] nm relief.

soulager [sulaʒe] vt to relieve.

soûler [sule] **: se soûler** vp to get drunk.

soulever [sulve] vt *(couvercle, jupe)* to lift; *(enthousiasme, protestations)* to arouse; *(problème)* to bring up ▫ **se soulever** vp *(se redresser)* to raise o.s. up; *(se rebeller)* to rise up.

soulier [sulje] nm shoe.

souligner [suliɲe] vt to underline; *(insister sur)* to emphasize.

soumettre [sumɛtr] vt: **~ qqn/qqch à** to subject sb/sthg to; **~ qqch à qqn** *(idée, projet)* to submit sthg to sb ▫ **se soumettre à** vp + prép *(loi, obligation)* to abide by.

soumis, -e [sumi, iz] *pp* → **soumettre ♦** *adj* submissive.

soupape [supap] *nf* valve.

soupçon [supsɔ̃] *nm* suspicion.

soupçonner [supsɔne] *vt* to suspect.

soupçonneux, -euse [supsɔnø, øz] *adj* suspicious.

soupe [sup] *nf* soup; **~ à l'oignon** onion soup; **~ de légumes** vegetable soup.

souper [supe] *nm (dernier repas)* late supper; *(dîner)* dinner ♦ *vi (très tard)* to have a late supper; *(dîner)* to have dinner.

soupeser [supəze] *vt* to feel the weight of.

soupière [supjɛr] *nf* tureen.

soupir [supir] *nm* sigh; **pousser un ~** to give a sigh.

soupirer [supire] *vi* to sigh.

souple [supl] *adj (matière)* flexible; *(sportif)* supple.

souplesse [suplɛs] *nf (d'un sportif)* suppleness.

source [surs] *nf (d'eau)* spring; *(de chaleur, de lumière)* source.

sourcil [sursi] *nm* eyebrow.

sourd, -e [sur, surd] *adj* deaf.

sourd-muet, sourde-muette [surmɥe, surdmɥet] *(mpl* sourds-muets*) (fpl* sourdes-muettes*) nm, f* deaf and dumb person.

souriant, -e [surjã, jãt] *adj* smiling.

sourire [surir] *nm* smile ♦ *vi* to smile.

souris [suri] *nf* mouse.

sournois, -e [surnwa, waz] *adj* sly.

sous [su] *prép* under, underneath; **~ enveloppe** in an en-

velope; **~ la pluie** in the rain; **~ peu** shortly.

sous-bois [subwa] *nm* undergrowth.

sous-développé, -e, -s [sudevlɔpe] *adj* underdeveloped.

sous-entendre [suzãtɑ̃dr] *vt* to imply.

sous-entendu, -s [suzãtɑ̃dy] *nm* innuendo.

sous-estimer [suzɛstime] *vt* to underestimate.

sous-louer [sulwe] *vt* to sublet.

sous-marin, -e, -s [sumarɛ̃, in] *adj (flore)* underwater ♦ *nm* submarine; *(Can: sandwich)* long filled roll, sub *(Am)*.

sous-préfecture, -s [suprefɛktyr] *nf* administrative area smaller than a "préfecture".

sous-pull, -s [supyl] *nm* lightweight polo-neck sweater.

sous-sol, -s [susɔl] *nm (d'une maison)* basement.

sous-titre, -s [sutitr] *nm* subtitle.

sous-titré, -e, -s [sutitre] *adj* subtitled.

soustraction [sustraksjɔ̃] *nf* subtraction.

soustraire [sustrɛr] *vt (MATH)* to subtract.

sous-verre [suver] *nm inv* picture in a clip-frame.

sous-vêtements [suvetmã] *nmpl* underwear *(sg)*.

soute [sut] *nf (d'un bateau)* hold; **~ à bagages** *(d'un car)* luggage compartment; *(d'un avion)* luggage hold.

soutenir [sutnir] *vt (porter, défendre)* to support; **~ que** to maintain (that).

souterrain, -e [sutɛrɛ̃, ɛn] *adj* underground ◆ *nm* underground passage; *(sous une rue)* subway *(Br)*, underpass *(Am)*.

soutien [sutjɛ̃] *nm* support; *(SCOL)* extra classes *(pl)*.

soutien-gorge [sutjɛ̃gɔrʒ] *(pl* **soutiens-gorge)** *nm* bra.

souvenir [suvnir] *nm* memory; *(objet touristique)* souvenir ❏ **se souvenir de** *vp* + *prép* to remember.

souvent [suvɑ̃] *adv* often.

souvenu, -e [suvny] *pp →* **souvenir.**

souverain, -e [suvrɛ̃, ɛn] *nm, f* monarch.

soviétique [sɔvjetik] *adj* Soviet.

soyeux, -euse [swajø, jøz] *adj* silky.

soyons → être.

SPA *nf* = RSPCA *(Br)*, = SPCA *(Am)*.

spacieux, -ieuse [spasjø, jøz] *adj* spacious.

spaghetti(s) [spageti] *nmpl* spaghetti *(sg)*.

sparadrap [sparadra] *nm* (sticking) plaster *(Br)*, Band-Aid® *(Am)*.

spatial, -e, -iaux [spasjal, jo] *adj (recherche, vaisseau)* space.

spatule [spatyl] *nf (de cuisine)* spatula.

spätzli [ʃpetsli] *nmpl (Helv)* small dumplings.

spécial, -e, -iaux [spesjal, jo] *adj* special; *(bizarre)* odd.

spécialisé, -e [spesjalize] *adj* specialized.

spécialiste [spesjalist] *nmf* specialist.

spécialité [spesjalite] *nf* speciality.

spécifique [spesifik] *adj* specific.

spécimen [spesimɛn] *nm* specimen.

spectacle [spɛktakl] *nm (au théâtre, au cinéma)* show; *(vue)* sight.

spectaculaire [spɛktakylɛr] *adj* spectacular.

spectateur, -trice [spɛktatœr, tris] *nm, f* spectator.

speculo(o)s [spekylos] *nm (Belg)* crunchy sweet biscuit flavoured with cinnamon.

spéléologie [speleɔlɔʒi] *nf* potholing.

sphère [sfɛr] *nf* sphere.

spirale [spiral] *nf* spiral; **en ~** spiral.

spirituel, -elle [spirityɛl] *adj* spiritual; *(personne, remarque)* witty.

spiritueux [spirityø] *nm* spirit.

splendide [splɑ̃did] *adj* magnificent.

sponsor [spɔ̃sɔr] *nm* sponsor.

sponsoriser [spɔ̃sɔrize] *vt* to sponsor.

spontané, -e [spɔ̃tane] *adj* spontaneous.

spontanéité [spɔ̃taneite] *nf* spontaneity.

sport [spɔr] *nm* sport; **~s d'hiver** winter sports.

sportif, -ive [spɔrtif, iv] *adj (athlétique)* sporty; *(épreuve, journal)* sports ◆ *nm, f* sportsman *(f* sportswoman).

spot [spɔt] *nm (projecteur, lampe)* spotlight; **~ publicitaire** commercial.

sprint [sprint] *nm* sprint.

square [skwar] *nm* small public garden.

squelette [skəlɛt] *nm* skeleton.

St *(abr de saint)* St.

stable [stabl] *adj* stable.

stade [stad] *nm (de sport)* stadium; *(période)* stage.

stage [staʒ] *nm (en entreprise)* work placement; *(d'informatique, de yoga)* intensive course; **faire un ~** to go on an intensive course.

stagiaire [staʒjɛr] *nmf* trainee.

stagner [stagne] *vi* to stagnate.

stalactite [stalaktit] *nf* stalactite.

stalagmite [stalagmit] *nf* stalagmite.

stand [stɑ̃d] *nm* stand.

standard [stɑ̃dar] *adj inv* standard ◆ *nm (téléphonique)* switchboard.

standardiste [stɑ̃dardist] *nmf* switchboard operator.

star [star] *nf* star.

starter [starter] *nm (d'une voiture)* choke.

station [stasjɔ̃] *nf (de métro, de radio)* station; *(de ski)* resort; **~ balnéaire** seaside resort; **~ de taxis** taxi rank; **~ thermale** spa.

stationnement [stasjɔnmɑ̃] *nm* parking; **«~ payant»** sign indicating that drivers must pay to park in designated area.

stationner [stasjɔne] *vi* to park.

station-service [stasjɔ̃sɛrvis] *(pl* **stations-service**) *nf* petrol station *(Br)*, gas station *(Am)*.

statique [statik] *adj → électricité.*

statistiques [statistik] *nfpl* statistics.

statue [staty] *nf* statue.

statuette [statɥɛt] *nf* statuette.

statut [staty] *nm (situation)* status.

Ste *(abr de sainte)* St.

Sté *(abr de société)* Co.

steak [stɛk] *nm* steak; **~ frites** steak and chips; **~ haché** beefburger; **~ tartare** steak tartare.

sténo [steno] *nf (écriture)* shorthand.

sténodactylo [stenɔdaktilo] *nf* shorthand typist.

stéréo [stereo] *adj inv & nf* stereo.

stérile [steril] *adj* sterile.

stériliser [sterilize] *vt* to sterilize.

sterling [stɛrliŋ] *adj → livre².*

steward [stiwart] *nm (sur un avion)* (air) steward.

stimuler [stimyle] *vt (encourager)* to encourage.

stock [stɔk] *nm* stock; **en ~** in stock.

stocker [stɔke] *vt* to stock.

stop [stɔp] *nm (panneau)* stop sign; *(phare)* brake light ◆ *excl* stop!; **faire du ~** to hitchhike.

stopper [stɔpe] *vt & vi* to stop.

store [stɔr] *nm* blind; *(de magasin)* awning.

strapontin [strapɔ̃tɛ̃] *nm* folding seat.

stratégie [strateʒi] *nf* strategy.

stress [strɛs] *nm* stress.

stressé, -e [strese] *adj* stressed.

strict, -e [strikt] *adj* strict.

strictement [striktəmɑ̃] *adv*

strictly.

strident, -e [stridã, ãt] *adj* shrill.

strié, -e [strije] *adj* with ridges.

strophe [strɔf] *nf* verse.

structure [stryktyr] *nf* structure.

studieux, -ieuse [stydjø, jøz] *adj* studious.

studio [stydjo] *nm (logement)* studio flat *(Br)*, studio apartment *(Am)*; *(de cinéma, de photo)* studio.

stupéfait, -e [stypefɛ, ɛt] *adj* astounded.

stupéfiant, -e [stypefjã, jãt] *adj* astounding ◆ *nm* drug.

stupide [stypid] *adj* stupid.

stupidité [stypidite] *nf* stupidity; *(parole)* stupid remark.

style [stil] *nm* style; **meubles de ~** period furniture *(sg)*.

stylo [stilo] *nm* pen; **~ (à) bille** ballpoint pen; **~ (à) plume** fountain pen.

stylo-feutre [stiloføtr] *(pl stylos-feutres)* *nm* felt-tip (pen).

su, -e [sy] *pp* → **savoir**.

subir [sybir] *vt (attaque, opération, changement)* to undergo.

subit, -e [sybi, it] *adj* sudden.

subjectif, -ive [sybʒɛktif, iv] *adj* subjective.

subjonctif [sybʒɔ̃ktif] *nm* subjunctive.

sublime [syblim] *adj* sublime.

submerger [sybmɛrʒe] *vt (suj: eau)* to flood; *(suj: travail, responsabilités)* to overwhelm.

subsister [sybziste] *vi (rester)* to remain.

substance [sypstãs] *nf* substance.

substantiel, -ielle [sypstã-sjɛl] *adj* substantial.

substituer [sypstitɥe] *vt*: **~ qqch à qqch** to substitute sthg for sthg.

subtil, -e [syptil] *adj* subtle.

subtilité [syptilite] *nf* subtlety.

subvention [sybvãsjɔ̃] *nf* subsidy.

succéder [syksede] : **succéder à** *v + prép (suivre)* to follow; *(dans un emploi)* to succeed ❑ **se succéder** *vp (événements, jours)* to follow one another.

succès [syksɛ] *nm* success; **avoir du ~** to be successful.

successeur [syksesœr] *nm* successor.

successif, -ive [syksesif, iv] *adj* successive.

succession [syksesjɔ̃] *nf* succession.

succulent, -e [sykylã, ãt] *adj* delicious.

succursale [sykyrsal] *nf* branch.

sucer [syse] *vt* to suck.

sucette [sysɛt] *nf (bonbon)* lollipop; *(de bébé)* dummy *(Br)*, pacifier *(Am)*.

sucre [sykr] *nm* sugar; **~ en morceaux** cube sugar; **~ d'orge** barley sugar; **~ en poudre** caster sugar.

sucré, -e [sykre] *adj (yaourt, lait concentré)* sweetened; *(fruit, café)* sweet.

sucrer [sykre] *vt* to sweeten.

sucreries [sykrari] *nfpl* sweets *(Br)*, candies *(Am)*.

sucrier [sykrije] *nm* sugar bowl.

sud [syd] *adj inv & nm* south; **au ~** in the south; **au ~ de** south of.

superposer

sud-africain, -e, -s [sydafrikɛ̃, ɛn] adj South African.

sud-est [sydɛst] adj inv & nm southeast; **au ~** in the southeast; **au ~ de** southeast of.

sud-ouest [sydwɛst] adj inv & nm southwest; **au ~** in the southwest; **au ~ de** southwest of.

Suède [sɥɛd] nf: **la ~** Sweden.

suédois, -e [sɥedwa, waz] adj Swedish ♦ nm (langue) Swedish ❑ **Suédois, -e** nm, f Swede.

suer [sɥe] vi to sweat.

sueur [sɥœr] nf sweat; **être en ~** to be sweating; **avoir des ~s froides** to be in a cold sweat.

suffire [syfir] vi to be enough; **ça suffit!** that's enough!; **~ à qqn** (être assez) to be enough for sb; **il (te) suffit de faire** all you have to do is.

suffisamment [syfizamɑ̃] adv enough; **~ de** enough.

suffisant, -e [syfizɑ̃, ɑ̃t] adj sufficient.

suffocant, -e [syfɔkɑ̃, ɑ̃t] adj oppressive.

suffoquer [syfɔke] vi to suffocate.

suggérer [sygʒere] vt to suggest; **~ à qqn de faire qqch** to suggest that sb should do sthg.

suggestion [sygʒɛstjɔ̃] nf suggestion.

suicide [sɥisid] nm suicide.

suicider [sɥiside] : **se suicider** vp to commit suicide.

suie [sɥi] nf soot.

suinter [sɥɛ̃te] vi (murs) to sweat; (liquide) to ooze.

suis → **être, suivre.**

suisse [sɥis] adj Swiss ❑ **Suisse** nmf Swiss (person) ♦ nf: **la Suisse** Switzerland; **les Suisses** the Swiss.

suite [sɥit] nf (série, succession) series; (d'une histoire) rest; (deuxième film) sequel; **à la ~** (en suivant) one after the other; **à la ~ de** (à cause de) following; **de ~** (d'affilée) in a row; **par ~ de** because of ❑ **suites** nfpl (conséquences) consequences; (d'une maladie) aftereffects.

suivant, -e [sɥivɑ̃, ɑ̃t] adj next ♦ nm, f next (one) ♦ prép (selon) according to; **au ~!** next!

suivi, -e [sɥivi] pp → **suivre.**

suivre [sɥivr] vt to follow; **suivi de** followed by; **faire ~** (courrier) to forward; **«à ~»** "to be continued".

sujet [syʒɛ] nm subject; **au ~ de** about.

super [sypɛr] adj inv (fam: formidable) great ♦ nm (carburant) four-star (petrol).

super- [sypɛr] préf (fam: très) really.

superbe [sypɛrb] adj superb.

supérette [syperɛt] nf minimarket.

superficie [sypɛrfisi] nf area.

superficiel, -ielle [sypɛrfisjɛl] adj superficial.

superflu, -e [sypɛrfly] adj superfluous.

supérieur, -e [syperjœr] adj (du dessus) upper; (qualité) superior ♦ nm, f (hiérarchique) superior; **~ à** (plus élevé que) higher than; (meilleur que) better than.

supériorité [syperjɔrite] nf superiority.

supermarché [sypɛrmarʃe] nm supermarket.

superposer [sypɛrpoze] vt (objets) to put on top of each

other; *(images)* to superimpose.
superstitieux, -ieuse [syperstisjø, jøz] *adj* superstitious.
superviser [sypervize] *vt* to supervise.
supplément [syplemɑ̃] *nm (argent)* supplement, extra charge; **un ~ d'information** additional information; **en ~** extra.
supplémentaire [syplemɑ̃ter] *adj* additional.
supplice [syplis] *nm* torture.
supplier [syplije] *vt*: **~ qqn de faire qqch** to beg sb to do sthg.
support [sypɔr] *nm* support.
supportable [sypɔrtabl] *adj (douleur)* bearable; *(situation)* tolerable.
supporter[1] [sypɔrte] *vt (endurer)* to bear, to stand; *(tolérer)* to bear; *(soutenir)* to support.
supporter[2] [sypɔrter] *nm (d'une équipe)* supporter.
supposer [sypoze] *vt* to suppose; *(exiger)* to require; **à ~ que ...** supposing that) ...
supposition [sypozisjɔ̃] *nf* supposition.
suppositoire [sypozitwar] *nm* suppository.
suppression [sypresjɔ̃] *nf* removal; *(d'un mot)* deletion.
supprimer [syprime] *vt* to remove; *(train)* to cancel; *(mot)* to delete; *(tuer)* to do away with.
suprême [syprem] *nm*: **~ de volaille** chicken supreme.
sur [syr] *prép* **1.** *(dessus)* on; **~ la table** on (top of) the table.
2. *(au-dessus de)* above, over.
3. *(indique la direction)* towards; **tournez ~ la droite** turn to (the)

right.
4. *(indique la distance)* for; **«travaux ~ 10 kilomètres»** "roadworks for 10 kilometres".
5. *(au sujet de)* on, about; **un dépliant ~ l'Auvergne** a leaflet on OU about Auvergne.
6. *(dans une mesure)* by; **un mètre ~ deux** one metre by two.
7. *(dans une proportion)* out of; **9 ~ 10** 9 out of 10; **un jour ~ deux** every other day.
sûr, -e [syr] *adj (certain)* certain, sure; *(sans danger)* safe; *(digne de confiance)* reliable; **être ~ de/que** to be sure of/that; **être ~ de soi** to be self-confident.
surbooking [syrbukiŋ] *nm* overbooking.
surcharger [syrʃarʒe] *vt* to overload.
surchauffé, -e [syrʃofe] *adj* overheated.
surélever [syrelve] *vt* to raise.
sûrement [syrmɑ̃] *adv (probablement)* probably; **~ pas!** certainly not!
surestimer [syrestime] *vt* to overestimate.
sûreté [syrte] *nf*: **mettre qqch en ~** to put sthg in a safe place.
surexcité, -e [syreksite] *adj* overexcited.
surf [sœrf] *nm* surfing.
surface [syrfas] *nf (étendue)* surface area; *(MATH)* surface.
surgelé, -e [syrʒəle] *adj* frozen ♦ *nm* frozen meal; **des ~s** frozen food *(sg)*.
surgir [syrʒir] *vi* to appear suddenly; *(difficultés)* to arise.
sur-le-champ [syrləʃɑ̃] *adv* immediately.

surlendemain [syʀlɑ̃dmɛ̃] nm: le ~ two days later; le ~ de son départ two days after he left.

surligneur [syʀliɲœʀ] nm highlighter (pen).

surmené, -e [syʀməne] adj overworked.

surmonter [syʀmɔ̃te] vt (difficulté, obstacle) to overcome.

surnaturel, -elle [syʀnatyʀɛl] adj supernatural.

surnom [syʀnɔ̃] nm nickname.

surnommer [syʀnɔme] vt to nickname.

surpasser [syʀpase] vt to surpass ❑ se surpasser vp to excel o.s.

surplace [syʀplas] nm: faire du ~ (fig) to mark time.

surplomber [syʀplɔ̃be] vt to overhang.

surplus [syʀply] nm surplus.

surprenant, -e [syʀpʀənɑ̃, ɑ̃t] adj surprising.

surprendre [syʀpʀɑ̃dʀ] vt to surprise.

surpris, -e [syʀpʀi, iz] pp → **surprendre** ♦ adj surprised; **être** ~ **de/que** to be surprised about/that.

surprise [syʀpʀiz] nf surprise; **faire une** ~ **à qqn** to give sb a surprise; **par** ~ by surprise.

surréservation [syʀʀezɛʀvasjɔ̃] nf = **surbooking**.

sursaut [syʀso] nm: **se réveiller en** ~ to wake with a start.

sursauter [syʀsote] vi to start.

surtaxe [syʀtaks] nf surcharge.

surtout [syʀtu] adv (avant tout) above all; (plus particulièrement) especially; ~, fais bien attention! whatever you do, be careful!; ~

que especially as.

survécu [syʀveky] pp → **survivre**.

surveillance [syʀvɛjɑ̃s] nf supervision; **être sous** ~ to be under surveillance.

surveillant, -e [syʀvɛjɑ̃, ɑ̃t] nm, f (SCOL) supervisor.

surveiller [syʀveje] vt to watch ❑ **se surveiller** vp (faire du régime) to watch one's weight.

survêtement [syʀvɛtmɑ̃] nm tracksuit.

survivant, -e [syʀvivɑ̃, ɑ̃t] nm, f survivor.

survivre [syʀvivʀ] vi to survive; ~ **à** to survive.

survoler [syʀvɔle] vt (lieu) to fly over.

sus [sy(s)] : **en sus** adv on top.

susceptible [sysɛptibl] adj (sensible) touchy; **le temps est** ~ **de s'améliorer** the weather might improve.

susciter [sysite] vt (intérêt, colère) to arouse; (difficulté, débat) to create.

suspect, -e [syspɛ, ɛkt] adj (comportement, individu) suspicious; (aliment) suspect ♦ nm, f suspect.

suspecter [syspɛkte] vt to suspect.

suspendre [syspɑ̃dʀ] vt (accrocher) to hang; (arrêter) to suspend.

suspense [syspɛns] nm suspense.

suspension [syspɑ̃sjɔ̃] nf (d'une voiture) suspension; (lampe) (ceiling) light (hanging type).

suture [sytyʀ] nf → **point**.

SVP (abr de s'il vous plaît) pls.

sweat-shirt, -s [switʃœrt] nm sweatshirt.

syllabe [silab] nf syllable.

symbole [sɛ̃bɔl] nm symbol.

symbolique [sɛ̃bɔlik] adj symbolic.

symboliser [sɛ̃bɔlize] vt to symbolize.

symétrie [simetri] nf symmetry.

symétrique [simetrik] adj symmetrical.

sympa [sɛ̃pa] adj (fam) nice.

sympathie [sɛ̃pati] nf: **éprouver** OU **avoir de la ~ pour qqn** to have a liking for sb.

sympathique [sɛ̃patik] adj nice.

sympathiser [sɛ̃patize] vi to get on well.

symphonie [sɛ̃fɔni] nf symphony.

symptôme [sɛ̃ptom] nm symptom.

synagogue [sinagɔg] nf synagogue.

synchronisé, -e [sɛ̃krɔnize] adj synchronized.

syncope [sɛ̃kɔp] nf (MÉD) blackout.

syndical, -e, -aux [sɛ̃dikal, o] adj (mouvement, revendications) (trade) union.

syndicaliste [sɛ̃dikalist] nmf (trade) unionist.

syndicat [sɛ̃dika] nm (trade) union; **~ d'initiative** tourist office.

syndiqué, -e [sɛ̃dike] adj: **être ~** to belong to a (trade) union.

synonyme [sinɔnim] nm synonym.

synthèse [sɛ̃tɛz] nf (d'un texte) summary.

synthétique [sɛ̃tetik] adj (produit, fibre) synthetic, man-made ♦ nm (tissu) synthetic OU man-made fabric.

synthétiseur [sɛ̃tetizœr] nm synthesizer.

systématique [sistematik] adj systematic.

système [sistɛm] nm system; **~ d'exploitation** operating system.

T

t' → te.

ta → ton[1].

tabac [taba] nm tobacco; (magasin) tobacconist's.

---

i | TABAC

As well as selling cigarettes, cigars and tobacco, "tabacs" in France also sell stamps, road tax stickers and lottery tickets. In the countryside they may also stock newspapers.

---

tabagie [tabaʒi] nf (Can: bureau de tabac) tobacconist's.

table [tabl] nf table; **mettre la ~** to set OU lay the table; **être à ~** to be having a meal; **se mettre à ~** to sit down to eat; **à ~!** lunch/dinner etc is ready!; **~ de chevet** OU **de nuit** bedside table; **~ à langer** baby changing table; **~ des matières**

contents (page); **~ d'opération** operating table; **~ d'orientation** viewpoint indicator; **~ à repasser** ironing board.

tableau, -x [tablo] nm (peinture) painting; (panneau) board; (grille) table; **~ de bord** (d'une voiture) dashboard; (d'un avion) instrument panel; **~ (noir)** blackboard.

tablette [tablɛt] nf (étagère) shelf; **~ de chocolat** bar of chocolate.

tablier [tablije] nm apron.

taboulé [tabule] nm tabbouleh, Lebanese dish of couscous, tomatoes, onion, mint and lemon.

tabouret [taburɛ] nm stool.

tache [taʃ] nf (de couleur) patch; (de graisse) stain; **~s de rousseur** freckles.

tâche [taʃ] nf task.

tacher [taʃe] vt to stain.

tâcher [taʃe] : **tâcher de** v + prép to try to.

tacheté, -e [taʃte] adj spotted.

tact [takt] nm tact.

tactique [taktik] nf tactics (pl).

tag [tag] nm name written with a spray can on walls, trains etc.

tagine [taʒin] nm North African stew, cooked in a special earthenware vessel.

taie [tɛ] nf: **~ d'oreiller** pillowcase.

taille [taj] nf size; (hauteur) height; (partie du corps) waist.

taille-crayon, -s [tajkrɛjɔ̃] nm pencil sharpener.

tailler [taje] vt (arbre) to prune; (tissu) to cut out; (crayon) to sharpen.

tailleur [tajœr] nm (couturier) tai-

lor; (vêtement) (woman's) suit; **s'asseoir en ~** to sit cross-legged.

taire [tɛr] : **se taire** vp (arrêter de parler) to stop speaking; (rester silencieux) to be silent; **tais-toi!** be quiet!

talc [talk] nm talc.

talent [talɑ̃] nm talent.

talkie-walkie [tɔkiwɔki] (pl **talkies-walkies**) nm walkie-talkie.

talon [talɔ̃] nm heel; (d'un chèque) stub; **chaussures à ~s hauts/plats** high-heeled/flat shoes.

talus [taly] nm embankment.

tambour [tɑ̃bur] nm drum.

tambourin [tɑ̃burɛ̃] nm tambourine.

tamis [tami] nm sieve.

Tamise [tamiz] nf: **la ~** the Thames.

tamisé, -e [tamize] adj (lumière) soft.

tamiser [tamize] vt (farine, sable) to sieve.

tampon [tɑ̃pɔ̃] nm (cachet) stamp; (de tissu, de coton) wad; **~ (hygiénique)** tampon.

tamponneuse [tɑ̃pɔnøz] adj f → auto.

tandem [tɑ̃dɛm] nm tandem.

tandis [tɑ̃di] : **tandis que** conj (pendant que) while; (alors que) whereas.

tango [tɑ̃go] nm tango.

tanguer [tɑ̃ge] vi to pitch.

tank [tɑ̃k] nm tank.

tant [tɑ̃] adv **1.** (tellement) so much; **il l'aime ~ (que)** he loves her so much (that); **~ de ...** (que) (travail, patience) so much ... that; (livres, gens) so many ... that. **2.** (autant): **~ que** as much as.

3. *(temporel):* ~ **que nous resterons ici** for as long as we're staying here.

4. *(dans des expressions):* **en** ~ **que** as; ~ **bien que mal** somehow or other; ~ **mieux** so much the better; ~ **mieux pour lui** good for him; ~ **pis** too bad.

tante [tɑ̃t] *nf* aunt.

tantôt [tɑ̃to] *adv:* ~ **...**, ~ **...**, sometimes ..., sometimes ....

taon [tɑ̃] *nm* horsefly.

tapage [tapaʒ] *nm* din.

tape [tap] *nf* tap.

tapenade [tapənad] *nf* spread made from black olives, capers and crushed anchovies, moistened with olive oil.

taper [tape] *vt* to hit; *(code)* to dial; ~ **(qqch) à la machine** to type (sthg); ~ **des pieds** to stamp one's feet; ~ **sur** *(porte)* to hammer at; *(dos)* to slap; *(personne)* to hit.

tapioca [tapjɔka] *nm* tapioca.

tapis [tapi] *nm* carpet; ~ **roulant** moving pavement *(Br)*, moving sidewalk *(Am)*; ~ **de sol** groundsheet.

tapisser [tapise] *vt (mur, pièce)* to paper; *(recouvrir)* to cover.

tapisserie [tapisri] *nf (de laine)* tapestry; *(papier peint)* wallpaper.

tapoter [tapɔte] *vt* to tap.

taquiner [takine] *vt* to tease.

tarama [tarama] *nm* taramasalata.

tard [tar] *adv* late; **plus** ~ later; **à plus** ~! see you later!; **au plus** ~ at the latest.

tarder [tarde] *vi:* **elle ne va pas** ~ **(à arriver)** she won't be long; ~ **à faire qqch** *(personne)* to take a long time doing sthg; **il me tarde de**

partir I'm longing to go.

tarif [tarif] *nm (prix)* price; ~ **plein** full price; ~ **réduit** concession.

tarir [tarir] *vi* to dry up.

tarot [taro] *nm (jeu)* tarot.

tartare [tartar] *adj* → **sauce**, **steak**.

tarte [tart] *nf* tart; ~ **aux fraises** strawberry tart; ~ **aux matons** *(Belg)* tart made with curdled milk and almonds; ~ **au sucre** tart with whipped cream topped with a glazing of sugar; ~ **Tatin** apple tart cooked upside down with the pastry on top, then turned over before serving.

tartelette [tartəlɛt] *nf* tartlet.

tartine [tartin] *nf* slice of bread; ~ **de beurre** slice of bread and butter.

tartiner [tartine] *vt* to spread; **fromage à** ~ cheese spread; **pâte à** ~ spread.

tartre [tartr] *nm (sur les dents)* tartar; *(calcaire)* scale.

tas [ta] *nm* heap, pile; **mettre qqch en** ~ to pile sthg up; **un** ~ **des** ~ **de** *(fam: beaucoup de)* loads of.

tasse [tas] *nf* cup; **boire la** ~ to swallow a mouthful; ~ **à café** coffee cup; ~ **à thé** teacup.

tasser [tase] *vt (serrer)* to cram ❏ **se tasser** *vp (s'affaisser)* to subside; *(dans une voiture)* to cram.

tâter [tate] *vt* to feel ❏ **se tâter** *vp (hésiter)* to be in two minds.

tâtonner [tatɔne] *vi* to grope around.

tâtons [tatɔ̃]: **à tâtons** *adv:* **avancer à** ~ to feel one's way.

tatouage [tatwaʒ] *nm (dessin)* tattoo.

taupe [top] *nf* mole.

taureau, -x [tɔʀo] *nm* bull ❑ **Taureau** *nm* Taurus.

taux [to] *nm* rate; **~ de change** exchange rate.

taverne [tavɛʀn] *nf* (Can: café) tavern.

taxe [taks] *nf* tax; **toutes ~s comprises** inclusive of tax.

taxer [takse] *vt* (produit) to tax.

taxi [taksi] *nm* taxi.

Tchécoslovaquie [tʃekɔslɔvaki] *nf*: **la ~** Czechoslovakia.

te [tə] *pron* (objet direct) you; (objet indirect) (to) you; (réfléchi): **tu t'es bien amusé?** did you have a good time?

technicien, -ienne [tɛknisjɛ̃, jɛn] *nm, f* technician.

technique [tɛknik] *adj* technical ◆ *nf* technique.

technologie [tɛknɔlɔʒi] *nf* technology.

tee-shirt, -s [tiʃœʀt] *nm* tee shirt.

teindre [tɛ̃dʀ] *vt* to dye; **se faire ~ (les cheveux)** to have one's hair dyed.

teint, -e [tɛ̃, tɛ̃t] *pp* → teindre ◆ *nm* complexion.

teinte [tɛ̃t] *nf* colour.

teinter [tɛ̃te] *vt* (bois, verre) to stain.

teinture [tɛ̃tyʀ] *nf* (produit) dye; **~ d'iode** tincture of iodine.

teinturerie [tɛ̃tyʀʀi] *nf* dry cleaner's.

teinturier, -ière [tɛ̃tyʀje, jɛʀ] *nm, f* dry cleaner.

tel, telle [tɛl] *adj* such; **~ que** (comparable à) like; (pour donner un exemple) such as; **il l'a mangé ~**

quel he ate it as it was; **~ ou ~** any particular.

tél. (abr de téléphone) tel.

télé [tele] *nf* (fam) telly; **à la ~** on the telly.

télécabine [telekabin] *nf* cable car.

Télécarte® [telekart] *nf* phonecard.

télécommande [telekɔmɑ̃d] *nf* remote control.

télécommunications [telekɔmynikasjɔ̃] *nfpl* telecommunications.

télécopie [telekɔpi] *nf* fax.

télécopieur [telekɔpjœʀ] *nm* fax (machine).

téléfilm [telefilm] *nm* TV film.

télégramme [telegram] *nm* telegram; **~ téléphoné** telegram phoned through to the addressee and then delivered as a written message.

téléguidé, -e [telegide] *adj* (missile) guided; (jouet) radio-controlled.

téléobjectif [teleɔbʒɛktif] *nm* telephoto lens.

téléphérique [teleferik] *nm* cable car.

téléphone [telefɔn] *nm* (tele)phone; **au ~** on the (tele)phone; **~ mobile** mobile phone; **~ sans fil** cordless phone; **~ de voiture** car phone.

téléphoner [telefɔne] *vi* to (tele)phone; **~ à qqn** to (tele)phone sb.

téléphonique [telefɔnik] *adj* → cabine, carte.

télescope [teleskɔp] *nm* telescope.

télescoper [teleskɔpe] : **se**

télescoper *vp* to crash into one another.

télescopique [teleskɔpik] *adj* telescopic.

télésiège [telesjɛʒ] *nm* chair lift.

téléski [teleski] *nm* ski tow.

téléspectateur, -trice [telespektatœr, tris] *nm, f* (television) viewer.

télévisé, -e [televize] *adj* televised.

téléviseur [televizœr] *nm* television (set).

télévision [televizjɔ̃] *nf* television; **à la ~** on television.

télex [teleks] *nm inv* telex.

telle → tel.

tellement [telmɑ̃] *adv (tant)* so much; *(si)* so; **~ de** *(nourriture, patience)* so much; *(objets, personnes)* so many; **pas ~** not particularly.

témoignage [temwaɲaʒ] *nm* testimony.

témoigner [temwaɲe] *vi (en justice)* to testify.

témoin [temwɛ̃] *nm* witness; *(SPORT)* baton; **être ~ de** to be witness to.

tempe [tɑ̃p] *nf* temple.

tempérament [tɑ̃peramɑ̃] *nm* temperament.

température [tɑ̃peratyr] *nf* temperature.

tempête [tɑ̃pɛt] *nf (vent)* gale; *(avec orage)* storm.

temple [tɑ̃pl] *nm (grec, égyptien, etc)* temple; *(protestant)* church.

temporaire [tɑ̃pɔrɛr] *adj* temporary.

temporairement [tɑ̃pɔrɛrmɑ̃] *adv* temporarily.

temps [tɑ̃] *nm (durée, en musique)* time; *(météo)* weather; *(GRAMM)* tense; **avoir le ~ de faire qqch** to have time to do sthg; **il est ~ de/que** it is time to/that; **à ~** on time; **de ~ en ~** from time to time; **en même ~** at the same time; **à ~ complet/partiel** full-/part-time.

tenailles [tənaj] *nfpl* pincers.

tendance [tɑ̃dɑ̃s] *nf* trend; **avoir ~ à faire qqch** to have a tendency to do sthg, to tend to do sthg.

tendeur [tɑ̃dœr] *nm (courroie)* luggage strap.

tendinite [tɑ̃dinit] *nf* tendinitis.

tendon [tɑ̃dɔ̃] *nm* tendon.

tendre [tɑ̃dr] *adj* tender ♦ *vt (corde)* to pull taut; *(bras)* to stretch out; **~ qqch à qqn** to hold sthg out to sb; **~ la main à qqn** to hold out one's hand to sb; **~ l'oreille** to prick up one's ears; **~ un piège à qqn** to set a trap for sb ❑ **se tendre** *vp* to tighten.

tendresse [tɑ̃drɛs] *nf* tenderness.

tendu, -e [tɑ̃dy] *adj (personne)* tense; *(rapports)* strained.

tenir [tənir] *vt* **1.** *(à la main, dans ses bras)* to hold.
2. *(garder)* to keep; **~ un plat au chaud** to keep a dish warm.
3. *(promesse, engagement)* to keep.
4. *(magasin, bar)* to run.
5. *(dans des expressions)*: **tiens!, tenez!** *(en donnant)* here!; **tiens!** *(exprime la surprise)* hey!
♦ *vi* **1.** *(construction)* to stay up; *(beau temps, relation)* to last.
2. *(rester)*: **~ debout** to stand (up).
3. *(être contenu)* to fit; **on tient à six dans cette voiture** you can fit six people in this car.

❏ **tenir à** v + prép (être attaché à) to care about; **~ à faire qqch** to insist on doing sthg; **tenir de** v + prép (ressembler à) to take after; **se tenir** vp **1.** (debout) to hold on; **se ~ à** to hold on to. **3.** (assis) to sit; (debout) to stand; **se ~ droit** (debout) to stand up straight; (assis) to sit up straight; **se ~ tranquille** to keep still. **4.** (se comporter): **bien/mal se ~** to behave well/badly.

tennis [tenis] nm tennis ◆ nmpl (chaussures) trainers; **~ de table** table tennis.

tension [tɑ̃sjɔ̃] nf (dans une relation) tension; (MÉD) blood pressure; (électrique) voltage; **avoir de la ~** to have high blood pressure.

tentacule [tɑ̃takyl] nm tentacle.

tentant, -e [tɑ̃tɑ̃, ɑ̃t] adj tempting.

tentation [tɑ̃tasjɔ̃] nf temptation.

tentative [tɑ̃tativ] nf attempt.

tente [tɑ̃t] nf tent.

tenter [tɑ̃te] vt (essayer) to attempt, to try; (attirer) to tempt; **~ de faire qqch** to attempt to do sthg.

tenu, -e [təny] pp → tenir.

tenue [təny] nf (vêtements) clothes (pl); **~ de soirée** evening dress.

ter [tɛr] adv (dans une adresse) b; **11 ~ 11b.**

Tergal® [tɛrgal] nm = Terylene®.

terme [tɛrm] nm (mot) term; (fin) end; **à court ~**, ... in the short term, ...; **à long ~**, ... in the long term, ...

terminaison [tɛrminɛzɔ̃] nf (GRAMM) ending.

terminal, -aux [tɛrminal, o] nm terminal.

terminale [tɛrminal] nf (SCOL) = upper sixth (Br).

terminer [tɛrmine] vt to finish, to end; (repas, travail) to finish ❏ **se terminer** vp to end.

terminus [tɛrminys] nm terminus.

terne [tɛrn] adj dull.

terrain [tɛrɛ̃] nm (emplacement) piece of land; (sol) ground; **~ de camping** campsite; **~ de foot** football pitch; **~ de jeux** playground; **~ vague** piece of wasteland.

terrasse [tɛras] nf terrace; (de café) tables outside a café.

terre [tɛr] nf (sol) ground; (matière) soil; (argile) clay; (propriété) piece of land; **la Terre** (the) Earth; **par ~** on the ground.

terre-plein, -s [tɛrplɛ̃] nm raised area; **~ central** central reservation.

terrestre [tɛrɛstr] adj (flore, animal) land.

terreur [tɛrœr] nf terror.

terrible [tɛribl] adj terrible; (fam: excellent) brilliant; **pas ~** (fam) not brilliant.

terrier [tɛrje] nm (de lapin) burrow; (de renard) earth.

terrifier [tɛrifje] vt to terrify.

terrine [tɛrin] nf terrine.

territoire [tɛritwar] nm territory.

terroriser [tɛrɔrize] vt to terrorize.

terroriste [tɛrɔrist] nmf terrorist.

tes → **ton¹**.

test [tɛst] *nm* test.

testament [tɛstamɑ̃] *nm* will.

tester [tɛste] *vt* to test.

tétanos [tetanos] *nm* tetanus.

tête [tɛt] *nf* head; *(visage)* face; *(partie avant)* front; **de ~** *(wagon)* front; **être en ~** to be in the lead; **faire la ~** to sulk; **en ~ à ~** *(parler)* in private; *(dîner)* alone together; **~ de veau** *(plat)* dish made from the soft part of a calf's head.

tête-à-queue [tɛtakø] *nm inv* spin.

téter [tete] *vi* to suckle.

tétine [tetin] *nf (de biberon)* teat; *(sucette)* dummy *(Br)*, pacifier *(Am)*.

têtu, -e [tety] *adj* stubborn.

texte [tɛkst] *nm* text.

textile [tɛkstil] *nm (tissu)* textile.

TF1 *n* French independent television company.

TGV *nm* French high-speed train.

i TGV

This high-speed train, the fastest in the world, first ran on the Paris–Lyons line. Today it connects Paris with many large French cities such as Nice, Marseilles, Rennes, Nantes, Bordeaux and Lille.

Thaïlande [tajlɑ̃d] *nf*: **la ~** Thailand.

thé [te] *nm* tea; **~ au citron** lemon tea; **~ au lait** tea with milk; **~ nature** tea without milk.

théâtral, -e, -aux [teatral, o] *adj* theatrical.

théâtre [teatr] *nm* theatre.

théière [tejɛr] *nf* teapot.

thème [tɛm] *nm* theme; *(traduction)* prose.

théorie [teɔri] *nf* theory; **en ~** in theory.

théoriquement [teɔrikmɑ̃] *adv* theoretically.

thermal, -e, -aux [tɛrmal, o] *adj (source)* thermal.

thermomètre [tɛrmɔmɛtr] *nm* thermometer.

Thermos® [tɛrmos] *nf*: **(bouteille) ~** Thermos® flask.

thermostat [tɛrmɔsta] *nm* thermostat.

thèse [tɛz] *nf (universitaire)* thesis; *(idée)* theory.

thon [tɔ̃] *nm* tuna.

thym [tɛ̃] *nm* thyme.

tibia [tibja] *nm* tibia.

tic [tik] *nm (mouvement)* tic; *(habitude)* mannerism.

ticket [tikɛ] *nm* ticket; **~ de caisse** *(till)* receipt; **~ de métro** underground ticket.

tiède [tjɛd] *adj* lukewarm.

tien [tjɛ̃]: **le tien** *(f* **la tienne** [latjɛn], *mpl* **les tiens** [letjɛ̃], *fpl* **les tiennes** [letjɛn]*) pron* yours; **à la tienne!** cheers!

tiendra *etc* → **tenir**.

tienne *etc* → **tenir, tien**.

tiens *etc* → **tenir**.

tiercé [tjɛrse] *nm* system of betting involving the first three horses in a race.

tiers [tjɛr] *nm* third.

tige [tiʒ] *nf (de plante)* stem; *(de métal)* rod; *(de bois)* shaft.

tigre [tigr] *nm* tiger.

tilleul [tijœl] *nm (arbre)* lime (tree); *(tisane)* lime tea.

tilsit [tilsit] *nm* strong firm Swiss

cheese with holes in it.

timbale [tɛ̃bal] *nf (gobelet)* (metal) cup; *(CULIN* meat, fish etc *in a sauce, cooked in a mould lined with pastry.*

timbre(-poste) *(pl* timbres (-poste)) *nm (postage)* stamp.

timbrer [tɛ̃bre] *vt* to put a stamp on.

timide [timid] *adj* shy.

timidité [timidite] *nf* shyness.

tir [tir] *nm (sport)* shooting; ~ à l'arc archery.

tirage [tiraʒ] *nm (d'une loterie)* draw; ~ au sort drawing lots.

tire-bouchon, -s [tirbuʃɔ̃] *nm* corkscrew.

tirelire [tirlir] *nf* moneybox.

tirer [tire] *vt* 1. *(gén)* to pull; *(tiroir)* to pull open; *(rideau)* to draw; *(caravane)* to tow.
2. *(trait)* to draw.
3. *(avec une arme)* to fire.
4. *(sortir)* ~ qqch de to take sthg out of; ~ qqn de *(situation)* to get sb out of; ~ une conclusion de qqch to draw a conclusion from sthg; ~ la langue à qqn to stick one's tongue out at sb.
5. *(numéro, carte)* to draw.
♦ *vi* 1. *(avec une arme)* to shoot; ~ sur to shoot at.
2. *(vers soi, vers le bas, etc)*: ~ sur qqch to pull on sthg.
3. *(SPORT)* to shoot.
❑ **se tirer** *vp (fam: s'en aller)* to push off; **s'en tirer** *vp (se débrouiller)* to get by; *(survivre)* to pull through.

tiret [tire] *nm* dash.

tirette [tiret] *nf (Belg: fermeture)* zip *(Br)*, zipper *(Am)*.

tiroir [tirwar] *nm* drawer.

tisane [tizan] *nf* herb tea.

tisonnier [tizɔnje] *nm* poker.

tisser [tise] *vt* to weave.

tissu [tisy] *nm (toile)* cloth.

titre [titr] *nm* title; *(de journal)* headline; ~ **de transport** ticket.

toast [tost] *nm (pain)* piece of toast; **porter un ~ à qqn** to drink (a toast) to sb.

toboggan [tɔbɔgɑ̃] *nm* slide.

toc [tɔk] *nm (imitation)* fake ♦ *excl*: ~ ~! knock knock!; **en ~** fake.

toi [twa] *pron* you; **lève-~** get up; **~-même** yourself.

toile [twal] *nf (tissu)* cloth; *(tableau)* canvas; **~ d'araignée** spider's web; **en ~** *(vêtement)* linen.

toilette [twalɛt] *nf (vêtements)* clothes *(pl)*; **faire sa ~** to (have a) wash ❑ **toilettes** *nfpl* toilets.

toit [twa] *nm* roof.

tôle [tol] *nf* sheet metal; **~ ondulée** corrugated iron.

tolérant, -e [tɔlerɑ̃, ɑ̃t] *adj* tolerant.

tolérer [tɔlere] *vt* to tolerate.

tomate [tɔmat] *nf* tomato; **~s farcies** stuffed tomatoes.

tombe [tɔ̃b] *nf* grave.

tombée [tɔ̃be] *nf*: **à la ~ de la nuit** at nightfall.

tomber [tɔ̃be] *vi* to fall; *(date, fête)* to fall on; **ça tombe bien!** that's lucky!; **laisser ~** to drop; **~ amoureux** to fall in love; **~ malade** to fall ill; **~ en panne** to break down.

tombola [tɔ̃bɔla] *nf* raffle.

tome [tom] *nm* volume.

tomme [tom] *nf*: **~ vaudoise** soft white cheese made from cow's milk.

ton¹ [tɔ̃] *(f* ta [ta], *pl* tes [te]) *adj*

your.

ton² [tɔ̃] *nm* tone.

tonalité [tɔnalite] *nf (au télé-phone)* dialling tone.

tondeuse [tɔ̃døz] *nf:* ~ (à gazon) lawnmower.

tondre [tɔ̃dr] *vt (cheveux)* to clip; *(gazon)* to mow.

tongs [tɔ̃g] *nfpl* flip-flops *(Br)*, thongs *(Am)*.

tonne [tɔn] *nf* tonne.

tonneau, -x [tɔno] *nm (de vin)* cask; **faire des ~x** *(voiture)* to roll over.

tonnerre [tɔnɛr] *nm* thunder; **coup de ~** thunderclap.

tonus [tɔnys] *nm* energy.

torche [tɔrʃ] *nf (flamme)* torch; ~ **électrique** (electric) torch.

torchon [tɔrʃɔ̃] *nm* tea towel.

tordre [tɔrdr] *vt (linge, cou)* to wring; *(bras)* to twist; *(plier)* to bend □ **se tordre** *vp:* **se ~ la cheville** to twist one's ankle; **se ~ de douleur** to be racked with pain; **se ~ de rire** to be doubled up with laughter.

tornade [tɔrnad] *nf* tornado.

torrent [tɔrɑ̃] *nm* torrent; **il pleut à ~s** it's pouring (down).

torsade [tɔrsad] *nf:* **pull à ~s** cable sweater.

torse [tɔrs] *nm* trunk; ~ **nu** bare-chested.

tort [tɔr] *nm:* **avoir ~ (de faire qqch)** to be wrong (to do sthg); **causer ~ à qqn** to wrong sb; **donner ~ à qqn** *(suj: personne)* to disagree with sb; *(suj: événement)* to prove sb wrong; **être dans son ~, être en ~** *(automobiliste)* to be in the wrong; **à ~** *(accuser)*

wrongly; **parler à ~ et à travers** to talk nonsense.

torticolis [tɔrtikɔli] *nm* stiff neck.

tortiller [tɔrtije] *vt* to twist □ **se tortiller** *vp* to squirm.

tortue [tɔrty] *nf* tortoise.

torture [tɔrtyr] *nf* torture.

torturer [tɔrtyre] *vt* to torture.

tôt [to] *adv* early; ~ **ou tard** sooner or later; **au plus ~** at the earliest.

total, -e, -aux [tɔtal, o] *adj & nm* total.

totalement [tɔtalmɑ̃] *adv* total-ly.

totalité [tɔtalite] *nf:* **la ~ de** all (of); **en ~** *(rembourser)* in full.

touchant, -e [tuʃɑ̃, ɑ̃t] *adj* touching.

touche [tuʃ] *nf (de piano, d'ordi-nateur)* key; *(de téléphone)* button; *(SPORT: ligne)* touchline.

toucher [tuʃe] *vt* to touch; *(argent)* to get; *(chèque)* to cash; *(cible)* to hit; ~ **à** to touch □ **se toucher** *vp (être en contact)* to be touching.

touffe [tuf] *nf* tuft.

toujours [tuʒur] *adv* always; *(dans l'avenir)* forever; *(encore)* still; **pour ~** for good.

toupie [tupi] *nf* (spinning) top.

tour¹ [tur] *nm (mouvement sur soi-même)* turn; **faire un ~** *(à pied)* to go for a walk; *(en voiture)* to go for a drive; **faire le ~ de qqch** to go round sthg; **jouer un ~ à qqn** to play a trick on sb; **c'est ton ~ (de faire qqch)** it's your turn (to do sthg); **à ~ de rôle** in turn; **le Tour de France** the Tour de France; ~ **de magie** (magic) trick.

tour[2] [tur] nf (d'un château) tower; (immeuble) tower block (Br), high rise (Am); **~ de contrôle** control tower; **la ~ Eiffel** the Eiffel Tower.

TOUR EIFFEL

Built by Gustave Eiffel for the World Fair in 1889, the Eiffel Tower has come to symbolize Paris and is one of the most popular tourist attractions in the world. From the top, which can be reached by lift, there is a panoramic view over the whole city and beyond.

tourbillon [turbijõ] nm (de vent) whirlwind; (de sable) swirl.

tourisme [turism] nm tourism; **faire du ~** to go sightseeing.

touriste [turist] nmf tourist.

touristique [turistik] adj (dépliant, ville) tourist.

tourmenter [turmãte] vt to torment ❏ **se tourmenter** vp to worry o.s.

tournage [turnaʒ] nm (d'un film) shooting.

tournant [turnã, ãt] nm bend.

tourne-disque, -s [turnədisk] nm record player.

tournedos [turnədo] nm tender fillet steak; **~ Rossini** tender fillet steak served on fried bread and topped with foie gras.

tournée [turne] nf (d'un chanteur) tour; (du facteur, au bar) round.

tourner [turne] vt (clé, page, tête) to turn; (sauce, soupe) to stir; (salade) to toss; (regard) to direct; (film) to shoot ◆ vi (roue, route) to

turn; (moteur, machine) to run; (lait) to go off; (acteur) to act; **tournez à gauche/droite** turn left/right; **~ autour de qqch** to go around sthg; **avoir la tête qui tourne** to feel dizzy; **mal ~** (affaire) to turn out badly ❏ **se tourner** vp to turn round; **se ~ vers** to turn to.

tournesol [turnəsɔl] nm sunflower.

tournevis [turnəvis] nm screwdriver.

tourniquet [turnikɛ] nm (du métro) turnstile.

tournoi [turnwa] nm tournament.

tournure [turnyr] nf (expression) turn of phrase.

tourte [turt] nf pie.

tourtière [turtjɛr] nf (Can) pie made from minced beef and onions.

tous → **tout**.

Toussaint [tusɛ̃] nf: **la ~** All Saints' Day.

TOUSSAINT

In France on 1 November people celebrate All Saints' Day by laying flowers (typically chrysanthemums) on the graves of their relatives. Ironically, this is also the time of the year at which most deaths occur from road traffic accidents.

tousser [tuse] vi to cough.

tout, -e [tu, tut] (mpl **tous** [tu(s)], fpl **toutes** [tut]) adj **1.** (avec un substantif singulier) all; **~ le vin** all the wine; **~ un gâteau** a whole cake; **~e la journée** the whole day, all day; **~ le monde** everyone,

toutefois

everybody; **~ le temps** all the time.
2. *(avec un pronom démonstratif)* all; **~ ça** OU **cela** all that.
3. *(avec un substantif pluriel)* all; **tous les gâteaux** all the cakes; **tous les Anglais** all English people; **tous les jours** every day; **~es les deux** both; **~es les trois** all three of us/them; **tous les deux ans** every two years.
4. *(n'importe quel)* any; **à ~e heure** at any time.
◆ *pron* **1.** *(la totalité)* everything; **je t'ai ~ dit** I've told you everything; **c'est ~** that's all; **ce sera ~?** *(dans un magasin)* is that everything?; **en ~ all** in all.
2. *(au pluriel: tout le monde)*: **ils voulaient tous la voir** they all wanted to see her.
◆ *adv* **1.** *(très, complètement)* very; **~ près** very near; **ils étaient ~ seuls** they were all alone; **~ en haut** right at the top.
2. *(avec un gérondif)*: **~ en marchant** while walking.
3. *(dans des expressions)*: **~ à coup** suddenly; **~ à fait** absolutely; **~ à l'heure** *(avant)* a little while ago; *(après)* in a minute; **à ~ à l'heure!** see you soon!; **~ de même** *(malgré tout)* anyway; *(exprime l'indignation)* really!; *(exprime l'impatience)* at last!; **~ de suite** immediately, at once.
◆ *nm*: **le ~** *(la totalité)* the lot; **le ~ est de ...** the main thing is to ...; **pas du ~** not at all.

toutefois [tutfwa] *adv* however.

tout(-)terrain, -s [tutɛʀɛ̃] *adj* off-road.

toux [tu] *nf* cough.

toxique [tɔksik] *adj* toxic.

TP *nmpl* = **travaux pratiques**.

trac [trak] *nm*: **avoir le ~** *(acteur)* to get stage fright; *(candidat)* to be nervous.

tracasser [trakase] *vt* to worry ❑ **se tracasser** *vp* to worry.

trace [tras] *nf* trace; **~ de pas** footprint.

tracer [trase] *vt* *(dessiner)* to draw.

tract [trakt] *nm* leaflet.

tracteur [traktœr] *nm* tractor.

tradition [tradisjɔ̃] *nf* tradition.

traditionnel, -elle [tradisjɔnɛl] *adj* traditional.

traducteur, -trice [tradyktœr, tris] *nm, f* translator.

traduction [tradyksjɔ̃] *nf* translation.

traduire [traduir] *vt* to translate.

trafic [trafik] *nm* traffic.

tragédie [traʒedi] *nf* tragedy.

tragique [traʒik] *adj* tragic.

trahir [trair] *vt* to betray; *(secret)* to give away ❑ **se trahir** *vp* to give o.s. away.

train [trɛ̃] *nm* train; **être en ~ de faire qqch** to be doing sthg; **~ d'atterrissage** landing gear; **~ de banlieue** commuter train; **~ couchettes** sleeper; **~ rapide** express train.

traîne [trɛn] *nf* *(d'une robe)* train; **être à la ~** *(en retard)* to lag behind.

traîneau, -x [trɛno] *nm* sledge.

traînée [trɛne] *nf* *(trace)* trail.

traîner [trɛne] *vt* to drag ◆ *vi* *(par terre)* to trail; *(prendre du temps)* to drag on; *(s'attarder)* to dawdle; *(être en désordre)* to lie around; *(péj: dans la rue, dans les bars)* to hang around ❑ **se traîner** *vp* *(par terre)* to crawl; *(avancer lentement)* to be slow.

train-train [trɛ̃trɛ̃] *nm inv* routine.

traire [trɛr] *vt* to milk.

trait [trɛ] *nm* line; *(caractéristique)* trait; **d'un ~** *(boire)* in one go; **~ d'union** hyphen ❑ **traits** *nmpl (du visage)* features.

traite [trɛt] *nf:* **d'une (seule) ~** in one go.

traitement [trɛtmɑ̃] *nm (MÉD)* treatment; **~ de texte** *(programme)* word-processing package.

traiter [trɛte] *vt* to treat; *(affaire, sujet)* to deal with; **~ qqn d'imbécile** to call sb an idiot ❑ **traiter de** *v + prép (suj: livre, exposé)* to deal with.

traiteur [trɛtœr] *nm* caterer.

traître [trɛtr] *nm* traitor.

trajectoire [traʒɛktwar] *nf (d'une balle)* trajectory.

trajet [traʒɛ] *nm (voyage)* journey.

trampoline [trɑ̃pɔlin] *nm* trampoline.

tramway [tramwɛ] *nm* tram *(Br)*, streetcar *(Am)*.

tranchant, -e [trɑ̃ʃɑ̃, ɑ̃t] *adj (couteau)* sharp; *(ton)* curt ◆ *nm* cutting edge.

tranche [trɑ̃ʃ] *nf (morceau)* slice; *(d'un livre)* edge.

tranchée [trɑ̃ʃe] *nf* trench.

trancher [trɑ̃ʃe] *vt* to decide ◆ *vi (décider)* to decide; *(ressortir)* to stand out.

tranquille [trɑ̃kil] *adj* quiet; **laisser qqn/qqch ~** to leave sb/sth alone; **restez ~s!** don't fidget!; **soyez ~** *(ne vous inquiétez pas)* don't worry.

tranquillisant [trɑ̃kilizɑ̃] *nm* tranquillizer.

tranquillité [trɑ̃kilite] *nf* peace; **en toute ~** with complete peace of mind.

transaction [trɑ̃zaksjɔ̃] *nf* transaction.

transférer [trɑ̃sfere] *vt* to transfer.

transformateur [trɑ̃sfɔrmatœr] *nm* transformer.

transformation [trɑ̃sfɔrmasjɔ̃] *nf* transformation; *(aménagement)* alteration.

transformer [trɑ̃sfɔrme] *vt* to transform; *(vêtement)* to alter; **~ qqch en qqch** to turn sthg into sthg; *(bâtiment)* to convert sthg into sthg ❑ **se transformer** *vp* to change completely; **se ~ en qqch** to turn into sthg.

transfusion [trɑ̃sfyzjɔ̃] *nf:* **~ (sanguine)** (blood) transfusion.

transistor [trɑ̃zistɔr] *nm* transistor.

transit [trɑ̃zit] *nm:* **passagers en ~ transit** passengers.

transmettre [trɑ̃smɛtr] *vt:* **~ qqch à qqn** to pass sthg on to sb ❑ **se transmettre** *vp (maladie)* to be transmitted.

transmis, -e [trɑ̃smi, iz] *pp →* **transmettre**.

transmission [trɑ̃smisjɔ̃] *nf* transmission.

transparent, -e [trɑ̃sparɑ̃, ɑ̃t] *adj (eau)* transparent; *(blouse)* seethrough.

transpercer [trɑ̃spɛrse] *vt* to pierce.

transpiration [trɑ̃spirasjɔ̃] *nf* perspiration.

transpirer [trãspire] vi to perspire.

transplanter [trãsplãte] vt to transplant.

transport [trãspɔr] nm transport; les ~s (en commun) public transport (sg).

transporter [trãspɔrte] vt (à la main) to carry; (en véhicule) to transport.

transversal, -e, -aux [trãsversal, o] adj (poutre) cross; (ligne) diagonal.

trapèze [trapez] nm (de cirque) trapeze.

trapéziste [trapezist] nmf trapeze artist.

trappe [trap] nf trap door.

travail, -aux [travaj, o] nm (activité, lieu) work; (tâche, emploi) job; être sans ~ (au chômage) to be out of work ❑ **travaux** nmpl (ménagers, agricoles) work (sg); (de construction) building (work) (sg); «travaux» (sur la route) "roadworks"; travaux pratiques practical work (sg).

travailler [travaje] vi to work ❖ vt (matière scolaire, passage musical) to work on; (bois, pierre) to work.

traveller's check, -s [travlœrʃɛk] nm traveller's cheque.

traveller's cheque, -s [travlœrʃɛk] = **traveller's check**.

travers [traver] nm: à ~ through; de ~ adj crooked ❖ adv (marcher) sideways; (fig: mal) wrong; j'ai avalé de ~ it went down the wrong way; regarder qqn de ~ to give sb a funny look; en ~ (de) across; ~ de porc sparerib of pork.

traversée [traverse] nf crossing.

traverser [traverse] vt (rue, ri-

vière) to cross; (transpercer) to go through ❖ vi (piéton) to cross.

traversin [traversɛ̃] nm bolster.

trébucher [trebyʃe] vi to stumble.

trèfle [trefl] nm (plante) clover; (aux cartes) club.

treize [trez] num thirteen, → **six**.

treizième [trezjem] num thirteenth, → **sixième**.

tremblement [trãbləmã] nm: ~ de terre earthquake; avoir des ~s to shiver.

trembler [trãble] vi to tremble; ~ de peur/froid to shiver with fear/cold.

trémousser [tremuse] : se trémousser vp to jig up and down.

trempé, -e [trãpe] adj (mouillé) soaked.

tremper [trãpe] vt (plonger) to dip ❖ vi to soak; faire ~ qqch to soak sthg.

tremplin [trãplɛ̃] nm (de gymnastique) springboard; (de piscine) divingboard.

trente [trãt] num thirty, → **six**.

trente-trois-tours [trãttrwatur] nm inv LP.

trentième [trãtjem] num thirtieth, → **sixième**.

très [tre] adv very.

trésor [trezɔr] nm treasure.

tresse [tres] nf plait (Br), braid (Am); (Helv: pain) plait-shaped loaf.

tresser [trese] vt to plait (Br), to braid (Am).

tréteau, -x [treto] nm trestle.

treuil [trœj] nm winch.

trêve [trev] nf: ~ de ... that's enough (of) ...

tri [tri] nm: faire un ~ parmi to

trottinette

choose from.

triangle [trijɑ̃gl] *nm* triangle.

triangulaire [trijɑ̃gylɛr] *adj* triangular.

tribord [tribɔr] *nm* starboard; **à ~** to starboard.

tribu [triby] *nf* tribe.

tribunal, -aux [tribynal, o] *nm* court.

tricher [triʃe] *vi* to cheat.

tricheur, -euse [triʃœr, øz] *nm, f* cheat.

tricot [triko] *nm (ouvrage)* knitting; *(pull)* jumper; **~ de corps** vest *(Br)*, undershirt *(Am)*.

tricoter [trikɔte] *vt & vi* to knit.

tricycle [trisikl] *nm* tricycle.

trier [trije] *vt (sélectionner)* to select; *(classer)* to sort out.

trimestre [trimɛstr] *nm (trois mois)* quarter; *(SCOL)* term.

trimestriel, -ielle [trimɛstrijɛl] *adj* quarterly.

trinquer [trɛ̃ke] *vi (boire)* to clink glasses.

triomphe [trijɔ̃f] *nm* triumph.

triompher [trijɔ̃fe] *vi* to triumph; **~ de** to overcome.

tripes [trip] *nfpl (CULIN)* tripe *(sg)*.

triple [tripl] *adj* triple ◆ *nm*: **le ~ du prix normal** three times the normal price.

tripler [triple] *vt & vi* to triple.

tripoter [tripɔte] *vt (objet)* to fiddle with.

triste [trist] *adj* sad; *(couleur)* dull; *(endroit)* gloomy.

tristesse [tristɛs] *nf* sadness.

troc [trɔk] *nm (échange)* swap.

trognon [trɔɲɔ̃] *nm (de pomme, de poire)* core.

trois [trwa] *num* three, → **six**.

troisième [trwazjɛm] *num* third ◆ *nf (SCOL)* = fourth year; *(vitesse)* third (gear), → **sixième**.

trois-quarts [trwakar] *nm (manteau)* three-quarter length coat.

trombe [trɔ̃b] *nf*: **des ~s d'eau** a downpour; **partir en ~** to shoot off.

trombone [trɔ̃bɔn] *nm (agrafe)* paper clip; *(MUS)* trombone.

trompe [trɔ̃p] *nf (d'éléphant)* trunk.

tromper [trɔ̃pe] *vt (conjoint)* to be unfaithful to; *(client)* to cheat ❑ **se tromper** *vp* to make a mistake; **se ~ de jour** to get the wrong day.

trompette [trɔ̃pɛt] *nf* trumpet.

trompeur, -euse [trɔ̃pœr, øz] *adj* deceptive.

tronc [trɔ̃] *nm*: **~ (d'arbre)** (tree) trunk.

tronçonneuse [trɔ̃sɔnøz] *nf* chain saw.

trône [tron] *nm* throne.

trop [tro] *adv* too; **~ fatigué/lentement** too tired/slowly; **~ manger** to eat too much; **~ de** *(nourriture)* too much; *(gens)* too many; **100 F de** OU **en ~** 100 francs too much; **deux personnes de** OU **en ~** two people too many.

tropical, -e, -aux [trɔpikal, o] *adj* tropical.

trot [tro] *nm* trot; **au ~** at a trot.

trotter [trɔte] *vi* to trot.

trotteuse [trɔtøz] *nf* second hand.

trottinette [trɔtinɛt] *nf* child's scooter.

trottoir [trɔtwar] *nm* pavement (*Br*); sidewalk (*Am*).

trou [tru] *nm* hole; **j'ai un ~ de mémoire** my mind has gone blank.

trouble [trubl] *adj* (*eau*) cloudy; (*image*) blurred ♦ *adv*: **voir ~** to have blurred vision.

trouer [true] *vt* to make a hole in.

trouille [truj] *nf* (*fam*): **avoir la ~** to be scared stiff.

troupe [trup] *nf* (*de théâtre*) company.

troupeau, -x [trupo] *nm* (*de vaches*) herd; (*de moutons*) flock.

trousse [trus] *nf* (*d'écolier*) pencil case; **~ de secours** first-aid kit; **~ de toilette** sponge bag.

trousseau, -x [truso] *nm* (*de clefs*) bunch.

trouver [truve] *vt* to find; **je trouve que** I think (that) □ **se trouver** *vp* (*se situer*) to be; **se ~ mal** to faint.

truc [tryk] *nm* (*fam*) (*objet*) thing; (*astuce*) trick.

trucage [trykaʒ] *nm* (*au cinéma*) special effect.

truffe [tryf] *nf* (*d'un animal*) muzzle; (*champignon*) truffle; **~ (en chocolat*) (chocolate) truffle.

truite [truit] *nf* trout; **~ aux amandes** trout with almonds.

truquage [trykaʒ] = **trucage**.

T-shirt [tiʃœrt] = **tee-shirt**.

TSVP (*abr de tournez s'il vous plaît*) PTO.

TTC *adj* (*abr de toutes taxes comprises*) inclusive of tax.

tu[1] [ty] *pron* you.

tu[2]**, -e** [ty] *pp* → **taire**.

tuba [tyba] *nm* (*de plongeur*) snorkel.

tube [tyb] *nm* tube; (*fam: musique*) hit.

tuberculose [tybɛrkyloz] *nf* tuberculosis.

tuer [tɥe] *vt* to kill □ **se tuer** *vp* (*se suicider*) to kill o.s.; (*accidentellement*) to die.

tue-tête [tytɛt] : **à tue-tête** *adv* at the top of one's voice.

tuile [tɥil] *nf* tile; **~ aux amandes** thin curved almond biscuit.

tulipe [tylip] *nf* tulip.

tumeur [tymœr] *nf* tumour.

tuner [tynɛr] *nm* tuner.

tunique [tynik] *nf* tunic.

Tunisie [tynizi] *nf*: **la ~** Tunisia.

tunisien, -ienne [tynizjɛ̃, jɛn] *adj* Tunisian □ **Tunisien, -ienne** *nm, f* Tunisian.

tunnel [tynɛl] *nm* tunnel; **le ~ sous la Manche** the Channel Tunnel.

ⓘ LE TUNNEL SOUS LA MANCHE

The Channel Tunnel beneath the English Channel connects Coquelles near Calais and Cheriton near Folkestone. Vehicles are transported on a train known as "Le Shuttle" and there is also a regular passenger service linking London with Paris, Lille and Brussels, on the "Eurostar" train.

---

turbo [tyrbo] *adj inv & nf* turbo.

turbot [tyrbo] *nm* turbot.

turbulences [tyrbylɑ̃s] *nfpl* (*dans un avion*) turbulence (*sg*).

turbulent, -e [tyrbylɑ̃, ɑ̃t] *adj*

boisterous.

turc, turque [tyrk] *adj* Turkish.

Turquie [tyrki] *nf:* la ~ Turkey.

turquoise [tyrkwaz] *adj inv & nf* turquoise.

tutoyer [tytwaje] *vt:* ~ **qqn** to use the "tu" form to sb.

tutu [tyty] *nm* tutu.

tuyau, -x [tɥijo] *nm* pipe; ~ **d'arrosage** hosepipe; ~ **d'échappement** exhaust (pipe).

TV (*abr de* télévision) TV.

TVA *nf* (*abr de* taxe sur la valeur ajoutée) VAT.

tweed [twid] *nm* tweed.

tympan [tɛ̃pɑ̃] *nm* (ANAT) eardrum.

type [tip] *nm* (sorte) type; (*fam: individu*) bloke.

typique [tipik] *adj* typical.

UDF *nf* French party to the right of the political spectrum.

ulcère [ylsɛr] *nm* ulcer.

ULM *nm* microlight.

ultérieur, -e [ylterjœr] *adj* later.

ultra- [yltra] *préf* ultra-.

un, une [œ̃, yn] (*pl des* [de]) *article indéfini* a, an (*devant voyelle*); ~ **homme** a man; **une femme** a woman; **une pomme** an apple; **des valises** suitcases.

♦ *pron* one; (l') ~ **de mes amis/des**

plus intéressants one of my friends/the most interesting; l'~ **l'autre** each other, one another; l'~ **et l'autre** both (of them/us); l'~ **ou l'autre** either (of them/us); **ni** l'~ **ni l'autre** neither (of them/us).

♦ *num* one, → **six.**

unanime [ynanim] *adj* unanimous.

unanimité [ynanimite] *nf* unanimity; **à l'~** unanimously.

Unetelle → **Untel.**

uni, -e [yni] *adj* (tissu, couleur) plain; (famille, couple) close.

uniforme [yniform] *adj* uniform; (surface) even ♦ *nm* uniform.

union [ynjɔ̃] *nf* (d'États) union; (de syndicats) confederation; **l'Union européenne** the European Union; **l'Union soviétique** the Soviet Union.

unique [ynik] *adj* (seul) only; (exceptionnel) unique.

uniquement [ynikmɑ̃] *adv* only.

unir [ynir] *vt* (mots, idées) to combine ❑ **s'unir** *vp* (s'associer) to join together; (pays) to unite.

unisson [ynisɔ̃] *nm:* à l'~ in unison.

unitaire [yniter] *adj* (prix, poids) unit.

unité [ynite] *nf* unit; (harmonie, ensemble) unity; **vendu à l'~** sold individually; ~ **centrale** central processing unit.

univers [yniver] *nm* universe.

universel, -elle [yniversel] *adj* universal.

universitaire [yniversiter] *adj* (diplôme, bibliothèque) university.

université [yniversite] *nf* university.

Untel, Unetelle [œ̃tɛl, yntɛl] *nm, f* Mr so-and-so (*f* Mrs so-and-so).

urbain, -e [yrbɛ̃, ɛn] *adj* urban.

urbanisme [yrbanism] *nm* town planning.

urgence [yrʒɑ̃s] *nf* urgency; (MED) emergency; **d'~** (vite) immediately; (service des) ~s casualty (department).

urgent, -e [yrʒɑ̃, ɑ̃t] *adj* urgent.

urine [yrin] *nf* urine.

uriner [yrine] *vi* to urinate.

urinoir [yrinwar] *nm* urinal.

URSS *nf*: l'~ the USSR.

urticaire [yrtikɛr] *nf* nettle rash.

USA *nmpl*: les ~ the USA.

usage [yzaʒ] *nm* (utilisation) use; «~ **externe**» "for external use only"; «~ **interne**» "for internal use only".

usagé, -e [yzaʒe] *adj* (ticket) used.

usager [yzaʒe] *nm* user.

usé, -e [yze] *adj* worn.

user [yze] *vt* (abîmer) to wear out; (consommer) to use □ **s'user** *vp* to wear out.

usine [yzin] *nf* factory.

ustensile [ystɑ̃sil] *nm* tool.

utile [ytil] *adj* useful.

utilisateur, -trice [ytilizatœr, tris] *nm, f* user.

utilisation [ytilizasjɔ̃] *nf* use.

utiliser [ytilize] *vt* to use.

utilité [ytilite] *nf*: **être d'une grande ~** to be of great use.

UV *nmpl* (abr de ultraviolets) UV rays.

V

va → **aller**.

vacances [vakɑ̃s] *nfpl* holiday (*sg*) (Br), vacation (*sg*) (Am); **être/partir en** ~ to be/go on holiday (Br), to be/go on vacation (Am); **prendre des** ~ to take a holiday (Br), to take a vacation (Am); ~ **scolaires** school holidays (Br), school break (Am).

vacancier, -ière [vakɑ̃sje, jer] *nm, f* holidaymaker (Br), vacationer (Am).

vacarme [vakarm] *nm* racket.

vaccin [vaksɛ̃] *nm* vaccine.

vacciner [vaksine] *vt*: ~ **qqn contre qqch** to vaccinate sb against sthg.

vache [vaʃ] *nf* cow ♦ *adj* (fam: méchant) mean.

vachement [vaʃmɑ̃] *adv* (fam) dead (Br), real (Am).

vacherin [vaʃrɛ̃] *nm* (gâteau) meringue filled with ice cream and whipped cream; (fromage) soft cheese made from cow's milk.

va-et-vient [vaevjɛ̃] *nm inv*: **faire le** ~ **entre** to go back and forth between.

vague [vag] *adj* (peu précis) vague ♦ *nf* wave; ~ **de chaleur** heat wave.

vaguement [vagmɑ̃] *adv* vaguely.

vaille *etc* → **valoir**.

vain [vɛ̃] : **en vain** *adv* in vain.

vaincre [vɛ̃kr] *vt* (ennemi) to

defeat; *(peur, obstacle)* to overcome.
vaincu, -e [vɛ̃ky] *nm, f (équipe)* losing team; *(sportif)* loser.
vainqueur [vɛ̃kœr] *nm (d'un match)* winner; *(d'une bataille)* victor.
vais → **aller**.
vaisseau, -x [vɛso] *nm (veine)* vessel; ~ **spatial** spaceship.
vaisselle [vɛsɛl] *nf (assiettes)* crockery; **faire la** ~ to wash up.
valable [valabl] *adj* valid.
valait → **valoir**.
valent → **valoir**.
valet [valɛ] *nm (aux cartes)* jack.
valeur [valœr] *nf* value; **sans** ~ worthless.
valider [valide] *vt (ticket)* to validate.
validité [validite] *nf:* **date limite de** ~ expiry date.
valise [valiz] *nf* case, suitcase; **faire ses** ~**s** to pack.
vallée [vale] *nf* valley.
vallonné, -e [valɔne] *adj* undulating.
valoir [valwar] *vi (coûter, avoir comme qualité)* to be worth; *(dans un magasin)* to cost ♦ *v impers:* **il vaut mieux faire qqch** it's best to do sthg; **il vaut mieux que tu restes** you had better stay; **ça vaut combien?** how much is it?; **ça ne vaut pas la peine** OU **le coup** it's not worth it; **ça vaut la peine** OU **le coup d'y aller** it's worth going.
valse [vals] *nf* waltz.
valu [valy] *pp* → **valoir**.
vandale [vɑ̃dal] *nm* vandal.
vandalisme [vɑ̃dalism] *nm* vandalism.
vanille [vanij] *nf* vanilla.

vaniteux, -euse [vanitø, øz] *adj* vain.
vanter [vɑ̃te] : **se vanter** *vp* to boast.
vapeur [vapœr] *nf* steam; **fer à** ~ steam iron; **(à la)** ~ *(CULIN)* steamed.
vaporisateur [vaporizatœr] *nm* atomizer.
varappe [varap] *nf* rock climbing.
variable [varjabl] *adj (chiffre)* varying; *(temps)* changeable.
varicelle [varisɛl] *nf* chickenpox.
varices [varis] *nfpl* varicose veins.
varié, -e [varje] *adj (travail)* varied; *(paysage)* diverse; **«hors-d'œuvre ~s»** "a selection of starters".
variété [varjete] *nf* variety ❑ **variétés** *nfpl (musique)* easy listening *(sg)*.
variole [varjɔl] *nf* smallpox.
vas → **aller**.
vase [vaz] *nf* mud ♦ *nm* vase.
vaste [vast] *adj* vast.
vaudra *etc* → **valoir**.
vaut → **valoir**.
vautour [votur] *nm* vulture.
veau, -x [vo] *nm* calf; *(CULIN)* veal.
vécu, -e [veky] *pp* → **vivre** ♦ *adj (histoire)* true.
vedette [vədɛt] *nf (acteur, sportif)* star; *(bateau)* launch.
végétal, -e, -aux [veʒetal, o] *adj (huile, teinture)* vegetable ♦ *nm* plant.
végétarien, -ienne [veʒetarjɛ̃, jɛn] *adj & nm, f* vegetarian.
végétation [veʒetasjɔ̃] *nf* vegetation ❑ **végétations** *nfpl (MÉD)*

adenoids.

véhicule [veikyl] *nm* vehicle.

veille [vɛj] *nf (jour précédent)* day before, eve; **la ~ au soir** the evening before.

veillée [veje] *nf (en colonie de vacances)* evening entertainment where children stay up late.

veiller [veje] *vi (rester éveillé)* to stay up; **veillez à ne rien oublier** make sure you don't forget anything; **~ à ce que** to see (to it) that; **~ sur qqn** to look after sb.

veilleur [vejœʀ] *nm:* **~ de nuit** night watchman.

veilleuse [vejøz] *nf (lampe)* night light; *(AUT)* sidelight; *(flamme)* pilot light.

veine [vɛn] *nf (ANAT)* vein; **avoir de la ~** *(fam)* to be lucky.

Velcro® [vɛlkʀo] *nm* Velcro®.

vélo [velo] *nm* bicycle, bike; **faire du ~** to cycle; **~ de course** racing bike; **~ tout terrain** mountain bike.

vélomoteur [velɔmɔtœʀ] *nm* moped.

velours [vəluʀ] *nm* velvet; **~ côtelé** corduroy.

velouté [vəlute] *nm:* **~ d'asperge** cream of asparagus soup.

vendanges [vɑ̃dɑ̃ʒ] *nfpl* harvest *(sg).*

vendeur, -euse [vɑ̃dœʀ, øz] *nm, f (de grand magasin)* sales assistant (Br), sales clerk (Am); *(sur un marché, ambulant)* salesman (f saleswoman).

vendre [vɑ̃dʀ] *vt* to sell; **~ qqch à qqn** to sell sb sthg; **«à ~»** "for sale".

vendredi [vɑ̃dʀədi] *nm* Friday; **~ saint** Good Friday, → **samedi.**

vénéneux, -euse [venenø, øz] *adj* poisonous.

vengeance [vɑ̃ʒɑ̃s] *nf* revenge.

venger [vɑ̃ʒe] : **se venger** *vp* to get one's revenge.

venimeux, -euse [vənimø, øz] *adj* poisonous.

venin [vənɛ̃] *nm* venom.

venir [vəniʀ] *vi* to come; **~ de** to come from; **~ de faire qqch** to have just done sthg; **nous venons d'arriver** we've just arrived; **faire ~ qqn** *(docteur, réparateur)* to send for sb.

vent [vɑ̃] *nm* wind; **il y a** OU **il fait du ~** it's windy; **~ d'ouest** west wind.

vente [vɑ̃t] *nf* sale; **mettre qqch/être en ~** to put sthg/to be up for sale; **~ par correspondance** mail order; **~ aux enchères** auction.

ventilateur [vɑ̃tilatœʀ] *nm* fan.

ventouse [vɑ̃tuz] *nf (en caoutchouc)* suction pad.

ventre [vɑ̃tʀ] *nm* stomach; **avoir du ~** to have a bit of a paunch.

venu, -e [vəny] *pp* → **venir.**

ver [vɛʀ] *nm (de fruit)* maggot; **~ luisant** glow worm; **~ (de terre)** (earth)worm.

véranda [veʀɑ̃da] *nf (vitrée)* conservatory.

verbe [vɛʀb] *nm* verb.

verdict [vɛʀdikt] *nm* verdict.

verdure [vɛʀdyʀ] *nf* greenery.

véreux, -euse [veʀø, øz] *adj (fruit)* worm-eaten.

verger [vɛʀʒe] *nm* orchard.

verglacé, -e [vɛʀɡlase] *adj* icy.

verglas [vɛʀɡla] *nm* (black) ice.

vérification [veʀifikasjɔ̃] *nf*

checking.

vérifier [verifje] vt to check.

véritable [veritabl] adj real.

vérité [verite] nf truth; **dire la ~** to tell the truth.

vermicelle [vermisel] nm vermicelli.

verni, -e [verni] adj (chaussure) patent-leather; (meuble) varnished.

vernis [verni] nm varnish; **~ à ongles** nail varnish.

verra etc → **voir**.

verre [ver] nm glass; **boire** OU **prendre un ~** to have a drink; **~ à pied** wine glass; **~ à vin** wine glass; **~s de contact** contact lenses.

verrière [verjer] nf (toit) glass roof.

verrou [veru] nm bolt.

verrouiller [veruje] vt (porte) to bolt.

vorrue [very] nf wart.

vers [ver] nm line ◆ prép (direction) towards; (époque) around.

Versailles [versaj] n Versailles.

Originally a hunting lodge used by Louis XIII, Versailles was transformed in the middle of the 17th century by Louis XIV into an imposing royal palace with architecture along classical lines. It is famous for the "galerie des Glaces", a 75-metre long room with mirrors on the walls, and its elaborate gardens with ornamental fountains and pools.

---

versant [versã] nm side.

verse [vers] : **à verse** adv: **il**

pleut à ~ it's pouring down.

Verseau [verso] nm Aquarius.

versement [versəmã] nm payment.

verser [verse] vt (liquide) to pour; (argent) to pay.

verseur [versœr] adj m → **bec**.

version [versjɔ̃] nf version; (traduction) translation; **~ française** version dubbed into French; **~ originale** version in original language.

verso [verso] nm back.

vert, -e [ver, vert] adj green; (fruit) unripe; (vin) young ◆ nm green.

vertébrale [vertebral] adj f → **colonne**.

vertèbre [vertebr] nf vertebra.

vertical, -e, -aux [vertikal, o] adj vertical.

vertige [vertiʒ] nm: **avoir le ~** to be dizzy.

vessie [vesi] nf bladder.

veste [vest] nf jacket.

vestiaire [vestjer] nm (d'un musée, d'un théâtre) cloakroom.

vestibule [vestibyl] nm hall.

vestiges [vestiʒ] nmpl remains.

veston [vestɔ̃] nm jacket.

vêtements [vetmã] nmpl clothes.

vétérinaire [veteriner] nmf vet.

veuf, veuve [vœf, vœv] adj widowed ◆ nm, f widower (f widow).

veuille etc → **vouloir**.

veuve → **veuf**.

veux → **vouloir**.

vexant, -e [veksã, ãt] adj hurtful.

vexer [vekse] vt to offend ❑ **se vexer** vp to take offence.

VF *abr* = version française.

viaduc [vjadyk] *nm* viaduct.

viande [vjɑ̃d] *nf* meat; **~ séchée des Grisons** dried salt beef.

vibration [vibrasjɔ̃] *nf* vibration.

vibrer [vibre] *vi* to vibrate.

vice [vis] *nm* vice.

vice versa [visversa] *adv* vice versa.

vicieux, -ieuse [visjø, jøz] *adj* (*pervers*) perverted.

victime [viktim] *nf* victim; (*d'un accident*) casualty; **être ~ de** to be the victim of.

victoire [viktwar] *nf* victory.

vidange [vidɑ̃ʒ] *nf* (*d'une auto*) oil change.

vide [vid] *adj* empty ◆ *nm* (*espace*) gap; (*absence d'air*) vacuum; **sous ~** (*aliment*) vacuum-packed.

vidéo [video] *adj inv & nf* video.

vide-ordures [vidɔrdyr] *nm inv* rubbish chute (*Br*), garbage chute (*Am*).

vide-poches [vidpɔʃ] *nm inv* (*dans une voiture*) pocket.

vider [vide] *vt* to empty; (*poulet, poisson*) to gut ❑ **se vider** *vp* (*salle, baignoire*) to empty.

videur [vidœr] *nm* (*de boîte de nuit*) bouncer.

vie [vi] *nf* life; **en ~** alive.

vieil → **vieux**.

vieillard [vjejar] *nm* old man.

vieille → **vieux**.

vieillesse [vjejes] *nf* old age.

vieillir [vjejir] *vi* to get old; (*vin*) to age ◆ *vt:* **ça le vieillit** (*en apparence*) it makes him look old(er).

viendra *etc* → **venir**.

viens *etc* → **venir**.

vierge [vjɛrʒ] *adj* (*cassette*) blank ❑ **Vierge** *nf* (*signe du zodiaque*) Virgo.

Vietnam [vjetnam] *nm:* **le ~** Vietnam.

vieux, vieil [vjø, vjɛj] (*f* **vieille** [vjɛj], *mpl* **vieux** [vjø]) *adj* old; **~ jeu** old-fashioned ◆ *nm, f:* **salut, mon ~!** (*fam*) hello, mate! (*Br*), hello, buddy! (*Am*).

vif, vive [vif, viv] *adj* (*geste*) sharp; (*pas*) brisk; (*regard, couleur*) bright; (*esprit*) lively.

vigile [viʒil] *nm* watchman.

vigne [viɲ] *nf* (*plante*) vine; (*terrain*) vineyard.

vignette [viɲet] *nf* (*automobile*) tax disc; (*de médicament*) price sticker (*for reimbursement of cost of medicine by the social security services*).

vignoble [viɲɔbl] *nm* vineyard.

vigoureux, -euse [vigurø, øz] *adj* sturdy.

vigueur [vigœr] *nf:* **les prix en ~** current prices; **entrer en ~** to come into force.

vilain, -e [vilɛ̃, ɛn] *adj* (*méchant*) naughty; (*laid*) ugly.

villa [vila] *nf* villa.

village [vilaʒ] *nm* village.

ville [vil] *nf* (*petite, moyenne*) town; (*importante*) city; **aller en ~** to go into town.

Villette [vilet] *nf:* (**le parc de) la ~** *cultural centre in the north of Paris, including a science museum.*

vin [vɛ̃] *nm* wine; **~ blanc** white wine; **~ doux** sweet wine; **~ rosé** rosé wine; **~ rouge** red wine; **~ sec** dry wine; **~ de table** table wine.

VIN

France is one of the biggest producers of wine in the world. In the main wine-growing areas of Burgundy, Bordeaux, the Loire and Beaujolais, both red and white wines are produced. In Alsace white wine is more common and Provence is known for its rosé wines. French wine is classified according to four categories, the names of which appear on the label: "AOC" (the highest-quality wines with the vineyard of origin identified), "VDQS" (good-quality wine from a certain area), "vins de pays" (table wines with the region of origin identified), and "vins de table" (basic table wines which may be blended and have no mention of where they are produced).

---

vinaigre [vinɛgr] *nm* vinegar.

vinaigrette [vinɛgrɛt] *nf* French dressing (Br), vinaigrette.

vingt [vɛ̃] *num* twenty, → **six**.

vingtaine [vɛ̃tɛn] *nf*: **une ~ (de)** about twenty.

vingtième [vɛ̃tjɛm] *num* twentieth, → **sixième**.

viol [vjɔl] *nm* rape.

violemment [vjɔlamɑ̃] *adv* violently.

violence [vjɔlɑ̃s] *nf* violence.

violent, -e [vjɔlɑ̃, ɑ̃t] *adj* violent.

violer [vjɔle] *vt (personne)* to rape.

violet, -ette [vjɔlɛ, ɛt] *adj & nm* purple.

violette [vjɔlɛt] *nf* violet.

violon [vjɔlɔ̃] *nm* violin.

violoncelle [vjɔlɔ̃sɛl] *nm* cello.

violoniste [vjɔlɔnist] *nmf* violinist.

vipère [vipɛr] *nf* viper.

virage [viraʒ] *nm (sur la route)* bend; *(en voiture, à ski)* turn.

virement [virmɑ̃] *nm (sur un compte)* transfer.

virer [vire] *vt (argent)* to transfer.

virgule [virgyl] *nf (entre mots)* comma; *(entre chiffres)* (decimal) point.

viril, -e [viril] *adj* virile.

virtuelle [virtɥɛl] *adj f* → **réalité**.

virtuose [virtɥoz] *nmf* virtuoso.

virus [virys] *nm* virus.

vis [vis] *nf* screw.

visa [viza] *nm (de séjour)* visa.

visage [vizaʒ] *nm* face.

vis-à-vis [vizavi] : **vis-à-vis de** *prép (envers)* towards.

viser [vize] *vt (cible)* to aim at; *(suj: loi)* to apply to; *(suj: remarque)* to be aimed at.

viseur [vizœr] *nm (de carabine)* sights *(pl)*; *(d'appareil photo)* viewfinder.

visibilité [vizibilite] *nf* visibility.

visible [vizibl] *adj* visible.

visière [vizjɛr] *nf (de casquette)* peak.

vision [vizjɔ̃] *nf (vue)* vision.

visionneuse [vizjɔnøz] *nf* projector.

visite [vizit] *nf* visit; **rendre ~ à qqn** to visit sb; **~ guidée** guided tour; **~ médicale** medical.

visiter [vizite] *vt* to visit; **faire ~ qqch à qqn** to show sb round sthg.

visiteur, -euse [vizitœr, øz] *nm, f* visitor.

visqueux, -euse [viskø, øz] *adj* sticky.

visser [vise] *vt (vis)* to screw in; *(couvercle)* to screw on.

visuel, -elle [vizɥɛl] *adj* visual.

vital, -e, -aux [vital, o] *adj* vital.

vitalité [vitalite] *nf* vitality.

vitamine [vitamin] *nf* vitamin.

vite [vit] *adv* fast, quickly.

vitesse [vites] *nf* speed; *(TECH: d'une voiture, d'un vélo)* gear; **à toute ~** at top speed.

vitrail, -aux [vitraj, o] *nm* stained-glass window.

vitre [vitr] *nf (de fenêtre)* window pane; *(de voiture)* window.

vitré, -e [vitre] *adj (porte)* glass.

vitrine [vitrin] *nf (de magasin)* (shop) window; *(meuble)* display cabinet; **en ~** in the window; **faire les ~s** to window-shop.

vivacité [vivasite] *nf* vivacity.

vivant, -e [vivã, ãt] *adj (en vie)* alive; *(animé)* lively.

vive [viv] → **vif** ♦ *excl:* **~ les vacances!** hurray for the holidays!

vivement [vivmã] *adv* quickly ♦ *excl:* **~ demain!** roll on tomorrow!

vivre [vivr] *vi* to live ♦ *vt (passer)* to experience.

VO *abr* = **version originale**.

vocabulaire [vɔkabylɛr] *nm* vocabulary.

vocales [vɔkal] *adj fpl* → **corde**.

vodka [vɔdka] *nf* vodka.

vœu, -x [vø] *nm (souhait)* wish; **meilleurs ~x** best wishes.

voici [vwasi] *prép* here is/are.

voie [vwa] *nf (chemin)* road; *(sur*

une route) lane; *(de gare)* platform; **être en ~ d'amélioration** to be improving; **«par ~ orale»** "to be taken orally"; **~ ferrée** railway track (Br), railroad track (Am); **~ sans issue** dead end.

voilà [vwala] *prép* there is/are.

voile [vwal] *nm* veil ♦ *nf (de bateau)* sail; **faire de la ~** to go sailing.

voilé, -e [vwale] *adj (roue)* buckled.

voilier [vwalje] *nm* sailing boat (Br), sailboat (Am).

voir [vwar] *vt* to see; **ça n'a rien à ~** that's got nothing to do with it; **voyons!** *(pour reprocher)* come on now!; **faire ~ qqch à qqn** to show sb sthg ❑ **se voir** *vp (être visible)* to show; *(se rencontrer)* to see one another.

voisin, -e [vwazɛ̃, in] *adj (ville)* neighbouring; *(maison)* next-door ♦ *nm, f* neighbour.

voiture [vwatyr] *nf* car; *(wagon)* carriage; **~ de sport** sports car.

voix [vwa] *nf* voice; *(vote)* vote; **à ~ basse** in a low voice; **à ~ haute** in a loud voice.

vol [vɔl] *nm (groupe d'oiseaux)* flock; *(trajet en avion)* flight; *(délit)* theft; **attraper qqch au ~** to grab sthg; **à ~ d'oiseau** as the crow flies; **au ~!** stop thief!; **en ~** *(dans un avion)* during the flight; **~ régulier** scheduled flight.

volaille [vɔlaj] *nf (oiseau)* fowl; **de la ~** poultry.

volant [vɔlã] *nm (de voiture)* steering wheel; *(de nappe, de jupe)* flounce; *(de badminton)* shuttlecock.

volante [vɔlãt] *adj f* → **sou-**

coupe.

vol-au-vent [vɔlovɑ̃] *nm inv* vol-au-vent.

volcan [vɔlkɑ̃] *nm* volcano.

voler [vɔle] *vt (argent, objet)* to steal; *(personne)* to rob ♦ *vi (oiseau, avion)* to fly.

volet [vɔlɛ] *nm (de fenêtre)* shutter; *(d'imprimé)* tear-off section.

voleur, -euse [vɔlœr, øz] *nm, f* thief.

volière [vɔljɛr] *nf* aviary.

volley(-ball) [vɔlɛ(bol)] *nm* volleyball.

volontaire [vɔlɔ̃tɛr] *adj (geste, engagement)* deliberate ♦ *nmf* volunteer.

volontairement [vɔlɔ̃tɛrmɑ̃] *adv (exprès)* deliberately.

volonté [vɔlɔ̃te] *nf (énergie)* will; *(désir)* wish; **bonne ~** goodwill; **mauvaise ~** unwillingness.

volontiers [vɔlɔ̃tje] *adv* willingly; **~!** *(à table)* yes, please!

volt [vɔlt] *nm* volt.

volume [vɔlym] *nm* volume.

volumineux, -euse [vɔlyminø, øz] *adj* bulky.

vomir [vɔmir] *vi* to be sick ♦ *vt* to bring up.

vont → aller.

vos → votre.

vote [vɔt] *nm* vote.

voter [vɔte] *vi* to vote.

votre [vɔtr] *adj* your.

vôtre [votr] : **le vôtre** (*f* **la vôtre**, *pl* **les vôtres**) *pron* yours; **à la ~!** your good health!

voudra *etc* → vouloir.

vouloir [vulwar] *vt* 1. *(désirer)* to want; **voulez-vous boire quelque chose?** would you like something

to drink?; **je veux qu'il parte** I want him to go; **si tu veux** if you like; **sans le ~** unintentionally; **je voudrais ...** I would like ...

2. *(accepter)*: **tu prends un verre? - oui, je veux bien** would you like a drink? - yes, I'd love one; **veuillez vous asseoir** please sit down.

3. *(dans des expressions)*: **ne pas ~ de qqn/qqch** not to want sb/sthg; **en ~ à qqn** to have a grudge against sb; **~ dire** to mean. ❑ **s'en vouloir** *vp*: **s'en ~ (de faire qqch)** to be cross with o.s. (for doing sthg).

voulu, -e [vuly] *pp* → vouloir.

vous [vu] *pron* you; *(objet indirect)* (to) you; *(réciproque)* each other; *(réfléchi)* : **vous ~ êtes lavés?** have you washed?; **~-même** yourself; **~-mêmes** yourselves.

voûte [vut] *nf* vault.

voûté, -e [vute] *adj (personne, dos)* hunched.

vouvoyer [vuvwaje] *vt*: **~ qqn** to address sb as "vous".

voyage [vwajaʒ] *nm (déplacement)* journey; *(trajet)* trip; **bon ~!** have a good trip!; **partir en ~** to go away; **~ de noces** honeymoon; **~ organisé** package tour.

voyager [vwajaʒe] *vi* to travel.

voyageur, -euse [vwajaʒœr, øz] *nm, f* traveller.

voyant, -e [vwajɑ̃, ɑ̃t] *adj (couleur, vêtement)* gaudy ♦ *nm*: **~ lumineux** light.

voyelle [vwajɛl] *nf* vowel.

voyons → voir.

voyou [vwaju] *nm* yob.

vrac [vrak] *nm*: **en ~** *adv (en désordre)* higgledy-piggledy ♦ *adj (thé)* loose.

vrai, -e [vʀɛ] *adj (exact)* true; *(véritable)* real; **à ~ dire** to tell the truth.

vraiment [vʀɛmɑ̃] *adv* really.

vraisemblable [vʀɛsɑ̃blabl] *adj* likely.

VTT *abr* = **vélo tout terrain**.

vu, -e [vy] *pp* → **voir ♦** *prép* in view of **♦** *adj*: **être bien/mal ~ (de qqn)** *(personne)* to be popular/unpopular (with sb); *(attitude)* to be acceptable/unacceptable (to sb); **~ que** seeing as.

vue *nf (sens)* eyesight; *(panorama)* view; *(vision, spectacle)* sight; **avec ~ sur ...** overlooking ...; **connaître qqn de ~** to know sb by sight; **en ~ de faire qqch** with a view to doing sthg; **à ~ d'œil** visibly.

vulgaire [vylgɛʀ] *adj (grossier)* vulgar; *(quelconque)* plain.

wagon [vagɔ̃] *nm (de passagers)* carriage *(Br)*, car *(Am)*; *(de marchandises)* wagon.

wagon-lit [vagɔ̃li] *(pl* **wagons-lits)** *nm* sleeping car.

wagon-restaurant [vagɔ̃ʀɛstɔʀɑ̃] *(pl* **wagons-restaurants)** *nm* restaurant car.

Walkman® [wɔkman] *nm* personal stereo; Walkman®.

wallon, -onne [walɔ̃, ɔn] *adj* Walloon ❑ **Wallon, -onne** *nm, f* Walloon.

Washington [waʃiŋtɔn] *n* Washington D.C.

waters [watɛʀ] *nmpl* toilet *(sg)*.

waterz(o)oi [watɛʀzɔj] *nm (Belg)* chicken or fish with vegetables, cooked in a cream sauce, a Flemish speciality.

watt [wat] *nm* watt.

W-C [vese] *nmpl* toilets.

week-end, -s [wikɛnd] *nm* weekend; **bon ~!** have a nice weekend!

western [wɛstɛʀn] *nm* western.

whisky [wiski] *nm* whisky.

xérès [kseʀɛs] *nm* sherry.

xylophone [ksilɔfɔn] *nm* xylophone.

y [i] *adv* **1.** *(indique le lieu)* there; **j'y vais demain** I'm going there tomorrow; **maintenant que j'y suis** now (that) I'm here. **2.** *(dedans)* in it/them; **mets-y du sel** put some salt in it. **3.** *(dessus)* on it/them; **va voir sur la table si les clefs y sont** go and see if the keys are on the table. **♦** *pron*: **pensez-y** think about it; **n'y comptez pas** don't count on it, → **aller, avoir.**

yacht [jot] *nm* yacht.

yaourt [jauʀt] *nm* yoghurt.

yeux → **œil.**

yoga [jɔga] *nm* yoga.

yoghourt [jɔgurt] = **yaourt**.

Yougoslavie [jugɔslavi] *nf*: **la ~** Yugoslavia.

Yo-Yo® [jojo] *nm inv* yo-yo.

zapper [zape] *vi* to channel-hop.

zèbre [zɛbr] *nm* zebra.

zéro [zero] *nm* zero; *(SPORT)* nil; *(SCOL)* nought.

zeste [zɛst] *nm* peel.

zigzag [zigzag] *nm* zigzag; **en ~** *(route)* winding.

zigzaguer [zigzage] *vi (route, voiture)* to zigzag.

zodiaque [zɔdjak] *nm* → **signe**.

zone [zon] *nf* area; **~ bleue** restricted parking zone; **~ industrielle** industrial estate *(Br)*, industrial park *(Am)*; **~ piétonne** OU **piétonnière** pedestrian precinct *(Br)*, pedestrian zone *(Am)*.

zoo [z(o)o] *nm* zoo.

zoologique [zɔɔlɔʒik] *adj* → **parc**.

zut [zyt] *excl* damn!

a [stressed eɪ, unstressed ə] (**an** before vowel or silent "*h*") *indefinite article* **1.** *(gen)* un (une); **a restaurant** un restaurant; **a chair** une chaise; **a friend** un ami (une amie); **an apple** une pomme.
2. *(instead of the number one)*: **a month ago** il y a un mois; **a thousand mille**; **four and a half** quatre et demi.
3. *(in prices, ratios)*: **three times a year** trois fois par an; **£2 a kilo** 2 livres le kilo

AA *n (Br: abbr of Automobile Association)* ≈ ACF *m.*

aback [ə'bæk] *adj*: **to be taken ~** être déconcerté(-e).

abandon [ə'bændən] *vt* abandonner.

abattoir ['æbətwɑːʳ] *n* abattoir *m.*

abbey ['æbɪ] *n* abbaye *f.*

abbreviation [ə,briːvɪ'eɪʃn] *n* abréviation *f.*

abdomen ['æbdəmən] *n* abdomen *m.*

abide [ə'baɪd] *vt*: **I can't ~ him** je ne peux pas le supporter ❑ **abide by** *vt fus* respecter.

ability [ə'bɪlətɪ] *n* capacité *f.*

able ['eɪbl] *adj* compétent(-e); **to**

be ~ to do sthg pouvoir faire qqch.

abnormal [æb'nɔːml] *adj* anormal(-e).

aboard [ə'bɔːd] *adv* à bord ◆ *prep (ship, plane)* à bord de; *(train, bus)* dans.

abolish [ə'bɒlɪʃ] *vt* abolir.

aborigine [,æbə'rɪdʒənɪ] *n* aborigène *mf* (d'Australie).

abort [ə'bɔːt] *vt (call off)* abandonner.

abortion [ə'bɔːʃn] *n* avortement *m*; **to have an ~** se faire avorter.

about [ə'baʊt] *adv* **1.** *(approximately)* environ; **~ 50** environ 50; **at ~ six o'clock** vers six heures.
2. *(referring to place)* çà et là; **to walk ~** se promener.
3. *(on the point of)*: **to be ~ to do sthg** être sur le point de faire qqch; **it's ~ to rain** il va pleuvoir ◆ *prep* **1.** *(concerning)* au sujet de; **a book ~ Scotland** un livre sur l'Écosse; **what's it ~?** de quoi s'agit-il?; **what ~ a drink?** et si on prenait un verre?
2. *(referring to place)*: **~ the town** dans la ville.

above [ə'bʌv] *prep* au-dessus de ◆ *adv (higher)* au-dessus; *(more)* plus; **~ all** avant tout.

abroad [ə'brɔːd] adv à l'étranger.

abrupt [ə'brʌpt] adj brusque.

abscess ['æbses] n abcès m.

absence ['æbsəns] n absence f.

absent ['æbsənt] adj absent(-e).

absent-minded [-'maɪndɪd] adj distrait(-e).

absolute ['æbsəluːt] adj absolu(-e).

absolutely [adv æbsə'luːtlɪ, excl æbsə'luːtlɪ] adv vraiment ◆ excl absolument!

absorb [əb'sɔːb] vt absorber.

absorbed [əb'sɔːbd] adj: to be ~ in sthg être absorbé(-e) par qqch.

absorbent [əb'sɔːbənt] adj absorbant(-e).

abstain [əb'steɪn] vi s'abstenir; to ~ from doing sthg s'abstenir de faire qqch.

absurd [əb'sɜːd] adj absurde.

ABTA ['æbtə] n association des agences de voyage britanniques.

abuse [n ə'bjuːs, vb ə'bjuːz] n (insults) injures fpl, insultes fpl; (wrong use) abus m; (maltreatment) mauvais traitements mpl ◆ vt (insult) injurier, insulter; (use wrongly) abuser de; (maltreat) maltraiter.

abusive [ə'bjuːsɪv] adj injurieux(-ieuse).

AC abbr = alternating current.

academic [ækə'demɪk] adj (of school) scolaire; (of college, university) universitaire ◆ n universitaire mf.

academy [ə'kædəmɪ] n école f; (of music) conservatoire m; (military) académie f.

accelerate [ək'seləreɪt] vi accélérer.

accelerator [ək'seləreɪtə^r] n accélérateur m.

accent ['æksent] n accent m.

accept [ək'sept] vt accepter.

acceptable [ək'septəbl] adj acceptable.

access ['ækses] n accès m.

accessible [ək'sesəbl] adj accessible.

accessories [ək'sesərɪz] npl accessoires mpl.

access road n voie f d'accès.

accident ['æksɪdənt] n accident m; by ~ par accident.

accidental [æksɪ'dentl] adj accidentel(-elle).

accident insurance n assurance f accidents.

accident-prone adj prédisposé(-e) aux accidents.

acclimatize [ə'klaɪmətaɪz] vi s'acclimater.

accommodate [ə'kɒmədeɪt] vt loger.

accommodation [ə,kɒmə'deɪʃn] n logement m.

accommodations [ə,kɒmə'deɪʃnz] npl (Am) = **accommodation**.

accompany [ə'kʌmpənɪ] vt accompagner.

accomplish [ə'kʌmplɪʃ] vt accomplir.

accord [ə'kɔːd] n: of one's own ~ de soi-même.

accordance [ə'kɔːdəns] n: in ~ with conformément à.

according to [ə'kɔːdɪŋ-] prep selon.

accordion [ə'kɔːdɪən] n accordéon m.

account [ə'kaʊnt] n (at bank, shop) compte m; (report) compte-

rendu m; **to take sth into ~** prendre qqch en compte; **on no ~** en aucun cas; **on ~ of** à cause de ☐
account for vt fus (explain) expliquer; (constitute) représenter.

accountant [ə'kauntənt] n comptable mf.

account number n numéro m de compte.

accumulate [ə'kju:mjuleɪt] vt accumuler.

accurate ['ækjurət] adj exact(-e).

accuse [ə'kju:z] vt: **to ~ sb of sthg** accuser qqn de qqch.

accused [ə'kju:zd] n: **the ~** l'accusé m (-e f).

ace [eɪs] n as m.

ache [eɪk] vi (person) avoir mal ♦ n douleur f; **my head ~s** j'ai mal à la tête.

achieve [ə'tʃi:v] vt (victory, success) remporter; (aim) atteindre; (result) obtenir.

acid ['æsɪd] adj acide ♦ n acide m.

acid rain n pluies fpl acides.

acknowledge [ək'nɒlɪdʒ] vt (accept) reconnaître; (letter) accuser réception de.

acne ['ækni] n acné f.

acorn ['eɪkɔ:n] n gland m.

acoustic [ə'ku:stɪk] adj acoustique.

acquaintance [ə'kweɪntəns] n (person) connaissance f.

acquire [ə'kwaɪər] vt acquérir.

acre ['eɪkər] n = 4 046,9 m², ≈ demi-hectare m.

acrobat ['ækrəbæt] n acrobate mf.

across [ə'krɒs] prep (from one side to the other of) en travers de; (on other side of) de l'autre côté de ♦

adv: **to walk/drive ~ sthg** traverser qqch; **10 miles ~** 16 km de large; **~ from** en face de.

acrylic [ə'krɪlɪk] n acrylique m.

act [ækt] vi agir; (in play, film) jouer ♦ n (action, of play) acte m; (POL) loi f; (performance) numéro m; **to ~ as** (serve as) servir de.

action ['ækʃn] n action f; (MIL) combat m; **to take ~** agir; **to put sthg into ~** mettre qqch à exécution; **out of ~** (machine, person) hors service.

active ['æktɪv] adj actif(-ive).

activity [æk'tɪvətɪ] n activité f.

activity holiday n vacances organisées pour enfants, avec activités sportives.

act of God n cas m de force majeure.

actor ['æktər] n acteur m.

actress ['æktrɪs] n actrice f.

actual ['æktʃuəl] adj (real) réel(-elle); (for emphasis) même.

actually ['æktʃuəlɪ] adv (really) vraiment; (in fact) en fait.

acupuncture ['ækjupʌŋktʃər] n acupuncture f.

acute [ə'kju:t] adj aigu(-ë); (feeling) vif (vive).

ad [æd] n (inf) (on TV) pub f; (in newspaper) petite annonce f.

AD (abbr of Anno Domini) ap. J.-C.

adapt [ə'dæpt] vt adapter ♦ vi s'adapter.

adapter [ə'dæptər] n (for foreign plug) adaptateur m; (for several plugs) prise f multiple.

add [æd] vt ajouter; (numbers, prices) additionner ☐ **add up** vt sep additionner; **add up to** vt fus (total) se monter à.

adder [ˈædəʳ] *n* vipère *f*.

addict [ˈædɪkt] *n* drogué *m* (-e *f*).

addicted [əˈdɪktɪd] *adj*: **to be ~ to sthg** être drogué(-e) à qqch.

addiction [əˈdɪkʃn] *n* dépendance *f*.

addition [əˈdɪʃn] *n (added thing)* ajout *m*; *(in maths)* addition *f*; **in ~ (to)** en plus (de).

additional [əˈdɪʃənl] *adj* supplémentaire.

additive [ˈædɪtɪv] *n* additif *m*.

address [əˈdres] *n (on letter)* adresse *f* ♦ *vt (speak to)* s'adresser à; *(letter)* adresser.

address book *n* carnet *m* d'adresses.

addressee [ædreˈsiː] *n* destinataire *mf*.

adequate [ˈædɪkwət] *adj (sufficient)* suffisant(-e); *(satisfactory)* adéquat(-e).

adhere [ədˈhɪəʳ] *vi*: **to ~ to** *(stick to)* adhérer à; *(obey)* respecter.

adhesive [ədˈhiːsɪv] *adj* adhésif(-ive) ♦ *n* adhésif *m*.

adjacent [əˈdʒeɪsənt] *adj (room)* contigu(-ë); *(street)* adjacent(-e).

adjective [ˈædʒɪktɪv] *n* adjectif *m*.

adjoining [əˈdʒɔɪnɪŋ] *adj (rooms)* contigu(-ë).

adjust [əˈdʒʌst] *vt* régler; *(price)* ajuster ♦ *vi*: **to ~ to** s'adapter à.

adjustable [əˈdʒʌstəbl] *adj* réglable.

adjustment [əˈdʒʌstmənt] *n* réglage *m*; *(to price)* ajustement *m*.

administration [ədˌmɪnɪˈstreɪʃn] *n* administration *f*; *(Am: government)* gouvernement *m*.

administrator [ədˈmɪnɪstreɪtəʳ] *n* administrateur *m* (-trice *f*).

admiral [ˈædmərəl] *n* amiral *m*.

admire [ədˈmaɪəʳ] *vt* admirer.

admission [ədˈmɪʃn] *n (permission to enter)* admission *f*; *(entrance cost)* entrée *f*.

admission charge *n* entrée *f*.

admit [ədˈmɪt] *vt* admettre; **to ~ to sthg** admettre OR reconnaître qqch; **"~s one"** *(on ticket)* «valable pour une personne».

adolescent [ædəˈlesnt] *n* adolescent *m* (-e *f*).

adopt [əˈdɒpt] *vt* adopter.

adopted [əˈdɒptɪd] *adj* adopté(-e).

adorable [əˈdɔːrəbl] *adj* adorable.

adore [əˈdɔːʳ] *vt* adorer.

adult [ˈædʌlt] *n* adulte *mf* ♦ *adj (entertainment, films)* pour adultes; *(animal)* adulte.

adult education *n* enseignement *m* pour adultes.

adultery [əˈdʌltəri] *n* adultère *m*.

advance [ədˈvɑːns] *n* avance *f* ♦ *adj (payment)* anticipé(-e) ♦ *vt & vi* avancer; **to give sb ~ warning** prévenir qqn.

advance booking *n* réservation *f* à l'avance.

advanced [ədˈvɑːnst] *adj (student)* avancé(-e); *(level)* supérieur(-e).

advantage [ədˈvɑːntɪdʒ] *n* avantage *m*; **to take ~ of** profiter de.

adventure [ədˈventʃəʳ] *n* aventure *f*.

adventurous [ədˈventʃərəs] *adj* aventureux(-euse).

adverb [ˈædvɜːb] *n* adverbe *m*.

adverse [ˈædvɜːs] *adj* défavorable.

advert ['ædvɜːt] = **advertise-ment**.

advertise ['ædvətaɪz] vt (product, event) faire de la publicité pour.

advertisement [əd'vɜːtɪsmənt] n (on TV, radio) publicité f; (in newspaper) annonce f.

advice [əd'vaɪs] n conseils mpl; **a piece of ~** un conseil.

advisable [əd'vaɪzəbl] adj conseillé(-e).

advise [əd'vaɪz] vt conseiller; **to ~ sb to do sthg** conseiller à qqn de faire qqch; **to ~ sb against doing sthg** déconseiller à qqn de faire qqch.

advocate [n 'ædvəkət, vb 'ædvəkeɪt] n (JUR) avocat m (-e f) ◆ vt préconiser.

aerial ['eərɪəl] n antenne f.

aerobics [eə'rəʊbɪks] n aérobic m.

aerodynamic [,eərəʊdaɪ'næmɪk] adj aérodynamique.

aeroplane ['eərəpleɪn] n avion m.

aerosol ['eərəsɒl] n aérosol m.

affair [ə'feər] n affaire f; (love affair) liaison f.

affect [ə'fekt] vt (influence) affecter.

affection [ə'fekʃn] n affection f.

affectionate [ə'fekʃnət] adj affectueux(-euse).

affluent ['æfluənt] adj riche.

afford [ə'fɔːd] vt: **can you ~ to go on holiday?** peux-tu te permettre de partir en vacances?; **I can't ~ it** je n'en ai pas les moyens; **I can't ~ the time** je n'ai pas le temps.

affordable [ə'fɔːdəbl] adj

abordable.

afloat [ə'fləʊt] adj à flot.

afraid [ə'freɪd] adj: **to be ~ of** avoir peur de; **I'm ~ so** j'en ai bien peur; **I'm ~ not** j'ai bien peur que non.

Africa ['æfrɪkə] n l'Afrique f.

African ['æfrɪkən] adj africain(-e) ◆ n Africain m (-e f).

after ['ɑːftər] prep & adv après ◆ conj après que; **a quarter ~ ten** (Am) dix heures et quart; **to be ~** (in search of) chercher; **~ all** après tout ❏ **afters** npl dessert m.

aftercare ['ɑːftəkeər] n postcure f.

aftereffects ['ɑːftərɪ,fekts] npl suites fpl.

afternoon [,ɑːftə'nuːn] n après-midi m inv or f inv; **good ~!** bonjour!

afternoon tea n le thé de cinq heures.

aftershave ['ɑːftəʃeɪv] n après-rasage m.

aftersun ['ɑːftəsʌn] n après-soleil m.

afterwards ['ɑːftəwədz] adv après.

again [ə'gen] adv encore, à nouveau; **~ and ~** à plusieurs reprises; **never ... ~** ne ... plus jamais.

against [ə'genst] prep contre; **~ the law** contraire à la loi.

age [eɪdʒ] n âge m; **under ~** mineur; **I haven't seen him for ~s** (inf) ça fait une éternité que je ne l'ai pas vu.

aged [eɪdʒd] adj: **~ eight** âgé de huit ans.

age group n tranche f d'âge.

age limit n limite f d'âge.

agency ['eɪdʒənsɪ] n agence f.

agenda [ə'dʒendə] n ordre m du jour.

agent ['eɪdʒənt] n agent m.

aggression [ə'greʃn] n violence f.

aggressive [ə'gresɪv] adj agressif(-ive).

agile [Br 'ædʒaɪl, Am 'ædʒəl] adj agile.

agility [ə'dʒɪlətɪ] n agilité f.

agitated ['ædʒɪteɪtɪd] adj agité(-e).

ago [ə'gəʊ] adv: **a month ~** il y a un mois; **how long ~?** il y a combien de temps?

agonizing ['ægənaɪzɪŋ] adj déchirant(-e).

agony ['ægənɪ] n (physical) douleur f atroce; (mental) angoisse f.

agree [ə'griː] vi être d'accord; (correspond) concorder; **it doesn't ~ with me** (food) ça ne me réussit pas; **to ~ to sthg** accepter qqch; **to ~ to do sthg** accepter de faire qqch; **we ~d to meet at six o'clock** nous avons décidé de nous retrouver à six heures □ **agree on** vt fus (time, price) se mettre d'accord sur.

agreed [ə'griːd] adj (price) convenu(-e); **to be ~** (person) être d'accord.

agreement [ə'griːmənt] n accord m.

agriculture ['ægrɪkʌltʃəʳ] n agriculture f.

ahead [ə'hed] adv devant; **go straight ~** allez tout droit; **the months ~** les mois à venir; **to be ~** (winning) être en tête; **~ of** devant; (in time) avant; **~ of schedule** en avance.

aid [eɪd] n aide f ♦ vt aider; **in ~ of** au profit de; **with the ~ of** à l'aide de.

AIDS [eɪdz] n SIDA m.

ailment ['eɪlmənt] n (fml) mal m.

aim [eɪm] n (purpose) but m ♦ vt (gun, camera, hose) braquer ♦ vi: **to ~ (at)** viser; **to ~ to do sthg** avoir pour but de faire qqch.

air [eəʳ] n air m ♦ vt (room) aérer ♦ adj (terminal, travel) aérien(-ienne); **by ~** par avion.

airbed ['eəbed] n matelas m pneumatique.

airborne ['eəbɔːn] adj (plane) en vol.

air-conditioned [-kən'dɪʃnd] adj climatisé(-e).

air-conditioning [-kən'dɪʃnɪŋ] n climatisation f.

aircraft ['eəkrɑːft] (pl inv) n avion m.

aircraft carrier [-ˌkærɪəʳ] n porte-avions m inv.

airfield ['eəfiːld] n aérodrome m.

airforce ['eəfɔːs] n armée f de l'air.

air freshener [-ˌfreʃnəʳ] n désodorisant m.

airhostess ['eəˌhəʊstɪs] n hôtesse f de l'air.

airing cupboard ['eərɪŋ-] n armoire f sèche-linge.

airletter ['eəˌletəʳ] n aérogramme m.

airline ['eəlaɪn] n compagnie f aérienne.

airliner ['eəˌlaɪnəʳ] n avion m de ligne.

airmail ['eəmeɪl] n poste f aérienne; **by ~** par avion.

airplane ['eəpleɪn] n (Am) avion m.

airport ['eəpɔːt] n aéroport m.

air raid n raid m aérien.

airsick ['eəsɪk] adj: **to be ~** avoir le mal de l'air.

air steward n steward m.

air stewardess n hôtesse f de l'air.

air traffic control n contrôle m aérien.

airy ['eərɪ] adj aéré(-e).

aisle [aɪl] n (in plane) couloir m; (in cinema, supermarket) allée f; (in church) bas-côté m.

aisle seat n fauteuil m côté couloir.

ajar [ə'dʒɑːʳ] adj entrebâillé(-e).

alarm [ə'lɑːm] n alarme f ◆ vt alarmer.

alarm clock n réveil m.

alarmed [ə'lɑːmd] adj (door, car) protégé(-e) par une alarme.

alarming [ə'lɑːmɪŋ] adj alarmant(-e).

Albert Hall ['ælbət-] n: **the ~** l'Albert Hall m.

ⓘ THE ALBERT HALL

Grande salle londonienne accueillant concerts et manifestations diverses, y compris sportives; elle a été baptisée ainsi en l'honneur du prince Albert, époux de la reine Victoria.

album ['ælbəm] n album m.

alcohol ['ælkəhɒl] n alcool m.

alcohol-free adj sans alcool.

alcoholic [,ælkə'hɒlɪk] adj (drink) alcoolisé(-e) ◆ n alcoolique mf.

alcoholism ['ælkəhɒlɪzm] n alcoolisme m.

alcove ['ælkəʊv] n renfoncement m.

ale [eɪl] n bière f.

alert [ə'lɜːt] adj vigilant(-e) ◆ vt alerter.

A level n = baccalauréat m.

ⓘ A LEVEL

Examen de fin d'études secondaires en Grande-Bretagne; il faut passer deux ou trois A levels, chacun sanctionnant une matière, afin de pouvoir accéder à l'université.

algebra ['ældʒɪbrə] n algèbre f.

Algeria [æl'dʒɪərɪə] n l'Algérie f.

alias ['eɪlɪəs] adv alias.

alibi ['ælɪbaɪ] n alibi m.

alien ['eɪlɪən] n (foreigner) étranger m (-ère f); (from outer space) extra-terrestre mf.

alight [ə'laɪt] adj (on fire) en feu ◆ vi (fml: from train, bus): **to ~ (from)** descendre (de).

align [ə'laɪn] vt aligner.

alike [ə'laɪk] adj semblable ◆ adv de la même façon; **to look ~** se ressembler.

alive [ə'laɪv] adj (living) vivant(-e).

all [ɔːl] adj 1. (with singular noun) tout (toute); **~ the money** tout l'argent; **~ the time** tout le temps; **~ day** toute la journée.
2. (with plural noun) tous (toutes); **~ the houses** toutes les maisons; **~ trains stop at Tonbridge** tous les trains s'arrêtent à Tonbridge.
◆ adv 1. (completely) complètement; **~ alone** tout seul (toute seule).
2. (in scores): **it's two ~** ça fait deux

Allah

partout.

3. (in phrases): ~ **but empty** presque vide; ~ **over** (finished) terminé(-e).

◆ pron **1.** (everything) tout; **is that ~?** (in shop) ce sera tout?; ~ **of the work** tout le travail; **the best of ~** le meilleur de tous.

2. (everybody): ~ **of the guests** tous les invités; ~ **of us** went nous y sommes tous allés.

3. (in phrases): **can I help you at ~?** puis-je vous aider en quoi que ce soit?; **in** ~ en tout.

Allah ['ælə] *n* Allah *m*.

allege [ə'ledʒ] *vt* prétendre.

allergic [ə'lɜːdʒɪk] *adj*: **to be ~ to** être allergique à.

allergy ['ælədʒɪ] *n* allergie *f*.

alleviate [ə'liːvɪeɪt] *vt* (pain) alléger.

alley ['ælɪ] *n* (narrow street) ruelle *f*.

alligator ['ælɪgeɪtə'] *n* alligator *m*.

all-in *adj* (Br: inclusive) tout compris.

all-night *adj* (bar, petrol station) ouvert(-e) la nuit.

allocate ['æləkeɪt] *vt* attribuer.

allotment [ə'lɒtmənt] *n* (Br: for vegetables) potager *m* (loué par la commune à un particulier).

allow [ə'laʊ] *vt* (permit) autoriser; (time, money) prévoir; **to ~ sb to do sthg** autoriser qqn à faire qqch; **to be ~ed to do sthg** avoir le droit de faire qqch ❏ **allow for** *vt fus* tenir compte de.

allowance [ə'laʊəns] *n* (state benefit) allocation *f*; (for expenses) indemnité *f*; (pocket money) argent *m* de poche.

all right *adj* pas mal (inv) ◆ *adv* (satisfactorily) bien; (yes, okay) d'accord; **is everything ~?** est-ce que tout va bien?; **is it ~ if I smoke?** cela ne vous dérange pas si je fume?; **are you ~?** ça va?; **how are you?** – **I'm ~** comment vas-tu? – bien.

ally ['ælaɪ] *n* allié *m* (-e *f*).

almond ['ɑːmənd] *n* amande *f*.

almost ['ɔːlməʊst] *adv* presque; **we ~ missed the train** nous avons failli rater le train.

alone [ə'ləʊn] *adj & adv* seul(-e); **to leave sb ~** (in peace) laisser qqn tranquille; **to leave sthg ~** laisser qqch tranquille.

along [ə'lɒŋ] *prep* le long de ◆ *adv*: **to walk ~** se promener; **to bring sthg ~** apporter qqch; **all ~** (knew, thought) depuis le début; ~ **with** avec.

alongside [ə,lɒŋ'saɪd] *prep* à côté de.

aloof [ə'luːf] *adj* distant(-e).

aloud [ə'laʊd] *adv* à haute voix, à voix haute.

alphabet ['ælfəbet] *n* alphabet *m*.

Alps [ælps] *npl*: **the ~** les Alpes *fpl*.

already [ɔːl'redɪ] *adv* déjà.

also ['ɔːlsəʊ] *adv* aussi.

altar ['ɔːltə'] *n* autel *m*.

alter ['ɔːltə'] *vt* modifier.

alteration [,ɔːltə'reɪʃn] *n* (to plan, timetable) modification *f*; (to house) aménagement *m*.

alternate [Br ɔːl'tɜːnət, Am 'ɔːltərnət] *adj*: **on ~ days** tous les deux jours, un jour sur deux.

alternating current ['ɔːltəneitɪŋ-] *n* courant *m* alternatif.

alternative [ɔːlˈtɜːnətɪv] *adj (accommodation, route)* autre; *(medicine, music, comedy)* alternatif(-ive) ◆ *n* choix *m*.

alternatively [ɔːlˈtɜːnətɪvlɪ] *adv* ou bien.

alternator [ˈɔːltəneɪtəʳ] *n* alternateur *m*.

although [ɔːlˈðəʊ] *conj* bien que (+ subjunctive).

altitude [ˈæltɪtjuːd] *n* altitude *f*.

altogether [ˌɔːltəˈɡeðəʳ] *adv (completely)* tout à fait; *(in total)* en tout.

aluminium [ˌæljʊˈmɪnɪəm] *n* (Br) aluminium *m*.

aluminum [əˈluːmɪnəm] *(Am)* = **aluminium**.

always [ˈɔːlweɪz] *adv* toujours.

am [æm] → **be**.

a.m. *(abbr of ante meridiem)*: **at 2 ~** à 2 h du matin.

amateur [ˈæmətəʳ] *n* amateur *m*.

amazed [əˈmeɪzd] *adj* stupéfait(-e).

amazing [əˈmeɪzɪŋ] *adj* extraordinaire.

Amazon [ˈæməzn] *n (river)*: **the ~** l'Amazone *f*.

ambassador [æmˈbæsədəʳ] *n* ambassadeur *m* (-drice *f*).

amber [ˈæmbəʳ] *adj (traffic lights)* orange (inv); *(jewellery)* d'ambre.

ambiguous [æmˈbɪɡjʊəs] *adj* ambigu(-ë).

ambition [æmˈbɪʃn] *n* ambition *f*.

ambitious [æmˈbɪʃəs] *adj (person)* ambitieux(-ieuse).

ambulance [ˈæmbjʊləns] *n* ambulance *f*.

ambush [ˈæmbʊʃ] *n* embuscade *f*.

amenities [əˈmiːnətɪz] *npl* équipements *mpl*.

America [əˈmerɪkə] *n* l'Amérique *f*.

American [əˈmerɪkən] *adj* américain(-e) ◆ *n (person)* Américain (-e *f*).

amiable [ˈeɪmɪəbl] *adj* aimable.

ammunition [ˌæmjʊˈnɪʃn] *n* munitions *fpl*.

amnesia [æmˈniːzɪə] *n* amnésie *f*.

among(st) [əˈmʌŋ(st)] *prep* parmi; *(when sharing)* entre.

amount [əˈmaʊnt] *n (quantity)* quantité *f*; *(sum)* montant *m* ❏ **amount to** *vt fus (total)* se monter à.

amp [æmp] *n* ampère *m*; **a 13-~ plug** une prise 13 ampères.

ample [ˈæmpl] *adj (time)* largement assez de.

amplifier [ˈæmplɪfaɪəʳ] *n* amplificateur *m*.

amputate [ˈæmpjʊteɪt] *vt* amputer.

Amtrak [ˈæmtræk] *n* société nationale de chemins de fer aux États-Unis.

amuse [əˈmjuːz] *vt (make laugh)* amuser; *(entertain)* occuper.

amusement arcade [əˈmjuːz-mənt-] *n* galerie *f* de jeux.

amusement park [əˈmjuːz-mənt-] *n* parc *m* d'attractions.

amusements [əˈmjuːzmənts] *npl* distractions *fpl*.

amusing [əˈmjuːzɪŋ] *adj* amusant(-e).

an [stressed æn, unstressed ən] → **a**.

anaemic [əˈniːmɪk] *adj (Br: person)* anémique.

anaesthetic [ˌænɪsˈθetɪk] n (Br) anesthésie f.

analgesic [ˌænælˈdʒiːsɪk] n analgésique m.

analyse [ˈænəlaɪz] vt analyser.

analyst [ˈænəlɪst] n (psychoanalyst) psychanalyste mf.

analyze [ˈænəlaɪz] (Am) = analyse.

anarchy [ˈænəkɪ] n anarchie f.

anatomy [əˈnætəmɪ] n anatomie f.

ancestor [ˈænsestəʳ] n ancêtre mf.

anchor [ˈæŋkəʳ] n ancre f.

anchovy [ˈæntʃəvɪ] n anchois m.

ancient [ˈeɪnʃənt] adj ancien(-ienne).

and [strong form ænd, weak form ənd, ən] conj et; **more ~ more** de plus en plus; **~ you?** et toi?; **a hundred ~ one** cent un; **to try ~ do sthg** essayer de faire qqch; **to go ~ see** aller voir.

Andes [ˈændiːz] npl: **the ~** les Andes fpl.

anecdote [ˈænɪkdəʊt] n anecdote f.

anemic [əˈniːmɪk] (Am) = anaemic.

anesthetic [ˌænɪsˈθetɪk] (Am) = anaesthetic.

angel [ˈeɪndʒl] n ange m.

anger [ˈæŋɡəʳ] n colère f.

angina [ænˈdʒaɪnə] n angine f de poitrine.

angle [ˈæŋɡl] n angle m; **at an ~** en biais.

angler [ˈæŋɡləʳ] n pêcheur m (-euse f) (à la ligne).

angling [ˈæŋɡlɪŋ] n pêche f (à la ligne).

angry [ˈæŋɡrɪ] adj en colère; (words) violent(-e); **to get ~ (with sb)** se mettre en colère (contre qqn).

animal [ˈænɪml] n animal m.

aniseed [ˈænɪsiːd] n anis m.

ankle [ˈæŋkl] n cheville f.

annex [ˈæneks] n (building) annexe f.

annihilate [əˈnaɪəleɪt] vt anéantir.

anniversary [ˌænɪˈvɜːsərɪ] n anniversaire m (d'un événement).

announce [əˈnaʊns] vt annoncer.

announcement [əˈnaʊnsmənt] n annonce f.

announcer [əˈnaʊnsəʳ] n (on TV, radio) présentateur m (-trice f).

annoy [əˈnɔɪ] vt agacer.

annoyed [əˈnɔɪd] adj agacé(-e); **to get ~ (with)** s'énerver (contre).

annoying [əˈnɔɪɪŋ] adj agaçant(-e).

annual [ˈænjʊəl] adj annuel(-elle).

anonymous [əˈnɒnɪməs] adj anonyme.

anorak [ˈænəræk] n anorak m.

another [əˈnʌðəʳ] adj un autre (une autre); ♦ pron un autre (une autre); **can I have ~ (one)?** puis-je en avoir un autre?; **in ~ two weeks** dans deux semaines; **to help one ~** s'entraider; **to talk to one ~** se parler; **one after ~** l'un après l'autre (l'une après l'autre).

answer [ˈɑːnsəʳ] n réponse f; (solution) solution f ♦ vt répondre à ♦ vi répondre; **to ~ the door** aller ouvrir la porte; **to ~ the phone** répondre au téléphone ❑ **answer**

back vi répondre.
answering machine ['ɑːnsərɪŋ] = answerphone.
answerphone ['ɑːnsəfəʊn] n répondeur m.
ant [ænt] n fourmi f.
Antarctic [æn'tɑːktɪk] n: **the ~** l'Antarctique m.
antenna [æn'tenə] n (Am: aerial) antenne f.
anthem ['ænθəm] n hymne m.
antibiotics [ˌæntɪbaɪ'ɒtɪks] npl antibiotiques mpl.
anticipate [æn'tɪsɪpeɪt] vt (expect) s'attendre à; (guess correctly) anticiper.
anticlimax [ˌæntɪ'klaɪmæks] n déception f.
anticlockwise [ˌæntɪ'klɒkwaɪz] adv (Br) dans le sens inverse des aiguilles d'une montre.
antidote ['æntɪdəʊt] n antidote m.
antifreeze ['æntɪfriːz] n antigel m.
antihistamine [ˌæntɪ'hɪstəmɪn] n antihistaminique m.
antiperspirant [ˌæntɪ'pɜːspərənt] n déodorant m.
antiquarian bookshop [ˌæntɪ'kweərɪən-] n librairie spécialisée dans les livres anciens.
antique [æn'tiːk] n antiquité f.
antique shop n magasin m d'antiquités.
antiseptic [ˌæntɪ'septɪk] n antiseptique m.
antisocial [ˌæntɪ'səʊʃl] adj (person) sauvage; (behaviour) antisocial(-e).
antlers ['æntləz] npl bois mpl.
anxiety [æŋ'zaɪətɪ] n (worry)

anxiété f.
anxious ['æŋkʃəs] adj (worried) anxieux(-ieuse); (eager) impatient(-e).
any ['enɪ] adj 1. (in questions) du, de l', de la, des (pl); **is there ~ milk left?** est-ce qu'il te reste du lait?; **have you got ~ money?** as-tu de l'argent?; **have you got ~ postcards?** avez-vous des cartes postales?
2. (in negatives) de, d'; **I haven't got ~ money** je n'ai pas d'argent; **we don't have ~ rooms** nous n'avons plus de chambres libres.
3. (no matter which) n'importe quel (n'importe quelle); **take ~ one you like** prends celui qui te plaît.
♦ pron 1. (in questions) en; **I'm looking for a hotel - are there ~ nearby?** je cherche un hôtel - est-ce qu'il y en a par ici?
2. (in negatives) en; **I don't want ~ (of them)** je n'en veux aucun; **I don't want ~ (of it)** je n'en veux pas.
3. (no matter which one) n'importe lequel (n'importe laquelle); **you can sit at ~ of the tables** vous pouvez vous asseoir à n'importe quelle table.
♦ adv 1. (in questions): **is that ~ better?** est-ce que c'est mieux comme ça?; **~ other questions?** d'autres questions?
2. (in negatives): **he's not ~ better** il ne va pas mieux; **we can't wait ~ longer** nous ne pouvons plus attendre.
anybody ['enɪˌbɒdɪ] = **anyone** ['enɪwʌn].
anyhow ['enɪhaʊ] adv (carelessly) n'importe comment; (in any case) de toute façon; (in spite of that) quand même.

anyone ['enɪwʌn] *pron (in questions)* quelqu'un; *(any person)* n'importe qui; *(in negatives):* **there wasn't ~** il n'y avait personne.

anything ['enɪθɪŋ] *pron (in questions)* quelque chose; *(no matter what)* n'importe quoi; *(in negatives):* **I don't want ~ to eat** je ne veux rien manger; **have you ~ bigger?** vous n'avez rien de plus grand?

anyway ['enɪweɪ] *adv* de toute façon; *(in spite of that)* quand même.

anywhere ['enɪweəʳ] *adv (in questions)* quelque part; *(any place)* n'importe où; *(in negatives):* **I can't find it ~** je ne le trouve nulle part; **~ else** ailleurs.

apart [ə'pɑːt] *adv (separated):* **the towns are 5 miles ~** les deux villes sont à 8 km l'une de l'autre; **to come ~** *(break)* se casser; **~ from** à part.

apartheid [ə'pɑːtheɪt] *n* apartheid *m*.

apartment [ə'pɑːtmənt] *n (Am)* appartement *m*.

apathetic [æpə'θetɪk] *adj* apathique.

ape [eɪp] *n* singe *m*.

aperitif [ə,perə'tiːf] *n* apéritif *m*.

aperture ['æpətʃəʳ] *n (of camera)* ouverture *f*.

APEX ['eɪpeks] *n (plane ticket)* billet *m* APEX; *(Br: train ticket)* billet à tarif réduit sur longues distances et sur certains trains seulement, la réservation devant être effectuée à l'avance.

apiece [ə'piːs] *adv* chacun(-e).

apologetic [ə,pɒlə'dʒetɪk] *adj:* **to be ~** s'excuser.

apologize [ə'pɒlədʒaɪz] *vi:* **to ~ (to sb for sthg)** s'excuser (auprès

de qqn de qqch).

apology [ə'pɒlədʒɪ] *n* excuses *fpl*.

apostrophe [ə'pɒstrəfɪ] *n* apostrophe *f*.

appal [ə'pɔːl] *vt (Br)* horrifier.

appall [ə'pɔːl] *(Am)* = **appal**.

appalling [ə'pɔːlɪŋ] *adj* épouvantable.

apparatus [,æpə'reɪtəs] *n* appareil *m*.

apparently [ə'pærəntlɪ] *adv* apparemment.

appeal [ə'piːl] *n (JUR)* appel *m*; *(fundraising campaign)* collecte *f* (♦ *vi (JUR)* faire appel; **to ~ to sb for help** demander de l'aide à qqn; **it doesn't ~ to me** ça ne me dit rien.

appear [ə'pɪəʳ] *vi (come into view)* apparaître; *(seem)* sembler; *(in play)* jouer; *(before court)* comparaître; **to ~ on TV** passer à la télé; **it ~s that** il semble que.

appearance [ə'pɪərəns] *n (arrival)* apparition *f*; *(look)* apparence *f*.

appendices [ə'pendɪsiːz] *pl →* **appendix**.

appendicitis [ə,pendɪ'saɪtɪs] *n* appendicite *f*.

appendix [ə'pendɪks] *(pl -dices)* *n* appendice *m*.

appetite ['æpɪtaɪt] *n* appétit *m*.

appetizer ['æpɪtaɪzəʳ] *n* amuse-gueule *m inv*.

appetizing ['æpɪtaɪzɪŋ] *adj* appétissant(-e).

applaud [ə'plɔːd] *vt & vi* applaudir.

applause [ə'plɔːz] *n* applaudissements *mpl*.

apple ['æpl] *n* pomme *f*.

apple charlotte [-'ʃɑːlət] *n* charlotte *f* aux pommes.

apple crumble *n dessert consistant en une compote de pommes recouverte de pâte sablée.*

apple juice *n* jus *m* de pomme.

apple pie *n* tarte aux pommes recouverte d'une couche de pâte.

apple sauce *n* compote de pommes, accompagnement traditionnel du rôti de porc.

apple tart *n* tarte *f* aux pommes.

apple turnover [-'tɜːnˌəʊvəʳ] *n* chausson *m* aux pommes.

appliance [ə'plaɪəns] *n* appareil *m*; **electrical/domestic ~** appareil électrique/ménager.

applicable [ə'plɪkəbl] *adj*: **to be ~ (to)** s'appliquer (à); **if ~** s'il y a lieu.

applicant [ˈæplɪkənt] *n* candidat *m* (-e *f*).

application [ˌæplɪ'keɪʃn] *n* (for job, membership) demande *f*.

application form *n* formulaire *m*.

apply [ə'plaɪ] *vt* appliquer ♦ *vi*: **to ~ to sb (for sthg)** (make request) s'adresser à qqn (pour obtenir qqch); **to ~ (to sb)** (be applicable) s'appliquer (à qqn); **to ~ the brakes** freiner.

appointment [ə'pɔɪntmənt] *n* rendez-vous *m*; **to have/make an ~ (with)** avoir/prendre rendez-vous (avec); **by ~** sur rendez-vous.

appreciable [ə'priːʃəbl] *adj* appréciable.

appreciate [ə'priːʃɪeɪt] *vt* (be grateful for) être reconnaissant(-e) de; (understand) comprendre; (like, admire) apprécier.

apprehensive [ˌæprɪ'hensɪv] *adj* inquiet(-iète).

apprentice [ə'prentɪs] *n* apprenti *m* (-e *f*).

apprenticeship [ə'prentɪsʃɪp] *n* apprentissage *m*.

approach [ə'prəʊtʃ] *n* (road) voie *f* d'accès; (of plane) descente *f*; (to problem, situation) approche *f* ♦ *vt* s'approcher de; (problem, situation) aborder ♦ *vi* (person, vehicle) s'approcher; (event) approcher.

appropriate [ə'prəʊprɪət] *adj* approprié(-e).

approval [ə'pruːvl] *n* approbation *f*.

approve [ə'pruːv] *vi*: **to ~ (of sb/sthg)** approuver (qqn/qqch).

approximate [ə'prɒksɪmət] *adj* approximatif(-ive).

approximately [ə'prɒksɪmətlɪ] *adv* environ, à peu près.

apricot [ˈeɪprɪkɒt] *n* abricot *m*.

April [ˈeɪprəl] *n* avril *m*, → September.

April Fools' Day *n* le premier avril.

> **i** **APRIL FOOLS' DAY**
>
> **E**n Grande-Bretagne, le premier avril est l'occasion de calembours en tous genres; en revanche, la tradition du poisson en papier n'existe pas.

---

apron [ˈeɪprən] *n* (for cooking) tablier *m*.

apt [æpt] *adj* (appropriate) approprié(-e); **to be ~ to do sthg** avoir tendance à faire qqch.

aquarium [ə'kweərɪəm] (*pl* **-ria**

[-nə) n aquarium m.

aqueduct ['ækwɪdʌkt] n aqueduc m.

Arab ['ærəb] adj arabe ♦ n (person) Arabe mf.

Arabic ['ærəbɪk] adj arabe ♦ n (language) arabe m.

arbitrary ['ɑ:bɪtrərɪ] adj arbitraire.

arc [ɑ:k] n arc m.

arcade [ɑ:'keɪd] n (for shopping) galerie f marchande; (of video games) galerie f de jeux.

arch [ɑ:tʃ] n arc m.

archaeology [ˌɑ:kɪ'ɒlədʒɪ] n archéologie f.

archbishop [ˌɑ:tʃ'bɪʃəp] n archevêque m.

archery ['ɑ:tʃərɪ] n tir m à l'arc.

archipelago [ˌɑ:kɪ'peləgəʊ] n archipel m.

architect ['ɑ:kɪtekt] n architecte mf.

architecture ['ɑ:kɪtektʃə'] n architecture f.

archive ['ɑ:kaɪv] n archives fpl.

Arctic ['ɑ:ktɪk] n: the ~ l'Arctique m.

are [weak form ə', strong form ɑ:'] → be.

area ['eərɪə] n (region) région f; (space, zone) aire f; (surface size) superficie f; dining ~ coin m repas.

area code n (Am) indicatif m de zone.

arena [ə'ri:nə] n (at circus) chapiteau m; (sportsground) stade m.

aren't = are not.

Argentina [ˌɑ:dʒən'ti:nə] n l'Argentine f.

argue ['ɑ:gju:] vi (quarrel): to ~ (with sb about sthg) se disputer

(avec qqn à propos de qqch) ♦ vt: to ~ (that) ... soutenir que ...

argument ['ɑ:gjəmənt] n (quarrel) dispute f; (reason) argument m.

arid ['ærɪd] adj aride.

arise [ə'raɪz] (pt arose, pp arisen [ə'rɪzn]) vi surgir; to ~ from résulter de.

aristocracy [ˌærɪ'stɒkrəsɪ] n aristocratie f.

arithmetic [ə'rɪθmətɪk] n arithmétique f.

arm [ɑ:m] n bras m; (of garment) manche f.

arm bands npl (for swimming) bouées fpl (autour des bras).

armchair ['ɑ:mtʃeə'] n fauteuil m.

armed [ɑ:md] adj (person) armé(-e).

armed forces npl: the ~ les forces fpl armées.

armor (Am) = armour.

armour ['ɑ:mə'] n (Br) armure f.

armpit ['ɑ:mpɪt] n aisselle f.

arms [ɑ:mz] npl (weapons) armes fpl.

army ['ɑ:mɪ] n armée f.

A road n (Br) ≃ nationale f.

aroma [ə'rəʊmə] n arôme m.

aromatic [ˌærə'mætɪk] adj aromatique.

arose [ə'rəʊz] pt → arise.

around [ə'raʊnd] adv (present) dans le coin ♦ prep autour de; (approximately) environ; to get ~ sthg (obstacle) contourner qqch; at ~ two o'clock vers deux heures du matin; ~ here (in the area) par ici; to look ~ (turn head) regarder autour de soi; (in shop) jeter un coup d'œil; (in city) faire un tour;

to turn ~ se retourner; **to walk ~** se promener.

arouse [ə'raʊz] vt provoquer.

arrange [ə'reɪndʒ] vt arranger; *(meeting, event)* organiser; **to ~ to do sthg (with sb)** convenir (avec qqn) de faire qqch.

arrangement [ə'reɪndʒmənt] n *(agreement)* arrangement m; *(layout)* disposition f; **by ~** *(tour, service)* sur réservation; **to make ~s (to do sthg)** faire le nécessaire (pour faire qqch).

arrest [ə'rest] n arrestation f ◆ vt arrêter; **under ~** en état d'arrestation.

arrival [ə'raɪvl] n arrivée f; **on ~** à l'arrivée; **new ~** *(person)* nouveau venu m *(nouvelle venue f)*.

arrive [ə'raɪv] vi arriver.

arrogant ['ærəgənt] adj arrogant(-e).

arrow ['ærəʊ] n flèche f.

arson ['ɑːsn] n incendie m criminel.

art [ɑːt] n art m ❑ **arts** npl *(humanities)* = lettres fpl; **the ~s** *(fine arts)* l'art m.

artefact ['ɑːtɪfækt] n objet m.

artery ['ɑːtərɪ] n artère f.

art gallery n *(shop)* galerie f d'art; *(museum)* musée m d'art.

arthritis [ɑː'θraɪtɪs] n arthrite f.

artichoke ['ɑːtɪtʃəʊk] n artichaut m.

article ['ɑːtɪkl] n article m.

articulate [ɑː'tɪkjʊlət] adj *(person)* qui s'exprime bien; *(speech)* clair(-e).

artificial [ˌɑːtɪ'fɪʃl] adj artificiel(-ielle).

artist ['ɑːtɪst] n artiste mf.

artistic [ɑː'tɪstɪk] adj *(design)* artistique; *(person)* artiste.

arts centre n centre m culturel.

arty ['ɑːtɪ] adj *(pej)* qui se veut artiste.

as [unstressed əz, stressed æz] adv *(in comparisons)*: **~ ... ~** aussi ... que; **he's ~ tall ~ I am** il est aussi grand que moi; **~ many ~** autant que; **~ much ~** autant que.

◆ conj 1. *(referring to time)* comme; **~ the plane was coming in to land** comme l'avion s'apprêtait à atterrir.

2. *(referring to manner)* comme; **do ~ you like** faites comme tu veux; **~ expected ...** comme prévu ...

3. *(introducing a statement)* comme; **~ you know ...** comme tu sais ...

4. *(because)* comme.

5. *(in phrases)*: **~ for** quant à; **~ from** à partir de; **~ if** comme si.

◆ prep *(referring to function, job)* comme; **I work ~ a teacher** je suis professeur.

asap *(abbr of as soon as possible)* dès que possible.

ascent [ə'sent] n *(climb)* ascension f.

ascribe [ə'skraɪb] vt: **to ~ sthg to sthg** *(situation, success)* imputer qqch à qqch; **to ~ sthg to sb** *(quality)* attribuer qqch à qqn.

ash [æʃ] n *(from cigarette, fire)* cendre f; *(tree)* frêne m.

ashore [ə'ʃɔː] adv à terre.

ashtray ['æʃtreɪ] n cendrier m.

Asia [Br 'eɪʃə, Am 'eɪʒə] n l'Asie f.

Asian [Br 'eɪʃn, Am 'eɪʒn] adj asiatique ◆ n Asiatique mf.

aside [ə'saɪd] adv de côté; **to move ~** s'écarter.

ask [ɑ:sk] vt (person) demander à; (question) poser; (request) demander; (invite) inviter ◆ vi: to ~ about sthg (enquire) se renseigner sur qqch; to ~ sb sthg demander qqch à qqn; to ~ sb about sthg poser des questions à qqn à propos de qqch; to ~ sb to do sthg demander à qqn de faire qqch; to ~ sb for sthg demander qqch à qqn ❑ ask for vt fus demander.

asleep [əˈsliːp] adj endormi(-e); to fall ~ s'endormir.

asparagus [əˈspærəgəs] n asperge f.

asparagus tips npl pointes fpl d'asperge.

aspect [ˈæspekt] n aspect m.

aspirin [ˈæsprɪn] n aspirine f.

ass [æs] n (animal) âne m.

assassinate [əˈsæsɪneɪt] vt assassiner.

assault [əˈsɔːlt] n (on person) agression f ◆ vt agresser.

assemble [əˈsembl] vt (bookcase, model) monter ◆ vi se rassembler.

assembly [əˈsemblɪ] n (at school) réunion f quotidienne, avant le début des cours, des élèves d'un établissement.

assembly hall n salle de réunion des élèves dans une école.

assembly point n (at airport, in shopping centre) point m de rassemblement.

assert [əˈsɜːt] vt affirmer; to ~ o.s. s'imposer.

assess [əˈses] vt évaluer.

assessment [əˈsesmənt] n évaluation f.

asset [ˈæset] n (valuable person, thing) atout m.

assign [əˈsaɪn] vt: to ~ sthg to sb (give) assigner qqch à qqn; to ~ sb to do sthg (designate) désigner qqn pour faire qqch.

assignment [əˈsaɪnmənt] n (task) mission f; (SCH) devoir m.

assist [əˈsɪst] vt assister, aider.

assistance [əˈsɪstəns] n aide f; to be of ~ (to sb) être utile (à qqn).

assistant [əˈsɪstənt] n assistant m (-e f).

associate [n əˈsəʊʃɪət, vb əˈsəʊʃɪeɪt] n associé m (-e f) ◆ vt: to ~ sb/sthg with associer qqn/qqch à; to be ~d with (attitude, person) être associé à.

association [əˌsəʊsɪˈeɪʃn] n association f.

assorted [əˈsɔːtɪd] adj (sweets, chocolates) assortis(-ties).

assortment [əˈsɔːtmənt] n assortiment m.

assume [əˈsjuːm] vt (suppose) supposer; (control, responsibility) assumer.

assurance [əˈʃʊərəns] n assurance f.

assure [əˈʃʊəˈ] vt assurer; to ~ sb (that) ... assurer qqn que ...

asterisk [ˈæstərɪsk] n astérisque m.

asthma [ˈæsmə] n asthme m.

asthmatic [æsˈmætɪk] adj asthmatique.

astonished [əˈstɒnɪʃt] adj stupéfait(-e).

astonishing [əˈstɒnɪʃɪŋ] adj stupéfiant(-e).

astound [əˈstaʊnd] vt stupéfier.

astray [əˈstreɪ] adv: to go ~ s'égarer.

astrology [əˈstrɒlədʒɪ] n astrologie f.

astronomy [ə'strɒnəmɪ] n astronomie f.

asylum [ə'saɪləm] n asile m.

at [unstressed ət, stressed æt] prep 1. (indicating place, position) à; ~ the supermarket au supermarché; ~ school à l'école; ~ the hotel à l'hôtel; ~ home à la maison, chez moi/toi; ~ my mother's chez ma mère.
2. (indicating direction): to throw sthg ~ jeter qqch sur; to look ~ sb/sthg regarder qqn/qqch; to smile ~ sb sourire à qqn.
3. (indicating time): ~ nine o'clock à 9 h; ~ night la nuit.
4. (indicating rate, level, speed) à; it works out ~ £5 each ça revient à 5 livres chacun; ~ 60 km/h à 60 km/h.
5. (indicating activity): to be ~ lunch être en train de déjeuner; to be good/bad ~ sthg être bon/mauvais en qqch.
6. (indicating cause) de, par; shocked ~ sthg choqué par qqch; angry ~ sb fâché contre qqn; delighted ~ sthg ravi de qqch.

ate [Br et, Am eɪt] pt → **eat**.

atheist ['eɪθɪɪst] n athée mf.

athlete ['æθliːt] n athlète mf.

athletics [æθ'letɪks] n athlétisme m.

Atlantic [ət'læntɪk] n: the ~ (Ocean) l'Atlantique m, l'océan m Atlantique.

atlas ['ætləs] n atlas m.

atmosphere ['ætməsfɪə'] n atmosphère f.

atom ['ætəm] n atome m.

A to Z n (map) plan m de ville.

atrocious [ə'trəʊʃəs] adj (very bad) atroce.

attach [ə'tætʃ] vt attacher; to ~ sthg to sthg attacher qqch à qqch.

attachment [ə'tætʃmənt] n (device) accessoire m.

attack [ə'tæk] n attaque f; (fit, bout) crise f ◆ vt attaquer.

attacker [ə'tækə'] n agresseur m.

attain [ə'teɪn] vt (fml) atteindre.

attempt [ə'tempt] n tentative f ◆ vt tenter; to ~ to do sthg tenter de faire qqch.

attend [ə'tend] vt (meeting, mass) assister à; (school) aller à □ **attend to** vt fus (deal with) s'occuper de.

attendance [ə'tendəns] n (people at concert, match) spectateurs mpl; (at school) présence f.

attendant [ə'tendənt] n (at museum) gardien m (-ienne f); (at petrol station) pompiste m; (at public toilets, cloakroom) préposé m (-e f).

attention [ə'tenʃn] n attention f; to pay ~ (to) prêter attention (à).

attic ['ætɪk] n grenier m.

attitude ['ætɪtjuːd] n attitude f.

attorney [ə'tɜːnɪ] n (Am) avocat m (-e f).

attract [ə'trækt] vt attirer.

attraction [ə'trækʃn] n (liking) attirance f; (attractive feature) attrait m; (of town, resort) attraction f.

attractive [ə'træktɪv] adj séduisant(-e).

attribute [ə'trɪbjuːt] vt: to ~ sthg to sthg attribuer qqch à.

aubergine ['əʊbəʒiːn] n (Br) aubergine f.

auburn ['ɔːbən] adj auburn (inv).

auction ['ɔːkʃn] n vente f aux

enchères.

audience ['ɔːdɪəns] n (of play, concert, film) public m; (of TV) téléspectateurs mpl; (of radio) auditeurs mpl.

audio ['ɔːdɪəʊ] adj audio (inv).

audio-visual [-'vɪʒʊəl] adj audiovisuel(-elle).

auditorium [ˌɔːdɪ'tɔːnɪəm] n salle f.

August ['ɔːgəst] n août m, → September.

aunt [ɑːnt] n tante f.

au pair [ˌəʊ'peə*] n jeune fille f au pair.

aural ['ɔːrəl] adj auditif(-ive).

Australia [ɒ'streɪlɪə] n l'Australie f.

Australian [ɒ'streɪlɪən] adj australien(-ienne) ♦ n Australien m (-ienne f).

Austria ['ɒstrɪə] n l'Autriche f.

Austrian ['ɒstrɪən] adj autrichien(-ienne) ♦ n Autrichien m (-ienne f).

authentic [ɔː'θentɪk] adj authentique.

author ['ɔːθə*] n auteur m.

authority [ɔː'θɒrɪtɪ] n autorité f; **the authorities** les autorités.

authorization [ˌɔːθəraɪ'zeɪʃn] n autorisation f.

authorize ['ɔːθəraɪz] vt autoriser; **to ~ sb to do sthg** autoriser qqn à faire qqch.

autobiography [ˌɔːtəbaɪ'ɒgrəfɪ] n autobiographie f.

autograph ['ɔːtəgrɑːf] n autographe m.

automatic [ˌɔːtə'mætɪk] adj (machine) automatique; (fine) systématique ♦ n (car) voiture f à boîte automatique.

automatically [ˌɔːtə'mætɪklɪ] adv automatiquement.

automobile ['ɔːtəməbiːl] n (Am) voiture f.

autumn ['ɔːtəm] n automne m; **in (the) ~** en automne.

auxiliary (verb) [ɔːg'zɪljərɪ-] n auxiliaire m.

available [ə'veɪləbl] adj disponible.

avalanche ['ævəlɑːnʃ] n avalanche f.

Ave. (abbr of avenue) av.

avenue ['ævənjuː] n avenue f.

average ['ævərɪdʒ] adj moyen(-enne) ♦ n moyenne f; **on ~** en moyenne.

aversion [ə'vɜːʃn] n aversion f.

aviation [ˌeɪvɪ'eɪʃn] n aviation f.

avid ['ævɪd] adj avide.

avocado (pear) [ˌævə'kɑːdəʊ-] n avocat m.

avoid [ə'vɔɪd] vt éviter; **to ~ doing sthg** éviter de faire qqch.

await [ə'weɪt] vt attendre.

awake [ə'weɪk] (pt awoke, pp awoken) adj réveillé(-e) ♦ vi se réveiller.

award [ə'wɔːd] n (prize) prix m ♦ vt: **to ~ sb sthg** (prize) décerner qqch à qqn; (damages, compensation) accorder qqch à qqn.

aware [ə'weə*] adj conscient(-e); **to be ~ of** être conscient de.

away [ə'weɪ] adv (not at home, in office) absent(-e); **to put sthg ~** ranger qqch; **to look ~** détourner les yeux; **to turn ~** se détourner; **to walk/drive ~** s'éloigner; **to take sthg ~ (from sb)** enlever qqch (à qqn); **far ~** loin; **it's 10 miles ~**

bacon

(from here) c'est à une quinzaine de kilomètres (d'ici); **it's two weeks ~** c'est dans deux semaines.

awesome [ˈɔːsəm] *adj (impressive)* impressionnant(-e); *(inf: excellent)* génial(-e).

awful [ˈɔːfəl] *adj* affreux(-euse); **I feel ~** je ne me sens vraiment pas bien; **an ~ lot of** énormément de.

awfully [ˈɔːflɪ] *adv (very)* terriblement.

awkward [ˈɔːkwəd] *adj (position)* inconfortable; *(movement)* maladroit(-e); *(shape, size)* peu pratique; *(situation)* embarrassant(-e); *(question, task)* difficile.

awning [ˈɔːnɪŋ] *n* auvent *m*.

awoke [əˈwəʊk] *pt →* **awake**.

awoken [əˈwəʊkən] *pp →* **awake**.

axe [æks] *n* hache *f*.

axle [ˈæksəl] *n* essieu *m*.

B

BA *(abbr of Bachelor of Arts) (titulaire d'une) licence de lettres.*

babble [ˈbæbl] *vi* marmonner.

baby [ˈbeɪbɪ] *n* bébé *m*; **to have a ~** avoir un enfant; **~ sweetcorn** jeunes épis *mpl* de maïs.

baby carriage *n (Am)* landau *m*.

baby food *n* aliments *mpl* pour bébé.

baby-sit *vi* faire du baby-sitting.

baby wipe *n* lingette *f*.

back [bæk] *adj* arrière ♦ *n* dos *m*; *(of chair)* dossier *m*; *(of room)* fond *m*; *(of car)* arrière *m* ♦ *adj (seat, wheels)* arrière *(inv)* ♦ *vi (car, driver)* faire marche arrière ♦ *vt (support)* soutenir; **to arrive ~** rentrer; **to give sthg ~** rendre qqch; **to put sthg ~** remettre qqch; **to stand ~** reculer; **at the ~ of** derrière; **in ~ of** *(Am)* derrière; **to front** devant derrière □ **back up** *vt sep (support)* appuyer ♦ *vi (car, driver)* faire marche arrière.

backache [ˈbækeɪk] *n* mal *m* au dos.

backbone [ˈbækbəʊn] *n* colonne *f* vertébrale.

back door *n* porte *f* de derrière.

backfire [ˌbækˈfaɪəʳ] *vi (car)* pétarader.

background [ˈbækgraʊnd] *n (in picture, on stage)* arrière-plan *m*; *(to situation)* contexte *m*; *(of person)* milieu *m*.

backlog [ˈbæklɒg] *n* accumulation *f*.

backpack [ˈbækpæk] *n* sac *m* à dos.

backpacker [ˈbækpækəʳ] *n* routard *m* (-e *f*).

back seat *n* siège *m* arrière.

backside [ˌbækˈsaɪd] *n (inf)* fesses *fpl*.

back street *n* ruelle *f*.

backstroke [ˈbækstrəʊk] *n* dos *m* crawlé.

backwards [ˈbækwədz] *adv (move, look)* en arrière; *(the wrong way round)* à l'envers.

bacon [ˈbeɪkən] *n* bacon *m*; **~ and eggs** œufs *mpl* frits au bacon.

bacteria [bæk'tɪərɪə] *npl* bactéries *fpl*.

bad [bæd] (*compar* **worse**, *superl* **worst**) *adj* mauvais(-e); (*serious*) grave; (*naughty*) méchant(-e); (*rotten, off*) pourri(-e); **to have a ~ back** avoir mal au dos; **to have a ~ cold** avoir un gros rhume; **to go ~** (*milk, yoghurt*) tourner; **not ~** pas mauvais, pas mal.

badge [bædʒ] *n* badge *m*.

badger [bædʒə'] *n* blaireau *m*.

badly [bædlɪ] (*compar* **worse**, *superl* **worst**) *adv* mal; (*injured*) gravement; **to ~ need sthg** avoir sérieusement besoin de qqch.

badly paid [-peɪd] *adj* mal payé(-e).

badminton [bædmɪntən] *n* badminton *m*.

bad-tempered [-tempəd] *adj* (*by nature*) qui a mauvais caractère; (*in a bad mood*) de mauvaise humeur.

bag [bæg] *n* sac *m*; (*piece of luggage*) bagage *m*; **a ~ of crisps** un paquet de chips.

bagel ['beɪgəl] *n* petit pain en couronne.

baggage ['bægɪdʒ] *n* bagages *mpl*.

baggage allowance *n* franchise *f* de bagages.

baggage reclaim *n* livraison *f* des bagages.

baggy ['bægɪ] *adj* ample.

bagpipes ['bægpaɪps] *npl* cornemuse *f*.

bail [beɪl] *n* caution *f*.

bait [beɪt] *n* appât *m*.

bake [beɪk] *vt* faire cuire (au four) ◆ *n* (CULIN) gratin *m*.

baked [beɪkt] *adj* cuit(-e) au four.

baked Alaska [-ə'læskə] *n* omelette *f* norvégienne.

baked beans *npl* haricots *mpl* blancs à la tomate.

baked potato *n* pomme de terre *f* en robe de chambre.

baker ['beɪkə'] *n* boulanger *m* (-ère *f*); **~'s (shop)** boulangerie *f*.

Bakewell tart ['beɪkwel-] *n* gâteau constitué d'une couche de confiture prise entre deux couches de génoise à l'amande, avec un glaçage décoré de vagues.

balance ['bæləns] *n* (*of person*) équilibre *m*; (*of bank account*) solde *m*; (*remainder*) reste *m* ◆ *vt* (*object*) maintenir en équilibre.

balcony ['bælkənɪ] *n* balcon *m*.

bald [bɔːld] *adj* chauve.

bale [beɪl] *n* balle *f*.

ball [bɔːl] *n* (SPORT) balle *f*; (*in football, rugby*) ballon *m*; (*in snooker, pool*) boule *f*; (*of wool, string*) pelote *f*; (*of paper*) boule *f*; (*dance*) bal *m*; **on the ~** (*fig*) vif (vive).

ballad ['bæləd] *n* ballade *f*.

ballerina [,bælə'riːnə] *n* ballerine *f*.

ballet ['bæleɪ] *n* (*dancing*) danse *f* (classique); (*work*) ballet *m*.

ballet dancer *n* danseur *m* (-euse *f*) classique.

balloon [bə'luːn] *n* ballon *m*.

ballot ['bælət] *n* scrutin *m*.

ballpoint pen ['bɔːlpɔɪnt-] *n* stylo *m* (à) bille.

ballroom ['bɔːlrum] *n* salle *f* de bal.

ballroom dancing *n* danse *f* de salon.

bamboo [bæm'buː] *n* bambou *m*.

bamboo shoots *npl* pousses *fpl* de bambou.

ban [bæn] *n* interdiction *f* ◆ *vt* interdire; **to ~ sb from doing sthg** interdire à qqn de faire qqch.

banana [bə'nɑːnə] *n* banane *f*.

banana split *n* banana split *m*.

band [bænd] *n (musical group)* groupe *m*; *(strip of paper, rubber)* bande *f*.

bandage ['bændɪdʒ] *n* bandage *m*, bande *f* ◆ *vt* mettre un bandage sur.

B and B *abbr* = bed and breakfast.

bandstand ['bændstænd] *n* kiosque *m* à musique.

bang [bæŋ] *n (of gun)* détonation *f*; *(of door)* claquement *m* ◆ *vt* cogner; *(door)* claquer; **to ~ one's head** se cogner la tête.

banger ['bæŋə'] *n (Br. inf: sausage)* saucisse *f*; **~s and mash** saucisses-purée.

bangle ['bæŋgl] *n* bracelet *m*.

bangs [bæŋz] *npl (Am)* frange *f*.

banister ['bænɪstə'] *n* rampe *f*.

banjo ['bændʒəu] *n* banjo *m*.

bank [bæŋk] *n (for money)* banque *f*; *(of river, lake)* berge *f*; *(slope)* talus *m*.

bank account *n* compte *m* bancaire.

bank book *n* livret *m* d'épargne.

bank charges *npl* frais *mpl* bancaires.

bank clerk *n* employé *m* (-e *f*) de banque.

bank draft *n* traite *f* bancaire.

banker ['bæŋkə'] *n* banquier *m*.

banker's card *n* carte à présenter, en guise de garantie, par le titulaire d'un compte lorsqu'il paye par chèque.

bank holiday *n (Br)* jour *m* férié.

bank manager *n* directeur *m* (-trice *f*) d'agence bancaire.

bank note *n* billet *m* de banque.

bankrupt ['bæŋkrʌpt] *adj* en faillite.

bank statement *n* relevé *m* de compte.

banner ['bænə'] *n* banderole *f*.

bannister ['bænɪstə'] = **banister**.

banquet ['bæŋkwɪt] *n (formal dinner)* banquet *m*; *(at Indian restaurant etc)* menu pour plusieurs personnes.

bap [bæp] *n (Br)* petit pain *m*.

baptize [*Br* bæp'taɪz, *Am* 'bæptaɪz] *vt* baptiser.

bar [bɑː'] *n (pub, in hotel)* bar *m*; *(counter in pub)* comptoir *m*; *(of metal, wood)* barre *f*; *(of chocolate)* tablette *f* ◆ *vt (obstruct)* barrer; **a ~ of soap** une savonnette.

barbecue ['bɑːbɪkjuː] *n* barbecue *m* ◆ *vt* faire griller au barbecue.

barbecue sauce *n* sauce épicée servant à relever viandes et poissons.

barbed wire [bɑːbd-] *n* fil *m* de fer barbelé.

barber ['bɑːbə'] *n* coiffeur *m* (pour hommes); **~'s** *(shop)* salon *m* de coiffure (pour hommes).

bar code *n* code-barres *m*.

bare [beə'] *adj (feet, head, arms)* nu(-e); *(room, cupboard)* vide; **the ~ minimum** le strict minimum.

barefoot [ˌbeəˈfut] adv pieds nus.

barely [ˈbeəlɪ] adv à peine.

bargain [ˈbɑːgɪn] n affaire f ♦ vi (haggle) marchander ❏ **bargain for** vt fus s'attendre à.

bargain basement n rayon d'un magasin où sont regroupés les soldes.

barge [bɑːdʒ] n péniche f ❏ **barge in** vi faire irruption; **to ~ in on sb** interrompre qqn.

bark [bɑːk] n (of tree) écorce f ♦ vi aboyer.

barley [ˈbɑːlɪ] n orge f.

barmaid [ˈbɑːmeɪd] n serveuse f.

barman [ˈbɑːmən] (pl **-men** [-mən]) n barman m, serveur m.

bar meal n repas léger servi dans un bar ou un pub.

barn [bɑːn] n grange f.

barometer [bəˈrɒmɪtər] n baromètre m.

baron [ˈbærən] n baron m.

baroque [bəˈrɒk] adj baroque.

barracks [ˈbærəks] npl caserne f.

barrage [ˈbærɑːʒ] n (of questions, criticism) avalanche f.

barrel [ˈbærəl] n (of beer, wine) tonneau m; (of oil) baril m; (of gun) canon m.

barren [ˈbærən] adj (land, soil) stérile.

barricade [ˌbærɪˈkeɪd] n barricade f.

barrier [ˈbærɪər] n barrière f.

barrister [ˈbærɪstər] n (Br) avocat m (-e f).

bartender [ˈbɑːtendər] n (Am) barman m, serveur m.

barter [ˈbɑːtər] vi faire du troc.

base [beɪs] n (of lamp, pillar, mountain) pied m; (MIL) base f ♦ vt: **to ~ sthg on** fonder qqch sur; **to be ~d** (located) être installé(-e).

baseball [ˈbeɪsbɔːl] n base-ball m.

baseball cap n casquette f.

basement [ˈbeɪsmənt] n sous-sol m.

bases [ˈbeɪsiːz] pl → **basis**.

bash [bæʃ] vt (inf): **to ~ one's head** se cogner la tête.

basic [ˈbeɪsɪk] adj (fundamental) de base; (accommodation, meal) rudimentaire ❏ **basics** npl: **the ~s** les bases fpl.

basically [ˈbeɪsɪklɪ] adv en fait; (fundamentally) au fond.

basil [ˈbæzl] n basilic m.

basin [ˈbeɪsn] n (washbasin) lavabo m; (bowl) cuvette f.

basis [ˈbeɪsɪs] (pl **-ses**) n base f; **on a weekly ~** une fois par semaine; **on the ~ of** (according to) d'après.

basket [ˈbɑːskɪt] n corbeille f; (with handle) panier m.

basketball [ˈbɑːskɪtbɔːl] n (game) basket(-ball) m.

basmati rice [bəzˈmætɪ-] n riz m basmati.

bass[1] [beɪs] n (singer) basse f ♦ adj: **a ~ guitar** une basse.

bass[2] [bæs] n (freshwater fish) perche f; (sea fish) bar m.

bassoon [bəˈsuːn] n basson m.

bastard [ˈbɑːstəd] n (vulg) salaud m.

bat [bæt] n (in cricket, baseball) batte f; (in table tennis) raquette f; (animal) chauve-souris f.

batch [bætʃ] n (of papers, letters) liasse f; (of people) groupe m.

bath [bɑːθ] n bain m; (tub) baignoire f ◆ vt donner un bain à; **to have a ~** prendre un bain □ **baths** npl (Br: public swimming pool) piscine f.

bathe [beɪð] vi (Br: swim) se baigner; (Am: have bath) prendre un bain.

bathing ['beɪðɪŋ] n (Br) baignade f.

bathrobe ['bɑːðrəub] n peignoir m.

bathroom ['bɑːðrum] n salle f de bains; (Am: toilet) toilettes fpl.

bathroom cabinet n armoire f à pharmacie.

bathtub ['bɑːðtʌb] n baignoire f.

baton ['bætən] n (of conductor) baguette f; (truncheon) matraque f.

batter ['bætər] n pâte f ◆ vt (wife, child) battre.

battered ['bætəd] adj (CULIN) cuit dans un enrobage de pâte à frire.

battery ['bætərɪ] n (for radio, torch etc) pile f; (for car) batterie f.

battery charger [-ˌtʃɑːdʒər] n chargeur m.

battle ['bætl] n bataille f; (struggle) lutte f.

battlefield ['bætlfiːld] n champ m de bataille.

battlements ['bætlmənts] npl remparts mpl.

battleship ['bætlʃɪp] n cuirassé m.

bay [beɪ] n (on coast) baie f; (for parking) place f (de stationnement).

bay leaf n feuille f de laurier.

bay window n fenêtre f en saillie.

B & B abbr = bed and breakfast.

BC (abbr of before Christ) av. J.-C.

be [biː] (pt was, were, pp been) vi 1. (exist) être; **there is/are** il y a; **are there any shops near here?** y a-t-il des magasins près d'ici?

2. (referring to location) être; **the hotel is near the airport** l'hôtel est OR se trouve près de l'aéroport.

3. (go) aller; **has the postman been?** est-ce que le facteur est passé?; **have you ever been to Ireland?** êtes-vous déjà allé en Irlande?; **I'll ~ there in ten minutes** j'y serai dans dix minutes.

4. (occur) être; **my birthday is in November** mon anniversaire est en novembre.

5. (identifying, describing) être; **he's a doctor** il est médecin; **I'm British** je suis britannique; **I'm hot/cold** j'ai chaud/froid.

6. (referring to health) aller; **how are you?** comment allez-vous?; **I'm fine** je vais bien, ça va; **she's ill** elle est malade.

7. (referring to age): **how old are you?** quel âge as-tu?; **I'm 14 (years old)** j'ai 14 ans.

8. (referring to cost) coûter; **how much is it?** (item) combien ça coûte?; (meal, shopping) ça fait combien?; **it's £10** (item) ça coûte 10 livres; (meal, shopping) ça fait 10 livres.

9. (referring to time, dates) être; **what time is it?** quelle heure est-il?; **it's ten o'clock** il est dix heures.

10. (referring to measurement) faire; **it's 2 m wide** ça fait 2 m de large; **I'm 6 feet tall** je mesure 1 mètre 80; **I'm 8 stone** je pèse 50 kilos.

11. (referring to weather) faire; **it's hot/cold** il fait chaud/froid; **it's sunny/windy** il y a du soleil/du

vent; **it's going to be nice today** il va faire beau aujourd'hui.

♦ *aux vb* **1.** *(forming continuous tense)*: **I'm learning French** j'apprends le français; **we've been visiting the museum** nous avons visité le musée; **I was eating when …** j'étais en train de manger quand …

2. *(forming passive)* être; **the flight was delayed by an hour** le vol a été retardé d'une heure.

3. *(with infinitive to express order)*: **all rooms are to ~ vacated by ten a.m.** toutes les chambres doivent être libérées avant 10 h.

4. *(with infinitive to express future tense)*: **the race is to start at noon** le départ de la course est prévu pour midi.

5. *(in tag questions)*: **it's Monday today, isn't it?** c'est lundi aujourd'hui, n'est-ce pas?

beach [biːtʃ] *n* plage *f*.

bead [biːd] *n (of glass, wood etc)* perle *f*.

beak [biːk] *n* bec *m*.

beaker ['biːkər] *n* gobelet *m*.

beam [biːm] *n (of light)* rayon *m*; *(of wood, concrete)* poutre *f* ♦ *vi (smile)* faire un sourire radieux.

bean [biːn] *n* haricot *m*; *(of coffee)* grain *m*.

beanbag ['biːnbæg] *n (chair)* sacco *m*.

bean curd [-kɜːd] *n* pâte *f* de soja.

beansprouts ['biːnspraʊts] *npl* germes *mpl* de soja.

bear [beər] *(pt bore, pp borne)* *n (animal)* ours *m* ♦ *vt* supporter; **to ~ left/right** se diriger vers la gauche/la droite.

bearable ['beərəbl] *adj* suppor-

table.

beard [bɪəd] *n* barbe *f*.

bearer ['beərər] *n (of cheque)* porteur *m*; *(of passport)* titulaire *mf*.

bearing ['beərɪŋ] *n (relevance)* rapport *m*; **to get one's ~s** se repérer.

beast [biːst] *n* bête *f*.

beat [biːt] *(pt* beat, *pp* **beaten** ['biːtn]) *n (of heart, pulse)* battement *m*; *(MUS)* rythme *m* ♦ *vt* battre ❑ **beat down** *vi (sun)* taper; *(rain)* tomber à verse ♦ *vt sep*: **I ~ him down to £20** je lui ai fait baisser son prix à 20 livres; **beat up** *vt sep* tabasser.

beautiful ['bjuːtɪful] *adj* beau (belle).

beauty ['bjuːtɪ] *n* beauté *f*.

beauty parlour *n* salon *m* de beauté.

beauty spot *n (place)* site *m* touristique.

beaver ['biːvər] *n* castor *m*.

became [bɪ'keɪm] *pt* → **become**.

because [bɪ'kɒz] *conj* parce que; **~ of** à cause de.

beckon ['bekən] *vi*: **to ~ (to)** faire signe (à).

become [bɪ'kʌm] *(pt* **became**, *pp* **become)** *vi* devenir; **what became of him?** qu'est-il devenu?

bed [bed] *n* lit *m*; *(of sea)* fond *m*; **in ~** au lit; **to get out of ~** se lever; **to go to ~** aller au lit, se coucher; **to go to ~ with sb** coucher avec qqn; **to make the ~** faire le lit.

bed and breakfast *n (Br)* = chambre *f* d'hôte *(avec petit déjeuner)*.

i BED AND BREAKFAST

On trouve des «B & Bs», également appelés «guest houses», dans toutes les villes et les régions touristiques. Ce sont des résidences privées dont une ou plusieurs chambres sont réservées aux hôtes payants. Le prix de la chambre inclut le petit déjeuner, c'est-à-dire souvent un «English breakfast» composé de saucisses, d'œufs, de bacon et de toasts accompagnés de thé ou de café.

bedclothes ['bedkləʊðz] *npl* draps *mpl* et couvertures.

bedding ['bedɪŋ] *n* draps *mpl* et couvertures.

bed linen *n* draps *mpl* (et taies d'oreiller).

bedroom ['bedrʊm] *n* chambre *f*.

bedside table ['bedsaɪd-] *n* table *f* de nuit OR de chevet.

bedsit ['bed,sɪt] *n* (*Br*) chambre *f* meublée.

bedspread ['bedspred] *n* dessus-de-lit *m inv*, couvre-lit *m*.

bedtime ['bedtaɪm] *n* heure *f* du coucher.

bee [bi:] *n* abeille *f*.

beech [bi:tʃ] *n* hêtre *m*.

beef [bi:f] *n* bœuf *m*; ◆ **Wellington** morceau de bœuf enveloppé de pâte feuilletée et servi en tranches.

beefburger ['bi:f,bɜ:gə^r] *n* hamburger *m*.

beehive ['bi:haɪv] *n* ruche *f*.

been [bi:n] *pp* → **be**.

beer [bɪə^r] *n* bière *f*.

i BEER

Les bières britanniques peuvent être classées en deux grandes catégories: «bitter» et «lager». La «bitter», ou «heavy» en Écosse, est de couleur foncée et de saveur légèrement amère, alors que la «lager» s'apparente aux bières blondes consommées ailleurs en Europe. La «real ale» est un type particulier de «bitter», souvent produit par de petites brasseries selon des méthodes traditionnelles.
Aux États-Unis, en revanche, la majorité des bières vendues dans les bars sont blondes.

beer garden *n* jardin d'un pub, où l'on peut prendre des consommations.

beer mat *n* dessous-de-verre *m*.

beetle ['bi:tl] *n* scarabée *m*.

beetroot ['bi:tru:t] *n* betterave *f*.

before [bɪ'fɔ:^r] *adv* avant ◆ *prep* avant; (*fml: in front of*) devant ◆ *conj*: ~ **it gets too late** avant qu'il ne soit trop tard; ~ **doing sthg** avant de faire qqch; **the day** ~ la veille; **the week** ~ **last** il y a deux semaines.

beforehand [bɪ'fɔ:hænd] *adv* à l'avance.

beg [beg] *vi* mendier ◆ *vt*: **to** ~ **sb to do sthg** supplier qqn de faire qqch; **to** ~ **for sthg** (*for money, food*) mendier qqch.

began [bɪ'gæn] *pt* → **begin**.

beggar ['begə^r] *n* mendiant *m* (-e *f*).

begin [bɪ'gɪn] (*pt* **began**, *pp* **begun**) *vt*

& vi commencer; **to ~ doing** OR **to do sthg** commencer à faire qqch; **to ~ by doing sthg** commencer par faire qqch; **to ~ with** pour commencer.

beginner [brˈgɪnəʳ] n débutant m (-e f).

beginning [brˈgɪnɪŋ] n début m.

begun [brˈgʌn] pp → begin.

behalf [brˈhɑːf] n: **on ~ of** au nom de.

behave [brˈheɪv] vi se comporter, se conduire; **to ~ (o.s.)** (be good) se tenir bien.

behavior [brˈheɪvjəʳ] (Am) = behaviour.

behaviour [brˈheɪvjəʳ] n comportement m.

behind [brˈhaɪnd] adv derrière; (late) en retard ◆ prep derrière ◆ n (inf) derrière m; **to leave sthg ~** oublier qqch; **to stay ~** rester.

beige [beɪʒ] adj beige.

being [ˈbiːɪŋ] n être m; **to come into ~** naître.

belated [brˈleɪtɪd] adj tardif(-ive).

belch [beltʃ] vi roter.

Belgian [ˈbeldʒən] adj belge ◆ n Belge mf.

Belgium [ˈbeldʒəm] n la Belgique.

belief [brˈliːf] n (faith) croyance f; (opinion) opinion f.

believe [brˈliːv] vt croire ◆ vi: **to ~ in** (God) croire en; **to ~ in doing sthg** être convaincu qu'il faut faire qqch.

bell [bel] n (of church) cloche f; (of phone) sonnerie f; (of door) sonnette f.

bellboy [ˈbelbɔɪ] n chasseur m.

bellow [ˈbeləʊ] vi meugler.

belly [ˈbelɪ] n (inf) ventre m.

belly button n (inf) nombril m.

belong [brˈlɒŋ] vi (be in right place) être à sa place; **to ~ to** (property) appartenir à; (to club, party) faire partie de.

belongings [brˈlɒŋɪŋz] npl affaires fpl.

below [brˈləʊ] adv en bas, en dessous; (downstairs) au-dessous; (in text) ci-dessous ◆ prep au-dessous de.

belt [belt] n (for clothes) ceinture f; (TECH) courroie f.

bench [bentʃ] n banc m.

bend [bend] (pt & pp bent) n (in road) tournant m; (in river, pipe) coude m ◆ vt plier ◆ vi (road, river, pipe) faire un coude ❑ **bend down** vi s'incliner; **bend over** vi se pencher.

beneath [brˈniːθ] adv en dessous, en bas ◆ prep sous.

beneficial [ˌbenrˈfɪʃl] adj bénéfique.

benefit [ˈbenɪfɪt] n (advantage) avantage m; (money) allocation f ◆ vt profiter à ◆ vi: **to ~ from** profiter de; **for the ~ of** dans l'intérêt de.

benign [brˈnaɪn] adj (MED) bénin(-igne).

bent [bent] pt & pp → bend.

bereaved [brˈriːvd] adj en deuil.

beret [ˈbereɪ] n béret m.

Bermuda shorts [bəˈmjuːdə-] npl bermuda m.

berry [ˈberɪ] n baie f.

berserk [bəˈzɜːk] adj: **to go ~** devenir fou (folle).

berth [bɜːθ] n (for ship) mouillage m; (in ship, train) couchette f.

beside [brˈsaɪd] prep (next to) à

côté de; **that's ~ the point** ça n'a rien à voir.

besides [bɪˈsaɪdz] *adv* en plus ◆ *prep* en plus de.

best [best] *adj* meilleur(-e) ◆ *adv* le mieux ◆ *n*: **the ~** le meilleur (la meilleure); **a pint of ~** *(beer)* ≈ un demi-litre de bière brune; **the ~ thing to do is ...** la meilleure chose à faire est ...; **to make the ~ of sth** s'accommoder de qqch; **to do one's ~** faire de son mieux; **"~ before ..."** "à consommer avant ..."; **at ~** au mieux; **all the ~** *(at end of letter)* amicalement; *(spoken)* bonne continuation!

best man *n* garçon *m* d'honneur.

best-seller [-ˈseləʳ] *n* *(book)* best-seller *m*.

bet [bet] *(pt & pp* bet*)* *n* pari *m* ◆ *vt* parier ◆ *vi*: **to ~ (on)** parier (sur), miser (sur); **I ~ (that) you can't do it** je parie que tu ne peux pas le faire.

betray [bɪˈtreɪ] *vt* trahir.

better [ˈbetəʳ] *adj* meilleur(-e) ◆ *adv* mieux; **you had ~ ...** tu ferais mieux de ...; **to get ~** *(in health)* aller mieux; *(improve)* s'améliorer.

betting [ˈbetɪŋ] *n* paris *mpl*.

betting shop *n* *(Br)* ≈ PMU *m*.

between [bɪˈtwiːn] *prep* entre ◆ *adv* *(in time)* entre-temps; **in ~** ◆ *adv* *(in space)* entre; *(in time)* entre-temps.

beverage [ˈbevərɪdʒ] *n* *(fml)* boisson *f*.

beware [bɪˈweəʳ] *vi*: **to ~ of** se méfier de; **"~ of the dog"** «attention, chien méchant».

bewildered [bɪˈwɪldəd] *adj* per-

plexe.

beyond [bɪˈjɒnd] *adv* au-delà ◆ *prep* au-delà de; **~ reach** hors de portée.

biased [ˈbaɪəst] *adj* partial(-e).

bib [bɪb] *n* *(for baby)* bavoir *m*.

bible [ˈbaɪbl] *n* bible *f*.

biceps [ˈbaɪseps] *n* biceps *m*.

bicycle [ˈbaɪsɪkl] *n* vélo *m*.

bicycle path *n* piste *f* cyclable.

bicycle pump *n* pompe *f* à vélo.

bid [bɪd] *(pt & pp* bid*)* *n* *(at auction)* enchère *f*; *(attempt)* tentative *f* ◆ *vt* *(money)* faire une offre de ◆ *vi*: **to ~ (for)** faire une offre (pour).

bidet [ˈbiːdeɪ] *n* bidet *m*.

big [bɪg] *adj* grand(-e); *(problem, book)* gros (grosse); **my ~ brother** mon grand frère; **how ~ is it?** quelle taille cela fait-il?

bike [baɪk] *n* *(inf)* *(bicycle)* vélo *m*; *(motorcycle)* moto *f*; *(moped)* Mobylette® *f*.

biking [ˈbaɪkɪŋ] *n*: **to go ~** faire du vélo.

bikini [bɪˈkiːnɪ] *n* bikini *m*.

bikini bottom *n* bas *m* de maillot de bain.

bikini top *n* haut *m* de maillot de bain.

bilingual [baɪˈlɪŋgwəl] *adj* bilingue.

bill [bɪl] *n* *(for meal, hotel room)* note *f*; *(for electricity etc)* facture *f*; *(Am: bank note)* billet *m* *(de banque)*; *(at cinema, theatre)* programme *m*; *(POL)* projet *m* de loi; **can I have the ~ please?** l'addition, s'il vous plaît!

billboard [ˈbɪlbɔːd] *n* panneau *m* d'affichage.

billfold

billfold ['bɪlfəʊld] n (Am) portefeuille m.

billiards ['bɪljədz] n billard m.

billion ['bɪljən] n (thousand million) milliard m; (Br: million million) billion m.

bin [bɪn] n (rubbish bin) poubelle f; (wastepaper bin) corbeille f à papier; (for bread) huche f; (on plane) compartiment m à bagages.

bind [baɪnd] (pt & pp bound) vt (tie up) attacher.

binding ['baɪndɪŋ] n (on book) reliure f; (for ski) fixation f.

bingo ['bɪŋgəʊ] n = loto m.

---

i BINGO

Jeu proche du loto, le bingo est souvent pratiqué dans des cinémas désaffectés ou de grandes salles municipales. On joue aussi au bingo dans les villes balnéaires et ce sont alors de petits lots (jouets en peluche, etc) que l'on peut remporter.

---

binoculars [bɪ'nɒkjʊləz] npl jumelles fpl.

biodegradable [,baɪəʊdɪ'greɪdəbl] adj biodégradable.

biography [baɪ'ɒgrəfɪ] n biographie f.

biological [,baɪə'lɒdʒɪkl] adj biologique.

biology [baɪ'ɒlədʒɪ] n biologie f.

birch [bɜːtʃ] n bouleau m.

bird [bɜːd] n oiseau m; (Br: inf: woman) nana f.

bird-watching [-,wɒtʃɪŋ] n ornithologie f.

Biro® ['baɪərəʊ] n stylo m (à) bille.

birth [bɜːθ] n naissance f; by ~ de naissance; to give ~ to donner naissance à.

birth certificate n extrait m de naissance.

birth control n contraception f.

birthday ['bɜːθdeɪ] n anniversaire m; happy ~! joyeux anniversaire!

birthday card n carte f d'anniversaire.

birthday party n fête f d'anniversaire.

birthplace ['bɜːθpleɪs] n lieu m de naissance.

biscuit ['bɪskɪt] n (Br) biscuit m; (Am: scone) petit gâteau de pâte non levée que l'on mange avec de la confiture ou un plat salé.

bishop ['bɪʃəp] n (RELIG) évêque m; (in chess) fou m.

bistro ['biːstrəʊ] n bistrot m.

bit [bɪt] pt → **bite** ♦ n (piece) morceau m, bout m; (of drill) mèche f; (of bridle) mors m; a ~ of money un peu d'argent; to do a ~ of walking marcher un peu; a ~ un peu; not a ~ pas du tout; ~ by ~ petit à petit.

bitch [bɪtʃ] n (vulg: woman) salope f; (dog) chienne f.

bite [baɪt] (pt bit, pp bitten ['bɪtn]) n (when eating) bouchée f; (from insect) piqûre f; (from snake) morsure f ♦ vt mordre; (subj: insect) piquer; to have a ~ to eat manger un morceau.

bitter ['bɪtər] adj amer(-ère); (weather, wind) glacial(-e); (argument, conflict) violent(-e) ♦ n (Br: beer) = bière f brune.

bitter lemon n Schweppes® m au citron.

bizarre [bɪ'zɑːr] adj bizarre.

black [blæk] *adj* noir(-e); *(tea)* nature *(inv)* ◆ *n* noir *m*; *(person)* Noir *m* (-e *f*) ❑ **black out** *vi* perdre connaissance.

black and white *adj* noir et blanc *(inv)*.

blackberry ['blækbrɪ] *n* mûre *f*.

blackbird ['blækbɜːd] *n* merle *m*.

blackboard ['blækbɔːd] *n* tableau *m* (noir).

black cherry *n* cerise *f* noire.

blackcurrant [ˌblæk'kʌrənt] *n* cassis *m*.

black eye *n* œil *m* au beurre noir.

Black Forest gâteau *n* forêt-noire *f*.

black ice *n* verglas *m*.

blackmail ['blækmeɪl] *n* chantage *m* ◆ *vt* faire chanter.

blackout ['blækaʊt] *n* (power cut) coupure *f* de courant.

black pepper *n* poivre *m* noir.

black pudding *n* (Br) boudin *m* noir.

blacksmith ['blæksmɪθ] *n* (for horses) maréchal-ferrant *m*; (for tools) forgeron *m*.

bladder ['blædəʳ] *n* vessie *f*.

blade [bleɪd] *n* (of knife, saw) lame *f*; (of propeller, oar) pale *f*; (of grass) brin *m*.

blame [bleɪm] *n* responsabilité *f*, faute *f* ◆ *vt* rejeter la responsabilité sur; **to ~ sb for sthg** reprocher qqch à qqn; **to ~ sthg on sb** rejeter la responsabilité de qqch sur qqn.

bland [blænd] *adj* (food) fade.

blank [blæŋk] *adj* (space, page) blanc (blanche); (cassette) vierge; (expression) vide ◆ *n* (empty space) blanc *m*.

blank cheque *n* chèque *m* en blanc.

blanket ['blæŋkɪt] *n* couverture *f*.

blast [blɑːst] *n* (explosion) explosion *f*; (of air, wind) souffle *m* ◆ *excl* (inf) zut!; **at full ~** à fond.

blaze [bleɪz] *n* (fire) incendie *m* ◆ *vi* (fire) flamber; (sun, light) resplendir.

blazer ['bleɪzəʳ] *n* blazer *m*.

bleach [bliːtʃ] *n* eau *f* de Javel ◆ *vt* (hair) décolorer; (clothes) blanchir à l'eau de Javel.

bleak [bliːk] *adj* triste.

bleed [bliːd] (*pt & pp* **bled** [bled]) *vi* saigner.

blend [blend] *n* (of coffee, whisky) mélange *m* ◆ *vt* mélanger.

blender ['blendəʳ] *n* mixer *m*.

bless [bles] *vt* bénir; **~ you!** (said after sneeze) à tes/vos souhaits!

blessing ['blesɪŋ] *n* bénédiction *f*.

blew [bluː] *pt* → **blow**.

blind [blaɪnd] *adj* aveugle ◆ *n* (for window) store *m* ◆ *npl*: **the ~** les aveugles *mpl*.

blind corner *n* virage *m* sans visibilité.

blindfold ['blaɪndfəʊld] *n* bandeau *m* ◆ *vt* bander les yeux à.

blind spot *n* (AUT) angle *m* mort.

blink [blɪŋk] *vi* cligner des yeux.

blinkers ['blɪŋkəz] *npl* (Br) œillères *fpl*.

bliss [blɪs] *n* bonheur *m* absolu.

blister ['blɪstəʳ] *n* ampoule *f*.

blizzard ['blɪzəd] *n* tempête *f* de neige.

bloated ['bləʊtɪd] *adj* ballonné(-e).

blob

30

blob [blɒb] *n* (of cream, paint) goutte *f*.

block [blɒk] *n* (of stone, wood, ice) bloc *m*; (building) immeuble *m*; (Am: in town, city) pâté *m* de maisons ♦ *vt* bloquer; **to have a ~ed(-up) nose** avoir le nez bouché ❏ **block up** *vt sep* boucher.

blockage [blɒkɪdʒ] *n* obstruction *f*.

block capitals *npl* capitales *fpl*.

block of flats *n* immeuble *m*.

bloke [bləʊk] *n* (Br: inf) type *m*.

blond [blɒnd] *adj* blond(-e) ♦ *n* blond *m*.

blonde [blɒnd] *adj* blond(-e) ♦ *n* blonde *f*.

blood [blʌd] *n* sang *m*.

blood donor *n* donneur *m* (-euse *f*) de sang.

blood group *n* groupe *m* sanguin.

blood poisoning *n* septicémie *f*.

blood pressure *n* tension *f* (artérielle); **to have high ~** avoir de la tension; **to have low ~** faire de l'hypotension.

bloodshot [blʌdʃɒt] *adj* injecté(-e) de sang.

blood test *n* analyse *f* de sang.

blood transfusion *n* transfusion *f* (sanguine).

bloody [blʌdɪ] *adj* ensanglanté(-e); (Br: vulg: damn) foutu(-e) ♦ *adv* (Br: vulg) vachement.

Bloody Mary [-ˈmeərɪ] *n* bloody mary *m inv*.

bloom [bluːm] *n* fleur *f* ♦ *vi* fleurir; **in ~** en fleur.

blossom [blɒsəm] *n* fleurs *fpl*.

blot [blɒt] *n* tache *f*.

blotch [blɒtʃ] *n* tache *f*.

blotting paper [blɒtɪŋ-] *n* papier *m* buvard.

blouse [blauz] *n* chemisier *m*.

blow [bləʊ] *(pt* blew, *pp* blown) *vt* (subj: wind) faire s'envoler; (whistle, trumpet) souffler dans; (bubbles) faire ♦ *vi* souffler; (fuse) sauter ♦ *n* (hit) coup *m*; **to ~ one's nose** se moucher ❏ **blow up** *vt sep* (building) faire sauter; (tyre, balloon) gonfler ♦ *vi* (explode) exploser.

blow-dry *n* brushing *m* ♦ *vt* faire un brushing à.

blown [bləʊn] *pp* → **blow**.

BLT *n* sandwich au bacon, à la laitue et à la tomate.

blue [bluː] *adj* bleu(-e); (film) porno (inv) ♦ *n* bleu *m* ❏ **blues** *n* (MUS) blues *m*.

bluebell [bluːbel] *n* jacinthe *f* des bois.

blueberry [bluːbərɪ] *n* myrtille *f*.

bluebottle [bluːbɒtl] *n* mouche *f* bleue.

blue cheese *n* bleu *m*.

bluff [blʌf] *n* (cliff) falaise *f* ♦ *vi* bluffer.

blunder [blʌndər] *n* gaffe *f*.

blunt [blʌnt] *adj* (knife) émoussé(-e); (pencil) mal taillé(-e); (fig: person) brusque.

blurred [blɜːd] *adj* (vision) trouble; (photo) flou(-e).

blush [blʌʃ] *vi* rougir.

blusher [blʌʃər] *n* blush *m*.

blustery [blʌstərɪ] *adj* venteux(-euse).

board [bɔːd] *n* (plank) planche *f*; (notice board) panneau *m*; (for games) plateau m; (blackboard) tableau m; (of company) conseil m; (hardboard) contreplaqué m ♦ vt (plane, ship, bus) monter dans; **~ and lodging** pension f; **full ~** pension complète; **half ~** demi-pension; **on ~** adv à bord ♦ prep (plane, ship) à bord de; (bus) dans.

board game n jeu m de société.

boarding ['bɔːdɪŋ] n embarquement m.

boarding card n carte f d'embarquement.

boardinghouse ['bɔːdɪŋhaʊs, pl -hauzɪz] n pension f de famille.

boarding school n pensionnat m, internat m.

board of directors n conseil m d'administration.

boast [bəʊst] vi: **to ~ (about sthg)** se vanter (de qqch).

boat [bəʊt] n (small) canot m; (large) bateau m; **by ~** en bateau.

boat train n (Br) train assurant la correspondance avec un bateau.

bob [bɒb] n (hairstyle) coupe f au carré.

bobby pin ['bɒbɪ-] n (Am) épingle f à cheveux.

bodice ['bɒdɪs] n corsage m.

body ['bɒdɪ] n corps m; (of car) carrosserie f; (organization) organisme m.

bodyguard ['bɒdɪgɑːd] n garde m du corps.

bodywork ['bɒdɪwɜːk] n carrosserie f.

bog [bɒg] n marécage m.

bogus ['bəʊgəs] adj faux (fausse).

boil [bɔɪl] vt (water) faire bouillir; (kettle) mettre à chauffer; (food)

faire cuire à l'eau ♦ vi bouillir ♦ n (on skin) furoncle m.

boiled egg [bɔɪld-] n œuf m à la coque.

boiled potatoes [bɔɪld-] npl pommes de terre fpl à l'eau.

boiler ['bɔɪlə'] n chaudière f.

boiling (hot) ['bɔɪlɪŋ-] adj (inf) (water) bouillant(-e); (weather) très chaud(-e); **I'm ~** je crève de chaud.

bold [bəʊld] adj (brave) audacieux(-ieuse).

bollard ['bɒlɑːd] n (Br: on road) borne f.

bolt [bəʊlt] n (on door, window) verrou m; (screw) boulon m ♦ vt (door, window) fermer au verrou.

bomb [bɒm] n bombe f ♦ vt bombarder.

bombard [bɒm'bɑːd] vt bombarder.

bomb scare n alerte f à la bombe.

bomb shelter n abri m (anti-aérien).

bond [bɒnd] n (tie, connection) lien m.

bone [bəʊn] n (of person, animal) os m; (of fish) arête f.

boned [bəʊnd] adj (chicken) désossé(-e); (fish) sans arêtes.

boneless ['bəʊnləs] adj (chicken, pork) désossé(-e).

bonfire ['bɒn,faɪə'] n feu m.

bonnet ['bɒnɪt] n (Br: of car) capot m.

bonus ['bəʊnəs] (pl -es) n (extra money) prime f; (additional advantage) plus m.

bony ['bəʊnɪ] adj (fish) plein(-e) d'arêtes; (chicken) plein(-e) d'os.

boo [buː] vi siffler.

boogie ['bu:gɪ] vi (inf) guincher.

book [buk] n livre m; (of stamps, tickets) carnet m; (of matches) pochette f ♦ vt (reserve) réserver ❏ **book in** vi (at hotel) se faire enregistrer.

bookable ['bukəbl] adj (seats, flight) qu'on peut réserver.

bookcase ['bukkeɪs] n bibliothèque f.

booking ['bukɪŋ] n (reservation) réservation f.

booking office n bureau m de location.

bookkeeping ['buk,ki:pɪŋ] n comptabilité f.

booklet ['buklɪt] n brochure f.

bookmaker's ['buk,meɪkəz] n (shop) = PMU m.

bookmark ['bukmɑ:k] n marque-page m.

bookshelf ['bukʃelf] (pl -shelves [-ʃelvz]) n (shelf) étagère f, rayon m; (bookcase) bibliothèque f.

bookshop ['bukʃop] n librairie f.

bookstall ['bukstɔ:l] n kiosque m à journaux.

bookstore ['bukstɔ:ʳ] = **bookshop**.

book token n bon m d'achat de livres.

boom [bu:m] n (sudden growth) boom m ♦ vi (voice, guns) tonner.

boost [bu:st] vt (profits, production) augmenter; (confidence) renforcer; **to ~ sb's spirits** remonter le moral à qqn.

booster ['bu:stəʳ] n (injection) rappel m.

boot [bu:t] n (shoe) botte f; (for walking, sport) chaussure f; (Br: of car) coffre m.

booth [bu:ð] n (for telephone) cabine f; (at fairground) stand m.

booze [bu:z] n (inf) alcool m ♦ vi (inf) picoler.

bop [bɒp] n (inf: dance): **to have a ~** guincher.

border ['bɔ:dəʳ] n (of country) frontière f; (edge) bord m; **the Borders** région du sud-est de l'Écosse.

bore [bɔ:ʳ] pt → **bear** ♦ n (inf) (boring person) raseur m (-euse f); (boring thing) corvée f ♦ vt (person) ennuyer; (hole) creuser.

bored [bɔ:d] adj: **to be ~** s'ennuyer.

boredom ['bɔ:dəm] n ennui m.

boring ['bɔ:rɪŋ] adj ennuyeux (-euse).

born [bɔ:n] adj: **to be ~** naître.

borne [bɔ:n] pp → **bear**.

borough ['bʌrə] n municipalité f.

borrow ['bɒrəʊ] vt: **to ~ sthg (from sb)** emprunter qqch (à qqn).

bosom ['buzəm] n poitrine f.

boss [bɒs] n chef mf ❏ **boss around** vt sep donner des ordres à.

bossy ['bɒsɪ] adj autoritaire.

botanical garden [bə'tænɪkl-] n jardin m botanique.

both [bəʊθ] adj & pron les deux ♦ adv: **~ ... and ...** à la fois ... et ...; **~ of them** tous les deux; **~ of us** nous deux, tous les deux.

bother ['bɒðəʳ] vt (worry) inquiéter; (annoy) déranger; (pester) embêter ♦ n (trouble) ennui m ♦ vi: **don't ~!** ne te dérange pas!; **I can't be ~ed** je n'ai pas envie; **it's no ~!** ça ne me dérange pas!

bottle ['bɒtl] n bouteille f; (for baby) biberon m.

bottle bank n conteneur pour le verre usagé.

bottled ['bɒtld] adj en bouteille; ~ beer bière f en bouteille; ~ water eau f en bouteille.

bottle opener [-,əupnə^r] n ouvre-bouteilles m inv, décapsuleur m.

bottom ['bɒtəm] adj (lowest) du bas; (last) dernier(-ière); (worst) plus mauvais(-e) ♦ n (of sea, bag, glass) fond m; (of page, hill, stairs) bas m; (of street, garden) bout m; (buttocks) derrière m; ~ **floor** rez-de-chaussée m inv; ~ **gear** première f.

bought [bɔːt] pt & pp → buy.

boulder ['bəʊldə^r] n rocher m.

bounce [baʊns] vi (rebound) rebondir; (jump) bondir; **his cheque ~d** il a fait un chèque sans provision.

bouncer ['baʊnsə^r] n (inf) videur m.

bouncy ['baʊnsɪ] adj (person) dynamique; (ball) qui rebondit.

bound [baʊnd] pt & pp → bind ♦ vi bondir ♦ adj: **we're ~ to be late** nous allons être en retard, c'est sûr; **it's ~ to rain** il va certainement pleuvoir; **to be ~ for** être en route pour; (plane) être à destination de; **out of ~s** interdit(-e).

boundary ['baʊndrɪ] n frontière f.

bouquet [bʊ'keɪ] n bouquet m.

bourbon ['bɜːbən] n bourbon m.

bout [baʊt] n (of illness) accès m; (of activity) période f.

boutique [buːˈtiːk] n boutique f.

bow¹ [baʊ] n (of head) salut m; (of ship) proue f ♦ vi incliner la tête.

bow² [bəʊ] n (knot) nœud m; (weapon) arc m; (MUS) archet m.

bowels ['baʊəlz] npl (ANAT) intestins mpl.

bowl [bəʊl] n (container) bol m; (for fruit, salad) saladier m; (for washing up, of toilet) cuvette f □ **bowls** npl boules fpl (sur gazon).

bowling alley ['bəʊlɪŋ-] n bowling m.

bowling green ['bəʊlɪŋ-] n terrain m de boules (sur gazon).

bow tie [,bəʊ-] n nœud m papillon.

box [bɒks] n boîte f; (on form) case f; (in theatre) loge f ♦ vi boxer; **a ~ of chocolates** une boîte de chocolats.

boxer ['bɒksə^r] n boxeur m.

boxer shorts npl caleçon m.

boxing ['bɒksɪŋ] n boxe f.

Boxing Day n le 26 décembre.

 BOXING DAY

Boxing Day, jour férié en Grande-Bretagne, tient son nom des «Christmas boxes», ou boîtes à étrennes, que les apprentis et les domestiques recevaient autrefois ce jour-là. Actuellement, c'est aux éboueurs, aux laitiers ou aux jeunes livreurs de journaux que l'on offre des étrennes.

boxing gloves npl gants mpl de boxe.

boxing ring n ring m.

box office n bureau m de location.

boy [bɔɪ] n garçon m ♦ excl (inf): **(oh) ~!** la vache!

boycott ['bɔɪkɔt] vt boycotter.

boyfriend ['bɔɪfrend] n copain m.

boy scout n scout m.

BR abbr = British Rail.

bra [brɑ:] n soutien-gorge m.

brace [breɪs] n (for teeth) appareil m (dentaire) ❑ **braces** npl (Br) bretelles fpl.

bracelet ['breɪslɪt] n bracelet m.

bracken ['brækn] n fougère f.

bracket ['brækɪt] n (written symbol) parenthèse f; (support) équerre f.

brag [bræg] vi se vanter.

braid [breɪd] n (hairstyle) natte f, tresse f; (on clothes) galon m.

brain [breɪn] n cerveau m.

brainy ['breɪnɪ] adj (inf) futé(-e).

braised [breɪzd] adj braisé(-e).

brake [breɪk] n frein m ♦ vi freiner.

brake block n patin m de frein.

brake fluid n liquide m de freins.

brake light n stop m.

brake pad n plaquette f de frein.

brake pedal n pédale f de frein.

bran [bræn] n son m.

branch [brɑ:ntʃ] n branche f; (of company) filiale f; (of bank) agence f ❑ **branch off** vi bifurquer.

branch line n ligne f secondaire.

brand [brænd] n marque f ♦ vt: **to ~ sb (as)** étiqueter qqn (comme).

brand-new adj tout neuf (toute neuve).

brandy ['brændɪ] n cognac m.

brash [bræʃ] adj (pej) effronté(-e).

brass [brɑ:s] n laiton m.

brass band n fanfare f.

brasserie ['bræsərɪ] n brasserie f.

brassiere [Br 'bræsɪər, Am brə'zɪr] n soutien-gorge m.

brat [bræt] n (inf) sale gosse mf.

brave [breɪv] adj courageux(-euse).

bravery ['breɪvərɪ] n courage m.

bravo [,brɑ:'vəʊ] excl bravo!

brawl [brɔ:l] n bagarre f.

Brazil [brə'zɪl] n le Brésil.

Brazil nut n noix f du Brésil.

breach [bri:tʃ] vt (contract) rompre.

bread [bred] n pain m; **~ and butter** pain beurré.

bread bin n (Br) huche f à pain.

breadboard ['bredbɔ:d] n planche f à pain.

bread box (Am) = **bread bin.**

breadcrumbs ['bredkrʌmz] npl chapelure f.

breaded ['bredɪd] adj pané(-e).

bread knife n couteau m à pain.

bread roll n petit pain m.

breadth [bretθ] n largeur f.

break [breɪk] (pt **broke,** pp **broken**) n (interruption) interruption f; (rest, pause) pause f; (SCH) récréation f ♦ vt casser; (rule, law) ne pas respecter; (promise) manquer à; (a record) battre; (news) annoncer ♦ vi se casser; (voice) se briser; **without a ~** sans interruption; **a lucky ~** un coup de bol; **to ~ one's journey**

faire étape; **to ~ one's leg** se casser une jambe □ **break down** vi *(car, machine)* tomber en panne ◆ vt sep *(door, barrier)* enfoncer; **break in** vi entrer par effraction; **break off** vi *(detach)* détacher; *(holiday)* interrompre ◆ vi *(stop suddenly)* s'interrompre; **break out** vi *(fire, war, panic)* éclater; **to ~ out in a rash** se couvrir de boutons; **break up** vi *(with spouse, partner)* rompre; *(meeting, marriage)* prendre fin; *(school)* finir.

breakage ['breɪkɪdʒ] n casse f.

breakdown ['breɪkdaʊn] n *(of car)* panne f; *(in communications, negotiations)* rupture f; *(mental)* dépression f.

breakdown truck n dépanneuse f.

breakfast ['brekfəst] n petit déjeuner m; **to have ~** prendre le petit déjeuner; **to have sthg for ~** prendre qqch au petit déjeuner.

breakfast cereal n céréales fpl.

break-in n cambriolage m.

breakwater ['breɪk,wɔːtəʳ] n digue f.

breast [brest] n sein m; *(of chicken, duck)* blanc m.

breastbone ['brestbəʊn] n sternum m.

breast-feed vt allaiter.

breaststroke ['breststrəʊk] n brasse f.

breath [breθ] n haleine f; *(air inhaled)* inspiration f; **out of ~** hors d'haleine; **to go for a ~ of fresh air** aller prendre l'air.

Breathalyser® ['breθəlaɪzəʳ] n *(Br)* = Alcootest® m.

Breathalyzer® ['breθəlaɪzəʳ]

(Am) = **Breathalyser**®.

breathe [briːð] vi respirer □ **breathe in** vi inspirer; **breathe out** vi expirer.

breathtaking ['breθ,teɪkɪŋ] adj à couper le souffle.

breed [briːd] *(pt & pp* **bred** [bred]) n espèce f ◆ vt *(animals)* élever ◆ vi se reproduire.

breeze [briːz] n brise f.

breezy ['briːzɪ] adj *(weather, day)* venteux(-euse).

brew [bruː] vt *(beer)* brasser; *(tea, coffee)* faire ◆ vi *(tea)* infuser; *(coffee)* se faire.

brewery ['brʊərɪ] n brasserie f *(usine)*.

bribe [braɪb] n pot-de-vin m ◆ vt acheter.

bric-a-brac ['brɪkəbræk] n bric-à-brac m.

brick [brɪk] n brique f.

bricklayer ['brɪk,leɪəʳ] n maçon m.

brickwork ['brɪkwɜːk] n maçonnerie f *(en briques)*.

bride [braɪd] n mariée f.

bridegroom ['braɪdgrʊm] n marié m.

bridesmaid ['braɪdzmeɪd] n demoiselle f d'honneur.

bridge [brɪdʒ] n pont m; *(of ship)* passerelle f; *(card game)* bridge m.

bridle ['braɪdl] n bride f.

bridle path n piste f cavalière.

brief [briːf] adj bref(-ève) ◆ vt mettre au courant; **in ~** en bref □ **briefs** npl *(for men)* slip m; *(for women)* culotte f.

briefcase ['briːfkeɪs] n serviette f.

briefly ['briːflɪ] adv brièvement.

brigade

brigade [brɪˈgeɪd] *n* brigade *f*.

bright [braɪt] *adj (light, sun, colour)* vif (vive); *(weather, room)* clair(-e); *(clever)* intelligent(-e); *(lively, cheerful)* gai(-e).

brilliant [ˈbrɪljənt] *adj (colour, light, sunshine)* éclatant(-e); *(idea, person)* brillant(-e); *(inf: wonderful)* génial(-e).

brim [brɪm] *n* bord *m*; **it's full to the ~** c'est plein à ras bord.

brine [braɪn] *n* saumure *f*.

bring [brɪŋ] *(pt & pp* **brought)** *vt* apporter; *(person)* amener □ **bring along** *vt sep (object)* apporter; *(person)* amener; **bring back** *vt sep* rapporter; **bring in** *vt sep (introduce)* introduire; *(earn)* rapporter; **bring out** *vt sep (new product)* sortir; **bring up** *vt sep (child)* élever; *(subject)* mentionner; *(food)* rendre, vomir.

brink [brɪŋk] *n*: **on the ~ of** au bord de.

brisk [brɪsk] *adj* vif (vive), énergique.

bristle [ˈbrɪsl] *n* poil *m*.

Britain [ˈbrɪtn] *n* la Grande-Bretagne.

British [ˈbrɪtɪʃ] *adj* britannique ♦ *npl*: **the ~** les Britanniques *mpl*.

British Rail *n* = la SNCF.

British Telecom [-ˈtelɪkɒm] *n* = France Télécom.

Briton [ˈbrɪtn] *n* Britannique *mf*.

Brittany [ˈbrɪtənɪ] *n* la Bretagne.

brittle [ˈbrɪtl] *adj* cassant(-e).

broad [brɔːd] *adj* large; *(description, outline)* général(-e); *(accent)* fort(-e).

B road *n (Br)* = route *f* départementale.

broad bean *n* fève *f*.

broadcast [ˈbrɔːdkɑːst] *(pt & pp* **broadcast)** *n* émission *f* ♦ *vt* diffuser.

broadly [ˈbrɔːdlɪ] *adv (in general)* en gros.

broccoli [ˈbrɒkəlɪ] *n* brocoli *m*.

brochure [ˈbrəʊʃə] *n* brochure *f*.

broiled [brɔɪld] *adj (Am)* grillé(-e).

broke [brəʊk] *pt →* **break** ♦ *adj (inf)* fauché(-e).

broken [ˈbrəʊkən] *pp →* **break** ♦ *adj* cassé(-e); *(English, French)* hésitant(-e).

bronchitis [brɒŋˈkaɪtɪs] *n* bronchite *f*.

bronze [brɒnz] *n* bronze *m*.

brooch [brəʊtʃ] *n* broche *f*.

brook [brʊk] *n* ruisseau *m*.

broom [bruːm] *n* balai *m*.

broomstick [ˈbruːmstɪk] *n* manche *m* à balai.

broth [brɒθ] *n* bouillon *m* épais.

brother [ˈbrʌðə] *n* frère *m*.

brother-in-law *n* beau-frère *m*.

brought [brɔːt] *pt & pp →* **bring**.

brow [braʊ] *n (forehead)* front *m*; *(eyebrow)* sourcil *m*.

brown [braʊn] *adj* brun(-e); *(paint, eyes)* marron *(inv)*; *(tanned)* bronzé(-e) ♦ *n* brun *m*; *(of paint, eyes)* marron *m*.

brown bread *n* pain *m* complet.

brownie [ˈbraʊnɪ] *n (CULIN)* petit gâteau au chocolat et aux noix.

Brownie [ˈbraʊnɪ] *n* = jeannette *f*.

brown rice *n* riz *m* complet.

build

brown sauce n (Br) sauce épicée servant de condiment.

brown sugar n sucre m roux.

browse [brauz] vi (in shop) regarder; **to ~ through** (book, paper) feuilleter.

browser ['brauzəʳ] n: **"~s welcome»** «entrée libre».

bruise [bru:z] n bleu m.

brunch [brʌntʃ] n brunch m.

brunette [bru:'net] n brune f.

brush [brʌʃ] n brosse f; (for painting) pinceau m ◆ vt (clothes) brosser; (floor) balayer; **to ~ one's hair** se brosser les cheveux; **to ~ one's teeth** se brosser les dents.

Brussels ['brʌslz] n Bruxelles.

Brussels sprouts npl choux mpl de Bruxelles.

brutal ['bru:tl] adj brutal(-e).

BSc n (abbr of Bachelor of Science) (titulaire d'une) licence de sciences.

BT abbr = **British Telecom**.

bubble ['bʌbl] n bulle f.

bubble bath n bain m moussant.

bubble gum n chewing-gum avec lequel on peut faire des bulles.

bubbly ['bʌblɪ] n (inf) champ m.

buck [bʌk] n (Am: inf: dollar) dollar m; (male animal) mâle m.

bucket ['bʌkɪt] n seau m.

Buckingham Palace ['bʌkɪŋəm] n le palais de Buckingham.

BUCKINGHAM PALACE

Résidence officielle du monarque britannique à Londres, Buckingham Palace a été construit en 1703 pour le duc de Buckingham. Il se trouve à l'extrémité du Mall, entre Green Park et St James's Park. La cérémonie de la relève de la garde a lieu chaque jour dans la cour du palais.

buckle ['bʌkl] n boucle f ◆ vt (fasten) boucler ◆ vi (metal) plier; (wheel) se voiler.

Buck's Fizz n cocktail à base de champagne et de jus d'orange.

bud [bʌd] n bourgeon m ◆ vi bourgeonner.

Buddhist ['budɪst] n bouddhiste mf.

buddy ['bʌdɪ] n (inf) pote m.

budge [bʌdʒ] vi bouger.

budgerigar ['bʌdʒərɪgɑːʳ] n perruche f.

budget ['bʌdʒɪt] adj (holiday, travel) économique ◆ n budget m ❑ **budget for** vt fus: **to ~ for doing sthg** prévoir de faire qqch.

budgie ['bʌdʒɪ] n (inf) perruche f.

buff [bʌf] n (inf) fana mf.

buffalo ['bʌfələu] n buffle m.

buffalo wings npl (Am) ailes de poulet frites et épicées.

buffer ['bʌfəʳ] n (on train) tampon m.

buffet [Br 'bufeɪ, Am ba'feɪ] n buffet m.

buffet car ['bufeɪ-] n wagon-restaurant m.

bug [bʌg] n (insect) insecte m; (inf: mild illness) microbe m ◆ vt (inf: annoy) embêter.

buggy ['bʌgɪ] n (pushchair) poussette f; (Am: pram) landau m.

bugle ['bju:gl] n clairon m.

build [bɪld] (pt & pp **built**) n carrure f ◆ vt construire ❑ **build up** vi augmenter ♦ vt sep: **to ~ up speed** accélérer.

builder ['bɪldəʳ] n entrepreneur m (en bâtiment).

building ['bɪldɪŋ] n bâtiment m.

building site n chantier m.

building society n (Br) société d'investissements et de prêts immobiliers.

built [bɪlt] pt & pp → build.

built-in adj encastré(-e).

built-up area n agglomération f.

bulb [bʌlb] n (for lamp) ampoule f; (of plant) bulbe m.

Bulgaria [bʌl'geərɪə] n la Bulgarie.

bulge [bʌldʒ] vi être gonflé.

bulk [bʌlk] n: **the ~ of** la majeure partie de; **in ~** en gros.

bulky ['bʌlkɪ] adj volumineux(-euse).

bull [bul] n taureau m.

bulldog ['buldɒg] n bouledogue m.

bulldozer ['buldəuzəʳ] n bulldozer m.

bullet ['bulɪt] n balle f.

bulletin ['bulətɪn] n bulletin m.

bullfight ['bulfaɪt] n corrida f.

bull's-eye n centre m (de la cible).

bully ['bulɪ] n enfant qui maltraite ses camarades ♦ vt tyranniser.

bum [bʌm] n (inf: bottom) derrière m; (Am: inf: tramp) clodo m.

bum bag n (Br) banane f (sac).

bumblebee ['bʌmblbi:] n bourdon m.

bump [bʌmp] n (lump) bosse f; (sound) bruit m sourd; (minor accident) choc m ♦ vt (head, leg) cogner

❏ **bump into** vt fus (hit) rentrer dans; (meet) tomber sur.

bumper ['bʌmpəʳ] n (on car) pare-chocs m inv; (Am: on train) tampon m.

bumpy ['bʌmpɪ] adj (road) cahoteux(-euse); **the flight was ~** il y a eu des turbulences pendant le vol.

bun [bʌn] n (cake) petit gâteau m; (bread roll) petit pain m rond; (hairstyle) chignon m.

bunch [bʌntʃ] n (of people) bande f; (of flowers) bouquet m; (of grapes) grappe f; (of bananas) régime m; (of keys) trousseau m.

bundle ['bʌndl] n paquet m.

bung [bʌŋ] n bonde f.

bungalow ['bʌŋgələu] n bungalow m.

bunion ['bʌnjən] n oignon m (au pied).

bunk [bʌŋk] n (berth) couchette f.

bunk beds npl lits mpl superposés.

bunker ['bʌŋkəʳ] n bunker m; (for coal) coffre m.

bunny ['bʌnɪ] n lapin m.

buoy [Br bɔɪ, Am 'bu:ɪ] n bouée f.

buoyant ['bɔɪənt] adj qui flotte bien.

BUPA ['bu:pə] n organisme britannique d'assurance maladie privée.

burden ['bɜ:dn] n charge f.

bureaucracy [bjuə'rɒkrəsɪ] n bureaucratie f.

bureau de change [,bjuərəudə'ʃɒndʒ] n bureau m de change.

burger ['bɜ:gəʳ] n steak m haché; (made with nuts, vegetables etc) croquette f.

burglar ['bɜ:gləʳ] n cambrioleur m (-euse f).

burglar alarm n système m d'alarme.

burglarize ['bɜːgləraɪz] (Am) = burgle.

burglary ['bɜːglərɪ] n cambriolage m.

burgle ['bɜːgl] vt cambrioler.

Burgundy ['bɜːgəndɪ] n la Bourgogne.

burial ['berɪəl] n enterrement m.

burn [bɜːn] (pt & pp burnt OR burned) n brûlure f ♦ vt & vi brûler ❑ **burn down** vt sep incendier ♦ vi brûler complètement.

burning (hot) ['bɜːnɪŋ-] adj brûlant(-e).

Burns' Night [bɜːnz-] n le 25 janvier.

---

i BURNS' NIGHT

Les célébrations du 25 janvier marquent l'anniversaire du poète Robert Burns (1759–96). La tradition veut que l'on se réunisse pour dîner et que l'on récite à tour de rôle des vers de Burns. Lors de ces repas, les «Burns' suppers», on mange des spécialités écossaises telles que le haggis, arrosées de whisky.

---

burnt [bɜːnt] pt & pp → burn.

burp [bɜːp] vi roter.

burrow ['bʌrəʊ] n terrier m.

burst [bɜːst] (pt & pp burst) n salve f ♦ vt faire éclater ♦ vi éclater; **he ~ into the room** il a fait irruption dans la pièce; **to ~ into tears** éclater en sanglots; **to ~ open** s'ouvrir brusquement.

bury ['berɪ] vt enterrer.

bus [bʌs] n bus m, autobus m; **by**

~ en bus.

bus conductor [-kən'dʌktər] n receveur m.

bus driver n conducteur m (-trice f) d'autobus.

bush [bʊʃ] n buisson m.

business ['bɪznɪs] n affaires fpl; (shop, firm, affair) affaire f; **mind your own ~**! occupe-toi de tes affaires!; **'~ as usual**» «le magasin reste ouvert».

business card n carte f de visite.

business class n classe f affaires.

business hours npl (of office) heures fpl de bureau; (of shop) heures fpl d'ouverture.

businessman ['bɪznɪsmæn] (pl -men [-men]) n homme m d'affaires.

business studies npl études fpl de commerce.

businesswoman ['bɪznɪs-ˌwʊmən] (pl -women [-ˌwɪmɪn]) n femme f d'affaires.

busker ['bʌskər] n (Br) musicien m (-ienne f) qui fait la manche.

bus lane n couloir m de bus.

bus pass n carte f d'abonnement (de bus).

bus shelter n Abribus® m.

bus station n gare f routière.

bus stop n arrêt m de bus.

bust [bʌst] n (of woman) poitrine f ♦ adj: **to go ~** (inf) faire faillite.

bustle ['bʌsl] n (activity) agitation f.

bus tour n voyage m en autocar.

busy ['bɪzɪ] adj occupé(-e); (day, schedule) chargé(-e); (street, office) animé(-e); **to be ~ doing sthg** être occupé à faire qqch.

busy signal *n* (Am) tonalité *f* «occupé».

but [bʌt] *conj* mais ◆ *prep* sauf; **the last ~ one** l'avant-dernier *m* (-ière *f*); **~ for** sans.

butcher ['butʃəʳ] *n* boucher *m* (-ère *f*); **~'s** (shop) boucherie *f*.

butt [bʌt] *n* (of rifle) crosse *f*; (of cigarette, cigar) mégot *m*.

butter ['bʌtəʳ] *n* beurre *m* ◆ *vt* beurrer.

butter bean *n* haricot *m* beurre.

buttercup ['bʌtəkʌp] *n* bouton-d'or *m*.

butterfly ['bʌtəflaɪ] *n* papillon *m*.

butterscotch ['bʌtəskɒtʃ] *n* caramel dur au beurre.

buttocks ['bʌtəks] *npl* fesses *fpl*.

button ['bʌtn] *n* bouton *m*; (Am: badge) badge *m*.

buttonhole ['bʌtnhəʊl] *n* (hole) boutonnière *f*.

button mushroom *n* champignon *m* de Paris.

buttress ['bʌtrɪs] *n* contrefort *m*.

buy [baɪ] (pt & pp **bought**) *vt* acheter ◆ *n*: **a good ~** une bonne affaire; **to ~ sthg for sb, to ~ sb sthg** acheter qqch à qqn.

buzz [bʌz] *vi* bourdonner ◆ *n* (inf: phone call): **to give sb a ~** passer un coup de fil à qqn.

buzzer ['bʌzəʳ] *n* sonnerie *f*.

by [baɪ] *prep* 1. (expressing cause, agent) par; **he was hit ~ a car** il s'est fait renverser par une voiture; **a book ~ A.R. Scott** un livre de A.R. Scott.

2. (expressing method, means) par; **~ car/bus** en voiture/bus; **to pay ~ credit card** payer par carte de crédit; **to win ~ cheating** gagner en trichant.

3. (near to, beside) près de; **~ the sea** au bord de la mer.

4. (past): **a car went ~ the house** une voiture est passée devant la maison.

5. (via) par; **exit ~ the door on the left** sortez par la porte de gauche.

6. (with time): **be there ~ nine** soyez-y pour neuf heures; **~ day** le jour; **~ now** déjà.

7. (expressing quantity): **sold ~ the dozen** vendus à la douzaine; **prices fell ~ 20%** les prix ont baissé de 20%; **paid ~ the hour** payé à l'heure.

8. (expressing meaning): **what do you mean ~ that?** qu'entendez-vous par là?

9. (in sums, measurements) par; **two metres ~ five** deux mètres sur cinq.

10. (according to) selon; **~ law** selon la loi; **it's fine ~ me** ça me va.

11. (expressing gradual process): **one ~ one** un par un; **day ~ day** de jour en jour.

12. (in phrases): **~ mistake** par erreur; **~ oneself** (alone) seul; (unaided) tout seul; **~ profession** de métier.

◆ *adv* (past): **to go ~** passer.

bye(-bye) [baɪ(baɪ)] *excl* (inf) salut!

bypass ['baɪpɑːs] *n* rocade *f*.

C

C (abbr of Celsius, centigrade) C.

cab [kæb] *n* (taxi) taxi *m*; (of lorry) cabine *f*.

cabaret ['kæbəreɪ] *n* spectacle *m* de cabaret.

cabbage ['kæbɪdʒ] *n* chou *m*.

cabin ['kæbɪn] *n* cabine *f*; *(wooden house)* cabane *f*.

cabin crew *n* équipage *m*.

cabinet ['kæbɪnɪt] *n* (*cupboard*) meuble *m* (de rangement); (*POL*) cabinet *m*.

cable ['keɪbl] *n* câble *m*.

cable car *n* téléphérique *m*.

cable television *n* télévision *f* par câble.

cactus ['kæktəs] (*pl* -**tuses** OR -**ti** [-taɪ]) *n* cactus *m*.

Caesar salad [ˌsiːzə-] *n* salade de laitue, anchois, olives, croûtons et parmesan.

cafe ['kæfeɪ] *n* café *m*.

cafeteria [ˌkæfɪˈtɪərɪə] *n* cafétéria *f*.

caffeine ['kæfiːn] *n* caféine *f*.

cage [keɪdʒ] *n* cage *f*.

cagoule [kəˈguːl] *n* (*Br*) K-way® *m inv*.

Cajun ['keɪdʒən] *adj* cajun.

---

i CAJUN

Colons français installés à l'origine en Nouvelle-Écosse, les Cajuns furent déportés en Louisiane au XVIIIe siècle. Ils y ont développé un parler et une culture propres : la cuisine cajun, caractérisée par l'utilisation d'épices et de piment, et la musique folk où domine le violon et l'accordéon, sont particulièrement réputées.

---

cake [keɪk] *n* gâteau *m*; *(of soap)* pain *m*.

calculate ['kælkjuleɪt] *vt* calculer; *(risks, effect)* évaluer.

calculator ['kælkjuleɪtə'] *n* calculatrice *f*.

calendar ['kælɪndə'] *n* calendrier *m*.

calf [kɑːf] (*pl* **calves**) *n* (*of cow*) veau *m*; *(part of leg)* mollet *m*.

call [kɔːl] *n* (*visit*) visite *f*; *(phone call)* coup *m* de fil; *(of bird)* cri *m*; *(at airport)* appel *m* ◆ *vt* appeler; *(meeting)* convoquer ◆ *vi* (*visit*) passer; *(phone)* appeler; **to ~ sb sthg** traiter qqn de qqch; **to be ~ed** s'appeler; **what is he ~ed?** comment s'appelle-t-il?; **on ~** *(nurse, doctor)* de garde; **to pay sb a ~** rendre visite à qqn; **this train ~s at ...** ce train desservira les gares de ...; **who's ~ing?** qui est à l'appareil? ❑ **call back** *vt sep* rappeler ◆ *vi* (*phone again*) rappeler; *(visit again)* repasser; **call for** *vt fus* (*come to fetch*) passer prendre; *(demand, require)* exiger; **call on** *vt fus* (*visit*) passer voir; **to ~ on sb to do sthg** demander à qqn de faire qqch; **call out** *vt sep* (*name, winner*) annoncer; *(doctor, fire brigade)* appeler ◆ *vi* crier; **call up** *vt sep* appeler.

call box *n* cabine *f* téléphonique.

caller [kɔːlə'] *n* (*visitor*) visiteur *m* (-euse *f*); *(on phone)* personne *qui* passe un appel téléphonique.

calm [kɑːm] *adj* calme ◆ *vt* calmer ❑ **calm down** *vt sep* calmer ◆ *vi* se calmer.

Calor gas® ['kælə-] *n* butane *m*.

calorie ['kælərɪ] *n* calorie *f*.

calves [kɑːvz] *pl* → **calf**.

camcorder ['kæm,kɔːdəʳ] *n* Caméscope® *m*.

came [keɪm] *pt* → **come**.

camel ['kæml] *n* chameau *m*.

camembert ['kæməmbeəʳ] *n* camembert *m*.

camera ['kæmərə] *n* appareil *m* photo; *(for filming)* caméra *f*.

cameraman ['kæmərəmæn] *(pl -men* [-men]) *n* cameraman *m*.

camera shop *n* photographe *m*.

camisole ['kæmɪsəʊl] *n* caraco *m*.

camp [kæmp] *n* camp *m* ♦ *vi* camper.

campaign [kæm'peɪn] *n* campagne *f* ♦ *vi*: **to ~ (for/against)** faire campagne (pour/contre).

camp bed *n* lit *m* de camp.

camper ['kæmpəʳ] *n (person)* campeur *m* (-euse *f*); *(van)* camping-car *m*.

camping ['kæmpɪŋ] *n*: **to go ~** faire du camping.

camping stove *n* Camping-Gaz® *m inv*.

campsite ['kæmpsaɪt] *n* camping *m*.

campus ['kæmpəs] *(pl -es)* *n* campus *m*.

can[1] [kæn] *n (of food)* boîte *f*; *(of drink)* can(n)ette *f*; *(of oil, paint)* bidon *m*.

can[2] *[weak form* kən, *strong form* kæn] *(pt & conditional* **could**) *aux vb*
1. *(be able to)* pouvoir; **~ you help me?** tu peux m'aider?; **I ~ see you** je te vois.
2. *(know how to)* savoir; **~ you drive?** tu sais conduire?; **I ~ speak French** je parle (le) français.

3. *(be allowed to)* pouvoir; **you can't smoke here** il est interdit de fumer ici.
4. *(in polite requests)* pouvoir; **~ you tell me the time?** pourriez-vous me donner l'heure?; **~ I speak to the manager?** puis-je parler au directeur?
5. *(expressing occasional occurrence)* pouvoir; **it ~ get cold at night** il arrive qu'il fasse froid la nuit.
6. *(expressing possibility)* pouvoir; **they could be lost** il se peut qu'ils se soient perdus.

Canada ['kænədə] *n* le Canada.

Canadian [kə'neɪdɪən] *adj* canadien(-ienne) ♦ *n* Canadien *m* (-ienne *f*).

canal [kə'næl] *n* canal *m*.

canapé ['kænəpeɪ] *n* canapé *m* *(pour l'apéritif)*.

cancel ['kænsl] *vt* annuler; *(cheque)* faire opposition à.

cancellation [,kænsə'leɪʃn] *n* annulation *f*.

cancer ['kænsəʳ] *n* cancer *m*.

Cancer ['kænsəʳ] *n* Cancer *m*.

candidate ['kændɪdət] *n* candidat *m* (-e *f*).

candle ['kændl] *n* bougie *f*.

candlelit dinner ['kændllɪt-] *n* dîner *m* aux chandelles.

candy ['kændɪ] *n (Am) (confectionery)* confiserie *f*; *(sweet)* bonbon *m*.

candyfloss ['kændɪflɒs] *n (Br)* barbe *f* à papa.

cane [keɪn] *n (for walking)* canne *f*; *(for punishment)* verge *f*; *(for furniture, baskets)* rotin *m*.

canister ['kænɪstəʳ] *n (for tea)* boîte *f*; *(for gas)* bombe *f*.

cannabis ['kænəbɪs] *n* cannabis *m*.

canned [kænd] *adj (food)* en boîte; *(drink)* en can(n)ette.

cannon [ˈkænən] *n* canon *m*.

cannot [ˈkænɒt] = **can not**.

canoe [kəˈnuː] *n* canoë *m*.

canoeing [kəˈnuːɪŋ] *n*: **to go ~** faire du canoë.

canopy [ˈkænəpɪ] *n (over bed etc)* baldaquin *m*.

can't [kɑːnt] = **cannot**.

cantaloup(e) [ˈkæntəluːp] *n* cantaloup *m*.

canteen [kænˈtiːn] *n* cantine *f*.

canvas [ˈkænvəs] *n (for tent, bag)* toile *f*.

cap [kæp] *n (hat)* casquette *f*; *(of pen)* capuchon *m*; *(of bottle)* capsule *f*; *(for camera)* cache *m*; *(contraceptive)* diaphragme *m*.

capable [ˈkeɪpəbl] *adj (competent)* capable; **to be ~ of doing sthg** être capable de faire qqch.

capacity [kəˈpæsɪtɪ] *n* capacité *f*.

cape [keɪp] *n (of land)* cap *m*; *(cloak)* cape *f*.

capers [ˈkeɪpəz] *npl* câpres *fpl*.

capital [ˈkæpɪtl] *n (of country)* capitale *f*; *(money)* capital *m*; *(letter)* majuscule *f*.

capital punishment *n* peine *f* capitale.

cappuccino [ˌkæpʊˈtʃiːnəʊ] *n* cappuccino *m*.

capsicum [ˈkæpsɪkəm] *n (sweet)* poivron *m*; *(hot)* piment *m*.

capsize [kæpˈsaɪz] *vi* chavirer.

capsule [ˈkæpsjuːl] *n (for medicine)* gélule *f*.

captain [ˈkæptɪn] *n* capitaine *m*; *(of plane)* commandant *m*.

caption [ˈkæpʃn] *n* légende *f*.

capture [ˈkæptʃəʳ] *vt* capturer; *(town, castle)* s'emparer de.

car [kɑːʳ] *n* voiture *f*.

carafe [kəˈræf] *n* carafe *f*.

caramel [ˈkærəmel] *n* caramel *m*.

carat [ˈkærət] *n* carat *m*; **24-~ gold** de l'or 24 carats.

caravan [ˈkærəvæn] *n (Br)* caravane *f*.

caravanning [ˈkærəvænɪŋ] *n (Br)*: **to go ~** faire du caravaning.

caravan site *n (Br)* camping *m* pour caravanes.

carbohydrate [ˌkɑːbəʊˈhaɪdreɪt] *n (in foods)* glucides *mpl*.

carbon [ˈkɑːbən] *n* carbone *m*.

carbon copy *n* carbone *m*.

carbon dioxide [-daɪˈɒksaɪd] *n* gaz *m* carbonique.

carbon monoxide [-mɒˈnɒksaɪd] *n* oxyde *m* de carbone.

car boot sale *n (Br)* brocante en plein air où les coffres des voitures servent d'étal.

carburetor [ˌkɑːbəˈretəʳ] *(Am)* = **carburettor**.

carburettor [ˌkɑːbəˈretəʳ] *n (Br)* carburateur *m*.

car crash *n* accident *m* de voiture OR de la route.

card [kɑːd] *n* carte *f*; *(for filing, notes)* fiche *f*; *(cardboard)* carton *m*.

cardboard [ˈkɑːdbɔːd] *n* carton *m*.

car deck *n* pont *m* des voitures.

cardiac arrest [ˌkɑːdɪæk-] *n* arrêt *m* cardiaque.

cardigan [ˈkɑːdɪgən] *n* cardigan *m*.

care [keəʳ] *n (attention)* soin *m*; *(treatment)* soins *mpl* ♦ *vi*: **I don't ~** ça m'est égal; **to take ~ of** s'occuper de; **would you ~ to …?** *(fml)* voudriez-vous …?; **to take ~ to do sthg** prendre soin de faire qqch; **to take ~ not to do sthg** prendre garde de ne pas faire qqch; **take ~!** *expression affectueuse que l'on utilise lorsqu'on quitte quelqu'un;* **with ~** avec soin; **to ~ about** *(think important)* se soucier de; *(person)* aimer.

career [kə'rɪəʳ] *n* carrière *f*.

carefree ['keəfriː] *adj* insouciant(-e).

careful ['keəful] *adj (cautious)* prudent(-e); *(thorough)* soigneux(-euse); **be ~!** (fais) attention!

carefully ['keəfli] *adv (cautiously)* prudemment; *(thoroughly)* soigneusement.

careless ['keələs] *adj (inattentive)* négligent(-e); *(unconcerned)* insouciant(-e).

caretaker ['keəˌteɪkəʳ] *n (Br)* gardien *m* (-ienne *f*).

car ferry *n* ferry *m*.

cargo ['kɑːgəʊ] *(pl* **-es** OR **-s**) *n* cargaison *f*.

car hire *n (Br)* location *f* de voitures.

Caribbean [*Br* ˌkærɪ'biːən, *Am* kə'rɪbɪən] *n:* **the ~** *(area)* les Caraïbes *fpl*.

caring ['keərɪŋ] *adj* attentionné(-e).

carnation [kɑː'neɪʃn] *n* œillet *m*.

carnival ['kɑːnɪvl] *n* carnaval *m*.

carousel [ˌkærə'sel] *n (for luggage)* tapis *m* roulant; *(Am: merry-go-round)* manège *m*.

carp [kɑːp] *n* carpe *f*.

car park *n (Br)* parking *m*.

carpenter ['kɑːpəntəʳ] *n (on building site)* charpentier *m; (for fur-*

niture) menuisier *m*.

carpentry ['kɑːpəntrɪ] *n (on building site)* charpenterie *f; (for furniture)* menuiserie *f*.

carpet ['kɑːpɪt] *n (fitted)* moquette *f; (rug)* tapis *m*.

car rental *n (Am)* location *f* de voitures.

carriage ['kærɪdʒ] *n (Br: of train)* wagon *m; (horse-drawn)* calèche *f*.

carriageway ['kærɪdʒweɪ] *n (Br)* chaussée *f*.

carrier (bag) ['kærɪəʳ-] *n* sac *m* (en plastique).

carrot ['kærət] *n* carotte *f*.

carrot cake *n* cake *à la* carotte.

carry ['kærɪ] *vt* porter; *(transport)* transporter; *(disease)* être porteur de; *(cash, passport, map)* avoir sur soi ♦ *vi* porter ❏ **carry on** *vi* continuer ♦ *vt fus (continue)* continuer; *(conduct)* réaliser; **to ~ on doing sthg** continuer à faire qqch; **carry out** *vt sep (work, repairs)* effectuer; *(plan)* réaliser; *(promise)* tenir; *(order)* exécuter.

carrycot ['kærɪkɒt] *n (Br)* couffin *m*.

carryout ['kærɪaʊt] *n (Am & Scot)* repas *m* à emporter.

carsick ['kɑːˌsɪk] *adj* malade (en voiture).

cart [kɑːt] *n (for transport)* charrette *f; (Am: in supermarket)* caddie *m; (inf: video game cartridge)* cartouche *f*.

carton ['kɑːtn] *n (of milk, juice)* carton *m; (of yoghurt)* pot *m*.

cartoon [kɑː'tuːn] *n (drawing)* dessin *m* humoristique; *(film)* dessin *m* animé.

cartridge ['kɑːtrɪdʒ] *n* cartouche *f*.

carve [kɑːv] *vt (wood, stone)* sculpter; *(meat)* découper.

carvery ['kɑːvərɪ] *n* restaurant où l'on mange, en aussi grande quantité que l'on veut, de la viande découpée.

car wash *n* station f de lavage de voitures.

case [keɪs] *n (Br: suitcase)* valise f; *(for glasses, camera)* étui m; *(for jewellery)* écrin m; *(instance, patient)* cas m; *(JUR: trial)* affaire f; **in any ~ de** toute façon; **in ~** au cas où; **in ~ of** en cas de; **in that ~** dans ce cas.

cash [kæʃ] *n (coins, notes)* argent m liquide; *(money in general)* argent m ◆ *vt*: **to ~ a cheque** encaisser un chèque; **to pay ~** payer comptant OR en espèces.

cash desk *n* caisse f.

cash dispenser [-dɪ'spensə^r] *n* distributeur m (automatique) de billets.

cashew (nut) ['kæʃuː] *n* noix f de cajou.

cashier [kæ'ʃɪə^r] *n* caissier m (-ière f).

cashmere [kæʃ'mɪə^r] *n* cachemire m.

cashpoint ['kæʃpɔɪnt] *n (Br)* distributeur m (automatique) de billets.

cash register *n* caisse f enregistreuse.

casino [kə'siːnəʊ] *(pl -s)* n casino m.

cask [kɑːsk] *n* tonneau m.

cask-conditioned [-kən'dɪʃnd] *adj* se dit de la «real ale», dont la fermentation se fait en fûts.

casserole ['kæsərəʊl] *n (stew)* ragoût m; **~ (dish)** cocotte f.

cassette [kæ'set] *n* cassette f.

cassette recorder *n* magnétophone m.

cast [kɑːst] *(pt & pp* **cast)** *n (actors)* distribution f; *(for broken bone)* plâtre m ◆ *vt (shadow, look)* jeter; **to ~ one's vote** voter; **to ~ doubt on** jeter le doute sur ❑ **cast off** *vi* larguer les amarres.

caster ['kɑːstə^r] *n (wheel)* roulette f.

caster sugar *n (Br)* sucre m en poudre.

castle ['kɑːsl] *n* château m; *(in chess)* tour f.

casual ['kæʒʊəl] *adj (relaxed)* désinvolte; *(offhand)* sans-gêne *(inv)*; *(clothes)* décontracté(-e); **~ work** travail temporaire.

casualty ['kæʒjʊəltɪ] *n (injured)* blessé m (-e f); *(dead)* mort m (-e f); **~ (ward)** urgences *fpl*.

cat [kæt] *n* chat m.

catalog ['kætəlɒg] *(Am)* = **catalogue.**

catalogue ['kætəlɒg] *n* catalogue m.

catapult ['kætəpʌlt] *n* lance-pierres m *inv*.

cataract ['kætərækt] *n (in eye)* cataracte f.

catarrh [kə'tɑː^r] *n* catarrhe m.

catastrophe [kə'tæstrəfɪ] *n* catastrophe f.

catch [kætʃ] *(pt & pp* **caught)** *vt* attraper; *(falling object)* rattraper; *(surprise)* surprendre; *(hear)* saisir; *(attention)* attirer ◆ *vi (become hooked)* s'accrocher ◆ *n (of window, door)* loquet m; *(snag)* hic m ❑ **catch up** *vt sep* rattraper ◆ *vi* rattraper son retard; **to ~ up with sb** rattraper qqn.

catching ['kætʃɪŋ] *adj (inf)* contagieux(-ieuse).

category [ˈkætəgərɪ] n catégorie f.

cater [ˈkeɪtəʳ]: **cater for** vt fus (Br) (needs, tastes) satisfaire; (anticipate) prévoir.

caterpillar [ˈkætəpɪləʳ] n chenille f.

cathedral [kəˈθiːdrəl] n cathédrale f.

Catholic [ˈkæθlɪk] adj catholique ♦ n catholique mf.

Catseyes® [ˈkætsaɪz] npl (Br) catadioptres mpl.

cattle [ˈkætl] npl bétail m.

caught [kɔːt] pt & pp → **catch**.

cauliflower [ˈkɒlɪˌflaʊəʳ] n chou-fleur m.

cauliflower cheese n chou-fleur m au gratin.

cause [kɔːz] n cause f; (justification) motif m ♦ vt causer; **to ~ sb to make a mistake** faire faire une erreur à qqn.

causeway [ˈkɔːzweɪ] n chaussée f (aménagée sur l'eau).

caustic soda [ˌkɔːstɪk-] n soude f caustique.

caution [ˈkɔːʃn] n (care) précaution f; (warning) avertissement m.

cautious [ˈkɔːʃəs] adj prudent(-e).

cave [keɪv] n caverne f ❑ **cave in** vi s'effondrer.

caviar(e) [ˈkævɪɑːʳ] n caviar m.

cavity [ˈkævɪtɪ] n (in tooth) cavité f.

CD n (abbr of compact disc) CD m.

CDI n (abbr of compact disc interactive) CD-I m inv.

CD player n lecteur m laser OR de CD.

CDW n (abbr of collision damage waiver) franchise f.

cease [siːs] vt & vi (fml) cesser.

ceasefire [ˈsiːsˌfaɪəʳ] n cessez-le-feu m inv.

ceilidh [ˈkeɪlɪ] n bal folklorique écossais ou irlandais.

---

i CEILIDH

Un «ceilidh» est une soirée écossaise ou irlandaise traditionnelle mariant la musique folk, la danse et le chant. Les ceilidhs ne regroupaient à l'origine qu'un petit nombre de parents et d'amis mais, de nos jours, il s'agit plutôt de grands bals publics.

---

ceiling [ˈsiːlɪŋ] n plafond m.

celebrate [ˈselɪbreɪt] vt fêter; (Mass) célébrer ♦ vi faire la fête.

celebration [ˌselɪˈbreɪʃn] n (event) fête f ❑ **celebrations** npl (festivities) cérémonies fpl.

celebrity [sɪˈlebrɪtɪ] n (person) célébrité f.

celeriac [sɪˈlerɪæk] n céleri-rave m.

celery [ˈselərɪ] n céleri m.

cell [sel] n cellule f.

cellar [ˈseləʳ] n cave f.

cello [ˈtʃeləʊ] n violoncelle m.

Cellophane® [ˈseləfeɪn] n Cellophane® f.

Celsius [ˈselsɪəs] adj Celsius.

cement [sɪˈment] n ciment m.

cement mixer n bétonnière f.

cemetery [ˈsemɪtrɪ] n cimetière m.

cent [sent] n (Am) cent m.

center [ˈsentəʳ] (Am) = **centre**.

centigrade ['sentɪgreɪd] *adj* centigrade.

centimetre ['sentɪˌmiːtər] *n* centimètre *m*.

centipede ['sentɪpiːd] *n* mille-pattes *m inv*.

central ['sentrəl] *adj* central(-e).

central heating *n* chauffage *m* central.

central locking [-ˈlɒkɪŋ] *n* verrouillage *m* centralisé.

central reservation *n (Br)* terre-plein *m* central.

centre ['sentər] *n (Br)* centre *m* ♦ *adj (Br)* central(-e).

century ['sentʃʊrɪ] *n* siècle *m*.

ceramic [sɪˈræmɪk] *adj* en céramique ❑ **ceramics** *npl (objects)* céramiques *fpl*.

cereal ['sɪərɪəl] *n* céréales *fpl*.

ceremony ['serɪmənɪ] *n* cérémonie *f*.

certain ['sɜːtn] *adj* certain(-e); **to be ~ of sthg** être certain de qqch; **to make ~ (that)** s'assurer que.

certainly ['sɜːtnlɪ] *adv (without doubt)* vraiment; *(of course)* bien sûr, certainement.

certificate [səˈtɪfɪkət] *n* certificat *m*.

certify ['sɜːtɪfaɪ] *vt (declare true)* certifier.

chain [tʃeɪn] *n* chaîne *f*; *(of islands)* chapelet *m* ♦ *vt*: **to ~ sthg to sthg** attacher qqch à qqch (avec une chaîne).

chain store *n* grand magasin *m* (à succursales multiples).

chair [tʃeər] *n* chaise *f*; *(armchair)* fauteuil *m*.

chair lift *n* télésiège *m*.

chairman ['tʃeəmən] *(pl* **-men** [-mən]) *n* président *m*.

chairperson ['tʃeəˌpɜːsn] *n* président *m* (-e *f*).

chairwoman ['tʃeəˌwumən] *(pl* **-women** [-ˌwɪmɪn]) *n* présidente *f*.

chalet ['ʃæleɪ] *n* chalet *m*; *(at holiday camp)* bungalow *m*.

chalk [tʃɔːk] *n* craie *f*; **a piece of ~** une craie.

chalkboard ['tʃɔːkbɔːd] *n (Am)* tableau *m* (noir).

challenge ['tʃælɪndʒ] *n* défi *m* ♦ *vt (question)* remettre en question; **to ~ sb (to sthg)** *(to fight, competition)* défier qqn (à qqch).

chamber ['tʃeɪmbər] *n* chambre *f*.

chambermaid ['tʃeɪmbəmeɪd] *n* femme *f* de chambre.

champagne [ˌʃæmˈpeɪn] *n* champagne *m*.

champion ['tʃæmpɪən] *n* champion *m* (-ionne *f*).

championship ['tʃæmpɪənʃɪp] *n* championnat *m*.

chance [tʃɑːns] *n (luck)* hasard *m*; *(possibility)* chance *f*; *(opportunity)* occasion *f* ♦ *vt*: **to ~ it** *(inf)* tenter le coup; **to take a ~** prendre un risque; **by ~** par hasard; **on the off ~** à tout hasard.

Chancellor of the Exchequer [tʃɑːnsələrəvðəɪksˈtʃekər] *n (Br)* = ministre *m* des Finances.

chandelier [ˌʃændəˈlɪər] *n* lustre *m*.

change [tʃeɪndʒ] *n* changement *m*; *(money)* monnaie *f* ♦ *vt* changer; *(switch)* changer de; *(exchange)* échanger ♦ *vi* changer; *(change clothes)* se changer; **a ~ of clothes** des vêtements de rechange; **do you have ~ for a pound?** avez-vous la monnaie d'une livre?; **for a ~** pour changer; **to get ~** se changer; **to ~ money** changer de l'argent; **to ~ a nappy** changer une couche; **to ~ trains/planes** changer de train/d'avion; **to ~ a wheel** changer une roue; **all ~!** *(on train)* tout le monde descend!

changeable ['tʃeɪndʒəbl] *adj* (weather) variable.

change machine *n* monnayeur *m*.

changing room ['tʃeɪndʒɪŋ-] *n* (for sport) vestiaire *m*; (in shop) cabine *f* d'essayage.

channel ['tʃænl] *n* (on TV) chaîne *f*; (on radio) station *f*; (in sea) chenal *m*; (for irrigation) canal *m*; **the (English) Channel** la Manche.

Channel Islands *npl*: **the ~** les îles *fpl* Anglo-Normandes.

Channel Tunnel *n*: **the ~** le tunnel sous la Manche.

---

i CHANNEL TUNNEL

Le tunnel sous la Manche relie, depuis 1994, les villes de Cheriton, près de Folkestone, et de Coquelles, près de Calais. Les véhicules sont transportés sur un train appelé «Le Shuttle». Par ailleurs, de nombreux trains de passagers relient directement Londres à diverses grandes villes européennes.

---

chant [tʃɑːnt] *vt* (RELIG) chanter; (words, slogan) scander.

chaos ['keɪɒs] *n* chaos *m*.

chaotic [keɪ'ɒtɪk] *adj* chaotique.

chap [tʃæp] *n* (Br: inf) type *m*.

chapel ['tʃæpl] *n* chapelle *f*.

chapped [tʃæpt] *adj* gercé(-e).

chapter ['tʃæptəʳ] *n* chapitre *m*.

character ['kærəktəʳ] *n* caractère *m*; (in film, book, play) personnage *m*; (inf: person, individual) individu *m*.

characteristic [kærəktə'rɪstɪk] *adj* caractéristique ◆ *n* caractéristique *f*.

charcoal ['tʃɑːkəʊl] *n* (for barbecue) charbon *m* de bois.

charge [tʃɑːdʒ] *n* (cost) frais *mpl*; (JUR) chef *m* d'accusation ◆ *vt* (money, customer) faire payer; (JUR) inculper; (battery) recharger ◆ *vi* (ask money) faire payer; (rush) se précipiter; **to be in ~ (of)** être responsable (de); **to take ~** prendre les choses en main; **to take ~ of** prendre en charge; **free of ~** gratuitement; **extra ~** supplément *m*; **there is no ~ for service** le service est gratuit.

char-grilled [tʃɑːgrɪld] *adj* grillé(-e).

charity ['tʃærɪtɪ] *n* association *f* caritative; **to give to ~** donner aux œuvres.

charity shop *n* magasin aux employés bénévoles, dont les bénéfices sont versés à une œuvre.

charm [tʃɑːm] *n* (attractiveness) charme *m* ◆ *vt* charmer.

charming ['tʃɑːmɪŋ] *adj* charmant(-e).

chart [tʃɑːt] *n* (diagram) graphique *m*; (map) carte *f*; **the ~s** the hit-parade.

chartered accountant [tʃɑːtəd-] *n* expert-comptable *m*.

charter flight ['tʃɑːtə-] *n* vol *m* charter.

chase [tʃeɪs] *n* poursuite *f* ◆ *vt*

poursuivre.

chat [tʃæt] *n* conversation *f* ♦ *vi* causer, bavarder; **to have a ~ (with)** bavarder (avec) ❑ **chat up** *vt sep (Br: inf)* baratiner.

château [ˈʃætəu] *n* château *m*.

chat show *n (Br)* talk-show *m*.

chatty [ˈtʃætɪ] *adj* bavard(-e).

chauffeur [ˈʃəufər] *n* chauffeur *m*.

cheap [tʃiːp] *adj* bon marché *(inv)*.

cheap day return *n (Br)* billet aller-retour dans la journée, sur certains trains seulement.

cheaply [ˈtʃiːplɪ] *adv* à bon marché.

cheat [tʃiːt] *n* tricheur *m* (-euse *f*) ♦ *vi* tricher ♦ *vt*: **to ~ sb (out of sthg)** escroquer (qqch à) qqn.

check [tʃek] *n (inspection)* contrôle *m*; *(Am: bill)* addition *f*; *(Am: tick)* ≈ croix *f*; *(Am)* = **cheque** ♦ *vt (inspect)* contrôler; *(verify)* vérifier ♦ *vi* vérifier; **to ~ for sthg** vérifier qqch ❑ **check in** *vt sep (luggage)* enregistrer ♦ *vi (at hotel)* se présenter à la réception; *(at airport)* se présenter à l'enregistrement; **check off** *vt sep* cocher; **check out** *vi (pay hotel bill)* régler sa note; *(leave hotel)* quitter l'hôtel; **check up** *vi*: **to ~ up (on sthg)** vérifier (qqch); **to ~ up on sb** se renseigner sur qqn.

checked [tʃekt] *adj* à carreaux.

checkers [ˈtʃekəz] *n (Am)* jeu *m* de dames.

check-in desk *n* comptoir *m* d'enregistrement.

checkout [ˈtʃekaut] *n* caisse *f*.

checkpoint [ˈtʃekpɔɪnt] *n* poste *m* de contrôle.

checkroom [ˈtʃekrum] *n (Am)*

consigne *f*.

checkup [ˈtʃekʌp] *n* bilan *m* de santé.

cheddar (cheese) [ˈtʃedər] *n* variété très commune de fromage de vache.

cheek [tʃiːk] *n* joue *f*; **what a ~!** quel culot!

cheeky [ˈtʃiːkɪ] *adj* culotté(-e).

cheer [tʃɪər] *n* acclamation *f* ♦ *vi* applaudir et crier.

cheerful [ˈtʃɪəful] *adj* gai(-e).

cheerio [ˌtʃɪərɪˈəu] *excl (Br: inf)* salut!

cheers [tʃɪəz] *excl (when drinking)* à la tienne/vôtre!; *(Br: inf: thank you)* merci!

cheese [tʃiːz] *n* fromage *m*.

cheeseboard [ˈtʃiːzbɔːd] *n* plateau *m* de fromages.

cheeseburger [ˈtʃiːzˌbɜːgər] *n* cheeseburger *m*.

cheesecake [ˈtʃiːzkeɪk] *n* gâteau au fromage blanc.

chef [ʃef] *n* chef *m (cuisinier)*.

chef's special *n* spécialité *f* du chef.

chemical [ˈkemɪkl] *adj* chimique ♦ *n* produit *m* chimique.

chemist [ˈkemɪst] *n (Br: pharmacist)* pharmacien *m* (-ienne *f*); *(scientist)* chimiste *mf*; **~'s** *(Br: shop)* pharmacie *f*.

chemistry [ˈkemɪstrɪ] *n* chimie *f*.

cheque [tʃek] *n (Br)* chèque *m*; **to pay by ~** payer par chèque.

chequebook [ˈtʃekbuk] *n* chéquier *m*, carnet *m* de chèques.

cheque card *n* carte à présenter en guise de garantie, par le titulaire d'un compte lorsqu'il paye par chèque.

cherry [ˈtʃerɪ] *n* cerise *f*.

chess [tʃes] n échecs mpl.

chest [tʃest] n poitrine f; (box) coffre m.

chestnut ['tʃesnʌt] n châtaigne f ◆ adj (colour) châtain (inv).

chest of drawers n commode f.

chew [tʃu:] vt mâcher ◆ n (sweet) bonbon m mou.

chewing gum ['tʃu:ɪŋ-] n chewing-gum m.

chic [ʃi:k] adj chic.

chicken ['tʃɪkɪn] n poulet m.

chicken breast n blanc m de poulet.

chicken Kiev [-'ki:ev] n blancs de poulet farcis de beurre à l'ail et enrobés de chapelure.

chickenpox ['tʃɪkɪnpɒks] n varicelle f.

chickpea ['tʃɪkpi:] n pois m chiche.

chicory ['tʃɪkərɪ] n endive f.

chief [tʃi:f] adj (highest-ranking) en chef; (main) principal(-e) ◆ n chef m.

chiefly ['tʃi:flɪ] adv (mainly) principalement; (especially) surtout.

child [tʃaɪld] (pl children) n enfant mf.

child abuse n mauvais traitements mpl à enfant.

child benefit n (Br) allocations fpl familiales.

childhood ['tʃaɪldhʊd] n enfance f.

childish ['tʃaɪldɪʃ] adj (pej) puéril(-e).

childminder ['tʃaɪld,maɪndə'] n (Br) nourrice f.

children ['tʃɪldrən] pl → child.

childrenswear ['tʃɪldrənzweə'] n vêtements mpl pour enfant.

child seat n (in car) siège m auto.

Chile ['tʃɪlɪ] n le Chili.

chill [tʃɪl] n (illness) coup m de froid ◆ vt mettre au frais; **there's a ~ in the air** il fait un peu frais.

chilled [tʃɪld] adj frais (fraîche); **"serve ~"** "servir frais".

chilli ['tʃɪlɪ] (pl -ies) n (vegetable) piment m; (dish) chili m con carne.

chilli con carne ['tʃɪlɪkɒn-'kɑ:nɪ] n chili m con carne.

chilly ['tʃɪlɪ] adj froid(-e).

chimney ['tʃɪmnɪ] n cheminée f.

chimneypot ['tʃɪmnɪpɒt] n tuyau m de cheminée.

chimpanzee [,tʃɪmpən'zi:] n chimpanzé m.

chin [tʃɪn] n menton m.

china ['tʃaɪnə] n (material) porcelaine f.

China ['tʃaɪnə] n la Chine.

Chinese [,tʃaɪ'ni:z] adj chinois(-e) ◆ n (language) chinois m ◆ npl: **the ~ les Chinois mpl; a ~ restaurant** un restaurant chinois.

chip [tʃɪp] n (small piece) éclat m; (mark) ébréchure f; (counter) jeton m; (COMPUT) puce f ◆ vt ébrécher ❑ **chips** npl (Br: French fries) frites fpl; (Am: crisps) chips fpl.

chiropodist [kɪ'rɒpədɪst] n pédicure mf.

chisel ['tʃɪzl] n ciseau m.

chives ['tʃaɪvz] npl ciboulette f.

chlorine ['klɔ:ri:n] n chlore m.

choc-ice ['tʃɒkaɪs] n (Br) Esquimau® m.

chocolate ['tʃɒkələt] n chocolat m ◆ adj au chocolat.

chocolate biscuit n biscuit m

au chocolat.

choice [tʃɔɪs] *n* choix *m* ◆ *adj (meat, ingredients)* de choix; **the topping of your ~** la garniture de votre choix.

choir ['kwaɪəʳ] *n* chœur *m*.

choke [tʃəʊk] *n (AUT)* starter *m* ◆ *vt (strangle)* étrangler; *(block)* boucher ◆ *vi* s'étrangler.

cholera ['kɒlərə] *n* choléra *m*.

choose [tʃuːz] *(pt* chose, *pp* chosen) *vt & vi* choisir; **to ~ to do sthg** choisir de faire qqch.

chop [tʃɒp] *n (of meat)* côtelette *f* ◆ *vt* couper ❑ **chop down** *vt sep* abattre; **chop up** *vt sep* couper en morceaux.

chopper ['tʃɒpəʳ] *n (inf: helicopter)* hélico *m*.

chopping board ['tʃɒpɪŋ-] *n* planche *f* à découper.

choppy ['tʃɒpɪ] *adj* agité(-e).

chopsticks ['tʃɒpstɪks] *npl* baguettes *fpl*.

chop suey [,tʃɒp'suːɪ] *n* chop suey *m (émincé de porc ou de poulet avec riz, légumes et germes de soja)*.

chord [kɔːd] *n* accord *m*.

chore [tʃɔːʳ] *n* corvée *f*.

chorus ['kɔːrəs] *n (part of song)* refrain *m*; *(singers)* troupe *f*.

chose [tʃəʊz] *pt* → **choose**.

chosen ['tʃəʊzn] *pp* → **choose**.

choux pastry [ʃuː-] *n* pâte *f* à choux.

chowder ['tʃaʊdəʳ] *n* soupe de poisson ou de fruits de mer.

chow mein [,tʃaʊ'meɪn] *n* chow mein *m (nouilles frites avec légumes, viande ou fruits de mer)*.

Christ [kraɪst] *n* le Christ.

christen ['krɪsn] *vt (baby)* bap-

tiser.

Christian ['krɪstʃən] *adj* chrétien(-ienne) ◆ *n* chrétien *m* (-ienne *f*).

Christian name *n* prénom *m*.

Christmas ['krɪsməs] *n* Noël *m*; **Happy ~!** joyeux Noël!

Christmas card *n* carte *f* de vœux.

Christmas carol [-'kærəl] *n* chant *m* de Noël.

Christmas Day *n* le jour de Noël.

Christmas Eve *n* la veille de Noël.

Christmas pudding *n* pudding traditionnel de Noël.

Christmas tree *n* sapin *m* de Noël.

chrome [krəʊm] *n* chrome *m*.

chuck [tʃʌk] *vt (inf) (throw)* balancer; *(boyfriend, girlfriend)* plaquer ❑ **chuck away** *vt sep (inf)* balancer.

chunk [tʃʌŋk] *n* gros morceau *m*.

church [tʃɜːtʃ] *n* église *f*; **to go to ~** aller à l'église.

churchyard ['tʃɜːtʃjɑːd] *n* cimetière *m*.

chute [ʃuːt] *n* toboggan *m*.

chutney ['tʃʌtnɪ] *n* chutney *m*.

cider ['saɪdəʳ] *n* cidre *m*.

cigar [sɪˈgɑːʳ] *n* cigare *m*.

cigarette [,sɪgə'ret] *n* cigarette *f*.

cigarette lighter *n* briquet *m*.

cinema ['sɪnəmə] *n* cinéma *m*.

cinnamon ['sɪnəmən] *n* cannelle *f*.

circle ['sɜːkl] *n* cercle *m*; *(in theatre)* balcon *m* ◆ *vt (draw circle around)* encercler; *(move round)* tourner autour de ◆ *vi (plane)* tourner en rond.

circuit ['sɜːkɪt] *n (track)* circuit *m; (lap)* tour *m.*

circular ['sɜːkjʊləʳ] *adj* circulaire ◆ *n* circulaire *f.*

circulation [ˌsɜːkjʊ'leɪʃn] *n (of blood)* circulation *f; (of newspaper, magazine)* tirage *m.*

circumstances ['sɜːkəmstənsɪz] *npl* circonstances *fpl;* **in** OR **under the ~** étant donné les circonstances.

circus ['sɜːkəs] *n* cirque *m.*

cistern ['sɪstən] *n (of toilet)* réservoir *m.*

citizen ['sɪtɪzn] *n (of country)* citoyen *m* (-enne *f); (of town)* habitant *m* (-e *f).*

city ['sɪtɪ] *n* ville *f;* **the City** la City.

city centre *n* centre-ville *m.*

city hall *n (Am)* mairie *f.*

civilian [sɪ'vɪljən] *n* civil *m.*

civilized ['sɪvɪlaɪzd] *adj* civilisé(-e).

civil rights [ˌsɪvl-] *npl* droits *mpl* civiques.

civil servant [ˌsɪvl-] *n* fonctionnaire *mf.*

civil service [ˌsɪvl-] *n* fonction *f* publique.

civil war [ˌsɪvl-] *n* guerre *f* civile.

cl *(abbr of centilitre)* cl.

claim [kleɪm] *n (assertion)* affirmation *f; (demand)* revendication *f; (for insurance)* demande *f* d'indemnité ◆ *vt (allege)* prétendre; *(benefit, responsibility)* revendiquer ◆ *vi (on insurance)* faire une demande d'indemnité.

claimant ['kleɪmənt] *n (of benefit)*

demandeur *m* (-euse *f).*

claim form *n* formulaire *m* de déclaration de sinistre.

clam [klæm] *n* palourde *f.*

clamp [klæmp] *n (for car)* sabot *m* de Denver ◆ *vt (car)* poser un sabot (de Denver) à.

clap [klæp] *vi* applaudir.

claret ['klærət] *n* bordeaux *m* rouge.

clarinet [ˌklærə'net] *n* clarinette *f.*

clash [klæʃ] *n (noise)* fracas *m; (confrontation)* affrontement *m* ◆ *vi (colours)* jurer; *(events, dates)* tomber en même temps.

clasp [klɑːsp] *n (fastener)* fermoir *m* ◆ *vt* serrer.

class [klɑːs] *n* classe *f; (teaching period)* cours *m* ◆ *vt:* **to ~ sb/sthg (as)** classer qqn/qqch (comme).

classic ['klæsɪk] *adj* classique ◆ *n* classique *m.*

classical ['klæsɪkl] *adj* classique.

classical music *n* musique *f* classique.

classification [ˌklæsɪfɪ'keɪʃn-] *n* classification *f; (category)* catégorie *f.*

classified ads [ˌklæsɪfaɪd-] *npl* petites annonces *fpl.*

classroom ['klɑːsrʊm] *n* salle *f* de classe.

claustrophobic [ˌklɔːstrə'fəʊbɪk] *adj (person)* claustrophobe; *(place)* étouffant(-e).

claw [klɔː] *n (of bird, cat, dog)* griffe *f; (of crab, lobster)* pince *f.*

clay [kleɪ] *n* argile *f.*

clean [kliːn] *vt* nettoyer ◆ *adj* propre; *(unused)* vierge; **I have a ~ driving licence** je n'ai jamais eu de contraventions graves; **to ~ one's teeth** se laver les dents.

cleaner ['kliːnə^r] n (woman) femme f de ménage; (man) agent m d'entretien; (substance) produit m d'entretien.

cleanse [klenz] vt nettoyer.

cleanser ['klenzə^r] n (for skin) démaquillant m; (detergent) détergent m.

clear [klɪə^r] adj clair(-e); (glass) transparent(-e); (easy to see) net (nette); (easy to hear) distinct(-e); (road, path) dégagé(-e) ♦ vt (road, path) dégager; (jump over) franchir; (declare not guilty) innocenter; (authorize) autoriser; (cheque) compenser ♦ vi (weather, fog) se lever; **to be ~ (about sthg)** être sûr (de qqch); **to ~ one's throat** s'éclaircir la voix; **to ~ the table** débarrasser la table; **~ soup** bouillon m ❑ **clear up** vt sep (room, toys) ranger; (problem, confusion) éclaircir ♦ vi (weather) s'éclaircir; (tidy up) ranger.

clearance ['klɪərəns] n (authorization) autorisation f; (free distance) espace m; (for takeoff) autorisation f de décollage.

clearing ['klɪərɪŋ] n clairière f.

clearly ['klɪəlɪ] adv clairement; (obviously) manifestement.

clearway ['klɪəweɪ] n (Br) route f à stationnement interdit.

clementine ['klementaɪn] n clémentine f.

clerk [Br klɑːk, Am klɜːrk] n (in office) employé m (-e f) (de bureau); (Am: in shop) vendeur m (-euse f).

clever ['klevə^r] adj (intelligent) intelligent(-e); (skilful) adroit(-e);

(idea, device) ingénieux(-ieuse).

click [klɪk] n déclic m ♦ vi faire un déclic.

client ['klaɪənt] n client m (-e f).

cliff [klɪf] n falaise f.

climate ['klaɪmət] n climat m.

climax ['klaɪmæks] n apogée m.

climb [klaɪm] vt (hill) monter; (tree, ladder) grimper à ♦ vi grimper; (plane) prendre de l'altitude ❑ **climb down** vt fus descendre de ♦ vi descendre; **climb up** vt fus (steps) monter; (hill) grimper; (tree, ladder) grimper à.

climber ['klaɪmə^r] n (mountaineer) alpiniste mf; (rock climber) varappeur m (-euse f).

climbing ['klaɪmɪŋ] n (mountaineering) alpinisme m; (rock climbing) varappe f; **to go ~** faire de l'alpinisme; faire de la varappe.

climbing frame n (Br) cage f à poules.

clingfilm ['klɪŋfɪlm] n (Br) film m alimentaire.

clinic ['klɪnɪk] n clinique f.

clip [klɪp] n (fastener) pince f; (for paper) trombone m; (of film, programme) extrait m ♦ vt (fasten) attacher; (cut) couper.

cloak [kləʊk] n cape f.

cloakroom ['kləʊkrʊm] n (for coats) vestiaire m; (Br: toilet) toilettes fpl.

clock [klɒk] n (small) pendule f; (large) horloge f; (mileometer) compteur m; **round the ~** 24 heures sur 24.

clockwise ['klɒkwaɪz] adv dans le sens des aiguilles d'une montre.

clog [klɒg] n sabot m ♦ vt

close

boucher.

close¹ [kləʊs] *adj* proche; *(contact, link)* étroit(-e); *(examination)* approfondi(-e); *(race, contest)* serré(-e) ◆ *adv* près; ~ **by** tout près; ~ **to** *(near)* près de; *(on the verge of)* au bord de.

close² [kləʊz] *vt* fermer ◆ *vi (door, eyes)* se fermer; *(shop, office)* fermer; *(deadline, meeting)* prendre fin ❏ **close down** *vt sep & vi* fermer.

closed [kləʊzd] *adj* fermé(-e).

closely ['kləʊslɪ] *adv (related)* étroitement; *(follow, examine)* de près.

closet ['klɒzɪt] *n (Am)* placard *m*.

close-up ['kləʊs-] *n* gros plan *m*.

closing time ['kləʊzɪŋ-] *n* heure *f* de fermeture.

clot [klɒt] *n (of blood)* caillot *m*.

cloth [klɒθ] *n (fabric)* tissu *m*; *(piece of cloth)* chiffon *m*.

clothes [kləʊðz] *npl* vêtements *mpl*.

clothesline ['kləʊðzlaɪn] *n* corde *f* à linge.

clothes peg *n (Br)* pince *f* à linge.

clothespin ['kləʊðzpɪn] *(Am)* = **clothes peg.**

clothes shop *n* magasin *m* de vêtements.

clothing ['kləʊðɪŋ] *n* vêtements *mpl*.

clotted cream [ˌklɒtɪd-] *n* crème fraîche très épaisse, typique du sud-ouest de l'Angleterre.

cloud [klaʊd] *n* nuage *m*.

cloudy ['klaʊdɪ] *adj* nuageux(-euse); *(liquid)* trouble.

clove [kləʊv] *n (of garlic)* gousse *f* ❏ **cloves** *npl (spice)* clous *mpl* de

girofle.

clown [klaʊn] *n* clown *m*.

club [klʌb] *n (organization)* club *m*; *(nightclub)* boîte *f* (de nuit); *(stick)* massue *f* ❏ **clubs** *npl (in cards)* trèfle *m*.

clubbing ['klʌbɪŋ] *n*: **to go** ~ *(inf)* aller en boîte.

club class *n* classe *f* club.

club sandwich *n (Am)* sandwich à deux ou plusieurs étages.

club soda *n (Am)* eau *f* de Seltz.

clue [klu:] *n (information)* indice *m*; *(in crossword)* définition *f*; **I haven't got a** ~! aucune idée!

clumsy ['klʌmzɪ] *adj (person)* maladroit(-e).

clutch [klʌtʃ] *n* embrayage *m* ◆ *vt* agripper.

cm *(abbr of centimetre)* cm.

c/o *(abbr of care of)* a/s.

Co. *(abbr of company)* Cie.

coach [kəʊtʃ] *n (bus)* car *m*, autocar *m*; *(of train)* voiture *f*; *(SPORT)* entraîneur *m* (-euse *f*).

coach party *n (Br)* groupe *m* d'excursionnistes en car.

coach station *n* gare *f* routière.

coach trip *n (Br)* excursion *f* en car.

coal [kəʊl] *n* charbon *m*.

coal mine *n* mine *f* de charbon.

coarse [kɔ:s] *adj* grossier(-ière).

coast [kəʊst] *n* côte *f*.

coaster ['kəʊstə'] *n (for glass)* dessous *m* de verre.

coastguard ['kəʊstgɑ:d] *n (person)* garde-côte *m*; *(organization)* gendarmerie *f* maritime.

coastline ['kəʊstlaɪn] *n* littoral *m*.

coat [kəʊt] *n* manteau *m*; *(of animal)* pelage *m* ♦ *vt*: **to ~ sthg (with)** recouvrir qqch (de).

coat hanger *n* cintre *m*.

coating [ˈkəʊtɪŋ] *n (on surface)* couche *f*; *(on food)* enrobage *m*.

cobbled street [ˈkɒbld-] *n* rue *f* pavée.

cobbles [ˈkɒblz] *npl* pavés *mpl*.

cobweb [ˈkɒbweb] *n* toile *f* d'araignée.

Coca-Cola® [ˌkəʊkəˈkəʊlə] *n* Coca-Cola® *m inv*.

cocaine [kəʊˈkeɪn] *n* cocaïne *f*.

cock [kɒk] *n (male chicken)* coq *m*.

cock-a-leekie [ˌkɒkəˈliːkɪ] *n* potage typiquement écossais aux poireaux et au poulet.

cockerel [ˈkɒkrəl] *n* jeune coq *m*.

cockles [ˈkɒklz] *npl* coques *fpl*.

cockpit [ˈkɒkpɪt] *n* cockpit *m*.

cockroach [ˈkɒkrəʊtʃ] *n* cafard *m*.

cocktail [ˈkɒkteɪl] *n* cocktail *m*.

cocktail party *n* cocktail *m*.

cock-up *n (Br: vulg)*: **to make a ~ of sthg** foirer qqch.

cocoa [ˈkəʊkəʊ] *n* cacao *m*.

coconut [ˈkəʊkənʌt] *n* noix *f* de coco.

cod [kɒd] *(pl inv)* *n* morue *f*.

code [kəʊd] *n* code *m*; *(dialling code)* indicatif *m*.

cod-liver oil *n* huile *f* de foie de morue.

coeducational [ˌkəʊedjuːˈkeɪʃənl] *adj* mixte.

coffee [ˈkɒfɪ] *n* café *m*; **black/white ~** café noir/au lait; **ground/instant ~** café moulu/soluble.

coffee bar *n (Br)* cafétéria *f*.

coffee break *n* pause-café *f*.

coffeepot [ˈkɒfɪpɒt] *n* cafetière *f*.

coffee shop *n (cafe)* café *m*; *(in store etc)* cafétéria *f*.

coffee table *n* table *f* basse.

coffin [ˈkɒfɪn] *n* cercueil *m*.

cog(wheel) [ˈkɒg(wiːl)] *n* roue *f* dentée.

coil [kɔɪl] *n (of rope)* rouleau *m*; *(Br: contraceptive)* stérilet *m* ♦ *vt* enrouler.

coin [kɔɪn] *n* pièce *f* (de monnaie).

coinbox [ˈkɔɪnbɒks] *n (Br)* cabine *f* (téléphonique) à pièces.

coincide [ˌkəʊɪnˈsaɪd] *vi*: **to ~ (with)** coïncider (avec).

coincidence [kəʊˈɪnsɪdəns] *n* coïncidence *f*.

Coke® [kəʊk] *n* Coca® *m inv*.

colander [ˈkʌləndəʳ] *n* passoire *f*.

cold [kəʊld] *adj* froid(-e) ♦ *n (illness)* rhume *m*; *(low temperature)* froid *m*; **to get ~** *(food, water, weather)* se refroidir; *(person)* avoir froid; **to catch (a) ~** attraper un rhume.

cold cuts *(Am)* = **cold meats**.

cold meats *npl* viandes *fpl* froides.

coleslaw [ˈkəʊlslɔː] *n* salade de chou et de carottes râpés à la mayonnaise.

colic [ˈkɒlɪk] *n* colique *f*.

collaborate [kəˈlæbəreɪt] *vi* collaborer.

collapse [kəˈlæps] *vi* s'effondrer.

collar [ˈkɒləʳ] *n (of shirt, coat)* col *m*; *(of dog, cat)* collier *m*.

collarbone [ˈkɒləbəʊn] *n* clavicule f.

colleague ['kɒliːg] n collègue mf.

collect [kə'lekt] vt (gather) ramasser; (information) recueillir; (as a hobby) collectionner; (money) collecter ♦ vi (dust, leaves, crowd) s'amasser ♦ adv (Am): **to call (sb)** ~ appeler (qqn) en PCV.

collection [kə'lekʃn] n (of stamps, coins etc) collection f; (of stories, poems) recueil m; (of money) collecte f; (of mail) levée f.

collector [kə'lektəʳ] n (as a hobby) collectionneur m (-euse f).

college ['kɒlɪdʒ] n (school) école f d'enseignement supérieur; (Br: of university) organisation indépendante d'étudiants et de professeurs au sein d'une université; (Am: university) université f.

collide [kə'laɪd] vi: **to** ~ (with) entrer en collision (avec).

collision [kə'lɪʒn] n collision f.

cologne [kə'ləʊn] n eau f de Cologne.

colon ['kəʊlən] n (GRAMM) deux-points m.

colonel ['kɜːnl] n colonel m.

colony ['kɒlənɪ] n colonie f.

color ['kʌləʳ] (Am) = **colour**.

colour ['kʌləʳ] n couleur f ♦ adj (photograph, film) en couleur ♦ vt (hair, food) colorer ❑ **colour in** vt sep colorier.

colour-blind adj daltonien(-ienne).

colourful ['kʌləfʊl] adj coloré(-e).

colouring ['kʌlərɪŋ] n (of food) colorant m; (complexion) teint m.

colouring book n album m

de coloriages.

colour supplement n supplément m en couleur.

colour television n télévision f couleur.

column ['kɒləm] n colonne f; (newspaper article) rubrique f.

coma ['kəʊmə] n coma m.

comb [kəʊm] n peigne m ♦ vt: **to** ~ **one's hair** se peigner.

combination [kɒmbɪ'neɪʃn] n combinaison f.

combine [kəm'baɪn] vt: **to** ~ **sthg (with)** combiner qqch (avec).

combine harvester [kɒmbaɪn-'hɑːvɪstəʳ] n moissonneuse-batteuse f.

come [kʌm] (pt **came**, pp **come**) vi **1.** (move) venir; **we came by taxi** nous sommes venus en taxi; ~ **and see!** venez voir!; ~ **here!** viens ici!

2. (arrive) arriver; **they still haven't** ~ ils ne sont toujours pas arrivés; **to** ~ **home** rentrer chez soi; **"coming soon"** «prochainement».

3. (in order): **to** ~ **first** (in sequence) venir en premier; (in competition) se classer premier; **to** ~ **last** (in sequence) venir en dernier; (in competition) se classer dernier.

4. (reach): **to** ~ **down to** arriver à; **to** ~ **up to** arriver à.

5. (become): **to** ~ **undone** se défaire; **to** ~ **true** se réaliser.

6. (be sold) être vendu; **they** ~ **in packs of six** ils sont vendus par paquets de six.

❑ **come across** vt fus tomber sur; **come along** vi (progress) avancer; (arrive) arriver; ~ **along!** allez!; **come apart** vi tomber en morceaux; **come back** vi revenir;

come down vi (price) baisser; **come down with** vt fus (illness) attraper; **come from** vt fus venir de; **come in** vi (enter) entrer; (arrive) arriver; (tide) monter; ~ **in!** entrez!; **come off** vi (button, top) tomber; (succeed) réussir; **come on** vi (progress) progresser; ~ **on!** allez!; **come out** vi sortir; (stain) partir; (sun, moon) paraître; **come over** vi (visit) venir (en visite); **come round** vi (visit) passer; (regain consciousness) reprendre connaissance; **come to** vt fus (subj: bill) s'élever à; **come up** vi (go upstairs) monter; (be mentioned) être soulevé; (happen, arise) se présenter; (sun, moon) se lever; **come up with** vt fus (idea) avoir.

comedian [kə'miːdjən] n comique mf.

comedy ['kɒmədɪ] n (TV programme, film, play) comédie f; (humour) humour m.

comfort ['kʌmfət] n confort m; (consolation) réconfort m ♦ vt réconforter.

comfortable ['kʌmftəbl] adj (chair, shoes, hotel) confortable; (person) à l'aise; **to be** ~ (after operation, illness) aller bien.

comic ['kɒmɪk] adj comique ♦ n (person) comique mf; (magazine) bande f dessinée.

comical ['kɒmɪkl] adj comique.

comic strip n bande f dessinée.

comma ['kɒmə] n virgule f.

command [kə'mɑːnd] n (order) ordre m; (mastery) maîtrise f ♦ vt (order) commander à; (be in charge of) commander.

commander [kə'mɑːndər] n

(army officer) commandant m; (Br: in navy) capitaine m de frégate.

commemorate [kə'meməreɪt] vt commémorer.

commence [kə'mens] vi (fml) débuter.

comment ['kɒment] n commentaire m ♦ vi faire des commentaires.

commentary ['kɒməntrɪ] n (on TV, radio) commentaire m.

commentator ['kɒmənteɪtər] n (on TV, radio) commentateur m (-trice f).

commerce ['kɒmɜːs] n commerce m.

commercial [kə'mɜːʃl] adj commercial(-e) ♦ n publicité f.

commercial break n page f de publicité.

commission [kə'mɪʃn] n commission f.

commit [kə'mɪt] vt (crime, sin) commettre; **to** ~ **o.s. (to doing sth)** s'engager (à faire qqch); **to** ~ **suicide** se suicider.

committee [kə'mɪtɪ] n comité m.

commodity [kə'mɒdətɪ] n marchandise f.

common ['kɒmən] adj commun(-e) ♦ n (Br: land) terrain m communal; **in** ~ (shared) en commun.

commonly ['kɒmənlɪ] adv (generally) communément.

Common Market n Marché m commun.

common room n (for students) salle f commune; (for teachers) salle f des professeurs.

common sense n bon sens m.

Commonwealth [ˈkɒmən-welθ] *n*: **the ~** le Commonwealth.

communal [ˈkɒmjʊnl] *adj (bathroom, kitchen)* commun(-e).

communicate [kəˈmjuːnɪkeɪt] *vi*: **to ~ (with)** communiquer (avec).

communication [kəˌmjuːnɪ-ˈkeɪʃn] *n* communication *f*.

communication cord *n (Br)* sonnette *f* d'alarme.

communist [ˈkɒmjʊnɪst] *n* communiste *mf*.

community [kəˈmjuːnətɪ] *n* communauté *f*.

community centre *n* ≃ foyer *m* municipal.

commute [kəˈmjuːt] *vi* faire chaque jour la navette entre son domicile et son travail.

compact [*adj* kəmˈpækt, ˈkɒmpækt] *adj* compact(-e) ♦ *n (for make-up)* poudrier *m*; *(Am: car)* petite voiture *f*.

compact disc [ˌkɒmpækt-] *n* Compact Disc® *m*, compact *m*.

compact disc player *n* lecteur *m* CD.

company [ˈkʌmpənɪ] *n (business)* société *f*; *(companionship)* compagnie *f*; *(guests)* visite *f*; **to keep sb ~** tenir compagnie à qqn.

company car *n* voiture *f* de fonction.

comparatively [kəmˈpærətɪvlɪ] *adv (relatively)* relativement.

compare [kəmˈpeəʳ] *vt*: **to ~ sthg (with)** comparer qqch (à OR avec); **~d with** par rapport à.

comparison [kəmˈpærɪsn] *n* comparaison *f*; **in ~ with** par rapport à.

compartment [kəmˈpɑːtmənt] *n* compartiment *m*.

compass [ˈkʌmpəs] *n (magnetic)* boussole *f*; **(a pair of) ~es** un compas.

compatible [kəmˈpætəbl] *adj* compatible.

compensate [ˈkɒmpenseɪt] *vt* compenser ♦ *vi*: **to ~ (for sthg)** compenser (qqch); **to ~ sb for sthg** dédommager qqn de qqch.

compensation [ˌkɒmpenˈseɪʃn] *n (money)* dédommagement *m*.

compete [kəmˈpiːt] *vi*: **to ~ in** participer à; **to ~ with sb for sthg** rivaliser avec qqn pour obtenir qqch.

competent [ˈkɒmpɪtənt] *adj* compétent(-e).

competition [ˌkɒmprˈtɪʃn] *n* compétition *f*; *(contest)* concours *m*; *(between firms)* concurrence *f*; **the ~** *(rivals)* la concurrence.

competitive [kəmˈpetətɪv] *adj (price)* compétitif(-ive); *(person)* qui a l'esprit de compétition.

competitor [kəmˈpetɪtəʳ] *n* concurrent *m* (-e *f*).

complain [kəmˈpleɪn] *vi*: **to ~ (about)** se plaindre (de).

complaint [kəmˈpleɪnt] *n (statement)* plainte *f*; *(in shop)* réclamation *f*; *(illness)* maladie *f*.

complement [ˈkɒmplɪˌment] *vt* compléter.

complete [kəmˈpliːt] *adj* complet(-ète); *(finished)* achevé(-e) ♦ *vt (finish)* achever; *(a form)* remplir; *(make whole)* compléter; **~ with** équipé(-e) de.

completely [kəmˈpliːtlɪ] *adv* complètement.

complex [ˈkɒmpleks] *adj* complexe ♦ *n (buildings, mental)* complexe *m*.

complexion [kəmˈplekʃn] *n (of skin)* teint *m*.

complicated [ˈkɒmplɪkeɪtɪd] *adj* compliqué(-e).

compliment [*n* ˈkɒmplɪmənt, *vb* ˈkɒmplɪment] *n* compliment *m* ♦ *vt (on dress)* faire des compliments à; *(on attitude)* féliciter.

complimentary [ˌkɒmplɪˈmentərɪ] *adj (seat, ticket)* gratuit(-e); *(words, person)* élogieux(-ieuse).

compose [kəmˈpəʊz] *vt* composer; *(letter)* écrire; **to ~d of** se composer de.

composed [kəmˈpəʊzd] *adj* calme.

composer [kəmˈpəʊzəᵣ] *n* compositeur *m* (-trice *f*).

composition [ˌkɒmpəˈzɪʃn] *n (essay)* composition *f*.

compound [ˈkɒmpaʊnd] *n* composé *m*.

comprehensive [ˌkɒmprɪˈhensɪv] *adj* complet(-ète); *(insurance)* tous risques.

comprehensive (school) *n (Br)* = CES *m*.

compressed air [kəmˈprest-] *n* air *m* comprimé.

comprise [kəmˈpraɪz] *vt* comprendre.

compromise [ˈkɒmprəmaɪz] *n* compromis *m*.

compulsory [kəmˈpʌlsərɪ] *adj* obligatoire.

computer [kəmˈpjuːtəᵣ] *n* ordinateur *m*.

computer game *n* jeu *m* électronique.

computerized [kəmˈpjuːtə-raɪzd] *adj* informatisé(-e).

computer operator *n* opérateur *m* (-trice *f*) de saisie.

computer programmer [-ˈprəʊgræməᵣ] *n* programmeur *m* (-euse *f*).

computing [kəmˈpjuːtɪŋ] *n* informatique *f*.

con [kɒn] *n (inf: trick)* arnaque *f*; **all mod ~s** tout confort.

conceal [kənˈsiːl] *vt* dissimuler.

conceited [kənˈsiːtɪd] *adj (pej)* suffisant(-e).

concentrate [ˈkɒnsəntreɪt] *vi* se concentrer ♦ *vt*: **to be ~d (in one place)** être concentré; **to ~ on sthg** se concentrer sur qqch.

concentrated [ˈkɒnsəntreɪtɪd] *adj (juice, soup, baby food)* concentré(-e).

concentration [ˌkɒnsənˈtreɪʃn] *n* concentration *f*.

concern [kənˈsɜːn] *vt (be about)* traiter de; *(worry)* inquiéter; *(involve)* concerner ♦ *n (worry)* inquiétude *f*; *(interest)* intérêt *m*; *(COMM)* affaire *f*; **it's no ~ of yours** ça ne te regarde pas; **to be ~ed about** s'inquiéter pour; **to be ~ed with** *(be about)* traiter de; **to ~ o.s. with sthg** se préoccuper de qqch; **as far as I'm ~ed** en ce qui me concerne.

concerned [kənˈsɜːnd] *adj (worried)* inquiet(-iète).

concerning [kənˈsɜːnɪŋ] *prep* concernant.

concert [ˈkɒnsət] *n* concert *m*.

concession [kənˈseʃn] *n (reduced price)* tarif *m* réduit.

concise [kənˈsaɪs] *adj* concis(-e).

conclude [kənˈkluːd] *vt* conclure ♦ *vi (fml: end)* se conclure.

conclusion [kənˈkluːʒn] n
conclusion f.

concrete [ˈkɒŋkriːt] adj (building)
en béton; (path) cimenté(-e); (idea,
plan) concret(-ète) ◆ n béton m.

concussion [kənˈkʌʃn] n commotion f cérébrale.

condensation [ˌkɒndenˈseɪʃn] n
condensation f.

condensed milk [kənˈdenst-] n
lait m condensé.

condition [kənˈdɪʃn] n (state)
état m; (proviso) condition f; (illness)
maladie f; **to be out of ~** ne pas
être en forme; **on ~ that** à condition que (+ subjunctive) ❑ **conditions** npl (circumstances) conditions
fpl; **driving ~s** conditions atmosphériques.

conditioner [kənˈdɪʃnəʳ] n (for
hair) après-shampo(o)ing m inv;
(for clothes) assouplissant m.

condo [ˈkɒndəʊ] (Am: inf) = **condominium**.

condom [ˈkɒndəm] n préservatif
m.

condominium [ˌkɒndəˈmɪnɪəm]
n (Am) (flat) appartement m dans
un immeuble en copropriété;
(block of flats) immeuble m en
copropriété.

conduct [vb kənˈdʌkt, n ˈkɒndʌkt]
vt (investigation, business) mener;
(MUS) diriger ◆ n (fml: behaviour)
conduite f; **to ~ o.s.** (fml) se
conduire.

conductor [kənˈdʌktəʳ] n (MUS)
chef m d'orchestre; (on bus) receveur m; (Am: on train) chef m de
train.

cone [kəʊn] n (shape) cône m; (for
ice cream) cornet m (biscuit); (on
roads) cône de signalisation.

confectioner's [kənˈfekʃnəz] n
(shop) confiserie f.

confectionery [kənˈfekʃnərɪ] n
confiserie f.

conference [ˈkɒnfərəns] n
conférence f.

confess [kənˈfes] vi: **to ~ (to)**
avouer.

confession [kənˈfeʃn] n (admission) aveu m; (RELIG) confession f.

confidence [ˈkɒnfɪdəns] n (self-
assurance) confiance f en soi, assurance f; (trust) confiance; **to have ~
in** avoir confiance en.

confident [ˈkɒnfɪdənt] adj (self-
assured) sûr(-e) de soi; (certain) certain(-e).

confined [kənˈfaɪnd] adj (space)
réduit(-e).

confirm [kənˈfɜːm] vt confirmer.

confirmation [ˌkɒnfəˈmeɪʃn] n
confirmation f.

conflict [n ˈkɒnflɪkt, vb kənˈflɪkt] n
conflit m ◆ vi: **to ~ (with)** être en
contradiction (avec).

conform [kənˈfɔːm] vi se plier à
la règle; **to ~** se conformer à.

confuse [kənˈfjuːz] vt (person)
dérouter; **to ~ sthg with sthg**
confondre qqch avec qqch.

confused [kənˈfjuːzd] adj (person)
dérouté(-e); (situation) confus(-e).

confusing [kənˈfjuːzɪŋ] adj déroutant(-e).

confusion [kənˈfjuːʒn] n confusion f.

congested [kənˈdʒestɪd] adj
(street) encombré(-e).

congestion [kənˈdʒestʃn] n (traffic) encombrements mpl.

congratulate [kənˈgrætʃʊleɪt]
vt: **to ~ sb (on sthg)** féliciter qqn

(de qqch).

congratulations [kənˌgrætʃʊ- 'leɪʃənz] *excl* félicitations f.

congregate ['kɒŋgrɪgeɪt] *vi* se rassembler.

Congress ['kɒŋgres] *n (Am)* le Congrès.

conifer ['kɒnɪfə^r] *n* conifère *m*.

conjunction [kən'dʒʌŋkʃn] *n (GRAMM)* conjonction f.

conjurer ['kʌndʒərə^r] *n* prestidigitateur *m* (-trice f).

connect [kə'nekt] *vt* relier; *(telephone, machine)* brancher; *(caller on phone)* mettre en communication ◆ *vi*: **to ~ with** *(train, plane)* assurer la correspondance avec; **to ~ sthg with sthg** *(associate)* associer qqch à qqch.

connecting flight [kə'nektɪŋ-] *n* correspondance f.

connection [kə'nekʃn] *n (link)* rapport *m*; *(train, plane)* correspondance f; **it's a bad ~** *(on phone)* la communication est mauvaise; **a loose ~** *(in machine)* un faux contact; **in ~ with** au sujet de.

conquer ['kɒŋkə^r] *vt (country)* conquérir.

conscience ['kɒnʃəns] *n* conscience f.

conscientious [ˌkɒnʃɪ'enʃəs] *adj* consciencieux(-ieuse).

conscious ['kɒnʃəs] *adj (awake)* conscient(-e); *(deliberate)* délibéré(-e); **to be ~ of** *(aware)* être conscient de.

consent [kən'sent] *n* accord *m*.

consequence ['kɒnsɪkwəns] *n (result)* conséquence f.

consequently ['kɒnsɪkwəntlɪ] *adv* par conséquent.

conservation [ˌkɒnsə'veɪʃn] *n* protection f de l'environnement.

conservative [kən'sɜːvətɪv] *adj* conservateur(-trice) ❑ **Conservative** *adj* conservateur(-trice) ◆ *n* conservateur *m* (-trice f).

conservatory [kən'sɜːvətrɪ] *n* véranda f.

consider [kən'sɪdə^r] *vt (think about)* étudier; *(take into account)* tenir compte de; *(judge)* considérer; **to ~ doing sthg** envisager de faire qqch.

considerable [kən'sɪdrəbl] *adj* considérable.

consideration [kənˌsɪdə'reɪʃn] *n (careful thought)* attention f; *(factor)* considération f; **to take sthg into ~** tenir compte de qqch.

considering [kən'sɪdərɪŋ] *prep* étant donné.

consist [kən'sɪst]: **consist in** *vt fus* consister en; **to ~ in doing sthg** consister à faire qqch; **consist of** *vt fus* se composer de.

consistent [kən'sɪstənt] *adj (coherent)* cohérent(-e); *(worker, performance)* régulier(-ière).

consolation [ˌkɒnsə'leɪʃn] *n* consolation f.

console ['kɒnsəʊl] *n* console f.

consonant ['kɒnsənənt] *n* consonne f.

conspicuous [kən'spɪkjʊəs] *adj* qui attire l'attention.

constable ['kʌnstəbl] *n (Br)* agent *m* de police.

constant ['kɒnstənt] *adj* constant(-e).

constantly ['kɒnstəntlɪ] *adv* constamment.

constipated ['kɒnstɪpeɪtɪd] *adj* constipé(-e).

constitution [ˌkɒnstɪˈtjuːʃn] n constitution f.

construct [kənˈstrʌkt] vt construire.

construction [kənˈstrʌkʃn] n construction f; **under ~** en construction.

consul [ˈkɒnsəl] n consul m.

consulate [ˈkɒnsjʊlət] n consulat m.

consult [kənˈsʌlt] vt consulter.

consultant [kənˈsʌltənt] n (Br: doctor) spécialiste mf.

consume [kənˈsjuːm] vt consommer.

consumer [kənˈsjuːməʳ] n consommateur m (-trice f).

contact [ˈkɒntækt] n contact m ♦ vt contacter; **in ~ with** en contact avec.

contact lens n verre m de contact, lentille f.

contagious [kənˈteɪdʒəs] adj contagieux(-ieuse).

contain [kənˈteɪn] vt contenir.

container [kənˈteɪnəʳ] n (box etc) récipient m.

contaminate [kənˈtæmɪneɪt] vt contaminer.

contemporary [kənˈtempərəri] adj contemporain(-e) ♦ n contemporain m (-e f).

contend [kənˈtend]: **contend with** vt fus faire face à.

content [adj kənˈtent, n ˈkɒntent] adj satisfait(-e) ♦ n (of vitamins, fibre etc) teneur f ❑ **contents** npl (things inside) contenu m; (at beginning of book) table f des matières.

contest [n ˈkɒntest, vb kənˈtest] n (competition) concours m; (struggle) lutte f ♦ vt (election, match) dispu-

ter; (decision, will) contester.

context [ˈkɒntekst] n contexte m.

continent [ˈkɒntɪnənt] n continent m; **the Continent** (Br) l'Europe f continentale.

continental [ˌkɒntɪˈnentl] adj (Br: European) d'Europe continentale.

continental breakfast n petit déjeuner m à la française.

continental quilt n (Br) couette f.

continual [kənˈtɪnjʊəl] adj continuel(-elle).

continually [kənˈtɪnjʊəli] adv continuellement.

continue [kənˈtɪnjuː] vt continuer; (start again) poursuivre, reprendre ♦ vi continuer; (start again) poursuivre, reprendre; **to ~ doing sthg** continuer à faire qqch; **to ~ with sthg** poursuivre qqch.

continuous [kənˈtɪnjʊəs] adj (uninterrupted) continuel(-elle); (unbroken) continu(-e).

continuously [kənˈtɪnjʊəsli] adv continuellement.

contraception [ˌkɒntrəˈsepʃn] n contraception f.

contraceptive [ˌkɒntrəˈseptɪv] n contraceptif m.

contract [n ˈkɒntrækt, vb kənˈtrækt] n contrat m ♦ vt (fml: illness) contracter.

contradict [ˌkɒntrəˈdɪkt] vt contredire.

contraflow [ˈkɒntrəfləʊ] n (Br) système temporaire de circulation à contre-sens sur une autoroute.

contrary [ˈkɒntrəri] n: **on the ~** au contraire.

contrast [n 'kɒntrɑːst, vb kən-'trɑːst] n contraste m ♦ vt mettre en contraste; **in ~** par contraste avec.

contribute [kən'trɪbjuːt] vt (help, money) apporter ♦ vi: **to ~ to** contribuer à.

contribution [ˌkɒntrɪ'bjuːʃn] n contribution f.

control [kən'trəʊl] n (power) contrôle m; (over emotions) maîtrise f de soi; (operating device) bouton m de réglage ♦ vt contrôler; **to be in ~** contrôler la situation; **out of ~** impossible à maîtriser; **everything's under ~** tout va bien; **to keep under ~** (dog, child) tenir ♦ **controls** npl (of TV, video) télécommande f; (of plane) commandes fpl.

control tower n tour f de contrôle.

controversial [ˌkɒntrə'vɜːʃl] adj controversé(-e).

convenience [kən'viːnjəns] n commodité f; **at your ~** quand cela vous conviendra.

convenient [kən'viːnjənt] adj (suitable) commode; (well-situated) bien situé(-e); **would two thirty be ~?** est-ce que 14 h 30 vous conviendrait?

convent ['kɒnvənt] n couvent m.

conventional [kən'venʃənl] adj conventionnel(-elle).

conversation [ˌkɒnvə'seɪʃn] n conversation f.

conversion [kən'vɜːʃn] n (change) transformation f; (of currency) conversion f; (to building) aménagement m.

convert [kən'vɜːt] vt (change) transformer; (currency, person)

convertir; **to ~ sthg into** transformer qqch en.

converted [kən'vɜːtɪd] adj (barn, loft) aménagé(-e).

convertible [kən'vɜːtəbl] n (voiture) décapotable f.

convey [kən'veɪ] vt (fml: transport) transporter; (idea, impression) transmettre.

convict [n 'kɒnvɪkt, vb kən'vɪkt] n détenu m (-e f) ♦ vt: **to ~ sb (of)** déclarer qqn coupable (de).

convince [kən'vɪns] vt: **to ~ sb (of sthg)** convaincre OR persuader qqn (de qqch); **to ~ sb to do sthg** convaincre OR persuader qqn de faire qqch.

convoy ['kɒnvɔɪ] n convoi m.

cook [kʊk] n cuisinier m (-ière f) ♦ vt (meal) préparer; (food) cuire ♦ vi (person) faire la cuisine, cuisiner; (food) cuire.

cookbook ['kʊkbʊk] = **cookery book**.

cooker ['kʊkər] n cuisinière f.

cookery ['kʊkərɪ] n cuisine f.

cookery book n livre m de cuisine.

cookie ['kʊkɪ] n (Am) biscuit m.

cooking ['kʊkɪŋ] n cuisine f.

cooking apple n pomme f à cuire.

cooking oil n huile f (alimentaire).

cool [kuːl] adj (temperature) frais (fraîche); (calm) calme; (unfriendly) froid(-e); (inf: great) génial(-e) ♦ vt refroidir ❑ **cool down** vi (food, liquid) refroidir; (after exercise) se rafraîchir; (become calmer) se calmer.

cooperate [kəʊ'ɒpəreɪt] vi coopérer.

cooperation [kəʊˌɒpəˈreɪʃn] *n* coopération *f*.

cooperative [kəʊˈɒpərətɪv] *adj* coopératif(-ive).

coordinates [kəʊˈɔːdɪnəts] *npl (clothes)* coordonnés *mpl*.

cope [kəʊp] *vi* se débrouiller; **to ~ with** *(problem)* faire face à; *(situation)* se sortir de.

copilot [ˈkəʊpaɪlət] *n* copilote *m*.

copper [ˈkɒpəʳ] *n (metal)* cuivre *m*; *(Br: inf: coins)* petite monnaie *f*.

copy [ˈkɒpɪ] *n* copie *f*; *(of newspaper, book)* exemplaire *m* ◆ *vt* copier; *(photocopy)* photocopier.

cord(uroy) [ˈkɔːd(ərɔɪ)] *n* velours *m* côtelé.

core [kɔːʳ] *n (of fruit)* trognon *m*.

coriander [ˌkɒrɪˈændəʳ] *n* coriandre *f*.

cork [kɔːk] *n (in bottle)* bouchon *m*.

corkscrew [ˈkɔːkskruː] *n* tire-bouchon *m*.

corn [kɔːn] *n (Br: crop)* céréales *fpl*; *(Am: maize)* maïs *m*; *(on foot)* cor *m*.

corned beef [ˌkɔːnd-] *n* corned-beef *m inv*.

corner [ˈkɔːnəʳ] *n* coin *m*; *(bend in road)* virage *m*; *(in football)* corner *m*; **it's just around the ~** c'est tout près.

corner shop *n (Br)* magasin *m* de quartier.

cornet [ˈkɔːnɪt] *n (Br: ice-cream cone)* cornet *m (biscuit)*.

cornflakes [ˈkɔːnfleɪks] *npl* corn flakes *mpl*.

corn-on-the-cob *n* épi *m* de maïs.

Cornwall [ˈkɔːnwɔːl] *n* Cornouailles *f*.

corporal [ˈkɔːpərəl] *n* caporal *m*.

corpse [kɔːps] *n* cadavre *m*, corps *m*.

correct [kəˈrekt] *adj (accurate)* correct(-e), exact(-e); *(most suitable)* bon (bonne) ◆ *vt* corriger.

correction [kəˈrekʃn] *n* correction *f*.

correspond [ˌkɒrɪˈspɒnd] *vi*: **to ~ (to)** *(match)* correspondre (à); **to ~ (with)** *(exchange letters)* correspondre (avec).

corresponding [ˌkɒrɪˈspɒndɪŋ] *adj* correspondant(-e).

corridor [ˈkɒrɪdɔːʳ] *n* couloir *m*.

corrugated iron [ˈkɒrəgeɪtɪd-] *n* tôle *f* ondulée.

corrupt [kəˈrʌpt] *adj (dishonest)* corrompu(-e); *(morally wicked)* dépravé(-e).

cosmetics [kɒzˈmetɪks] *npl* produits *mpl* de beauté.

cost [kɒst] *(pt & pp cost)* *n* coût *m* ◆ *vt* coûter; **how much does it ~?** combien est-ce que ça coûte?

costly [ˈkɒstlɪ] *adj (expensive)* coûteux(-euse).

costume [ˈkɒstjuːm] *n* costume *m*.

cosy [ˈkəʊzɪ] *adj (Br: room, house)* douillet(-ette).

cot [kɒt] *n (Br: for baby)* lit *m* d'enfant; *(Am: camp bed)* lit *m* de camp.

cottage [ˈkɒtɪdʒ] *n* petite maison *f* (à la campagne).

cottage cheese *n* fromage frais granuleux.

cottage pie *n (Br)* hachis *m* Parmentier.

cotton [ˈkɒtn] *adj* en coton ◆ *n*

(cloth) coton *m*; *(thread)* fil *m* de coton.

cotton candy *n (Am)* barbe *f* à papa.

cotton wool *n* coton *m* (hydrophile).

couch [kaʊtʃ] *n* canapé *m*; *(at doctor's)* lit *m*.

couchette [kuːˈʃet] *n* couchette *f*.

cough [kɒf] *n* toux *f* ♦ *vi* tousser; **to have a ~** tousser.

cough mixture *n* sirop *m* pour la toux.

could [kʊd] *pt* → **can**.

couldn't [ˈkʊdnt] = **could not**.

could've [ˈkʊdəv] = **could have**.

council [ˈkaʊnsl] *n* conseil *m*; *(Br: of town)* = conseil municipal; *(Br: of county)* = conseil régional.

council house *n (Br)* = HLM *m inv or f inv*.

councillor [ˈkaʊnsələʳ] *n (Br: of town)* = conseiller *m* municipal (conseillère municipale *f*); *(Br: of county)* = conseiller *m* régional (conseillère régionale *f*).

council tax *n (Br)* = impôts *mpl* locaux.

count [kaʊnt] *vt & vi* compter ♦ *n (nobleman)* comte *m* □ **count on** *vt fus* (rely on) compter sur; (expect) s'attendre à.

counter [ˈkaʊntəʳ] *n (in shop)* comptoir *m*; *(in bank)* guichet *m*; *(in board game)* pion *m*.

counterclockwise [ˌkaʊntəˈklɒkwaɪz] *adv (Am)* dans le sens inverse des aiguilles d'une montre.

counterfoil [ˈkaʊntəfɔɪl] *n* talon *m*.

countess [ˈkaʊntɪs] *n* comtesse *f*.

country [ˈkʌntrɪ] *n* pays *m*; *(countryside)* campagne *f* ♦ *adj (pub)* de campagne; *(people)* de la campagne.

country and western *n* musique *f* country.

country house *n* manoir *m*.

country road *n* route *f* de campagne.

countryside [ˈkʌntrɪsaɪd] *n* campagne *f*.

county [ˈkaʊntɪ] *n* comté *m*.

couple [ˈkʌpl] *n* couple *m*; **a ~ (of)** *(two)* deux; *(a few)* deux ou trois.

coupon [ˈkuːpɒn] *n* coupon *m*.

courage [ˈkʌrɪdʒ] *n* courage *m*.

courgette [kɔːˈʒet] *n (Br)* courgette *f*.

courier [ˈkʊrɪəʳ] *n (for holidaymakers)* accompagnateur *m* (-trice *f*); *(for delivering letters)* coursier *m* (-ière *f*).

course [kɔːs] *n (of meal)* plat *m*; *(at college, of classes)* cours *mpl*; *(of injections)* série *f*; *(of river)* cours *m*; *(of ship, plane)* route *f*; *(for golf)* terrain *m*; **a ~ of treatment** un traitement; **of ~** bien sûr; **of ~ not** bien sûr que non; **in the ~ of** au cours de.

court [kɔːt] *n (JUR: building, room)* tribunal *m*; *(for tennis)* court *m*; *(for basketball, badminton)* terrain *m*; *(for squash)* salle *f*; *(of king, queen)* cour *f*.

courtesy coach [ˈkɜːtɪsɪ-] *n* navette *f* gratuite.

court shoes *npl* escarpins *mpl*.

courtyard [ˈkɔːtjɑːd] *n* cour f.

cousin [ˈkʌzn] *n* cousin *m* (-e f).

cover [ˈkʌvəʳ] *n* (for furniture, car) housse f; (lid) couvercle m; (of magazine, blanket, insurance) couverture f ◆ *vt* couvrir; **to be ~ed in** être couvert de; **to ~ stg with stg** recouvrir qqch de qqch; **to take ~** s'abriter ❏ **cover up** *vt sep* (put over on) couvrir; (facts, truth) cacher.

cover charge *n* couvert m.

cover note *n* (Br) attestation f provisoire d'assurance.

cow [kau] *n* (animal) vache f.

coward [ˈkauəd] *n* lâche mf.

cowboy [ˈkaubɔɪ] *n* cow-boy m.

crab [kræb] *n* crabe m.

crack [kræk] *n* (in cup, glass) fêlure f; (in wood, wall) fente f; (gap) fente f ◆ *vt* (cup, glass) fêler; (wood, wall) fissurer; (nut, egg) casser; (inf: joke) faire; (whip) faire claquer ◆ *vi* (cup, glass) se fêler; (wood, wall) se fissurer.

cracker [ˈkrækəʳ] *n* (biscuit) biscuit *m* salé; (for Christmas) papillote contenant un pétard et une surprise, traditionnelle au moment des fêtes.

cradle [ˈkreɪdl] *n* berceau m.

craft [krɑːft] *n* (skill) art m; (trade) artisanat m; (boat: pl inv) embarcation f.

craftsman [ˈkrɑːftsmən] (pl -men [-mən]) *n* artisan m.

cram [kræm] *vt*: **to ~ stg into** entasser qqch dans; **to be crammed with** être bourré de.

cramp [kræmp] *n* crampe f; **stomach ~s** crampes d'estomac.

cranberry [ˈkrænbərɪ] *n* airelle f.

cranberry sauce *n* sauce f aux airelles.

crane [kreɪn] *n* (machine) grue f.

crap [kræp] *adj* (vulg) de merde, merdique ◆ *n* (vulg) merde f; **to have a ~** chier.

crash [kræʃ] *n* (accident) accident m; (noise) fracas m ◆ *vi* (plane) s'écraser; (car) avoir un accident ◆ *vt*: **to ~ one's car** avoir un accident de voiture ❏ **crash into** *vt fus* rentrer dans.

crash helmet *n* casque m.

crash landing *n* atterrissage m forcé.

crate [kreɪt] *n* cageot m.

crawl [krɔːl] *vi* (baby, person) marcher à quatre pattes; (insect) ramper; (traffic) avancer au pas ◆ *n* (swimming stroke) crawl m.

crawler lane [ˈkrɔːləʳ-] *n* (Br) file f pour véhicules lents.

crayfish [ˈkreɪfɪʃ] (pl inv) *n* écrevisse f.

crayon [ˈkreɪɒn] *n* crayon m de couleur.

craze [kreɪz] *n* mode f.

crazy [ˈkreɪzɪ] *adj* fou (folle); **to be ~ about** être fou de.

crazy golf *n* golf m miniature.

cream [kriːm] *n* crème f ◆ *adj* (in colour) blanc cassé (inv).

cream cake *n* (Br) gâteau m à la crème.

cream cheese *n* fromage m frais.

cream sherry *n* xérès m doux.

cream tea *n* (Br) goûter se composant de thé et de scones servis avec de la crème et de la confiture.

creamy [ˈkriːmɪ] *adj* (food) à la crème; (texture) crémeux(-euse).

crease [kriːs] *n* pli m.

creased [kri:st] *adj* froissé(-e).

create [kri:'eɪt] *vt* créer; *(interest)* susciter.

creative [kri:'eɪtɪv] *adj* créatif(-ive).

creature [ˈkri:tʃə^r] *n* être *m*.

crèche [kreʃ] *n (Br)* crèche *f*, garderie *f*.

credit [ˈkredɪt] *n (praise)* mérite *m*; *(money)* crédit *m*; *(at school, university)* unité *f* de valeur; **to be in ~** *(account)* être approvisionné ◻ **credits** *npl (of film)* générique *m*.

credit card *n* carte *f* de crédit; **to pay by ~** payer par carte de crédit; **"all major ~s accepted"** «on accepte les cartes de crédit».

creek [kri:k] *n (inlet)* crique *f*; *(Am: river)* ruisseau *m*.

creep [kri:p] *(pt & pp* **crept***) vi (person)* se glisser ◆ *n (inf: groveller)* lèche-bottes *mf inv*.

cremate [krɪˈmeɪt] *vt* incinérer.

crematorium [ˌkremə'tɔ:rɪəm] *n* crématorium *m*.

crept [krept] *pt & pp* → **creep**.

cress [kres] *n* cresson *m*.

crest [krest] *n (of hill, wave)* crête *f*; *(emblem)* blason *m*.

crew [kru:] *n* équipage *m*.

crew neck *n* encolure *f* ras du cou.

crib [krɪb] *n (Am)* lit *m* d'enfant.

cricket [ˈkrɪkɪt] *n (game)* cricket *m*; *(insect)* grillon *m*.

crime [kraɪm] *n (offence)* délit *m*; *(illegal activity)* criminalité *f*.

criminal [ˈkrɪmɪnl] *adj* criminel(-elle) ◆ *n* criminel *m* (-elle *f*).

cripple [ˈkrɪpl] *n* infirme *mf* ◆ *vt (subj: disease, accident)* estropier.

crisis [ˈkraɪsɪs] *(pl* **crises** [ˈkraɪsi:z])

n crise *f*.

crisp [krɪsp] *adj (bacon, pastry)* croustillant(-e); *(fruit, vegetable)* croquant(-e) ◻ **crisps** *npl (Br)* chips *fpl*.

crispy [ˈkrɪspɪ] *adj (bacon, pastry)* croustillant(-e); *(fruit, vegetable)* croquant(-e).

critic [ˈkrɪtɪk] *n* critique *mf*.

critical [ˈkrɪtɪkl] *adj* critique.

criticize [ˈkrɪtɪsaɪz] *vt* critiquer.

crockery [ˈkrɒkərɪ] *n* vaisselle *f*.

crocodile [ˈkrɒkədaɪl] *n* crocodile *m*.

crocus [ˈkrəʊkəs] *(pl* **-es***) n* crocus *m*.

crooked [ˈkrʊkɪd] *adj (bent, twisted)* tordu(-e).

crop [krɒp] *n (kind of plant)* culture *f*; *(harvest)* récolte *f* ◻ **crop up** *vi* se présenter.

cross [krɒs] *adj* fâché(-e) ◆ *vt (road, river, ocean)* traverser; *(arms, legs)* croiser; *(Br: cheque)* barrer ◆ *vi (intersect)* se croiser ◆ *n* croix *f*; **a ~ between** *(animals)* un croisement entre; *(things)* un mélange de ◻ **cross out** *vt sep* barrer; **cross over** *vt fus (road)* traverser.

crossbar [ˈkrɒsbɑ:^{r}] *n (of bicycle)* barre *f*; *(of goal)* barre transversale.

cross-Channel ferry *n* ferry *m* transmanche.

cross-country (running) *n* cross *m*.

crossing [ˈkrɒsɪŋ] *n (on road)* passage *m* clouté; *(sea journey)* traversée *f*.

crossroads [ˈkrɒsrəʊdz] *(pl inv)* *n* croisement *m*, carrefour *m*.

crosswalk [ˈkrɒswɔ:k] *n (Am)*

passage *m* clouté.

crossword (puzzle) [ˈkrɒs-wɜːd-] *n* mots croisés *mpl*.

crotch [krɒtʃ] *n* entrejambe *m*.

crouton [ˈkruːtɒn] *n* croûton *m*.

crow [krəʊ] *n* corbeau *m*.

crowbar [ˈkrəʊbɑːʳ] *n* pied-de-biche *m*.

crowd [kraʊd] *n* foule *f*; *(at match)* public *m*.

crowded [ˈkraʊdɪd] *adj (bus)* bondé(-e); *(street)* plein(-e) de monde.

crown [kraʊn] *n* couronne *f*; *(of head)* sommet *m*.

Crown Jewels *npl* joyaux *mpl* de la couronne.

 CROWN JEWELS

L es joyaux de la couronne britannique, portés par le souverain lors des grandes occasions, sont exposés dans la Tour de Londres. Les joyaux de l'ancienne couronne écossaise sont, eux, visibles au château d'Édimbourg.

---

crucial [ˈkruːʃl] *adj* crucial(-e).

crude [kruːd] *adj* grossier(-ière).

cruel [krʊəl] *adj* cruel(-elle).

cruelty [ˈkrʊəltɪ] *n* cruauté *f*.

cruet (set) [ˈkruːɪt-] *n* service *m* à condiments.

cruise [kruːz] *n* croisière *f* ♦ *vi (car)* rouler; *(plane)* voler; *(ship)* croiser.

cruiser [ˈkruːzəʳ] *n* bateau *m* de croisière.

crumb [krʌm] *n* miette *f*.

crumble [ˈkrʌmbl] *n* dessert com-

posé d'une couche de fruits cuits recouverts de pâte sablée ♦ *vi (building)* s'écrouler; *(cliff)* s'effriter.

crumpet [ˈkrʌmpɪt] *n* petite crêpe épaisse qui se mange généralement chaude et beurrée.

crunchy [ˈkrʌntʃɪ] *adj* croquant(-e).

crush [krʌʃ] *n (drink)* jus *m* de fruit ♦ *vt* écraser; *(ice)* piler.

crust [krʌst] *n* croûte *f*.

crusty [ˈkrʌstɪ] *adj* croustillant(-e).

crutch [krʌtʃ] *n (stick)* béquille *f*; *(between legs)* = crotch.

cry [kraɪ] *n* cri *m* ♦ *vi* pleurer; *(shout)* crier ❑ **cry out** *vi (in pain, horror)* pousser un cri.

crystal [ˈkrɪstl] *n* cristal *m*.

cub [kʌb] *n (animal)* petit *m*.

Cub [kʌb] *n* = louveteau *m*.

cube [kjuːb] *n (shape)* cube *m*; *(of sugar)* morceau *m*.

cubicle [ˈkjuːbɪkl] *n* cabine *f*.

Cub Scout = **Cub**.

cuckoo [ˈkʊkuː] *n* coucou *m*.

cucumber [ˈkjuːkʌmbəʳ] *n* concombre *m*.

cuddle [ˈkʌdl] *n* câlin *m*.

cuddly toy [ˈkʌdlɪ-] *n* jouet *m* en peluche.

cue [kjuː] *n (in snooker, pool)* queue *f* (de billard).

cuff [kʌf] *n (of sleeve)* poignet *m*; *(Am: of trousers)* revers *m*.

cuff links *npl* boutons *mpl* de manchette.

cuisine [kwɪˈziːn] *n* cuisine *f*.

cul-de-sac [ˈkʌldəsæk] *n* impasse *f*.

cult [kʌlt] *n (RELIG)* culte *m* ♦ *adj* culte.

cultivate [ˈkʌltɪveɪt] vt cultiver.

cultivated [ˈkʌltɪveɪtɪd] adj cultivé(-e).

cultural [ˈkʌltʃərəl] adj culturel(-elle).

culture [ˈkʌltʃəʳ] n culture f.

cumbersome [ˈkʌmbəsəm] adj encombrant(-e).

cumin [ˈkjuːmɪn] n cumin m.

cunning [ˈkʌnɪŋ] adj malin(-igne).

cup [kʌp] n tasse f; (trophy, competition) coupe f; (of bra) bonnet m.

cupboard [ˈkʌbəd] n placard m.

curator [kjuˈreɪtəʳ] n conservateur m (-trice f).

curb [kɜːb] (Am) = **kerb**.

curd cheese [kɜːd-] n fromage m blanc battu.

cure [kjʊəʳ] n remède m ♦ vt (illness, person) guérir; (with salt) saler; (with smoke) fumer, (by drying) sécher.

curious [ˈkjʊərɪəs] adj curieux(-ieuse).

curl [kɜːl] n (of hair) boucle f ♦ vt (hair) friser.

curler [ˈkɜːləʳ] n bigoudi m.

curly [ˈkɜːlɪ] adj frisé(-e).

currant [ˈkʌrənt] n raisin m sec.

currency [ˈkʌrənsɪ] n (cash) monnaie f; (foreign) devise f.

current [ˈkʌrənt] adj actuel(-elle) ♦ n courant m.

current account n (Br) compte m courant.

current affairs npl l'actualité f.

currently [ˈkʌrəntlɪ] adv actuellement.

curriculum [kəˈrɪkjələm] n programme m (d'enseignement).

curriculum vitae [-ˈviːtaɪ] n (Br) curriculum vitae m inv.

curried [ˈkʌrɪd] adj au curry.

curry [ˈkʌrɪ] n curry m.

curse [kɜːs] vi jurer.

cursor [ˈkɜːsəʳ] n curseur m.

curtain [ˈkɜːtn] n rideau m.

curve [kɜːv] n courbe f ♦ vi faire une courbe.

curved [kɜːvd] adj courbe.

cushion [ˈkʊʃn] n coussin m.

custard [ˈkʌstəd] n crème f anglaise (épaisse).

custom [ˈkʌstəm] n (tradition) coutume f; "thank you for your ~" «merci de votre visite».

customary [ˈkʌstəmrɪ] adj habituel(-elle).

customer [ˈkʌstəməʳ] n (of shop) client m (-e f).

customer services n (department) service m clients.

customs [ˈkʌstəmz] n douane f; **to go through ~** passer à la douane.

customs duty n droit m de douane.

customs officer n douanier m (-ière f).

cut [kʌt] (pt & pp **cut**) n (in skin) coupure f; (in cloth) accroc m; (reduction) réduction f; (piece of meat) morceau m; (hairstyle, of clothes) coupe f ♦ vi couper ♦ vt couper; (reduce) réduire; **to ~ one's hand** se couper à la main; **~ and blow-dry** coupe-brushing f; **to ~ o.s.** se couper; **to have one's hair ~** se faire couper les cheveux; **to ~ the grass** tondre la pelouse; **to ~ sthg open** ouvrir qqch ❑ **cut back** vi: **to ~ back (on)** faire des économies (sur); **cut down** vt sep (tree) abattre; **cut down on** vt fus réduire; **cut off** vt sep couper; **I've been ~ off** (on phone) j'ai été coupé; **to be ~ off** (isolated) être isolé; **cut out** vt sep (newspaper article, photo) découper ◆ vi (engine) caler; **to ~ out** smoking arrêter de fumer; **~ it out!** (inf) ça suffit!; **cut up** vt sep couper.

cute [kju:t] adj mignon(-onne).

cut-glass adj en cristal taillé.

cutlery [ˈkʌtləri] n couverts mpl.

cutlet [ˈkʌtlɪt] n (of meat) côtelette f; (of nuts, vegetables) croquette f.

cut-price adj à prix réduit.

cutting [ˈkʌtɪŋ] n (from newspaper) coupure f de presse.

CV n (Br: abbr of curriculum vitae) CV m.

cwt abbr = hundredweight.

cycle [ˈsaɪkl] n (bicycle) vélo m; (series) cycle m ◆ vi aller en vélo.

cycle hire n location f de vélos.

cycle lane n piste f cyclable (sur la route).

cycle path n piste f cyclable.

cycling [ˈsaɪklɪŋ] n cyclisme m; **to go ~** faire du vélo.

cycling shorts npl cycliste m.

cyclist [ˈsaɪklɪst] n cycliste mf.

cylinder [ˈsɪlɪndəʳ] n (container) bouteille f; (in engine) cylindre m.

cynical [ˈsɪnɪkl] adj cynique.

Czech [tʃek] adj tchèque ◆ n (person) Tchèque mf; (language) tchèque m.

Czechoslovakia [ˌtʃekəsləˈvækə] n la Tchécoslovaquie.

Czech Republic n: **the ~** la République tchèque.

D

dab [dæb] vt (wound) tamponner.

dad [dæd] n (inf) papa m.

daddy [ˈdædɪ] n (inf) papa m.

daddy longlegs [-ˈlɒŋlegz] (pl inv) n faucheux m.

daffodil [ˈdæfədɪl] n jonquille f.

daft [dɑːft] adj (Br: inf) idiot(-e).

daily [ˈdeɪlɪ] adj quotidien(-ienne) ◆ adv quotidiennement ◆ n: **a ~** (newspaper) un quotidien.

dairy [ˈdeərɪ] n (on farm) laiterie f; (shop) crémerie f.

dairy product n produit m laitier.

daisy [ˈdeɪzɪ] n pâquerette f.

dam [dæm] n barrage m.

damage [ˈdæmɪdʒ] n dégâts mpl; (fig: to reputation) tort m ◆ vt abîmer; (fig: reputation) nuire à; (fig: chances) compromettre.

damn [dæm] excl (inf) zut! ◆ adj (inf) sacré(-e); **I don't give a ~** je m'en fiche pas mal.

damp [dæmp] adj humide ◆ n humidité f.

damson [ˈdæmzn] n petite prune acide.

dance [dɑːns] n danse f; (social event) bal m ◆ vi danser; **to have a ~** danser.

dance floor n (in club) piste f de danse.

dancer [ˈdɑːnsəʳ] n danseur m (-euse f).

dancing [ˈdɑːnsɪŋ] n danse f; **to go ~** aller danser.

dead

dandelion ['dændɪlaɪən] *n* pissenlit *m*.

dandruff ['dændrʌf] *n* pellicules *fpl*.

Dane [deɪn] *n* Danois *m* (-e *f*).

danger ['deɪndʒə'] *n* danger *m*; in ~ en danger.

dangerous ['deɪndʒərəs] *adj* dangereux(-euse).

Danish ['deɪnɪʃ] *adj* danois(-e) ◆ *n* (*language*) danois *m*.

Danish pastry *n* feuilleté glacé sur le dessus, fourré généralement à la confiture de pommes ou de cerises.

dare [deə'] *vt*: to ~ to do sthg oser faire qqch; to ~ sb to do sthg défier qqn de faire qqch; how ~ you! comment oses-tu!

daring ['deərɪŋ] *adj* audacieux(-ieuse).

dark [dɑːk] *adj* (*room, night*) sombre; (*colour*) foncé(-e); (*person*) brun(-e); (*skin*) foncé(-e) ◆ *n*: after ~ après la tombée de la nuit; the ~ le noir.

dark chocolate *n* chocolat *m* noir.

dark glasses *npl* lunettes *fpl* noires.

darkness ['dɑːknɪs] *n* obscurité *f*.

darling ['dɑːlɪŋ] *n* chéri *m* (-e *f*).

dart [dɑːt] *n* fléchette *f*☐ **darts** *n* (*game*) fléchettes *fpl*.

dartboard ['dɑːtbɔːd] *n* cible *f* (de jeu de fléchettes).

dash [dæʃ] *n* (*of liquid*) goutte *f*; (*in writing*) tiret *m* ◆ *vi* se précipiter.

dashboard ['dæʃbɔːd] *n* tableau *m* de bord.

data ['deɪtə] *n* données *fpl*.

database ['deɪtəbeɪs] *n* base *f* de données.

date [deɪt] *n* (*day*) date *f*; (*meeting*) rendez-vous *m*; (*Am: person*) petit ami *m* (petite amie *f*); (*fruit*) datte *f* ◆ *vt* (*cheque, letter*) dater; (*person*) sortir avec ◆ *vi* (*become unfashionable*) dater; what's the ~? quel jour sommes-nous?; to have a ~ with sb avoir rendez-vous avec qqn.

date of birth *n* date *f* de naissance.

daughter ['dɔːtə'] *n* fille *f*.

daughter-in-law *n* belle-fille *f*.

dawn [dɔːn] *n* aube *f*.

day [deɪ] *n* (*of week*) jour *m*; (*period, working day*) journée *f*; what is it today? quel jour sommes-nous?; what a lovely ~! quelle belle journée!; to have a ~ off avoir un jour de congé; to have a ~ out aller passer une journée quelque part; by ~ (*travel*) de jour; the ~ after tomorrow après-demain; the ~ before la veille; the ~ before yesterday avant-hier; the following ~ le jour suivant; have a nice ~! bonne journée!

daylight ['deɪlaɪt] *n* jour *m*.

day return *n* (*Br: railway ticket*) aller-retour valable pour une journée.

dayshift ['deɪʃɪft] *n*: to be on ~ travailler de jour.

daytime ['deɪtaɪm] *n* journée *f*.

day-to-day *adj* (*everyday*) quotidien(-ienne).

day trip *n* excursion *f* (*d'une journée*).

dazzle ['dæzl] *vt* éblouir.

DC *abbr* = **direct current**.

dead [ded] *adj* mort(-e); (*tele-*

phone line) coupé(-e) ♦ *adv (inf: very)* super; **~ in the middle** en plein milieu; **~ on time** pile à l'heure; **it's ~ ahead** c'est droit devant; **"~ slow"** «roulez au pas».

dead end *n (street)* impasse *f*, cul-de-sac *m*.

deadline ['dedlaɪn] *n* date *f* limite.

deaf [def] *adj* sourd(-e) ♦ *npl:* **the ~ les sourds** *mpl*.

deal [di:l] *(pt & pp* **dealt)** *n (agreement)* marché *m*, affaire *f* ♦ *vt (cards)* donner; **a good/bad ~** une bonne/mauvaise affaire; **a great ~ of** beaucoup de; **it's a ~!** marché conclu! ❑ **deal in** *vt fus* faire le commerce de; **deal with** *vt fus (handle)* s'occuper de; *(be about)* traiter de.

dealer ['di:lə^r] *n (COMM)* marchand *m* (-e *f)*; *(in drugs)* dealer *m*.

dealt [delt] *pt & pp* → **deal**.

dear [dɪə^r] *adj* cher (chère) ♦ *n:* **my ~** *(to friend)* mon cher; *(to lover)* mon chéri; **Dear Sir** cher Monsieur; **Dear Madam** chère Madame; **Dear John** cher John; **oh ~!** mon Dieu!

death [deθ] *n* mort *f*.

debate [dɪ'beɪt] *n* débat *m* ♦ *vt (wonder)* se demander.

debit ['debɪt] *n* débit *m* ♦ *vt (account)* débiter.

debt [det] *n* dette *f*; **to be in ~** être endetté.

decaff [di:kæf] *n (inf)* déca *m*.

decaffeinated [dɪ'kæfɪneɪtɪd] *adj* décaféiné(-e).

decanter [dɪ'kæntə^r] *n* carafe *f*.

decay [dɪ'keɪ] *n (of building)* délabrement *m*; *(of wood)* pourrissement *m*; *(of tooth)* carie *f* ♦ *vi (rot)*

pourrir.

deceive [dɪ'si:v] *vt* tromper.

decelerate [di:'seləreɪt] *vi* ralentir.

December [dɪ'sembə^r] *n* décembre *m*, → **September**.

decent ['di:snt] *adj (meal, holiday)* vrai(-e); *(price, salary)* correct(-e); *(respectable)* décent(-e); *(kind)* gentil(-ille).

decide [dɪ'saɪd] *vt* décider ♦ *vi* (se) décider; **to ~ to do sthg** décider de faire qqch ❑ **decide on** *vt fus* se décider pour.

decimal ['desɪml] *adj* décimal(-e).

decimal point *n* virgule *f*.

decision [dɪ'sɪʒn] *n* décision *f*; **to make a ~** prendre une décision.

decisive [dɪ'saɪsɪv] *adj (person)* décidé(-e); *(event, factor)* décisif(-ive).

deck [dek] *n (of ship)* pont *m*; *(of bus)* étage *m*; *(of cards)* jeu *m* (de cartes).

deckchair ['dektʃeə^r] *n* chaise *f* longue.

declare [dɪ'kleə^r] *vt* déclarer; **to ~ that** déclarer que; **"nothing to ~"** «rien à déclarer».

decline [dɪ'klaɪn] *n* déclin *m* ♦ *vi (get worse)* décliner; *(refuse)* refuser.

decorate ['dekəreɪt] *vt* décorer.

decoration [,dekə'reɪʃn] *n* décoration *f*.

decorator ['dekəreɪtə^r] *n* décorateur *m* (-trice *f)*.

decrease [*n* 'di:kri:s, *vb* di:'kri:s] *n* diminution *f* ♦ *vi* diminuer.

dedicated ['dedɪkeɪtɪd] *adj (committed)* dévoué(-e).

deduce [dɪ'dju:s] *vt* déduire, conclure.

deduct [dɪ'dʌkt] *vt* déduire.

deduction [dɪ'dʌkʃn] *n* déduction *f*.

deep [di:p] *adj* profond(-e) ♦ *adv* profond; **the swimming pool is 2 m ~** la piscine fait 2 m de profondeur.

deep end *n* (of swimming pool) côté le plus profond.

deep freeze *n* congélateur *m*.

deep-fried [-'fraɪd] *adj* frit(-e).

deep-pan *adj* (pizza) à pâte épaisse.

deer [dɪər] (pl inv) *n* cerf *m*.

defeat [dɪ'fi:t] *n* défaite *f* ♦ *vt* battre.

defect [dɪ'fekt] *n* défaut *m*.

defective [dɪ'fektɪv] *adj* défectueux(-euse).

defence [dɪ'fens] *n* (Br) défense *f*.

defend [dɪ'fend] *vt* défendre.

defense [dɪ'fens] (Am) = **defence**.

deficiency [dɪ'fɪʃnsɪ] *n* (lack) manque *m*.

deficit ['defɪsɪt] *n* déficit *m*.

define [dɪ'faɪn] *vt* définir.

definite ['defɪnɪt] *adj* (clear) net (nette); (certain) certain(-e).

definite article *n* article *m* défini.

definitely ['defɪnɪtlɪ] *adv* (certainly) sans aucun doute; **I'll ~ come** je viens, c'est sûr.

definition [defɪ'nɪʃn] *n* définition *f*.

deflate [dɪ'fleɪt] *vt* (tyre) dégonfler.

deflect [dɪ'flekt] *vt* (ball) dévier.

defogger [ˌdi:'fɒgər] *n* (Am) dis-

positif *m* antibuée.

deformed [dɪ'fɔ:md] *adj* difforme.

defrost [ˌdi:'frɒst] *vt* (food) décongeler; (fridge) dégivrer; (Am: demist) désembuer.

degree [dɪ'gri:] *n* (unit of measurement) degré *m*; (qualification) ≃ licence *f*; (amount): **a ~ of difficulty** une certaine difficulté; **to have a ~ in sthg** ≃ avoir une licence de qqch.

dehydrated [ˌdi:haɪ'dreɪtɪd] *adj* déshydraté(-e).

de-ice [ˌdi:'aɪs] *vt* dégivrer.

de-icer [ˌdi:'aɪsər] *n* dégivreur *m*.

dejected [dɪ'dʒektɪd] *adj* découragé(-e).

delay [dɪ'leɪ] *n* retard *m* ♦ *vt* retarder ♦ *vi* tarder; **without ~** sans délai.

delayed [dɪ'leɪd] *adj* retardé(-e).

delegate [*n* 'delɪgət, *vb* 'delɪgeɪt] *n* délégué *m* (-e *f*) ♦ *vt* (person) déléguer.

delete [dɪ'li:t] *vt* effacer.

deli ['delɪ] *n* (inf) = **delicatessen**.

deliberate [dɪ'lɪbərət] *adj* (intentional) délibéré(-e).

deliberately [dɪ'lɪbərətlɪ] *adv* (intentionally) délibérément.

delicacy ['delɪkəsɪ] *n* (food) mets *m* fin.

delicate ['delɪkət] *adj* délicat(-e).

delicatessen [ˌdelɪkə'tesn] *n* épicerie *f* fine.

delicious [dɪ'lɪʃəs] *adj* délicieux(-ieuse).

delight [dɪ'laɪt] *n* (feeling) plaisir *m* ♦ *vt* enchanter; **to take (a) ~ in doing sthg** prendre plaisir à faire qqch.

delighted [dɪ'laɪtɪd] *adj* ravi(-e).

delightful [dɪ'laɪtfʊl] *adj* charmant(-e).

deliver [dɪ'lɪvər] *vt (goods)* livrer; *(letters, newspaper)* distribuer; *(speech, lecture)* faire; *(baby)* mettre au monde.

delivery [dɪ'lɪvərɪ] *n (of goods)* livraison *f; (of letters)* distribution *f; (birth)* accouchement *m*.

delude [dɪ'luːd] *vt* tromper.

de luxe [də'lʌks] *adj* de luxe.

demand [dɪ'mɑːnd] *n (request)* revendication *f; (COMM)* demande *f; (requirement)* exigence *f* ♦ *vt* exiger; **to ~ to** do sthg exiger de faire qqch; **in ~** demandé.

demanding [dɪ'mɑːndɪŋ] *adj* astreignant(-e).

demerara sugar [demə'reərə-] *n* cassonade *f*.

demist [,diː'mɪst] *vt (Br)* désembuer.

demister [,diː'mɪstər] *n (Br)* dispositif *m* antibuée.

democracy [dɪ'mɒkrəsɪ] *n* démocratie *f*.

Democrat ['deməkræt] *n (Am)* démocrate *mf*.

democratic [demə'krætɪk] *adj* démocratique.

demolish [dɪ'mɒlɪʃ] *vt* démolir.

demonstrate ['demənstreɪt] *vt (prove)* démontrer; *(machine, appliance)* faire une démonstration de ♦ *vi* manifester.

demonstration [demən-'streɪʃn] *n (protest)* manifestation *f; (proof, of machine)* démonstration *f*.

denial [dɪ'naɪəl] *n* démenti *m*.

denim ['denɪm] *n* denim *m* ❑

denims *npl* jean *m*.

denim jacket *n* veste *f* en jean.

Denmark ['denmɑːk] *n* le Danemark.

dense [dens] *adj* dense.

dent [dent] *n* bosse *f*.

dental ['dentl] *adj* dentaire.

dental floss [-flɒs] *n* fil *m* dentaire.

dental surgeon *n* chirurgien-dentiste *m*.

dental surgery *n (place)* cabinet *m* dentaire.

dentist ['dentɪst] *n* dentiste *m*; **to go to the ~'s** aller chez le dentiste.

dentures ['dentʃəz] *npl* dentier *m*.

deny [dɪ'naɪ] *vt* nier; *(refuse)* refuser.

deodorant [diː'əʊdərənt] *n* déodorant *m*.

depart [dɪ'pɑːt] *vi* partir.

department [dɪ'pɑːtmənt] *n (of business)* service *m; (of government)* ministère *m; (of shop)* rayon *m; (of school, university)* département *m*.

department store *n* grand magasin *m*.

departure [dɪ'pɑːtʃər] *n* départ *m*; "~s" *(at airport)* «départs».

departure lounge *n* salle *f* d'embarquement.

depend [dɪ'pend] *vi*: **it ~s** ça dépend ❑ **depend on** *vt fus* dépendre de; **~ing on** selon.

dependable [dɪ'pendəbl] *adj* fiable.

deplorable [dɪ'plɔːrəbl] *adj* déplorable.

deport [dɪ'pɔːt] *vt* expulser.

deposit [dɪ'pɒzɪt] *n (in bank, sub-*

stance) dépôt *m*; *(part-payment)* acompte *m*; *(against damage)* caution *f*; *(on bottle)* consigne *f* ◆ *vt* déposer.

deposit account *n (Br)* compte *m* sur livret.

depot ['di:pəu] *n (Am: for buses, trains)* gare *f*.

depressed [dɪ'prest] *adj* déprimé(-e).

depressing [dɪ'presɪŋ] *adj* déprimant(-e).

depression [dɪ'preʃn] *n* dépression *f*.

deprive [dɪ'praɪv] *vt*: **to ~ sb of sthg** priver qqn de qqch.

depth [depθ] *n* profondeur *f*; **to be out of one's ~** *(when swimming)* ne pas avoir pied; *(fig)* perdre pied; **~ of field** *(in photography)* profondeur de champ.

deputy ['depjutɪ] *adj* adjoint(-e).

derailleur [dəˈreɪljəʳ] *n* dérailleur *m*.

derailment [dɪ'reɪlmənt] *n* déraillement *m*.

derelict ['derəlɪkt] *adj* abandonné(-e).

derv [dɜːv] *n (Br)* gas-oil *m*.

descend [dɪ'send] *vt & vi* descendre.

descendant [dɪ'sendənt] *n* descendant *m* (-e *f*).

descent [dɪ'sent] *n* descente *f*.

describe [dɪ'skraɪb] *vt* décrire.

description [dɪ'skrɪpʃn] *n* description *f*.

desert [*n* 'dezət, *vb* dɪ'zɜːt] *n* désert *m* ◆ *vt* abandonner.

deserted [dɪ'zɜːtɪd] *adj* désert(-e).

deserve [dɪ'zɜːv] *vt* mériter.

design [dɪ'zaɪn] *n (pattern, art)* dessin *m*; *(of machine, building)* conception *f* ◆ *vt (building, dress)* dessiner; *(machine)* concevoir; **to be ~ed for** être conçu pour.

designer [dɪ'zaɪnəʳ] *n (of clothes)* couturier *m* (-ière *f*); *(of building)* architecte *mf*; *(of product)* designer *m* ◆ *adj (clothes, sunglasses)* de marque.

desirable [dɪ'zaɪərəbl] *adj* souhaitable.

desire [dɪ'zaɪəʳ] *n* désir *m* ◆ *vt* désirer; **it leaves a lot to be ~d** ça laisse à désirer.

desk [desk] *n (in home, office)* bureau *m*; *(in school)* table *f*; *(at airport)* comptoir *m*; *(at hotel)* réception *f*.

desktop publishing ['desk-ˌtɒp-] *n* publication *f* assistée par ordinateur.

despair [dɪ'speəʳ] *n* désespoir *m*.

despatch [dɪ'spætʃ] = **dispatch**.

desperate ['despərət] *adj* désespéré(-e); **to be ~ for sthg** avoir absolument besoin de qqch.

despicable [dɪ'spɪkəbl] *adj* méprisable.

despise [dɪ'spaɪz] *vt* mépriser.

despite [dɪ'spaɪt] *prep* malgré.

dessert [dɪ'zɜːt] *n* dessert *m*.

dessertspoon [dɪ'zɜːtspuːn] *n* cuillère *f* à dessert; *(spoonful)* cuillerée *f* à dessert.

destination [ˌdestɪ'neɪʃn] *n* destination *f*.

destroy [dɪ'strɔɪ] *vt* détruire.

destruction [dɪ'strʌkʃn] *n* destruction *f*.

detach [dɪ'tætʃ] *vt* détacher.

detached house [dɪ'tætʃt-] *n*

detail

maison f individuelle.

detail ['di:teɪl] n détail m; **in ~ en détail** ❑ **details** npl (facts) renseignements mpl.

detailed ['di:teɪld] adj détaillé(-e).

detect [dɪ'tekt] vt détecter.

detective [dɪ'tektɪv] n détective m; **a ~ story** une histoire policière.

detention [dɪ'tenʃn] n (SCH) retenue f.

detergent [dɪ'tɜ:dʒənt] n détergent m.

deteriorate [dɪ'tɪərɪəreɪt] vi se détériorer.

determination [dɪˌtɜ:mɪ'neɪʃn] n détermination f.

determine [dɪ'tɜ:mɪn] vt déterminer.

determined [dɪ'tɜ:mɪnd] adj déterminé(-e); **to be ~ to do sthg** être déterminé à faire qqch.

deterrent [dɪ'terənt] n moyen m de dissuasion.

detest [dɪ'test] vt détester.

detour ['di:ˌtʊər] n détour m.

detrain [ˌdi:'treɪn] vi (fml) descendre (du train).

deuce [dju:s] n (in tennis) égalité f.

devastate ['devəsteɪt] vt dévaster.

develop [dɪ'veləp] vt développer; (land) exploiter; (machine, method) mettre au point; (illness, habit) contracter ◆ vi se développer.

developing country [dɪ'veləpɪŋ-] n pays m en voie de développement.

development [dɪ'veləpmənt] n développement m; **a housing ~** une cité.

device [dɪ'vaɪs] n appareil m.

devil ['devl] n diable m; **what the ~ ...?** (inf) que diable ...?

devise [dɪ'vaɪz] vt concevoir.

devoted [dɪ'vəʊtɪd] adj dévoué(-e).

dew [dju:] n rosée f.

diabetes [ˌdaɪə'bi:ti:z] n diabète m.

diabetic [ˌdaɪə'betɪk] adj (person) diabétique; (chocolate) pour diabétiques ◆ n diabétique mf.

diagnosis [ˌdaɪəg'nəʊsɪs] (pl -oses [-əʊsi:z]) n diagnostic m.

diagonal [daɪ'ægənl] adj diagonal(-e).

diagram ['daɪəgræm] n diagramme m.

dial ['daɪəl] n cadran m ◆ vt composer.

dialling code ['daɪəlɪŋ-] n (Br) indicatif m.

dialling tone ['daɪəlɪŋ-] n (Br) tonalité f.

dial tone (Am) = dialling tone.

diameter [daɪ'æmɪtər] n diamètre m.

diamond ['daɪəmənd] n (gem) diamant m ❑ **diamonds** npl (in cards) carreau m.

diaper ['daɪpər] n (Am) couche f.

diarrhoea [ˌdaɪə'rɪə] n diarrhée f.

diary ['daɪərɪ] n (for appointments) agenda m; (journal) journal m.

dice [daɪs] (pl inv) n dé m.

diced [daɪst] adj (food) coupé(-e) en dés.

dictate [dɪk'teɪt] vt dicter.

dictation [dɪk'teɪʃn] n dictée f.

dictator [dɪk'teɪtər] n dictateur m.

dictionary ['dɪkʃənrɪ] n diction-naire m.

did [dɪd] pt → **do**.

die [daɪ] (pt & pp died, cont dying ['daɪɪŋ]) vi mourir; **to be dying for sthg** (inf) avoir une envie folle de qqch; **to be dying to do sthg** (inf) mourir d'envie de faire qqch ❑ **die away** vi (sound) s'éteindre; (wind) tomber; **die out** vi disparaître.

diesel ['diːzl] n diesel m.

diet ['daɪət] n (for slimming, health) régime m; (food eaten) alimenta-tion f ◆ vi faire (un) régime ◆ adj de régime.

diet Coke® n Coca® m inv light.

differ ['dɪfə'] vi (disagree) être en désaccord; **to ~ (from)** (be dissimi-lar) différer (de).

difference ['dɪfrəns] n diffé-rence f; **it makes no ~** ça ne change rien; **a ~ of opinion** une divergence d'opinion.

different ['dɪfrənt] adj diffé-rent(-e); **to be ~ (from)** être diffé-rent (de); **a ~ route** un autre itinéraire.

differently ['dɪfrəntlɪ] adv diffé-remment.

difficult ['dɪfɪkəlt] adj difficile.

difficulty ['dɪfɪkəltɪ] n difficulté f.

dig [dɪg] (pt & pp dug) vt (hole, tunnel) creuser; (garden, land) retourner ◆ vi creuser ❑ **dig out** vt sep (rescue) dégager; (find) déni-cher; **dig up** vt sep (from ground) déterrer.

digest [dɪ'dʒest] vt digérer.

digestion [dɪ'dʒestʃn] n diges-tion f.

digestive (biscuit) [dɪ'dʒes-tɪv-] n (Br) biscuit à la farine complète.

digit ['dɪdʒɪt] n (figure) chiffre m; (finger, toe) doigt m.

digital ['dɪdʒɪtl] adj numérique.

dill [dɪl] n aneth m.

dilute [daɪ'luːt] vt diluer.

dim [dɪm] adj (light) faible; (room) sombre; (inf: stupid) borné(-e) ◆ vt (light) baisser.

dime [daɪm] n (Am) pièce f de dix cents.

dimensions [dɪ'menʃnz] npl dimensions fpl.

din [dɪn] n vacarme m.

dine [daɪn] vi dîner ❑ **dine out** vi dîner dehors.

diner ['daɪnə'] n (Am: restaurant) = restaurant m routier; (person) dîneur m (-euse f).

---

i   DINER

Ces petits restaurants, que l'on trouve principalement au bord des autoroutes mais aussi dans les villes, servent des repas légers à bas prix. Leur clientèle se compose donc essentiellement d'automobilistes et de chauffeurs de camion ; ils incar-nent un certain esprit du voyage et figurent souvent dans les «road movies».

---

dinghy ['dɪŋgɪ] n (with sail) déri-veur m; (with oars) canot m.

dingy ['dɪndʒɪ] adj miteux(-euse).

dining car ['daɪnɪŋ-] n wagon-restaurant m.

dining hall ['daɪnɪŋ-] n réfec-toire m.

dining room ['daɪnɪŋ-] n salle f à manger.

dinner ['dɪnəʳ] n (at lunchtime) déjeuner m; (in evening) dîner m; **to have ~** (at lunchtime) déjeuner; (in evening) dîner.

dinner jacket n veste f de smoking.

dinner party n dîner m.

dinner set n service m de table.

dinner suit n smoking m.

dinnertime ['dɪnətaɪm] n (at lunchtime) heure f du déjeuner; (in evening) heure f du dîner.

dinosaur ['daɪnəsɔːʳ] n dinosaure m.

dip [dɪp] n (in road, land) déclivité f; (food) mélange crémeux, souvent à base de mayonnaise, dans lequel on trempe des chips ou des légumes crus ◆ vt (into liquid) tremper ◆ vi (road, land) descendre; **to have a ~** (swim) se baigner; **to ~ one's headlights** (Br) se mettre en codes.

diploma [dɪ'pləʊmə] n diplôme m.

dipstick ['dɪpstɪk] n jauge f (de niveau d'huile).

direct [dɪ'rekt] adj direct(-e) ◆ adv directement ◆ vt (aim, control) diriger; (a question) adresser; (film, play, TV programme) mettre en scène; **can you ~ me to the railway station?** pourriez-vous m'indiquer le chemin de la gare?

direct current n courant m continu.

direction [dɪ'rekʃn] n (of movement) direction f; **to ask for ~s** demander son chemin ❑ **directions** npl (instructions) instructions fpl.

directly [dɪ'rektlɪ] adv (exactly) exactement; (soon) immédiatement.

director [dɪ'rektəʳ] n (of company) directeur m (-trice f); (of film, play, TV programme) metteur m en scène; (organizer) organisateur m (-trice f).

directory [dɪ'rektərɪ] n (of telephone numbers) annuaire m; (COMPUT) répertoire m.

directory enquiries n (Br) renseignements mpl (téléphoniques).

dirt [dɜːt] n crasse f; (earth) terre f.

dirty ['dɜːtɪ] adj sale; (joke) cochon(-onne).

disability [ˌdɪsə'bɪlətɪ] n handicap m.

disabled [dɪs'eɪbld] adj handicapé(-e) ◆ npl: **the ~** les handicapés mpl; "**~ toilet**" «toilettes handicapés».

disadvantage [ˌdɪsəd'vɑːntɪdʒ] n inconvénient m.

disagree [ˌdɪsə'griː] vi ne pas être d'accord; **to ~ with sb (about)** ne pas être d'accord avec qqn (sur); **those mussels ~d with me** ces moules ne m'ont pas réussi.

disagreement [ˌdɪsə'griːmənt] n (argument) désaccord m; (dissimilarity) différence f.

disappear [ˌdɪsə'pɪəʳ] vi disparaître.

disappearance [ˌdɪsə'pɪərəns] n disparition f.

disappoint [ˌdɪsə'pɔɪnt] vt décevoir.

disappointed [ˌdɪsə'pɔɪntɪd] adj déçu(-e).

disappointing [ˌdɪsə'pɔɪntɪŋ] adj décevant(-e).

disappointment [ˌdɪsə'pɔɪntmənt] n déception f.

disapprove [ˌdɪsəˈpruːv] vi: **to ~ of** désapprouver.

disarmament [dɪsˈɑːməmənt] n désarmement m.

disaster [dɪˈzɑːstə[r]] n désastre m.

disastrous [dɪˈzɑːstrəs] adj désastreux(-euse).

disc [dɪsk] n (Br) disque m; (Br: CD) CD m; **to slip a ~** se déplacer une vertèbre.

discard [dɪˈskɑːd] vt jeter.

discharge [dɪsˈtʃɑːdʒ] vt (prisoner) libérer; (patient) laisser sortir; (smoke, gas) émettre; (liquid) laisser s'écouler.

discipline [ˈdɪsɪplɪn] n discipline f.

disc jockey n disc-jockey m.

disco [ˈdɪskəʊ] n (place) boîte f (de nuit); (event) soirée f dansante (où l'on passe des disques).

discoloured [dɪsˈkʌləd] adj décoloré(-e).

discomfort [dɪsˈkʌmfət] n gêne f.

disconnect [ˌdɪskəˈnekt] vt (device, pipe) débrancher; (telephone, gas supply) couper.

discontinued [ˌdɪskənˈtɪnjuːd] adj (product) qui ne se fait plus.

discotheque [ˈdɪskəʊtek] n (place) discothèque f; (event) soirée f dansante (où l'on passe des disques).

discount [ˈdɪskaʊnt] n remise f ♦ vt (product) faire une remise sur.

discover [dɪsˈkʌvə[r]] vt découvrir.

discovery [dɪsˈkʌvərɪ] n découverte f.

discreet [dɪsˈkriːt] adj discret(-ete).

discrepancy [dɪsˈkrepənsɪ] n divergence f.

discriminate [dɪˈskrɪmɪneɪt] vi: **to ~ against sb** faire de la discrimination envers qqn.

discrimination [dɪˌskrɪmɪˈneɪʃn] n discrimination f.

discuss [dɪsˈkʌs] vt discuter de.

discussion [dɪsˈkʌʃn] n discussion f.

disease [dɪˈziːz] n maladie f.

disembark [ˌdɪsɪmˈbɑːk] vi débarquer.

disgrace [dɪsˈɡreɪs] n (shame) honte f; **it's a ~!** c'est une honte!

disgraceful [dɪsˈɡreɪsfʊl] adj honteux(-euse).

disguise [dɪsˈɡaɪz] n déguisement m ♦ vt déguiser; **in ~** déguisé.

disgust [dɪsˈɡʌst] n dégoût m ♦ vt dégoûter.

disgusting [dɪsˈɡʌstɪŋ] adj dégoûtant(-e).

dish [dɪʃ] n plat m; (Am: plate) assiette f; **to do the ~es** faire la vaisselle; **"~ of the day"** «plat du jour» ❑ **dish up** vt sep servir.

dishcloth [ˈdɪʃklɒθ] n lavette f.

disheveled [dɪˈʃevəld] (Am) = **dishevelled**.

dishevelled [dɪˈʃevəld] adj (Br) (hair) ébouriffé(-e); (person) débraillé(-e).

dishonest [dɪsˈɒnɪst] adj malhonnête.

dish towel n (Am) torchon m.

dishwasher [ˈdɪʃˌwɒʃə[r]] n (machine) lave-vaisselle m inv.

disinfectant [ˌdɪsɪnˈfektənt] n désinfectant m.

disintegrate [dɪsˈɪntɪɡreɪt] vi se désintégrer.

disk

disk [dɪsk] n (Am) = **disc**; (COM-PUT) disque m; (floppy) disquette f.

disk drive n lecteur m (de disquettes).

dislike [dɪsˈlaɪk] n aversion f ♦ vt ne pas aimer; **to take a ~ to sb/sthg** prendre qqn/qqch en grippe.

dislocate [ˈdɪsləkeɪt] vt: **to ~ one's shoulder** se déboîter l'épaule.

dismal [ˈdɪzml] adj (weather, place) lugubre; (terrible) très mauvais(-e).

dismantle [dɪsˈmæntl] vt démonter.

dismay [dɪsˈmeɪ] n consternation f.

dismiss [dɪsˈmɪs] vt (not consider) écarter; (from job) congédier; (from classroom) laisser sortir.

disobedient [ˌdɪsəˈbiːdjənt] adj désobéissant(-e).

disobey [ˌdɪsəˈbeɪ] vt désobéir à.

disorder [dɪsˈɔːdəʳ] n (confusion) désordre m; (violence) troubles mpl; (illness) trouble m.

disorganized [dɪsˈɔːɡənaɪzd] adj désorganisé(-e).

dispatch [dɪsˈpætʃ] vt envoyer.

dispense [dɪsˈpens]: **dispense with** vt fus se passer de.

dispenser [dɪsˈpensəʳ] n distributeur m.

dispensing chemist [dɪsˈpensɪŋ-] n (Br) pharmacie f.

disperse [dɪsˈpɜːs] vt disperser ♦ vi se disperser.

display [dɪsˈpleɪ] n (of goods) étalage m; (public event) spectacle m; (readout) affichage m ♦ vt (goods) exposer; (feeling, quality) faire

preuve de; (information) afficher; **on ~** exposé.

displeased [dɪsˈpliːzd] adj mécontent(-e).

disposable [dɪsˈpəʊzəbl] adj jetable.

dispute [dɪsˈpjuːt] n (argument) dispute f; (industrial) conflit m ♦ vt (debate) débattre (de); (question) contester.

disqualify [ˌdɪsˈkwɒlɪfaɪ] vt disqualifier; **he is disqualified from driving** (Br) on lui a retiré son permis de conduire.

disregard [ˌdɪsrɪˈɡɑːd] vt ne pas tenir compte de, ignorer.

disrupt [dɪsˈrʌpt] vt perturber.

disruption [dɪsˈrʌpʃn] n perturbation f.

dissatisfied [ˌdɪsˈsætɪsfaɪd] adj mécontent(-e).

dissolve [dɪˈzɒlv] vt dissoudre ♦ vi se dissoudre.

dissuade [dɪˈsweɪd] vt: **to ~ sb from doing sthg** dissuader qqn de faire qqch.

distance [ˈdɪstəns] n distance f; **from a ~** de loin; **in the ~** au loin.

distant [ˈdɪstənt] adj lointain(-e); (reserved) distant(-e).

distilled water [dɪsˈtɪld-] n eau f distillée.

distillery [dɪsˈtɪlərɪ] n distillerie f.

distinct [dɪsˈtɪŋkt] adj (separate) distinct(-e); (noticeable) net (nette).

distinction [dɪsˈtɪŋkʃn] n (difference) distinction f; (mark for work) mention f très bien.

distinctive [dɪsˈtɪŋktɪv] adj distinctif(-ive).

distinguish [dɪsˈtɪŋɡwɪʃ] vt distinguer; **to ~ sthg from sthg** distinguer qqch de qqch.

distorted [dɪˈstɔːtɪd] adj déformé(-e).

distract [dɪˈstrækt] vt distraire.

distraction [dɪˈstrækʃn] n distraction f.

distress [dɪˈstres] n (pain) souffrance f; (anxiety) angoisse f.

distressing [dɪˈstresɪŋ] adj pénible.

distribute [dɪˈstrɪbjuːt] vt (hand out) distribuer; (spread evenly) répartir.

distributor [dɪˈstrɪbjuːtəʳ] n distributeur m.

district [ˈdɪstrɪkt] n région f; (of town) quartier m.

district attorney n (Am) = procureur m de la République.

disturb [dɪˈstɜːb] vt (interrupt, move) déranger; (worry) inquiéter; **"do not ~"** «ne pas déranger».

disturbance [dɪˈstɜːbəns] n (violence) troubles mpl.

ditch [dɪtʃ] n fossé m.

ditto [ˈdɪtəʊ] adv idem.

divan [dɪˈvæn] n divan m.

dive [daɪv] (pt **Am -d** OR **dove**, pt Br **-d**) n plongeon m ◆ vi plonger.

diver [ˈdaɪvəʳ] n plongeur m (-euse f).

diversion [daɪˈvɜːʃn] n (of traffic) déviation f; (amusement) distraction f.

divert [daɪˈvɜːt] vt détourner.

divide [dɪˈvaɪd] vt diviser; (share out) partager ❏ **divide up** vt sep diviser; (share out) partager.

diving [ˈdaɪvɪŋ] n (from diving-board, rock) plongeon m; (under sea) plongée f (sous-marine); **to go**

~ faire de la plongée.

divingboard [ˈdaɪvɪŋbɔːd] n plongeoir m.

division [dɪˈvɪʒn] n division f; (COMM) service m.

divorce [dɪˈvɔːs] n divorce m ◆ vt divorcer de OR d'avec.

divorced [dɪˈvɔːst] adj divorcé(-e).

DIY abbr = do-it-yourself.

dizzy [ˈdɪzɪ] adj: **to feel ~** avoir la tête qui tourne.

DJ n (abbr of disc jockey) DJ m.

do [duː] (pt **did**, pp **done**, pl **dos**) aux vb 1. (in negatives): **don't ~ that!** ne fais pas ça!; **she didn't listen** elle n'a pas écouté.

2. (in questions): **did he like it?** est-ce qu'il a aimé?; **how ~ you do it?** comment fais-tu ça?

3. (referring to previous verb): **I eat more than you ~** je mange plus que toi; **you made a mistake - no I didn't!** tu t'es trompé - non, ce n'est pas vrai!; **so ~ I** moi aussi.

4. (in question tags): **so, you like Scotland, ~ you?** alors, vous aimez bien l'Écosse?; **the train leaves at five o'clock, doesn't it?** le train part à cinq heures, n'est-ce pas?

5. (for emphasis): **I ~ like this bedroom** j'aime vraiment cette chambre; **~ come in!** entrez donc!

◆ vt 1. (perform) faire; **to ~ one's homework** faire ses devoirs; **what is she doing?** qu'est-ce qu'elle fait?; **what can I ~ for you?** je peux vous aider?

2. (clean, brush etc): **to ~ one's hair** se coiffer; **to ~ one's make-up** se maquiller; **to ~ one's teeth** se laver les dents.

3. (cause) faire; **to ~ damage** faire des dégâts; **to ~ sb good** faire du

bien à qqn.

4. *(have as job)*: **what do you ~?** qu'est-ce que vous faites dans la vie?

5. *(provide, offer)* faire; **we ~ pizzas for under £4** nos pizzas sont à moins de 4 livres.

6. *(study)* faire.

7. *(subj: vehicle)*: **the car was doing 50 mph** la voiture faisait du 80 à l'heure.

8. *(inf: visit)* faire; **we're doing Scotland next week** on fait l'Écosse la semaine prochaine.

◆ *vi* 1. *(behave, act)* faire; **~ as I say** fais ce que je te dis.

2. *(progress, develop)*: **to ~ well** *(business)* marcher bien; **I'm not doing very well** ça ne marche pas très bien.

3. *(be sufficient)* aller, être suffisant; **will £5 ~?** 5 livres, ça ira?

4. *(in phrases)*: **how do you ~?** *(greeting)* enchanté!; *(answer)* de même!; **how are you doing?** comment ça va? **what has that got to ~ with it?** qu'est-ce que ça a à voir?

◆ *n (party)* fête *f*, soirée *f*; **the ~s and don'ts** les choses à faire et à ne pas faire

❑ **do out of** *vt sep (inf)*: **to ~ sb out of £10** entuber qqn de 10 livres; **do up** *vt sep (coat, shirt)* boutonner; *(shoes, laces)* attacher; *(zip)* remonter; *(decorate)* refaire; **do with** *vt fus (need)*: **I could ~ with a drink** un verre ne serait pas de refus; **do without** *vt fus* se passer de.

dock [dɒk] *n (for ships)* dock *m*; *(JUR)* banc *m* des accusés ◆ *vi* arriver à quai.

doctor ['dɒktəʳ] *n (of medicine)*

docteur *m*, médecin *m*; *(academic)* docteur *m*; **to go to the ~'s** aller chez le docteur OR le médecin.

document ['dɒkjumənt] *n* document *m*.

documentary [ˌdɒkjuˈmentəri] *n* documentaire *m*.

Dodgems® ['dɒdʒəmz] *npl (Br)* autos *fpl* tamponneuses.

dodgy ['dɒdʒɪ] *adj (Br) (inf) (plan)* douteux(-euse); *(machine)* pas très fiable.

does [*weak form* dəz, *strong form* dʌz] → **do**.

doesn't ['dʌznt] = **does not**.

dog [dɒg] *n* chien *m*.

dog food *n* nourriture *f* pour chien.

doggy bag ['dɒgɪ-] *n* sachet servant aux clients d'un restaurant à emporter les restes de leur repas.

do-it-yourself *n* bricolage *m*.

dole [dəʊl] *n*: **to be on the ~** *(Br)* être au chômage.

doll [dɒl] *n* poupée *f*.

dollar ['dɒləʳ] *n* dollar *m*.

dolphin ['dɒlfɪn] *n* dauphin *m*.

dome [dəʊm] *n* dôme *m*.

domestic [dəˈmestɪk] *adj (of house)* ménager(-ère); *(of family)* familial(-e); *(of country)* intérieur(-e).

domestic appliance *n* appareil *m* ménager.

domestic flight *n* vol *m* intérieur.

domestic science *n* enseignement *m* ménager.

dominate ['dɒmɪneɪt] *vt* dominer.

dominoes ['dɒmɪnəʊz] *n* dominos *mpl*.

donate [dəˈneɪt] vt donner.

donation [dəˈneɪʃn] n don m.

done [dʌn] pp → **do** ◆ adj (finished) fini(-e); (cooked) cuit(-e).

donkey [ˈdɒŋkɪ] n âne m.

don't [dəʊnt] = do not.

door [dɔːʳ] n porte f; (of vehicle) portière f.

doorbell [ˈdɔːbel] n sonnette f.

doorknob [ˈdɔːnɒb] n bouton m de porte.

doorman [ˈdɔːmən] (pl -men) n portier m.

doormat [ˈdɔːmæt] n paillasson m.

doormen [ˈdɔːmən] pl → **doorman**.

doorstep [ˈdɔːstep] n pas m de la porte; (Br: piece of bread) tranche f de pain épaisse.

doorway [ˈdɔːweɪ] n embrasure f de la porte.

dope [dəʊp] n (inf) (any drug) dope f; (marijuana) herbe f.

dormitory [ˈdɔːmɪtrɪ] n dortoir m.

Dormobile® [ˈdɔːməˌbiːl] n camping-car m.

dosage [ˈdəʊsɪdʒ] n dosage m.

dose [dəʊs] n dose f.

dot [dɒt] n point m; **on the ~** (fig) (à l'heure) pile.

dotted line [ˈdɒtɪd-] n ligne f pointillée.

double [ˈdʌbl] adv deux fois ◆ n double m; (alcohol) double dose f ◆ vt & vi doubler ◆ adj double; ~ three, two, eight trente-trois, vingt-huit; ~ "l" deux «l»; **to bend sthg ~** plier qqch en deux; **a ~ whisky** un double whisky ❑ **doubles** n double m.

double bed n grand lit m.

double-breasted [-ˈbrestɪd] adj croisé(-e).

double cream n (Br) crème f fraîche épaisse.

double-decker (bus) [-ˈdekə-] n autobus m à impériale.

double doors npl porte f à deux battants.

double-glazing [-ˈgleɪzɪŋ] n double vitrage m.

double room n chambre f double.

doubt [daʊt] n doute m ◆ vt douter de; **I ~ it** j'en doute; **I ~ she'll be there** je doute qu'elle soit là; **in ~** incertain; **no ~** sans aucun doute.

doubtful [ˈdaʊtfʊl] adj (uncertain) incertain(-e); **it's ~ that** ... il est peu probable que ... (+ subjunctive).

dough [dəʊ] n pâte f.

doughnut [ˈdəʊnʌt] n beignet m.

dove¹ [dʌv] n (bird) colombe f.

dove² [dəʊv] pt (Am) → **dive**.

Dover [ˈdəʊvəʳ] n Douvres.

Dover sole n sole f.

down [daʊn] adv **1.** (towards the bottom) vers le bas; ~ **here** ici en bas; ~ **there** là en bas; **to fall ~** tomber; **to go ~** descendre.
2. (along): **I'm going ~ to the shops** je vais jusqu'aux magasins.
3. (downstairs): **I'll come ~ later** je descendrai plus tard.
4. (southwards): **we're going ~ to London** nous descendons à Londres.
5. (in writing): **to write sthg ~** écrire OR noter qqch.
◆ prep **1.** (towards the bottom of):

they ran ~ the hill ils ont descendu la colline en courant.
2. *(along)* le long de; **I was walking ~ the street** je descendais la rue.
♦ *adj (inf: depressed)* cafardeux(-euse).
♦ *n (feathers)* duvet *m*.
❑ **downs** *npl (Br)* collines *fpl*.
downhill [ˌdaʊnˈhɪl] *adv*: **to go ~** descendre.
Downing Street [ˈdaʊnɪŋ-] *n* Downing Street.

---

i DOWNING STREET

Cette célèbre rue londonienne abrite à la fois la résidence du Premier ministre britannique (au numéro 10) et celle du ministre des Finances (au numéro 11). L'expression «Downing Street» désigne également, par extension, le Premier ministre et ses collaborateurs.

---

downpour [ˈdaʊnpɔːr] *n* grosse averse *f*.
downstairs [ˌdaʊnˈsteəz] *adj (room)* du bas ♦ *adv* en bas; **to go ~** descendre.
downtown [ˌdaʊnˈtaʊn] *adj (hotel)* du centre-ville; *(train)* en direction du centre-ville ♦ *adv* en ville; **~ New York** le centre de New York.
down under *adv (Br: inf: in Australia)* en Australie.
downwards [ˈdaʊnwədz] *adv* vers le bas.
doz. *abbr* = **dozen**.
doze [dəʊz] *vi* sommeiller.
dozen [ˈdʌzn] *n* douzaine *f*; **a ~ eggs** une douzaine d'œufs.

Dr *(abbr of Doctor)* Dr.
drab [dræb] *adj* terne.
draft [drɑːft] *n (early version)* brouillon *m*; *(money order)* traite *f*; *(Am)* = **draught**.
drag [dræg] *vt (pull along)* tirer ♦ *vi (along ground)* traîner (par terre); **what a ~!** *(inf)* quelle barbe! ❑ **drag on** *vi* s'éterniser.
dragonfly [ˈdrægnflaɪ] *n* libellule *f.*
drain [dreɪn] *n (sewer)* égout *m*; *(in street)* bouche *f* d'égout ♦ *vt (field)* drainer; *(tank)* vidanger ♦ *vi (vegetables, washing-up)* s'égoutter.
draining board [ˈdreɪnɪŋ-] *n* égouttoir *m.*
drainpipe [ˈdreɪnpaɪp] *n* tuyau *m* d'écoulement.
drama [ˈdrɑːmə] *n (play)* pièce *f* de théâtre; *(art)* théâtre *m*; *(excitement)* drame *m*.
dramatic [drəˈmætɪk] *adj (impressive)* spectaculaire.
drank [dræŋk] *pt* → **drink**.
drapes [dreɪps] *npl (Am)* rideaux *mpl.*
drastic [ˈdræstɪk] *adj* radical(-e); *(improvement)* spectaculaire.
drastically [ˈdræstɪklɪ] *adv* radicalement.
draught [drɑːft] *n (Br: of air)* courant *m* d'air.
draught beer *n* bière *f* (à la) pression.
draughts [drɑːfts] *n (Br)* dames *fpl.*
draughty [ˈdrɑːftɪ] *adj* plein(-e) de courants d'air.
draw [drɔː] *(pt* **drew***, pp* **drawn***) vt (with pen, pencil)* dessiner; *(line)* tracer; *(pull)* tirer; *(attract)* attirer

(conclusion) tirer; *(comparison)* établir ◆ *vi* dessiner; *(SPORT)* faire match nul ◆ *n (SPORT: result)* match *m* nul; *(lottery)* tirage *m*; **to ~ the curtains** *(open)* ouvrir les rideaux; *(close)* tirer les rideaux □ **draw out** *vt sep (money)* retirer; **draw up** *vt sep (list, plan)* établir ◆ *vi (car, bus)* s'arrêter.

drawback ['drɔːbæk] *n* inconvénient *m*.

drawer [drɔːr] *n* tiroir *m*.

drawing ['drɔːɪŋ] *n* dessin *m*.

drawing pin *n (Br)* punaise *f*.

drawing room *n* salon *m*.

drawn [drɔːn] *pp* → **draw**.

dreadful ['dredful] *adj* épouvantable.

dream [driːm] *n* rêve *m* ◆ *vt (when asleep)* rêver; *(imagine)* imaginer ◆ *vi*: **to ~ (of)** rêver (de); **a ~ house** une maison de rêve.

dress [dres] *n* robe *f*; *(clothes)* tenue *f* ◆ *vt* habiller; *(wound)* panser; *(salad)* assaisonner ◆ *vi* s'habiller; **to be ~ed in** être vêtu de; **to get ~ed** s'habiller □ **dress up** *vi* s'habiller (élégamment).

dress circle *n* premier balcon *m*.

dresser ['dresər] *n (Br: for crockery)* buffet *m*; *(Am: chest of drawers)* commode *f*.

dressing ['dresɪŋ] *n (for salad)* assaisonnement *m*; *(for wound)* pansement *m*.

dressing gown *n* robe *f* de chambre.

dressing room *n (SPORT)* vestiaire *m*; *(in theatre)* loge *f*.

dressing table *n* coiffeuse *f*.

dressmaker ['dres,meɪkər] *n* couturier *m* (-ière *f*).

dress rehearsal *n* répétition *f* générale.

drew [druː] *pt* → **draw**.

dribble ['drɪbl] *vi (liquid)* tomber goutte à goutte; *(baby)* baver.

drier ['draɪər] = **dryer**.

drift [drɪft] *n (of snow)* congère *f* ◆ *vi (in wind)* s'amonceler; *(in water)* dériver.

drill [drɪl] *n (electric tool)* perceuse *f*; *(manual tool)* chignole *f*; *(of dentist)* roulette *f* ◆ *vt (hole)* percer.

drink [drɪŋk] *(pt* **drank**, *pp* **drunk**) *n* boisson *f*; *(alcoholic)* verre *m* ◆ *vt & vi* boire; **would you like a ~?** voulez-vous quelque chose à boire?; **to have a ~** *(alcoholic)* prendre un verre.

drinkable ['drɪŋkəbl] *adj (safe to drink)* potable; *(wine)* buvable.

drinking water ['drɪŋkɪŋ-] *n* eau *f* potable.

drip [drɪp] *n (drop)* goutte *f*; *(MED)* goutte-à-goutte *m inv* ◆ *vi* goutter; *(tap)* fuir.

drip-dry *adj* qui ne se repasse pas.

dripping (wet) ['drɪpɪŋ-] *adj* trempé(-e).

drive [draɪv] *(pt* **drove**, *pp* **driven** ['drɪvn]) *n (journey)* trajet *m* (en voiture); *(in front of house)* allée *f* ◆ *vt (car, bus, train, passenger)* conduire; *(operate, power)* faire marcher ◆ *vi (drive car)* conduire; *(travel in car)* aller en voiture; **to go for a ~** faire un tour en voiture; **to ~ sb to do sthg** pousser qqn à faire qqch; **to ~ sb mad** rendre qqn fou.

driver ['draɪvər] *n* conducteur *m* (-trice *f*).

driver's license *(Am)* = **driving licence**.

driveshaft ['draɪvʃɑːft] *n* arbre

driveway

m de transmission.

driveway ['draɪvweɪ] *n* allée *f*.

driving lesson ['draɪvɪŋ-] *n* leçon *f* de conduite.

driving licence ['draɪvɪŋ-] *n (Br)* permis *m* de conduire.

driving test ['draɪvɪŋ-] *n* examen *m* du permis de conduire.

drizzle ['drɪzl] *n* bruine *f*.

drop [drɒp] *n (of liquid)* goutte *f*; *(distance down)* dénivellation *f*; *(decrease)* chute *f* ♦ *vt* laisser tomber; *(reduce)* baisser; *(from vehicle)* déposer ♦ *vi (fall)* tomber; *(decrease)* chuter; **to ~ a hint that** laisser entendre que; **to ~ sb a line** écrire un mot à qqn ◻ **drop in** *vi (inf)* passer; **drop off** *vt sep (from vehicle)* déposer ♦ *vi (fall asleep)* s'endormir; *(fall off)* tomber; **drop out** *vi (of college, race)* abandonner.

drought [draʊt] *n* sécheresse *f*.

drove [drəʊv] *pt* → **drive**.

drown [draʊn] *vi* se noyer.

drug [drʌg] *n (MED)* médicament *m*; *(stimulant)* drogue *f* ♦ *vt* droguer.

drug addict *n* drogué *m* (-e *f*).

druggist ['drʌgɪst] *n (Am)* pharmacien *m* (-ienne *f*).

drum [drʌm] *n (MUS)* tambour *m*; *(container)* bidon *m*.

drummer ['drʌmər] *n* joueur *m* (-euse *f*) de tambour; *(in band)* batteur *m* (-euse *f*).

drumstick ['drʌmstɪk] *n (of chicken)* pilon *m*.

drunk [drʌŋk] *pp* → **drink** ♦ *adj* saoul(-e), soûl(-e) ♦ *n* ivrogne *mf*; **to get ~** se saouler, se soûler.

dry [draɪ] *adj* sec (sèche); *(day)* sans pluie ♦ *vt (hands, clothes)* sécher; *(washing-up)* essuyer ♦ *vi* sécher; **to ~ o.s.** se sécher; **to ~ one's hair** se sécher les cheveux ◻ **dry up** *vi (become dry)* s'assécher; *(dry the dishes)* essuyer la vaisselle.

dry-clean *vt* nettoyer à sec.

dry cleaner's *n* pressing *m*.

dryer ['draɪər] *n (for clothes)* séchoir *m*; *(for hair)* séchoir *m* à cheveux, sèche-cheveux *m inv*.

dry-roasted peanuts [-'rəʊstɪd-] *npl* cacahuètes *fpl* grillées à sec.

DSS *n* ministère britannique de la Sécurité sociale.

DTP *n (abbr of desktop publishing)* PAO *f*.

dual carriageway ['dju:əl-] *n (Br)* route *f* à quatre voies.

dubbed [dʌbd] *adj (film)* doublé(-e).

dubious ['dju:bjəs] *adj (suspect)* douteux(-euse).

duchess ['dʌtʃɪs] *n* duchesse *f*.

duck [dʌk] *n* canard *m* ♦ *vi* baisser.

due [dju:] *adj (expected)* attendu(-e); *(money, bill)* dû (due); **the train is ~ to leave at eight o'clock** le départ du train est prévu pour huit heures; **~ in course** en temps voulu; **~ to** en raison de.

duet [dju:'et] *n* duo *m*.

duffel bag ['dʌfl-] *n* sac *m* marin.

duffel coat ['dʌfl-] *n* duffel-coat *m*.

dug [dʌg] *pt & pp* → **dig**.

duke [dju:k] *n* duc *m*.

dull [dʌl] *adj (boring)* ennuyeux(-euse); *(not bright)* terne;

(weather) maussade; *(pain)* sourd(-e).

dumb [dʌm] *adj (inf: stupid)* idiot(-e); *(unable to speak)* muet(-ette).

dummy ['dʌmɪ] *n (Br: of baby)* tétine *f*; *(for clothes)* mannequin *m*.

dump [dʌmp] *n (for rubbish)* dépotoir *m*; *(inf: town)* trou *m*; *(inf: room, flat)* taudis *m* ♦ *vt (drop carelessly)* laisser tomber; *(get rid of)* se débarrasser de.

dumpling ['dʌmplɪŋ] *n* boulette de pâte cuite à la vapeur et servie avec les ragoûts.

dune [dju:n] *n* dune *f*.

dungarees [,dʌŋgə'ri:z] *npl (Br: for work)* bleu *m* (de travail); *(fashion item)* salopette *f*; *(Am: jeans)* jean *m*.

dungeon ['dʌndʒən] *n* cachot *m*.

duplicate ['dju:plɪkət] *n* double *m*.

during ['djʊərɪŋ] *prep* pendant, durant.

dusk [dʌsk] *n* crépuscule *m*.

dust [dʌst] *n* poussière *f* ♦ *vt* épousseter.

dustbin ['dʌstbɪn] *n (Br)* poubelle *f*.

dustcart ['dʌstkɑ:t] *n (Br)* camion *m* des éboueurs.

duster ['dʌstər] *n* chiffon *m* (à poussière).

dustman ['dʌstmən] *(pl* **-men** [-mən]) *n (Br)* éboueur *m*.

dustpan ['dʌstpæn] *n* pelle *f*.

dusty ['dʌstɪ] *adj* poussiéreux(-euse).

Dutch [dʌtʃ] *adj* hollandais(-e), néerlandais(-e) ♦ *n (language)* néerlandais *m* ♦ *npl:* **the ~** les Hollandais *mpl*.

Dutchman ['dʌtʃmən] *(pl* **-men** [-mən]) *n* Hollandais *m*.

Dutchwoman ['dʌtʃ,wʊmən] *(pl* **-women** [-,wɪmɪn]) *n* Hollandaise *f*.

duty ['dju:tɪ] *n (moral obligation)* devoir *m*; *(tax)* droit *m*; **to be on ~** être de service; **to be off ~** ne pas être de service ❑ **duties** *npl (job)* fonctions *fpl*.

duty chemist's *n* pharmacie *f* de garde.

duty-free *adj* détaxé(-e) ♦ *n* articles *mpl* détaxés.

duty-free shop *n* boutique *f* hors taxe.

duvet ['du:veɪ] *n* couette *f*.

dwarf [dwɔ:f] *(pl* **dwarves** [dwɔ:vz]) *n* nain *m* (naine *f*).

dwelling ['dwelɪŋ] *n (fml)* logement *m*.

dye [daɪ] *n* teinture *f* ♦ *vt* teindre.

dynamite ['daɪnəmaɪt] *n* dynamite *f*.

dynamo ['daɪnəməʊ] *(pl* **-s**) *n (on bike)* dynamo *f*.

dyslexic [dɪs'leksɪk] *adj* dyslexique.

E *(abbr of east)* E.

E111 *n* formulaire *m* E111.

each [i:tʃ] *adj* chaque ♦ *pron* chacun *m* (-e *f*); **~ one** chacun; **~ of them** chacun d'entre eux; **to know ~ other** se connaître; **one ~** un chacun; **one of ~** un de chaque.

eager ['i:gər] *adj* enthousiaste; **to be ~ to do sthg** vouloir à tout prix faire qqch.

eagle ['i:gl] *n* aigle *m*.

ear [ɪəʳ] *n* oreille *f*; *(of corn)* épi *m*.

earache ['ɪəreɪk] *n*: **to have ~** avoir mal aux oreilles.

earl [ɜːl] *n* comte *m*.

early ['ɜːlɪ] *adv* de bonne heure, tôt; *(before usual or arranged time)* tôt ♦ *adj* en avance; **in ~ June** au début du mois de juin; **at the earliest** au plus tôt; **~ on** tôt; **to have an ~ night** se coucher tôt.

earn [ɜːn] *vt (money)* gagner; *(praise)* s'attirer; *(success)* remporter; **to ~ a living** gagner sa vie.

earnings ['ɜːnɪŋz] *npl* revenus *mpl*.

earphones ['ɪəfəʊnz] *npl* écouteurs *mpl*.

earplugs ['ɪəplʌgz] *npl (wax)* boules *fpl* Quiès®.

earrings ['ɪərɪŋz] *npl* boucles *fpl* d'oreille.

earth [ɜːθ] *n* terre *f* ♦ *vt (Br: appliance)* relier à la terre; **how on ~ ...?** comment diable ...?

earthenware ['ɜːθnweəʳ] *adj* en terre cuite.

earthquake ['ɜːθkweɪk] *n* tremblement *m* de terre.

ease [i:z] *n* facilité *f* ♦ *vt (pain)* soulager; *(problem)* arranger; **at ~** à l'aise; **with ~** facilement ❑ **ease off** *vi (pain, rain)* diminuer.

easily ['i:zɪlɪ] *adv* facilement; *(by far)* de loin.

east [i:st] *n* est *m* ♦ *adv (fly, walk)* vers l'est; *(be situated)* à l'est; **in the ~ of England** à OR dans l'est de

l'Angleterre; **the East** *(Asia)* l'Orient *m*.

eastbound ['i:stbaʊnd] *adj* en direction de l'est.

Easter ['i:stəʳ] *n* Pâques *m*.

eastern ['i:stən] *adj* oriental(-e), est *(inv)* ❑ **Eastern** *adj (Asian)* oriental(-e).

Eastern Europe *n* l'Europe *f* de l'Est.

eastwards ['i:stwədz] *adv* vers l'est.

easy ['i:zɪ] *adj* facile; **to take it ~** ne pas s'en faire.

easygoing [,i:zɪ'gəʊɪŋ] *adj* facile à vivre.

eat [i:t] *(pt* ate, *pp* eaten ['i:tn]) *vt & vi* manger ❑ **eat out** *vi* manger dehors.

eating apple ['i:tɪŋ-] *n* pomme *f* à couteau.

ebony ['ebənɪ] *n* ébène *f*.

EC *n (abbr of European Community)* CE *f*.

eccentric [ɪk'sentrɪk] *adj* excentrique.

echo ['ekəʊ] *(pl* -es) *n* écho *m* ♦ *vi* résonner.

ecology [ɪ'kɒlədʒɪ] *n* écologie *f*.

economic [,i:kə'nɒmɪk] *adj* économique ❑ **economics** *n* économie *f*.

economical [,i:kə'nɒmɪkl] *adj (car, system)* économique; *(person)* économe.

economize [ɪ'kɒnəmaɪz] *vi* faire des économies.

economy [ɪ'kɒnəmɪ] *n* économie *f*.

economy class *n* classe *f* touriste.

economy size *adj* taille économique *(inv)*.

ecstasy ['ekstəsɪ] *n (great joy)* extase *f; (drug)* ecstasy *f*.

ECU ['eːkju:] *n* ÉCU *m*.

eczema ['eksimə] *n* eczéma *m*.

edge [edʒ] *n* bord *m; (of knife)* tranchant *m*.

edible ['edɪbl] *adj* comestible.

Edinburgh ['edɪnbrə] *n* Édimbourg.

Edinburgh Festival *n*: the ~ le festival d'Édimbourg.

---

i EDINBURGH FESTIVAL

La capitale écossaise accueille chaque année en août un festival international de musique, de théâtre et de danse. Parallèlement aux représentations officielles, plus classiques, se déroule un festival «Fringe» composé de centaines de productions indépendantes se tenant dans de petites salles un peu partout dans la ville.

---

edition [ɪ'dɪʃn] *n (of book, newspaper)* édition *f; (of TV programme)* diffusion *f*.

editor ['edɪtər] *n (of newspaper, magazine)* rédacteur *m* (-trice *f)* en chef; *(of film)* monteur *m* (-euse *f)*.

editorial [ˌedɪ'tɔːnəl] *n* éditorial *m*.

educate ['edʒukeɪt] *vt* instruire.

education [ˌedʒu'keɪʃn] *n* éducation *f*.

EEC *n* CEE *f*.

eel [iːl] *n* anguille *f*.

effect [ɪ'fekt] *n* effet *m;* **to put sthg into ~** mettre qqch en application; **to take ~** prendre effet.

effective [ɪ'fektɪv] *adj* efficace; *(law, system)* en vigueur.

effectively [ɪ'fektɪvlɪ] *adv (successfully)* efficacement; *(in fact)* effectivement.

efficient [ɪ'fɪʃənt] *adj* efficace.

effort ['efət] *n* effort *m;* **to make an ~ to do sthg** faire un effort pour faire qqch; **it's not worth the ~** ça ne vaut pas la peine.

e.g. *adv* p. ex.

egg [eg] *n* œuf *m*.

egg cup *n* coquetier *m*.

egg mayonnaise *n* œuf *m* mayonnaise.

eggplant ['egplɑːnt] *n (Am)* aubergine *f*.

egg white *n* blanc *m* d'œuf.

egg yolk *n* jaune *m* d'œuf.

Egypt ['iːdʒɪpt] *n* l'Égypte *f*.

eiderdown ['aɪdədaun] *n* édredon *m*.

eight [eɪt] *num* huit, → **six**.

eighteen [ˌeɪ'tiːn] *num* dix-huit, → **six**.

eighteenth [ˌeɪ'tiːnθ] *num* dix-huitième, → **sixth**.

eighth [eɪtθ] *num* huitième, → **sixth**.

eightieth ['eɪtɪɪθ] *num* quatre-vingtième, → **sixth**.

eighty ['eɪtɪ] *num* quatre-vingt(s), → **six**.

Eire ['eərə] *n* l'Eire *f*, l'Irlande *f*.

Eisteddfod [aɪ'stedfəd] *n* festival culturel gallois.

---

i EISTEDDFOD

La langue et la culture du pays de Galles y sont célébrées chaque année au mois d'août, depuis le XIIe siècle, avec l'«Eisteddfod», grand concours de musique, de poésie, de théâtre et d'art.

---

either [ˈaɪðəʳ, ˈiːðəʳ] *adj*: ~ **book will do** n'importe lequel des deux livres fera l'affaire ◆ *pron*: **I'll take ~ (of them)** je prendrai n'importe lequel; **I don't like ~ (of them)** je n'aime ni l'un ni l'autre ◆ *adv*: **I can't ~** je ne peux pas non plus; **... or soit ... soit, ou ... ou; on ~ side** des deux côtés.

eject [ɪˈdʒekt] *vt (cassette)* éjecter.

elaborate [ɪˈlæbrət] *adj* compliqué(-e).

elastic [ɪˈlæstɪk] *n* élastique *m*.

elastic band *n (Br)* élastique *m*.

elbow [ˈelbəʊ] *n (of person)* coude *m*.

elder [ˈeldəʳ] *adj* aîné(-e).

elderly [ˈeldəlɪ] *adj* âgé(-e) ◆ *npl*: **the ~** les personnes *fpl* âgées.

eldest [ˈeldɪst] *adj* aîné(-e).

elect [ɪˈlekt] *vt* élire; **to ~ to do sthg** *(fml: choose)* choisir de faire qqch.

election [ɪˈlekʃn] *n* élection *f*.

electric [ɪˈlektrɪk] *adj* électrique.

electrical goods [ɪˈlektrɪkl-] *npl* appareils *mpl* électriques.

electric blanket *n* couverture *f* chauffante.

electric drill *n* perceuse *f* électrique.

electric fence *n* clôture *f* électrifiée.

electrician [ˌɪlekˈtrɪʃn] *n* électricien *m* (-ienne *f*).

electricity [ˌɪlekˈtrɪsətɪ] *n* électricité *f*.

electric shock *n* décharge *f* électrique.

electrocute [ɪˈlektrəkjuːt] *vt* électrocuter.

electronic [ˌɪlekˈtrɒnɪk] *adj* électronique.

elegant [ˈelɪgənt] *adj* élégant(-e).

element [ˈelɪmənt] *n* élément *m*; *(amount)* part *f*; *(of fire, kettle)* résistance *f*; **the ~s** *(weather)* les éléments.

elementary [ˌelɪˈmentərɪ] *adj* élémentaire.

elephant [ˈelɪfənt] *n* éléphant *m*.

elevator [ˈelɪveɪtəʳ] *n (Am)* ascenseur *m*.

eleven [ɪˈlevn] *num* onze; → **six**.

eleventh [ɪˈlevnθ] *num* onzième; → **sixth**.

eligible [ˈelɪdʒəbl] *adj* admissible.

eliminate [ɪˈlɪmɪneɪt] *vt* éliminer.

Elizabethan [ɪˌlɪzəˈbiːθn] *adj* élisabéthain(-e) *(deuxième moitié du XVIe siècle).*

elm [elm] *n* orme *m*.

else [els] *adv*: **I don't want anything ~** je ne veux rien d'autre; **anything ~?** désirez-vous autre chose?; **everyone ~** tous les autres; **nobody ~** personne d'autre; **nothing ~** rien d'autre; **somebody ~** quelqu'un d'autre; **something ~** autre chose; **somewhere ~** ailleurs; **what ~?** quoi d'autre?; **what ~ is there to do?** qu'est-ce qu'il y a d'autre à faire?; **who ~?** qui d'autre?; **or ~** sinon.

elsewhere [elsˈweəʳ] *adv* ailleurs.

embankment [ɪmˈbæŋkmənt] *n*

(next to river) berge f; *(next to road, railway)* talus m.

embark [ɪm'bɑːk] vi *(board ship)* embarquer.

embarkation card [ˌembɑː-'keɪʃn-] n carte f d'embarquement.

embarrass [ɪm'bærəs] vt embarrasser.

embarrassed [ɪm'bærəst] adj embarrassé(-e).

embarrassing [ɪm'bærəsɪŋ] adj embarrassant(-e).

embarrassment [ɪm'bærəsmənt] n embarras m.

embassy ['embəsɪ] n ambassade f.

emblem ['embləm] n emblème m.

embrace [ɪm'breɪs] vt serrer dans les bras.

embroidered [ɪm'brɔɪdəd] adj brodé(-e).

embroidery [ɪm'brɔɪdərɪ] n broderie f.

emerald ['emərəld] n émeraude f.

emerge [ɪ'mɜːdʒ] vi émerger.

emergency [ɪ'mɜːdʒənsɪ] n urgence f ♦ adj d'urgence; **in an ~** en cas d'urgence.

emergency exit n sortie f de secours.

emergency landing n atterrissage m forcé.

emergency services npl services mpl d'urgence.

emigrate ['emɪɡreɪt] vi émigrer.

emit [ɪ'mɪt] vt émettre.

emotion [ɪ'məʊʃn] n émotion f.

emotional [ɪ'məʊʃənl] adj *(situation)* émouvant(-e); *(person)* émotif(-ive).

emphasis ['emfəsɪs] *(pl* **-ases** [-əsiːz]*)* n accent m.

emphasize ['emfəsaɪz] vt souligner.

empire ['empaɪəʳ] n empire m.

employ [ɪm'plɔɪ] vt employer.

employed [ɪm'plɔɪd] adj employé(-e).

employee [ɪm'plɔɪiː] n employé m (-e f).

employer [ɪm'plɔɪəʳ] n employeur m (-euse f).

employment [ɪm'plɔɪmənt] n emploi m.

employment agency n agence f de placement.

empty ['emptɪ] adj vide; *(threat, promise)* vain(-e) ♦ vt vider.

EMU n UEM f.

emulsion (paint) [ɪ'mʌlʃn-] n émulsion f.

enable [ɪ'neɪbl] vt: **to ~ sb to do sthg** permettre à qqn de faire qqch.

enamel [ɪ'næml] n émail m.

enclose [ɪn'kləʊz] vt *(surround)* entourer; *(with letter)* joindre.

enclosed [ɪn'kləʊzd] adj *(space)* clos(-e).

encounter [ɪn'kaʊntəʳ] vt rencontrer.

encourage [ɪn'kʌrɪdʒ] vt encourager; **to ~ sb to do sthg** encourager qqn à faire qqch.

encouragement [ɪn'kʌrɪdʒmənt] n encouragement m.

encyclopedia [ɪnˌsaɪklə'piːdjə] n encyclopédie f.

end [end] n *(furthest point)* bout m; *(of book, list, year, holiday)* fin f; *(purpose)* but m ♦ vt *(story, evening, holiday)* finir, terminer; *(war, prac-*

endangered species

tice) mettre fin à ♦ *vi* finir, se terminer; **at the ~ of April** (à la) fin avril; **to come to an ~** se terminer; **to put an ~ to sthg** mettre fin à qqch; **for days on ~** (pendant) des journées entières; **in the ~** finalement; **to make ~s meet** arriver à joindre les deux bouts ❑ **end up** *vi* finir; **to ~ up doing sthg** finir par faire qqch.

endangered species [ɪn-'deɪndʒəd-] *n* espèce *f* en voie de disparition.

ending ['endɪŋ] *n* (of story, film, book) fin *f*; (GRAMM) terminaison *f*.

endive ['endaɪv] *n* (curly) frisée *f*; (chicory) endive *f*.

endless ['endlɪs] *adj* sans fin.

endorsement [ɪn'dɔ:smənt] *n* (of driving licence) contravention indiquée sur le permis de conduire.

endurance [ɪn'djʊərəns] *n* endurance *f*.

endure [ɪn'djʊər] *vt* endurer.

enemy ['enɪmɪ] *n* ennemi *m* (-e *f*).

energy ['enədʒɪ] *n* énergie *f*.

enforce [ɪn'fɔ:s] *vt* (law) appliquer.

engaged [ɪn'geɪdʒd] *adj* (to be married) fiancé(-e); (Br: phone) occupé(-e); (toilet) occupé(-e); **to get ~** se fiancer.

engaged tone *n* (Br) tonalité *f* «occupé».

engagement [ɪn'geɪdʒmənt] *n* (to marry) fiançailles *fpl*; (appointment) rendez-vous *m*.

engagement ring *n* bague *f* de fiançailles.

engine ['endʒɪn] *n* (of vehicle) moteur *m*; (of train) locomotive *f*.

engineer [ˌendʒɪ'nɪər] *n* ingé-

nieur *m*.

engineering [ˌendʒɪ'nɪərɪŋ] *n* ingénierie *f*.

engineering works *npl* (on railway line) travaux *mpl*.

England ['ɪŋglənd] *n* l'Angleterre *f*.

English ['ɪŋglɪʃ] *adj* anglais(-e) ♦ *n* (language) anglais *m* ♦ *npl*: **the ~** les Anglais *mpl*.

English breakfast *n* petit déjeuner anglais traditionnel composé de bacon, d'œufs, de saucisses et de toasts, accompagnés de thé ou de café.

English Channel *n*: **the ~** la Manche.

Englishman ['ɪŋglɪʃmən] (*pl* -**men** [-mən]) *n* Anglais *m*.

Englishwoman ['ɪŋglɪʃˌwʊmən] (*pl* -**women** [-ˌwɪmɪn]) *n* Anglaise *f*.

engrave [ɪn'greɪv] *vt* graver.

engraving [ɪn'greɪvɪŋ] *n* gravure *f*.

enjoy [ɪn'dʒɔɪ] *vt* aimer; **to ~ doing sthg** aimer faire qqch; **to ~ o.s.** s'amuser; **~ your meal!** bon appétit!

enjoyable [ɪn'dʒɔɪəbl] *adj* agréable.

enjoyment [ɪn'dʒɔɪmənt] *n* plaisir *m*.

enlargement [ɪn'lɑ:dʒmənt] *n* (of photo) agrandissement *m*.

enormous [ɪ'nɔ:məs] *adj* énorme.

enough [ɪ'nʌf] *adj* assez de ♦ *pron* & *adv* assez; **~ time** assez de temps; **is that ~?** ça suffit?; **it's not big ~** ça n'est pas assez gros; **to have had ~ (of)** en avoir assez (de).

enquire [ɪn'kwaɪər] *vi* se renseigner.

enquiry [ɪnˈkwaɪərɪ] *n (investigation)* enquête *f*; **to make an ~** demander un renseignement; **"Enquiries"** «Renseignements».

enquiry desk *n* accueil *m*.

enrol [ɪnˈrəʊl] *vi (Br)* s'inscrire.

enroll [ɪnˈrəʊl] *(Am)* = **enrol**.

en suite bathroom [ɒnˈswiːt-] *n* salle *f* de bains particulière.

ensure [ɪnˈʃʊər] *vt* assurer.

entail [ɪnˈteɪl] *vt* entraîner.

enter [ˈentər] *vt* entrer dans; *(college)* entrer à; *(competition)* s'inscrire à; *(on form)* inscrire ♦ *vi* entrer; *(in competition)* s'inscrire.

enterprise [ˈentəpraɪz] *n* entreprise *f*.

entertain [ˌentəˈteɪn] *vt (amuse)* divertir.

entertainer [ˌentəˈteɪnər] *n* fantaisiste *mf*.

entertaining [ˌentəˈteɪnɪŋ] *adj* amusant(-e).

entertainment [ˌentəˈteɪnmənt] *n* divertissement *m*.

enthusiasm [ɪnˈθjuːzɪæzm] *n* enthousiasme *m*.

enthusiast [ɪnˈθjuːzɪæst] *n* passionné *m* (-e *f*).

enthusiastic [ɪnˌθjuːzɪˈæstɪk] *adj* enthousiaste.

entire [ɪnˈtaɪər] *adj* entier(-ière).

entirely [ɪnˈtaɪəlɪ] *adv* entièrement.

entitle [ɪnˈtaɪtl] *vt*: **to ~ sb to do sthg** autoriser qqn à faire qqch; **this ticket ~s you to a free drink** ce ticket vous donne droit à une consommation gratuite.

entrance [ˈentrəns] *n* entrée *f*.

entrance fee *n* entrée *f*.

entry [ˈentrɪ] *n* entrée *f*; *(in competition)* objet *m* soumis; **"no ~"** *(sign on door)* «entrée interdite»; *(road sign)* «sens interdit».

envelope [ˈenvələʊp] *n* enveloppe *f*.

envious [ˈenvɪəs] *adj* envieux (-ieuse).

environment [ɪnˈvaɪərənmənt] *n* milieu *m*, cadre *m*; **the ~** l'environnement *m*.

environmental [ɪnˌvaɪərən-ˈmentl] *adj* de l'environnement.

environmentally friendly [ɪnˌvaɪərənˈmentəlɪ-] *adj* qui préserve l'environnement.

envy [ˈenvɪ] *vt* envier.

epic [ˈepɪk] *n* épopée *f*.

epidemic [ˌepɪˈdemɪk] *n* épidémie *f*.

epileptic [ˌepɪˈleptɪk] *adj* épileptique; **~ fit** crise *f* d'épilepsie.

episode [ˈepɪsəʊd] *n* épisode *m*.

equal [ˈiːkwəl] *adj* égal(-e) ♦ *vt* égaler; **to be ~ to** être égal à.

equality [ɪˈkwɒlətɪ] *n* égalité *f*.

equalize [ˈiːkwəlaɪz] *vi* égaliser.

equally [ˈiːkwəlɪ] *adv (pay, treat)* pareil; *(share)* en parts égales; *(at the same time)* en même temps; **they're ~ good** ils sont aussi bons l'un que l'autre.

equation [ɪˈkweɪʒn] *n* équation *f*.

equator [ɪˈkweɪtər] *n*: **the ~** l'équateur *m*.

equip [ɪˈkwɪp] *vt*: **to ~ sb/sthg with** équiper qqn/qqch de.

equipment [ɪˈkwɪpmənt] *n* équipement *m*.

equipped [ɪˈkwɪpt] *adj*: **to be ~ with** être équipé(-e) de.

equivalent [ɪˈkwɪvələnt] *adj*

équivalent(-e) ♦ n équivalent m.

erase [ɪ'reɪz] vt (letter, word) effacer, gommer.

eraser [ɪ'reɪzər] n gomme f.

erect [ɪ'rekt] adj (person, posture) droit(-e) ♦ vt (tent) monter; (monument) élever.

ERM n mécanisme m de change (du SME).

erotic [ɪ'rɒtɪk] adj érotique.

errand ['erənd] n course f.

erratic [ɪ'rætɪk] adj irrégulier (-ière).

error ['erər] n erreur f.

escalator ['eskəleɪtər] n Escalator®.

escalope ['eskələp] n escalope f panée.

escape [ɪ'skeɪp] n fuite f ♦ vi s'échapper; **to ~ from** (from prison) s'échapper de; (from danger) échapper à.

escort [n 'eskɔːt, vb ɪ'skɔːt] n (guard) escorte f ♦ vt escorter.

espadrilles ['espə,drɪlz] npl espadrilles fpl.

especially [ɪ'speʃəlɪ] adv (in particular) surtout; (on purpose) exprès; (very) particulièrement.

esplanade [,esplə'neɪd] n esplanade f.

essay ['eseɪ] n (at school, university) dissertation f.

essential [ɪ'senʃl] adj essentiel(-ielle) ❑ **essentials** npl: **the ~s** l'essentiel m; **the bare ~s** le strict minimum.

essentially [ɪ'senʃəlɪ] adv essentiellement.

establish [ɪ'stæblɪʃ] vt établir.

establishment [ɪ'stæblɪʃmənt] n établissement m.

estate [ɪ'steɪt] n (land in country) propriété f; (for housing) lotissement m; (Br: car) = **estate car**.

estate agent n (Br) agent m immobilier.

estate car n (Br) break m.

estimate [n 'estɪmət, vb 'estɪmeɪt] n (guess) estimation f; (from builder, plumber) devis m ♦ vt estimer.

estuary ['estjʊərɪ] n estuaire m.

ethnic minority ['eθnɪk-] n minorité f ethnique.

EU n (abbr of European Union) Union f européenne.

Eurocheque ['jʊərəʊtʃek] n eurochèque m.

Europe ['jʊərəp] n l'Europe f.

European [,jʊərə'pɪən] adj européen(-enne) ♦ n Européen (-enne f).

European Community n Communauté f européenne.

evacuate [ɪ'vækjʊeɪt] vt évacuer.

evade [ɪ'veɪd] vt (person) échapper à; (issue, responsibility) éviter.

evaporated milk [ɪ'væpəreɪtɪd-] n lait m condensé (non sucré).

eve [iːv] n: **on the ~ of** à la veille de.

even [iːvn] adj (uniform, flat) régulier(-ière); (equal) égal(-e); (number) pair(-e) ♦ adv même; (in comparisons) encore; **~ bigger** encore plus grand; **to break ~** rentrer dans ses frais; **~ so** quand même; **~ though** même si.

evening ['iːvnɪŋ] n soir m; (event, period) soirée f; **good ~!** bonsoir!; **in the ~** le soir.

evening classes npl cours mpl du soir.

evening dress n (formal clothes) tenue f de soirée; (of woman) robe f du soir.

evening meal n repas m du soir.

event [ɪ'vent] n événement m; (SPORT) épreuve f; **in the ~ of** (fml) dans l'éventualité f.

eventual [ɪ'ventʃʊəl] adj final(-e).

eventually [ɪ'ventʃʊəlɪ] adv finalement.

ever ['evər] adv jamais; **have you ~ been to Wales?** êtes-vous déjà allé au pays de Galles?; **he was ~ so angry** il était vraiment en colère; **for ~** (eternally) pour toujours; (for a long time) un temps fou; **hardly ~** pratiquement jamais; **~ since** adv depuis ◆ prep depuis ◆ conj depuis que.

every ['evrɪ] adj chaque; **~ day** tous les jours, chaque jour; **~ other day** un jour sur deux; **one in ~ ten** un sur dix; **we make ~ effort ...** nous faisons tout notre possible ...; **~ so often** de temps en temps.

everybody ['evrɪˌbɒdɪ] = **everyone**.

everyday ['evrɪdeɪ] adj quotidien(-ienne).

everyone ['evrɪwʌn] pron tout le monde.

everyplace ['evrɪˌpleɪs] (Am) = **everywhere**.

everything ['evrɪθɪŋ] pron tout.

everywhere ['evrɪweər] adv partout.

evidence ['evɪdəns] n preuve f.

evident ['evɪdənt] adj évident(-e).

evidently ['evɪdəntlɪ] adv manifestement.

evil ['iːvl] adj mauvais(-e) ◆ n mal m.

ex [eks] n (inf: wife, husband, partner) ex mf.

exact [ɪg'zækt] adj exact(-e); **"~ fare ready please"** «faites l'appoint».

exactly [ɪg'zæktlɪ] adv & excl exactement.

exaggerate [ɪg'zædʒəreɪt] vt & vi exagérer.

exaggeration [ɪgˌzædʒə'reɪʃn] n exagération f.

exam [ɪg'zæm] n examen m; **to take an ~** passer un examen.

examination [ɪgˌzæmɪ'neɪʃn] n examen m.

examine [ɪg'zæmɪn] vt examiner.

example [ɪg'zɑːmpl] n exemple m; **for ~** par exemple.

exceed [ɪk'siːd] vt dépasser.

excellent ['eksələnt] adj excellent(-e).

except [ɪk'sept] prep sauf, à part ◆ conj sauf, à part; **~ for** sauf, à part; **"~ for access"** «sauf riverains»; **"~ for loading"** «sauf livraisons».

exception [ɪk'sepʃn] n exception f.

exceptional [ɪk'sepʃnəl] adj exceptionnel(-elle).

excerpt ['eksɜːpt] n extrait m.

excess [ɪk'ses, before nouns 'ekses] adj excédentaire ◆ n excès m.

excess baggage n excédent m de bagages.

excess fare n (Br) supplément m.

excessive [ɪk'sesɪv] adj excessif(-ive).

exchange [ɪks'tʃeɪndʒ] *n (of telephones)* central *m* téléphonique; *(of students)* échange *m* scolaire ♦ *vt* échanger; **to ~ sthg for sthg** échanger qqch contre qqch; **to be on an ~** prendre part à un échange scolaire.

exchange rate *n* taux *m* de change.

excited [ɪk'saɪtɪd] *adj* excité(-e).

excitement [ɪk'saɪtmənt] *n* excitation *f*; *(exciting thing)* animation *f*.

exciting [ɪk'saɪtɪŋ] *adj* passionnant(-e).

exclamation mark [ˌeksklə'meɪʃn-] *n (Br)* point *m* d'exclamation.

exclamation point [ˌeksklə'meɪʃn-] *(Am)* = **exclamation mark**.

exclude [ɪk'sklu:d] *vt* exclure.

excluding [ɪk'sklu:dɪŋ] *prep* sauf, à l'exception de.

exclusive [ɪk'sklu:sɪv] *adj (high-class)* chic; *(sole)* exclusif(-ive) ♦ *n* exclusivité *f*; **~ of VAT** TVA non comprise.

excursion [ɪk'skɜ:ʃn] *n* excursion *f*.

excuse [*n* ɪk'skju:s, *vb* ɪk'skju:z] *n* excuse *f* ♦ *vt (forgive)* excuser; *(let off)* dispenser; **~ me!** excusez-moi!

ex-directory *adj (Br)* sur la liste rouge.

execute ['eksɪkju:t] *vt (kill)* exécuter.

executive [ɪg'zekjutɪv] *adj (room)* pour cadres ♦ *n (person)* cadre *m*.

exempt [ɪg'zempt] *adj*: **~ from** exempt(-e) de.

exemption [ɪg'zempʃn] *n* exemption *f*.

exercise ['eksəsaɪz] *n* exercice *m* ♦ *vi* faire de l'exercice; **to do ~s** faire des exercices.

exercise book *n* cahier *m*.

exert [ɪg'zɜ:t] *vt* exercer.

exhaust [ɪg'zɔ:st] *vt* épuiser ♦ *n*: **~ (pipe)** pot *m* d'échappement.

exhausted [ɪg'zɔ:stɪd] *adj* épuisé(-e).

exhibit [ɪg'zɪbɪt] *n (in museum, gallery)* objet *m* exposé ♦ *vt* exposer.

exhibition [ˌeksɪ'bɪʃn] *n (of art)* exposition *f*.

exist [ɪg'zɪst] *vi* exister.

existence [ɪg'zɪstəns] *n* existence *f*; **to be in ~** exister.

existing [ɪg'zɪstɪŋ] *adj* existant(-e).

exit ['eksɪt] *n* sortie *f* ♦ *vi* sortir.

exotic [ɪg'zɒtɪk] *adj* exotique.

expand [ɪk'spænd] *vi* se développer.

expect [ɪk'spekt] *vt* s'attendre à; *(await)* attendre; **to ~ to do sthg** compter faire qqch; **to ~ sb to do sthg** *(require)* attendre de qqn qu'il fasse qqch; **to be ~ing** *(be pregnant)* être enceinte.

expedition [ˌekspɪ'dɪʃn] *n* expédition *f*.

expel [ɪk'spel] *vt (from school)* renvoyer.

expense [ɪk'spens] *n* dépense *f*; **at the ~ of** *(fig)* aux dépens de ❏ **expenses** *npl (of business trip)* frais *mpl*.

expensive [ɪk'spensɪv] *adj* cher (chère).

experience [ɪk'spɪərɪəns] *n*

expérience f ◆ vt connaître.

experienced [ɪkˈspɪəriənst] *adj* expérimenté(-e).

experiment [ɪkˈsperɪmənt] *n* expérience f ◆ vi expérimenter.

expert [ˈekspɜːt] *adj (advice)* d'expert ◆ *n* expert *m*.

expire [ɪkˈspaɪəʳ] *vi* expirer.

expiry date [ɪkˈspaɪərɪ-] *n* date f d'expiration.

explain [ɪkˈspleɪn] *vt* expliquer.

explanation [ˌekspləˈneɪʃn] *n* explication f.

explode [ɪkˈspləʊd] *vi* exploser.

exploit [ɪkˈsplɔɪt] *vt* exploiter.

explore [ɪkˈsplɔːʳ] *vt (place)* explorer.

explosion [ɪkˈspləʊʒn] *n* explosion f.

explosive [ɪkˈspləʊsɪv] *n* explosif *m*.

export [*n* ˈekspɔːt, *vb* ɪkˈspɔːt] *n* exportation f ◆ vt exporter.

exposed [ɪkˈspəʊzd] *adj (place)* exposé(-e).

exposure [ɪkˈspəʊʒəʳ] *n (photograph)* pose f; (MED) exposition f au froid; (to heat, radiation) exposition f.

express [ɪkˈspres] *adj (letter, delivery)* exprès; *(train)* express ◆ *n (train)* express *m* ◆ vt exprimer ◆ adv en exprès.

expression [ɪkˈspreʃn] *n* expression f.

expresso [ɪkˈspresəʊ] *n* expresso *m*.

expressway [ɪkˈspresweɪ] *n (Am)* autoroute f.

extend [ɪkˈstend] *vt* prolonger; (hand) tendre ◆ vi s'étendre.

extension [ɪkˈstenʃn] *n (of build-*

ing) annexe f; *(for phone)* poste *m*; *(for permit, essay)* prolongation f.

extension lead *n* rallonge f.

extensive [ɪkˈstensɪv] *adj (damage)* important(-e); (area) vaste; (selection) large.

extent [ɪkˈstent] *n (of damage, knowledge)* étendue f; to a certain ~ jusqu'à un certain point; to what ~ ...? dans quelle mesure ...?

exterior [ɪkˈstɪərɪəʳ] *adj* extérieur(-e) ◆ *n* extérieur *m*.

external [ɪkˈstɜːnl] *adj* externe.

extinct [ɪkˈstɪŋkt] *adj (species)* disparu(-e); (volcano) éteint(-e).

extinction [ɪkˈstɪŋkʃn] *n* extinction f.

extinguish [ɪkˈstɪŋgwɪʃ] *vt* éteindre.

extinguisher [ɪkˈstɪŋgwɪʃəʳ] *n* extincteur *m*.

extortionate [ɪkˈstɔːʃnət] *adj* exorbitant(-e).

extra [ˈekstrə] *adj* supplémentaire ◆ *n (bonus)* plus *m*; (optional thing) option f ◆ adv (especially) encore plus; to pay ~ payer un supplément; ~ charge supplément *m*; ~ large XL ❏ **extras** *npl* (in price) suppléments *mpl*.

extract [*n* ˈekstrækt, *vb* ɪkˈstrækt] *n* extrait *m* ◆ vt extraire.

extractor fan [ɪkˈstræktə-] *n (Br)* ventilateur *m*.

extraordinary [ɪkˈstrɔːdnrɪ] *adj* extraordinaire.

extravagant [ɪkˈstrævəgənt] *adj (wasteful)* dépensier(-ière); (expensive) coûteux(-euse).

extreme [ɪkˈstriːm] *adj* extrême ◆ *n* extrême *m*.

extremely [ɪkˈstriːmlɪ] *adv*

extrêmement.

extrovert ['ekstrəvɜːt] n extraverti m (-e f).

eye [aɪ] n œil m; (of needle) chas m ♦ vt lorgner; **to keep an ~ on** surveiller.

eyebrow ['aɪbraʊ] n sourcil m.

eye drops npl gouttes fpl pour les yeux.

eyeglasses ['aɪglɑːsɪz] npl lunettes fpl.

eyelash ['aɪlæʃ] n cil m.

eyelid ['aɪlɪd] n paupière f.

eyeliner ['aɪˌlaɪnəʳ] n eye-liner m.

eye shadow n ombre f à paupières.

eyesight ['aɪsaɪt] n vue f.

eye test n examen m des yeux.

eyewitness ['aɪˈwɪtnɪs] n témoin m oculaire.

F

F (abbr of Fahrenheit) F.

fabric ['fæbrɪk] n tissu m.

fabulous ['fæbjʊləs] adj fabuleux(-euse).

façade [fə'sɑːd] n façade f.

face [feɪs] n visage m; (expression) mine f; (of cliff, mountain) face f; (of clock, watch) cadran m ♦ vt faire face à; (facts) regarder en face; **to be ~d with** être confronté à ❑ **face up to** vt fus faire face à.

facecloth ['feɪsklɒθ] n (Br) ≃ gant m de toilette.

facial ['feɪʃl] n soins mpl du visage.

facilitate [fə'sɪlɪteɪt] vt (fml) faciliter.

facilities [fə'sɪlɪtiːz] npl équipements mpl.

facsimile [fæk'sɪmɪlɪ] n (fax) fax m.

fact [fækt] n fait m; **in ~** en fait.

factor ['fæktəʳ] n facteur m; (of suntan lotion) indice m (de protection); **~ ten suntan lotion** crème solaire indice dix.

factory ['fæktərɪ] n usine f.

faculty ['fækltɪ] n (at university) faculté f.

FA Cup n championnat anglais de football dont la finale se joue à Wembley.

fade [feɪd] vi (light, sound) baisser; (flower) faner; (jeans, wallpaper) se décolorer.

faded ['feɪdɪd] adj (jeans) délavé(-e).

fag [fæg] n (Br: inf: cigarette) clope f.

Fahrenheit ['færənhaɪt] adj Fahrenheit (inv).

fail [feɪl] vt (exam) rater, échouer à ♦ vi échouer; (engine) tomber en panne; **to ~ to do sthg** (not do) ne pas faire qqch.

failing ['feɪlɪŋ] n défaut m ♦ prep: **~ that** à défaut.

failure ['feɪljəʳ] n échec m; (person) raté m (-e f); (act of neglecting) manquement m.

faint [feɪnt] vi s'évanouir ♦ adj (sound) faible; (colour) pâle; (outline) vague; **to feel ~** se sentir mal; **I haven't the ~est idea** je n'en ai pas la moindre idée.

fair [feəʳ] n (funfair) fête f foraine; (trade fair) foire f ♦ adj (just) juste; (quite good) assez bon (bonne); (skin) clair(-e); (person, hair) blond(-e); (weather) beau (belle); a ~ number of un nombre assez important de; ~ enough! d'accord!

fairground [ˈfeəɡraʊnd] n champ m de foire.

fair-haired [-ˈheəd] adj blond(-e).

fairly [ˈfeəlɪ] adv (quite) assez.

fairy [ˈfeərɪ] n fée f.

fairy tale n conte m de fées.

faith [feɪθ] n (confidence) confiance f; (religious) foi f.

faithfully [ˈfeɪθfʊlɪ] adv: Yours ~ = veuillez agréer mes salutations distinguées.

fake [feɪk] n (painting etc) faux m ♦ vt imiter.

fall [fɔːl] (pt fell, pp fallen [ˈfɔːln]) vi tomber; (decrease) chuter ♦ n chute f; (Am: autumn) automne m; to ~ asleep s'endormir; to ~ ill tomber malade; to ~ in love tomber amoureux ❑ falls npl (waterfall) chutes fpl; fall behind vi (with work, rent) être en retard; fall down vi tomber; fall off vi tomber; fall out vi (hair, teeth) tomber; (argue) se brouiller; fall over vi tomber; fall through vi échouer.

false [fɔːls] adj faux (fausse).

false alarm n fausse alerte f.

false teeth npl dentier m.

fame [feɪm] n renommée f.

familiar [fəˈmɪljəʳ] adj familier(-ière); to be ~ with (know) connaître.

family [ˈfæmlɪ] n famille f ♦ adj (size) familial(-e); (film) tous publics; (holiday) en famille.

family planning clinic [-ˈplænɪŋ-] n centre m de planning familial.

family room n (at hotel) chambre f familiale; (at pub, airport) salle réservée aux familles avec de jeunes enfants.

famine [ˈfæmɪn] n famine f.

famished [ˈfæmɪʃt] adj (inf) affamé(-e).

famous [ˈfeɪməs] adj réputé(-e).

fan [fæn] n (held in hand) éventail m; (electric) ventilateur m; (enthusiast) fana mf; (supporter) fan mf.

fan belt n courroie f de ventilateur.

fancy [ˈfænsɪ] adj (elaborate) recherché(-e) ♦ vt (inf: feel like) avoir envie de; I ~ him il me plaît; ~ (that)! ça alors!

fancy dress n déguisement m.

fan heater n radiateur m soufflant.

fanlight [ˈfænlaɪt] n (Br) imposte f.

fantastic [fænˈtæstɪk] adj fantastique.

fantasy [ˈfæntəsɪ] n (dream) fantasme m.

far [fɑːʳ] (compar **further** OR **farther**, superl **furthest** OR **farthest**) adv loin; (in degree) bien, beaucoup ♦ adj (end, side) autre; **how ~ is it to Paris?** à combien sommes-nous de Paris?; as ~ as (place) jusqu'à; as ~ as I'm concerned en ce qui me concerne; as ~ as I know pour autant que je sache; ~ **better** beaucoup mieux; **by** ~ de loin; **so** ~ (until now) jusqu'ici; **to go too** ~ (behave unacceptably) aller trop loin.

farce [fɑːs] n (ridiculous situation)

farce f.

fare [feə^r] n (on bus, train etc) tarif m; (fml: food) nourriture f ♦ vi se débrouiller.

Far East n: the ~ l'Extrême-Orient m.

fare stage n (Br) section f.

farm [fɑːm] n ferme f.

farmer ['fɑːmə^r] n fermier m (-ière f).

farmhouse ['fɑːmhaʊs, pl -haʊzɪz] n ferme f.

farming ['fɑːmɪŋ] n agriculture f.

farmland ['fɑːmlænd] n terres fpl cultivées.

farmyard ['fɑːmjɑːd] n cour f de ferme.

farther ['fɑːðə^r] compar → **far**.

farthest ['fɑːðəst] superl → **far**.

fascinating ['fæsɪneɪtɪŋ] adj fascinant(-e).

fascination [ˌfæsɪ'neɪʃn] n fascination f.

fashion ['fæʃn] n (trend, style) mode f; (manner) manière f; **to be in ~** être à la mode; **to be out of ~** être démodé.

fashionable ['fæʃnəbl] adj à la mode.

fashion show n défilé m de mode.

fast [fɑːst] adv (quickly) vite; (securely) solidement ♦ adj rapide; **to be ~** (clock) avancer; **~ asleep** profondément endormi; **a ~ train** un (train) rapide.

fasten ['fɑːsn] vt attacher; (coat, door) fermer.

fastener ['fɑːsnə^r] n (on jewellery) fermoir m; (zip) fermeture f Éclair®; (press stud) bouton-pression m.

fast food n fast-food m.

fat [fæt] adj (person) gros (grosse); (meat) gras (grasse) ♦ n (on body) graisse f; (on meat) gras m; (for cooking) matière f grasse; (chemical substance) lipides mpl.

fatal ['feɪtl] adj (accident, disease) mortel(-elle).

father ['fɑːðə^r] n père m.

Father Christmas n (Br) le père Noël.

father-in-law n beau-père m.

fattening ['fætnɪŋ] adj qui fait grossir.

fatty ['fætɪ] adj gras (grasse).

faucet ['fɔːsɪt] n (Am) robinet m.

fault [fɔːlt] n (responsibility) faute f; (defect) défaut m; **it's your ~** c'est de ta faute.

faulty ['fɔːltɪ] adj défectueux(-euse).

favor ['feɪvər] (Am) = **favour**.

favour ['feɪvə^r] n (Br: kind act) faveur f ♦ vt (prefer) préférer; **to be in ~ of** être en faveur de; **to do sb a ~** rendre un service à qqn.

favourable ['feɪvrəbl] adj favorable.

favourite ['feɪvrɪt] adj préféré(-e) ♦ n préféré m (-e f).

fawn [fɔːn] adj fauve.

fax [fæks] n fax m ♦ vt (document) faxer; (person) envoyer un fax à.

fear [fɪə^r] n peur f ♦ vt (be afraid of) avoir peur de; **for ~ of** de peur de.

feast [fiːst] n (meal) festin m.

feather ['feðə^r] n plume f.

feature ['fiːtʃə^r] n (characteristic) caractéristique f; (of face) trait m; (in newspaper) article m de fond; (on radio, TV) reportage m ♦ vt *(subj: film)*: "featuring ..." «avec ...».

feature film n long métrage m.

Feb [feb] *(abbr of February)* fév.

February ['februəri] n février m, → September.

fed [fed] pt & pp → **feed**.

fed up adj: **to be ~** avoir le cafard; **to be ~ with** en avoir assez de.

fee [fi:] n *(to doctor)* honoraires mpl; *(for membership)* cotisation f.

feeble ['fi:bəl] adj faible.

feed [fi:d] *(pt & pp fed)* vt nourrir; *(insert)* insérer.

feel [fi:l] *(pt & pp felt)* vt *(touch)* toucher; *(experience)* sentir; *(think)* penser ◆ n *(touch)* toucher m ◆ vi se sentir; **it ~s cold** il fait froid; **it ~s strange** ça fait drôle; **to ~ hot/cold** avoir chaud/froid; **to ~ like sthg** *(fancy)* avoir envie de qqch; **to ~ up to doing sthg** se sentir le courage de faire qqch.

feeling ['fi:lɪŋ] n *(emotion)* sentiment m; *(sensation)* sensation f; *(belief)* opinion f; **to hurt sb's ~s** blesser qqn.

feet [fi:t] pl → **foot**.

fell [fel] pt → **fall** ◆ vt *(tree)* abattre.

fellow ['feləʊ] n *(man)* homme m ◆ adj: **~ students** camarades mpl de classe.

felt [felt] pt & pp → **feel** ◆ n feutre m.

felt-tip pen n *(stylo-)feutre m.

female ['fi:meɪl] adj féminin(-e); *(animal)* femelle ◆ n *(animal)* femelle f.

feminine ['femɪnɪn] adj fémi-nin(-e).

feminist ['femɪnɪst] n féministe mf.

fence [fens] n barrière f.

fencing ['fensɪŋ] n *(SPORT)* escrime f.

fend [fend] vi: **to ~ for o.s.** se débrouiller tout seul.

fender ['fendər] n *(for fireplace)* pare-feu m inv; *(Am: on car)* aile f.

fennel ['fenl] n fenouil m.

fern [fɜ:n] n fougère f.

ferocious [fə'rəʊʃəs] adj féroce.

ferry ['feri] n ferry m.

fertile ['fɜ:taɪl] adj *(land)* fertile.

fertilizer ['fɜ:tɪlaɪzər] n engrais m.

festival ['festəvl] n *(of music, arts etc)* festival m; *(holiday)* fête f.

feta cheese ['fetə-] n feta f.

fetch [fetʃ] vt *(object)* apporter; *(go and get)* aller chercher; *(be sold for)* rapporter.

fete [feɪt] n fête f.

fever ['fi:vər] n fièvre f; **to have a ~** avoir de la fièvre.

feverish ['fi:vərɪʃ] adj fié-vreux(-euse).

few [fju:] adj peu de ◆ pron peu; **the first ~ times** les premières fois; **a ~** quelques ◆ pron quelques-uns; **quite a ~ of them** pas mal d'entre eux.

fewer ['fju:ər] adj moins de ◆ pron: **~ than ten items** moins de dix articles.

fiancé [fɪ'ɒnseɪ] n fiancé m.

fiancée [fɪ'ɒnseɪ] n fiancée f.

fib [fɪb] n *(inf)* bobard m.

fiber ['faɪbər] *(Am)* = **fibre**.

fibre ['faɪbər] n *(Br)* fibre f; *(in food)* fibres fpl.

fibreglass ['faɪbəglɑːs] n fibre f de verre.

fickle ['fɪkl] adj capricieux(-ieuse).

fiction ['fɪkʃn] n fiction f.

fiddle ['fɪdl] n (violin) violon m ♦ vi: to ~ with sthg tripoter qqch.

fidget ['fɪdʒɪt] vi remuer.

field [fiːld] n champ m; (for sport) terrain m; (subject) domaine m.

field glasses npl jumelles fpl.

fierce [fɪəs] adj féroce; (storm) violent(-e); (heat) torride.

fifteen [fɪf'tiːn] num quinze, → six.

fifteenth [fɪf'tiːnθ] num quinzième, → sixth.

fifth [fɪfθ] num cinquième, → sixth.

fiftieth ['fɪftɪəθ] num cinquantième, → sixth.

fifty ['fɪftɪ] num cinquante, → six.

fig [fɪg] n figue f.

fight [faɪt] (pt & pp fought) n bagarre f; (argument) dispute f; (struggle) lutte f ♦ vt se battre avec OR contre; (combat) combattre ♦ vi se battre; (quarrel) se disputer; (struggle) lutter ♦ to have a ~ with sb se battre avec qqn ❑ **fight back** vi se défendre; **fight off** vt sep (attacker) repousser; (illness) lutter contre.

fighting ['faɪtɪŋ] n bagarre f; (military) combats mpl.

figure [Br 'fɪgə², Am 'fɪgjər] n (digit, statistic) chiffre m; (number) nombre m; (of person) silhouette f; (diagram) figure f ❑ **figure out** vt sep comprendre.

file [faɪl] n dossier m; (COMPUT) fichier m; (tool) lime f ♦ vt (com-plaint, petition) déposer; (nails) limer; **in single** ~ en file indienne.

filing cabinet ['faɪlɪŋ-] n classeur m (meuble).

fill [fɪl] vt remplir; (tooth) plomber; **to ~ sthg with** remplir qqch de ❑ **fill in** vt sep (form) remplir; **fill out** vt sep = **fill in**; **fill up** vt sep remplir; ~ **her up!** (with petrol) le plein!

filled roll ['fɪld-] n petit pain m garni.

fillet ['fɪlɪt] n filet m.

fillet steak n filet m de bœuf.

filling ['fɪlɪŋ] n (of cake, sandwich) garniture f; (in tooth) plombage m ♦ adj nourrissant(-e).

filling station n station-service f.

film [fɪlm] n (at cinema) film m; (for camera) pellicule f ♦ vt filmer.

film star n vedette f de cinéma.

filter ['fɪltə²] n filtre m.

filthy ['fɪlθɪ] adj dégoûtant(-e).

fin [fɪn] n (of fish) nageoire f; (Am: of swimmer) palme f.

final ['faɪnl] adj (last) dernier(-ère); (decision, offer) final(-e) ♦ n finale f.

finalist ['faɪnəlɪst] n finaliste mf.

finally ['faɪnəlɪ] adv enfin.

finance [n 'faɪnæns, vb faɪ'næns] n (money) financement m; (profession) finance f ♦ vt financer ❑ **finances** npl finances fpl.

financial [fɪ'nænʃl] adj financier(-ière).

find [faɪnd] (pt & pp found) vt trouver; (find out) découvrir ♦ n trouvaille f; **to ~ the time to do sthg** trouver le temps de faire qqch ❑ **find out** vt sep (fact, truth)

découvrir ♦ *vi*: **to ~ out about sthg** *(learn)* apprendre qqch; *(get information)* se renseigner sur qqch.

fine [faɪn] *adv (thinly)* fin; *(well)* très bien ♦ *n* amende *f* ♦ *vt* donner une amende à ♦ *adj (good)* excellent(-e); *(weather, day)* beau (belle); *(satisfactory)* bien; *(thin)* fin(-e); **to be ~** *(in health)* aller bien.

fine art *n* beaux-arts *mpl*.

finger ['fɪŋgə'] *n* doigt *m*.

fingernail ['fɪŋgəneɪl] *n* ongle *m* (de la main).

fingertip ['fɪŋgətɪp] *n* bout *m* du doigt.

finish ['fɪnɪʃ] *n* fin *f*; *(of race)* arrivée *f*; *(on furniture)* fini *m* ♦ *vt* finir, terminer ♦ *vi* finir, se terminer; *(in race)* finir; **to ~ doing sthg** finir de faire qqch ❑ **finish off** *vt sep* finir, terminer; **finish up** *vi* finir, terminer; **to ~ up doing sthg** finir par faire qqch.

Finland ['fɪnlənd] *n* la Finlande.

Finn [fɪn] *n* Finlandais *m* (-e *f*).

Finnan haddock ['fɪnən-] *n* (Scot) type de haddock écossais.

Finnish ['fɪnɪʃ] *adj* finlandais(-e) ♦ *n (language)* finnois *m*.

fir [fɜːʳ] *n* sapin *m*.

fire ['faɪəʳ] *n* feu *m*; *(out of control)* incendie *m*; *(device)* appareil *m* de chauffage ♦ *vt (gun)* décharger; *(bullet)* tirer; *(from job)* renvoyer; **on ~** en feu; **to catch ~** prendre feu; **to make a ~** faire du feu.

fire alarm *n* alarme *f* d'incendie.

fire brigade *n (Br)* pompiers *mpl*.

fire department *(Am)* = **fire brigade**.

fire engine *n* voiture *f* de pompiers.

fire escape *n* escalier *m* de secours.

fire exit *n* issue *f* de secours.

fire extinguisher *n* extincteur *m*.

fire hazard *n*: **to be a ~** présenter un risque d'incendie.

fireman ['faɪəmən] *(pl* **-men** [-mən]) *n* pompier *m*.

fireplace ['faɪəpleɪs] *n* cheminée *f*.

fire regulations *npl* consignes *fpl* d'incendie.

fire station *n* caserne *f* de pompiers.

firewood ['faɪəwʊd] *n* bois *m* de chauffage.

firework display ['faɪəwɜːk-] *n* feu *m* d'artifice.

fireworks ['faɪəwɜːks] *npl (rockets)* feux *mpl* d'artifice.

firm [fɜːm] *adj* ferme; *(structure)* solide ♦ *n* société *f*.

first [fɜːst] *adj* premier(-ière) ♦ *adv (in order)* en premier; *(at the start)* premièrement, d'abord; *(for the first time)* pour la première fois ♦ *pron* premier *m* (-ière *f*) ♦ *n (event)* première *f*; *~ (gear)* première *f*; *~ thing (in the morning)* à la première heure; **for the ~ time** pour la première fois; **the ~ of January** le premier janvier; **at ~** au début; **~ of all** premièrement, tout d'abord.

first aid *n* premiers secours *mpl*.

first-aid kit *n* trousse *f* de premiers secours.

first class *n (mail)* tarif *m* normal; *(on train, plane, ship)* première classe *f*.

first-class adj (stamp) au tarif normal; (ticket) de première classe; (very good) excellent(-e).

first floor n (Br) premier étage m; (Am) rez-de-chaussée m.

firstly ['fɜːstlɪ] adv première-ment.

First World War n: the ~ la Première Guerre mondiale.

fish [fɪʃ] (pl inv) n poisson m ◆ vi pêcher.

fish and chips n poisson m frit et frites.

---

i FISH AND CHIPS

Plat à emporter britannique par excellence, le poisson frit accompagné de frites est enveloppé dans du papier d'emballage puis du journal et souvent consommé directement, dans la rue. Les «fish and chip shops» que l'on trouve partout en Grande-Bretagne vendent également d'autres produits frits (saucisses, boudin, poulet) et de petits pâtés en croûte.

---

fishcake ['fɪʃkeɪk] n croquette f de poisson.

fisherman ['fɪʃəmən] (pl -men [-mən]) n pêcheur m.

fish farm n établissement m piscicole.

fish fingers npl (Br) bâtonnets mpl de poisson pané.

fishing ['fɪʃɪŋ] n pêche f; to go ~ aller à la pêche.

fishing boat n bâteau m de pêche.

fishing rod n canne f à pêche.

fishmonger's ['fɪʃˌmʌŋɡəz] n (shop) poissonnerie f.

fish sticks (Am) = fish fingers.

fish supper n (Scot) poisson m frit et frites.

fist [fɪst] n poing m.

fit [fɪt] adj (healthy) en forme ◆ vt (subj: clothes, shoes) aller à; (a lock, kitchen, bath) installer; (insert) insérer ◆ vi aller ◆ n (of coughing, anger) crise f; (epileptic) crise f d'épilepsie; it's a good ~ (clothes) c'est la bonne taille; to be ~ for sthg (suitable) être bon pour qqch; ~ to eat comestible; it doesn't ~ (jacket, skirt) ça ne va pas; (object) ça ne rentre pas; to get ~ se remettre en forme; to keep ~ garder la forme ❑ **fit in** vt sep (find time to do) caser ◆ vi (belong) s'intégrer.

fitness ['fɪtnɪs] n (health) forme f.

fitted carpet [ˌfɪtəd-] n moquette f.

fitted sheet [ˌfɪtəd-] n drap-housse m.

fitting room ['fɪtɪŋ-] n cabine f d'essayage.

five [faɪv] num cinq, → **six**.

fiver ['faɪvəʳ] n (Br) (inf) cinq livres fpl; (note) billet m de cinq livres.

fix [fɪks] vt (attach, decide on) fixer; (mend) réparer; (drink, food) préparer; (arrange) arranger ❑ **fix up** vt sep: to ~ sb up with sthg obtenir qqch pour qqn.

fixture ['fɪkstʃəʳ] n (SPORT) rencontre f; ~s and fittings équipements mpl.

fizzy ['fɪzɪ] adj pétillant(-e).

flag [flæg] n drapeau m.

flake [fleɪk] n (of snow) flocon m ◆ vi s'écailler.

flame [fleɪm] n flamme f.

flammable ['flæməbl] *adj* inflammable.

flan [flæn] *n* tarte *f*.

flannel ['flænl] *n (material)* flanelle *f*; *(Br: for face)* = gant *m* de toilette ❏ **flannels** *npl* pantalon *m* de flanelle.

flap [flæp] *n* rabat *m* ♦ *vt (wings)* battre de.

flapjack ['flæpdʒæk] *n (Br)* pavé à l'avoine.

flare [fleəʳ] *n (signal)* signal *m* lumineux.

flared [fleəd] *adj (trousers)* à pattes d'éléphant; *(skirt)* évasé(-e).

flash [flæʃ] *n (of light)* éclair *m*; *(for camera)* flash *m* ♦ *vi (lamp)* clignoter; **a ~ of lightning** un éclair; **to ~ one's headlights** faire un appel de phares.

flashlight ['flæʃlaɪt] *n* lampe *f* électrique, torche *f*.

flask [flɑːsk] *n (Thermos)* Thermos® *f*; *(hip flask)* flasque *f*.

flat [flæt] *adj (surface)* plan(-e); *(battery)* à plat; *(drink)* éventé(-e); *(rate, fee)* fixe ♦ *adv* à plat ♦ *n (Br: apartment)* appartement *m*; **a ~ (tyre)** un pneu à plat; **~ out** *(run)* à fond; *(work)* d'arrache-pied.

flatter ['flætəʳ] *vt* flatter.

flavor ['fleɪvəʳ] *(Am)* = **flavour**.

flavour ['fleɪvəʳ] *n (Br)* goût *m*; *(of ice cream)* parfum *m*.

flavoured ['fleɪvəd] *adj* aromatisé(-e).

flavouring ['fleɪvərɪŋ] *n* arôme *m*.

flaw [flɔː] *n* défaut *m*.

flea [fliː] *n* puce *f*.

flea market *n* marché *m* aux puces.

fleece [fliːs] *n (material)* fourrure *f* polaire.

fleet [fliːt] *n* flotte *f*.

Flemish ['flemɪʃ] *adj* flamand(-e) ♦ *n (language)* flamand *m*.

flesh [fleʃ] *n* chair *f*.

flew [fluː] *pt* → **fly**.

flex [fleks] *n* cordon *m* électrique.

flexible ['fleksəbl] *adj* flexible.

flick [flɪk] *vt (a switch)* appuyer sur; *(with finger)* donner une chiquenaude à ❏ **flick through** *vt fus* feuilleter.

flies [flaɪz] *npl (of trousers)* braguette *f*.

flight [flaɪt] *n* vol *m*; **a ~ (of stairs)** une volée de marches.

flight attendant *n (female)* hôtesse *f* de l'air; *(male)* steward *m*.

flimsy ['flɪmzɪ] *adj (object)* fragile; *(clothes)* léger(-ère).

fling [flɪŋ] *(pt & pp flung) vt* jeter.

flint [flɪnt] *n (of lighter)* pierre *f*.

flip-flop [flɪp-] *n (Br: shoe)* tong *f*.

flipper ['flɪpəʳ] *n (Br: of swimmer)* palme *f*.

flirt [flɜːt] *vi*: **to ~ (with sb)** flirter (avec qqn).

float [fləʊt] *n (for swimming)* planche *f*; *(for fishing)* bouchon *m*; *(in procession)* char *m*; *(drink)* soda avec une boule de glace ♦ *vi* flotter.

flock [flɒk] *n (of sheep)* troupeau *m*; *(of birds)* vol *m* ♦ *vi (people)* affluer.

flood [flʌd] *n* inondation *f* ♦ *vt* inonder ♦ *vi* déborder.

floodlight ['flʌdlaɪt] *n* projecteur *m*.

floor [flɔːʳ] n (of room) plancher m, sol m; (storey) étage m; (of nightclub) piste f.

floorboard [ˈflɔːbɔːd] n latte f (de plancher).

floor show n spectacle m de cabaret.

flop [flɒp] n (inf: failure) fiasco m.

floppy disk [ˈflɒpɪ-] n disquette f.

floral [ˈflɔːrəl] adj (pattern) à fleurs.

Florida Keys [ˈflɒrɪdə-] npl îles au large de la Floride.

florist's [ˈflɒrɪsts] n (shop) fleuriste m.

flour [flaʊəʳ] n farine f.

flow [fləʊ] n courant m ♦ vi couler.

flower [flaʊəʳ] n fleur f.

flowerbed [ˈflaʊəbed] n parterre m de fleurs.

flowerpot [ˈflaʊəpɒt] n pot m de fleurs.

flown [fləʊn] pp → fly.

fl oz abbr = fluid ounce.

flu [fluː] n grippe f.

fluent [ˈfluːənt] adj: to be ~ in French, to speak ~ French parler couramment français.

fluff [flʌf] n (on clothes) peluches fpl.

fluid ounce [ˈfluːɪd-] n = 0,03 litre.

flume [fluːm] n toboggan m.

flung [flʌŋ] pt & pp → fling.

flunk [flʌŋk] vt (Am: inf: exam) rater.

fluorescent [flʊəˈresənt] adj fluorescent(-e).

flush [flʌʃ] vt: to ~ the toilet tirer la chasse d'eau.

flute [fluːt] n flûte f.

fly [flaɪ] (pt flew, pp flown) n (insect) mouche f; (of trousers) braguette f ♦ vt (plane, helicopter) piloter; (airline) voyager avec; (transport) transporter (par avion) ♦ vi voler; (passenger) voyager en avion; (pilot a plane) piloter; (flag) flotter.

fly-drive n formule f avion plus voiture.

flying [ˈflaɪɪŋ] n voyages mpl en avion.

flyover [ˈflaɪˌəʊvəʳ] n (Br) saut-de-mouton m.

flypaper [ˈflaɪˌpeɪpəʳ] n papier m tue-mouches.

flysheet [ˈflaɪʃiːt] n auvent m.

FM n FM f.

foal [fəʊl] n poulain m.

foam [fəʊm] n mousse f.

focus [ˈfəʊkəs] n (of camera) mise f au point ♦ vi (with camera, binoculars) faire la mise au point; in ~ net; out of ~ flou.

fog [fɒg] n brouillard m.

fogbound [ˈfɒgbaʊnd] adj bloqué(-e) par le brouillard.

foggy [ˈfɒgɪ] adj brumeux(-euse).

fog lamp n feu m de brouillard.

foil [fɔɪl] n (thin metal) papier m aluminium.

fold [fəʊld] n pli m ◆ vt plier; (wrap) envelopper; **to ~ one's arms** (se) croiser les bras ❏ **fold up** vi (chair, bed, bicycle) se plier.

folder [ˈfəʊldəʳ] n chemise f (cartonnée).

foliage [ˈfəʊlɪdʒ] n feuillage m.

folk [fəʊk] npl (people) gens mpl ◆ n: ~ **(music)** musique f ❏ **folks** npl (inf: relatives) famille f.

follow [ˈfɒləʊ] vt & vi suivre; ~**ed by** (in time) suivi par OR de; **as ~s** comme suit ❏ **follow on** vi (come later) suivre.

following [ˈfɒləʊɪŋ] adj suivant(-e) ◆ prep après.

follow on call n appel téléphonique permettant d'utiliser la monnaie restante d'un précédent appel.

fond [fɒnd] adj: **to be ~ of** aimer beaucoup.

fondue [ˈfɒnduː] n (with cheese) fondue f (savoyarde); (with meat) fondue bourguignonne.

food [fuːd] n nourriture f; (type of food) aliment m.

food poisoning [-ˌpɔɪznɪŋ] n intoxication f alimentaire.

food processor [-ˌprəʊsesəʳ] n robot m ménager.

foodstuffs [ˈfuːdstʌfs] npl denrées fpl alimentaires.

fool [fuːl] n (idiot) idiot m (-e f); (pudding) mousse f ◆ vt tromper.

foolish [ˈfuːlɪʃ] adj idiot(-e), bête.

foot [fʊt] n (pl feet) n pied m; (of animal) patte f; (measurement) = 30,48 cm, pied; **by ~** à pied; **on ~** à pied.

football [ˈfʊtbɔːl] n (Br: soccer) football m; (Am: American football) football m américain; (ball) ballon m de football.

footballer [ˈfʊtbɔːləʳ] n (Br) footballeur m (-euse f).

football pitch n (Br) terrain m de football.

footbridge [ˈfʊtbrɪdʒ] n passerelle f.

footpath [ˈfʊtpɑːθ, pl -pɑːðz] n sentier m.

footprint [ˈfʊtprɪnt] n empreinte f de pas.

footstep [ˈfʊtstep] n pas m.

footwear [ˈfʊtweəʳ] n chaussures fpl.

for [fɔːʳ] prep 1. (expressing purpose, reason, destination) pour; **this book is ~ you** ce livre est pour toi; **a ticket ~ Manchester** un billet pour Manchester; **a town famous ~ its wine** une ville réputée pour son vin; **what did you do that ~?** pourquoi as-tu fait ça?; **what's it ~?** ça sert à quoi?; **to go ~ a walk** aller se promener; **"~ sale"** «à vendre».
2. (during) pendant; **I've lived here ~ ten years** j'habite ici depuis dix ans, ça fait dix ans que j'habite ici; **we talked ~ hours** on a parlé pendant des heures.
3. (by, before) pour; **I'll do it ~ tomorrow** je le ferai pour demain.
4. (on the occasion of) pour; **I got socks ~ Christmas** on m'a offert des chaussettes pour Noël; **what's ~ dinner?** qu'est-ce qu'il y a pour OR à dîner?
5. (on behalf of) pour; **to do sthg ~ sb** faire qqch pour qqn.
6. (with time and space) pour; **there's**

forbid

no room ~ your suitcase il n'y a pas de place pour ta valise; **it's time ~ dinner** c'est l'heure du dîner; **have you got time ~ a drink?** tu as le temps de prendre un verre?
7. *(expressing distance)* pendant, sur; **road works ~ 20 miles** travaux sur 32 kilomètres.
8. *(expressing price)*: **I bought it ~ five pounds** je l'ai payé cinq livres.
9. *(expressing meaning)*: **what's the French ~ "boy"?** comment dit-on «boy» en français?
10. *(with regard to)* pour; **it's warm ~ November** il fait chaud pour novembre; **it's easy ~ you** c'est facile pour toi; **it's too far ~ us to walk** c'est trop loin pour y aller à pied.

forbid [fəˈbɪd] (*pt* **-bade** [-ˈbeɪd], *pp* **-bidden**) *vt* interdire, défendre; **to ~ sb to do sthg** interdire OR défendre à qqn de faire qqch.

forbidden [fəˈbɪdn] *adj* interdit(-e), défendu(-e).

force [fɔːs] *n* force *f* ◆ *vt (push)* mettre de force; *(lock, door)* forcer; **to ~ sb to do sthg** forcer qqn à faire qqch; **to ~ one's way through** se frayer un chemin; **the ~s** les forces armées.

ford [fɔːd] *n* gué *m*.

forecast [ˈfɔːkɑːst] *n* prévision *f*.

forecourt [ˈfɔːkɔːt] *n* devant *m*.

forefinger [ˈfɔːˌfɪŋgəʳ] *n* index *m*.

foreground [ˈfɔːgraʊnd] *n* premier plan *m*.

forehead [ˈfɔːhed] *n* front *m*.

foreign [ˈfɒrən] *adj* étranger(-ère); *(travel, visit)* à l'étranger.

foreign currency *n* devises

fpl (étrangères).

foreigner [ˈfɒrənəʳ] *n* étranger *m* (-ère *f*).

foreign exchange *n* change *m*.

Foreign Secretary *n* (Br) ministre *m* des Affaires étrangères.

foreman [ˈfɔːmən] (*pl* **-men** [-mən]) *n* (of workers) contremaître *m*.

forename [ˈfɔːneɪm] *n* (fml) prénom *m*.

foresee [fɔːˈsiː] (*pt* **-saw** [-ˈsɔː], *pp* **-seen** [-ˈsiːn]) *vt* prévoir.

forest [ˈfɒrɪst] *n* forêt *f*.

forever [fəˈrevəʳ] *adv (eternally)* (pour) toujours; *(continually)* continuellement.

forgave [fəˈgeɪv] *pt* → **forgive**.

forge [fɔːdʒ] *vt (copy)* contrefaire.

forgery [ˈfɔːdʒərɪ] *n* contrefaçon *f*.

forget [fəˈget] (*pt* **-got**, *pp* **-gotten**) *vt & vi* oublier; **to ~ about sthg** oublier qqch; **to ~ how to do sthg** oublier comment faire qqch; **to ~ to do sthg** oublier de faire qqch; **~ it!** laisse tomber!

forgetful [fəˈgetful] *adj* distrait(-e).

forgive [fəˈgɪv] (*pt* **-gave**, *pp* **-given** [-ˈgɪvn]) *vt* pardonner.

forgot [fəˈgɒt] *pt* → **forget**.

forgotten [fəˈgɒtn] *pp* → **forget**.

fork [fɔːk] *n (for eating with)* fourchette *f*; *(for gardening)* fourche *f*; *(of road, path)* embranchement *m* ❑

forks *npl (of bike, motorbike)* fourche *f*.

form [fɔːm] *n (type, shape)* forme

f; *(piece of paper)* formulaire m; *(SCH)* classe f ◆ vt former ◆ vi se former; **off ~** pas en forme; **on ~** en forme; **to ~ part of** faire partie de.

formal ['fɔ:ml] *adj (occasion)* officiel(-ielle); *(language, word)* soutenu(-e); *(person)* solennel(-elle); **~ dress** tenue f de soirée.

formality [fɔ:'mælɪtɪ] *n* formalité f; **it's just a ~** ça n'est qu'une formalité.

format ['fɔ:mæt] *n* format m.

former ['fɔ:mə*r*] *adj (previous)* précédent(-e); *(first)* premier(-ière) ◆ *pron*: **the ~** celui-là (celle-là), le premier (la première).

formerly ['fɔ:məlɪ] *adv* autrefois.

formula ['fɔ:mjʊlə] *(pl* **-as** OR **-ae** [i:]) *n* formule f.

fort [fɔ:t] *n* fort m.

forthcoming [fɔ:θ'kʌmɪŋ] *adj (future)* à venir.

fortieth ['fɔ:tɪθ] *num* quarantième, → **sixth**.

fortnight ['fɔ:tnaɪt] *n (Br)* quinzaine f, quinze jours mpl.

fortunate ['fɔ:tʃnət] *adj* chanceux(-euse).

fortunately ['fɔ:tʃnətlɪ] *adv* heureusement.

fortune ['fɔ:tʃu:n] *n (money)* fortune f; *(luck)* chance f; **it costs a ~** *(inf)* ça coûte une fortune.

forty ['fɔ:tɪ] *num* quarante, → **six**.

forward ['fɔ:wəd] *adv* en avant ◆ *n (SPORT)* avant m ◆ *vt (letter)* faire suivre; *(goods)* expédier; **to look ~ to sthg** attendre qqch avec impatience; **I'm looking ~ to seeing you** il me tarde de vous voir.

forwarding address ['fɔ:wədɪŋ-] *n* adresse f de réexpédition.

fought [fɔ:t] *pt & pp* → **fight**.

foul [faʊl] *adj (unpleasant)* infect(-e) ◆ *n* faute f.

found [faʊnd] *pt & pp* → **find** ◆ *vt* fonder.

foundation (cream) [faʊn'deɪʃn-] *n* fond de teint m.

foundations [faʊn'deɪʃnz] *npl* fondations fpl.

fountain ['faʊntɪn] *n* fontaine f.

fountain pen *n* stylo m (à) plume.

four [fɔ:*r*] *num* quatre, → **six**.

four-star (petrol) *n* super m.

fourteen [,fɔ:'ti:n] *num* quatorze, → **six**.

fourteenth [,fɔ:'ti:nθ] *num* quatorzième, → **sixth**.

fourth [fɔ:θ] *num* quatrième, → **sixth**

four-wheel drive *n* quatre-quatre m inv.

fowl [faʊl] *(pl inv) n* volaille f.

fox [fɒks] *n* renard m.

foyer ['fɔɪeɪ] *n* hall m.

fraction ['frækʃn] *n* fraction f.

fracture ['fræktʃə*r*] *n* fracture f ◆ *vt* fracturer.

fragile ['frædʒaɪl] *adj* fragile.

fragment ['frægmənt] *n* fragment m.

fragrance ['freɪgrəns] *n* parfum m.

frail [freɪl] *adj* fragile.

frame [freɪm] *n (of window, door)* encadrement m; *(of bicycle, bed, for photo)* cadre m; *(of glasses)* monture f; *(of tent)* armature f ◆ *vt (photo, picture)* encadrer.

France [frɑːns] n la France.

frank [fræŋk] adj franc (franche).

frankfurter [ˈfræŋkfɜːtəʳ] n saucisse f de Francfort.

frankly [ˈfræŋklɪ] adv franchement.

frantic [ˈfræntɪk] adj (person) fou (folle); (activity, pace) frénétique.

fraud [frɔːd] n (crime) fraude f.

freak [friːk] adj insolite ◆ n (inf: fanatic) fana mf.

freckles [ˈfreklz] npl taches fpl de rousseur.

free [friː] adj libre; (costing nothing) gratuit(-e) ◆ adv (without paying) gratuitement; **for ~, ~ of charge** gratuitement; **to be ~ to do sthg** être libre de faire qqch.

freedom [ˈfriːdəm] n liberté f.

freefone [ˈfriːfəʊn] n (Br) = numéro m vert.

free gift n cadeau m.

free house n (Br) pub non lié à une brasserie particulière.

free kick n coup franc m.

freelance [ˈfriːlɑːns] adj indépendant(-e), free-lance (inv).

freely [ˈfriːlɪ] adv librement; ~ **available** facile à se procurer.

free period n (SCH) heure f libre.

freepost [ˈfriːpəʊst] n port m payé.

free-range adj (chicken) fermier(-ière); (eggs) de ferme.

free time n temps m libre.

freeway [ˈfriːweɪ] n (Am) autoroute f.

freeze [friːz] (pt **froze**, pp **frozen**) vt (food) congeler; (prices) geler ◆ vi geler ◆ v impers: **it's freezing** il gèle.

freezer [ˈfriːzəʳ] n (deep freeze) congélateur m; (part of fridge) freezer m.

freezing [ˈfriːzɪŋ] adj (temperature, water) glacial(-e); (person, hands) gelé(-e).

freezing point n: **below ~** au-dessous de zéro.

freight [freɪt] n fret m.

French [frentʃ] adj français(-e) ◆ n (language) français m ◆ npl: **the ~** les Français mpl.

French bean n haricot m vert.

French bread n baguette f.

French dressing n (in UK) vinaigrette f; (in US) assaisonnement pour salade à base de mayonnaise et de ketchup.

French fries npl frites fpl.

Frenchman [ˈfrentʃmən] (pl -men [-mən]) n Français m.

French toast n pain m perdu.

French windows npl porte-fenêtre f.

Frenchwoman [ˈfrentʃˌwʊmən] (pl -women [-ˌwɪmɪn]) n Française f.

frequency [ˈfriːkwənsɪ] n fréquence f.

frequent [ˈfriːkwənt] adj fréquent(-e).

frequently [ˈfriːkwəntlɪ] adv fréquemment.

fresh [freʃ] adj (food, flowers, weather) frais (fraîche); (refreshing) rafraîchissant(-e); (water) doux (douce); (recent) récent(-e); (new) nouveau(-elle); **to get some ~ air** prendre l'air.

fresh cream n crème f fraîche.

freshen [ˈfreʃn]: **freshen up** vi se rafraîchir.

freshly [ˈfreʃlɪ] adv fraîchement.

fresh orange (juice) *n* jus *m* d'orange.

Fri *(abbr of Friday)* ven.

Friday ['fraɪdɪ] *n* vendredi, → **Saturday**.

fridge [frɪdʒ] *n* réfrigérateur *m*.

fried egg [fraɪd-] *n* œuf *m* sur le plat.

fried rice [fraɪd-] *n* riz *m* cantonais.

friend [frend] *n* ami *m* (-e *f*); to be ~s with sb être ami avec qqn; to make ~s with sb se lier d'amitié avec qqn.

friendly ['frendlɪ] *adj* aimable; to be ~ with sb être ami avec qqn.

friendship ['frendʃɪp] *n* amitié *f*.

fries [fraɪz] = **French fries**.

fright [fraɪt] *n* peur *f*; to give sb a ~ faire peur à qqn.

frighten ['fraɪtn] *vt* faire peur à.

frightened ['fraɪtnd] *adj (scared)* effrayé(-e); to be ~ (that)... *(worried)* avoir peur que... (+ *subjunctive*); to be ~ of avoir peur de.

frightening ['fraɪtnɪŋ] *adj* effrayant(-e).

frightful ['fraɪtful] *adj (very bad)* horrible.

frilly ['frɪlɪ] *adj* à volants.

fringe [frɪndʒ] *n* frange *f*.

frisk [frɪsk] *vt* fouiller.

fritter ['frɪtə'] *n* beignet *m*.

fro [frəʊ] *adv* → **to**.

frog [frɒg] *n* grenouille *f*.

from [frɒm] *prep* **1.** *(expressing origin, source)* de; **I'm ~ England** je suis anglais; **I bought it ~ a supermarket** je l'ai acheté dans un supermarché; **the train ~ Manchester** le train en provenance de Manchester.

2. *(expressing removal, deduction)* de; **away ~ home** loin de chez soi; **to take sthg (away) ~ sb** prendre qqch à qqn; **10% will be deducted ~ the total** 10 % seront retranchés du total.

3. *(expressing distance)* de; **five miles ~ London** à huit kilomètres de Londres; **it's not far ~ here** ce n'est pas loin (d'ici).

4. *(expressing position)* de; **~ here you can see the valley** d'ici on voit la vallée.

5. *(expressing starting time)* à partir de; **open ~ nine to five** ouvert de neuf heures à dix-sept heures; **~ next year** à partir de l'année prochaine.

6. *(expressing change)* de; **the price has gone up ~ £1 to £2** le prix est passé d'une livre à deux livres.

7. *(expressing range)* de; **tickets are ~ £10** les billets les moins chers commencent à 10 livres; **it could take ~ two to six months** ça peut prendre de deux à six mois.

8. *(as a result of)* de; **I'm tired ~ walking** je suis fatigué d'avoir marché.

9. *(expressing protection)* de; **sheltered ~ the wind** à l'abri du vent.

10. *(in comparisons)*: **different ~** différent de.

fromage frais [ˌfrɒmɑːʒ'freɪ] *n* fromage *m* blanc.

front [frʌnt] *adj (row, part)* de devant; *(seat, wheel)* avant *(inv)* ◆ *n (of dress, queue)* devant *m*; *(of car, train, plane)* avant *m*; *(of building)* façade *f*; *(of weather)* front *m*; *(by the sea)* front *m* de mer; **in ~** *(further forward)* devant; *(in vehicle)* à l'avant; **in ~ of** devant.

front door *n* porte *f* d'entrée.

frontier [frʌnˈtɪəʳ] n frontière f.

front page n une f.

front seat n siège m avant.

frost [frɒst] n (on ground) givre m; (cold weather) gelée f.

frosty ['frɒsti] adj (morning, weather) glacial(-e).

froth [frɒθ] n (on beer) mousse f; (on sea) écume f.

frown [fraun] n froncement m de sourcils ♦ vi froncer les sourcils.

froze [frəuz] pt → **freeze**.

frozen [frəuzn] pp → freeze ♦ adj gelé(-e); (food) surgelé(-e).

fruit [fruːt] n (variety, single fruit) fruits mpl; (variety, single fruit) fruit m; **a piece of** ~ un fruit; ~s **of the forest** fruits des bois.

fruit cake n cake m.

fruiterer ['fruːtərəʳ] n (Br) marchand m (-e f) de fruits.

fruit juice n jus m de fruit.

fruit machine n (Br) machine f à sous.

fruit salad n salade f de fruits.

frustrating [frʌˈstreɪtɪŋ] adj frustrant(-e).

frustration [frʌˈstreɪʃn] n frustration f.

fry [fraɪ] vt (faire) frire.

frying pan n ['fraɪɪŋ-] n poêle f (à frire).

ft abbr = **foot, feet**.

fudge [fʌdʒ] n caramel m.

fuel [fjuəl] n (petrol) carburant m; (coal, gas) combustible m.

fuel pump n pompe f d'alimentation.

fulfil [fulˈfɪl] vt (Br) remplir; (promise) tenir; (instructions) obéir à.

fulfill [fulˈfɪl] (Am) = **fulfil**.

full [ful] adj plein(-e); (hotel, train,

name) complet(-ète); (maximum) maximum; (week) chargé(-e); (flavour) riche ♦ adv (directly) en plein; **I'm** ~ **(up)** je n'en peux plus; **at** ~ **speed** à toute vitesse; **in** ~ (pay) intégralement; (write) en toutes lettres.

full board n pension f complète.

full-cream milk n lait m entier.

full-length adj (skirt, dress) long (longue).

full moon n pleine lune f.

full stop n point m.

full-time adj & adv à temps plein.

fully ['fuli] adv entièrement; (understand) tout à fait; ~ **booked** complet.

fully-licensed adj habilité à vendre tous types d'alcools.

fumble ['fʌmbl] vi (search clumsily) farfouiller; (in the dark) tâtonner.

fun [fʌn] n: **it's good** ~ c'est très amusant; **for** ~ pour le plaisir; **to have** ~ s'amuser; **to make** ~ **of** se moquer de.

function ['fʌŋkʃn] n (role) fonction f; (formal event) réception f ♦ vi fonctionner.

fund [fʌnd] n (of money) fonds m ♦ vt financer ❑ **funds** npl fonds mpl.

fundamental [ˌfʌndəˈmentl] adj fondamental(-e).

funeral ['fjuːnərəl] n enterrement m.

funfair ['fʌnfeəʳ] n fête f foraine.

funky ['fʌŋki] adj (inf) funky (inv).

funnel ['fʌnl] n (for pouring) entonnoir m; (on ship) cheminée f.

funny ['fʌnɪ] adj (amusing) drôle; (strange) bizarre; **to feel ~ (ill)** ne pas être dans son assiette.

fur [fɜːʳ] n fourrure f.

fur coat n manteau m de fourrure.

furious ['fjʊərɪəs] adj furieux(-ieuse).

furnished ['fɜːnɪʃt] adj meublé(-e).

furnishings ['fɜːnɪʃɪŋz] npl mobilier m.

furniture ['fɜːnɪtʃəʳ] n meubles mpl; **a piece of ~** un meuble.

furry ['fɜːrɪ] adj (animal) à fourrure; (toy) en peluche; (material) pelucheux(-euse).

further ['fɜːðəʳ] compar → **far** ◆ adv plus loin; (more) plus ◆ adj (additional) autre; **until ~ notice** jusqu'à nouvel ordre.

furthermore [ˌfɜːðəˈmɔːʳ] adv de plus.

furthest ['fɜːðɪst] superl → **far** ◆ adj le plus éloigné (la plus éloignée) ◆ adv le plus loin.

fuse [fjuːz] n (of plug) fusible m; (on bomb) détonateur m ◆ vi: **the plug has ~d** les plombs ont sauté.

fuse box n boîte f à fusibles.

fuss [fʌs] n histoires fpl.

fussy ['fʌsɪ] adj (person) difficile.

future ['fjuːtʃəʳ] n avenir m; (GRAMM) futur m ◆ adj futur(-e); **in ~** à l'avenir.

G

g (abbr of gram) g.

gable ['geɪbl] n pignon m.

gadget ['gædʒɪt] n gadget m.

Gaelic ['geɪlɪk] n gaélique m.

gag [gæg] n (inf: joke) histoire f drôle.

gain [geɪn] vt gagner; (weight, speed, confidence) prendre; (subj: clock, watch) avancer de ◆ vi (benefit) y gagner ◆ n gain m.

gale [geɪl] n grand vent m.

gallery ['gælərɪ] n (public) musée m; (private, at theatre) galerie f.

gallon ['gælən] n (Br) = 4,546 l, (Am) = 3,79 l, gallon.

gallop ['gæləp] vi galoper.

gamble ['gæmbl] n coup m de poker ◆ vi (bet money) jouer.

gambling ['gæmblɪŋ] n jeu m.

game [geɪm] n jeu m; (of football, tennis, cricket) match m; (of chess, cards, snooker) partie f; (wild animals, meat) gibier m ❑ **games** (SCH) sport m ◆ npl (sporting event) jeux mpl.

gammon ['gæmən] n jambon cuit, salé ou fumé.

gang [gæŋ] n (of criminals) gang m; (of friends) bande f.

gangster ['gæŋstəʳ] n gangster m.

gangway ['gæŋweɪ] n (for ship) passerelle f; (Br: in bus, aeroplane) couloir m; (Br: in theatre) allée f.

gaol [dʒeɪl] (Br) = **jail**.

gap [gæp] *n (space)* espace *m*; *(crack)* interstice *m*; *(of time)* intervalle *m*; *(difference)* fossé *m*.

garage ['gæra:ʒ, 'gærɪdʒ] *n* garage *m*; *(Br: for petrol)* station-service *f*.

garbage ['gɑ:bɪdʒ] *n (Am: refuse)* ordures *fpl*.

garbage can *n* poubelle *f*.

garbage truck *n (Am)* camion-poubelle *m*.

garden ['gɑ:dn] *n* jardin *m* ♦ *vi* faire du jardinage ❑ **gardens** *npl (public park)* jardin *m* public.

garden centre *n* jardinerie *f*.

gardener ['gɑ:dnə*] *n* jardinier *m* (-ière *f*).

gardening ['gɑ:dnɪŋ] *n* jardinage *m*.

garden peas *npl* petits pois *mpl*.

garlic ['gɑ:lɪk] *n* ail *m*.

garlic bread *n* pain aillé et beurré servi chaud.

garlic butter *n* beurre *m* d'ail.

garment ['gɑ:mənt] *n* vêtement *m*.

garnish ['gɑ:nɪʃ] *n (for decoration)* garniture *f*; *(sauce)* sauce servant à relever un plat ♦ *vt* garnir.

gas [gæs] *n* gaz *m inv*; *(Am: petrol)* essence *f*.

gas cooker *n (Br)* cuisinière *f* à gaz.

gas cylinder *n* bouteille *f* de gaz.

gas fire *n (Br)* radiateur *m* à gaz.

gasket ['gæskɪt] *n* joint *m* (d'étanchéité).

gas mask *n* masque *m* à gaz.

gasoline ['gæsəli:n] *n (Am)* essence *f*.

gasp [gɑ:sp] *vi (in shock)* avoir le souffle coupé.

gas pedal *n (Am)* accélérateur *m*.

gas station *n (Am)* station-service *f*.

gas stove *(Br)* = **gas cooker**.

gas tank *n (Am)* réservoir *m* (à essence).

gasworks ['gæswɜ:ks] *(pl inv)* *n* usine *f* à gaz.

gate [geɪt] *n (to garden, at airport)* porte *f*; *(to building)* portail *m*; *(to field)* barrière *f*.

gâteau ['gætəʊ] *(pl -x* [-z]) *n (Br)* gros gâteau à la crème.

gateway ['geɪtweɪ] *n (entrance)* portail *m*.

gather ['gæðə*] *vt (belongings)* ramasser; *(information)* recueillir; *(speed)* prendre; *(understand)* déduire ♦ *vi* se rassembler.

gaudy ['gɔ:dɪ] *adj* voyant(-e).

gauge [geɪdʒ] *n* jauge *f*; *(of railway track)* écartement *m* ♦ *vt (calculate)* évaluer.

gauze [gɔ:z] *n* gaze *f*.

gave [geɪv] *pt* → **give**.

gay [geɪ] *adj (homosexual)* homosexuel(-elle).

gaze [geɪz] *vi*: **to ~ at** regarder fixement.

GB *(abbr of Great Britain)* G-B.

GCSE *n* examen de fin de premier cycle.

GCSE

Les GCSE ont remplacé en 1986 les «O levels». Il s'agit d'examens destinés aux 15-16 ans en Angleterre et au pays de Galles. Pour pouvoir poursuivre dans le second cycle, il faut réussir au moins cinq de ces épreuves. Contrairement aux «O levels», la notation est fondée aussi bien sur le travail de l'année que sur les résultats finaux.

gear [gɪə^r] n (wheel) roue f dentée; (speed) vitesse f; (belongings) affaires fpl; (equipment) équipement m; (clothes) tenue f; **in ~** en prise.

gearbox ['gɪəbɒks] n boîte f de vitesses.

gear lever n levier m de vitesse.

gear shift (Am) = **gear lever**.

gear stick (Br) = **gear lever**.

geese [giːs] pl → **goose**.

gel [dʒel] n gel m.

gelatine [ˌdʒeləˈtiːn] n gélatine f.

gem [dʒem] n pierre f précieuse.

Gemini ['dʒemɪnaɪ] n Gémeaux mpl.

gender ['dʒendə^r] n genre m.

general ['dʒenərəl] adj général(-e) ◆ n général m; **in ~** en général.

general anaesthetic n anesthésie f générale.

general election n élections fpl législatives.

generally ['dʒenərəlɪ] adv généralement.

general practitioner [-prækˈtɪʃənə^r] n (médecin) généraliste m.

general store n bazar m.

generate ['dʒenəreɪt] vt (cause) susciter; (electricity) produire.

generation [ˌdʒenəˈreɪʃn] n génération f.

generator ['dʒenəreɪtə^r] n générateur m.

generosity [ˌdʒenəˈrɒsətɪ] n générosité f.

generous ['dʒenərəs] adj généreux(-euse).

genitals ['dʒenɪtlz] npl parties fpl génitales.

genius ['dʒiːnjəs] n génie m.

gentle ['dʒentl] adj doux (douce); (movement, breeze) léger(-ère).

gentleman ['dʒentlmən] (pl **-men** [-mən]) n monsieur m; (with good manners) gentleman m; **"gentlemen"** (men's toilets) «messieurs».

gently ['dʒentlɪ] adv (carefully) doucement.

gents [dʒents] n (Br) toilettes fpl pour hommes.

genuine ['dʒenjuɪn] adj (authentic) authentique; (sincere) sincère.

geographical [dʒɪəˈgræfɪkl] adj géographique.

geography [dʒɪˈɒgrəfɪ] n géographie f.

geology [dʒɪˈɒlədʒɪ] n géologie f.

geometry [dʒɪˈɒmətrɪ] n géométrie f.

Georgian ['dʒɔːdʒən] adj (architecture etc) georgien(-ienne) (du règne des rois George I-IV, 1714-1830).

geranium [dʒɪˈreɪnjəm] n géranium m.

German ['dʒɜːmən] adj allemand(-e) ◆ n (person) Allemand m (-e f); (language) allemand m.

German measles n rubéole f.

Germany ['dʒɜːmənɪ] n l'Allemagne f.

germs [dʒɜːmz] npl germes mpl.

gesture ['dʒestʃə^r] n (movement) geste m.

get [get] (pt & pp **got**, Am pp **gotten**) vt 1. (obtain) obtenir; (buy)

acheter; **she got a job** elle a trouvé un travail.
2. *(receive)* recevoir; **I got a book for Christmas** on m'a offert OR j'ai eu un livre pour Noël.
3. *(train, plane, bus etc)* prendre.
4. *(fetch)* aller chercher; **could you ~ me the manager?** *(in shop)* pourriez-vous m'appeler le directeur?; *(on phone)* pourriez-vous me passer le directeur?
5. *(illness)* attraper; **I've got a cold** j'ai un rhume.
6. *(cause to happen)* **to ~ sthg done** faire faire qqch; **can I ~ my car repaired here?** est-ce que je peux faire réparer ma voiture ici?
7. *(ask, tell)*: **to ~ sb to do sthg** faire faire qqch à qqn.
8. *(move)*: **I can't ~ it through the door** je n'arrive pas à le faire passer par la porte.
9. *(understand)* comprendre, saisir.
10. *(time, chance)* avoir; **we didn't ~ the chance to see everything** nous n'avons pas pu tout voir.
11. *(idea, feeling)* avoir.
12. *(phone)* répondre à.
13. *(in phrases)*: **you ~ a lot of rain here in winter** il pleut beaucoup ici en hiver, → **have**.
♦ *vi* **1.** *(become)*: **to ~ lost** se perdre; **to ~ ready** se préparer; **it's getting late** il se fait tard; **~ lost!** *(inf)* fiche le camp!
2. *(into particular state, position)*: **to ~ into trouble** s'attirer des ennuis; **how do you ~ to Luton from here?** comment va-t-on à Luton?; **to ~ into the car** monter dans la voiture.
3. *(arrive)* arriver; **when does the train ~ here?** à quelle heure arrive le train?

4. *(in phrases)*: **to ~ to do sthg** avoir l'occasion de faire qqch.
♦ *aux vb*: **to ~ delayed** être retardé; **to ~ killed** se faire tuer.
❏ **get back** *vi (return)* rentrer; **get in** *vi (arrive)* arriver; *(enter)* entrer; **get off** *vi (leave train, bus)* descendre; *(depart)* partir; **get on** *vi (enter train, bus)* monter; *(in relationship)* s'entendre; *(progress)*: **how are you getting on?** comment tu t'en sors?; **get out** *vi (of car, bus)* descendre; **get through** *vi (on phone)* obtenir la communication; **get up** *vi* se lever.

get-together *n (inf)* réunion f.

ghastly ['gɑːstlɪ] *adj (inf)* affreux(-euse).

gherkin ['gɜːkɪn] *n* cornichon *m*.

ghetto blaster ['getəʊˌblɑːstəʳ] *n (inf)* grand radiocassette portatif.

ghost [gəʊst] *n* fantôme *m*.

giant ['dʒaɪənt] *adj* géant(-e) ♦ *n (in stories)* géant *m* (-e *f*).

giblets ['dʒɪblɪts] *npl* abats *mpl* de volaille.

giddy ['gɪdɪ] *adj*: **to feel ~** avoir la tête qui tourne.

gift [gɪft] *n* cadeau *m*; *(talent)* don *m*.

gifted ['gɪftɪd] *adj* doué(-e).

gift shop *n* boutique *f* de cadeaux.

gift voucher *n (Br)* chèque-cadeau *m*.

gig [gɪg] *n (inf: concert)* concert *m*.

gigantic [dʒaɪˈgæntɪk] *adj* gigantesque.

giggle ['gɪgl] *vi* glousser.

gill [dʒɪl] *n (measurement)* = 0,142 l, quart *m* de pinte.

gimmick ['gɪmɪk] n astuce f.

gin [dʒɪn] n gin m; **~ and tonic** gin tonic.

ginger ['dʒɪndʒəʳ] n gingembre m ♦ adj (colour) roux (rousse).

ginger ale n boisson gazeuse non alcoolisée au gingembre, souvent utilisée en cocktail.

ginger beer n boisson gazeuse non alcoolisée au gingembre.

gingerbread ['dʒɪndʒəbred] n pain m d'épice.

gipsy ['dʒɪpsɪ] n gitan m (-e f).

giraffe [dʒɪ'rɑːf] n girafe f.

girdle ['gɜːdl] n gaine f.

girl [gɜːl] n fille f.

girlfriend ['gɜːlfrend] n copine f, amie f.

girl guide n (Br) éclaireuse f.

girl scout (Am) = **girl guide**.

giro ['dʒaɪrəʊ] n (system) virement m bancaire.

give [gɪv] (pt **gave**, pp **given** ['gɪvn]) vt donner; (a smile) faire; (a look) jeter; (speech) faire; (attention, time) consacrer; **to ~ sb sthg** donner qqch à qqn; (as present) offrir qqch à qqn; (news, message) transmettre qqch à qqn; **to ~ sthg a push** pousser qqch; **to ~ sb a kiss** embrasser qqn; **~ or take a few days** à quelques jours près; **"~ way"** «cédez le passage» ❏ **give away** vt sep (get rid of) donner; (reveal) révéler; **give back** vt sep rendre; **give in** vi céder; **give off** vt fus (smell) exhaler; (gas) émettre; **give out** vt sep (distribute) distribuer; **give up** vt sep (cigarettes, chocolate) renoncer à; (seat) laisser ♦ vi (admit defeat) abandonner; **to ~ up (smoking)** arrêter de fumer.

glacier ['glæsjəʳ] n glacier m.

glad [glæd] adj content(-e); **to be ~ to do sthg** faire qqch volontiers OR avec plaisir.

gladly ['glædlɪ] adv (willingly) volontiers, avec plaisir.

glamorous ['glæmərəs] adj (woman) séduisant(-e); (job, place) prestigieux(-ieuse).

glance [glɑːns] n coup m d'œil ♦ vi: **to ~** at jeter un coup d'œil à.

gland [glænd] n glande f.

glandular fever ['glændjʊlə-] n mononucléose f (infectieuse).

glare [gleəʳ] vi (person) jeter des regards mauvais; (sun, light) être éblouissant(-e).

glass [glɑːs] n verre m ♦ adj en verre; (door) vitré(-e) ❏ **glasses** npl lunettes fpl.

glassware ['glɑːsweəʳ] n verrerie f.

glen [glen] n (Scot) vallée f.

glider ['glaɪdəʳ] n planeur m.

glimpse [glɪmps] vt apercevoir.

glitter ['glɪtəʳ] vi scintiller.

global warming [ˌgləʊbl-'wɔːmɪŋ] n réchauffement m de la planète.

globe [gləʊb] n (with map) globe m (terrestre); **the ~** (Earth) le globe.

gloomy ['gluːmɪ] adj (room, day) lugubre; (person) triste.

glorious ['glɔːrɪəs] adj (weather, sight) splendide; (victory, history) glorieux(-ieuse).

glory ['glɔːrɪ] n gloire f.

gloss [glɒs] n (shine) brillant m, lustre m; **~ (paint)** peinture f brillante.

glossary ['glɒsərɪ] n glossaire m.

glossy ['glɒsɪ] adj sur papier glacé.

glove [glʌv] n gant m.

glove compartment n boîte f à gants.

glow [gləʊ] n lueur f ♦ vi briller.

glucose ['glu:kəʊs] n glucose m.

glue [glu:] n colle f ♦ vt coller.

gnat [næt] n moustique m.

gnaw [nɔ:] vt ronger.

go [gəʊ] (pt went, pp gone, pl goes) vi 1. (move, travel) aller; **to ~ for a walk** aller se promener; **to ~ and do sthg** aller faire qqch; **to ~ home** rentrer chez soi; **to ~ to Spain** aller en Espagne; **to ~ by bus** prendre le bus; **to ~ swimming** aller nager.
2. (leave) partir, s'en aller; **when does the bus ~?** quand part le bus?; **~ away!** allez-vous-en!
3. (become) devenir; **she went pale** elle a pâli; **the milk has gone sour** le lait a tourné.
4. (expressing future tense): **to be going to do sthg** aller faire qqch.
5. (function) marcher; **the car won't ~** la voiture ne veut pas démarrer.
6. (stop working) tomber en panne; (break) se casser; **the fuse has gone** les plombs ont sauté.
7. (time) passer.
8. (progress) aller, se passer; **to ~ well** aller bien, bien se passer.
9. (bell, alarm) se déclencher.
10. (match) aller bien ensemble; **to ~ with** aller (bien) avec; **red wine doesn't ~ with fish** le vin rouge ne va pas bien avec le poisson.
11. (be sold) se vendre; **"everything must ~"** «tout doit partir».
12. (fit) rentrer.
13. (lead) aller; **where does this path ~?** où va ce chemin?
14. (belong) aller.
15. (in phrases): **to let ~ of sthg** (drop) lâcher qqch; **to ~** (Am: to take away) à emporter; **there are two weeks to ~** il reste deux semaines.
♦ n 1. (turn) tour m; **it's your ~** c'est ton tour, c'est à toi.
2. (attempt) coup m; **to have a ~ at sthg** essayer qqch; **"50p a ~"** (for game) «50p la partie».
❑ **go ahead** vi (begin) y aller; (take place) avoir lieu; **go back** vi (return) retourner; **go down** vi (decrease) baisser; (sun) se coucher; (tyre) se dégonfler; **go down with** vt fus (inf: illness) attraper; **go in** vi entrer; **go off** vi (alarm, bell) se déclencher; (food) se gâter; (milk) tourner; (light, heating) s'éteindre; **go on** vi (happen) se passer; (light, heating) s'allumer; (continue): **to ~ on doing sthg** continuer à faire qqch; **go on!** allez!; **go out** vi (leave house) sortir; (light, fire, cigarette) s'éteindre; (have relationship): **to ~ out with sb** sortir avec qqn; **to ~ out for a meal** dîner dehors; **go over** vt fus (check) vérifier; **go round** vi (revolve) tourner; **go through** vt fus (experience) vivre; (spend) dépenser; (search) fouiller; **go up** vi (increase) augmenter; **go without** vt fus se passer de.

goal [gəʊl] n but m; (posts) buts mpl.

goalkeeper ['gəʊl,ki:pə[r]] n gardien m (de but).

goalpost ['gəʊlpəʊst] n poteau m (de but).

goat [gəʊt] n chèvre f.

gob [gɒb] n (Br: inf: mouth) gueule f.

god [gɒd] n dieu m ❑ **God** n Dieu m.

goddaughter ['gɒd,dɔːtər] n filleule f.

godfather ['gɒd,fɑːðər] n parrain m.

godmother ['gɒd,mʌðər] n marraine f.

gods [gɒdz] npl: **the ~** (Br: inf: in theatre) le poulailler.

godson ['gɒdsʌn] n filleul m.

goes [gəʊz] → **go**.

goggles ['gɒglz] npl (for swimming) lunettes fpl de natation; (for skiing) lunettes fpl de ski.

going ['gəʊɪŋ] adj (available) disponible; **the ~ rate** le tarif en vigueur.

go-kart [-kɑːt] n kart m.

gold [gəʊld] n or m ◆ adj en or.

goldfish ['gəʊldfɪʃ] (pl inv) n poisson m rouge.

gold-plated [-'pleɪtɪd] adj plaqué(-e) or.

golf [gɒlf] n golf m.

golf ball n balle f de golf.

golf club n club m de golf.

golf course n terrain m de golf.

golfer ['gɒlfər] n joueur m (-euse f) de golf.

gone [gɒn] pp → **go** ◆ prep (Br: past): **it's ~ ten** il est dix heures passées.

good [gʊd] (compar **better**, superl **best**) adj bon (bonne); (kind) gentil(-ille); (well-behaved) sage ◆ n bien m; **the weather is ~** il fait beau; **to have a ~ time** s'amuser; **to be ~ at sthg** être bon en qqch; **a ~ ten minutes** dix bonnes minutes; **in ~ time** à temps; **to make ~ sthg** (damage) payer qqch; (loss) compenser qqch; **for ~** pour de bon; **for the ~ of** pour le bien de;

to do sb ~ faire du bien à qqn; **it's no ~** (there's no point) ça ne sert à rien; **~ afternoon!** bonjour!; **~ evening!** bonsoir!; **~ morning!** bonjour!; **~ night!** bonne nuit! ❑ **goods** npl marchandises fpl.

goodbye [,gʊd'baɪ] excl au revoir!

Good Friday n le Vendredi saint.

good-looking [-'lʊkɪŋ] adj beau (belle).

goods train [gʊdz-] n train m de marchandises.

goose [guːs] (pl **geese**) n oie f.

gooseberry ['gʊzbəɪ] n groseille f à maquereau.

gorge [gɔːdʒ] n gorge f.

gorgeous ['gɔːdʒəs] adj (day, countryside) splendide; (meal) délicieux(-ieuse); (inf: good-looking) canon (inv).

gorilla [gə'rɪlə] n gorille m.

gossip ['gɒsɪp] vi (about someone) cancaner; (chat) bavarder ◆ n (about someone) commérages mpl; **to have a ~** (chat) bavarder.

gossip column n échos mpl.

got [gɒt] pt & pp → **get**.

gotten ['gɒtn] pp (Am) → **get**.

goujons ['guːdʒɒnz] npl fines lamelles de poisson enrobées de pâte à crêpe et frites.

goulash ['guːlæʃ] n goulasch m.

gourmet ['gʊəmeɪ] n gourmet m ◆ adj (food, restaurant) gastronomique.

govern ['gʌvn] vt (country) gouverner; (city) administrer.

government ['gʌvnmənt] n gouvernement m.

gown [gaʊn] n (dress) robe f.

GP abbr = **general practitioner**.

grab [græb] vt saisir; (person) attraper.

graceful ['greisful] adj gracieux(-ieuse).

grade [greid] n (quality) qualité f; (in exam) note f; (Am: year at school) année f.

gradient ['greidjənt] n pente f.

gradual ['grædʒuəl] adj graduel(-elle), progressif(-ive).

gradually ['grædʒuəli] adv graduellement, progressivement.

graduate [n 'grædʒuət, vb 'grædʒueit] n (from university) = licencié m (-e f); (Am: from high school) = bachelier m (-ière f) ◆ vi (from university) = obtenir sa licence; (Am: from high school) = obtenir son baccalauréat.

graduation [,grædʒu'eiʃn] n remise f des diplômes.

graffiti [grə'fi:ti] n graffiti mpl.

grain [grein] n grain m; (crop) céréales fpl.

gram [græm] n gramme m.

grammar ['græmər] n grammaire f.

grammar school n (in UK) école secondaire publique, plus sélective et plus traditionelle que les autres.

gramme [græm] = **gram**.

gramophone ['græməfəun] n gramophone m.

gran [græn] n (Br: inf) mamie f.

grand [grænd] adj (impressive) grandiose ◆ n (inf) (£1,000) mille livres fpl; ($1,000) mille dollars mpl.

grandchild ['græntʃaild] (pl -children [-tʃildrən]) n (boy) petit-fils m; (girl) petite-fille f; grand-

children petits-enfants mpl.

granddad ['grændæd] n (inf) papi m.

granddaughter ['græn,dɔ:tər] n petite-fille f.

grandfather ['grænd,fɑ:ðər] n grand-père m.

grandma ['grænmɑ:] n (inf) mamie f.

grandmother ['græn,mʌðər] n grand-mère f.

grandpa ['grænpɑ:] n (inf) papi m.

grandparents ['græn,peərənts] npl grands-parents mpl.

grandson ['grænsʌn] n petit-fils m.

granite ['grænit] n granit m.

granny ['græni] n (inf) mamie f.

grant [grɑ:nt] n (POL) subvention f; (for university) bourse f ◆ vt (fml: give) accorder; **to take sthg for ~ed** considérer qqch comme un fait acquis; **he takes her for ~ed** il ne se rend pas compte de tout ce qu'elle fait pour lui.

grape [greip] n raisin m.

grapefruit ['greipfru:t] n pamplemousse m.

grapefruit juice n jus m de pamplemousse.

graph [grɑ:f] n graphique m.

graph paper n papier m millimétré.

grasp [grɑ:sp] vt saisir.

grass [grɑ:s] n herbe f; "keep off the ~" «pelouse interdite».

grasshopper ['grɑ:s,hopər] n sauterelle f.

grate [greit] n grille f de foyer.

grated ['greitid] adj râpé(-e).

grateful ['greitful] adj reconnaissant(-e).

grater ['greɪtər] n râpe f.

gratitude ['grætɪtjuːd] n gratitude f.

gratuity [grə'tjuːɪtɪ] n (fml) pourboire m.

grave¹ [greɪv] adj (mistake, news) grave; (concern) sérieux(-ieuse) ♦ n tombe f.

grave² [grɑːv] adj (accent) grave.

gravel ['grævl] n gravier m; (smaller) gravillon m.

graveyard ['greɪvjɑːd] n cimetière m.

gravity ['grævɪtɪ] n gravité f.

gravy ['greɪvɪ] n jus m de viande.

gray [greɪ] (Am) = **grey**.

graze [greɪz] vt (injure) égratigner.

grease [griːs] n graisse f.

greaseproof paper ['griːspruːf] n (Br) papier m sulfurisé.

greasy ['griːsɪ] adj (tools, clothes) graisseux(-euse); (food, skin, hair) gras (grasse).

great [greɪt] adj grand(-e); (very good) super (inv), génial(-e); (that's) ~! (c'est) super OR génial!

Great Britain n la Grande-Bretagne.

---

i **GREAT BRITAIN**

Le terme de «Great Britain», ou simplement «Britain», désigne l'île qui réunit l'Angleterre, l'Écosse et le pays de Galles. À ne pas confondre avec le «United Kingdom», qui inclut l'Irlande du Nord, ou les «British Isles», dont font également partie la République d'Irlande, l'île de Man, les Orcades, les Shetlands et les îles Anglo-Normandes.

---

great-grandfather n arrière-grand-père m.

great-grandmother n arrière-grand-mère f.

greatly ['greɪtlɪ] adv (a lot) beaucoup; (very) très.

Greece [griːs] n la Grèce.

greed [griːd] n (for food) gloutonnerie f; (for money) avidité f.

greedy ['griːdɪ] adj (for food) glouton(-onne); (for money) avide.

Greek [griːk] adj grec (grecque) ♦ n (person) Grec m (Grecque f); (language) grec m.

Greek salad n salade composée de laitue, tomates, concombre, feta et olives noires.

green [griːn] adj vert(-e); (person, product) écolo; (inf: inexperienced) jeune ♦ n (colour) vert m; (in village) terrain m communal; (on golf course) green m □ **greens** npl (vegetables) légumes mpl verts.

green beans npl haricots mpl verts.

green card n (Br: for car) carte f verte; (Am: work permit) carte f de séjour.

green channel n dans un port ou un aéroport, sortie réservée aux voyageurs n'ayant rien à déclarer.

greengage ['griːngeɪdʒ] n reine-claude f.

greengrocer's ['griːnɡrəʊsəz] n (shop) magasin m de fruits et de légumes.

greenhouse ['griːnhaʊs, pl -haʊzɪz] n serre f.

greenhouse effect n effet m de serre.

green light n feu m vert.

green pepper n poivron m

vert.

Greens [gri:nz] *npl:* **the ~** les écologistes *mpl.*

green salad *n* salade *f* verte.

greet [gri:t] *vt* saluer.

greeting ['gri:tɪŋ] *n* salut *m.*

grenade [grə'neɪd] *n* grenade *f.*

grew [gru:] *pt* → **grow.**

grey [greɪ] *adj* gris(-e) ♦ *n* gris *m;* **to go ~** grisonner.

greyhound ['greɪhaʊnd] *n* lévrier *m.*

grid [grɪd] *n (grating)* grille *f; (on map etc)* quadrillage *m.*

grief [gri:f] *n* chagrin *m;* **to come to ~** *(person)* échouer.

grieve [gri:v] *vi* être en deuil.

grill [grɪl] *n (on cooker, over fire)* gril *m; (part of restaurant)* grill *m* ♦ *vt* (faire) griller.

grille [grɪl] *n (AUT)* calandre *f.*

grilled [grɪld] *adj* grillé(-e).

grim [grɪm] *adj (expression)* sévère; *(place, news)* sinistre.

grimace ['grɪməs] *n* grimace *f.*

grimy ['graɪmɪ] *adj* crasseux(-euse).

grin [grɪn] *n* grand sourire *m* ♦ *vi* faire un grand sourire.

grind [graɪnd] *(pt & pp* ground) *vt (pepper, coffee)* moudre.

grip [grɪp] *n (hold)* prise *f; (of tyres)* adhérence *f; (handle)* poignée *f; (bag)* sac *m* de voyage ♦ *vt (hold)* saisir.

gristle ['grɪsl] *n* nerfs *mpl.*

groan [grəʊn] *n (of pain)* gémissement *m* ♦ *vi (in pain)* gémir; *(complain)* ronchonner.

groceries ['grəʊsərɪz] *npl* épicerie *f.*

grocer's ['grəʊsəz] *n (shop)* épi-

cerie *f.*

grocery ['grəʊsərɪ] *n (shop)* épicerie *f.*

groin [grɔɪn] *n* aine *f.*

groove [gru:v] *n* rainure *f.*

grope [grəʊp] *vi* tâtonner.

gross [grəʊs] *adj (weight, income)* brut(-e).

grossly ['grəʊslɪ] *adv (extremely)* extrêmement.

grotty ['grɒtɪ] *adj (Br: inf)* minable.

ground [graʊnd] *pt & pp* → **grind** ♦ *n (surface of earth)* sol *m; (soil)* terre *f; (SPORT)* terrain *m* ♦ *adj (coffee)* moulu(-e) ♦ *vt:* **to be ~ed** *(plane)* être interdit de vol; *(Am: electrical connection)* être relié à la terre; **on the ~** par terre ❑ **grounds** *npl (of building)* terrain *m; (of coffee)* marc *m; (reason)* motif *m.*

ground floor *n* rez-de-chaussée *m.*

groundsheet ['graʊndʃi:t] *n* tapis *m* de sol.

group [gru:p] *n* groupe *m.*

grouse [graʊs] *(pl inv)* *n (bird)* grouse *f.*

grovel ['grɒvl] *vi* ramper.

grow [grəʊ] *(pt* grew, *pp* grown) *vi (person, animal)* grandir; *(plant)* pousser; *(increase)* augmenter; *(become)* devenir ♦ *vt (plant, crop)* cultiver; *(beard)* laisser pousser; **to ~ old** vieillir ❑ **grow up** *vi* grandir.

growl [graʊl] *vi (dog)* grogner.

grown [grəʊn] *pp* → **grow.**

grown-up *adj* adulte ♦ *n* adulte *mf,* grande personne *f.*

growth [grəʊθ] *n (increase)* augmentation *f; (MED)* grosseur *f.*

grub [grʌb] *n (inf: food)* bouffe *f.*

grubby ['grʌbɪ] *adj* pas net (nette).

123 Guy Fawkes Night

grudge [grʌdʒ] n rancune f ◆ vt: **to ~ sb sthg** envier qqch à qqn.

grueling ['gruəlɪŋ] (Am) = **gruelling**.

gruelling ['gruəlɪŋ] adj (Br) exténuant(-e).

gruesome ['gruːsəm] adj macabre.

grumble ['grʌmbl] vi (complain) grommeler.

grumpy ['grʌmpɪ] adj (inf) grognon(-onne).

grunt [grʌnt] vi (pig) grogner; (person) pousser un grognement.

guarantee [ˌgærən'tiː] n garantie f ◆ vt garantir.

guard [gɑːd] n (of prisoner) gardien m (-ienne f); (of politician, palace) garde m; (Br: on train) chef m de train; (protective cover) protection f ◆ vt (watch over) garder; **to be on one's ~** être sur ses gardes.

guess [ges] vt & vi (essayer de) deviner ◆ n: **to have a ~ (at sthg)** (essayer de) deviner (qqch); **I ~ (so)** je suppose que oui.

guest [gest] n invité m (-e f); (in hotel) client m (-e f).

guesthouse ['gesthaʊs, pl -haʊzɪz] n pension f de famille.

guestroom ['gestrʊm] n chambre f d'amis.

guidance ['gaɪdəns] n conseils mpl.

guide [gaɪd] n (for tourists) guide mf; (guidebook) guide m (touristique) ◆ vt conduire ❑ **Guide** n (Br) = éclaireuse f.

guidebook ['gaɪdbʊk] n guide m (touristique).

guide dog n chien m d'aveugle.

guided tour ['gaɪdɪd-] n visite f guidée.

guidelines ['gaɪdlaɪnz] npl lignes fpl directrices.

guilt [gɪlt] n culpabilité f.

guilty ['gɪltɪ] adj coupable.

guinea pig ['gɪnɪ-] n cochon m d'Inde.

guitar [gɪ'tɑː] n guitare f.

guitarist [gɪ'tɑːrɪst] n guitariste mf.

gulf [gʌlf] n (of sea) golfe m.

Gulf War n: **the ~** la guerre du Golfe.

gull [gʌl] n mouette f.

gullible ['gʌləbl] adj crédule.

gulp [gʌlp] n goulée f.

gum [gʌm] n (chewing gum) chewing-gum m; (bubble gum) chewing-gum avec lequel on peut faire des bulles; (adhesive) gomme f ❑ **gums** npl (in mouth) gencives fpl.

gun [gʌn] n (pistol) revolver m; (rifle) fusil m; (cannon) canon m.

gunfire ['gʌnfaɪə] n coups mpl de feu.

gunshot ['gʌnʃɒt] n coup m de feu.

gust [gʌst] n rafale f.

gut [gʌt] n (inf: stomach) estomac m ❑ **guts** npl (inf) (intestines) boyaux mpl; (courage) cran m.

gutter ['gʌtə] n (beside road) rigole f; (of house) gouttière f.

guy [gaɪ] n (inf: man) type m ❑ **guys** npl (Am: inf: people): **you ~s** vous.

Guy Fawkes Night [-fɔːks-] n (Br) le 5 novembre.

---

i **GUY FAWKES NIGHT**

Cette fête annuelle, également appelée «Bonfire Night», mar-

guy rope

que l'anniversaire de la découverte d'un complot catholique visant à assassiner le roi Jacques Ier en faisant sauter le Parlement britannique (1605). Les enfants ont pour coutume à cette occasion de confectionner des pantins de chiffon à l'effigie de l'un des conspirateurs, Guy Fawkes, et de les exhiber dans la rue en demandant de l'argent. Dans la soirée, on tire des feux d'artifice et les effigies sont brûlées dans de grands feux de joie.

---

guy rope n corde f de tente.

gym [dʒɪm] n gymnase m; (school lesson) gym f.

gymnast ['dʒɪmnæst] n gymnaste mf.

gymnastics [dʒɪm'næstɪks] n gymnastique f.

gym shoes npl tennis mpl en toile.

gynaecologist [ˌɡaɪnə'kɒlədʒɪst] n gynécologue mf.

gypsy ['dʒɪpsɪ] = **gipsy**.

H (abbr of hot) C; (abbr of hospital) H.

habit ['hæbɪt] n habitude f.

hacksaw ['hæksɔː] n scie f à métaux.

had [hæd] pt & pp → **have**.

haddock ['hædək] (pl inv) n églefin m.

hadn't ['hædnt] = **had not**.

haggis ['hæɡɪs] n plat typique écossais consistant en une panse de brebis farcie, plus souvent accompagné de pommes de terre et de navets en purée.

haggle ['hæɡl] vi marchander.

hail [heɪl] n grêle f ♦ v impers grêler.

hailstone ['heɪlstəʊn] n grêlon m.

hair [heəʳ] n (on head) cheveux mpl; (on skin) poils mpl; (individual hair on head) cheveu m; (individual hair on skin, of animal) poil m; **to have one's ~ cut** se faire couper les cheveux.

hairband ['heəbænd] n bandeau m.

hairbrush ['heəbrʌʃ] n brosse f à cheveux.

hairclip ['heəklɪp] n barrette f.

haircut ['heəkʌt] n (style) coupe f (de cheveux); **to have a ~** se faire couper les cheveux.

hairdo ['heəduː] (pl **-s**) n coiffure f.

hairdresser ['heəˌdresəʳ] n coiffeur m (-euse f); **~'s** (salon) salon m de coiffure; **to go to the ~'s** aller chez le coiffeur.

hairdryer ['heəˌdraɪəʳ] n sèche-cheveux m inv.

hair gel n gel m coiffant.

hairgrip ['heəɡrɪp] n (Br) épingle f à cheveux.

hairnet ['heənet] n résille f.

hairpin bend ['heəpɪn-] n virage m en épingle à cheveux.

hair remover [-rɪˌmuːvəʳ] n crème f dépilatoire.

hair rollers [-ˈrəʊləz] npl bigoudis mpl.

hair slide n barrette f.

hairspray ['heəspreɪ] n laque f.

hairstyle ['heəstaɪl] n coiffure f.

hairy ['heərɪ] adj poilu(-e).

half [Br hɑːf, Am hæf] (pl **halves**) n moitié f; (of match) mi-temps f inv; (half pint) = demi m; (child's ticket) demi-tarif m ♦ adv à moitié ♦ adj: ~ **a day** une demi-journée; ~ **of them** la moitié d'entre eux; **four and a** ~ quatre et demi; ~ **past seven** sept heures et demie; ~ **as big as** moitié moins grand que; **an hour and a** ~ une heure et demie; ~ **an hour** une demi-heure; ~ **a dozen** une demi-douzaine.

half board n demi-pension f.

half-day n demi-journée f.

half fare n demi-tarif m.

half portion n demi-portion f.

half-price adj à moitié prix.

half term n (Br) vacances fpl de mi-trimestre.

half time n mi-temps f inv.

halfway [hɑːfweɪ] adv (in space) à mi-chemin; (in time) à la moitié.

halibut ['hælɪbət] (pl inv) n flétan m.

hall [hɔːl] n (of house) entrée f; (building, large room) salle f; (country house) manoir m.

hallmark ['hɔːlmɑːk] n (on silver, gold) poinçon m.

hallo [hə'ləʊ] = **hello.**

hall of residence n résidence f universitaire.

Halloween [ˌhæləʊ'iːn] n Halloween f.

des sorcières. À cette occasion, les enfants se déguisent et font le tour des maisons du quartier en menaçant leurs voisins de leur jouer des tours s'ils ne leur donnent pas d'argent ou de sucreries (c'est le «trick or treat»). On confectionne des lampes en évidant des citrouilles, en y plaçant une bougie et en y découpant des yeux, un nez et une bouche.

halt [hɔːlt] vi s'arrêter ♦ n: **to come to a** ~ s'arrêter.

halve [Br hɑːv, Am hæv] vt (reduce) réduire de moitié; (cut) couper en deux.

halves [Br hɑːvz, Am hævz] pl → **half.**

ham [hæm] n (meat) jambon m.

hamburger ['hæmbɜːgəʳ] n steak m haché; (Am: mince) viande f hachée.

hamlet ['hæmlɪt] n hameau m.

hammer ['hæməʳ] n marteau m ♦ vt (nail) enfoncer à coups de marteau.

hammock ['hæmək] n hamac m.

hamper ['hæmpəʳ] n panier m.

hamster ['hæmstəʳ] n hamster m.

hamstring ['hæmstrɪŋ] n tendon m du jarret.

hand [hænd] n main f; (of clock, watch, dial) aiguille f; **to give sb a** ~ donner un coup de main à qqn; **to get out of** ~ échapper à tout contrôle; **by** ~ à la main; **in** ~ (time) devant soi; **on the one** ~ d'un côté; **on the other** ~ d'un autre côté ❑ **hand in** vt sep remettre; **hand out** vt sep distribuer; **hand over** vt sep (give) remettre.

i HALLOWEEN

La nuit du 31 octobre est, selon la coutume, la nuit des fantômes et

handbag ['hændbæg] *n* sac *m* à main.

handbasin ['hændbeɪsn] *n* lavabo *m*.

handbook ['hændbʊk] *n* guide *m*.

handbrake ['hændbreɪk] *n* frein *m* à main.

hand cream *n* crème *f* pour les mains.

handcuffs ['hændkʌfs] *npl* menottes *fpl*.

handful ['hændfʊl] *n* poignée *f*.

handicap ['hændɪkæp] *n* handicap *m*.

handicapped ['hændɪkæpt] *adj* handicapé(-e) ◆ *npl*: **the ~ les** handicapés *mpl*.

handkerchief ['hæŋkətʃɪf] (*pl* **-chiefs** OR **-chieves**) *n* mouchoir *m*.

handle ['hændl] *n* (*of door, window, suitcase*) poignée *f*; (*of knife, pan*) manche *m*; (*of cup*) anse *f* ◆ *vt* (*touch*) manipuler; (*deal with*) s'occuper de; (*crisis*) faire face à; **"~ with care"** «fragile».

handlebars ['hændlbɑːz] *npl* guidon *m*.

hand luggage *n* bagages *mpl* à main.

handmade [,hænd'meɪd] *adj* fait à la main.

handout ['hændaʊt] *n* (*leaflet*) prospectus *m*.

handrail ['hændreɪl] *n* rampe *f*.

handset ['hændset] *n* combiné *m*; **"please replace the ~"** «raccrochez».

handshake ['hændʃeɪk] *n* poignée *f* de main.

handsome ['hænsəm] *adj* beau (belle).

handstand ['hændstænd] *n* équilibre *m* sur les mains.

handwriting ['hænd,raɪtɪŋ] *n* écriture *f*.

handy ['hændɪ] *adj* (*useful*) pratique; (*person*) adroit(-e); (*near*) tout près; **to come in ~** (*inf*) être utile.

hang [hæŋ] (*pt & pp* **hung**) *vt* suspendre, accrocher; (*execute*: *pt & pp* **hanged**) pendre ◆ *vi* pendre ◆ *n*: **to get the ~ of sthg** attraper le coup pour faire qqch ❏ **hang about** *vi* (*Br*: *inf*) traîner; **hang around** (*inf*) = **hang about**; **hang down** *vi* pendre; **hang on** *vi* (*inf*: *wait*) attendre; **hang out** *vt sep* (*washing*) étendre ◆ *vi* (*inf*) traîner; **hang up** *vi* (*on phone*) raccrocher.

hangar ['hæŋəʳ] *n* hangar *m* (à avions).

hanger ['hæŋəʳ] *n* cintre *m*.

hang gliding *n* deltaplane *m*.

hangover ['hæŋ,əʊvəʳ] *n* gueule *f* de bois.

hankie ['hæŋkɪ] *n* (*inf*) mouchoir *m*.

happen ['hæpən] *vi* arriver; **I happened to be there** je me trouvais là par hasard.

happily ['hæpɪlɪ] *adv* (*luckily*) heureusement.

happiness ['hæpɪnɪs] *n* bonheur *m*.

happy ['hæpɪ] *adj* heureux (-euse); **to be ~ about sthg** être content de qqch; **to be ~ to do sthg** (*willing*) être heureux de faire qqch; **to be ~ with sthg** être content de qqch; **Happy Birthday!** joyeux OR bon anniversaire!; **Happy Christmas!** joyeux Noël!; **Happy New Year!** bonne année!

happy hour *n (inf) période, généralement en début de soirée, où les boissons sont moins chères.*

harassment ['hærəsmənt] *n* harcèlement *m*.

harbor ['hɑːbər] *(Am)* = **harbour**.

harbour ['hɑːbəʳ] *n (Br)* port *m*.

hard [hɑːd] *adj* dur(-e); *(winter)* rude; *(water)* calcaire ◆ *adv (listen)* avec attention; *(work)* dur; *(hit, rain)* fort; **to try ~** faire de son mieux.

hardback ['hɑːdbæk] *n* livre *m* relié.

hardboard ['hɑːdbɔːd] *n* panneau *m* de fibres.

hard-boiled egg [-bɔɪld-] *n* œuf *m* dur.

hard disk *n* disque *m* dur.

hardly ['hɑːdlɪ] *adv* à peine; **~ ever** presque jamais.

hardship ['hɑːdʃɪp] *n (conditions)* épreuves *fpl*; *(difficult circumstance)* épreuve *f*.

hard shoulder *n (Br)* bande *f* d'arrêt d'urgence.

hard up *adj (inf)* fauché(-e).

hardware ['hɑːdweəʳ] *n (tools, equipment)* quincaillerie *f*; *(COMPUT)* hardware *m*.

hardwearing [,hɑːd'weərɪŋ] *adj (Br)* résistant(-e).

hardworking [,hɑːd'wɜːkɪŋ] *adj* travailleur(-euse).

hare [heəʳ] *n* lièvre *m*.

harm [hɑːm] *n* mal *m* ◆ *vt (person)* faire du mal à; *(chances, reputation)* nuire à; *(fabric)* endommager.

harmful ['hɑːmfʊl] *adj* nuisible.

harmless ['hɑːmlɪs] *adj* inoffensif(-ive).

harmonica [hɑː'mɒnɪkə] *n* harmonica *m*.

harmony ['hɑːmənɪ] *n* harmonie *f*.

harness ['hɑːnɪs] *n* harnais *m*.

harp [hɑːp] *n* harpe *f*.

harsh [hɑːʃ] *adj (severe)* rude; *(cruel)* dur(-e); *(sound, voice)* discordant(-e).

harvest ['hɑːvɪst] *n (time of year, crops)* récolte *f*; *(of wheat)* moisson *f*; *(of grapes)* vendanges *fpl*.

has [weak form həz, strong form hæz] → **have**.

hash browns [hæʃ-] *npl (Am)* croquettes *fpl* de pommes de terre aux oignons.

hasn't ['hæznt] = **has not**.

hassle ['hæsl] *n (inf)* embêtement *m*.

hastily ['heɪstɪlɪ] *adv* sans réflexion.

hasty ['heɪstɪ] *adj* hâtif(-ive).

hat [hæt] *n* chapeau *m*.

hatch [hætʃ] *n (for food)* passeplat *m inv* ◆ *vi (egg)* éclore.

hatchback ['hætʃ,bæk] *n (car)* cinq portes *f*.

hatchet ['hætʃɪt] *n* hachette *f*.

hate [heɪt] *n* haine *f* ◆ *vt* détester; **to ~ doing sthg** détester faire qqch.

hatred ['heɪtrɪd] *n* haine *f*.

haul [hɔːl] *vt* traîner ◆ *n*: **a long ~** un long trajet.

haunted ['hɔːntɪd] *adj* hanté(-e).

have [hæv] *(pt & pp had)* aux vb 1. *(to form perfect tenses)* avoir/être; **I ~ finished** j'ai terminé; **~ you been there? - No, I haven't** tu y es allé? - Non; **we had already left** nous étions déjà partis.

2. *(must)*: **to ~ (got) to do sthg** devoir faire qqch; **I ~ to go** je dois y aller, il faut que j'y aille; **do you ~ to pay?** est-ce que c'est payant?
♦ vt 1. *(possess)*: **to ~ (got)** avoir; **do you ~** OR **~ you got a double room?** avez-vous une chambre double?; **she has (got) brown hair** elle a les cheveux bruns, elle est brune.
2. *(experience)* avoir; **to ~ a cold** avoir un rhume, être enrhumé; **we had a great time** on s'est beaucoup amusés.
3. *(replacing other verbs)*: **to ~ breakfast** prendre le petit déjeuner; **to ~ lunch** déjeuner; **to ~ a drink** boire OR prendre un verre; **to ~ a shower** prendre une douche; **to ~ a swim** nager; **to ~ a walk** faire une promenade.
4. *(feel)* avoir; **I ~ no doubt about it** je n'ai aucun doute là-dessus.
5. *(cause to be)*: **to ~ sthg done** faire faire qqch; **to ~ one's hair cut** se faire couper les cheveux.
6. *(be treated in a certain way)*: **I've had my wallet stolen** on m'a volé mon portefeuille.

haversack ['hævəsæk] *n* sac *m* à dos.

havoc ['hævək] *n* chaos *m*.

hawk [hɔːk] *n* faucon *m*.

hawker ['hɔːkə'] *n* démarcheur *m* (-euse *f*).

hay [heɪ] *n* foin *m*.

hay fever *n* rhume *m* des foins.

haystack ['heɪ,stæk] *n* meule *f* de foin.

hazard ['hæzəd] *n* risque *m*.

hazardous ['hæzədəs] *adj* dangereux(-euse).

hazard warning lights *npl*

(Br) feux *mpl* de détresse.

haze [heɪz] *n* brume *f*.

hazel ['heɪzl] *adj* noisette *(inv)*.

hazelnut ['heɪzl,nʌt] *n* noisette *f*.

hazy ['heɪzɪ] *adj (misty)* brumeux(-euse).

he [hiː] *pron* il; **~'s tall** il est grand.

head [hed] *n* tête *f*; *(of page)* haut *m*; *(of table)* bout *m*; *(of company, department)* chef *m*; *(head teacher)* directeur *m* (d'école); *(of beer)* mousse *f* ♦ *vt (list)* être en tête de; *(organization)* être à la tête de ♦ *vi* se diriger; **£10 a ~** 10 livres par personne; **~s or tails?** pile ou face? ❑ **head for** *vt fus* se diriger vers.

headache ['hedeɪk] *n (pain)* mal *m* de tête; **to have a ~** avoir mal à la tête.

heading ['hedɪŋ] *n* titre *m*.

headlamp ['hedlæmp] *(Br)* = **headlight**.

headlight ['hedlaɪt] *n* phare *m*.

headline ['hedlaɪn] *n (in newspaper)* gros titre *m*; *(on TV, radio)* titre *m*.

headmaster [,hed'mɑːstə'] *n* directeur *m* (d'école).

headmistress [,hed'mɪstrɪs] *n* directrice *f* (d'école).

head of state *n* chef *m* d'État.

headphones ['hedfəʊnz] *npl* casque *m* (à écouteurs).

headquarters [,hed'kwɔːtəz] *npl* siège *m*.

headrest ['hedrest] *n* appui-tête *m*.

headroom ['hedrʊm] *n* hauteur *f*.

headscarf ['hedskɑːf] *(pl* **-scarves** [-skɑːvz]) *n* foulard *m*.

head start *n* longueur *f*

d'avance.

head teacher n directeur m (d'école).

head waiter n maître m d'hôtel.

heal [hiːl] vt (person) guérir; (wound) cicatriser ♦ vi cicatriser.

health [helθ] n santé f; **to be in good ~** être en bonne santé; **to be in poor ~** être en mauvaise santé; **your (very) good ~!** à la vôtre!

health centre n centre m médico-social.

health food n produits mpl diététiques.

health food shop n magasin m de produits diététiques.

health insurance n assurance f maladie.

healthy ['helθɪ] adj (person) en bonne santé; (skin, food) sain(-e).

heap [hiːp] n tas m; **~s of** (inf) (people, objects) des tas de; (time, money) plein de.

hear [hɪər] (vt & pp **heard** [hɜːd]) vt entendre; (news) apprendre ♦ vi entendre; **to ~ about sthg** entendre parler de qqch; **to ~ from sb** avoir des nouvelles de qqn; **to have heard of** avoir entendu parler de.

hearing ['hɪərɪŋ] n (sense) ouïe f; (at court) audience f; **to be hard of ~** être dur d'oreille.

hearing aid n audiophone m.

heart [hɑːt] n cœur m; **to know sthg (off) by ~** savoir OR connaître qqch par cœur; **to lose ~** perdre courage ❏ **hearts** npl (in cards) cœur m.

heart attack n crise f cardiaque.

heartbeat ['hɑːtbiːt] n batte-

ments mpl de cœur.

heartburn ['hɑːtbɜːn] n brûlures fpl d'estomac.

heart condition n: **to have a ~** être cardiaque.

hearth [hɑːθ] n foyer m.

hearty ['hɑːtɪ] adj (meal) copieux(-ieuse).

heat [hiːt] n chaleur f; (of oven) température f ❏ **heat up** vt sep réchauffer.

heater ['hiːtər] n (for room) appareil m de chauffage; (for water) chauffe-eau m inv.

heath [hiːθ] n lande f.

heather ['heðər] n bruyère f.

heating ['hiːtɪŋ] n chauffage m.

heat wave n canicule f.

heave [hiːv] vt (push) pousser avec effort; (pull) tirer avec effort.

Heaven ['hevn] n le paradis.

heavily ['hevɪlɪ] adv (smoke, drink) beaucoup; (rain) à verse.

heavy ['hevɪ] adj lourd(-e); (rain) battant(-e); **how ~ is it?** ça pèse combien?; **to be a ~ smoker** être un grand fumeur.

heavy cream n (Am) crème f fraîche épaisse.

heavy goods vehicle n (Br) poids lourd m.

heavy industry n industrie f lourde.

heavy metal n heavy metal m.

heckle ['hekl] vt interrompre bruyamment.

hectic ['hektɪk] adj mouvementé(-e).

hedge [hedʒ] n haie f.

hedgehog ['hedʒhɒg] n hérisson m.

heel [hiːl] n talon m.

hefty ['heftɪ] adj (person) costaud; (fine) gros (grosse).

height [haɪt] n hauteur f; (of person) taille f; **at the ~ of the season** en pleine saison; **what ~ is it?** ça fait quelle hauteur?

heir [eəʳ] n héritier m.

heiress ['eərɪs] n héritière f.

held [held] pt & pp → **hold**.

helicopter ['helɪkɒptəʳ] n hélicoptère m.

he'll [hiːl] = **he will**.

Hell [hel] n l'enfer m.

hello [hə'ləʊ] excl (as greeting) bonjour!; (on phone) allô!; (to attract attention) ohé!

helmet ['helmɪt] n casque m.

help [help] n aide f ♦ vt aider ♦ vi être utile ♦ excl à l'aide!, au secours!; **I can't ~ it** je ne peux pas m'en empêcher; **to ~ sb (to) do sthg** aider qqn à faire qqch; **to ~ o.s. (to sthg)** se servir (de qqch); **can I ~ you?** (in shop) je peux vous aider? ❑ **help out** vi aider.

helper ['helpəʳ] n (assistant) aide mf; (Am: cleaning woman) femme f de ménage; (Am: cleaning man) agent m d'entretien.

helpful ['helpfʊl] adj (person) serviable; (useful) utile.

helping ['helpɪŋ] n portion f.

helpless ['helplɪs] adj impuissant(-e).

hem [hem] n ourlet m.

hemophiliac [ˌhiːmə'fɪlɪæk] n hémophile m.

hemorrhage ['hemərɪdʒ] n hémorragie f.

hen [hen] n poule f.

hepatitis [ˌhepə'taɪtɪs] n hépatite f.

her [hɜːʳ] adj son (sa), ses (pl) ♦ pron la; (after prep) elle; **I know ~** je la connais; **it's ~** c'est elle; **send it to ~** envoie-le lui; **tell ~** dis-(le) lui; **he's worse than ~** il est pire qu'elle.

herb [hɜːb] n herbe f; **~s** fines herbes fpl.

herbal tea ['hɜːbl-] n tisane f.

herd [hɜːd] n troupeau m.

here [hɪəʳ] adv ici; **~'s your book** voici ton livre; **~ you are** voilà.

heritage ['herɪtɪdʒ] n patrimoine m.

heritage centre n ecomusée m.

hernia ['hɜːnjə] n hernie f.

hero ['hɪərəʊ] (pl -es) n héros m.

heroin ['herəʊɪn] n héroïne f.

heroine ['herəʊɪn] n héroïne f.

heron ['herən] n héron m.

herring ['herɪŋ] n hareng m.

hers [hɜːz] pron le sien (la sienne); **these shoes are ~** ces chaussures sont à elle; **a friend of ~** un ami à elle.

herself [hɜː'self] pron (reflexive) se; (after prep) elle; **she did it ~** elle l'a fait elle-même.

hesitant ['hezɪtənt] adj hésitant(-e).

hesitate ['hezɪteɪt] vi hésiter.

hesitation [ˌhezɪ'teɪʃn] n hésitation f.

heterosexual [ˌhetərəʊ'sekʃʊəl] adj hétérosexuel(-elle) ♦ n hétérosexuel m (-elle f).

hey [heɪ] excl (inf) hé!

HGV abbr = **heavy goods vehicle**.

hi [haɪ] excl (inf) salut!

hiccup ['hɪkʌp] n: **to have (the)**

~s avoir le hoquet.

hide [haɪd] (pt **hid** [hɪd], pp **hidden** [hɪdn]) vt cacher ♦ vi se cacher ♦ n (of animal) peau f.

hideous ['hɪdɪəs] adj (ugly) hideux(-euse); (unpleasant) atroce.

hi-fi ['haɪfaɪ] n chaîne f (hi-fi).

high [haɪ] adj haut(-e); (number, temperature, standard) élevé(-e); (speed) grand(-e); (risk) important(-e); (winds) fort(-e); (good) bon (bonne); (sound, voice) aigu(-ë); (inf: from drugs) défoncé(-e) ♦ n (weather front) anticyclone m ♦ adv haut; **how ~ is it?** ça fait combien de haut?; **it's 10 metres ~** ça fait 10 mètres de haut OR de hauteur.

high chair n chaise f haute.

high-class adj de luxe.

Higher ['haɪəʳ] n examen m de fin d'études secondaires en Écosse.

higher education n enseignement m supérieur.

high heels npl talons mpl hauts.

high jump n saut m en hauteur.

Highland Games ['haɪlənd-] npl jeux mpl écossais.

HIGHLAND GAMES

Ces joutes sportives et musicales trouvent leur origine dans les rassemblements de clans des Highlands. Aujourd'hui elles comprennent des épreuves de course, saut en longueur, saut en hauteur, etc, ainsi que des concours de danses traditionnelles et de cornemuse. L'une des disciplines les plus originales est le «lancer de troncs», où, pour prouver leur force, les concurrents doivent projeter en l'air des troncs de sapin de plus en plus lourds.

Highlands ['haɪləndz] npl: **the ~** les Highlands fpl (région montagneuse du nord de l'Écosse).

highlight ['haɪlaɪt] n (best part) temps m fort ♦ vt (emphasize) mettre en relief ❑ **highlights** npl (of football match etc) temps mpl forts; (in hair) mèches fpl.

highly ['haɪlɪ] adv (extremely) extrêmement; (very well) très bien; **to think ~ of sb** penser du bien de qqn.

high-pitched [-'pɪtʃt] adj aigu(-ë).

high-rise adj: **~ block of flats** tour f.

high school n établissement d'enseignement secondaire.

high season n haute saison f.

high-speed train n (train) rapide m.

high street n (Br) rue f principale.

high tide n marée f haute.

highway ['haɪweɪ] n (Am: between towns) autoroute f; (Br: any main road) route f.

Highway Code n (Br) code m de la route.

hijack ['haɪdʒæk] vt détourner.

hijacker ['haɪdʒækəʳ] n (of plane) pirate m de l'air.

hike [haɪk] n randonnée f ♦ vi faire une randonnée.

hiking ['haɪkɪŋ] n: **to go ~** faire de la randonnée.

hilarious [hɪ'leərɪəs] adj hilarant(-e).

hill [hɪl] n colline f.

hillwalking ['hɪlwɔːkɪŋ] n randonnée f.

hilly ['hɪlɪ] adj vallonné(-e).

him

him [hɪm] *pron* le; *(after prep)* lui; **I know ~** je le connais; **it's ~** c'est lui; **send it to ~** envoie-le lui; **tell ~** dis-(le) lui; **she's worse than ~** elle est pire que lui.

himself [hɪm'self] *pron (reflexive)* se; *(after prep)* lui; **he did it ~** il l'a fait lui-même.

hinder ['hɪndər] *vt* gêner.

Hindu ['hɪnduː] *(pl* **-s)** *adj* hindou(-e) ◆ *n (person)* hindou *m* (-e *f).*

hinge [hɪndʒ] *n* charnière *f*; *(of door)* gond *m.*

hint [hɪnt] *n (indirect suggestion)* allusion *f*; *(piece of advice)* conseil *m*; *(slight amount)* soupçon *m* ◆ *vi*: **to ~ at sthg** faire allusion à qqch.

hip [hɪp] *n* hanche *f.*

hippopotamus [ˌhɪpə'pɒtəməs] *n* hippopotame *m.*

hippy ['hɪpɪ] *n* hippie *mf.*

hire [haɪər] *vt* louer; **for ~** *(boats)* à louer; *(taxi)* libre ❑ **hire out** *vt sep* louer.

hire car *n (Br)* voiture *f* de location.

hire purchase *n (Br)* achat *m* à crédit.

his [hɪz] *adj* son (sa), ses *(pl)* ◆ *pron* le sien (la sienne), les siens (les siennes) *(pl)*; **these shoes are ~** ces chaussures sont à lui; **a friend of ~** un ami à lui.

historical [hɪ'stɒrɪkəl] *adj* historique.

history ['hɪstərɪ] *n* histoire *f*; *(record)* antécédents *mpl.*

hit [hɪt] *(pt & pp* **hit)** *vt* frapper; *(collide with)* heurter; *(bang)* cogner; *(a target)* atteindre ◆ *n (record, play, film)* succès *m.*

hit-and-run *adj (accident)* avec délit de fuite.

hitch [hɪtʃ] *n (problem)* problème *m* ◆ *vi* faire du stop ◆ *vt*: **to ~ a lift** se faire prendre en stop.

hitchhike ['hɪtʃhaɪk] *vi* faire du stop.

hitchhiker ['hɪtʃhaɪkər] *n* autostoppeur *m* (-euse *f).*

hive [haɪv] *n (of bees)* ruche *f.*

HIV-positive *adj* séropositif(-ive).

hoarding ['hɔːdɪŋ] *n (Br: for adverts)* panneau *m* publicitaire.

hoarse [hɔːs] *adj* enroué(-e).

hoax [həʊks] *n* canular *m.*

hob [hɒb] *n* plaque *f* (chauffante).

hobby ['hɒbɪ] *n* passe-temps *m inv.*

hock [hɒk] *n (wine)* vin blanc sec allemand.

hockey ['hɒkɪ] *n (on grass)* hockey *m* sur gazon; *(Am: ice hockey)* hockey *m* (sur glace).

hoe [həʊ] *n* binette *f.*

hold [həʊld] *(pt & pp* **held)** *vt* tenir; *(organize)* organiser; *(contain)* contenir; *(possess)* avoir ◆ *vi (weather, offer)* se maintenir; *(on telephone)* patienter ◆ *n (grip)* prise *f*; *(of ship, aircraft)* cale *f*; **to ~ sb prisoner** retenir qqn prisonnier; **~ the line, please** ne quittez pas, je vous prie ❑ **hold back** *vt sep (restrain)* retenir; *(keep secret)* cacher; **hold on** *vi (wait)* patienter; **to ~ on to sthg** *(grip)* s'accrocher à qqch; **hold out** *vt sep (hand)* tendre; **hold up** *vt sep (delay)* retarder.

holdall ['həʊldɔːl] *n (Br)* fourretout *m inv.*

holder ['həʊldər] *n (of passport, licence)* titulaire *mf.*

holdup ['həʊldʌp] n (delay) retard m.

hole [həʊl] n trou m.

holiday ['hɒlɪdeɪ] n (Br: period of time) vacances fpl; (day) jour m férié ◆ vi (Br) passer les vacances; **to be on ~** être en vacances; **to go on ~** partir en vacances.

holidaymaker ['hɒlɪdɪ,meɪkə^r] n (Br) vacancier m (-ière f).

holiday pay n (Br) congés mpl payés.

Holland ['hɒlənd] n la Hollande.

hollow ['hɒləʊ] adj creux (creuse).

holly ['hɒlɪ] n houx m.

Hollywood ['hɒlɪwʊd] n Hollywood m.

---

i HOLLYWOOD

Hollywood est un quartier de Los Angeles devenu depuis 1911 le cœur de l'industrie cinématographique américaine, notamment dans les années 40 et 50. À cette époque, de grands studios tels que la 20th Century Fox, Paramount ou Warner Brothers produisaient chaque année des centaines de films. Hollywood est aujourd'hui l'une des attractions touristiques majeures des États-Unis.

---

holy ['həʊlɪ] adj saint(-e).

home [həʊm] n maison f; (own country) pays m natal; (own town) ville f natale; (for old people) maison f de retraite ◆ adv à la maison, chez soi ◆ adj (not foreign) national(-e); (cooking, help) familial(-e); **at ~** (in one's house) à la maison, chez soi; **to make o.s. at ~** faire comme chez soi; **to go ~** rentrer chez soi;

~ address adresse f personnelle; **~ number** numéro m personnel.

home economics n économie f domestique.

home help n (Br) aide f ménagère.

homeless ['həʊmlɪs] npl: **the ~** les sans-abri mpl.

homemade [,həʊm'meɪd] adj (food) fait à la maison.

homeopathic [,həʊmɪəʊ'pæθɪk] adj homéopathique.

Home Secretary n ministre de l'Intérieur britannique.

homesick ['həʊmsɪk] adj qui a le mal du pays.

homework ['həʊmwɜːk] n devoirs mpl.

homosexual [,hɒmə'seksʊəl] adj homosexuel(-elle) ◆ n homosexuel m (-elle f).

honest ['ɒnɪst] adj honnête.

honestly ['ɒnɪstlɪ] adv honnêtement.

honey ['hʌnɪ] n miel m.

honeymoon ['hʌnɪmuːn] n lune f de miel.

honor ['ɒnər] (Am) = **honour**.

honour ['ɒnər] n (Br) honneur m.

honourable ['ɒnərəbl] adj honorable.

hood [hʊd] n (of jacket, coat) capuche f; (on convertible car) capote f; (Am: car bonnet) capot m.

hoof [huːf] n sabot m.

hook [hʊk] n crochet m; (for fishing) hameçon m; **off the ~** (telephone) décroché.

hooligan ['huːlɪgən] n vandale m.

hoop [huːp] n cerceau m.

hoot [huːt] vi (driver) klaxonner.

Hoover® ['huːvəʳ] n (Br) aspirateur m.

hop [hɒp] vi sauter.

hope [həʊp] n espoir m ♦ vt espérer; **to ~ for** sthg espérer qqch; **to ~ to do** sthg espérer faire qqch; **I ~ so** je l'espère.

hopeful ['həʊpful] adj (optimistic) plein d'espoir.

hopefully ['həʊpfəlɪ] adv (with luck) avec un peu de chance.

hopeless ['həʊplɪs] adj (inf: useless) nul (nulle); (without any hope) désespéré(e).

hops [hɒps] npl houblon m.

horizon [hə'raɪzn] n horizon m.

horizontal [ˌhɒrɪ'zɒntl] adj horizontal(-e).

horn [hɔːn] n (of car) Klaxon® m; (on animal) corne f.

horoscope ['hɒrəskəʊp] n horoscope m.

horrible ['hɒrəbl] adj horrible.

horrid ['hɒrɪd] adj affreux(-euse).

horrific [hɒ'rɪfɪk] adj horrible.

hors d'oeuvre [hɔː'dɜːvrə] n hors-d'œuvre m inv.

horse [hɔːs] n cheval m.

horseback ['hɔːsbæk] n: **on ~** à cheval.

horse chestnut n marron m d'Inde.

horse-drawn carriage n voiture f à chevaux.

horsepower ['hɔːsˌpaʊəʳ] n cheval-vapeur m.

horse racing n courses fpl (de chevaux).

horseradish (sauce) ['hɔːsˌrædɪʃ-] n sauce piquante au raifort accompagnant traditionnellement le rosbif.

horse riding n équitation f.

horseshoe ['hɔːsʃuː] n fer m à cheval.

hose [həʊz] n tuyau m.

hosepipe ['həʊzpaɪp] n tuyau m.

hosiery ['həʊzɪən] n bonneterie f.

hospitable [hɒ'spɪtəbl] adj accueillant(-e).

hospital ['hɒspɪtl] n hôpital m; **in ~** à l'hôpital.

hospitality [ˌhɒspɪ'tælətɪ] n hospitalité f.

host [həʊst] n (of party, event) hôte m (qui reçoit); (of show, TV programme) animateur m (-trice f).

hostage ['hɒstɪdʒ] n otage m.

hostel ['hɒstl] n (youth hostel) auberge f de jeunesse.

hostess ['həʊstes] n hôtesse f.

hostile [Br 'hɒstaɪl, Am 'hɒstl] adj hostile.

hostility [hɒ'stɪlətɪ] n hostilité f.

hot [hɒt] adj chaud(-e); (spicy) épicé(-e); **to be ~** (person) avoir chaud; **it's ~** (weather) il fait chaud.

hot chocolate n chocolat m chaud.

hot-cross bun n petite brioche aux raisins et aux épices que l'on mange à Pâques.

hot dog n hot dog m.

hotel [həʊ'tel] n hôtel m.

hot line n ligne directe ouverte vingt-quatre heures sur vingt-quatre.

hotplate ['hɒtpleɪt] n plaque f chauffante.

hotpot ['hɒtpɒt] n ragoût de viande garni de pommes de terre en lamelles.

hot-water bottle n bouillotte f.

hour ['aʊəʳ] n heure f; **I've been**

waiting for ~s ça fait des heures que j'attends.

hourly [ˈaʊəlɪ] adv toutes les heures ◆ adj: ~ **flights** un vol toutes les heures.

house [n haʊs, pl ˈhaʊzɪz, vb haʊz] n maison f; (SCH) au sein d'un lycée, groupe d'élèves affrontant d'autres «houses», notamment dans des compétitions sportives ◆ vt (person) loger.

household [ˈhaʊshəʊld] n ménage m.

housekeeping [ˈhaʊsˌkiːpɪŋ] n ménage m.

House of Commons n (Br) Chambre f des communes.

House of Lords n (Br) Chambre f des lords.

Houses of Parliament npl Parlement m britannique.

---

i **HOUSES OF PARLIAMENT**

Le Palais de Westminster, à Londres, abrite le Parlement britannique, qui comprend la Chambre des communes et la Chambre des lords. Il est situé sur le bord de la Tamise. Les bâtiments actuels furent construits au milieu du XIXᵉ siècle pour remplacer l'ancien palais, endommagé dans un incendie en 1834.

---

housewife [ˈhaʊswaɪf] (pl **-wives** [-waɪvz]) n femme f au foyer.

house wine n = vin m en pichet.

housework [ˈhaʊswɜːk] n ménage m.

housing [ˈhaʊzɪŋ] n logement m.

housing estate n (Br) cité f.

housing project (Am) = housing estate.

hovercraft [ˈhɒvəkrɑːft] n hovercraft m.

hoverport [ˈhɒvəpɔːt] n hoverport m.

how [haʊ] adv **1.** (asking about way or manner) comment; ~ **do you get there?** comment y va-t-on?; **tell me** ~ **to do it** dis-moi comment faire.

2. (asking about health, quality) comment; ~ **are you?** comment allez-vous?; ~ **are you doing?** comment ça va?; ~ **are things?** comment ça va?; ~ **do you do?** enchanté (de faire votre connaissance); ~ **is your room?** comment est ta chambre?

3. (asking about degree, amount): ~ **far is it?** c'est loin?; ~ **long have you been waiting?** ça fait combien de temps que vous attendez?; ~ **many …?** combien de …?; ~ **much is it?** combien est-ce que ça coûte?; ~ **old are you?** quel âge as-tu?

4. (in phrases): ~ **about a drink?** si on prenait un verre?; ~ **lovely!** que c'est joli!

however [haʊˈevəʳ] adv cependant; ~ **hard I try** malgré tous mes efforts.

howl [haʊl] vi hurler.

HP abbr = hire purchase.

HQ n (abbr of headquarters) QG m.

hub airport [hʌb-] n aéroport m important.

hubcap [ˈhʌbkæp] n enjoliveur m.

hug [hʌg] vt serrer dans ses bras ◆ n: **to give sb a** ~ serrer qqn dans ses bras.

huge [hjuːdʒ] adj énorme.

hull [hʌl] n coque f.

hum [hʌm] vi (machine) vrombir; (bee) bourdonner; (person) chantonner.

human ['hju:mən] adj humain(-e) ◆ n: ~ (being) (être) humain m.

humanities [hju:'mænətɪz] npl lettres fpl et sciences humaines.

human rights npl droits mpl de l'homme.

humble ['hʌmbl] adj humble.

humid ['hju:mɪd] adj humide.

humidity [hju:'mɪdətɪ] n humidité f.

humiliating [hju:'mɪlɪeɪtɪŋ] adj humiliant(-e).

humiliation [hju:ˌmɪlɪ'eɪʃn] n humiliation f.

hummus ['homəs] n houmous m.

humor ['hju:mər] (Am) = humour.

humorous ['hju:mərəs] adj humoristique.

humour ['hju:mər] n humour m; a sense of ~ le sens de l'humour.

hump [hʌmp] n bosse f.

humpbacked bridge ['hʌmpbækt-] n pont m en dos d'âne.

hunch [hʌntʃ] n intuition f.

hundred ['hʌndrəd] num cent; a ~ cent, → six.

hundredth ['hʌndrətθ] num centième, → sixth.

hundredweight ['hʌndrədweɪt] n (in UK) = 50,8 kg; (in US) = 45,4 kg.

hung [hʌŋ] pt & pp → hang.

Hungarian [hʌŋ'geərɪən] adj hongrois(-e) ◆ n (person) Hongrois m (-e f); (language) hongrois m.

Hungary ['hʌŋgərɪ] n la Hongrie.

hunger ['hʌŋgər] n faim f.

hungry ['hʌŋgrɪ] adj: to be ~ avoir faim.

hunt [hʌnt] n (Br: for foxes) chasse f au renard ◆ vt & vi chasser; to ~ (for sthg) (search) chercher partout (qqch).

hunting ['hʌntɪŋ] n (for wild animals) chasse f; (Br: for foxes) chasse f au renard.

hurdle ['hɜ:dl] n (SPORT) haie f.

hurl [hɜ:l] vt lancer violemment.

hurricane ['hʌrɪkən] n ouragan m.

hurry ['hʌrɪ] vt (person) presser ◆ vi se dépêcher ◆ n: to be in a ~ être pressé; to do sthg in a ~ faire qqch à la hâte ❑ **hurry up** vi se dépêcher.

hurt [hɜ:t] (pt & pp hurt) vt faire mal à; (emotionally) blesser ◆ vi faire mal; to ~ o.s. se faire mal; my head ~s j'ai mal à la tête; to ~ one's leg se blesser à la jambe.

husband ['hʌzbənd] n mari m.

hustle ['hʌsl] n: ~ and bustle agitation f.

hut [hʌt] n hutte f.

hyacinth ['haɪəsɪnθ] n jacinthe f.

hydrofoil ['haɪdrəfɔɪl] n hydrofoil m.

hygiene ['haɪdʒi:n] n hygiène f.

hygienic [haɪ'dʒi:nɪk] adj hygiénique.

hymn [hɪm] n hymne m.

hypermarket ['haɪpə,mɑ:kɪt] n hypermarché m.

hyphen ['haɪfn] n trait m d'union.

hypocrite ['hɪpəkrɪt] n hypocrite mf.

hypodermic needle [ˌhaɪpə-ˈdɜːmɪk-] n aiguille f hypodermique.

hysterical [hɪsˈterɪkl] adj (person) hystérique; (inf: very funny) tordant(-e).

I

I [aɪ] pron je, j'; (stressed) moi; **my friend and I** mon ami et moi.

ice [aɪs] n glace f; (on road) verglas m.

iceberg [ˈaɪsbɜːg] n iceberg m.

iceberg lettuce n laitue f iceberg.

icebox [ˈaɪsbɒks] n (Am: fridge) réfrigérateur m.

ice-cold adj glacé(-e).

ice cream n crème f glacée, glace f.

ice cube n glaçon m.

ice hockey n hockey m sur glace.

Iceland [ˈaɪslənd] n l'Islande f.

ice lolly n (Br) sucette f glacée.

ice rink n patinoire f.

ice skates npl patins mpl à glace.

ice-skating n patinage m (sur glace); **to go ~** faire du patinage.

icicle [ˈaɪsɪkl] n glaçon m.

icing [ˈaɪsɪŋ] n glaçage m.

icing sugar n sucre m glace.

icy [ˈaɪsɪ] adj (covered with ice) recouvert(-e) de glace; (road) verglacé(-e); (very cold) glacé(-e).

I'd [aɪd] = **I would, I had.**

ID abbr = **identification.**

ID card n carte f d'identité.

IDD code n international et indicatif du pays.

idea [aɪˈdɪə] n idée f; **I've no ~** je n'en ai aucune idée.

ideal [aɪˈdɪəl] adj idéal(-e) ♦ n idéal m.

ideally [aɪˈdɪəlɪ] adv idéalement; (in an ideal situation) dans l'idéal.

identical [aɪˈdentɪkl] adj identique.

identification [aɪˌdentɪfɪˈkeɪʃn] n (document) pièce f d'identité.

identify [aɪˈdentɪfaɪ] vt identifier.

identity [aɪˈdentətɪ] n identité f.

idiom [ˈɪdɪəm] n expression f idiomatique.

idiot [ˈɪdɪət] n idiot m (-e f).

idle [ˈaɪdl] adj (lazy) paresseux(-euse); (not working) désœuvré(-e) ♦ vi (engine) tourner au ralenti.

idol [ˈaɪdl] n (person) idole f.

idyllic [ɪˈdɪlɪk] adj idyllique.

i.e. (abbr of id est) c-à-d.

if [ɪf] conj si; **~ I were you** si j'étais toi; **~ not** (otherwise) sinon.

ignition [ɪgˈnɪʃn] n (AUT) allumage m.

ignorant [ˈɪgnərənt] adj ignorant(-e); (pej: stupid) idiot(-e).

ignore [ɪgˈnɔːʳ] vt ignorer.

ill [ɪl] adj malade; (bad) mauvais(-e); **~ luck** malchance f.

I'll [aɪl] = **I shall, I will.**

illegal [ɪˈliːgl] adj illégal(-e).

illegible [ɪˈledʒəbl] adj illisible.

illegitimate [ˌɪlɪˈdʒɪtɪmət] adj illégitime.

illiterate [ɪ'lɪtərət] *adj* illett-tré(-e).

illness ['ɪlnɪs] *n* maladie *f*.

illuminate [ɪ'luːmɪneɪt] *vt* illuminer.

illusion [ɪ'luːʒn] *n* illusion *f*.

illustration [ˌɪlə'streɪʃn] *n* illustration *f*.

I'm [aɪm] = I am.

image ['ɪmɪdʒ] *n* image *f*.

imaginary [ɪ'mædʒɪnrɪ] *adj* imaginaire.

imagination [ɪˌmædʒɪ'neɪʃn] *n* imagination *f*.

imagine [ɪ'mædʒɪn] *vt* imaginer.

imitate ['ɪmɪteɪt] *vt* imiter.

imitation [ˌɪmɪ'teɪʃn] *n* imitation *f* ♦ *adj*: ~ **leather** Skaï® *m*.

immaculate [ɪ'mækjʊlət] *adj* impeccable.

immature [ˌɪmə'tjʊər] *adj* immature.

immediate [ɪ'miːdjət] *adj* immédiat(-e).

immediately [ɪ'miːdjətlɪ] *adv* (*at once*) immédiatement ♦ *conj* (*Br*) dès que.

immense [ɪ'mens] *adj* immense.

immersion heater [ɪ'mɜːʃn-] *n* chauffe-eau *m inv* électrique.

immigrant ['ɪmɪgrənt] *n* immigré *m* (-e *f*).

immigration [ˌɪmɪ'greɪʃn] *n* immigration *f*.

imminent ['ɪmɪnənt] *adj* imminent(-e).

immune [ɪ'mjuːn] *adj*: to be ~ to (*MED*) être immunisé(-e) contre.

immunity [ɪ'mjuːnətɪ] *n* (*MED*) immunité *f*.

immunize ['ɪmjʊnaɪz] *vt* immuniser.

impact ['ɪmpækt] *n* impact *m*.

impair [ɪm'peər] *vt* affaiblir.

impatient [ɪm'peɪʃnt] *adj* impatient(-e); to be ~ to do sthg être impatient de faire qqch.

imperative [ɪm'perətɪv] *n* (*GRAMM*) impératif *m*.

imperfect [ɪm'pɜːfɪkt] *n* (*GRAMM*) imparfait *m*.

impersonate [ɪm'pɜːsəneɪt] *vt* (*for amusement*) imiter.

impertinent [ɪm'pɜːtɪnənt] *adj* impertinent(-e).

implement [*n* 'ɪmplɪmənt, *vb* 'ɪmplɪment] *n* outil *m* ♦ *vt* mettre en œuvre.

implication [ˌɪmplɪ'keɪʃn] *n* implication *f*.

imply [ɪm'plaɪ] *vt* sous-entendre.

impolite [ˌɪmpə'laɪt] *adj* impoli(-e).

import [*n* 'ɪmpɔːt, *vb* ɪm'pɔːt] *n* importation *f* ♦ *vt* importer.

importance [ɪm'pɔːtns] *n* importance *f*.

important [ɪm'pɔːtnt] *adj* important(-e).

impose [ɪm'pəʊz] *vt* imposer; to ~ sthg on imposer qqch à ♦ *vi* abuser.

impossible [ɪm'pɒsəbl] *adj* impossible.

impractical [ɪm'præktɪkl] *adj* irréaliste.

impress [ɪm'pres] *vt* impressionner.

impression [ɪm'preʃn] *n* impression *f*.

impressive [ɪm'presɪv] *adj* impressionnant(-e).

improbable [ɪm'prɒbəbl] *adj* improbable.

improper [ɪmˈprɒpəʳ] *adj (incorrect)* mauvais(-e); *(illegal)* abusif(-ive); *(rude)* déplacé(-e).

improve [ɪmˈpruːv] *vt* améliorer ◆ *vi* s'améliorer ❑ **improve on** *vt fus* améliorer.

improvement [ɪmˈpruːvmənt] *n* amélioration *f*.

improvise [ˈɪmprəvaɪz] *vi* improviser.

impulse [ˈɪmpʌls] *n* impulsion *f*; **on ~** sur un coup de tête.

impulsive [ɪmˈpʌlsɪv] *adj* impulsif(-ive).

in [ɪn] *prep* 1. *(expressing place, position)* dans; **it comes ~ a box** c'est présenté dans une boîte; **~ the street** dans la rue; **~ hospital** à l'hôpital; **~ Scotland** en Écosse; **~ Sheffield** à Sheffield; **~ the rain** sous la pluie; **~ the middle** au milieu.
2. *(participating in)* dans; **who's ~ the play?** qui joue dans la pièce?
3. *(expressing arrangement):* **~ a row/circle** en rang/cercle; **they come ~ packs of three** ils sont vendus par paquets de trois.
4. *(during):* **~ April** en avril; **~ summer** en été; **~ the morning** le matin; **ten o'clock ~ the morning** dix heures (du matin); **~ 1994** en 1994.
5. *(within)* en; *(after)* dans; **she did it ~ ten minutes** elle l'a fait en dix minutes; **it'll be ready ~ an hour** ce sera prêt dans une heure.
6. *(expressing means):* **to write ~ ink** écrire à l'encre; **~ writing** par écrit; **they were talking ~ English** ils parlaient (en) anglais.
7. *(wearing)* en.
8. *(expressing state)* en; **~ a hurry** pressé; **to be ~ pain** souffrir; **~**

ruins en ruine.
9. *(with regard to)* de; **a rise ~ prices** une hausse des prix; **to be 50 metres ~ length** faire 50 mètres de long.
10. *(with numbers):* **one ~ ten** un sur dix.
11. *(expressing age):* **she's ~ her twenties** elle a une vingtaine d'années.
12. *(with colours):* **it comes ~ green or blue** nous l'avons en vert ou en bleu.
13. *(with superlatives)* de; **the best ~ the world** le meilleur du monde.
◆ *adv* 1. *(inside)* dedans; **you can go ~ now** vous pouvez entrer maintenant.
2. *(at home, work)* là; **she's not ~** elle n'est pas là.
3. *(train, bus, plane):* **the train's not ~ yet** le train n'est pas encore arrivé.
4. *(tide):* **the tide is ~** la marée est haute.
◆ *adj (inf: fashionable)* à la mode.

inability [ɪnəˈbɪlɪtɪ] *n:* **~ (to do sthg)** incapacité *f* (à faire qqch).

inaccessible [ɪnəkˈsesəbl] *adj* inaccessible.

inaccurate [ɪnˈækjʊrət] *adj* inexact(-e).

inadequate [ɪnˈædɪkwət] *adj (insufficient)* insuffisant(-e).

inappropriate [ɪnəˈprəʊprɪət] *adj* inapproprié(-e).

inauguration [ɪˌnɔːɡjʊˈreɪʃn] *n* inauguration *f*.

incapable [ɪnˈkeɪpəbl] *adj:* **to be ~ of doing sthg** être incapable de faire qqch.

incense [ˈɪnsens] *n* encens *m*.

incentive [ɪnˈsentɪv] *n* motiva-

inch

140

tion *f*.

inch [ɪntʃ] *n* = 2,5 cm, pouce *m*.

incident ['ɪnsɪdənt] *n* incident *m*.

incidentally [ˌɪnsɪ'dentəlɪ] *adv* à propos.

incline ['ɪnklaɪn] *n* pente *f*.

inclined [ɪn'klaɪnd] *adj* incliné(-e); **to be ~ to do sthg** avoir tendance à faire qqch.

include [ɪn'kluːd] *vt* inclure.

included [ɪn'kluːdɪd] *adj (in price)* compris(-e); **to be ~ in sthg** être compris dans qqch.

including [ɪn'kluːdɪŋ] *prep* y compris.

inclusive [ɪn'kluːsɪv] *adj*: **from the 8th to the 16th ~** du 8 au 16 inclus; **~ of VAT** TVA comprise.

income ['ɪnkʌm] *n* revenu *m*.

income support *n (Br)* allocation supplémentaire pour les faibles revenus.

income tax *n* impôt *m* sur le revenu.

incoming ['ɪnˌkʌmɪŋ] *adj (train, plane)* à l'arrivée; *(phone call)* de l'extérieur.

incompetent [ɪn'kɒmpɪtənt] *adj* incompétent(-e).

incomplete [ˌɪnkəm'pliːt] *adj* incomplet(-ète).

inconsiderate [ˌɪnkən'sɪdərət] *adj* qui manque de tact.

inconsistent [ˌɪnkən'sɪstənt] *adj* incohérent(-e).

incontinent [ɪn'kɒntɪnənt] *adj* incontinent(-e).

inconvenient [ˌɪnkən'viːnjənt] *adj (place)* mal situé(-e); *(time)*: **it's ~** ça tombe mal.

incorporate [ɪn'kɔːpəreɪt] *vt* incorporer.

incorrect [ˌɪnkə'rekt] *adj* incorrect(-e).

increase [*n* 'ɪnkriːs, *vb* ɪn'kriːs] *n* augmentation *f* ◆ *vt & vi* augmenter; **an ~ in sthg** une augmentation de qqch.

increasingly [ɪn'kriːsɪŋlɪ] *adv* de plus en plus.

incredible [ɪn'kredɪbl] *adj* incroyable.

incredibly [ɪn'kredɪblɪ] *adv (very)* incroyablement.

incur [ɪn'kɜː] *vt (expenses)* engager; *(fine)* recevoir.

indecisive [ˌɪndɪ'saɪsɪv] *adj* indécis(-e).

indeed [ɪn'diːd] *adv (for emphasis)* en effet; *(certainly)* certainement; **very big ~** vraiment très grand.

indefinite [ɪn'defɪnɪt] *adj (time, number)* indéterminé(-e); *(answer, opinion)* vague.

indefinitely [ɪn'defɪnɪtlɪ] *adv (closed, delayed)* indéfiniment.

independence [ˌɪndɪ'pendəns] *n* indépendance *f*.

independent [ˌɪndɪ'pendənt] *adj* indépendant(-e).

independently [ˌɪndɪ'pendəntlɪ] *adv* indépendamment.

independent school *n (Br)* école *f* privée.

index ['ɪndeks] *n (of book)* index *m*; *(in library)* fichier *m*.

index finger *n* index *m*.

India ['ɪndjə] *n* l'Inde *f*.

Indian ['ɪndjən] *adj* indien(-ienne) ◆ *n* Indien *m* (-ienne *f*); **an ~ restaurant** un restaurant indien.

Indian Ocean *n* l'océan *m* Indien.

indicate ['ɪndɪkeɪt] *vi (AUT)* mettre son clignotant ♦ vt indiquer.

indicator ['ɪndɪkeɪtəʳ] n (AUT) clignotant m.

indifferent [ɪn'dɪfrənt] adj indifférent(-e).

indigestion [ˌɪndɪ'dʒestʃn] n indigestion f.

indigo ['ɪndɪɡəʊ] adj indigo (inv).

indirect [ˌɪndɪ'rekt] adj indirect(-e).

individual [ˌɪndɪ'vɪdʒʊəl] adj individuel(-elle) ♦ n individu m.

individually [ˌɪndɪ'vɪdʒʊəlɪ] adv individuellement.

Indonesia [ˌɪndə'niːzjə] n l'Indonésie f.

indoor ['ɪndɔːʳ] adj (swimming pool) couvert(-e); (sports) en salle.

indoors [ɪn'dɔːz] adv à l'intérieur.

indulge [ɪn'dʌldʒ] vi: to ~ in se permettre.

industrial [ɪn'dʌstrɪəl] adj industriel(-ielle).

industrial estate n (Br) zone f industrielle.

industry ['ɪndəstrɪ] n industrie f.

inedible [ɪn'edɪbl] adj (unpleasant) immangeable; (unsafe) non comestible.

inefficient [ˌɪnɪ'fɪʃnt] adj inefficace.

inequality [ˌɪnɪ'kwɒlətɪ] n inégalité f.

inevitable [ɪn'evɪtəbl] adj inévitable.

inevitably [ɪn'evɪtəblɪ] adv inévitablement.

inexpensive [ˌɪnɪk'spensɪv] adj bon marché (inv).

infamous ['ɪnfəməs] adj notoire.

infant ['ɪnfənt] n (baby) nourris-

son m; (young child) jeune enfant m.

infant school n (Br) maternelle f (de 5 à 7 ans).

infatuated [ɪn'fætjʊeɪtɪd] adj: to be ~ with être entiché(-e) de.

infected [ɪn'fektɪd] adj infecté(-e).

infectious [ɪn'fekʃəs] adj infectieux(-ieuse).

inferior [ɪn'fɪərɪəʳ] adj inférieur(-e).

infinite ['ɪnfɪnət] adj infini(-e).

infinitely ['ɪnfɪnətlɪ] adv infiniment.

infinitive [ɪn'fɪnɪtɪv] n infinitif m.

infinity [ɪn'fɪnətɪ] n infini m.

infirmary [ɪn'fɜːmərɪ] n (hospital) hôpital m.

inflamed [ɪn'fleɪmd] adj (MED) enflammé(-e).

inflammation [ˌɪnflə'meɪʃn] n (MED) inflammation f.

inflatable [ɪn'fleɪtəbl] adj gonflable.

inflate [ɪn'fleɪt] vt gonfler.

inflation [ɪn'fleɪʃn] n (of prices) inflation f.

inflict [ɪn'flɪkt] vt infliger.

in-flight adj en vol.

influence ['ɪnflʊəns] vt influencer ♦ n: ~ (on) influence f (sur).

inform [ɪn'fɔːm] vt informer.

informal [ɪn'fɔːml] adj (occasion, dress) simple.

information [ˌɪnfə'meɪʃn] n informations fpl, renseignements mpl; **a piece of ~** une information.

information desk n bureau m des renseignements.

information office n bureau m des renseignements.

informative [ɪn'fɔːmətɪv] adj

instructif(-ive).

infuriating [ɪnˈfjʊərieɪtɪŋ] *adj* exaspérant(-e).

ingenious [ɪnˈdʒiːnjəs] *adj* ingénieux(-ieuse).

ingredient [ɪnˈgriːdjənt] *n* ingrédient *m*.

inhabit [ɪnˈhæbɪt] *vt* habiter.

inhabitant [ɪnˈhæbɪtənt] *n* habitant *m* (-e *f*).

inhale [ɪnˈheɪl] *vi* inspirer.

inhaler [ɪnˈheɪlə*r*] *n* inhalateur *m*.

inherit [ɪnˈherɪt] *vt* hériter (de).

inhibition [ˌɪnhɪˈbɪʃn] *n* inhibition *f*.

initial [ɪˈnɪʃl] *adj* initial(-e) ♦ *vt* parapher ❑ **initials** *npl* initiales *fpl*.

initially [ɪˈnɪʃəlɪ] *adv* initialement.

initiative [ɪˈnɪʃətɪv] *n* initiative *f*.

injection [ɪnˈdʒekʃn] *n* injection *f*.

injure [ˈɪndʒə*r*] *vt* blesser; **to ~ one's arm** se blesser au bras; **to ~ o.s.** se blesser.

injured [ˈɪndʒəd] *adj* blessé(-e).

injury [ˈɪndʒərɪ] *n* blessure *f*.

ink [ɪŋk] *n* encre *f*.

inland [*adj* ˈɪnlənd, *adv* ɪnˈlænd] *adj* intérieur(-e) ♦ *adv* vers l'intérieur des terres.

Inland Revenue *n* (Br) = fisc *m*.

inn [ɪn] *n* auberge *f*.

inner [ˈɪnə*r*] *adj* intérieur(-e).

inner city *n* quartiers proches du centre, généralement synonymes de problèmes sociaux.

inner tube *n* chambre *f* à air.

innocence [ˈɪnəsəns] *n* innocence *f*.

innocent [ˈɪnəsənt] *adj* innocent(-e).

inoculate [ɪˈnɒkjʊleɪt] *vt*: **to ~ sb (against sthg)** vacciner qqn (contre qqch).

inoculation [ɪˌnɒkjʊˈleɪʃn] *n* vaccination *f*.

input [ˈɪnpʊt] *vt* (COMPUT) entrer.

inquire [ɪnˈkwaɪə*r*] = **enquire**.

inquiry [ɪnˈkwaɪərɪ] = **enquiry**.

insane [ɪnˈseɪn] *adj* fou (folle).

insect [ˈɪnsekt] *n* insecte *m*.

insect repellent [-rəˈpelənt] *n* produit *m* anti-insectes.

insensitive [ɪnˈsensətɪv] *adj* insensible.

insert [ɪnˈsɜːt] *vt* introduire.

inside [ɪnˈsaɪd] *prep* à l'intérieur de, dans ♦ *adv* à l'intérieur ♦ *adj* (internal) intérieur(-e) ♦ *n*: **the ~ (interior)** l'intérieur *m*; (AUT: in UK) la gauche; (AUT: in Europe, US) la droite; **to go ~** entrer; **~ out** (clothes) à l'envers.

inside lane *n* (AUT) (in UK) voie *f* de gauche; (in Europe, US) voie *f* de droite.

inside leg *n* hauteur *f* à l'entrejambe.

insight [ˈɪnsaɪt] *n* (glimpse) aperçu *m*.

insignificant [ˌɪnsɪgˈnɪfɪkənt] *adj* insignifiant(-e).

insinuate [ɪnˈsɪnjʊeɪt] *vt* insinuer.

insist [ɪnˈsɪst] *vi* insister; **to ~ on doing sthg** tenir à faire qqch.

insole [ˈɪnsəʊl] *n* semelle *f* intérieure.

insolent [ˈɪnsələnt] *adj* insolent(-e).

insomnia [ɪnˈsɒmnɪə] *n* insomnie f.

inspect [ɪn'spekt] vt (object) inspecter; (ticket, passport) contrôler.

inspection [ɪn'spekʃn] n (of object) inspection f; (of ticket, passport) contrôle m.

inspector [ɪn'spektər] n (on bus, train) contrôleur m (-euse f); (in police force) inspecteur m (-trice f).

inspiration [ˌɪnspə'reɪʃn] n inspiration f.

instal [ɪn'stɔːl] (Am) = install.

install [ɪn'stɔːl] vt (Br) installer.

installment [ɪn'stɔːlmənt] (Am) = instalment.

instalment [ɪn'stɔːlmənt] n (payment) acompte m; (episode) épisode m.

instance ['ɪnstəns] n exemple m; for ~ par exemple.

instant ['ɪnstənt] adj (results, success) immédiat(-e); (food) instantané(-e) ♦ n (moment) instant m.

instant coffee n café m instantané OR soluble.

instead [ɪn'sted] adv plutôt; ~ of au lieu de; ~ of sb à la place de qqn.

instep ['ɪnstep] n cou-de-pied m.

instinct ['ɪnstɪŋkt] n instinct m.

institute ['ɪnstɪtjuːt] n institut m.

institution [ˌɪnstɪ'tjuːʃn] n institution f.

instructions [ɪn'strʌkʃnz] npl (for use) mode m d'emploi.

instructor [ɪn'strʌktər] n moniteur m (-trice f).

instrument ['ɪnstrəmənt] n instrument m.

insufficient [ˌɪnsə'fɪʃnt] adj insuffisant(-e).

insulating tape ['ɪnsjuleɪtɪŋ-] n

chatterton m.

insulation [ˌɪnsjʊ'leɪʃn] n (material) isolant m.

insulin ['ɪnsjʊlɪn] n insuline f.

insult [n 'ɪnsʌlt, vb ɪn'sʌlt] n insulte f ♦ vt insulter.

insurance [ɪn'ʃʊərəns] n assurance f.

insurance certificate n attestation f d'assurance.

insurance company n compagnie f d'assurance.

insurance policy n police f d'assurance.

insure [ɪn'ʃʊər] vt assurer.

insured [ɪn'ʃʊəd] adj: to be ~ être assuré(-e).

intact [ɪn'tækt] adj intact(-e).

intellectual [ˌɪntə'lektjuəl] adj intellectuel(-elle) ♦ n intellectuel m (-elle f).

intelligence [ɪn'telɪdʒəns] n intelligence f.

intelligent [ɪn'telɪdʒənt] adj intelligent(-e).

intend [ɪn'tend] vt: to ~ to do sthg avoir l'intention de faire qqch; to be ~ed to do sthg être destiné à faire qqch.

intense [ɪn'tens] adj intense.

intensity [ɪn'tensɪtɪ] n intensité f.

intensive [ɪn'tensɪv] adj intensif(-ive).

intensive care n réanimation f.

intent [ɪn'tent] adj: to be ~ on doing sthg être déterminé(-e) à faire qqch.

intention [ɪn'tenʃn] n intention f.

intentional [ɪn'tenʃənl] adj

intentionnel(-elle).

intentionally [ɪnˈtenʃənəlɪ] *adv* intentionnellement.

interchange [ˈɪntətʃeɪndʒ] *n (on motorway)* échangeur *m*.

Intercity® [ˈɪntəˈsɪtɪ] *n (Br)* système de trains rapides reliant les grandes villes en Grande-Bretagne.

intercom [ˈɪntəkɒm] *n* Interphone® *m*.

interest [ˈɪntrəst] *n* intérêt *m*; *(pastime)* centre *m* d'intérêt ♦ *vt* intéresser; **to take an ~ in sthg** s'intéresser à qqch.

interested [ˈɪntrəstɪd] *adj* intéressé(-e); **to be ~ in sthg** être intéressé par qqch.

interesting [ˈɪntrəstɪŋ] *adj* intéressant(-e).

interest rate *n* taux *m* d'intérêt.

interfere [ˌɪntəˈfɪəʳ] *vi (meddle)* se mêler des affaires d'autrui; **to ~ with sthg** *(damage)* toucher à qqch.

interference [ˌɪntəˈfɪərəns] *n (on TV, radio)* parasites *mpl*.

interior [ɪnˈtɪərɪəʳ] *adj* intérieur(-e) ♦ *n* intérieur *m*.

intermediate [ˌɪntəˈmiːdjət] *adj* intermédiaire.

intermission [ˌɪntəˈmɪʃn] *n (at cinema, theatre)* entracte *m*.

internal [ɪnˈtɜːnl] *adj (not foreign)* intérieur(-e); *(on the inside)* interne.

internal flight *n* vol *m* intérieur.

international [ˌɪntəˈnæʃənl] *adj* international(-e).

international flight *n* vol *m* international.

interpret [ɪnˈtɜːprɪt] *vi* servir d'interprète.

interpreter [ɪnˈtɜːprɪtəʳ] *n* interprète *mf*.

interrogate [ɪnˈterəgeɪt] *vt* interroger.

interrupt [ˌɪntəˈrʌpt] *vt* interrompre.

intersection [ˌɪntəˈsekʃn] *n (of roads)* carrefour *m*, intersection *f*.

interval [ˈɪntəvl] *n* intervalle *m*; *(Br: at cinema, theatre)* entracte *m*.

intervene [ˌɪntəˈviːn] *vi (person)* intervenir; *(event)* avoir lieu.

interview [ˈɪntəvjuː] *n (on TV, in magazine)* interview *f*; *(for job)* entretien *m* ♦ *vt (on TV, in magazine)* interviewer; *(for job)* faire passer un entretien à.

interviewer [ˈɪntəvjuːəʳ] *n (on TV, in magazine)* interviewer *m* (-euse *f*).

intestine [ɪnˈtestɪn] *n* intestin *m*.

intimate [ˈɪntɪmət] *adj* intime.

intimidate [ɪnˈtɪmɪdeɪt] *vt* intimider.

into [ˈɪntu] *prep (inside)* dans; *(against)* dans, contre; *(concerning)* sur; **4 ~ 20 goes 5 (times)** 20 divisé par 4 égale 5; **to translate ~ French** traduire en français; **to change ~ sthg** se transformer en qqch; **to be ~ sthg** *(inf: like)* être un fan de qqch.

intolerable [ɪnˈtɒlrəbl] *adj* intolérable.

intransitive [ɪnˈtrænzətɪv] *adj* intransitif(-ive).

intricate [ˈɪntrɪkət] *adj* compliqué(-e).

intriguing [ɪnˈtriːgɪŋ] *adj* fascinant(-e).

introduce [ˌɪntrəˈdjuːs] *vt* présenter; **I'd like to ~ you to Fred**

j'aimerais vous présenter Fred.

introduction [,ɪntrə'dʌkʃn] n (to book, programme) introduction f; (to person) présentation f.

introverted ['ɪntrəvɜːtɪd] adj introverti(-e).

intruder [ɪn'truːdə^r] n intrus m (-e f).

intuition [,ɪntjuː'ɪʃn] n intuition f.

invade [ɪn'veɪd] vt envahir.

invalid [adj ɪn'vælɪd, n 'ɪnvəlɪd] adj (ticket, cheque) non valable ♦ n invalide mf.

invaluable [ɪn'væljuəbl] adj inestimable.

invariably [ɪn'veərɪəblɪ] adv invariablement.

invasion [ɪn'veɪʒn] n invasion f.

invent [ɪn'vent] vt inventer.

invention [ɪn'venʃn] n invention f.

inventory ['ɪnvəntrɪ] n (list) inventaire m; (Am: stock) stock m.

inverted commas [ɪn'vɜːtɪd-] npl guillemets mpl.

invest [ɪn'vest] vt investir ♦ vi: to ~ in sthg investir dans qqch.

investigate [ɪn'vestɪgeɪt] vt enquêter sur.

investigation [ɪn,vestɪ'geɪʃn] n enquête f.

investment [ɪn'vestmənt] n (of money) investissement m.

invisible [ɪn'vɪzɪbl] adj invisible.

invitation [,ɪnvɪ'teɪʃn] n invitation f.

invite [ɪn'vaɪt] vt inviter; to ~ sb to do sthg (ask) inviter qqn à faire qqch; to ~ sb round inviter qqn chez soi.

invoice ['ɪnvɔɪs] n facture f.

involve [ɪn'vɒlv] vt (entail) impliquer; what does it ~? en quoi est-ce que cela consiste?; to be ~d in sthg (scheme, activity) prendre part à qqch; (accident) être impliqué dans qqch.

involved [ɪn'vɒlvd] adj: what's ~? qu'est-ce que cela implique?

inwards ['ɪnwədz] adv vers l'intérieur.

IOU n reconnaissance f de dette.

IQ n QI m.

Iran [ɪ'rɑːn] n l'Iran m.

Iraq [ɪ'rɑːk] n l'Iraq m.

Ireland ['aɪələnd] n l'Irlande f.

iris ['aɪərɪs] (pl -es) n (flower) iris m.

Irish ['aɪrɪʃ] adj irlandais(-e) ♦ n (language) irlandais m ♦ npl: the ~ les Irlandais mpl.

Irish coffee n irish-coffee m.

Irishman ['aɪrɪʃmən] (pl -men [-mən]) n Irlandais m.

Irish stew n ragoût de mouton aux pommes de terre et aux oignons.

Irishwoman ['aɪrɪʃ,wʊmən] (pl -women [-,wɪmɪn]) n Irlandaise f.

iron ['aɪən] n fer m; (for clothes) fer m à repasser ♦ vt repasser.

ironic [aɪ'rɒnɪk] adj ironique.

ironing board ['aɪənɪŋ-] n planche f à repasser.

ironmonger's ['aɪən,mʌŋgəz] n (Br) quincaillier m.

irrelevant [ɪ'reləvənt] adj hors de propos.

irresistible [,ɪrɪ'zɪstəbl] adj irrésistible.

irrespective [,ɪrɪ'spektɪv]: **irrespective of** prep indépendamment de.

irresponsible [,ɪrɪ'spɒnsəbl] adj irresponsable.

irrigation [ɪrɪˈgeɪʃn] n irrigation f.

irritable [ˈɪrɪtəbl] adj irritable.

irritate [ˈɪrɪteɪt] vt irriter.

irritating [ˈɪrɪteɪtɪŋ] adj irritant(-e).

IRS n (Am) = fisc m.

is [ɪz] → be.

Islam [ˈɪzlɑːm] n l'islam m.

island [ˈaɪlənd] n île f; (in road) refuge m.

isle [aɪl] n île f.

isolated [ˈaɪsəleɪtɪd] adj isolé(-e).

Israel [ˈɪzreɪəl] n Israël m.

issue [ˈɪʃuː] n (problem, subject) problème m; (of newspaper, magazine) numéro m ♦ vt (statement) faire; (passport, document) délivrer; (stamps, bank notes) émettre.

it [ɪt] pron 1. (referring to specific thing: subject) il (elle); (direct object) le (la), l'; (indirect object) lui; ~'s big il est grand; she missed ~ elle l'a manqué; give ~ to me donne-le moi; tell me about ~ parlez-m'en; we went to ~ nous y sommes allés.

2. (nonspecific) ce, c'; ~'s nice here c'est joli ici; ~'s me c'est moi; who is ~? qui est-ce?

3. (used impersonally): ~'s hot il fait chaud; ~'s six o'clock il est six heures; ~'s Sunday nous sommes dimanche.

Italian [ɪˈtæljən] adj italien(-ienne) ♦ n (person) Italien m (-ienne f); (language) italien m; an ~ restaurant un restaurant italien.

Italy [ˈɪtəlɪ] n l'Italie f.

itch [ɪtʃ] vi: my arm ~es mon bras me démange.

item [ˈaɪtəm] n (object) article m, objet m; (of news, on agenda) ques-

tion f, point m.

itemized bill [ˈaɪtəmaɪzd-] n facture f détaillée.

its [ɪts] adj son (sa), ses (pl).

it's [ɪts] = it is, it has.

itself [ɪtˈself] pron (reflexive) se; (after prep) lui (elle); the house ~ is fine la maison elle-même n'a rien.

I've [aɪv] = I have.

ivory [ˈaɪvərɪ] n ivoire m.

ivy [ˈaɪvɪ] n lierre m.

J

jab [dʒæb] n (Br: inf: injection) piqûre f.

jack [dʒæk] n (for car) cric m; (playing card) valet m.

jacket [ˈdʒækɪt] n (garment) veste f; (of book) jaquette f; (Am: of record) pochette f; (of potato) peau f.

jacket potato n pomme de terre f en robe des champs.

jack-knife vi se mettre en travers de la route.

Jacuzzi® [dʒəˈkuːzɪ] n Jacuzzi® m.

jade [dʒeɪd] n jade m.

jail [dʒeɪl] n prison f.

jam [dʒæm] n (food) confiture f; (of traffic) embouteillage m; (inf: difficult situation) pétrin m ♦ vt (pack tightly) entasser ♦ vi (get stuck) coincer; the roads are jammed les routes sont bouchées.

jam-packed [-'pækt] *adj (inf)* bourré(-e) à craquer.

Jan. [dʒæn] *(abbr of January)* janv.

janitor ['dʒænɪtər] *n (Am & Scot)* concierge *mf*.

January ['dʒænjʊərɪ] *n* janvier *m*, → **September**.

Japan [dʒə'pæn] *n* le Japon.

Japanese [ˌdʒæpə'niːz] *adj* japonais(-e) ♦ *n (language)* japonais *m* ♦ *npl*: **the ~** les Japonais *mpl*.

jar [dʒɑː] *n* pot *m*.

javelin ['dʒævlɪn] *n* javelot *m*.

jaw [dʒɔː] *n* mâchoire *f*.

jazz [dʒæz] *n* jazz *m*.

jealous ['dʒeləs] *adj* jaloux (-ouse).

jeans [dʒiːnz] *npl* jean *m*.

Jeep® [dʒiːp] *n* Jeep® *f*.

Jello® ['dʒeləʊ] *n (Am)* gelée *f*.

jelly ['dʒelɪ] *n* gelée *f*.

jellyfish ['dʒelɪfɪʃ] *(pl inv)* *n* méduse *f*.

jeopardize ['dʒepədaɪz] *vt* mettre en danger.

jerk [dʒɜːk] *n (movement)* secousse *f*; *(inf: idiot)* abruti *m* (-e *f*).

jersey ['dʒɜːzɪ] *(pl -s)* *n (garment)* pull *m*.

jet [dʒet] *n* jet *m*; *(for gas)* brûleur *m*.

jetfoil ['dʒetfɔɪl] *n* hydroglisseur *m*.

jet lag *n* décalage *m* horaire.

jet-ski *n* scooter *m* des mers.

jetty ['dʒetɪ] *n* jetée *f*.

Jew [dʒuː] *n* Juif *m* (-ive *f*).

jewel ['dʒuːəl] *n* joyau *m*, pierre *f* précieuse ❑ **jewels** *npl (jewellery)* bijoux *mpl*.

jeweler's ['dʒuːələz] *(Am)* = **jeweller's**.

jeweller's ['dʒuːələz] *n (Br)* bijouterie *f*.

jewellery ['dʒuːəlrɪ] *n (Br)* bijoux *mpl*.

jewelry ['dʒuːəlrɪ] *(Am)* = **jewellery**.

Jewish ['dʒuːɪʃ] *adj* juif(-ive).

jigsaw (puzzle) ['dʒɪgsɔː-] *n* puzzle *m*.

jingle ['dʒɪŋgl] *n (of advert)* jingle *m*.

job [dʒɒb] *n (regular work)* emploi *m*; *(task, function)* travail *m*; **to lose one's ~** perdre son travail.

job centre *n (Br)* agence *f* pour l'emploi.

jockey ['dʒɒkɪ] *(pl -s)* *n* jockey *m*.

jog [dʒɒg] *vt* pousser ♦ *vi* courir, faire du jogging ♦ *n*: **to go for a ~** faire du jogging.

jogging ['dʒɒgɪŋ] *n* jogging *m*; **to go ~** faire du jogging.

join [dʒɔɪn] *vt (club, organization)* adhérer à; *(fasten together)* joindre; *(other people)* rejoindre; *(connect)* relier; *(participate in)* participer à; **to ~ a queue** faire la queue ❑ **join in** *vt fus* participer à ♦ *vi* participer.

joint [dʒɔɪnt] *adj* commun(-e) ♦ *n (of body)* articulation *f*; *(Br: of meat)* rôti *m*; *(in structure)* joint *m*.

joke [dʒəʊk] *n* plaisanterie *f* ♦ *vi* plaisanter.

joker ['dʒəʊkər] *n (playing card)* joker *m*.

jolly ['dʒɒlɪ] *adj (cheerful)* gai(-e) ♦ *adv (Br: inf: very)* drôlement *f*.

jolt [dʒəʊlt] *n* secousse *f*.

jot [dʒɒt]: **jot down** *vt sep* noter.

journal ['dʒɜːnl] n (professional magazine) revue f; (diary) journal m (intime).

journalist ['dʒɜːnəlɪst] n journaliste mf.

journey ['dʒɜːnɪ] (pl -s) n voyage m.

joy [dʒɔɪ] n joie f.

joypad ['dʒɔɪpæd] n (of video game) boîtier de commandes de jeu vidéo.

joyrider ['dʒɔɪraɪdə'] n personne qui vole une voiture pour aller faire un tour.

joystick ['dʒɔɪstɪk] n (of video game) manette f (de jeu).

judge [dʒʌdʒ] n juge m ◆ vt (competition) arbitrer; (evaluate) juger.

judg(e)ment ['dʒʌdʒmənt] n jugement m.

judo ['dʒuːdəʊ] n judo m.

jug [dʒʌg] n (for water) carafe f; (for milk) pot m.

juggernaut ['dʒʌgənɔːt] n (Br) poids m lourd.

juggle ['dʒʌgl] vi jongler.

juice [dʒuːs] n jus m; (fruit) ~ jus m de fruit.

juicy ['dʒuːsɪ] adj (food) juteux(-euse).

jukebox ['dʒuːkbɒks] n juke-box m inv.

Jul. (abbr of July) juill.

July [dʒuː'laɪ] n juillet m, → September.

jumble sale ['dʒʌmbl-] n (Br) vente f de charité.

JUMBLE SALE

Les «jumble sales» sont des ventes à très bas prix de vêtements, de livres et d'objets ménagers d'occasion, généralement au profit d'une association caritative. Elles se tiennent le plus souvent dans des salles paroissiales ou municipales.

jumbo ['dʒʌmbəʊ] adj (inf: big) énorme.

jumbo jet n jumbo-jet m.

jump [dʒʌmp] n bond m ◆ vi sauter; (with fright) sursauter; (increase) faire un bond ◆ vt (Am: train, bus) prendre sans payer; **to ~ the queue** (Br) ne pas attendre son tour.

jumper ['dʒʌmpə'] n (Br: pullover) pull-over m; (Am: dress) robe f chasuble.

jump leads npl câbles mpl de démarrage.

junction ['dʒʌŋkʃn] n embranchement m.

June [dʒuːn] n juin m, → September.

jungle ['dʒʌŋgl] n jungle f.

junior ['dʒuːnjə'] adj (of lower rank) subalterne; (Am: after name) junior ◆ n (younger person) cadet m (-ette f).

junior school n (Br) école f primaire.

junk [dʒʌŋk] n (inf: unwanted things) bric-à-brac m inv.

junk food n (inf) cochonneries fpl.

junkie ['dʒʌŋkɪ] n (inf) drogué m (-e f).

junk shop n magasin m de brocante.

jury ['dʒʊərɪ] n jury m.

just [dʒʌst] adj & adv juste; **I'm ~ coming** j'arrive tout de suite; **we were ~ leaving** nous étions sur le point de partir; **to be ~ about to do sthg** être sur le point de faire qqch; **to have ~ done sthg** venir de faire qqch; **~ as good (as)** tout aussi bien (que); **~ about** *(almost)* pratiquement, presque; **only ~** tout juste; **~ a minute!** une minute!

justice ['dʒʌstɪs] *n* justice *f*.

justify ['dʒʌstɪfaɪ] *vt* justifier.

jut [dʒʌt]: **jut out** *vi* faire saillie.

juvenile ['dʒuːvənaɪl] *adj (young)* juvénile; *(childish)* enfantin(-e).

K

kangaroo [ˌkæŋgə'ruː] *n* kangourou *m*.

karaoke [ˌkærɪ'əʊkɪ] *n* karaoké *m*.

karate [kə'rɑːtɪ] *n* karaté *m*.

kebab [kɪ'bæb] *n*: **(shish) ~** brochette *f* de viande; **(doner) ~** ≃ sandwich *m* grec *(viande de mouton servie en tranches fines dans du pita, avec salade et sauce).*

keel [kiːl] *n* quille *f*.

keen [kiːn] *adj (enthusiastic)* passionné(-e); *(hearing)* fin(-e); *(eyesight)* perçant(-e); **to be ~ on** aimer beaucoup; **to be ~ to do sthg** tenir à faire qqch.

keep [kiːp] *(pt & pp* **kept**) *vt* garder; *(promise, record, diary)* tenir; *(delay)* retarder ◆ *vi (food)* se conserver; *(remain)* rester; **to ~ (on) doing sthg** *(continuously)* continuer

à faire qqch; *(repeatedly)* ne pas arrêter de faire qqch; **to ~ sb from doing sthg** empêcher qqn de faire qqch; **~ back!** n'approchez pas!; **"~ in lane!"** «conservez votre file»; **"~ left"** «serrez à gauche»; **"~ off the grass!"** «pelouse interdite»; **"~ out!"** «entrée interdite»; **"~ your distance!"** «gardez vos distances»; **to ~ clear (of)** ne pas s'approcher (de) ❑ **keep up** *vt sep (maintain)* maintenir; *(continue)* continuer ◆ *vi*: **to ~ up (with)** suivre.

keep-fit *n (Br)* gymnastique *f*.

kennel ['kenl] *n* niche *f*.

kept [kept] *pt & pp* → **keep**.

kerb [kɜːb] *n (Br)* bordure *f* du trottoir.

kerosene ['kerəsiːn] *n (Am)* kérosène *m*.

ketchup ['ketʃəp] *n* ketchup *m*.

kettle ['ketl] *n* bouilloire *f*; **to put the ~ on** mettre la bouilloire à chauffer.

key [kiː] *n* clé *f*, clef *f*; *(of piano, typewriter)* touche *f*; *(of map)* légende *f* ◆ *adj* clé, clef.

keyboard ['kiːbɔːd] *n* clavier *m*.

keyhole ['kiːhəʊl] *n* serrure *f*.

keypad ['kiːpæd] *n* pavé *m* numérique.

key ring *n* porte-clefs *m inv*, porte-clés *m inv*.

kg *(abbr of* kilogram) kg.

kick [kɪk] *n (of foot)* coup *m* de pied ◆ *vt (ball)* donner un coup de pied dans; *(person)* donner un coup de pied à.

kickoff ['kɪkɒf] *n* coup *m* d'envoi.

kid [kɪd] *n (inf)* gamin *m* (-e *f)* ◆ *vi (joke)* blaguer.

kidnap ['kɪdnæp] *vt* kidnapper.

kidnaper ['kɪdnæpər] *(Am)* = **kidnapper**.

kidnapper ['kɪdnæpər] *n (Br)* kidnappeur *m* (-euse *f*).

kidney ['kɪdnɪ] *(pl* **-s**) *n (organ)* rein *m; (food)* rognon *m.*

kidney bean *n* haricot *m* rouge.

kill [kɪl] *vt* tuer; **my feet are ~ing me!** mes pieds me font souffrir le martyre!

killer ['kɪlər] *n* tueur *m* (-euse *f*).

kilo ['kiːləʊ] *(pl* **-s**) *n* kilo *m.*

kilogram *n* ['kɪləgræm] kilogramme *m.*

kilometre ['kɪləˌmiːtər] *n* kilomètre *m.*

kilt [kɪlt] *n* kilt *m.*

kind [kaɪnd] *adj* gentil(-ille) ♦ *n* genre *m; ~ of (Am: inf)* plutôt *m.*

kindergarten ['kɪndəˌɡɑːtn] *n* jardin *m* d'enfants.

kindly ['kaɪndlɪ] *adv:* **would you ~ ...?** auriez-vous l'amabilité de ...?

kindness ['kaɪndnɪs] *n* gentillesse *f.*

king [kɪŋ] *n* roi *m.*

kingfisher ['kɪŋˌfɪʃər] *n* martin-pêcheur *m.*

king prawn *n* gamba *f.*

king-size bed *n* = lit *m* en 160 cm.

kiosk ['kiːɒsk] *n (for newspapers etc)* kiosque *m; (for phone box)* cabine *f* (téléphonique).

kipper ['kɪpər] *n* hareng *m* saur.

kiss [kɪs] *n* baiser *m* ♦ *vt* embrasser.

kiss of life *n* bouche-à-bouche *m inv.*

kit [kɪt] *n (set)* trousse *f; (clothes)* tenue *f; (for assembly)* kit *m.*

kitchen ['kɪtʃɪn] *n* cuisine *f.*

kitchen unit *n* élément *m* (de cuisine).

kite [kaɪt] *n (toy)* cerf-volant *m.*

kitten ['kɪtn] *n* chaton *m.*

kitty ['kɪtɪ] *n (of money)* cagnotte *f.*

kiwi fruit ['kiːwiː] *n* kiwi *m.*

Kleenex® ['kliːneks] *n* Kleenex® *m.*

km *(abbr of kilometre)* km.

km/h *(abbr of kilometres per hour)* km/h.

knack [næk] *n:* **to have the ~ of doing sthg** avoir le chic pour faire qqch.

knackered ['nækəd] *adj (Br: inf)* crevé(-e).

knapsack ['næpsæk] *n* sac *m* à dos.

knee [niː] *n* genou *m.*

kneecap ['niːkæp] *n* rotule *f.*

kneel [niːl] *(pt & pp* **knelt** [nelt]*) vi (be on one's knees)* être à genoux; *(go down on one's knees)* s'agenouiller.

knew [njuː] *pt* → **know.**

knickers ['nɪkəz] *npl (Br: underwear)* culotte *f.*

knife [naɪf] *(pl* **knives**) *n* couteau *m.*

knight [naɪt] *n (in history)* chevalier *m; (in chess)* cavalier *m.*

knit [nɪt] *vt* tricoter.

knitted ['nɪtɪd] *adj* tricoté(-e).

knitting ['nɪtɪŋ] *n* tricot *m.*

knitting needle *n* aiguille *f* à tricoter.

knitwear ['nɪtweər] *n* lainages *mpl.*

knives [naɪvz] *pl* → **knife**.

knob [nɒb] *n* bouton *m*.

knock [nɒk] *n (at door)* coup *m* ◆ *vt (hit)* cogner ◆ *vi (at door etc)* frapper ❑ **knock down** *vt sep (pedestrian)* renverser; *(building)* démolir; *(price)* baisser; **knock out** *vt sep (make unconscious)* assommer; *(of competition)* éliminer; **knock over** *vt sep* renverser.

knocker ['nɒkər] *n (on door)* heurtoir *m*.

knot [nɒt] *n* nœud *m*.

know [nəʊ] *(pt* **knew**, *pp* **known**) *vt* savoir; *(person, place)* connaître; **to get to ~ sb** faire connaissance avec qqn; **to ~ about sthg (understand)** s'y connaître en qqch; *(have heard)* être au courant de qqch; **to ~ how to do sthg** savoir (comment) faire qqch; **to ~ of** connaître; **to be ~n as** être appelé; **to let sb ~** informer qqn de qqch; **you ~** *(for emphasis)* tu sais.

knowledge ['nɒlɪdʒ] *n* connaissance *f*; **to my ~** pour autant que je sache.

known [nəʊn] *pp* → **know**.

knuckle ['nʌkl] *n (of hand)* articulation *f* du doigt; *(of pork)* jarret *m*.

Koran [kɒ'rɑːn] *n*: **the ~ le** Coran.

L

l *(abbr of litre)* l.

L *(abbr of learner)* en Grande-Bretagne, lettre apposée à l'arrière

d'une voiture et signalant que le conducteur est en conduite accompagnée.

lab [læb] *n (inf)* labo *m*.

label ['leɪbl] *n* étiquette *f*.

labor ['leɪbər] *(Am)* = **labour**.

laboratory [Br lə'bɒrətrɪ, Am 'læbrə,tɔːrɪ] *n* laboratoire *m*.

labour ['leɪbər] *n (Br)* travail *m*; **in ~ en** travail.

labourer ['leɪbərər] *n* ouvrier *m* (-ière *f*).

Labour Party *n (Br)* parti *m* travailliste.

labour-saving *adj* qui fait gagner du temps.

lace [leɪs] *n (material)* dentelle *f*; *(for shoe)* lacet *m*.

lace-ups *npl* chaussures *fpl* à lacets.

lack [læk] *n* manque *m* ◆ *vt* manquer de ◆ *vi*: **to be ~ing** faire défaut.

lacquer ['lækər] *n* laque *f*.

lad [læd] *n (inf: boy)* gars *m*.

ladder ['lædər] *n* échelle *f*; *(Br: in tights)* maille *f* filée.

ladies ['leɪdɪz] *n (Br: toilet)* toilettes *fpl* pour dames.

ladies room *(Am)* = **ladies**.

ladieswear ['leɪdɪz,weər] *n* vêtements *mpl* pour femme.

ladle ['leɪdl] *n* louche *f*.

lady ['leɪdɪ] *n* dame *f*.

ladybird ['leɪdɪbɜːd] *n* coccinelle *f*.

lag [læg] *vi* traîner; **to ~ behind** traîner.

lager ['lɑːgər] *n* bière *f* blonde.

lagoon [lə'guːn] *n* lagune *f*.

laid [leɪd] *pt & pp* → **lay**.

lain [leɪn] *pp* → **lie**.

lake [leɪk] n lac m.

Lake District n: the ~ la région des lacs (au nord-ouest de l'Angleterre).

lamb [læm] n agneau m.

lamb chop n côtelette f d'agneau.

lame [leɪm] adj boiteux(-euse).

lamp [læmp] n lampe f; (in street) réverbère m.

lamppost ['læmppəʊst] n réverbère m.

lampshade ['læmpʃeɪd] n abat-jour m inv.

land [lænd] n terre f; (nation) pays m ◆ vi atterrir; (passengers) débarquer.

landing ['lændɪŋ] n (of plane) atterrissage m; (on stairs) palier m.

landlady ['lænd,leɪdɪ] n (of house) propriétaire f; (of pub) patronne f.

landlord ['lændlɔːd] n (of house) propriétaire m; (of pub) patron m.

landmark ['lændmɑːk] n point m de repère.

landscape ['lændskeɪp] n paysage m.

landslide ['lændslaɪd] n glissement m de terrain.

lane [leɪn] n (in town) ruelle f; (in country) chemin m; (on road, motorway) file f, voie f; **"get in ~"** panneau indiquant aux automobilistes de se placer dans la file appropriée.

language ['læŋgwɪdʒ] n (of a people, country) langue f; (system, words) langage m.

lap [læp] n (of person) genoux mpl; (of race) tour m (de piste).

lapel [lə'pel] n revers m.

lapse [læps] vi (passport) être

périmé(-e); (membership) prendre fin.

lard [lɑːd] n saindoux m.

larder ['lɑːdəʳ] n garde-manger m inv.

large [lɑːdʒ] adj grand(-e); (person, problem, sum) gros (grosse).

largely ['lɑːdʒlɪ] adv en grande partie.

large-scale adj à grande échelle.

lark [lɑːk] n alouette f.

laryngitis [,lærɪn'dʒaɪtɪs] n laryngite f.

lasagne [lə'zænjə] n lasagne(s) fpl.

laser ['leɪzəʳ] n laser m.

lass [læs] n (inf: girl) nana f.

last [lɑːst] adj dernier(-ière) ◆ adv (most recently) pour la dernière fois; (at the end) en dernier ◆ pron: the ~ to come le dernier arrivé; the ~ but one l'avant-dernier; the day before ~ avant-hier; ~ year l'année dernière; the ~ year la dernière année; at ~ enfin.

lastly ['lɑːstlɪ] adv enfin.

last-minute adj de dernière minute.

latch [lætʃ] n loquet m; the door is on the ~ la porte n'est pas fermée à clef.

late [leɪt] adj (not on time) en retard; (after usual time) tardif(-ive) ◆ adv (not on time) en retard; (after usual time) tard; in the ~ afternoon en fin d'après-midi; in ~ June fin juin; my ~ wife feue ma femme.

lately ['leɪtlɪ] adv dernièrement.

late-night adj (chemist, supermarket) ouvert(-e) tard.

later ['leɪtəʳ] adj (train) qui part plus tard ◆ adv: ~ (on) plus tard, ensuite; **at a ~ date** plus tard.

latest ['leɪtɪst] *adj*: **the ~** (*in series*) le plus récent (la plus récente); **the ~ fashion** la dernière mode; **at the ~** au plus tard.

lather ['lɑːðə^r] *n* mousse *f*.

Latin ['lætɪn] *n* (*language*) latin *m*.

Latin America *n* l'Amérique *f* latine.

Latin American *adj* latino-américain(-e) ◆ *n* Latino-Américain *m* (-e *f*).

latitude ['lætɪtjuːd] *n* latitude *f*.

latter ['lætə^r] *n*: **the ~** ce dernier (cette dernière), celui-ci (celle-ci).

laugh [lɑːf] *n* rire *m* ◆ *vi* rire; **to have a ~** (*Br*: *inf*: *have fun*) s'éclater, rigoler ❑ **laugh at** *vt fus* se moquer de.

laughter ['lɑːftə^r] *n* rires *mpl*.

launch [lɔːntʃ] *vt* (*boat*) mettre à la mer; (*new product*) lancer.

laund(e)rette [lɔːn'dret] *n* laverie *f* automatique.

laundry ['lɔːndrɪ] *n* (*washing*) lessive *f*; (*shop*) blanchisserie *f*.

lavatory ['lævətrɪ] *n* toilettes *fpl*.

lavender ['lævəndə^r] *n* lavande *f*.

lavish ['lævɪʃ] *adj* (*meal*) abondant(-e); (*decoration*) somptueux(-euse).

law [lɔː] *n* loi *f*; (*study*) droit *m*; **to be against the ~** être illégal.

lawn [lɔːn] *n* pelouse *f*, gazon *m*.

lawnmower ['lɔːn,məʊə^r] *n* tondeuse *f* (à gazon).

lawyer ['lɔːjə^r] *n* (*in court*) avocat *m* (-e *f*); (*solicitor*) notaire *m*.

laxative ['læksətɪv] *n* laxatif *m*.

lay [leɪ] (*pt & pp* **laid**) *pt* → **lie** ◆ *vt* (*place*) mettre, poser; (*egg*) pondre; **to ~ the table** mettre la table ❑ **lay**

off *vt sep* (*worker*) licencier; **lay on** *vt sep* (*transport, entertainment*) organiser; (*food*) fournir; **lay out** *vt sep* (*display*) disposer.

lay-by (*pl* **lay-bys**) *n* aire *f* de stationnement.

layer ['leɪə^r] *n* couche *f*.

layman ['leɪmən] (*pl* -**men** [-mən]) *n* profane *m*.

layout ['leɪaʊt] *n* (*of building, streets*) disposition *f*.

lazy ['leɪzɪ] *adj* paresseux (-euse).

lb *abbr* = **pound.**

lead[1] [liːd] (*pt & pp* **led**) *vt* (*take*) conduire; (*team, company*) diriger; (*race, demonstration*) être en tête de ◆ *vi* (*be winning*) mener ◆ *n* (*for dog*) laisse *f*; (*cable*) cordon *m*; **to ~ sb to do sthg** amener qqn à faire qqch; **to ~ to** mener à; **to ~ the way** montrer le chemin; **to be in the ~** (*in race, match*) être en tête.

lead[2] [led] *n* (*metal*) plomb *m*; (*for pencil*) mine *f* ◆ *adj* en plomb.

leaded petrol ['ledɪd-] *n* essence *f* au plomb.

leader ['liːdə^r] *n* (*person in charge*) chef *m*; (*in race*) premier *m* (-ière *f*).

leadership ['liːdəʃɪp] *n* (*position*) direction *f*.

lead-free [led-] *adj* sans plomb.

leading ['liːdɪŋ] *adj* (*most important*) principal(-e).

lead singer [liːd-] *n* chanteur *m* (-euse *f*).

leaf [liːf] (*pl* **leaves**) *n* feuille *f*.

leaflet ['liːflɪt] *n* dépliant *m*.

league [liːg] *n* ligue *f*.

leak [liːk] *n* fuite *f* ◆ *vi* fuir.

lean [liːn] (*pt & pp* **leant** [lent] OR -**ed**) *adj* (*meat*) maigre; (*person, ani-*

mal) mince ♦ *vi (person)* se pencher; *(object)* être penché ♦ *vt:* to ~ sthg against sthg appuyer qqch contre qqch; to ~ on s'appuyer sur; to ~ forward se pencher en avant; to ~ over se pencher.

leap [liːp] *(pt & pp* leapt [lept] OR -ed) *vi (jump)* sauter, bondir.

leap year *n* année *f* bissextile.

learn [lɜːn] *(pt & pp* learnt OR -ed) *vt* apprendre; to ~ (how) to do sthg apprendre à faire qqch; to ~ about sthg apprendre qqch.

learner (driver) ['lɜːnəʳ-] *n* conducteur *m* débutant (conductrice débutante *f*) *(qui n'a pas encore son permis).*

learnt [lɜːnt] *pt & pp* → **learn**.

lease [liːs] *n* bail *m* ♦ *vt* louer; to ~ sthg from sb louer qqch à qqn *(à un propriétaire)*; to ~ sthg to sb louer qqch à qqn *(à un locataire).*

leash [liːʃ] *n* laisse *f.*

least [liːst] *adv (with verb)* le moins ♦ *adj* le moins de ♦ *pron:* (the) ~ le moins; at ~ au moins; the ~ expensive le moins cher (la moins chère).

leather ['leðəʳ] *n* cuir *m* ❑ **leathers** *npl (of motorcyclist)* tenue *f* de motard.

leave [liːv] *(pt & pp* left) *vt* laisser; *(place, person, job)* quitter ♦ *vi* partir ♦ *n (time off work)* congé *m;* to ~ a message laisser un message, → **left** ❑ **leave behind** *vt sep* laisser; **leave out** *vt sep* omettre.

leaves [liːvz] *pl* → **leaf.**

Lebanon ['lebənən] *n* le Liban.

lecture ['lektʃəʳ] *n (at conference)* exposé *m;* *(at university)* cours *m* *(magistral).*

lecturer ['lektʃərəʳ] *n* conféren-

cier *m* (-ière *f*).

lecture theatre *n* amphithéâtre *m.*

led [led] *pt & pp* → **lead**[1].

ledge [ledʒ] *n* rebord *m.*

leek [liːk] *n* poireau *m.*

left [left] *pt & pp* → **leave** ♦ *adj (not right)* gauche ♦ *adv* à gauche ♦ *n* gauche *f;* on the ~ *(direction)* à gauche; there are none ~ il n'en reste plus.

left-hand *adj (lane)* de gauche; *(side)* gauche.

left-hand drive *n* conduite *f* à gauche.

left-handed [-'hændɪd] *adj (person)* gaucher(-ère).

left-luggage locker *n (Br)* consigne *f* automatique.

left-luggage office *n (Br)* consigne *f.*

left-wing *adj* de gauche.

leg [leg] *n (of person, trousers)* jambe *f;* *(of animal)* patte *f;* *(of table, chair)* pied *m;* ~ of lamb gigot *m* d'agneau.

legal ['liːgl] *adj (procedure, language)* juridique; *(lawful)* légal(-e).

legal aid *n* assistance *f* judiciaire.

legalize ['liːgəlaɪz] *vt* légaliser.

legal system *n* système *m* judiciaire.

legend ['ledʒənd] *n* légende *f.*

leggings ['legɪnz] *npl* caleçon *m.*

legible ['ledʒɪbl] *adj* lisible.

legislation [,ledʒɪs'leɪʃn] *n* législation *f.*

legitimate [lɪ'dʒɪtɪmət] *adj* légitime.

leisure [*Br* 'leʒəʳ, *Am* 'liːʒər] *n* loisir *m.*

leisure centre *n* centre *m* de

loisirs.

leisure pool *n* piscine avec toboggans, vagues, etc.

lemon ['leman] *n* citron *m*.

lemonade [,lema'neɪd] *n* limonade *f*.

lemon curd [-kɜːd] *n (Br)* crème *f* au citron.

lemon juice *n* jus *m* de citron.

lemon sole *n* limande-sole *f*.

lemon tea *n* thé *m* au citron.

lend [lend] (*pt & pp* **lent**) *vt* prêter; **to ~ sb sthg** prêter qqch à qqn.

length [leŋθ] *n* longueur *f*; *(in time)* durée *f*.

lengthen ['leŋθən] *vt* allonger.

lens [lenz] *n (of camera)* objectif *m*; *(of glasses)* verre *m*; *(contact lens)* lentille *f*.

lent [lent] *pt & pp* → **lend**.

Lent [lent] *n* le carême.

lentils ['lentlz] *npl* lentilles *fpl*.

leopard ['lepəd] *n* léopard *m*.

leopard-skin *adj* léopard (inv).

leotard ['liːətɑːd] *n* justaucorps *m*.

leper ['lepər] *n* lépreux *m* (-euse *f*).

lesbian ['lezbɪən] *adj* lesbien(-ienne) ♦ *n* lesbienne *f*.

less [les] *adj* moins de ♦ *adv & pron* moins; **~ than 20** moins de 20.

lesson ['lesn] *n (class)* leçon *f*.

let [let] (*pt & pp* **let**) *vt (allow)* laisser; *(rent out)* louer; **to ~ sb do sthg** laisser qqn faire qqch; **to ~ go of sthg** lâcher qqch; **to ~ sb have sthg** donner qqch à qqn; **to ~ sb know sthg** apprendre qqch à qqn; **~'s go!** allons-y!; **"to ~"** *(for rent)* «à louer»

❑ **let in** *vt sep (allow to enter)* faire entrer; **let off** *vt sep (excuse)*: **to ~ sb off sthg** dispenser qqn de qqch; **can you ~ me off at the station?** pouvez-vous me déposer à la gare?; **let out** *vt sep (allow to go out)* laisser sortir.

letdown ['letdaun] *n (inf)* déception *f*.

lethargic [lə'θɑːdʒɪk] *adj* léthargique.

letter ['letər] *n* lettre *f*.

letterbox ['letəbɒks] *n (Br)* boîte *f* OR aux lettres.

lettuce ['letɪs] *n* laitue *f*.

leuk(a)emia [luːkiːmɪə] *n* leucémie *f*.

level ['levl] *adj (horizontal)* horizontal(-e); *(flat)* plat(-e) ♦ *n* niveau *m*; **to be ~ with** être au même niveau que.

level crossing *n (Br)* passage *m* à niveau.

lever [*Br* 'liːvər, *Am* 'levər] *n* levier *m*.

liability [,laɪə'bɪlətɪ] *n* responsabilité *f*.

liable ['laɪəbl] *adj*: **to be ~ to do sthg** *(likely)* risquer de faire qqch; **to be ~ for sthg** *(responsible)* être responsable de qqch.

liaise [lɪ'eɪz] *vi*: **to ~ with** assurer la liaison avec.

liar ['laɪər] *n* menteur *m* (-euse *f*).

liberal ['lɪbərəl] *adj* libéral(-e).

Liberal Democrat Party *n* parti centriste britannique.

liberate ['lɪbəreɪt] *vt* libérer.

liberty ['lɪbətɪ] *n* liberté *f*.

librarian [laɪ'breərɪən] *n* bibliothécaire *mf*.

library ['laɪbrərɪ] *n* biblio-

Libya

thèque f.

Libya ['lɪbɪə] n la Libye.

lice [laɪs] npl poux mpl.

licence ['laɪsəns] n (Br: official document) permis m, autorisation f; (for television) redevance f ◆ vt (Am) = **license**.

license ['laɪsəns] vt (Br) autoriser ◆ n (Am) = **licence**.

licensed ['laɪsənst] adj (restaurant, bar) autorisé(-e) à vendre des boissons alcoolisées.

licensing hours ['laɪsənsɪŋ-] npl (Br) heures d'ouverture des pubs.

lick [lɪk] vt lécher.

lid [lɪd] n couvercle m.

lie [laɪ] (pt lay, pp lain, cont lying) n mensonge m ◆ vi (tell lie: pt & pp **lied**) mentir; (be horizontal) être allongé; (lie down) s'allonger; (be situated) se trouver; **to tell ~s** mentir, dire des mensonges; **to ~ about sthg** mentir sur qqch ❑ **lie down** vi (on bed, floor) s'allonger.

lieutenant [Br lef'tenənt, Am luː'tenənt] n lieutenant m.

life [laɪf] (pl **lives**) n vie f.

life assurance n assurance-vie f.

life belt n bouée f de sauvetage.

lifeboat ['laɪfbəʊt] n canot m de sauvetage.

lifeguard ['laɪfgɑːd] n maître m nageur.

life jacket n gilet m de sauvetage.

lifelike ['laɪflaɪk] adj ressemblant(-e).

life preserver [-prɪ'zɜːvər] n (Am) (life belt) bouée f de sauvetage; (life jacket) gilet m de sauvetage.

life-size adj grandeur nature (inv).

lifespan ['laɪfspæn] n espérance f de vie.

lifestyle ['laɪfstaɪl] n mode m de vie.

lift [lɪft] n (Br: elevator) ascenseur m ◆ vt (raise) soulever ◆ vi se lever; **to give sb a ~** emmener qqn (en voiture); **to ~ one's head** lever la tête ❑ **lift up** vt sep soulever.

light [laɪt] (pt & pp **lit** OR **-ed**) adj léger(-ère); (not dark) clair(-e); (traffic) fluide ◆ n lumière f; (of car, bike) feu m; (headlight) phare m; (cigarette) (cigarette) légère f ◆ vt (fire, cigarette) allumer; (room, stage) éclairer; **have you got a ~?** (for cigarette) avez-vous du feu?; **to set ~ to sthg** mettre le feu à qqch ❑ **lights** (traffic lights) feu m rouge; **light up** vt sep (house, road) éclairer ◆ vi (inf: light a cigarette) allumer une cigarette.

light bulb n ampoule f.

lighter ['laɪtər] n (for cigarettes) briquet m.

light-hearted [-'hɑːtɪd] adj gai(-e).

lighthouse ['laɪthaʊs, pl -haʊzɪz] n phare m.

lighting ['laɪtɪŋ] n éclairage m.

light meter n posemètre m.

lightning ['laɪtnɪŋ] n foudre f; flash of ~ éclair m.

lightweight ['laɪtweɪt] adj (clothes, object) léger(-ère).

like [laɪk] vt aimer ◆ prep comme; it's not ~ him ça ne lui ressemble pas; **to ~ doing sthg** aimer faire qqch; **what's it ~?** c'est comment?; **to look ~ sb/sthg** ressembler à qqn/qqch; **I'd ~ to sit down**

j'aimerais m'asseoir; **I'd ~ a double room** je voudrais une chambre double.

likelihood ['laɪklɪhʊd] *n* probabilité *f*.

likely ['laɪklɪ] *adj* probable.

likeness ['laɪknɪs] *n* ressemblance *f*.

likewise ['laɪkwaɪz] *adv* de même.

lilac ['laɪlək] *adj* lilas.

Lilo® ['laɪləʊ] (*pl* -s) *n* (*Br*) matelas *m* pneumatique.

lily ['lɪlɪ] *n* lis *m*.

lily of the valley *n* muguet *m*.

limb [lɪm] *n* membre *m*.

lime [laɪm] *n* (*fruit*) citron *m* vert; **~ (juice)** jus *m* de citron vert.

limestone ['laɪmstəʊn] *n* calcaire *m*.

limit ['lɪmɪt] *n* limite *f* ◆ *vt* limiter.

limited ['lɪmɪtɪd] *adj* (*restricted*) limité(-e); (*in company name*) = SARL.

limp [lɪmp] *adj* mou (molle) ◆ *vi* boiter.

line [laɪn] *n* ligne *f*; (*row*) rangée *f*; (*of vehicles, people*) file *f*; (*Am: queue*) queue *f*; (*of poem, song*) vers *m*; (*rope, string*) corde *f*; (*railway track*) voie *f*; (*of business, work*) domaine *m*; (*type of product*) gamme *f* ◆ *vt* (*coat, drawers*) doubler; **in ~** (*aligned*) aligné; **it's a bad ~** (*on phone*) la communication est mauvaise; **the ~ is engaged** la ligne est occupée; **to drop sb a ~** (*inf*) écrire un mot à qqn; **to stand in ~** (*Am*) faire la queue ❏ **line up** *vt sep* (*arrange*) aligner ◆ *vi* s'aligner.

lined [laɪnd] *adj* (*paper*) réglé(-e).

linen ['lɪnɪn] *n* (*cloth*) lin *m*; (*table-*

cloths, sheets) linge *m* (de maison).

liner ['laɪnəʳ] *n* (*ship*) paquebot *m*.

linesman ['laɪnzmən] (*pl* -men [-mən]) *n* juge *m* de touche.

linger ['lɪŋgəʳ] *vi* s'attarder.

lingerie ['lænʒərɪ] *n* lingerie *f*.

lining ['laɪnɪŋ] *n* (*of coat, jacket*) doublure *f*; (*of brake*) garniture *f*.

link [lɪŋk] *n* (*connection*) lien *m* ◆ *vt* relier; **rail ~** liaison *f* ferroviaire; **road ~** liaison routière.

lino ['laɪnəʊ] *n* (*Br*) lino *m*.

lion ['laɪən] *n* lion *m*.

lioness ['laɪənes] *n* lionne *f*.

lip [lɪp] *n* lèvre *f*.

lip salve [-sælv] *n* pommade *f* pour les lèvres.

lipstick ['lɪpstɪk] *n* rouge *m* à lèvres.

liqueur [lɪˈkjʊəʳ] *n* liqueur *f*.

liquid ['lɪkwɪd] *n* liquide *m*.

liquor ['lɪkəʳ] *n* (*Am*) alcool *m*.

liquorice ['lɪkərɪs] *n* réglisse *f*.

lisp [lɪsp] *n*: **to have a ~** zézayer.

list [lɪst] *n* liste *f* ◆ *vt* faire la liste de.

listen ['lɪsn] *vi*: **to ~ (to)** écouter.

listener ['lɪsnəʳ] *n* (*to radio*) auditeur *m* (-trice *f*).

lit [lɪt] *pt & pp* → **light**.

liter ['liːtər] *n* (*Am*) = **litre**.

literally ['lɪtərəlɪ] *adv* littéralement.

literary ['lɪtərərɪ] *adj* littéraire.

literature ['lɪtrətʃəʳ] *n* littérature *f*; (*printed information*) documentation *f*.

litre ['liːtəʳ] *n* (*Br*) litre *m*.

litter ['lɪtəʳ] *n* (*rubbish*) détritus *mpl*.

litterbin ['lɪtəbɪn] *n* (*Br*) poubelle f.

little ['lɪtl] adj petit(-e); (not much) peu de ◆ pron & adv peu; **as ~ as possible** aussi peu que possible; **~ by ~** petit à petit, peu à peu; **a ~** un peu.

little finger n petit doigt m.

live[1] [lɪv] vi (have home) habiter; (be alive, survive) vivre; **I ~ in Luton** j'habite (à) Luton; **to ~ with sb** vivre avec qqn ❑ **live together** vi vivre ensemble.

live[2] [laɪv] adj (alive) vivant(-e); (performance) live (inv); (programme) en direct; (wire) sous tension ◆ adv en direct.

lively ['laɪvlɪ] adj (person) vif (vive); (place, atmosphere) animé(-e).

liver ['lɪvə'] n foie m.

lives [laɪvz] pl → **life**.

living ['lɪvɪŋ] adj vivant(-e) ◆ n: **to earn a ~** gagner sa vie; **what do you do for a ~?** que faites-vous dans la vie?

living room n salle f de séjour.

lizard ['lɪzəd] n lézard m.

load [ləʊd] n chargement m ◆ vt charger; **~s of** (inf) des tonnes de.

loaf [ləʊf] (pl **loaves**) n: **a ~ (of bread)** un pain.

loan [ləʊn] n (money given) prêt m; (money borrowed) emprunt m ◆ vt prêter.

loathe [ləʊð] vt détester.

loaves [ləʊvz] pl → **loaf**.

lobby ['lɒbɪ] n (hall) hall m.

lobster ['lɒbstə'] n homard m.

local ['ləʊkl] adj local(-e) ◆ n (Br: inf: pub) bistrot m du coin; (Am: inf: train) omnibus m; (Am: inf: bus) bus m local; **the ~s** les gens mpl du coin.

local anaesthetic n anesthésie f locale.

local call n communication f locale.

local government n l'administration f locale.

locate [Br ləʊˈkeɪt, Am ˈləʊkeɪt] vt (find) localiser; **to be ~d** se situer.

location [ləʊˈkeɪʃn] n emplacement m.

loch [lɒk] n (Scot) lac m.

lock [lɒk] n (on door, drawer) serrure f; (for bike) antivol m; (on canal) écluse f ◆ vt (door, window, car) verrouiller, fermer à clef; (keep safely) enfermer ◆ vi (become stuck) se bloquer ❑ **lock in** vt sep enfermer; **lock out** vt sep enfermer dehors; **lock up** vt sep (imprison) enfermer ◆ vi fermer à clef.

locker ['lɒkə'] n casier m.

locker room n (Am) vestiaire m.

locket ['lɒkɪt] n médaillon m.

locomotive [ˌləʊkəˈməʊtɪv] n locomotive f.

locum ['ləʊkəm] n (doctor) remplaçant m (-e f).

locust ['ləʊkəst] n criquet m.

lodge [lɒdʒ] n (in mountains) chalet m ◆ vi (stay) loger; (get stuck) se loger.

lodger ['lɒdʒə'] n locataire mf.

lodgings ['lɒdʒɪŋz] npl chambre f meublée.

loft [lɒft] n grenier m.

log [lɒg] n (piece of wood) bûche f.

logic ['lɒdʒɪk] n logique f.

logical ['lɒdʒɪkl] adj logique.

logo ['ləʊgəʊ] (pl **-s**) n logo m.

loin [lɔɪn] n filet m.

loiter ['lɔɪtə'] vi traîner.

lollipop ['lɔlɪpɒp] n sucette f.

lolly ['lɒlɪ] n (inf) (lollipop) sucette f; (Br: ice lolly) Esquimau® m.

London ['lʌndən] n Londres.

Londoner ['lʌndənə'] n Londonien m (-ienne f).

lonely ['ləʊnlɪ] adj (person) solitaire; (place) isolé(-e).

long [lɒŋ] adj long (longue) ◆ adv longtemps; **will you be** ~? en as-tu pour longtemps?; **it's 2 metres** ~ cela fait 2 mètres de long; **it's two hours** ~ ça dure deux heures; **how** ~ **is it?** (in length) ça fait combien de long?; (journey, film) ça dure combien?; **a** ~ **time** longtemps; **all day** ~ toute la journée; **as** ~ **as** du moment que, tant que; **for** ~ longtemps; **no** ~**er** ne ... plus; **I can't wait any** ~**er** je ne peux plus attendre; **so** ~! (inf) salut! ❏ **long for** vt fus attendre avec impatience.

long-distance adj (phone call) interurbain(-e).

long drink n long drink m.

long-haul adj long-courrier.

longitude ['lɒndʒɪtjuːd] n longitude f.

long jump n saut m en longueur.

long-life adj (milk, fruit juice) longue conservation (inv); (battery) longue durée (inv).

longsighted [,lɒŋ'saɪtɪd] adj hypermétrope.

long-term adj à long terme.

long wave n grandes ondes fpl.

longwearing [,lɒŋ'weərɪŋ] adj (Am) résistant(-e).

loo [luː] (pl -s) n (Br: inf) cabinets mpl.

look [lʊk] n (glance) regard m; (appearance) apparence f, air m ◆ vi regarder; (seem) sembler; **to** ~ **onto** (building, room) donner sur; **to have a** ~ regarder; (good) ~**s** beauté f; **I'm just** ~**ing** (in shop) je regarde; ~ **out!** attention! ❏ **look after** vt fus s'occuper de; **look at** vt fus regarder; **look for** vt fus chercher; **look forward to** vt fus attendre avec impatience; **look out for** vt fus essayer de repérer; **look round** vt fus faire le tour de ◆ vi regarder; **look up** vt sep (in dictionary, phone book) chercher.

loony ['luːnɪ] n (inf) cinglé m (-e f).

loop [luːp] n boucle f.

loose [luːs] adj (joint, screw) lâche; (tooth) qui bouge; (sheets of paper) volant(-e); (sweets) en vrac; (clothes) ample; **to let sb/sthg** ~ lâcher qqn/qqch.

loosen ['luːsn] vt desserrer.

lop-sided [-'saɪdɪd] adj de travers.

lord [lɔːd] n lord m.

lorry ['lɒrɪ] n (Br) camion m.

lorry driver n (Br) camionneur m.

lose [luːz] (pt & pp **lost**) vt perdre; (subj: watch, clock) retarder de ◆ vi perdre; **to** ~ **weight** perdre du poids.

loser ['luːzə'] n (in contest) perdant m (-e f).

loss [lɒs] n perte f.

lost [lɒst] pt & pp → **lose** ◆ adj perdu(-e); **to get** ~ (lose way) se perdre.

lost-and-found office (Am) = **lost property office**.

lost property office n (Br)

bureau m des objets trouvés.

lot [lɒt] n (group) paquet m; (at auction) lot m; (Am: car park) parking m; **the ~** (everything) tout; **a ~ (of)** beaucoup (de); **~s (of)** beaucoup (de).

lotion ['ləʊʃn] n lotion f.

lottery ['lɒtərɪ] n loterie f.

loud [laʊd] adj (voice, music, noise) fort(-e); (colour, clothes) voyant(-e).

loudspeaker [,laʊd'spi:kəʳ] n haut-parleur m.

lounge [laʊndʒ] n (in house) salon m; (at airport) salle f d'attente.

lounge bar n (Br) salon dans un pub, plus confortable et plus cher que le «public bar».

lousy ['laʊzɪ] adj (inf: poor-quality) minable.

lout [laʊt] n brute f.

love [lʌv] n amour m; (in tennis) zéro m ♦ vt aimer; (sport, food, film etc) aimer beaucoup; **to ~ doing sthg** adorer faire qqch; **to be in ~ (with)** être amoureux (de); **(with) ~ from** (in letter) affectueusement.

love affair n liaison f.

lovely ['lʌvlɪ] adj (very beautiful) adorable; (very nice) très agréable.

lover ['lʌvəʳ] n (sexual partner) amant m (maîtresse f); (enthusiast) amoureux m (-euse f).

loving ['lʌvɪŋ] adj aimant(-e).

low [ləʊ] adj (bas (basse); (level, speed, income) faible; (standard, quality, opinion) mauvais(-e); (depressed) déprimé(-e) ♦ n (area of low pressure) dépression f; **we're ~ on petrol** nous sommes à court d'essence.

low-alcohol adj à faible teneur en alcool.

low-calorie adj basses calories.

low-cut adj décolleté(-e).

lower ['ləʊəʳ] adj inférieur(-e) ♦ vt abaisser, baisser.

lower sixth n (Br) = première f.

low-fat adj (crisps, yoghurt) allégé(-e).

low tide n marée f basse.

loyal ['lɔɪəl] adj loyal(-e).

loyalty ['lɔɪəltɪ] n loyauté f.

lozenge ['lɒzɪndʒ] n (sweet) pastille f.

LP n 33 tours m.

L-plate n (Br) plaque signalant que le conducteur du véhicule est en conduite accompagnée.

Ltd (abbr of limited) = SARL.

lubricate ['lu:brɪkeɪt] vt lubrifier.

luck [lʌk] n chance f; **bad ~** malchance f; **good ~!** bonne chance!; **with ~** avec un peu de chance.

luckily ['lʌkɪlɪ] adv heureusement.

lucky ['lʌkɪ] adj (person) chanceux(-euse); (event, situation, escape) heureux(-euse); (number, colour) porte-bonheur (inv); **to be ~** avoir de la chance.

ludicrous ['lu:dɪkrəs] adj ridicule.

lug [lʌg] vt (inf) traîner.

luggage ['lʌgɪdʒ] n bagages mpl.

luggage compartment n compartiment m à bagages.

luggage locker n casier m de consigne automatique.

luggage rack n (on train) filet m à bagages.

lukewarm ['lu:kwɔ:m] adj tiède.

lull [lʌl] n (in storm) accalmie f; (in

conversation) pause f.

lullaby ['lʌləbaɪ] n berceuse f.

lumbago [lʌm'beɪgəʊ] n lumbago m.

lumber ['lʌmbər] n (Am: timber) bois m.

luminous ['luːmɪnəs] adj lumineux(-euse).

lump [lʌmp] n (of mud, butter) motte f; (of sugar, coal) morceau m; (on body) bosse f; (MED) grosseur f.

lump sum n somme f globale.

lumpy ['lʌmpɪ] adj (sauce) grumeleux(-euse); (mattress) défoncé(-e).

lunatic ['luːnətɪk] n fou m (folle f).

lunch [lʌntʃ] n déjeuner m; to have ~ déjeuner.

luncheon ['lʌntʃən] n (fml) déjeuner m.

luncheon meat n sorte de mortadelle.

lunch hour n heure f du déjeuner.

lunchtime ['lʌntʃtaɪm] n heure f du déjeuner.

lung [lʌŋ] n poumon m.

lunge [lʌndʒ] vi: to ~ at se précipiter sur.

lurch [lɜːtʃ] vi (person) tituber; (car) faire une embardée.

lure [ljʊər] vt attirer.

lurk [lɜːk] vi (person) se cacher.

lush [lʌʃ] adj luxuriant(-e).

lust [lʌst] n désir m.

Luxembourg ['lʌksəmbɜːg] n le Luxembourg.

luxurious [lʌg'ʒʊərɪəs] adj luxueux(-euse).

luxury ['lʌkʃərɪ] adj de luxe ◆ n luxe m.

lying ['laɪɪŋ] cont → **lie**.

lyrics ['lɪrɪks] npl paroles fpl.

m (abbr of metre) m ◆ abbr = **mile**.

M (Br: abbr of motorway) = A; (abbr of medium) M.

MA n (abbr of Master of Arts) (titulaire d'une) maîtrise de lettres.

mac [mæk] n (Br: inf: coat) imper m.

macaroni [,mækə'rəʊnɪ] n macaronis mpl.

macaroni cheese n macaronis mpl au gratin.

machine [mə'ʃiːn] n machine f.

machinegun [mə'ʃiːngʌn] n mitrailleuse f.

machinery [mə'ʃiːnərɪ] n machinerie f.

machine-washable adj lavable en machine.

mackerel ['mækrəl] (pl inv) n maquereau m.

mackintosh ['mækɪntɒʃ] n (Br) imperméable m.

mad [mæd] adj fou (folle); (angry) furieux(-ieuse); to be ~ about (inf) être fou de; like ~ comme un fou.

Madam ['mædəm] n (form of address) Madame.

made [meɪd] pt & pp → **make**.

madeira [mə'dɪərə] n madère m.

made-to-measure adj sur mesure (inv).

madness ['mædnɪs] n folie f.

magazine [,mægə'zi:n] *n* magazine *m*, revue *f*.

maggot ['mægət] *n* asticot *m*.

magic ['mædʒɪk] *n* magie *f*.

magician [mə'dʒɪʃn] *n (conjurer)* magicien *m* (-ienne *f*).

magistrate ['mædʒɪstreɪt] *n* magistrat *m*.

magnet ['mægnɪt] *n* aimant *m*.

magnetic [mæg'netɪk] *adj* magnétique.

magnificent [mæg'nɪfɪsənt] *adj (very good)* excellent(-e); *(very beautiful)* magnifique.

magnifying glass ['mægnɪfaɪɪŋ-] *n* loupe *f*.

mahogany [mə'hɒgənɪ] *n* acajou *m*.

maid [meɪd] *n* domestique *f*.

maiden name ['meɪdn-] *n* nom *m* de jeune fille.

mail [meɪl] *n (letters)* courrier *m*; *(system)* poste *f* ◆ *vt (Am: parcel, goods)* envoyer par la poste; *(letter)* poster.

mailbox ['meɪlbɒks] *n (Am)* boîte *f* aux OR à lettres.

mailman ['meɪlmən] *(pl* **-men** [-mən]) *n (Am)* facteur *m*.

mail order *n* vente *f* par correspondance.

main [meɪn] *adj* principal(-e).

main course *n* plat *m* principal.

main deck *n (on ship)* pont *m* principal.

mainland ['meɪnlənd] *n*: **the ~** le continent.

main line *n (of railway)* grande ligne *f*.

mainly ['meɪnlɪ] *adv* principalement.

main road *n* grande route *f*.

mains [meɪnz] *npl*: **the ~** le secteur.

main street *n (Am)* rue *f* principale.

maintain [meɪn'teɪn] *vt (keep)* maintenir; *(car, house)* entretenir.

maintenance ['meɪntənəns] *n (of car, machine)* entretien *m*; *(money)* pension *f* alimentaire.

maisonette [,meɪzə'net] *n (Br)* duplex *m*.

maize [meɪz] *n* maïs *m*.

major ['meɪdʒər] *adj (important)* majeur(-e); *(most important)* principal(-e) ◆ *n (MIL)* commandant *m* ◆ *vi (Am)*: **to ~ in** se spécialiser ◆.

majority [mə'dʒɒrɪtɪ] *n* majorité *f*.

major road *n* route *f* principale.

make [meɪk] *(pt & pp* **made**) *vt* 1. *(produce)* faire; *(manufacture)* fabriquer; **to be made of** être en; **to ~ lunch/supper** préparer le déjeuner/le dîner; **made in Japan** fabriqué en Japon.
2. *(perform, do)* faire; *(decision)* prendre; **to ~ a mistake** faire une erreur, se tromper; **to ~ a phone call** passer un coup de fil.
3. *(cause to be)* rendre; **to ~ sthg better** améliorer qqch; **to ~ sb happy** rendre qqn heureux.
4. *(cause to do, force)* faire; **to ~ sb do sthg** faire faire qqch à qqn; **it made her laugh** ça l'a fait rire.
5. *(amount to, total)* faire; **that ~s £5** ça fait 5 livres.
6. *(calculate)*: **I ~ it £4** d'après mes calculs, ça fait 4 livres; **I ~ it seven o'clock** il est sept heures (à ma

montre).

7. *(money)* gagner; *(profit)* faire.

8. *(inf: arrive in time for)*: **we didn't ~ the 10 o'clock train** nous n'avons pas réussi à avoir le train de 10 heures.

9. *(friend, enemy)* se faire.

10. *(have qualities for)* faire; **this would ~ a lovely bedroom** ça ferait une très jolie chambre.

11. *(bed)* faire.

12. *(in phrases)*: **to ~ do** se débrouiller; **to ~ good** *(damage)* compenser; **to ~ it** *(arrive in time)* arriver à temps; *(be able to go)* se libérer.

♦ *n (of product)* marque *f.*

❏ **make out** *vt sep (cheque, receipt)* établir; *(see, hear)* distinguer; **make up** *vt sep (invent)* inventer; *(comprise)* comprendre, constituer; *(difference)* apporter; **make up for** *vt* compenser.

makeshift ['meɪkʃɪft] *adj* de fortune.

make-up *n (cosmetics)* maquillage *m.*

malaria [mə'leərɪə] *n* malaria *f.*

Malaysia [mə'leɪzɪə] *n* la Malaisie.

male [meɪl] *adj* mâle ♦ *n* mâle *m.*

malfunction [mæl'fʌŋkʃn] *vi (fml)* mal fonctionner.

malignant [mə'lɪgnənt] *adj (disease, tumour)* malin(-igne).

mall [mɔːl] *n (shopping centre)* centre *m* commercial.

THE MALL

Le Mall est une succession d'espaces verts au cœur de Washington. Il s'étend du Capitole au Lincoln Memorial en passant par les musées du Smithsonian Institute, la Maison-Blanche, le Washington Memorial et le Jefferson Memorial. Le mur sur lequel sont gravés les noms des soldats tués pendant la guerre du Vietnam se trouve à l'extrémité ouest du Mall.

À Londres, le Mall est une longue avenue bordée d'arbres allant de Buckingham Palace à Trafalgar Square.

---

mallet ['mælɪt] *n* maillet *m.*

malt [mɔːlt] *n* malt *m.*

maltreat [,mæl'triːt] *vt* maltraiter.

malt whisky *n* whisky *m* au malt.

mammal ['mæml] *n* mammifère *m.*

man [mæn] *(pl men) n* homme *m* ♦ *vt (phones, office)* assurer la permanence de.

manage ['mænɪdʒ] *vt (company, business)* diriger; *(task)* arriver à faire ♦ *vi (cope)* y arriver, se débrouiller; **can you ~ Friday?** est-ce que vendredi vous irait?; **to ~ to do sthg** réussir à faire qqch.

management ['mænɪdʒmənt] *n* direction *f.*

manager ['mænɪdʒər] *n (of business, bank, shop)* directeur *m* (-trice *f*); *(of sports team)* manager *m.*

manageress [,mænɪdʒə'res] *n (of business, bank, shop)* directrice *f.*

managing director ['mænɪdʒɪŋ-] *n* directeur *m* général (directrice générale *f*).

mandarin ['mændərɪn] *n* mandarine *f.*

mane [meɪn] *n* crinière *f.*

maneuver [məˈnuːvər] *(Am)* = manoeuvre.

mangetout [ˌmɒnʒˈtuː] *n* mangetout *m inv.*

mangle [ˈmæŋgl] *vt* déchiqueter.

mango [ˈmæŋgəʊ] *(pl* -es OR -s*) n* mangue *f.*

Manhattan [mænˈhætən] *n* Manhattan *m.*

---

i MANHATTAN

L'île de Manhattan, quartier central de New York, se divise en trois parties: Downtown, Midtown et Upper Manhattan. On y trouve des gratte-ciel mondialement connus comme l'Empire State Building ou le Chrysler Building, et des lieux aussi célèbres que Central Park, la cinquième avenue, Broadway et Greenwich Village.

---

manhole [ˈmænhəʊl] *n* regard *m.*

maniac [ˈmeɪnɪæk] *n (inf)* fou *m* (folle *f*).

manicure [ˈmænɪkjʊəʳ] *n* soins *mpl* des mains.

manifold [ˈmænɪfəʊld] *n (AUT)* tubulure *f.*

manipulate [məˈnɪpjʊleɪt] *vt* manipuler.

mankind [ˌmænˈkaɪnd] *n* hommes *mpl*, humanité *f.*

manly [ˈmænlɪ] *adj* viril(-e).

man-made *adj (synthetic)* synthétique.

manner [ˈmænəʳ] *n (way)* manière *f* ❑ **manners** *npl* manières *fpl.*

manoeuvre [məˈnuːvəʳ] *n (Br)* manœuvre *f* ◆ *vt (Br)* manœuvrer.

manor [ˈmænəʳ] *n* manoir *m.*

mansion [ˈmænʃn] *n* manoir *m.*

manslaughter [ˈmænˌslɔːtəʳ] *n* homicide *m* involontaire.

mantelpiece [ˈmæntlpiːs] *n* cheminée *f.*

manual [ˈmænjʊəl] *adj* ◆ *n (book)* manuel *m.*

manufacture [ˌmænjʊˈfæktʃəʳ] *n* fabrication *f* ◆ *vt* fabriquer.

manufacturer [ˌmænjʊˈfæktʃərəʳ] *n* fabricant *m (-e f).*

manure [məˈnjʊəʳ] *n* fumier *m.*

many [ˈmenɪ] *(compar* more, *superl* most*) adj* beaucoup de ◆ *pron* beaucoup; **there aren't as ~ people this year** il n'y a pas autant de gens cette année; **I don't have ~** je n'en ai pas beaucoup; **how ~?** combien?; **how ~ beds are there?** combien y a-t-il de lits?; **so ~** tant de; **too ~** trop; **there are too ~ people** il y a trop de monde.

map [mæp] *n* carte *f.*

maple syrup [ˈmeɪpl-] *n* sirop d'érable.

Mar. *abbr* = March.

marathon [ˈmærəθən] *n* marathon *m.*

marble [ˈmɑːbl] *n (stone)* marbre *m*; *(glass ball)* bille *f.*

march [mɑːtʃ] *n (demonstration)* marche *f* ◆ *vi (walk quickly)* marcher d'un pas vif.

March [mɑːtʃ] *n* mars *m,* → September.

mare [meəʳ] *n* jument *f.*

margarine [ˌmɑːdʒəˈriːn] *n* margarine *f.*

margin [ˈmɑːdʒɪn] *n* marge *f.*

marina [məˈriːnə] *n* marina *f.*

marinated [ˈmærɪneɪtɪd] *adj*

maternity ward

mariné(-e).

marital status ['mærɪtl-] n situation f de famille.

mark [mɑːk] n marque f; (SCH) note f ♦ vt marquer; (correct) noter; (gas) ~ five thermostat cinq.

marker pen ['mɑːkə-] n marqueur m.

market ['mɑːkɪt] n marché m.

marketing ['mɑːkɪtɪŋ] n marketing m.

marketplace ['mɑːkɪtpleɪs] n (place) place f du marché.

markings ['mɑːkɪŋz] npl (on road) signalisation f horizontale.

marmalade ['mɑːməleɪd] n confiture f d'oranges.

marquee [mɑːˈkiː] n grande tente f.

marriage ['mærɪdʒ] n mariage m.

married ['mærɪd] adj marié(-e); to get ~ se marier.

marrow ['mærəʊ] n (vegetable) courge f.

marry ['mærɪ] vt épouser ♦ vi se marier.

marsh [mɑːʃ] n marais m.

martial arts [ˌmɑːʃl-] npl arts mpl martiaux.

marvellous ['mɑːvələs] adj (Br) merveilleux(-euse).

marvelous ['mɑːvələs] (Am) = marvellous.

marzipan ['mɑːzɪpæn] n pâte f d'amandes.

mascara [mæsˈkɑːrə] n mascara m.

masculine ['mæskjʊlɪn] adj masculin(-e).

mashed potatoes [mæʃt-] npl purée f (de pommes de terre).

mask [mɑːsk] n masque m.

masonry ['meɪsnrɪ] n maçonnerie f.

mass [mæs] n (large amount) masse f; (RELIG) messe f; ~es (of) (inf: lots) des tonnes (de).

massacre ['mæsəkə'] n massacre m.

massage [Br 'mæsɑːʒ, Am məˈsɑːʒ] n massage m ♦ vt masser.

masseur [mæˈsɜː'] n masseur m.

masseuse [mæˈsɜːz] n masseuse f.

massive ['mæsɪv] adj massif(-ive).

mast [mɑːst] n mât m.

master ['mɑːstə'] n maître m ♦ vt (skill, language) maîtriser.

masterpiece ['mɑːstəpiːs] n chef-d'œuvre m.

mat [mæt] n (small rug) carpette f; (on table) set m de table.

match [mætʃ] n (for lighting) allumette f; (game) match m ♦ vt (in colour, design) aller avec; (be the same as) correspondre à; (be as good as) égaler ♦ vi (in colour, design) aller ensemble.

matchbox ['mætʃbɒks] n boîte f d'allumettes.

matching ['mætʃɪŋ] adj assorti(-e).

mate [meɪt] n (inf) (friend) pote m; (Br: form of address) mon vieux ♦ vi s'accoupler.

material [məˈtɪərɪəl] n matériau m; (cloth) tissu m ❏ **materials** npl (equipment) matériel m.

maternity leave [məˈtɜːnətɪ-] n congé m de maternité.

maternity ward [məˈtɜːnətɪ-] n maternité f.

math [mæθ] (Am) = maths.

mathematics [ˌmæθə'mætɪks] n mathématiques fpl.

maths [mæθs] n (Br) maths fpl.

matinée ['mætɪneɪ] n matinée f.

matt [mæt] adj mat(-e).

matter ['mætər] n (issue, situation) affaire f; (physical material) matière f ♦ vi importer; **it doesn't ~** ça ne fait rien; **no ~ what happens** quoi qu'il arrive; **there's something the ~ with my car** ma voiture a quelque chose qui cloche; **what's the ~?** qu'est-ce qui se passe?; **as a ~ of course** naturellement; **as a ~ of fact** en fait.

mattress ['mætrɪs] n matelas m.

mature [mə'tjʊər] adj (person, behaviour) mûr(-e); (cheese) fait(-e); (wine) arrivé(-e) à maturité.

mauve [məʊv] adj mauve.

max. [mæks] (abbr of maximum) max.

maximum ♦ ['mæksɪməm] adj maximum ♦ n maximum m.

may [meɪ] aux vb 1. (expressing possibility): **it ~ be done as follows** on peut procéder comme suit; **it ~ rain** il se peut qu'il pleuve; **they ~ have got lost** ils se sont peut-être perdus.

2. (expressing permission) pouvoir; **~ I smoke?** est-ce que je peux fumer?; **you ~ sit, if you wish** vous pouvez vous asseoir, si vous voulez.

3. (when conceding a point): **it ~ be a long walk, but it's worth it** ça fait peut-être loin à pied, mais ça vaut le coup.

May [meɪ] n mai m, → September.

maybe ['meɪbiː] adv peut-être.

mayonnaise [ˌmeɪə'neɪz] n mayonnaise f.

mayor [meər] n maire m.

mayoress ['meərɪs] n maire m.

maze [meɪz] n labyrinthe m.

me [miː] pron me; (after prep) moi; **she knows ~** elle me connaît; **it's ~** c'est moi; **send it to ~** envoie-le-moi; **tell ~** dis-moi; **he's worse than ~** il est pire que moi.

meadow ['medəʊ] n pré m.

meal [miːl] n repas m.

mealtime ['miːltaɪm] n heure f du repas.

mean [miːn] (pt & pp meant) adj (miserly, unkind) mesquin(-e) ♦ vt (signify, matter) signifier; (intend, subj: word) vouloir dire; **I don't ~ it** je ne le pense pas vraiment; **to ~ to do sthg** avoir l'intention de faire qqch; **to be meant to do sthg** être censé faire qqch; **it's meant to be good** il paraît que c'est bon.

meaning ['miːnɪŋ] n (of word, phrase) sens m.

meaningless ['miːnɪŋlɪs] adj qui n'a aucun sens.

means [miːnz] (pl inv) n moyen m ♦ npl (money) moyens mpl; **by all ~!** bien sûr!; **by ~ of** au moyen de.

meant [ment] pt & pp → **mean**.

meantime ['miːntaɪm]: **in the meantime** adv pendant ce temps, entre-temps.

meanwhile ['miːnwaɪl] adv (at the same time) pendant ce temps; (in the time between) en attendant.

measles [miːzlz] n rougeole f.

measure ['meʒər] vt mesurer ♦ n mesure f; (of alcohol) dose f; **the room ~s 10 m²** la pièce fait 10 m².

measurement ['meʒəmənt] n

mesure f.

meat [mi:t] n viande f; **red** ~ viande rouge; **white** ~ viande blanche.

meatball ['mi:tbɔ:l] n boulette f de viande.

mechanic [mɪ'kænɪk] n mécanicien m (-ienne f).

mechanical [mɪ'kænɪkl] adj (device) mécanique.

mechanism ['mekənɪzm] n mécanisme m.

medal ['medl] n médaille f.

media ['mi:djə] n or npl: **the** ~ les médias mpl.

medical ['medɪkl] adj médical(-e) ♦ n visite f médicale.

medication [,medɪ'keɪʃn] n médicaments mpl.

medicine ['medsɪn] n (substance) médicament m; (science) médecine f.

medicine cabinet n armoire f à pharmacie.

medieval [,medɪ'i:vl] adj médiéval(-e).

mediocre [,mi:dɪ'əukə'] adj médiocre.

Mediterranean [,medɪtə-'reɪnjən] n: **the** ~ (region) les pays mpl méditerranéens; **the** ~ (**Sea**) la (mer) Méditerranée.

medium ['mi:djəm] adj moyen(-enne); (wine) demi-sec.

medium-dry adj demi-sec.

medium-sized [-saɪzd] adj de taille moyenne.

medley ['medlɪ] n: ~ **of seafood** plateau m de fruits de mer.

meet [mi:t] (pt & pp met) vt rencontrer; (by arrangement) retrouver; (go to collect) aller chercher; (need, requirement) répondre à; (cost, expenses) prendre en charge ♦ vi se rencontrer; (by arrangement) se retrouver; (intersect) se croiser ❑ **meet up** vi se retrouver; **meet with** vt fus (problems, resistance) rencontrer; (Am: by arrangement) retrouver.

meeting ['mi:tɪŋ] n (for business) réunion f.

meeting point n (at airport, station) point m rencontre.

melody ['melədɪ] n mélodie f.

melon ['melən] n melon m.

melt [melt] vi fondre.

member ['membə'] n membre m.

Member of Congress [-'kɒŋgres] n membre m du Congrès.

Member of Parliament n = député m.

membership ['membəʃɪp] n adhésion f; (members) membres mpl.

memorial [mɪ'mɔ:rɪəl] n mémorial m.

memorize ['meməraɪz] vt mémoriser.

memory ['memərɪ] n mémoire f; (thing remembered) souvenir m.

men [men] pl → **man**.

menacing ['menəsɪŋ] adj menaçant(-e).

mend [mend] vt réparer.

menopause ['menəpɔ:z] n ménopause f.

men's room n (Am) toilettes fpl (pour hommes).

menstruate ['menstrʊeɪt] vi avoir ses règles.

menswear ['menzweə'] n vêtements mpl pour hommes.

mental ['mentl] *adj* mental(-e).

mental hospital *n* hôpital *m* psychiatrique.

mentally handicapped ['mentəlɪ-] *adj* handicapé(-e) mental(-e) ◆ *npl*: **the ~** les handicapés *mpl* mentaux.

mentally ill ['mentəlɪ-] *adj* malade *(mentalement)*.

mention ['menʃn] *vt* mentionner; **don't ~ it!** de rien!

menu ['menju:] *n* menu *m*; **children's ~** menu enfant.

merchandise ['mɜːtʃəndaɪz] *n* marchandises *fpl*.

merchant marine [,mɜːtʃənt-məˈriːn] *(Am)* = **merchant navy**.

merchant navy [,mɜːtʃənt-] *(Br)* marine *f* marchande.

mercury ['mɜːkjʊrɪ] *n* mercure *m*.

mercy ['mɜːsɪ] *n* pitié *f*.

mere [mɪəʳ] *adj* simple; **it costs a ~ £5** ça ne coûte que 5 livres.

merely ['mɪəlɪ] *adv* seulement.

merge [mɜːdʒ] *vi (rivers, roads)* se rejoindre; **"merge"** *(Am)* panneau indiquant aux automobilistes débouchant d'une bretelle d'accès qu'ils doivent rejoindre la file de droite.

merger ['mɜːdʒəʳ] *n* fusion *f*.

meringue [məˈræŋ] *n (egg white)* meringue *f; (cake)* petit gâteau meringué.

merit ['merɪt] *n* mérite *m; (in exam)* = mention *f* bien.

merry ['merɪ] *adj* gai(-e); **Merry Christmas!** joyeux Noël!

merry-go-round *n* manège *m*.

mess [mes] *n (untidiness)* désordre *m; (difficult situation)* pétrin *m; in a*

~ *(untidy)* en désordre ❑ **mess about** *vi (inf)* (have fun) s'amuser; *(behave foolishly)* faire l'imbécile; **to ~ about with sthg** *(interfere)* tripoter qqch; **mess up** *vt sep (inf: ruin, spoil)* ficher en l'air.

message ['mesɪdʒ] *n* message *m*.

messenger ['mesɪndʒəʳ] *n* messager *m* (-ère *f*).

messy ['mesɪ] *adj* en désordre.

met [met] *pt & pp* → **meet**.

metal ['metl] *adj* en métal ◆ *n* métal *m*.

metalwork ['metlwɜːk] *n (craft)* ferronnerie *f*.

meter ['miːtəʳ] *n (device)* compteur *m; (Am)* = **metre**.

method ['meθəd] *n* méthode *f*.

methodical [mɪˈθɒdɪkl] *adj* méthodique.

meticulous [mɪˈtɪkjʊləs] *adj* méticuleux(-euse).

metre ['miːtəʳ] *n (Br)* mètre *m*.

metric ['metrɪk] *adj* métrique.

mews [mjuːz] *(pl inv) n (Br)* ruelle bordée d'anciennes écuries, souvent transformées en appartements de standing.

Mexican ['meksɪkn] *adj* mexicain(-e) ◆ *n* Mexicain *m* (-e *f*).

Mexico ['meksɪkəʊ] *n* le Mexique.

mg *(abbr of milligram)* mg.

miaow [miːˈaʊ] *vi (Br)* miauler.

mice [maɪs] *pl* → **mouse**.

microchip ['maɪkrəʊtʃɪp] *n* puce *f*.

microphone ['maɪkrəfəʊn] *n* microphone *m*, micro *m*.

microscope ['maɪkrəskəʊp] *n* microscope *m*.

microwave (oven) ['maɪkrəweiv-] n four m à micro-ondes, micro-ondes m inv.

midday ['mɪddeɪ] n midi m.

middle ['mɪdl] n milieu m ◆ adj (central) du milieu; **in the ~ of the road** au milieu de la route; **in the ~ of April** à la mi-avril; **to be in the ~ of doing sthg** être en train de faire qqch.

middle-aged adj d'âge moyen.

middle-class adj bourgeois(-e).

Middle East n: **the ~** le Moyen-Orient.

middle name n deuxième prénom m.

middle school n (in UK) école pour enfants de 8 à 13 ans.

midge [mɪdʒ] n moucheron m.

midget ['mɪdʒɪt] n nain m (naine f).

Midlands ['mɪdləndz] npl: **the ~** les comtés du centre de l'Angleterre.

midnight ['mɪdnaɪt] n (twelve o'clock) minuit m; (middle of the night) milieu m de la nuit.

midsummer ['mɪd'sʌmə*r*] n: **in ~** en plein été.

midway ['mɪdweɪ] adv (in space) à mi-chemin; (in time) au milieu.

midweek [adj 'mɪdwi:k, adv mɪd'wi:k] adj de milieu de semaine ◆ adv en milieu de semaine.

midwife ['mɪdwaɪf] (pl -wives [-waɪvz]) n sage-femme f.

midwinter ['mɪd'wɪntə*r*] n: **in ~** en plein hiver.

might [maɪt] aux vb 1. (expressing possibility): **they ~ still come** il se peut encore qu'ils viennent; **they ~ have been killed** ils seraient peut-être morts.

2. (fml: expressing permission) pouvoir; **~ I have a few words?** puis-je vous parler un instant?

3. (when conceding a point): **it ~ be expensive, but it's good quality** c'est peut-être cher, mais c'est de la bonne qualité.

4. (would): **I hoped you ~ come too** j'espérais que vous viendriez aussi.

migraine ['mi:greɪn, 'maɪgreɪn] n migraine f.

mild [maɪld] adj doux (douce); (pain, illness) léger(-ère) ◆ n (Br: beer) bière moins riche en houblon et plus foncée que la «bitter».

mile [maɪl] n = 1,609 km, mile m; **it's ~s away** c'est à des kilomètres.

mileage ['maɪlɪdʒ] n ≃ kilométrage m.

mileometer [maɪ'lɒmɪtə*r*] n ≃ compteur m (kilométrique).

military ['mɪlɪtrɪ] adj militaire.

milk [mɪlk] n lait m ◆ vt (cow) traire.

milk chocolate n chocolat m au lait.

milkman ['mɪlkmən] (pl -men [-mən]) n laitier m.

milk shake n milk-shake m.

milky ['mɪlkɪ] adj (tea, coffee) avec beaucoup de lait.

mill [mɪl] n moulin m; (factory) usine f.

milligram ['mɪlɪgræm] n milligramme m.

millilitre ['mɪlɪ,li:tə*r*] n millilitre m.

millimetre ['mɪlɪ,mi:tə*r*] n millimètre m.

million ['mɪljən] n million m; **~s of** (fig) des millions de.

millionaire [ˌmɪljə'neəʳ] n millionnaire mf.

mime [maɪm] vi faire le mime.

min. [mɪn] (abbr of minute) min., mn; (abbr of minimum) min.

mince [mɪns] n (Br) viande f hachée.

mincemeat ['mɪnsmiːt] n (sweet filling) mélange de fruits secs et d'épices utilisé en pâtisserie; (Am: mince) viande f hachée.

mince pie n tartelette de Noël, fourrée avec un mélange de fruits secs et d'épices.

mind [maɪnd] n esprit m; (memory) mémoire f ◆ vt (be careful of) faire attention à; (look after) garder ◆ vi: I don't ~ ça m'est égal; it slipped my ~ ça m'est sorti de l'esprit; to my ~ à mon avis; to bear sthg in ~ garder qqch en tête; to change one's ~ changer d'avis; to have sthg in ~ avoir qqch en tête; to have sthg on one's ~ être préoccupé par qqch; to make one's ~ up se décider; do you ~ waiting? est-ce que ça vous gêne d'attendre?; do you ~ if ...? est-ce que ça vous dérange si ...?; I wouldn't ~ a drink je boirais bien quelque chose; "~ the gap!" (on underground) annonce indiquant aux usagers du métro de faire attention à l'espace entre le quai et la rame; never ~! (don't worry) ça ne fait rien!

mine[1] [maɪn] pron le mien (la mienne); these shoes are ~ ces chaussures sont à moi; a friend of ~ un ami à moi.

mine[2] [maɪn] n (bomb, for coal etc) mine f.

miner ['maɪnəʳ] n mineur m.

mineral ['mɪnərəl] n minéral m.

mineral water n eau f minérale.

minestrone [ˌmɪnɪ'strəʊnɪ] n minestrone m.

mingle ['mɪŋgl] vi se mélanger.

miniature ['mɪnətʃəʳ] adj miniature ◆ n (bottle) bouteille f miniature.

minibar ['mɪnɪbɑːʳ] n minibar m.

minibus ['mɪnɪbʌs] (pl -es) n minibus m.

minicab ['mɪnɪkæb] n (Br) radiotaxi m.

minimal ['mɪnɪml] adj minimal(-e).

minimum ['mɪnɪməm] adj minimum ◆ n minimum m.

miniskirt ['mɪnɪskɜːt] n minijupe f.

minister ['mɪnɪstəʳ] n (in government) ministre m; (in church) pasteur m.

ministry ['mɪnɪstrɪ] n (of government) ministère m.

minor ['maɪnəʳ] adj mineur(-e) ◆ n (fml) mineur m (-e f).

minority [maɪ'nɒrətɪ] n minorité f.

minor road n route f secondaire.

mint [mɪnt] n (sweet) bonbon m à la menthe; (plant) menthe f.

minus ['maɪnəs] prep moins; it's ~ 10 (degrees C) il fait moins 10 (degrés Celsius).

minuscule ['mɪnəskjuːl] adj minuscule.

minute[1] ['mɪnɪt] n minute f; any ~ d'une minute à l'autre; just a ~! (une) minute!

minute[2] [maɪ'njuːt] adj minuscule.

mixed

minute steak [ˌmɪnɪt-] n entrecôte f minute.

miracle ['mɪrəkl] n miracle m.

miraculous [mɪ'rækjʊləs] adj miraculeux(-euse).

mirror ['mɪrər] n miroir m, glace f; (on car) rétroviseur m.

misbehave [ˌmɪsbɪ'heɪv] vi (person) se conduire mal.

miscarriage [ˌmɪs'kærɪdʒ] n fausse couche f.

miscellaneous [ˌmɪsə'leɪnjəs] adj divers(-es).

mischievous ['mɪstʃɪvəs] adj espiègle.

misconduct [ˌmɪs'kɒndʌkt] n mauvaise conduite f.

miser ['maɪzər] n avare mf.

miserable ['mɪzrəbl] adj (unhappy) malheureux(-euse); (place, news) sinistre; (weather) épouvantable; (amount) misérable.

misery ['mɪzərɪ] n (unhappiness) malheur m; (poor conditions) misère f.

misfire [ˌmɪs'faɪər] vi (car) avoir des ratés.

misfortune [mɪs'fɔ:tʃu:n] n (bad luck) malchance f.

mishap ['mɪshæp] n mésaventure f.

misjudge [ˌmɪs'dʒʌdʒ] vt mal juger.

mislay [ˌmɪs'leɪ] (pt & pp -laid) vt égarer.

mislead [ˌmɪs'li:d] (pt & pp -led) vt tromper.

miss [mɪs] vt rater; (regret absence of) regretter ♦ vi manquer son but; **I ~ him** il me manque ❑ **miss out** vt sep (by accident) oublier; (deliberately) omettre ♦ vi rater

quelque chose.

Miss [mɪs] n Mademoiselle.

missile [Br 'mɪsaɪl, Am 'mɪsl] n (weapon) missile m; (thing thrown) projectile m.

missing ['mɪsɪŋ] adj (lost) manquant(-e); **there are two ~** il en manque deux.

missing person n personne f disparue.

mission ['mɪʃn] n mission f.

missionary ['mɪʃənrɪ] n missionnaire mf.

mist [mɪst] n brume f.

mistake [mɪ'steɪk] (pt -took, pp -taken) n erreur f ♦ vt (misunderstand) mal comprendre; **by ~** par erreur; **to make a ~** faire une erreur; **to ~ sb/sthg for** prendre qqn/qqch pour.

Mister ['mɪstər] n Monsieur.

mistook [mɪ'stʊk] pt → mistake.

mistress ['mɪstrɪs] n maîtresse f.

mistrust [ˌmɪs'trʌst] vt se méfier de.

misty ['mɪstɪ] adj brumeux(-euse).

misunderstanding [ˌmɪsʌndə'stændɪŋ] n (misinterpretation) malentendu m; (quarrel) discussion f.

misuse [ˌmɪs'ju:s] n usage m abusif.

mitten ['mɪtn] n moufle f; (without fingers) mitaine f.

mix [mɪks] vt mélanger; (drink) préparer ♦ n (for cake, sauce) préparation f; **to ~ sthg with sthg** mélanger qqch avec OR et qqch ❑ **mix up** vt sep (confuse) confondre; (put into disorder) mélanger.

mixed [mɪkst] adj (school) mixte.

mixed grill n mixed grill m.

mixed salad n salade f mixte.

mixed vegetables npl légumes mpl variés.

mixer ['mɪksər] n (for food) mixe(u)r m; (drink) boisson accompagnant les alcools dans la préparation des cocktails.

mixture ['mɪkstʃər] n mélange m.

mix-up n (inf) confusion f.

ml (abbr of millilitre) ml.

mm (abbr of millimetre) mm.

moan [məʊn] vi (in pain, grief) gémir; (inf: complain) rouspéter.

moat [məʊt] n douves fpl.

mobile ['məʊbaɪl] adj mobile.

mobile phone n téléphone m mobile.

mock [mɒk] adj faux (fausse) ♦ vt se moquer de ♦ n (Br: exam) examen m blanc.

mode [məʊd] n mode m.

model ['mɒdl] n modèle m; (small copy) modèle m réduit; (fashion model) mannequin m.

moderate ['mɒdərət] adj modéré(-e).

modern ['mɒdən] adj moderne.

modernized ['mɒdənaɪzd] adj modernisé(-e).

modern languages npl langues fpl vivantes.

modest ['mɒdɪst] adj modeste.

modify ['mɒdɪfaɪ] vt modifier.

mohair ['məʊheər] n mohair m.

moist [mɔɪst] adj moite; (cake) moelleux(-euse).

moisture ['mɔɪstʃər] n humidité f.

moisturizer ['mɔɪstʃəraɪzər] n crème f hydratante.

molar ['məʊlər] n molaire f.

mold [məʊld] (Am) = **mould**.

mole [məʊl] n (animal) taupe f; (spot) grain m de beauté.

molest [mə'lest] vt (child) abuser de; (woman) agresser.

mom [mɒm] n (Am: inf) maman f.

moment ['məʊmənt] n moment m; at the ~ en ce moment; for the ~ pour le moment.

Mon. abbr = **Monday**.

monarchy ['mɒnəkɪ] n: the ~ (royal family) la famille royale.

monastery ['mɒnəstrɪ] n monastère m.

Monday ['mʌndɪ] n lundi m, → **Saturday**.

money ['mʌnɪ] n argent m.

money belt n ceinture f portefeuille.

money order n mandat m.

mongrel ['mʌŋɡrəl] n bâtard m.

monitor ['mɒnɪtər] n (computer screen) moniteur m ♦ vt (check, observe) contrôler.

monk [mʌŋk] n moine m.

monkey ['mʌŋkɪ] n (pl **monkeys**) singe m.

monkfish ['mʌŋkfɪʃ] n lotte f.

monopoly [mə'nɒpəlɪ] n monopole m.

monorail ['mɒnəʊreɪl] n monorail m.

monotonous [mə'nɒtənəs] adj monotone.

monsoon [mɒn'su:n] n mousson f.

monster ['mɒnstər] n monstre m.

month [mʌnθ] n mois m; every ~ tous les mois; in a ~'s time dans un mois.

monthly [ˈmʌnθlɪ] adj mensuel(-elle) ♦ adv tous les mois.

monument [ˈmɒnjumənt] n monument m.

mood [muːd] n humeur f; **to be in a (bad) ~** être de mauvaise humeur; **to be in a good ~** être de bonne humeur.

moody [ˈmuːdɪ] adj (bad-tempered) de mauvaise humeur; (changeable) lunatique.

moon [muːn] n lune f.

moonlight [ˈmuːnlaɪt] n clair m de lune.

moor [mɔː] n lande f ♦ vt amarrer.

moose [muːs] n (pl inv) original m.

mop [mɒp] n (for floor) balai m à franges ♦ vt (floor) laver ❑ **mop up** vt sep (clean up) éponger.

moped [ˈməupɛd] n Mobylette® f.

moral [ˈmɒrəl] adj moral(-e) ♦ n (lesson) morale f.

morality [məˈrælɪtɪ] n moralité f.

more [mɔː] adj 1. (a larger amount of) plus de, davantage de; **there are ~ tourists** than usual il y a plus de touristes que d'habitude. 2. (additional) encore de; **are there any ~ cakes?** est-ce qu'il y a encore des gâteaux?; **I'd like two ~ bottles** je voudrais deux autres bouteilles; **there's no ~ wine** il n'y a plus de vin. 3. (in phrases): **~ and more** de plus en plus de.

♦ adv 1. (in comparatives) plus; **it's ~ difficult than before** c'est plus difficile qu'avant; **speak ~ clearly** parlez plus clairement.

2. (to a greater degree) plus; **we ought to go to the cinema ~** nous devrions aller plus souvent au cinéma.

3. (in phrases): **not ... any ~** ne ... plus; **I don't go there any ~** je n'y vais plus; **once ~** encore une fois, une fois de plus; **~ or less** plus ou moins; **we'd be ~ than happy to help** nous serions enchantés de vous aider.

♦ pron 1. (a larger amount) plus, davantage; **I've got ~ than you** j'en ai plus que toi; **~ than 20 types of pizza** plus de 20 sortes de pizza. 2. (an additional amount) encore; **is there any ~?** est-ce qu'il y en a encore?; **there's no ~** il n'y en a plus.

moreover [mɔːˈrəuvə] adv (fml) de plus.

morning [ˈmɔːnɪŋ] n matin m; (period) matinée f; **two o'clock in the ~** deux heures du matin; **good ~!** bonjour!, **in the ~** (early in the day) le matin; (tomorrow morning) demain matin.

morning-after pill n pilule f du lendemain.

morning sickness n nausées fpl matinales.

Morocco [məˈrɒkəu] n le Maroc.

moron [ˈmɔːrɒn] n (inf: idiot) abruti m (-e f).

Morse (code) [mɔːs-] n morse m.

mortgage [ˈmɔːgɪdʒ] n prêt m immobilier.

mosaic [məˈzeɪɪk] n mosaïque f.

Moslem [ˈmɒzləm] = **Muslim**.

mosque [mɒsk] n mosquée f.

mosquito [məˈskiːtəu] (pl -es) n moustique m.

mosquito net *n* moustiquaire f.

moss [mɒs] *n* mousse f.

most [məʊst] *adj* **1.** *(the majority of)* la plupart de; **~ people agree** la plupart des gens sont d'accord. **2.** *(the largest amount of)* le plus de; **I drank (the) ~ beer** c'est moi qui ai bu le plus de bière.
◆ *adv* **1.** *(in superlatives)* le plus (la plus); **the ~ expensive hotel in town** l'hôtel le plus cher de la ville. **2.** *(to the greatest degree)* le plus; **I like this one ~** c'est celui-ci que j'aime le plus. **3.** *(fml: very)* très; **they were ~ welcoming** ils étaient très accueillants.
◆ *pron* **1.** *(the majority)* la plupart; **~ of the villages** la plupart des villages; **~ of the journey** la plus grande partie du voyage. **2.** *(the largest amount)* le plus; **she earns (the) ~** c'est elle qui gagne le plus. **3.** *(in phrases)*: **at ~** au plus, au maximum; **to make the ~ of sthg** profiter de qqch au maximum.

mostly [ˈməʊstlɪ] *adv* principalement.

MOT *n* *(Br: test)* ≃ contrôle *m* technique *(annuel)*.

motel [məʊˈtel] *n* motel *m*.

moth [mɒθ] *n* papillon *m* de nuit; *(in clothes)* mite *f*.

mother [ˈmʌðəʳ] *n* mère *f*.

mother-in-law *n* belle-mère f.

mother-of-pearl *n* nacre *f*.

motif [məʊˈtiːf] *n* motif *m*.

motion [ˈməʊʃn] *n* mouvement *m* ◆ *vi*: **to ~ to sb** faire signe à qqn.

motionless [ˈməʊʃənlɪs] *adj* immobile.

motivate [ˈməʊtɪveɪt] *vt* motiver.

motive [ˈməʊtɪv] *n* motif *m*.

motor [ˈməʊtəʳ] *n* moteur *m*.

Motorail® [ˈməʊtəreɪl] *n* train *m* autocouchette(s).

motorbike [ˈməʊtəbaɪk] *n* moto f.

motorboat [ˈməʊtəbəʊt] *n* canot *m* à moteur.

motorcar [ˈməʊtəkɑːʳ] *n* automobile *f*.

motorcycle [ˈməʊtəsaɪkl] *n* motocyclette *f*.

motorcyclist [ˈməʊtəsaɪklɪst] *n* motocycliste *mf*.

motorist [ˈməʊtərɪst] *n* automobiliste *mf*.

motor racing *n* course *f* automobile.

motorway [ˈməʊtəweɪ] *n* *(Br)* autoroute *f*.

motto [ˈmɒtəʊ] *(pl* **-s)** *n* devise *f*.

mould [məʊld] *n* *(Br)* *(shape)* moule *m*; *(substance)* moisissure *f* ◆ *vt* *(Br)* mouler.

mouldy [ˈməʊldɪ] *adj* *(Br)* moisi(-e).

mound [maʊnd] *n* *(hill)* butte *f*; *(pile)* tas *m*.

mount [maʊnt] *n* *(for photo)* support *m*; *(mountain)* mont *m* ◆ *vt* monter ◆ *vi* *(increase)* augmenter.

mountain [ˈmaʊntɪn] *n* montagne *f*.

mountain bike *n* VTT *m*.

mountaineer [ˌmaʊntɪˈnɪəʳ] *n* alpiniste *mf*.

mountaineering [ˌmaʊntɪˈnɪərɪŋ] *n*: **to go ~** faire de l'alpinisme.

mountainous [ˈmaʊntɪnəs] *adj*

montagneux(-euse).

Mount Rushmore [ˈrʌʃmɔːʳ] n le mont Rushmore.

ℹ️ MOUNT RUSHMORE

Les visages géants de plusieurs présidents des États-Unis (Washington, Jefferson, Lincoln et Théodore Roosevelt) sont sculptés dans la roche sur le mont Rushmore, dans le Dakota du sud. Ce monument national est un site touristique populaire.

---

mourning [ˈmɔːnɪŋ] n: **to be in ~** être en deuil.

mouse [maʊs] (pl **mice**) n souris f.

moussaka [muːˈsɑːkə] n moussaka f.

mousse [muːs] n mousse f.

moustache [məˈstɑːʃ] n (Br) moustache f.

mouth [maʊθ] n bouche f; (of animal) gueule f; (of cave, tunnel) entrée f; (of river) embouchure f.

mouthful [ˈmaʊθfʊl] n (of food) bouchée f; (of drink) gorgée f.

mouthorgan [ˈmaʊθˌɔːgən] n harmonica m.

mouthpiece [ˈmaʊθpiːs] n (of telephone) microphone m; (of musical instrument) embouchure f.

mouthwash [ˈmaʊθwɒʃ] n bain m de bouche.

move [muːv] n (change of house) déménagement m; (movement) mouvement m; (in games) coup m; (turn to play) tour m; (course of action) démarche f ♦ vt (shift) déplacer; (arm, head) bouger; (emo-

tionally) émouvoir ♦ vi (shift) bouger; (person) se déplacer; **to ~ (house)** déménager; **to make a ~ (leave)** partir, y aller ❑ **move along** vi se déplacer; **move in (to house)** emménager; **move off** vi (train, car) partir; **move on** vi (after stopping) repartir; **move out** vi (from house) déménager; **move over** vi se pousser; **move up** vi se pousser.

movement [ˈmuːvmənt] n mouvement m.

movie [ˈmuːvɪ] n film m.

movie theater n (Am) cinéma m.

moving [ˈmuːvɪŋ] adj (emotionally) émouvant(-e).

mow [məʊ] vt: **to ~ the lawn** tondre la pelouse.

mozzarella [ˌmɒtsəˈrelə] n mozzarelle f.

MP n (abbr of Member of Parliament) = député m.

mph (abbr of miles per hour) miles à l'heure.

Mr [ˈmɪstəʳ] abbr M.

Mrs [ˈmɪsɪz] abbr Mme.

Ms [mɪz] abbr titre que les femmes peuvent utiliser au lieu de madame ou mademoiselle pour éviter la distinction entre femmes mariées et célibataires.

MSc n (abbr of Master of Science) (titulaire d'une) maîtrise de sciences.

much [mʌtʃ] (compar **more**, superl **most**) adj beaucoup de; **I haven't got ~ money** je n'ai pas beaucoup d'argent; **as ~ food as you can eat** autant de nourriture que tu peux en avaler; **how ~ time is left?** combien de temps reste-t-il?; **they have so ~ money** ils ont tant d'argent; **we have too ~ work** nous avons

muck

trop de travail.
♦ adv 1. (to a great extent) beaucoup, bien; it's ~ better c'est bien OR beaucoup mieux; I like it very ~ j'aime beaucoup ça; it's not ~ good (inf) ce n'est pas terrible; thank you very ~ merci beaucoup. 2. (often) beaucoup, souvent; we don't go there ~ nous n'y allons pas souvent.
♦ pron beaucoup; I haven't got ~ je n'en ai pas beaucoup; as ~ as you like autant que tu voudras; how ~ is it? c'est combien?

muck [mʌk] n (dirt) boue f ▫ **muck about** vi (Br) (inf) (have fun) s'amuser; (behave foolishly) faire l'imbécile; **muck up** vt sep (Br) (inf) saloper.

mud [mʌd] n boue f.

muddle [mʌdl] n: to be in a ~ (confused) ne plus s'y retrouver; (in a mess) être en désordre.

muddy [mʌdɪ] adj boueux(-euse).

mudguard [mʌdgɑːd] n garde-boue m inv.

muesli [mjuːzlɪ] n muesli m.

muffin [mʌfɪn] n (roll) petit pain rond; (cake) sorte de grosse madeleine ronde.

muffler [mʌflə'] n (Am: silencer) silencieux m.

mug [mʌg] n (cup) grande tasse f
♦ vt (attack) agresser.

mugging [mʌgɪŋ] n agression f.

muggy [mʌgɪ] adj lourd(-e).

mule [mjuːl] n mule f.

multicoloured [ˈmʌltɪˌkʌləd] adj multicolore.

multiple [mʌltɪpl] adj multiple.

multiplex cinema [ˈmʌltɪpleks-] n cinéma m multisalles.

multiplication [ˌmʌltɪplɪˈkeɪʃn] n multiplication f.

multiply [mʌltɪplaɪ] vt multiplier ♦ vi se multiplier.

multistorey (car park) [ˌmʌltɪˈstɔːrɪ-] n parking m à plusieurs niveaux.

mum [mʌm] n (Br: inf) maman f.

mummy [mʌmɪ] n (Br: inf: mother) maman f.

mumps [mʌmps] n oreillons mpl.

munch [mʌntʃ] vt mâcher.

municipal [mjuːˈnɪsɪpl] adj municipal(-e).

mural [mjuːərəl] n peinture f murale.

murder [mɜːdə'] n meurtre m ♦ vt assassiner.

murderer [mɜːdərə'] n meurtrier m (-ière f).

muscle [mʌsl] n muscle m.

museum [mjuːˈziːəm] n musée m.

mushroom [mʌʃrʊm] n champignon m.

music [mjuːzɪk] n musique f.

musical [mjuːzɪkl] adj musical(-e); (person) musicien(-ienne) ♦ n comédie f musicale.

musical instrument n instrument m de musique.

musician [mjuːˈzɪʃn] n musicien m (-ienne f).

Muslim [muzlɪm] adj musulman(-e) ♦ n musulman m (-e f).

mussels [mʌslz] npl moules fpl.

must [mʌst] aux vb devoir ♦ n (inf): it's a ~ c'est un must; I ~ go je dois y aller, il faut que j'y aille; the room ~ be vacated by ten la chambre doit être libérée avant dix heures; you ~ have seen it tu l'as sûrement vu; **you ~ see that** film il faut que tu voies ce film; **you ~ be joking!** tu plaisantes!

mustache [ˈmʌstæʃ] *(Am)* = moustache.

mustard [ˈmʌstəd] *n* moutarde *f*.

mustn't [ˈmʌsənt] = **must not**.

mutter [ˈmʌtəʳ] *vt* marmonner.

mutton [ˈmʌtn] *n* mouton *m*.

mutual [ˈmjuːtʃʊəl] *adj (feeling)* mutuel(-elle); *(friend, interest)* commun(-e).

muzzle [ˈmʌzl] *n (for dog)* muselière *f*.

my [maɪ] *adj* mon (ma), mes *(pl)*.

myself [maɪˈself] *pron (reflexive)* me; *(after prep)* moi; **I washed ~** je me suis lavé; **I did it ~** je l'ai fait moi-même.

mysterious [mɪˈstɪərɪəs] *adj* mystérieux(-ieuse).

mystery [ˈmɪstərɪ] *n* mystère *m*.

myth [mɪθ] *n* mythe *m*.

N

N *(abbr of North)* N.

nag [næg] *vt* harceler.

nail [neɪl] *n (of finger, toe)* ongle *m*; *(metal)* clou *m* ♦ *vt (fasten)* clouer.

nailbrush [ˈneɪlbrʌʃ] *n* brosse *f* à ongles.

nail file *n* lime *f* à ongles.

nail scissors *npl* ciseaux *mpl* à ongles.

nail varnish *n* vernis *m* à

ongles.

nail varnish remover [-rəˈmuːvəʳ] *n* dissolvant *m*.

naive [naɪˈiːv] *adj* naïf(-ïve).

naked [ˈneɪkɪd] *adj (person)* nu(-e).

name [neɪm] *n* nom *m* ♦ *vt* nommer; *(date, price)* fixer; **first ~** prénom *m*; **last ~** nom de famille; **what's your ~?** comment vous appelez-vous?; **my ~ is ...** je m'appelle ...

namely [ˈneɪmlɪ] *adv* c'est-à-dire.

nan bread [næn-] *n* pain indien en forme de grande galette ovale, servi tiède.

nanny [ˈnænɪ] *n (childminder)* nurse *f*; *(inf: grandmother)* mamie *f*.

nap [næp] *n*: **to have a ~** faire un petit somme.

napkin [ˈnæpkɪn] *n* serviette *f* (de table).

nappy [ˈnæpɪ] *n* couche *f*.

nappy liner *n* protège-couches *m inv*.

narcotic [nɑːˈkɒtɪk] *n* stupéfiant *m*.

narrow [ˈnærəʊ] *adj* étroit(-e) ♦ *vi* se rétrécir.

narrow-minded [-ˈmaɪndɪd] *adj* borné(-e).

nasty [ˈnɑːstɪ] *adj* méchant(-e), mauvais(-e).

nation [ˈneɪʃn] *n* nation *f*.

national [ˈnæʃənl] *adj* national(-e) ♦ *n (person)* ressortissant *m* (-e *f*).

national anthem *n* hymne *m* national.

National Health Service *n* ≃ Sécurité *f* sociale.

National Insurance *n (Br)*

cotisations *fpl* sociales.

nationality [ˌnæʃəˈnælətɪ] *n* nationalité *f*.

national park *n* parc *m* national.

ℹ NATIONAL PARK

Les parcs nationaux britanniques et américains sont des sites protégés en raison de leur beauté naturelle. En Grande-Bretagne, on peut citer ceux de Snowdonia, du Lake District et du Peak District. Aux États-Unis, les plus célèbres sont ceux de Yellowstone et Yosemite. Les parcs nationaux sont ouverts au public et offrent des possibilités de camping.

nationwide [ˈneɪʃənwaɪd] *adj* national(-e).

native [ˈneɪtɪv] *adj* local(-e) ♦ *n* natif *m* (-ive *f*); **to be a ~ speaker of English** être anglophone; **my ~ country** mon pays natal.

NATO [ˈneɪtəʊ] *n* OTAN *f*.

natural [ˈnætʃrəl] *adj* naturel(-elle).

natural gas *n* gaz *m* naturel.

naturally [ˈnætʃrəlɪ] *adv* (*of course*) naturellement.

natural yoghurt *n* yaourt *m* nature.

nature [ˈneɪtʃəʳ] *n* nature *f*.

nature reserve *n* réserve *f* naturelle.

naughty [ˈnɔːtɪ] *adj* (*child*) vilain(-e).

nausea [ˈnɔːzɪə] *n* nausée *f*.

navigate [ˈnævɪgeɪt] *vi* naviguer; (*in car*) lire la carte.

navy [ˈneɪvɪ] *n* marine *f* ♦ *adj*: ~ **(blue)** (bleu) marine (*inv*).

NB (*abbr of nota bene*) NB.

near [nɪəʳ] *adv* près ♦ *adj* proche ♦ *prep*: ~ **(to)** près de; **in the ~ future** dans un proche avenir.

nearby [nɪəˈbaɪ] *adv* tout près, à proximité ♦ *adj* proche.

nearly [ˈnɪəlɪ] *adv* presque; **I ~ fell over** j'ai failli tomber.

neat [niːt] *adj* (*room*) rangé(-e); (*writing, work*) soigné(-e); (*whisky etc*) pur(-e).

neatly [ˈniːtlɪ] *adv* soigneusement.

necessarily [ˌnesəˈserɪlɪ, *Br* ˈnesəsrəlɪ] *adv*: **not ~** pas forcément.

necessary [ˈnesəsrɪ] *adj* nécessaire; **it is ~ to do sthg** il faut faire qqch.

necessity [nɪˈsesətɪ] *n* nécessité *f* ❑ **necessities** *npl* strict minimum *m*.

neck [nek] *n* cou *m*; (*of garment*) encolure *f*.

necklace [ˈneklɪs] *n* collier *m*.

nectarine [ˈnektərɪn] *n* nectarine *f*.

need [niːd] *n* besoin *m* ♦ *vt* avoir besoin de; **to ~ to do sthg** avoir besoin de faire qqch; **we ~ to be back by ten** il faut que nous soyons rentrés pour dix heures.

needle [ˈniːdl] *n* aiguille *f*; (*for record player*) pointe *f*.

needlework [ˈniːdlwɜːk] *n* couture *f*.

needn't [ˈniːdənt] = **need not**.

needy [ˈniːdɪ] *adj* dans le besoin.

negative [ˈnegətɪv] *adj* négatif(-ive) ♦ *n* (*in photography*) négatif m; (GRAMM) négation f.

neglect [nɪ'glekt] vt négliger.

negligence ['neglɪdʒəns] n négligence f.

negotiations [nɪ,gəʊʃɪ'eɪʃnz] npl négociations fpl.

negro ['ni:grəʊ] (pl -es) n nègre m (négresse f).

neighbor ['neɪbər] (Am) = neighbour.

neighbour ['neɪbər] n voisin m (-e f).

neighbourhood ['neɪbəhʊd] n (Br) voisinage m.

neighbouring ['neɪbərɪŋ] adj voisin(-e).

neither ['naɪðər, 'ni:ðər] adj: ~ bag is big enough aucun des deux sacs n'est assez grand ♦ pron: ~ of us aucun de nous deux ♦ conj: ~ do I moi non plus; ~ ... nor ..., ni ... ni ...

neon light ['ni:ɒn] n néon m.

nephew ['nefju.] n neveu m.

nerve [nɜːv] n nerf m; (courage) cran m; what a ~! quel culot!

nervous ['nɜːvəs] adj nerveux(-euse).

nervous breakdown n dépression f nerveuse.

nest [nest] n nid m.

net [net] n filet m ♦ adj net (nette).

netball ['netbɔːl] n sport féminin proche du basket-ball.

Netherlands ['neðələndz] npl: the ~ les Pays-Bas mpl.

nettle ['netl] n ortie f.

network ['netwɜːk] n réseau m.

neurotic [,njʊə'rɒtɪk] adj névrosé(-e).

neutral ['nju:trəl] adj neutre ♦ n

(AUT): in ~ au point mort.

never ['nevər] adv (ne ...) jamais; she's ~ late elle n'est jamais en retard; ~ mind! ça ne fait rien!

nevertheless [,nevəðə'les] adv cependant, pourtant.

new [nju:] adj nouveau(-elle); (brand new) neuf (neuve).

newly ['nju:lɪ] adv récemment.

new potatoes npl pommes de terre fpl nouvelles.

news [nju:z] n (information) nouvelle f, nouvelles fpl; (on TV, radio) informations fpl; a piece of ~ une nouvelle.

newsagent ['nju:zeɪdʒənt] n marchand m de journaux.

newspaper ['nju:z,peɪpər] n journal m.

New Year n le nouvel an.

---

i NEW YEAR

La Saint Sylvestre est l'occasion, en Grande-Bretagne, de soirées entre amis ou de rassemblements publics où il est de coutume de chanter "Auld Lang Syne" aux douze coups de minuit. Cette fête a une importance toute particulière en Écosse, où elle porte le nom de «Hogmanay». Le lendemain, «New Year's Day», est un jour férié dans tout le pays.

New Year's Day n le jour de l'an.

New Year's Eve n la Saint-Sylvestre.

New Zealand [-'zi:lənd] n la Nouvelle-Zélande.

next [nekst] adj prochain(-e);

(room, house) d'à côté ♦ *adv* ensuite, après; *(on next occasion)* la prochaine fois; **when does the ~ bus leave?** quand part le prochain bus?; **the week ~** dans deux semaines; **the ~ week** la semaine suivante; **~ to** *(by the side of)* à côté de.

next door *adv* à côté.

next of kin [-kɪn] *n* plus proche parent *m*.

NHS *abbr* = **National Health Service**.

nib [nɪb] *n* plume *f*.

nibble ['nɪbl] *vt* grignoter.

nice [naɪs] *adj (pleasant)* bon (bonne); *(pretty)* joli(-e); *(kind)* gentil(-ille); **to have a ~ time** se plaire; **~ to see you!** (je suis) content de te voir!

nickel ['nɪkl] *n (metal)* nickel *m*; *(Am: coin)* pièce *f* de cinq cents.

nickname ['nɪkneɪm] *n* surnom *m*.

niece [niːs] *n* nièce *f*.

night [naɪt] *n* nuit *f*; *(evening)* soir *m*; **at ~** la nuit; *(in evening)* le soir.

nightclub ['naɪtklʌb] *n* boîte *f* (de nuit).

nightdress ['naɪtdres] *n* chemise *f* de nuit.

nightie ['naɪtɪ] *n (inf)* chemise *f* de nuit.

nightlife ['naɪtlaɪf] *n* vie *f* nocturne.

nightly ['naɪtlɪ] *adv* toutes les nuits; *(every evening)* tous les soirs.

nightmare ['naɪtmeəʳ] *n* cauchemar *m*.

night safe *n* coffre *m* de nuit.

night school *n* cours *mpl* du soir.

nightshift ['naɪtʃɪft] *n*: **to be on ~** travailler de nuit.

nil [nɪl] *n* zéro *m*.

Nile [naɪl] *n*: **the ~** le Nil.

nine [naɪn] *num* neuf, → **six**.

nineteen [,naɪn'tiːn] *num* dix-neuf; **~ ninety-five** dix-neuf cent quatre-vingt-quinze, → **six**.

nineteenth [,naɪn'tiːnθ] *num* dix-neuvième, → **sixth**.

ninetieth ['naɪntɪəθ] *num* quatre-vingt-dixième, → **sixth**.

ninety ['naɪntɪ] *num* quatre-vingt-dix, → **six**.

ninth [naɪnθ] *num* neuvième, → **sixth**.

nip [nɪp] *vt (pinch)* pincer.

nipple ['nɪpl] *n* mamelon *m*; *(of bottle)* tétine *f*.

nitrogen ['naɪtrədʒən] *n* azote *m*.

no [nəʊ] *adv* non ♦ *adj* pas de, aucun(-e); **I've got ~ money left** je n'ai plus d'argent.

noble ['nəʊbl] *adj* noble.

nobody ['nəʊbədɪ] *pron* personne; **there's ~ in** il n'y a personne.

nod [nɒd] *vi (in agreement)* faire signe que oui.

noise [nɔɪz] *n* bruit *m*.

noisy ['nɔɪzɪ] *adj* bruyant(-e).

nominate ['nɒmɪneɪt] *vt* nommer.

nonalcoholic [,nɒnælkə'hɒlɪk] *adj* non alcoolisé(-e).

none [nʌn] *pron* aucun *m* (-e *f*); **~ of us** aucun d'entre nous.

nonetheless [,nʌnðə'les] *adv* néanmoins.

nonfiction [,nɒn'fɪkʃn] *n* ouvrages *mpl* non romanesques.

non-iron *adj*: "non-iron" «repassage interdit».

nonsense [ˈnɒnsəns] *n* bêtises *fpl*.

nonsmoker [ˌnɒnˈsməʊkəʳ] *n* non-fumeur *m* (-euse *f*).

nonstick [ˌnɒnˈstɪk] *adj* (sauce-pan) antiadhésif(-ive).

nonstop [ˌnɒnˈstɒp] *adj* (flight) direct; (talking, arguing) continuel(-elle) ♦ *adv* (fly, travel) sans escale; (rain) sans arrêt.

noodles [ˈnuːdlz] *npl* nouilles *fpl*.

noon [nuːn] *n* midi *m*.

no one [ˈnəʊwʌn] = **nobody**.

nor [nɔːʳ] *conj* ni; **~ do I** moi non plus, → **neither**.

normal [ˈnɔːml] *adj* normal(-e).

normally [ˈnɔːməlɪ] *adv* normalement.

north [nɔːθ] *n* nord *m* ♦ *adv* (fly, walk) vers le nord; (be situated) au nord; **in the ~ of England** au OR dans le nord de l'Angleterre.

North America *n* l'Amérique *f* du Nord.

northbound [ˈnɔːθbaʊnd] *adj* en direction du nord.

northeast [ˌnɔːθˈiːst] *n* nord-est *m*.

northern [ˈnɔːðən] *adj* du nord.

Northern Ireland *n* l'Irlande *f* du Nord.

North Pole *n* pôle *m* Nord.

North Sea *n* mer *f* du Nord.

northwards [ˈnɔːθwədz] *adv* vers le nord.

northwest [ˌnɔːθˈwest] *n* nord-ouest *m*.

Norway [ˈnɔːweɪ] *n* la Norvège.

Norwegian [nɔːˈwiːdʒən] *adj* norvégien(-ienne) ♦ *n* (person) Norvégien *m* (-ienne *f*); (language) norvégien *m*.

nose [nəʊz] *n* nez *m*.

nosebleed [ˈnəʊzbliːd] *n*: **to have a ~** saigner du nez.

nostril [ˈnɒstrəl] *n* narine *f*.

nosy [ˈnəʊzɪ] *adj* (trop) curieux(-ieuse).

not [nɒt] *adv* ne ... pas; **she's ~ there** elle n'est pas là; **~ yet** pas encore; **~ at all** (pleased, interested) pas du tout; (in reply to thanks) je vous en prie.

notably [ˈnəʊtəblɪ] *adv* (in particular) notamment.

note [nəʊt] *n* (message) mot *m*; (in music, comment) note *f*; (bank note) billet *m* ♦ *vt* (notice) remarquer; (write down) noter; **to take ~s** prendre des notes.

notebook [ˈnəʊtbʊk] *n* calepin *m*, carnet *m*.

noted [ˈnəʊtɪd] *adj* célèbre, réputé(-e).

notepaper [ˈnəʊtpeɪpəʳ] *n* papier *m* à lettres.

nothing [ˈnʌθɪŋ] *pron* rien; **he did ~** il n'a rien fait; **~ new/interesting** rien de nouveau/d'intéressant; **for ~** pour rien.

notice [ˈnəʊtɪs] *vt* remarquer ♦ *n* avis *m*; **to take ~ of** faire OR prêter attention à; **to hand in one's ~** donner sa démission.

noticeable [ˈnəʊtɪsəbl] *adj* perceptible.

notice board *n* panneau *m* d'affichage.

notion [ˈnəʊʃn] *n* notion *f*.

notorious [nəʊˈtɔːrɪəs] *adj* notoire.

nougat [ˈnuːgɑː] *n* nougat *m*.

nought [nɔːt] *n* zéro *m*.

noun [naʊn] *n* nom *m*.

nourishment [ˈnʌrɪʃmənt] n nourriture f.

novel [ˈnɒvl] n roman m ♦ adj original(-e).

novelist [ˈnɒvəlɪst] n romancier m (-ière f).

November [nəˈvembəʳ] n novembre m, → **September**.

now [naʊ] adv (at this time) maintenant ♦ conj: ~ (that) maintenant que; just ~ en ce moment; right ~ (at the moment) en ce moment; (immediately) tout de suite; by ~ déjà, maintenant; from ~ on dorénavant, à partir de maintenant.

nowadays [ˈnaʊədeɪz] adv de nos jours.

nowhere [ˈnəʊweəʳ] adv nulle part.

nozzle [ˈnɒzl] n embout m.

nuclear [ˈnjuːklɪəʳ] adj nucléaire; (bomb) atomique.

nude [njuːd] adj nu(-e).

nudge [nʌdʒ] vt pousser du coude.

nuisance [ˈnjuːsns] n: it's a real ~! c'est vraiment embêtant!; he's such a ~! il est vraiment casse-pieds!

numb [nʌm] adj engourdi(-e).

number [ˈnʌmbəʳ] n (numeral) chiffre m; (of telephone, house) numéro m; (quantity) nombre m ♦ vt numéroter.

numberplate [ˈnʌmbəpleɪt] n plaque f d'immatriculation.

numeral [ˈnjuːmərəl] n chiffre m.

numerous [ˈnjuːmərəs] adj nombreux(-euses).

nun [nʌn] n religieuse f.

nurse [nɜːs] n infirmière f ♦ vt (look after) soigner; **male ~** infir-

mier m.

nursery [ˈnɜːsərɪ] n (in house) nursery f; (for plants) pépinière f.

nursery (school) n école f maternelle.

nursery slope n piste f pour débutants, ≈ piste verte.

nursing [ˈnɜːsɪŋ] n métier m d'infirmière.

nut [nʌt] n (to eat) fruit m sec (noix, noisette etc); (of metal) écrou m.

nutcrackers [ˈnʌtˌkrækəz] npl casse-noix m inv.

nutmeg [ˈnʌtmeg] n noix f de muscade.

nylon [ˈnaɪlɒn] n Nylon® m ♦ adj en Nylon®.

o' [ə] abbr = **of**.

O n (zero) zéro m.

oak [əʊk] n chêne m ♦ adj en chêne.

OAP abbr = **old age pensioner**.

oar [ɔːʳ] n rame f.

oatcake [ˈəʊtkeɪk] n galette f d'avoine.

oath [əʊθ] n (promise) serment m.

oatmeal [ˈəʊtmiːl] n flocons mpl d'avoine.

oats [əʊts] npl avoine f.

obedient [əˈbiːdjənt] adj obéissant(-e).

obey [əˈbeɪ] vt obéir à.

object [n 'ɒbdʒɪkt, vb ɒb'dʒekt] n (thing) objet m; (purpose) but m; (GRAMM) complément m d'objet ♦ vi: **to ~ (to)** protester (contre).

objection [əb'dʒekʃn] n objection f.

objective [əb'dʒektɪv] n objectif m.

obligation [ˌɒblɪ'ɡeɪʃn] n obligation f.

obligatory [ə'blɪɡətrɪ] adj obligatoire.

oblige [ə'blaɪdʒ] vt: **to ~ sb to do sth** obliger qqn à faire qqch.

oblique [ə'bli:k] adj oblique.

oblong ['ɒblɒŋ] adj rectangulaire ♦ n rectangle m.

obnoxious [əb'nɒkʃəs] adj (person) odieux(-ieuse); (smell) infect(-e).

oboe ['əʊbəʊ] n hautbois m.

obscene [əb'si:n] adj obscène.

obscure [əb'skjʊər] adj obscur(-e).

observant [əb'zɜ:vnt] adj observateur(-trice).

observation [ˌɒbzə'veɪʃn] n observation f.

observatory [əb'zɜ:vətrɪ] n observatoire m.

observe [əb'zɜ:v] vt (watch, see) observer.

obsessed [əb'sest] adj obsédé(-e).

obsession [əb'seʃn] n obsession f.

obsolete ['ɒbsəli:t] adj obsolète.

obstacle ['ɒbstəkl] n obstacle m.

obstinate ['ɒbstənət] adj obstiné(-e).

obstruct [əb'strʌkt] vt obstruer.

obstruction [əb'strʌkʃn] n obstacle m.

obtain [əb'teɪn] vt obtenir.

obtainable [əb'teɪnəbl] adj que l'on peut obtenir.

obvious ['ɒbvɪəs] adj évident(-e).

obviously ['ɒbvɪəslɪ] adv (of course) évidemment; (clearly) manifestement.

occasion [ə'keɪʒn] n (instance, opportunity) occasion f; (important event) événement m.

occasional [ə'keɪʒənl] adj occasionnel(-elle).

occasionally [ə'keɪʒnəlɪ] adv occasionnellement.

occupant ['ɒkjupənt] n occupant m (-e f).

occupation [ˌɒkju'peɪʃn] n (job) profession f; (pastime) occupation f.

occupied ['ɒkjupaɪd] adj (toilet) occupé(-e).

occupy ['ɒkjupaɪ] vt occuper.

occur [ə'kɜ:r] vi (happen) arriver, avoir lieu; (exist) exister.

occurrence [ə'kʌrəns] n événement m.

ocean ['əʊʃn] n océan m; **the ~** (Am: sea) la mer.

o'clock [ə'klɒk] adv: **three ~** trois heures.

Oct. (abbr of October) oct.

October [ɒk'təʊbər] n octobre m, → September.

octopus ['ɒktəpəs] n pieuvre f.

odd [ɒd] adj (strange) étrange, bizarre; (number) impair(-e); (not matching) dépareillé(-e); **I have the ~ cigarette** je fume de temps en temps; **60 ~ miles** environ 60 miles; **some ~ bits of paper** quelques bouts de papier; **~ jobs**

petits boulots *mpl*.

odds [ɒdz] *npl* (*in betting*) cote *f*; (*chances*) chances *fpl*; **~ and ends** objets *mpl* divers.

odor ['əʊdər] (*Am*) = **odour**.

odour ['əʊdər] *n* (*Br*) odeur *f*.

of [ɒv] *prep* **1.** (*gen*) de; **the handle ~ the door** la poignée de la porte; **a group ~ schoolchildren** un groupe d'écoliers; **a love ~ art** la passion de l'art.
2. (*expressing amount*) de; **a piece ~ cake** une morceau de gâteau; **a fall ~ 20%** une baisse de 20%; **a town ~ 50,000 people** une ville de 50 000 habitants.
3. (*made from*) en; **a house ~ stone** une maison en pierre; **it's made ~ wood** c'est en bois.
4. (*referring to time*): **the summer ~ 1969** l'été 1969; **the 26th ~ August** le 26 août.
5. (*indicating cause*) de; **he died ~ cancer** il est mort d'un cancer.
6. (*on the part of*): **that's very kind ~ you** c'est très aimable à vous OR de votre part.
7. (*Am: in telling the time*): **it's ten ~ four** il est quatre heures moins dix.

off [ɒf] *adv* **1.** (*away*): **to drive ~** démarrer; **to get ~** (*from bus, train, plane*) descendre; **we're ~ to Austria next week** nous partons pour l'Autriche la semaine prochaine.
2. (*expressing removal*): **to cut sthg ~** couper qqch; **to take sthg ~** enlever OR ôter qqch.
3. (*so as to stop working*): **to turn sthg ~** (*TV, radio*) éteindre; (*tap*) fermer; (*engine*) couper.
4. (*expressing distance or time away*): **it's 10 miles ~** c'est à 16 kilo-

mètres; **it's two months ~** dans deux mois; **it's a long way ~** c'est loin.
5. (*not at work*) en congé; **I'm taking a week ~** je prends une semaine de congé.
♦ *prep* **1.** (*away from*): **to get ~ sthg** descendre de qqch; **~ the coast** au large de la côte; **just ~ the main road** tout près de la grand-route.
2. (*indicating removal*) de; **take the lid ~ the jar** enlève le couvercle du pot; **they've taken £20 ~ the price** ils ont retranché 20 livres du prix normal.
3. (*absent from*): **to be ~ work** ne pas travailler.
4. (*inf: from*) à; **I bought it ~ her** je le lui ai acheté.
5. (*inf: no longer liking*): **I'm ~ my food** je n'ai pas d'appétit.
♦ *adj* **1.** (*meat, cheese*) avarié(-e); (*milk*) tourné(-e); (*beer*) éventé(-e).
2. (*not working*) éteint(-e); (*engine*) coupé(-e).
3. (*cancelled*) annulé(-e).
4. (*not available*) pas disponible; **the soup's ~** il n'y a plus de soupe.

offence [ə'fens] *n* (*Br*) (*crime*) délit *m*; **to cause sb ~** (*upset*) offenser qqn.

offend [ə'fend] *vt* (*upset*) offenser.

offender [ə'fendər] *n* (*criminal*) délinquant *m* (-e *f*).

offense [ə'fens] (*Am*) = **offence**.

offensive [ə'fensiv] *adj* (*language, behaviour*) choquant(-e); (*person*) très déplaisant(-e).

offer ['ɒfər] *n* offre *f* ♦ *vt* offrir; **on ~** (*at reduced price*) en promotion; **to ~ to do sthg** offrir OR proposer de faire qqch; **to ~ sb sthg** offrir qqch à qqn.

on

office ['ɒfɪs] n (room) bureau m.

office block n immeuble m de bureaux.

officer ['ɒfɪsə^r] n (MIL) officier m; (policeman) agent m.

official [ə'fɪʃl] adj officiel(-ielle) ♦ n fonctionnaire mf.

officially [ə'fɪʃəlɪ] adv officiellement.

off-licence n (Br) magasin m autorisé à vendre des boissons alcoolisées à emporter.

off-peak adj (train, ticket) = de période bleue.

off sales npl (Br) vente à emporter de boissons alcoolisées.

off-season n basse saison f.

offshore ['ɒfʃɔː^r] adj (breeze) de terre.

off side n (for right-hand drive) côté m droit; (for left-hand drive) côté gauche.

off-the-peg adj de prêt-à-porter.

often ['ɒfn, 'ɒftn] adv souvent; **how ~ do you go to the cinema?** tu vas souvent au cinéma?; **how ~ do the buses run?** quelle est la fréquence des bus?; **every so ~** de temps en temps.

oh [əʊ] excl oh!

oil [ɔɪl] n huile f; (fuel) pétrole m; (for heating) mazout m.

oilcan ['ɔɪlkæn] n burette f (d'huile).

oil filter n filtre m à huile.

oil rig n plate-forme f pétrolière.

oily ['ɔɪlɪ] adj (cloth, hands) graisseux(-euse); (food) gras (grasse).

ointment ['ɔɪntmənt] n pommade f.

OK [əʊ'keɪ] adj (inf: of average qual-

ity) pas mal (inv) ♦ adv (inf) (expressing agreement) d'accord; (satisfactorily, well) bien; **is everything ~?** est-ce que tout va bien?; **are you ~?** ça va?

okay [əʊ'keɪ] = **OK**.

old [əʊld] adj vieux (vieille); (former) ancien(-ienne); **how ~ are you?** quel âge as-tu?; **I'm 36 years ~** j'ai 36 ans; **to get ~** vieillir.

old age n vieillesse f.

old age pensioner n retraité m (-e f).

O level n examen actuellement remplacé par le «GCSE».

olive ['ɒlɪv] n olive f.

olive oil n huile f d'olive.

Olympic Games [ə'lɪmpɪk-] npl jeux mpl Olympiques.

omelette ['ɒmlɪt] n omelette f; **mushroom ~** omelette aux champignons.

ominous ['ɒmɪnəs] adj inquiétant(-e).

omit [ə'mɪt] vt omettre.

on [ɒn] prep **1.** (expressing position, location) sur; **it's ~ the table** il est sur la table; **~ my right** à OR sur ma droite; **~ the right** à droite; **we stayed ~ a farm** nous avons séjourné dans une ferme; **a hotel ~ the boulevard Saint-Michel** un hôtel (sur le) boulevard Saint-Michel; **the exhaust ~ the car** l'échappement de la voiture. **2.** (with forms of transport): **~ the train/plane** dans le train/l'avion; **to get ~ a bus** monter dans un bus. **3.** (expressing means, method): **~ foot** à pied; **~ TV/the radio** à la télé/la radio; **~ the piano** au piano. **4.** (using): **it runs ~ unleaded petrol** elle marche à l'essence sans plomb; **to be ~ medication** être sous traitement.

5. (about) sur; **a book ~ Germany** un livre sur l'Allemagne.

6. (expressing time): **~ arrival** à mon/leur arrivée; **~ Tuesday** mardi; **~ 25th August** le 25 août.

7. (with regard to): **to spend time ~ sthg** consacrer du temps à qqch; **the effect ~ Britain** l'effet sur la Grande-Bretagne.

8. (describing activity, state) en; **~ holiday** en vacances; **~ offer** en réclame; **~ sale** en vente.

9. (in phrases): **do you have any money ~ you?** (inf) tu as de l'argent sur toi?; **the drinks are ~ me** c'est ma tournée.

♦ adv **1.** (in place, covering): **to have sthg ~** (clothes, hat) porter qqch; **put the lid ~** mets le couvercle; **to put one's clothes ~** s'habiller, mettre ses vêtements.

2. (film, play, programme): **the news is ~** il y a les informations à la télé; **what's ~ at the cinema?** qu'est-ce qui passe au cinéma?

3. (with transport): **to get ~** monter.

4. (functioning): **to turn sthg ~** (TV, radio) allumer; (tap) ouvrir; (engine) mettre en marche.

5. (taking place): **how long is the festival ~?** combien de temps dure le festival?

6. (further forward): **to drive ~** continuer à rouler.

7. (in phrases): **to have sthg ~** avoir qqch de prévu.

♦ adj (TV, radio, light) allumé(e); (tap) ouvert(e); (engine) en marche.

once [wʌns] adv (one time) une fois; (in the past) jadis ♦ conj une fois que, dès que; **at ~** (immediate-ly) immédiatement; (at the same time) en même temps; **for ~** pour une fois; **~ more** une fois de plus.

oncoming ['ɒn,kʌmɪŋ] adj (traf-fic) venant en sens inverse.

one [wʌn] num (the number 1) un ♦ adj (only) seul(-e) ♦ pron (object, person) un (une f); (fml: you) on; **thirty-~** trente et un; **~ fifth** un cinquième; **I like that ~** j'aime bien celui-là; **I'll take this ~** je prends celui-ci; **which ~?** lequel?; **the ~ I told you about** celui dont je t'ai parlé; **~ of my friends** un de mes amis; **~ day** (in past, future) un jour.

one-piece (swimsuit) n maillot m de bain une pièce.

oneself [wʌn'self] pron (reflexive) se; (after prep) soi.

one-way adj (street) à sens unique; (ticket) aller (inv).

onion ['ʌnjən] n oignon m.

onion bhaji [-'bɑːdʒɪ] n beignet m à l'oignon (spécialité indienne généralement servie en hors-d'œuvre).

onion rings npl rondelles d'oignon en beignets.

only ['əʊnlɪ] adj seul(-e) ♦ adv seulement, ne ... que; **an ~ child** un enfant unique; **the ~ one** le seul (la seule); **I ~ want one** je n'en veux qu'un; **we've ~ just arrived** nous venons juste d'arriver; **there's ~ just enough** il y en a tout juste assez; **"members ~"** «réservé aux membres»; **not ~** non seulement.

onto ['ɒntu:] prep (with verbs of movement) sur; **to get ~ sb** (tele-phone) contacter qqn.

onward ['ɒnwəd] adv = **onwards** ♦ adj: **the ~ journey** la fin du parcours.

onwards ['ɒnwədz] *adv (forwards)* en avant; **from now ~** à partir de maintenant, dorénavant; **from October ~** à partir d'octobre.

opal ['əupl] *n* opale *f*.

opaque [əu'peik] *adj* opaque.

open ['əupn] *adj* ouvert(-e); *(space)* dégagé(-e); *(honest)* franc (franche) ◆ *vt* ouvrir ◆ *vi (door, window, lock)* s'ouvrir; *(shop, office, bank)* ouvrir; *(start)* commencer; **are you ~ at the weekend?** *(shop)* êtes-vous ouverts le week-end?; **wide ~** grand ouvert; **in the ~ (air)** en plein air ❏ **open onto** *vt fus* donner sur; **open up** *vi* ouvrir.

open-air *adj* en plein air.

opening ['əupnɪŋ] *n (gap)* ouverture *f*; *(beginning)* début *m*; *(opportunity)* occasion *f*.

opening hours *npl* heures *fpl* d'ouverture.

open-minded ['maindid] *adj* tolérant(-e).

open-plan *adj* paysagé(-e).

open sandwich *n* canapé *m*.

opera ['ɒprə] *n* opéra *m*.

opera house *n* opéra *m*.

operate ['ɒpəreit] *vt (machine)* faire fonctionner ◆ *vi (work)* fonctionner; **to ~ on sb** opérer qqn.

operating room ['ɒpəreɪtɪŋ-] *(Am)* = **operating theatre**.

operating theatre ['ɒpəreɪtɪŋ-] *n (Br)* salle *f* d'opération.

operation [,ɒpə'reɪʃn] *n* opération *f*; **to be in ~** *(law, system)* être appliqué; **to have an ~** se faire opérer.

operator ['ɒpəreitəʳ] *n (on phone)* opérateur *m* (-trice *f*).

opinion [ə'pɪnjən] *n* opinion *f*; **in my ~** à mon avis.

opponent [ə'pəunənt] *n* adversaire *mf*.

opportunity [,ɒpə'tju:nəti] *n* occasion *f*.

oppose [ə'pəuz] *vt* s'opposer à.

opposed [ə'pəuzd] *adj:* **to be ~ to sthg** être opposé(-e) à qqch.

opposite ['ɒpəzit] *adj* opposé(-e); *(building)* d'en face ◆ *prep* en face de ◆ *n:* **the ~ (of)** le contraire (de).

opposition [,ɒpə'zɪʃn] *n* opposition *f*; *(SPORT)* adversaire *mf*.

opt [ɒpt] *vt:* **to ~ to do sthg** choisir de faire qqch.

optician's [ɒp'tɪʃns] *n (shop)* opticien *m*.

optimist ['ɒptɪmɪst] *n* optimiste *mf*.

optimistic [,ɒptɪ'mɪstɪk] *adj* optimiste.

option ['ɒpʃn] *n (alternative)* choix *m*; *(optional extra)* option *f*.

optional ['ɒpʃənl] *adj* optionnel(-elle).

or [ɔːʳ] *conj* ou; *(after negative)* ni.

oral ['ɔːrəl] *adj* oral(-e) ◆ *n (exam)* oral *m*.

orange ['ɒrɪndʒ] *adj* orange *(inv)* ◆ *n (fruit)* orange *f*; *(colour)* orange *m*.

orange juice *n* jus *m* d'orange.

orange squash *n (Br)* orangeade *f*.

orbit ['ɔːbɪt] *n* orbite *f*.

orbital (motorway) ['ɔːbɪtl-] *n (Br)* rocade *f*.

orchard ['ɔːtʃəd] *n* verger *m*.

orchestra ['ɔːkɪstrə] *n* orchestre *m*.

ordeal [ɔːˈdiːl] *n* épreuve *f*.

order [ˈɔːdəʳ] *n* ordre *m*; *(in restaurant, for goods)* commande *f* ◆ *vt (command)* ordonner; *(food, taxi, goods)* commander ◆ *vi (in restaurant)* commander; **in ~ to do** sth de façon à OR afin de faire qqch; **out of ~** *(not working)* en panne; **in working ~** en état de marche; **to ~ sb to do sth** ordonner à qqn de faire qqch.

order form *n* bon *m* de commande.

ordinary [ˈɔːdənrɪ] *adj* ordinaire.

ore [ɔːʳ] *n* minerai *m*.

oregano [ˌɒrɪˈgɑːnəʊ] *n* origan *m*.

organ [ˈɔːgən] *n* (MUS) orgue *m*; *(in body)* organe *m*.

organic [ɔːˈgænɪk] *adj (food)* biologique.

organization [ˌɔːgənaɪˈzeɪʃn] *n* organisation *f*.

organize [ˈɔːgənaɪz] *vt* organiser.

organizer [ˈɔːgənaɪzəʳ] *n (person)* organisateur *m* (-trice *f*); *(diary)* agenda *m*.

oriental [ˌɔːrɪˈentl] *adj* oriental(-e).

orientate [ˈɔːrɪenteɪt] *vt*: **to ~ o.s.** s'orienter.

origin [ˈɒrɪdʒɪn] *n* origine *f*.

original [əˈrɪdʒənl] *adj (first)* d'origine; *(novel)* original(-e).

originally [əˈrɪdʒənəlɪ] *adv (formerly)* à l'origine.

originate [əˈrɪdʒəneɪt] *vi*: **to ~ from** venir de.

ornament [ˈɔːnəmənt] *n (object)* bibelot *m*.

ornamental [ˌɔːnəˈmentl] *adj* décoratif(-ive).

ornate [ɔːˈneɪt] *adj* orné(-e).

orphan [ˈɔːfn] *n* orphelin *m* (-e *f*).

orthodox [ˈɔːθədɒks] *adj* orthodoxe.

ostentatious [ˌɒstənˈteɪʃəs] *adj* ostentatoire.

ostrich [ˈɒstrɪtʃ] *n* autruche *f*.

other [ˈʌðəʳ] *adj* autre ◆ *pron* autre *mf* ◆ *adv*: **~ than** à part; **the ~ (one)** l'autre; **the ~ day** l'autre jour; **one after the ~** l'un après l'autre.

otherwise [ˈʌðəwaɪz] *adv (or else)* autrement, sinon; *(apart from that)* à part ça; *(differently)* autrement.

otter [ˈɒtəʳ] *n* loutre *f*.

ought [ɔːt] *aux vb* devoir; **you ~ to have gone** tu aurais dû y aller; **you ~ to see a doctor** tu devrais voir un médecin; **the car ~ to be ready by Friday** la voiture devrait être prête vendredi.

ounce [aʊns] *n (unit of measurement)* = 28,35 g, once *f*.

our [ˈaʊəʳ] *adj* notre, nos *(pl)*.

ours [ˈaʊəz] *pron* le nôtre (la nôtre); **this is ~** c'est à nous; **a friend of ~** un ami à nous.

ourselves [aʊəˈselvz] *pron (reflexive, after prep)* nous; **we did it ~** nous l'avons fait nous-mêmes.

out [aʊt] *adj (light, cigarette)* éteint(-e).
◆ *adv* **1.** *(outside)* dehors; **to get ~ (of)** sortir (de); **to go ~ (of)** sortir (de); **it's cold ~** il fait froid dehors. **2.** *(not at home, work)* dehors; **to be ~** sortir; **to go ~** sortir. **3.** *(so as to be extinguished)*: **to turn sthg ~** éteindre qqch; **put your cigarette ~** éteignez votre ciga-

rette. *(expressing removal)*: **to fall ~** tomber; **to take sthg ~ (of)** sortir qqch (de); *(money)* retirer qqch (de).

4. *(outwards)*: **to stick ~** dépasser. **5.** *(expressing distribution)*: **to hand sthg ~** distribuer qqch. **6.** *(wrong)* faux (fausse); **the bill's £10 ~** il y a une erreur de 10 livres dans l'addition. **7.** *(in phrases)*: **stay ~ of the sun** évitez le soleil; **made ~ of wood** en bois; **five ~ of ten women** cinq femmes sur dix; **I'm ~ of cigarettes** je n'ai plus de cigarettes.

outback ['autbæk] *n*: **the ~** l'arrière-pays *m* (en Australie).

outboard (motor) ['autbɔ:d-] *n* moteur *m* hors-bord.

outbreak ['autbreɪk] *n (of disease)* épidémie *f*.

outburst ['autbɜ:st] *n* explosion *f*.

outcome ['autkʌm] *n* résultat *m*.

outcrop ['autkrɒp] *n* affleurement *m*.

outdated [,aut'deɪtɪd] *adj* démodé(-e).

outdo [,aut'du:] *vt* surpasser.

outdoor ['autdɔ:ʳ] *adj (swimming pool)* en plein air; *(activities)* de plein air.

outdoors [aut'dɔ:z] *adv* en plein air, dehors; **to go ~** sortir.

outer ['autəʳ] *adj* extérieur(-e).

outer space *n* l'espace *m*.

outfit ['autfɪt] *n (clothes)* tenue *f*.

outing ['autɪŋ] *n* sortie *f*.

outlet ['autlet] *n (pipe)* sortie *f*; **"no ~"** *(Am)* «voie sans issue».

outline ['autlaɪn] *n (shape)* con-

tour *m*; *(description)* grandes lignes *fpl*.

outlook ['autluk] *n (for future)* perspective *f*; *(of weather)* prévision *f*; *(attitude)* conception *f*.

out-of-date *adj (old-fashioned)* démodé(-e); *(passport, licence)* périmé(-e).

outpatients' (department) ['aut,peɪʃnts-] *n* service *m* des consultations externes.

output ['autput] *n (of factory)* production *f*; *(COMPUT: printout)* sortie *f* papier.

outrage ['autreɪdʒ] *n* atrocité *f*.

outrageous [aut'reɪdʒəs] *adj* scandaleux(-euse).

outright [aut'raɪt] *adv (tell, deny)* franchement; *(own)* complètement.

outside [*adv* ,aut'saɪd, *adj*, *prep* & *n* 'autsaɪd] *adv* dehors ◆ *prep* en dehors de; *(door)* de l'autre côté de; *(in front of)* devant ◆ *adj* extérieur(-e) ◆ *n*: **the ~** *(of building, car, container)* l'extérieur *m*; *(AUT: in UK)* la droite; *(AUT: in Europe, US)* la gauche; **an ~ line** une ligne extérieure; **~ of** *(Am)* en dehors de.

outside lane *n (AUT) (in UK)* voie *f* de droite; *(in Europe, US)* voie *f* de gauche.

outsize ['autsaɪz] *adj (clothes)* grande taille *(inv)*.

outskirts ['autskɜ:ts] *npl (of town)* périphérie *f*, banlieue *f*.

outstanding [aut'stændɪŋ] *adj (remarkable)* remarquable; *(problem)* à régler; *(debt)* impayé(-e).

outward ['autwəd] *adj (journey)* aller *(inv)*; *(external)* extérieur(-e).

outwards ['autwədz] *adv* vers l'extérieur.

oval ['əʊvl] *adj* ovale.

ovation [əʊ'veɪʃn] *n* ovation *f*.

oven ['ʌvn] *n* four *m*.

oven glove *n* gant *m* de cuisine.

ovenproof ['ʌvnpruːf] *adj* qui va au four.

oven-ready *adj* prêt(-e) à mettre au four.

over ['əʊvər] *prep* **1.** *(above)* au-dessus de; **a bridge ~ the river** un pont sur la rivière.
2. *(across)* par-dessus; **to walk ~ sthg** traverser qqch (à pied); **it's just ~ the road** c'est juste de l'autre côté de la route; **a view ~ the square** une vue sur la place.
3. *(covering)* sur; **put a plaster ~ the wound** mettez un pansement sur la plaie.
4. *(more than)* plus de; **it cost ~ £1,000** ça a coûté plus de 1 000 livres.
5. *(during)* pendant; **~ the past two years** ces deux dernières années.
6. *(with regard to)* sur; **an argument ~ the price** une dispute au sujet du prix.
◆ *adv* **1.** *(downwards)*: **to fall ~** tomber; **to lean ~** se pencher.
2. *(referring to position, movement)*: **to fly ~ to Canada** aller au Canada en avion; **~ here** ici; **~ there** là-bas.
3. *(round to other side)*: **to turn sthg ~** retourner qqch.
4. *(more)*: **children aged 12 and ~** les enfants de 12 ans et plus OR au-dessus.
5. *(remaining)*: **how many are there (left) ~?** combien en reste-t-il?
6. *(to one's house)* chez soi; **to come ~** venir à la maison; **to invite sb ~ for dinner** inviter qqn à dîner (chez soi).
7. *(in phrases)*: **all ~** *(finished)* fini(-e), terminé(-e); **all ~ the world/country** dans le monde/pays entier.
◆ *adj (finished)*: **to be ~** être fini(-e), être terminé(-e).

overall [*adv* ,əʊvə'rɔːl, *n* 'əʊvərɔːl] *adv (in general)* en général ◆ *n (Br: coat)* blouse *f*; *(Am: boiler suit)* bleu *m* de travail; **how much does it cost ~?** combien est-ce que ça coûte en tout? ❑ **overalls** *npl (Br: boiler suit)* bleu *m* de travail; *(Am: dungarees)* salopette *f*.

overboard ['əʊvəbɔːd] *adv* par-dessus bord.

overbooked [,əʊvə'bʊkt] *adj* surréservé(-e).

overcame [,əʊvə'keɪm] *pt* → **overcome**.

overcast [,əʊvə'kɑːst] *adj* couvert(-e).

overcharge [,əʊvə'tʃɑːdʒ] *vt (customer)* faire payer trop cher à.

overcoat ['əʊvəkəʊt] *n* pardessus *m*.

overcome [,əʊvə'kʌm] *(pt* -came, *pp* -come) *vt* vaincre.

overcooked [,əʊvə'kʊkt] *adj* trop cuit(-e).

overcrowded [,əʊvə'kraʊdɪd] *adj* bondé(-e).

overdo [,əʊvə'duː] *(pt* -did, *pp* -done) *vt (exaggerate)* exagérer; **to ~ it** se surmener.

overdone [,əʊvə'dʌn] *pp* → **overdo** ◆ *adj (food)* trop cuit(-e).

overdose ['əʊvədəʊs] *n* overdose *f*.

overdraft ['əʊvədrɑːft] *n* découvert *m*.

overdue [,əʊvə'djuː] *adj* en retard.

over easy *adj (Am: egg)* cuit(-e)

des deux côtés.

overexposed [ˌəʊvərɪkˈspəʊzd] adj (photograph) surexposé(-e).

overflow [vb ˌəʊvəˈfləʊ, n ˈəʊvəfləʊ] vi déborder ◆ n (pipe) trop-plein m.

overgrown [ˌəʊvəˈɡrəʊn] adj (garden, path) envahi(-e) par les mauvaises herbes.

overhaul [ˌəʊvəˈhɔːl] n révision f.

overhead [adj ˈəʊvəhed, adv ˌəʊvəˈhed] adj aérien(-ienne) ◆ adv au-dessus.

overhead locker n (on plane) compartiment m à bagages.

overhear [ˌəʊvəˈhɪəʳ] (pt & pp -heard) vt entendre par hasard.

overheat [ˌəʊvəˈhiːt] vi surchauffer.

overland [ˈəʊvəlænd] adv par voie de terre.

overlap [ˌəʊvəˈlæp] vi se chevaucher.

overleaf [ˌəʊvəˈliːf] adv au verso, au dos.

overload [ˌəʊvəˈləʊd] vt surcharger.

overlook [vb ˌəʊvəˈlʊk, n ˈəʊvəlʊk] vt (subj: building, room) donner sur; (miss) oublier ◆ n: (scenic) ~ (Am) point m de vue.

overnight [adv ˌəʊvəˈnaɪt adj ˈəʊvənaɪt] adv (during the night) pendant la nuit; (until next day) pour la nuit ◆ adj (train, journey) de nuit.

overnight bag n sac m de voyage.

overpass [ˈəʊvəpɑːs] n saut-de-mouton m.

overpowering [ˌəʊvəˈpaʊərɪŋ] adj (heat) accablant(-e); (smell) suffocant(-e).

oversaw [ˌəʊvəˈsɔː] pt → oversee.

overseas [adv ˌəʊvəˈsiːz, adj ˈəʊvəsiːz] adv à l'étranger ◆ adj étranger(-ère); (holiday) à l'étranger.

oversee [ˌəʊvəˈsiː] (pt -saw, pp -seen) vt (supervise) superviser.

overshoot [ˌəʊvəˈʃuːt] (pt & pp -shot) vt (turning, motorway exit) manquer.

oversight [ˈəʊvəsaɪt] n oubli m.

oversleep [ˌəʊvəˈsliːp] (pt & pp -slept) vi ne pas se réveiller à temps.

overtake [ˌəʊvəˈteɪk] (pt -took, pp -taken) vt & vi doubler; "no overtaking" «dépassement interdit».

overtime [ˈəʊvətaɪm] n heures fpl supplémentaires.

overtook [ˌəʊvəˈtʊk] pt → overtake.

overture [ˈəʊvəˌtjʊəʳ] n ouverture f.

overturn [ˌəʊvəˈtɜːn] vi se retourner.

overweight [ˌəʊvəˈweɪt] adj trop gros (grosse).

overwhelm [ˌəʊvəˈwelm] vt (with joy) combler; (with sadness) accabler.

owe [əʊ] vt devoir; **to ~ sb sthg** devoir qqch à qqn; **owing to** en raison de.

owl [aʊl] n chouette f.

own [əʊn] adj propre ◆ vt avoir, posséder ◆ pron: **a room of my ~** une chambre pour moi tout seul; **on my ~** (tout) seul; **to get one's ~ back** prendre sa revanche ❑ **own up** vi: **to ~ up (to sthg)** avouer (qqch).

owner [ˈəʊnəʳ] n propriétaire mf.

ownership [ˈəʊnəʃɪp] n propriété f.

ox [ɒks] (pl **oxen** [ˈɒksən]) n bœuf m.

oxtail soup [ˈɒksteɪl-] n soupe f à la queue de bœuf.

oxygen [ˈɒksɪdʒən] n oxygène m.

oyster [ˈɔɪstəʳ] n huître f.

oz abbr = **ounce**.

ozone-friendly [ˈəʊzəʊn-] adj qui préserve la couche d'ozone.

P

p (abbr of page) p. ♦ abbr = **penny, pence**.

pace [peɪs] n (speed) vitesse f, allure f; (step) pas m.

pacemaker [ˈpeɪsˌmeɪkəʳ] n (for heart) pacemaker m.

Pacific [pəˈsɪfɪk] n: the ~ (Ocean) le Pacifique, l'océan m Pacifique.

pacifier [ˈpæsɪfaɪəʳ] n (Am: for baby) tétine f.

pacifist [ˈpæsɪfɪst] n pacifiste mf.

pack [pæk] n (packet) paquet m; (Br: of cards) paquet, jeu m; (rucksack) sac m à dos ♦ vt emballer; (suitcase, bag) faire ♦ vi (for journey) faire ses valises; **a ~ of lies** un tissu de mensonges; **to ~ sthg into sthg** entasser qqch dans qqch; **to ~ one's bags** faire ses valises ❑ **pack up** vi (pack suitcase) faire sa valise; (tidy up) ranger; (Br: inf: machine,

car) tomber en rade.

package [ˈpækɪdʒ] n (parcel) paquet m; (COMPUT) progiciel m ♦ vt emballer.

package holiday n voyage à prix forfaitaire incluant transport et hébergement.

package tour n voyage m organisé.

packaging [ˈpækɪdʒɪŋ] n (material) emballage m.

packed [pækt] adj (crowded) bondé(-e).

packed lunch n panier-repas m.

packet [ˈpækɪt] n paquet m; **it cost a ~** (Br: inf) ça a coûté un paquet.

packing [ˈpækɪŋ] n (material) emballage m; **to do one's ~** (for journey) faire ses valises.

pad [pæd] n (of paper) bloc m; (of cloth, cotton wool) tampon m; (of knee) genouillère f.

padded [ˈpædɪd] adj (jacket, seat) rembourré(-e).

padded envelope n enveloppe f matelassée.

paddle [ˈpædl] n (pole) pagaie f ♦ vi (wade) barboter; (in canoe) pagayer.

paddling pool [ˈpædlɪŋ-] n pataugeoire f.

paddock [ˈpædək] n (at racecourse) paddock m.

padlock [ˈpædlɒk] n cadenas m.

page [peɪdʒ] n page f ♦ vt (call) appeler (par haut-parleur); **"paging Mr Hill"** «on demande M. Hill».

paid [peɪd] pt & pp = **pay** ♦ adj (holiday, work) payé(-e).

pain [peɪn] n douleur f; **to be in ~**

(physical) souffrir; **he's such a ~!** *(inf)* il est vraiment pénible! ▢

pains *npl (trouble)* peine *f*.

painful ['peɪnfʊl] *adj* douloureux(-euse).

painkiller ['peɪn,kɪlə[r]] *n* analgésique *m*.

paint [peɪnt] *n* peinture *f* ◆ *vt & vi* peindre; **to ~ one's nails** se mettre du vernis à ongles.

paintbrush ['peɪntbrʌʃ] *n* pinceau *m*.

painter ['peɪntə[r]] *n* peintre *m*.

painting ['peɪntɪŋ] *n* peinture *f*.

pair [peə[r]] *n (of two things)* paire *f*; **in ~s** par deux; **a ~ of pliers** une pince; **a ~ of scissors** une paire de ciseaux; **a ~ of shorts** un short; **a ~ of tights** un collant; **a ~ of trousers** un pantalon.

pajamas [pə'dʒɑːməz] *(Am)* = **pyjamas**.

Pakistan [Br ,pɑːkɪ'stɑːn, Am ,pækɪ'stæn] *n* le Pakistan.

Pakistani [Br ,pɑːkɪ'stɑːnɪ, Am ,pækɪ'stænɪ] *adj* pakistanais(-e) ◆ *n (person)* Pakistanais *m* (-e *f*).

pakora [pə'kɔːrə] *npl* petits beignets de légumes épicés (spécialité indienne généralement servie en hors-d'œuvre avec une sauce elle-même épicée).

pal [pæl] *n (inf)* pote *m*.

palace ['pælɪs] *n* palais *m*.

palatable ['pælətəbl] *adj (food, drink)* bon (bonne).

palate ['pælət] *n* palais *m*.

pale [peɪl] *adj* pâle.

pale ale *n* bière *f* blonde légère.

palm [pɑːm] *n (of hand)* paume *f*; **~ (tree)** palmier *m*.

palpitations [,pælpɪ'teɪʃnz] *npl* palpitations *fpl*.

pamphlet ['pæmflɪt] *n* brochure *f*.

pan [pæn] *n (saucepan)* casserole *f*; *(frying pan)* poêle *f*.

pancake ['pænkeɪk] *n* crêpe *f*.

pancake roll *n* rouleau *m* de printemps.

panda ['pændə] *n* panda *m*.

panda car *n (Br)* voiture *f* de patrouille.

pane [peɪn] *n (large)* vitre *f*; *(small)* carreau *m*.

panel ['pænl] *n (of wood)* panneau *m*; *(group of experts)* comité *m*; *(on TV, radio)* invités *mpl*.

paneling ['pænlɪŋ] *(Am)* = **panelling**.

panelling ['pænlɪŋ] *n (Br)* lambris *m*.

panic ['pænɪk] *(pt & pp* **-ked**, *cont* **-king)** *n* panique *f* ◆ *vi* paniquer.

panniers ['pænɪəz] *npl (for bicycle)* sacoches *fpl*.

panoramic [,pænə'ræmɪk] *adj* panoramique.

pant [pænt] *vi* haleter.

panties ['pæntɪz] *npl (inf)* culotte *f*.

pantomime ['pæntəmaɪm] *n (Br)* spectacle de Noël.

PANTOMIME

Ces spectacles de Noël s'inspirant généralement de contes traditionnels sont des sortes de comédies musicales comiques destinées aux enfants. Le héros doit selon la tradition être joué par une jeune actrice alors que le rôle comique, celui de la vieille dame, est tenu par un acteur.

pantry ['pæntrɪ] n garde-manger m inv.

pants [pænts] npl (Br: underwear) slip m; (Am: trousers) pantalon m.

panty hose ['pæntɪ-] npl (Am) collant m.

papadum ['pæpədəm] n galette indienne très fine et croustillante.

paper ['peɪpə'] n (material) papier m; (newspaper) journal m; (exam) épreuve f ◆ adj en papier; (cup, plate) en carton ◆ vt tapisser; a piece of ~ (sheet) une feuille de papier; (scrap) un bout de papier ❑ papers npl (documents) papiers mpl.

paperback ['peɪpəbæk] n livre m de poche.

paper bag n sac m en papier.

paperboy ['peɪpəbɔɪ] n livreur m de journaux.

paper clip n trombone m.

papergirl ['peɪpəgɜːl] n livreuse f de journaux.

paper handkerchief n mouchoir m en papier.

paper shop n marchand m de journaux.

paperweight ['peɪpəweɪt] n presse-papiers m inv.

paprika ['pæprɪkə] n paprika m.

par [pɑː'] n (in golf) par m.

paracetamol [,pærə'siːtəmɒl] n paracétamol m.

parachute ['pærəʃuːt] n parachute m.

parade [pə'reɪd] n (procession) parade f; (of shops) rangée f de magasins.

paradise ['pærədaɪs] n paradis m.

paraffin ['pærəfɪn] n paraffine f.

paragraph ['pærəgrɑːf] n paragraphe m.

parallel ['pærəlel] adj: ~ (to) parallèle (à).

paralysed ['pærəlaɪzd] adj (Br) paralysé(-e).

paralyzed ['pærəlaɪzd] (Am) = **paralysed**.

paramedic [,pærə'medɪk] n aide-soignant m (-e f).

paranoid ['pærənɔɪd] adj paranoïaque.

parasite ['pærəsaɪt] n parasite m.

parasol ['pærəsɒl] n (above table, on beach) parasol m; (hand-held) ombrelle f.

parcel ['pɑːsl] n paquet m.

parcel post n: to send sthg by ~ envoyer qqch par colis postal.

pardon ['pɑːdn] excl: ~? pardon?; ~ (me)! pardon!, excusez-moi!; I beg your ~! (apologizing) je vous demande pardon!; I beg your ~? (asking for repetition) je vous demande pardon?

parent ['peərənt] n (father) père m; (mother) mère f; ~s parents mpl.

parish ['pærɪʃ] n (of church) paroisse f; (village area) commune f.

park [pɑːk] n parc m ◆ vt (vehicle) garer ◆ vi se garer.

park and ride n système de contrôle de la circulation qui consiste à se garer à l'extérieur des grandes villes, puis à utiliser des navettes pour aller au centre.

parking ['pɑːkɪŋ] n stationnement m; **"no ~"** «stationnement interdit», «défense de stationner».

parking brake n (Am) frein m à main.

parking lot n (Am) parking m.

parking meter n parcmètre m.

parking space n place f de parking.

parking ticket n contravention f (pour stationnement interdit).

parkway ['pɑːkweɪ] n (Am) voie principale dont le terre-plein central est planté d'arbres, de fleurs, etc.

parliament ['pɑːləmənt] n parlement m.

Parmesan (cheese) [pɑːmɪ'zæn-] n parmesan m.

parrot ['pærət] n perroquet m.

parsley ['pɑːslɪ] n persil m.

parsnip ['pɑːsnɪp] n panais m.

parson ['pɑːsn] n pasteur m.

part [pɑːt] n partie f; (of machine, car) pièce f; (in play, film) rôle m; (Am: in hair) raie f ◆ adv (partly) en partie ◆ vi (couple) se séparer; **in this ~ of France** dans cette partie de la France; **to form ~ of sthg** faire partie de qqch; **to play a ~ in sthg** jouer un rôle dans qqch; **to take ~ in sthg** prendre part à qqch; **for my ~** pour ma part; **for the most ~** dans l'ensemble; **in these ~s** dans cette région.

partial ['pɑːʃl] adj partiel(-ielle); **to be ~ to sthg** avoir un faible pour qqch.

participant [pɑː'tɪsɪpənt] n participant m (-e f).

participate [pɑː'tɪsɪpeɪt] vi: **to ~ (in)** participer (à).

particular [pə'tɪkjʊləʳ] adj particulier(-ière); (fussy) difficile; **in ~** en particulier; **nothing in ~** rien de particulier ❏ **particulars** npl (details) coordonnées fpl.

particularly [pə'tɪkjʊləlɪ] adv particulièrement.

parting ['pɑːtɪŋ] n (Br: in hair) raie f.

partition [pɑː'tɪʃn] n (wall) cloison f.

partly ['pɑːtlɪ] adv en partie.

partner ['pɑːtnəʳ] n (husband, wife) conjoint m (-e f); (lover) compagnon m (compagne f); (in game, dance) partenaire mf; (COMM) associé m (-e f).

partnership ['pɑːtnəʃɪp] n association f.

partridge ['pɑːtrɪdʒ] n perdrix f.

part-time adj & adv à temps partiel.

party ['pɑːtɪ] n (for fun) fête f; (POL) parti m; (group of people) groupe m; **to have a ~** organiser une fête.

pass [pɑːs] vt passer; (move past) passer devant; (person in street) croiser; (test, exam) réussir; (overtake) dépasser, doubler; (law) voter ◆ vi passer; (overtake) dépasser, doubler; (in test, exam) réussir ◆ n (document) laissez-passer m inv; (in mountain) col m; (in exam) mention f passable; (SPORT) passe f; **to ~ sb sthg** passer qqch à qqn ❏ **pass by** vt fus (building, window etc) passer devant ◆ vi passer; **pass on** vt sep (message) faire passer; **pass out** vi (faint) s'évanouir; **pass up** vt sep (opportunity) laisser passer.

passable ['pɑːsəbl] adj (road)

passage

praticable; (satisfactory) passable.

passage ['pæsɪdʒ] n passage m; (sea journey) traversée f.

passageway ['pæsɪdʒweɪ] n passage m.

passenger ['pæsɪndʒəʳ] n passager m (-ère f).

passerby [,pɑːsə'baɪ] n passant m (-e f).

passing place ['pɑːsɪŋ-] n aire f de croisement.

passion ['pæʃn] n passion f.

passionate ['pæʃənət] adj passionné(-e).

passive ['pæsɪv] n (GRAMM) passif m.

passport ['pɑːspɔːt] n passeport m.

passport control n contrôle m des passeports.

passport photo n photo f d'identité.

password ['pɑːswɜːd] n mot m de passe.

past [pɑːst] adj (earlier, finished) passé(-e); (last) dernier(-ière); (former) ancien(-ienne) ◆ prep (further than) après; (in front of) devant ◆ n (former time) passé m ◆ adv: to go ~ passer devant; ~ (tense) (GRAMM) passé m; the ~ month le mois dernier; the ~ few days ces derniers jours; twenty ~ four quatre heures vingt; she walked ~ the window elle est passée devant la fenêtre; in the ~ autrefois.

pasta ['pæstə] n pâtes fpl.

paste [peɪst] n (spread) pâte f; (glue) colle f.

pastel ['pæstl] n pastel m.

pasteurized ['pɑːstʃəraɪzd] adj pasteurisé(-e).

pastille ['pæstɪl] n pastille f.

pastime ['pɑːstaɪm] n passe-temps m inv.

pastry ['peɪstrɪ] n (for pie) pâte f; (cake) pâtisserie f.

pasture ['pɑːstʃəʳ] n pâturage m.

pasty ['pæstɪ] n (Br) friand m.

pat [pæt] vt tapoter.

patch [pætʃ] n (for clothes) pièce f; (of colour, damp) tache f; (for skin) pansement m; (for eye) bandeau m; **a bad ~** (fig) une mauvaise passe.

pâté ['pæteɪ] n pâté m.

patent [Br 'peɪtənt, Am 'pætənt] n brevet m.

path [pɑːθ] n (in country) sentier m; (in garden, park) allée f.

pathetic [pə'θetɪk] adj (pej: useless) minable.

patience ['peɪʃns] n (quality) patience f; (Br: card game) patience f, réussite f.

patient ['peɪʃnt] adj patient(-e) ◆ n patient m (-e f).

patio ['pætɪəʊ] n patio m.

patriotic [Br ,pætrɪ'ɒtɪk, Am ,peɪtrɪ'ɒtɪk] adj (person) patriote; (song) patriotique.

patrol [pə'trəʊl] vt patrouiller dans ◆ n (group) patrouille f.

patrol car n voiture f de patrouille.

patron ['peɪtrən] n (fml: customer) client m (-e f); "~s only" «réservé aux clients».

patronizing ['pætrənaɪzɪŋ] adj condescendant(-e).

pattern ['pætn] n dessin m; (for sewing) patron m.

patterned ['pætənd] adj à motifs.

pause [pɔːz] n pause f ◆ vi faire une pause.

pavement ['peɪvmənt] n (Br: beside road) trottoir m; (Am: roadway) chaussée f.

pavilion [pə'vɪljən] n pavillon m.

paving stone ['peɪvɪŋ-] n pavé m.

paw [pɔː] n patte f.

pawn [pɔːn] vt mettre en gage ◆ n (in chess) pion m.

pay [peɪ] (pt & pp **paid**) vt & vi payer ◆ n (salary) paie f; **I paid £30 for these shoes** j'ai payé ces chaussures 30 livres; **to ~ sb for sthg** payer qqn pour qqch; **to ~ money into an account** verser de l'argent sur un compte; **to ~ attention (to)** faire attention (à); **to ~ sb a visit** rendre visite à qqn; **to ~ by credit card** payer OR régler par carte de crédit ❑ **pay back** vt sep rembourser; **pay for** vt fus (purchase) payer; **pay in** vt sep (cheque, money) déposer sur un compte; **pay out** vt sep (money) verser; **pay up** vi payer.

payable ['peɪəbl] adj payable; **~ to** (cheque) à l'ordre de.

payment ['peɪmənt] n paiement m.

payphone ['peɪfəʊn] n téléphone m public.

PC n (abbr of personal computer) PC m ◆ abbr (Br) = **police constable**.

PE n (abbr of physical education) EPS f.

pea [piː] n petit pois m.

peace [piːs] n (no anxiety) tranquillité f; (no war) paix f; **to leave sb in ~** laisser qqn tranquille; **~ and quiet** tranquillité f.

peaceful ['piːsful] adj (place, day) tranquille; (demonstration) pacifique.

peach [piːtʃ] n pêche f.

peach melba [-'melbə] n pêche f Melba.

peacock ['piːkɒk] n paon m.

peak [piːk] n (of mountain) sommet m; (of hat) visière f; (fig: highest point) point m culminant.

peak hours npl (of traffic) heures fpl de pointe; (for telephone, electricity) période f de pointe.

peak rate n tarif m fort.

peanut ['piːnʌt] n cacah(o)uète f.

peanut butter n beurre m de cacah(o)uète.

pear [peəʳ] n poire f.

pearl [pɜːl] n perle f.

peasant ['peznt] n paysan m (-anne f).

pebble ['pebl] n galet m.

pecan pie ['piːkæn-] n tarte f aux noix de pécan.

peck [pek] vi picorer.

peculiar [pɪ'kjuːljəʳ] adj (strange) bizarre; **to be ~ to** (exclusive) être propre à.

peculiarity [pɪ,kjuːlɪ'ærətɪ] n (special feature) particularité f.

pedal ['pedl] n pédale f ◆ vi pédaler.

pedal bin n poubelle f à pédale.

pedalo ['pedələʊ] n pédalo m.

pedestrian [pɪ'destrɪən] n piéton m.

pedestrian crossing n passage m clouté, passage m (pour) piétons.

pedestrianized [pɪ'destrɪanaɪzd] adj piétonnier(-ière).

pedestrian precinct *n* (Br) zone *f* piétonnière.

pedestrian zone *(Am)* = **pedestrian zone**.

pee [pi:] *vi* (inf) faire pipi ◆ *n*: to have a ~ (inf) faire pipi.

peel [pi:l] *n* (of banana) peau *f*; (of apple, onion) pelure *f*; (of orange, lemon) écorce *f* ◆ *vt* (fruit, vegetables) éplucher, peler ◆ *vi* (paint) s'écailler; (skin) peler.

peep [pi:p] *n*: to have a ~ jeter un coup d'œil.

peer [pɪə^r] *vi* regarder attentivement.

peg [peg] *n* (for tent) piquet *m*; (hook) patère *f*; (for washing) pince *f* à linge.

pelican crossing ['pelɪkən-] *n* (Br) passage clouté où l'arrêt des véhicules peut être commandé par les piétons en appuyant sur un bouton.

pelvis ['pelvɪs] *n* bassin *m*.

pen [pen] *n* (ballpoint pen) stylo *m* (à) bille; (fountain pen) stylo *m* (à) plume; (for animals) enclos *m*.

penalty ['penltɪ] *n* (fine) amende *f*; (in football) penalty *m*.

pence [pens] *npl* pence *mpl*; **it costs 20 ~** ça coûte 20 pence.

pencil ['pensl] *n* crayon *m*.

pencil case *n* trousse *f*.

pencil sharpener *n* taille-crayon *m*.

pendant ['pendant] *n* (on necklace) pendentif *m*.

pending ['pendɪŋ] *prep* (fml) en attendant.

penetrate ['penɪtreɪt] *vt* pénétrer dans.

penfriend ['penfrend] *n* correspondant *m* (-e *f*).

penguin ['peŋgwɪn] *n* pingouin *m*.

penicillin [ˌpenɪ'sɪlɪn] *n* pénicilline *f*.

peninsula [pə'nɪnsjulə] *n* péninsule *f*.

penis ['pi:nɪs] *n* pénis *m*.

penknife ['pennaɪf] *(pl* **-knives)** *n* canif *m*.

penny ['penɪ] *(pl* **pennies)** *n* (in UK) penny *m*; (in US) cent *m*.

pension ['penʃn] *n* (for retired people) retraite *f*; (for disabled people) pension *f*.

pensioner ['penʃənə^r] *n* retraité *m* (-e *f*).

penthouse ['penthaus, *pl* -hauzɪz] *n* appartement de luxe au dernier étage d'un immeuble.

penultimate [pe'nʌltɪmət] *adj* avant-dernier(-ière).

people ['pi:pl] *npl* personnes *fpl*; (in general) gens *mpl* ◆ *n* (nation) peuple *m*; **the ~** (citizens) la population; **French ~** les Français *mpl*.

pepper ['pepə^r] *n* (spice) poivre *m*; (sweet vegetable) poivron *m*; (hot vegetable) piment *m*.

peppercorn ['pepəkɔ:n] *n* grain *m* de poivre.

peppermint ['pepəmɪnt] *adj* à la menthe ◆ *n* (sweet) bonbon *m* à la menthe.

pepper pot *n* poivrière *f*.

pepper steak *n* steak *m* au poivre.

Pepsi® ['pepsɪ] *n* Pepsi® *m*.

per [pɜ:^r] *prep* par; **80p ~ kilo** 80 pence le kilo; **~ person** par personne; **three times ~ week** trois fois par semaine; **£20 ~ night** 20 livres la nuit.

perceive [pə'siːv] *vt* percevoir.

per cent *adv* pour cent.

percentage [pə'sentɪdʒ] *n* pourcentage *m*.

perch [pɜːtʃ] *n* perchoir *m*.

percolator ['pɜːkəleɪtə'] *n* cafetière *f* à pression.

perfect [*adj & n* 'pɜːfɪkt, *vb* pə'fekt] *adj* parfait(-e) ◆ *vt* perfectionner ◆ *n*: **the ~ (tense)** le parfait.

perfection [pə'fekʃn] *n*: **to do sthg to ~** faire qqch à la perfection.

perfectly ['pɜːfɪktlɪ] *adv* parfaitement.

perform [pə'fɔːm] *vt* (*task, operation*) exécuter; (*play*) jouer; (*concert*) donner ◆ *vi* (*actor, band*) jouer; (*singer*) chanter.

performance [pə'fɔːməns] *n* (*of play*) représentation *f*; (*of film*) séance *f*; (*by actor, musician*) interprétation *f*; (*of car*) performances *fpl*.

performer [pə'fɔːmə'] *n* artiste *mf*.

perfume ['pɜːfjuːm] *n* parfum *m*.

perhaps [pə'hæps] *adv* peut-être.

perimeter [pə'ɪmɪtə'] *n* périmètre *m*.

period ['pɪərɪəd] *n* (*of time*) période *f*; (*SCH*) heure *f*; (*menstruation*) règles *fpl*; (*of history*) époque *f*; (*Am: full stop*) point *m* ◆ *adj* (*costume, furniture*) d'époque; **sunny ~s** éclaircies *fpl*.

periodic [,pɪərɪ'ɒdɪk] *adj* périodique.

period pains *npl* règles *fpl* douloureuses.

periphery [pə'rɪfərɪ] *n* péri-

phérie *f*.

perishable ['perɪʃəbl] *adj* périssable.

perk [pɜːk] *n* avantage *m* en nature.

perm [pɜːm] *n* permanente *f* ◆ *vt*: **to have one's hair ~ed** se faire faire une permanente.

permanent ['pɜːmənənt] *adj* permanent(-e).

permanent address *n* adresse *f* permanente.

permanently ['pɜːmənəntlɪ] *adv* en permanence.

permissible [pə'mɪsəbl] *adj* (*fml*) autorisé(-e).

permission [pə'mɪʃn] *n* permission *f*, autorisation *f*.

permit [*vb* pə'mɪt, *n* 'pɜːmɪt] *vt* (*allow*) permettre, autoriser ◆ *n* permis *m*; **to ~ sb to do sthg** permettre à qqn de faire qqch, autoriser qqn à faire qqch; **"~ holders only"** panneau ou inscription sur la chaussée indiquant qu'un parking n'est accessible que sur permis spécial.

perpendicular [,pɜːpən'dɪkjʊlə'] *adj* perpendiculaire.

persevere [,pɜːsɪ'vɪə'] *vi* persévérer.

persist [pə'sɪst] *vi* persister; **to ~ in doing sthg** persister à faire qqch.

persistent [pə'sɪstənt] *adj* persistant(-e); (*person*) obstiné(-e).

person ['pɜːsn] (*pl* **people**) *n* personne *f*; **she's an interesting ~** c'est quelqu'un d'intéressant; **in ~** en personne.

personal ['pɜːsənl] *adj* personnel(-elle); (*life*) privé(-e); (*rude*) désobligeant(-e); (*question*) indiscret (-ète); **a ~ friend** un ami intime.

personal assistant n secrétaire m particulier (secrétaire particulière f).

personal belongings npl objets mpl personnels.

personal computer n PC m.

personality [ˌpɜːsəˈnælətɪ] n personnalité f.

personally [ˈpɜːsnəlɪ] adv personnellement.

personal property n objets mpl personnels.

personal stereo n baladeur m, Walkman® m.

personnel [ˌpɜːsəˈnel] npl personnel m.

perspective [pəˈspektɪv] n (of drawing) perspective f; (opinion) point m de vue.

Perspex® [ˈpɜːspeks] n (Br) = Plexiglas® m.

perspiration [ˌpɜːspəˈreɪʃn] n transpiration f.

persuade [pəˈsweɪd] vt: **to ~ sb (to do sthg)** persuader qqn (de faire qqch); **to ~ sb that ...** persuader qqn que ...

persuasive [pəˈsweɪsɪv] adj persuasif(-ive).

pervert [ˈpɜːvɜːt] n pervers m (-e f).

pessimist [ˈpesɪmɪst] n pessimiste mf.

pessimistic [ˌpesɪˈmɪstɪk] adj pessimiste.

pest [pest] n (insect, animal) nuisible m; (inf: person) casse-pieds mf inv.

pester [ˈpestər] vt harceler.

pesticide [ˈpestɪsaɪd] n pesticide m.

pet [pet] n animal m (domesti-

que); **the teacher's ~** le chouchou du professeur.

petal [ˈpetl] n pétale m.

pet food n nourriture f pour animaux (domestiques).

petition [pɪˈtɪʃn] n (letter) pétition f.

petrified [ˈpetrɪfaɪd] adj (frightened) pétrifié(-e) de peur.

petrol [ˈpetrəl] n (Br) essence f.

petrol can n (Br) bidon m à essence.

petrol cap n (Br) bouchon m du réservoir d'essence.

petrol gauge n (Br) jauge f à essence.

petrol pump n (Br) pompe f à essence.

petrol station n (Br) station-service f.

petrol tank n (Br) réservoir m d'essence.

pet shop n animalerie f.

petticoat [ˈpetɪkəʊt] n jupon m.

petty [ˈpetɪ] adj (pej: person, rule) mesquin(-e).

petty cash n caisse f des dépenses courantes.

pew [pjuː] n banc m (d'église).

pewter [ˈpjuːtər] adj en étain.

PG (abbr of parental guidance) sigle indiquant qu'un film peut être vu par des enfants sous contrôle de leurs parents.

pharmacist [ˈfɑːməsɪst] n pharmacien m (-ienne f).

pharmacy [ˈfɑːməsɪ] n (shop) pharmacie f.

phase [feɪz] n phase f.

PhD n doctorat m de troisième cycle.

pheasant [ˈfeznt] n faisan m.

picnic

phenomena [fɪ'nɒmɪnə] *pl* → phenomenon.

phenomenal [fɪ'nɒmɪnl] *adj* phénoménal(-e).

phenomenon [fɪ'nɒmɪnən] (*pl* -mena) *n* phénomène *m*.

Philippines ['fɪlɪpiːnz] *npl*: **the ~** les Philippines *fpl*.

philosophy [fɪ'lɒsəfɪ] *n* philosophie *f*.

phlegm [flem] *n* glaire *f*.

phone [fəun] *n* téléphone *m* ♦ *vt* (Br) téléphoner à ♦ *vi* (Br) téléphoner; **to be on the ~** (talking) être au téléphone; (connected) avoir le téléphone ◻ **phone up** *vt sep* téléphoner à ♦ *vi* téléphoner.

phone book *n* annuaire *m* (téléphonique).

phone booth *n* cabine *f* téléphonique.

phone box *n* (Br) cabine *f* téléphonique.

phone call *n* coup *m* de téléphone.

phonecard ['fəunka:d] *n* Télécarte® *f*.

phone number *n* numéro *m* de téléphone.

photo ['fəutəu] *n* photo *f*; **to take a ~ of sb/sthg** prendre qqn/qqch en photo.

photo album *n* album *m* (de) photos.

photocopier [,fəutəu'kɒpɪə'] *n* photocopieuse *f*.

photocopy ['fəutəu,kɒpɪ] *n* photocopie *f* ♦ *vt* photocopier.

photograph ['fəutəgra:f] *n* photographie *f* ♦ *vt* photographier.

photographer [fə'tɒgrəfə'] *n* photographe *mf*.

photography [fə'tɒgrəfɪ] *n* photographie *f*.

phrase [freɪz] *n* expression *f*.

phrasebook ['freɪzbuk] *n* guide *m* de conversation.

physical ['fɪzɪkl] *adj* physique ♦ *n* visite *f* médicale.

physical education *n* éducation *f* physique.

physically handicapped ['fɪzɪklɪ-] *adj* handicapé(-e) physique.

physics ['fɪzɪks] *n* physique *f*.

physiotherapy [,fɪzɪəu'θerəpɪ] *n* kinésithérapie *f*.

pianist ['pɪənɪst] *n* pianiste *mf*.

piano [pɪ'ænəu] (*pl* -s) *n* piano *m*.

pick [pɪk] *vt* (select) choisir; (fruit, flowers) cueillir ♦ *n* (pickaxe) pioche *f*; **to ~ a fight** chercher la bagarre; **to ~ one's nose** se mettre les doigts dans le nez; **to take one's ~** faire son choix ◻ **pick on** *vt fus* s'en prendre à; **pick out** *vt sep* (select) choisir; (see) repérer; **pick up** *vt sep* (fallen object) ramasser; (fallen person) relever; (collect) passer prendre; (skill, language) apprendre; (hitchhiker) prendre; (collect in car) aller chercher; (inf: woman, man) draguer ♦ *vi* (improve) reprendre.

pickaxe ['pɪkæks] *n* pioche *f*.

pickle ['pɪkl] *n* (Br: food) pickles *mpl*; (Am: gherkin) cornichon *m*.

pickled onion ['pɪkld-] *n* oignon *m* au vinaigre.

pickpocket ['pɪk,pɒkɪt] *n* pickpocket *m*.

pick-up (truck) *n* pick-up *m* inv.

picnic ['pɪknɪk] *n* pique-nique *m*.

picnic area *n* aire *f* de pique-nique.

picture ['pɪktʃə'] *n* (*painting*) tableau *m*; (*drawing*) dessin *m*; (*photograph*) photo *f*; (*in book, on TV*) image *f*; (*film*) film *m* ❑ **pictures** *npl*: **the** ~ (*Br*) le cinéma.

picture frame *n* cadre *m*.

picturesque [,pɪktʃə'resk] *adj* pittoresque.

pie [paɪ] *n* (*savoury*) tourte *f*; (*sweet*) tarte *f*.

piece [piːs] *n* morceau *m*; (*component, in chess*) pièce *f*; **a** ~ **of furniture** un meuble; **a 20p** ~ une pièce de 20 pence; **a** ~ **of advice** un conseil; **to fall to** ~**s** tomber en morceaux; **in one** ~ (*intact*) intact; (*unharmed*) sain et sauf.

pier [pɪə'] *n* jetée *f*.

pierce [pɪəs] *vt* percer; **to have one's ears** ~**d** se faire percer les oreilles.

pig [pɪg] *n* cochon *m*, porc *m*; (*inf: greedy person*) goinfre *mf*.

pigeon ['pɪdʒɪn] *n* pigeon *m*.

pigeonhole ['pɪdʒɪnhəʊl] *n* casier *m*.

pigskin ['pɪgskɪn] *adj* peau *f* de porc.

pigtail ['pɪgteɪl] *n* natte *f*.

pike [paɪk] *n* (*fish*) brochet *m*.

pilau rice [pɪlaʊ-] *n* riz *m* pilaf.

pilchard ['pɪltʃəd] *n* pilchard *m*.

pile [paɪl] *n* (*heap*) tas *m*; (*neat stack*) pile *f* ◆ *vt* entasser; (*neatly*) empiler; ~**s** **of** (*inf: a lot*) des tas de ❑ **pile up** *vt sep* entasser; (*neatly*) empiler ◆ *vi* (*accumulate*) s'entasser.

piles [paɪlz] *npl* (*MED*) hémorroïdes *fpl*.

pileup ['paɪlʌp] *n* carambolage *m*.

pill [pɪl] *n* pilule *f*.

pillar ['pɪlə'] *n* pilier *m*.

pillar box *n* (*Br*) boîte *f* aux lettres.

pillion ['pɪljən] *n*: **to ride** ~ monter derrière.

pillow ['pɪləʊ] *n* (*for bed*) oreiller *m*; (*Am: on chair, sofa*) coussin *m*.

pillowcase ['pɪləʊkeɪs] *n* taie *f* d'oreiller.

pilot ['paɪlət] *n* pilote *m*.

pilot light *n* veilleuse *f*.

pimple ['pɪmpl] *n* bouton *m*.

pin [pɪn] *n* (*for sewing*) épingle *f*; (*drawing pin*) punaise *f*; (*safety pin*) épingle *f* de nourrice; (*Am: brooch*) broche *f*; (*Am: badge*) badge *m* ◆ *vt* épingler; **a two-~ plug** une prise à deux fiches; **to have** ~**s and needles** avoir des fourmis.

pinafore ['pɪnəfɔː'] *n* (*apron*) tablier *m*; (*Br: dress*) robe *f* chasuble.

pinball ['pɪnbɔːl] *n* flipper *m*.

pincers ['pɪnsəz] *npl* (*tool*) tenailles *fpl*.

pinch [pɪntʃ] *vt* (*squeeze*) pincer; (*Br: inf: steal*) piquer ◆ *n* (*of salt*) pincée *f*.

pine [paɪn] *n* pin *m* ◆ *adj* en pin.

pineapple ['paɪnæpl] *n* ananas *m*.

pink [pɪŋk] *adj* rose ◆ *n* rose *m*.

pinkie ['pɪŋkɪ] *n* (*Am*) petit doigt *m*.

PIN number *n* code *m* confidentiel.

pint [paɪnt] *n* (*in UK*) = 0,568 l, = demi-litre *m*; (*in US*) = 0,473 l, = demi-litre *m*; **a** ~ (*of beer*) (*Br*) =

un demi.

pip [pɪp] n pépin m.

pipe [paɪp] n (for smoking) pipe f; (for gas, water) tuyau m.

pipe cleaner n cure-pipe m.

pipeline ['paɪplaɪn] n (for gas) gazoduc m; (for oil) oléoduc m.

pipe tobacco n tabac m pour pipe.

pirate ['paɪrət] n pirate m.

Pisces ['paɪsiːz] n Poissons mpl.

piss [pɪs] vi (vulg) pisser ◆ n: to have a ~ (vulg) pisser; it's ~ing down (vulg) il pleut comme vache qui pisse.

pissed [pɪst] adj (Br: vulg: drunk) bourré(-e); (Am: vulg: angry) en rogne.

pissed off adj (vulg): to be ~ en avoir ras le bol.

pistachio [pɪ'staːʃɪəʊ] n pistache f ◆ adj (flavour) à la pistache.

pistol ['pɪstl] n pistolet m.

piston ['pɪstən] n piston m.

pit [pɪt] n (hole) trou m; (coalmine) mine f; (for orchestra) fosse f; (Am: in fruit) noyau m.

pitch [pɪtʃ] n (Br: SPORT) terrain m ◆ vt (throw) jeter; to ~ a tent monter une tente.

pitcher ['pɪtʃə'] n (large jug) cruche f; (Am: small jug) pot m.

pitfall ['pɪtfɔːl] n piège m.

pith [pɪθ] n (of orange) peau f blanche.

pitta (bread) ['pɪtə-] n pita m.

pitted ['pɪtɪd] adj (olives) dénoyauté(-e).

pity ['pɪtɪ] n (compassion) pitié f; to have ~ on sb avoir pitié de qqn; it's a ~ (that) ... c'est dommage que ...; what a ~! quel dommage!

pivot ['pɪvət] n pivot m.

pizza ['piːtsə] n pizza f.

pizzeria [.piːtsə'riːə] n pizzeria f.

Pl. (abbr of Place) Pl.

placard ['plækɑːd] n placard m.

place [pleɪs] n (location) endroit m; (house) maison f; (flat) appartement m; (seat, position, in race, list) place f; (at table) couvert m ◆ vt (put) placer; (an order) passer; at my ~ (house, flat) chez moi; in the first ~ premièrement; to take ~ avoir lieu; to take sb's ~ (replace) prendre la place de qqn; all over the ~ partout; in ~ of au lieu de; to ~ a bet parier.

place mat n set m (de table).

placement ['pleɪsmənt] n (work experience) stage m (en entreprise).

place of birth n lieu m de naissance.

plague [pleɪg] n peste f.

plaice [pleɪs] n carrelet m.

plain [pleɪn] adj (not decorated) uni(-e); (simple) simple; (yoghurt) nature (inv); (clear) clair(-e); (paper) non réglé(-e); (pej: not attractive) quelconque ◆ n plaine f.

plain chocolate n chocolat m à croquer.

plainly ['pleɪnlɪ] adv (obviously) manifestement; (distinctly) clairement.

plait [plæt] n natte f ◆ vt tresser.

plan [plæn] n plan m, projet m; (drawing) plan ◆ vt (organize) organiser; have you any ~s for tonight? as-tu quelque chose de prévu pour ce soir?; according to ~ comme prévu; to ~ to do sthg, to ~ on doing sthg avoir l'intention de faire qqch.

plane [pleɪn] n (aeroplane) avion

m; *(tool)* rabot m.

planet ['plænɪt] n planète f.

plank [plæŋk] n planche f.

plant [plɑːnt] n plante f; *(factory)* usine f ◆ vt planter; **"heavy ~ crossing"** «sortie d'engins».

plantation [plæn'teɪʃn] n plantation f.

plaque [plɑːk] n *(plate)* plaque f; *(on teeth)* plaque f dentaire.

plaster ['plɑːstəʳ] n *(Br: for cut)* pansement m; *(for walls)* plâtre m; **in ~** *(arm, leg)* dans le plâtre.

plaster cast n plâtre m.

plastic ['plæstɪk] n plastique m ◆ adj en plastique.

plastic bag n sac m (en) plastique.

Plasticine® ['plæstɪsiːn] n *(Br)* pâte f à modeler.

plate [pleɪt] n assiette f; *(for serving food)* plat m; *(of metal, glass)* plaque f.

plateau ['plætəʊ] n plateau m.

plate-glass adj fait(-e) d'une seule vitre.

platform ['plætfɔːm] n *(at railway station)* quai m; *(raised structure)* plate-forme f.

platinum ['plætɪnəm] n platine m.

platter ['plætəʳ] n *(of food)* plateau m.

play [pleɪ] vt *(sport, game)* jouer à; *(musical instrument)* jouer de; *(piece of music, role)* jouer; *(opponent)* jouer contre; *(CD, tape, record)* passer ◆ vi jouer ◆ n *(in theatre)* pièce f *(de théâtre)*; *(on TV)* dramatique f; *(button on CD, tape recorder)* bouton m de mise en marche ❑ **play back** vt sep repasser; **play up** vi *(machine,*

car) faire des siennes.

player ['pleɪəʳ] n joueur m (-euse f); **piano ~** pianiste mf.

playful ['pleɪful] adj joueur (-euse).

playground ['pleɪgraʊnd] n *(in school)* cour f de récréation; *(in park etc)* aire f de jeux.

playgroup ['pleɪgruːp] n jardin m d'enfants.

playing card ['pleɪɪŋ-] n carte f à jouer.

playing field ['pleɪɪŋ-] n terrain m de sport.

playroom ['pleɪrʊm] n salle f de jeux.

playschool ['pleɪskuːl] = **playgroup**.

playtime ['pleɪtaɪm] n récréation f.

playwright ['pleɪraɪt] n auteur m dramatique.

plc *(Br: abbr of public limited company)* = SARL.

pleasant ['pleznt] adj agréable.

please [pliːz] adv s'il te/vous plaît ◆ vt faire plaisir à; **yes ~!** oui, s'il te/vous plaît!; **whatever you ~** ce que vous voulez; **"~ shut the door"** «veuillez fermer la porte».

pleased [pliːzd] adj content(-e); **to be ~ with** être content de; **~ to meet you!** enchanté(-e)!

pleasure ['pleʒəʳ] n plaisir m; **with ~** avec plaisir, volontiers; **it's a ~!** je vous en prie!

pleat [pliːt] n pli m.

pleated ['pliːtɪd] adj plissé(-e).

plentiful ['plentɪful] adj abondant(-e).

plenty ['plentɪ] pron: **there's ~** il y en a largement assez; **~ of** beaucoup de.

pliers ['plaɪəz] *npl* pince f.

plimsoll ['plɪmsəl] *n* (Br) tennis *m (chaussure)*.

plonk [plɒŋk] *n* (Br: inf: wine) pinard *m*.

plot [plɒt] *n* (scheme) complot *m*; (of story, film, play) intrigue f; (of land) parcelle f de terrain.

plough [plaʊ] *n* (Br) charrue f ◆ *vt* (Br) labourer.

ploughman's (lunch) ['plaʊmənz-] *n* (Br) assiette composée de fromage et de pickles accompagnés de pain, généralement servie dans les pubs.

plow [plaʊ] (Am) = plough.

ploy [plɔɪ] *n* ruse f.

pluck [plʌk] *vt* (eyebrows) épiler; (chicken) plumer.

plug [plʌg] *n* (electrical) prise f (de courant); (for bath, sink) bonde f ❑ **plug in** *vt sep* brancher.

plughole ['plʌghəʊl] *n* bonde f.

plum [plʌm] *n* prune f.

plumber ['plʌmər] *n* plombier *m*.

plumbing ['plʌmɪŋ] *n* (pipes) plomberie f.

plump [plʌmp] *adj* dodu(-e).

plunge [plʌndʒ] *vi* (fall, dive) plonger; (decrease) dégringoler.

plunge pool *n* petite piscine f.

plunger ['plʌndʒər] *n* (for unblocking pipe) débouchoir *m* à ventouse.

pluperfect (tense) [,plu:'pɜːfɪkt-] *n*: **the ~** le plus-que-parfait.

plural ['plʊərəl] *n* pluriel *m*; **in the ~** au pluriel.

plus [plʌs] *prep* plus ◆ *adj*: **30 ~** 30 ou plus.

plush [plʌʃ] *adj* luxueux(-euse).

plywood ['plaɪwʊd] *n* contreplaqué *m*.

p.m. (abbr of post meridiem): **3 ~** 15 h.

PMT *n* (abbr of premenstrual tension) syndrome *m* prémenstruel.

pneumatic drill [nju:'mætɪk-] *n* marteau *m* piqueur.

pneumonia [nju:'məʊnjə] *n* pneumonie f.

poached egg [pəʊtʃt-] *n* œuf *m* poché.

poached salmon [pəʊtʃt-] *n* saumon *m* poché.

poacher ['pəʊtʃər] *n* braconnier *m*.

PO Box *n* (abbr of Post Office Box) BP f.

pocket [pɒkɪt] *n* poche f; (on car door) vide-poche *m* ◆ *adj* (camera, calculator) de poche.

pocketbook ['pɒkɪtbʊk] *n* (notebook) carnet *m*; (Am: handbag) sac *m* à main.

pocket money *n* (Br) argent *m* de poche.

podiatrist [pə'daɪətrɪst] *n* (Am) pédicure f.

poem ['pəʊɪm] *n* poème *m*.

poet ['pəʊɪt] *n* poète *m*.

poetry ['pəʊɪtrɪ] *n* poésie f.

point [pɔɪnt] *n* point *m*; (tip) pointe f; (place) endroit *m*; (moment) moment *m*; (purpose) but *m*; (for plug) prise f ◆ *vi*: **to ~ to** (with finger) montrer du doigt; (arrow, sign) pointer vers; **five ~ seven** cinq virgule sept; **what's the ~?** à quoi bon?; **there's no ~** ça ne sert à rien; **to be on the ~ of doing sthg** être sur le point de faire qqch

points npl (Br: on railway) aiguillage m; **point out** vt sep (object, person) montrer; (fact, mistake) signaler.

pointed ['pɔɪntɪd] adj (in shape) pointu(-e).

pointless ['pɔɪntlɪs] adj inutile.

point of view n point m de vue.

poison ['pɔɪzn] n poison m ♦ vt empoisonner.

poisoning ['pɔɪznɪŋ] n empoisonnement m.

poisonous ['pɔɪznəs] adj (food, gas, substance) toxique; (snake, spider) venimeux(-euse); (plant, mushroom) vénéneux(-euse).

poke [pəʊk] vt pousser.

poker ['pəʊkər] n (card game) poker m.

Poland ['pəʊlənd] n la Pologne.

polar bear ['pəʊlə-] n ours m blanc OR polaire.

Polaroid® ['pəʊlərɔɪd] n Polaroid® m.

pole [pəʊl] n poteau m.

Pole [pəʊl] n (person) Polonais m (-e f).

police [pə'li:s] npl: **the ~** la police.

police car n voiture f de police.

police force n police f.

policeman [pə'li:smən] (pl -men [-mən]) n policier m.

police officer n policier m.

police station n poste m de police, commissariat m.

policewoman [pə'li:sˌwʊmən] (pl -women [-ˌwɪmɪn]) n femme f policier.

policy ['pɒlɪsɪ] n (approach, attitude) politique f; (for insurance)

police f.

policy-holder n assuré m (-e f).

polio ['pəʊlɪəʊ] n polio f.

polish ['pɒlɪʃ] n (for shoes) cirage m; (for floor, furniture) cire f ♦ vt cirer.

Polish ['pəʊlɪʃ] adj polonais(-e) ♦ n (language) polonais m ♦ npl: **the ~s** les Polonais mpl.

polite [pə'laɪt] adj poli(-e).

political [pə'lɪtɪkl] adj politique.

politician [ˌpɒlɪ'tɪʃn] n homme m politique (femme politique f).

politics ['pɒlɪtɪks] n politique f.

poll [pəʊl] n (survey) sondage m; **the ~s** (election) les élections.

pollen ['pɒlən] n pollen m.

Poll Tax n (Br) = impôts mpl locaux.

pollute [pə'lu:t] vt polluer.

pollution [pə'lu:ʃn] n pollution f.

polo neck ['pəʊləʊ-] n (Br: jumper) pull m à col roulé.

polyester [ˌpɒlɪ'estər] n polyester m.

polystyrene [ˌpɒlɪ'staɪri:n] n polystyrène m.

polytechnic [ˌpɒlɪ'teknɪk] n en Grande-Bretagne, établissement supérieur; depuis 1993, la plupart ont acquis le statut d'université.

polythene bag ['pɒlɪθi:n-] n sac m (en) plastique.

pomegranate ['pɒmɪˌgrænɪt] n grenade f.

pompous ['pɒmpəs] adj prétentieux(-ieuse).

pond [pɒnd] n mare f; (in park) bassin m.

pontoon [pɒn'tu:n] n (Br: card

game) vingt-et-un *m inv.*

pony ['pəʊnɪ] *n* poney *m.*

ponytail ['pəʊnɪteɪl] *n* queue-de-cheval *f.*

pony-trekking [-trekɪŋ] *n (Br)* randonnée *f* à dos de poney.

poodle ['puːdl] *n* caniche *m.*

pool [puːl] *n (for swimming)* piscine *f*; *(of water, blood, milk)* flaque *f*; *(small pond)* mare *f*; *(game)* billard *m* américain ❏ **pools** *npl (Br)*: **the ~s** = le loto sportif.

poor [pɔːʳ] *adj* pauvre; *(bad)* mauvais(-e) ◆ *npl*: **the ~ les pauvres** *mpl.*

poorly ['pɔːlɪ] *adj (Br: ill)* malade ◆ *adv* mal.

pop [pɒp] *n (music)* pop *f* ◆ *vt (inf: put)* mettre ◆ *vi (balloon)* éclater; **my ears popped** mes oreilles se sont débouchées ❏ **pop in** *vi (Br: visit)* faire un saut.

popcorn ['pɒpkɔːn] *n* pop corn *m inv.*

Pope [pəʊp] *n*: **the ~** le pape.

pop group *n* groupe *m* pop.

poplar (tree) ['pɒpləʳ-] *n* peuplier *m.*

pop music *n* pop *f.*

popper ['pɒpəʳ] *n (Br)* bouton-pression *m.*

poppy ['pɒpɪ] *n* coquelicot *m.*

Popsicle® ['pɒpsɪkl] *n (Am)* sucette *f* glacée.

pop socks *npl* mi-bas *mpl.*

pop star *n* pop star *f.*

popular ['pɒpjʊləʳ] *adj* populaire.

popularity [ˌpɒpjʊ'lærətɪ] *n* popularité *f.*

populated ['pɒpjʊleɪtɪd] *adj* peuplé(-e).

population [ˌpɒpjʊ'leɪʃn] *n* population *f.*

porcelain ['pɔːsəlɪn] *n* porcelaine *f.*

porch [pɔːtʃ] *n (entrance)* porche *m*; *(Am: outside house)* véranda *f.*

pork [pɔːk] *n* porc *m.*

pork chop *n* côte *f* de porc.

pork pie *n* petit pâté de porc en croûte.

pornographic [ˌpɔːnə'græfɪk] *adj* pornographique.

porridge ['pɒrɪdʒ] *n* porridge *m.*

port [pɔːt] *n* port *m*; *(drink)* porto *m.*

portable ['pɔːtəbl] *adj* portable.

porter ['pɔːtəʳ] *n (at hotel, museum)* portier *m*; *(at station, airport)* porteur *m.*

porthole ['pɔːthəʊl] *n* hublot *m.*

portion ['pɔːʃn] *n* portion *f.*

portrait ['pɔːtreɪt] *n* portrait *m.*

Portugal ['pɔːtʃʊgl] *n* le Portugal.

Portuguese [ˌpɔːtʃʊ'giːz] *adj* portugais(-e) ◆ *n (language)* portugais *m* ◆ *npl*: **the ~ les Portugais** *mpl.*

pose [pəʊz] *vt (problem)* poser; *(threat)* représenter ◆ *vi (for photo)* poser.

posh [pɒʃ] *adj (inf)* chic.

position [pə'zɪʃn] *n* position *f*; *(place, situation, job)* situation *f*; **"~ closed"** *(in bank, post office etc)* «guichet fermé».

positive ['pɒzɪtɪv] *adj* positif(-ive); *(certain, sure)* certain(-e).

possess [pə'zes] *vt* posséder.

possession [pə'zeʃn] *n* possession *f.*

possessive [pə'zesɪv] *adj* possessif(-ive).

possibility [ˌpɒsəˈbɪlətɪ] n possibilité f.

possible [ˈpɒsəbl] adj possible; it's ~ that we may be late il se peut que nous soyons en retard; would it be ~ ...? serait-il possible ...?; as much as ~ autant que possible; if ~ si possible.

possibly [ˈpɒsəblɪ] adv (perhaps) peut-être.

post [pəʊst] n (system) poste f; (letters and parcels, delivery) courrier m; (pole) poteau m; (fml: job) poste m ♦ vt poster; by ~ par la poste.

postage [ˈpəʊstɪdʒ] n affranchissement m; ~ and packing frais de port et d'emballage; ~ paid port payé.

postage stamp n (fml) timbre-poste m.

postal order [ˈpəʊstl-] n mandat m postal.

postbox [ˈpəʊstbɒks] n (Br) boîte f aux OR à lettres.

postcard [ˈpəʊstkɑːd] n carte f postale.

postcode [ˈpəʊstkəʊd] n (Br) code m postal.

poster [ˈpəʊstəʳ] n poster m; (for advertising) affiche f.

poste restante [ˌpəʊstresˈtɑːnt] n (Br) poste f restante.

post-free adv en port payé.

postgraduate [ˌpəʊstˈgrædʒʊət] n étudiant m, -e f de troisième cycle.

postman [ˈpəʊstmən] (pl -men [-mən]) n facteur m.

postmark [ˈpəʊstmɑːk] n cachet m de la poste.

post office n (building) bureau m de poste; **the Post Office** (Br) la poste.

postpone [ˌpəʊstˈpəʊn] vt reporter.

posture [ˈpɒstʃəʳ] n posture f.

postwoman [ˈpəʊstˌwʊmən] (pl -women [-ˌwɪmɪn]) n factrice f.

pot [pɒt] n (for cooking) marmite f; (for jam, paint) pot m; (for coffee) cafetière f; (for tea) théière f; (inf: cannabis) herbe f; **a ~ of tea** une théière.

potato [pəˈteɪtəʊ] (pl -es) n pomme f de terre.

potato salad n salade f de pommes de terre.

potential [pəˈtenʃl] adj potentiel(-ielle) ♦ n possibilités fpl.

pothole [ˈpɒthəʊl] n (in road) nid-de-poule m.

pot plant n plante f d'appartement.

pot scrubber [-ˈskrʌbəʳ] n tampon m à récurer.

potted [ˈpɒtɪd] adj (meat, fish) en terrine; (plant) en pot.

pottery [ˈpɒtərɪ] n (clay objects) poteries fpl; (craft) poterie f.

potty [ˈpɒtɪ] n pot m (de chambre).

pouch [paʊtʃ] n (for money) bourse f.

poultry [ˈpəʊltrɪ] n & npl (meat, animals) volaille f.

pound [paʊnd] n (unit of money) livre f; (unit of weight) ≃ livre f, = 453,6 grammes ♦ vi (heart) battre fort.

pour [pɔːʳ] vt verser ♦ vi (flow) couler à flot; **it's ~ing (with rain)** il pleut à verse ❑ **pour out** vt sep (drink) verser.

poverty [ˈpɒvətɪ] n pauvreté f.

powder [ˈpaʊdəʳ] n poudre f.

power ['pauər] *n* pouvoir *m*; *(strength, force)* puissance *f*; *(energy)* énergie *f*; *(electricity)* courant *m* ◆ *vt* faire marcher; **to be in ~** être au pouvoir.

power cut *n* coupure *f* de courant.

power failure *n* panne *f* de courant.

powerful ['pauəful] *adj* puissant(-e).

power point *n (Br)* prise *f* de courant.

power station *n* centrale *f* électrique.

power steering *n* direction *f* assistée.

practical ['præktɪkl] *adj* pratique.

practically ['præktɪklɪ] *adv* pratiquement.

practice ['præktɪs] *n (training)* entraînement *m*; *(of doctor)* cabinet *m*; *(of lawyer)* étude *f*; *(regular activity, custom)* pratique *f* ◆ *vt (Am)* = **practise**; **to be out of ~** manquer d'entraînement.

practise ['præktɪs] *vt (sport, technique)* s'entraîner à; *(music)* s'exercer à ◆ *vi (train)* s'entraîner; *(of music)* s'exercer; *(doctor, lawyer)* exercer ◆ *n (Am)* = **practice**.

praise [preɪz] *n* éloge *m* ◆ *vt* louer.

pram [præm] *n (Br)* landau *m*.

prank [præŋk] *n* farce *f*.

prawn [prɔːn] *n* crevette *f* (rose).

prawn cocktail *n* hors-d'œuvre froid à base de crevettes et de mayonnaise au ketchup.

prawn cracker *n* beignet de crevette.

pray [preɪ] *vi* prier; **to ~ for good weather** prier pour qu'il fasse beau.

prayer [preər] *n* prière *f*.

precarious [prɪ'keərɪəs] *adj* précaire.

precaution [prɪ'kɔːʃn] *n* précaution *f*.

precede [prɪ'siːd] *vt (fml)* précéder.

preceding [prɪ'siːdɪŋ] *adj* précédent(-e).

precinct ['priːsɪŋkt] *n (Br: for shopping)* quartier *m*; *(Am: area of town)* circonscription *f* administrative.

precious ['preʃəs] *adj* précieux(-ieuse).

precious stone *n* pierre *f* précieuse.

precipice ['presɪpɪs] *n* précipice *m*.

precise [prɪ'saɪs] *adj* précis(-e).

precisely [prɪ'saɪslɪ] *adv* précisément.

predecessor ['priːdɪsesər] *n* prédécesseur *m*.

predicament [prɪ'dɪkəmənt] *n* situation *f* difficile.

predict [prɪ'dɪkt] *vt* prédire.

predictable [prɪ'dɪktəbl] *adj* prévisible.

prediction [prɪ'dɪkʃn] *n* prédiction *f*.

preface ['prefɪs] *n* préface *f*.

prefect ['priːfekt] *n (Br: at school)* élève choisi parmi les plus âgés pour prendre en charge la discipline.

prefer [prɪ'fɜːr] *vt*: **to ~ sthg (to)** préférer qqch (à); **to ~ to do sthg** préférer faire qqch.

preferable ['prefrəbl] *adj* préfé-

rable.
preferably ['prefrəblɪ] *adv* de préférence.
preference ['prefərəns] *n* préférence *f*.
prefix ['pri:fɪks] *n* préfixe *m*.
pregnancy ['pregnənsɪ] *n* grossesse *f*.
pregnant ['pregnənt] *adj* enceinte.
prejudice ['predʒʊdɪs] *n* préjugé *m*.
prejudiced ['predʒʊdɪst] *adj* plein(-e) de préjugés.
preliminary [prɪ'lɪmɪnərɪ] *adj* préliminaire.
premature ['premətjʊər] *adj* prématuré(-e).
premier ['premjər] *adj* le plus prestigieux (la plus prestigieuse) ♦ *n* Premier ministre *m*.
premiere ['premɪeər] *n* première *f*.
premises ['premɪsɪz] *npl* locaux *mpl*.
premium ['pri:mjəm] *n* (for insurance) prime *f*.
premium-quality *adj* (meat) de première qualité.
preoccupied [pri:'ɒkjʊpaɪd] *adj* préoccupé(-e).
prepacked [pri:'pækt] *adj* préemballé(-e).
prepaid ['pri:peɪd] *adj* (envelope) pré-timbré(-e).
preparation [prepə'reɪʃn] *n* préparation *f* ❑ **preparations** *npl* (arrangements) préparatifs *mpl*.
preparatory school [prɪ'pærətrɪ-] *n* (in UK) école *f* primaire privée; (in US) école privée qui prépare à l'enseignement supérieur.

prepare [prɪ'peər] *vt* préparer ♦ *vi* se préparer.
prepared [prɪ'peəd] *adj* prêt(-e); **to be ~ to do sthg** être prêt à faire qqch.
preposition [prepə'zɪʃn] *n* préposition *f*.
prep school [prep-] = **preparatory school**.
prescribe [prɪ'skraɪb] *vt* prescrire.
prescription [prɪ'skrɪpʃn] *n* (paper) ordonnance *f*; (medicine) médicaments *mpl*.
presence ['prezns] *n* présence *f*; **in sb's ~** en présence de qqn.
present [*adj & n* 'preznt, *vb* prɪ'zent] *adj* (in attendance) présent(-e); (current) actuel(-elle) ♦ *n* (gift) cadeau *m* ♦ *vt* présenter; (give) remettre; (problem) poser; **the ~** (tense) (GRAMM) le présent; **at ~** actuellement; **the ~** le présent; **to ~ sb to sb** présenter qqn à qqn.
presentable [prɪ'zentəbl] *adj* présentable.
presentation [prezn'teɪʃn] *n* présentation *f*; (ceremony) remise *f*.
presenter [prɪ'zentər] *n* présentateur *m* (-trice *f*).
presently ['prezntlɪ] *adv* (soon) bientôt; (now) actuellement.
preservation [prezə'veɪʃn] *n* conservation *f*.
preservative [prɪ'zɜ:vətɪv] *n* conservateur *m*.
preserve [prɪ'zɜ:v] *n* (jam) confiture *f* ♦ *vt* conserver; (peace, dignity) préserver.
president ['prezɪdənt] *n* président *m*.
press [pres] *vt* (push) presser,

appuyer sur; *(iron)* repasser ♦ *n*: the ~ la presse; **to ~ sb to do sth** presser qqn de faire qqch.

press conference *n* conférence *f* de presse.

press-stud *n* bouton-pression *m*.

press-up *n* pompe *f*.

pressure ['preʃə'] *n* pression *f*.

pressure cooker *n* Cocotte-Minute® *f*.

prestigious [pre'stɪdʒəs] *adj* prestigieux(-ieuse).

presumably [prɪ'zjuːməblɪ] *adv* vraisemblablement.

presume [prɪ'zjuːm] *vt (assume)* supposer.

pretend [prɪ'tend] *vt*: **to ~ to do sth** faire semblant de faire qqch.

pretentious [prɪ'tenʃəs] *adj* prétentieux(-ieuse).

pretty ['prɪtɪ] *adj (attractive)* joli(-e) ♦ *adv (inf) (quite)* assez; *(very)* très.

prevent [prɪ'vent] *vt* empêcher; **to ~ sb/sth from doing sth** empêcher qqn/qqch de faire qqch.

prevention [prɪ'venʃn] *n* prévention *f*.

preview ['priːvjuː] *n (of film)* avant-première *f*; *(short description)* aperçu *m*.

previous ['priːvjəs] *adj (earlier)* antérieur(-e); *(preceding)* précédent(-e).

previously ['priːvjəslɪ] *adv* auparavant.

price [praɪs] *n* prix *m* ♦ *vt*: **to be ~d at** coûter.

priceless ['praɪslɪs] *adj (expensive)* hors de prix; *(valuable)* inestimable.

price list *n* tarif *m*.

pricey ['praɪsɪ] *adj (inf)* chérot.

prick [prɪk] *vt* piquer.

prickly ['prɪklɪ] *adj (plant, bush)* épineux(-euse).

prickly heat *n* boutons *mpl* de chaleur.

pride [praɪd] *n (satisfaction)* fierté *f*; *(self-respect, arrogance)* orgueil *m* ♦ *vt*: **to ~ o.s. on sth** être fier de qqch.

priest [priːst] *n* prêtre *m*.

primarily ['praɪmərɪlɪ] *adv* principalement.

primary school ['praɪmərɪ-] *n* école *f* primaire.

prime [praɪm] *adj (chief)* principal(-e); *(beef, cut)* de premier choix; **~ quality** qualité supérieure.

prime minister *n* Premier ministre *m*.

primitive ['prɪmɪtɪv] *adj* primitif(-ive).

primrose ['prɪmrəʊz] *n* primevère *f*.

prince [prɪns] *n* prince *m*.

Prince of Wales *n* Prince *m* de Galles.

princess [prɪn'ses] *n* princesse *f*.

principal ['prɪnsəpl] *adj* principal(-e) ♦ *n (of school)* directeur *m* (-trice *f*); *(of university)* doyen *m* (-enne *f*).

principle ['prɪnsəpl] *n* principe *m*; **in ~** en principe.

print [prɪnt] *n (words)* caractères *mpl*; *(photo)* tirage *m*; *(of painting)* reproduction *f*; *(mark)* empreinte *f* ♦ *vt (book, newspaper)* imprimer; *(publish)* publier; *(write)* écrire (en caractères d'imprimerie); *(photo)* tirer; **out of ~** épuisé ❑ **print out**

vt sep imprimer.

printed matter ['prɪntɪd-] n imprimés mpl.

printer ['prɪntə'] n (machine) imprimante f; (person) imprimeur m.

printout ['prɪntaʊt] n sortie f papier.

prior ['praɪə'] adj (previous) précédent(-e); ~ **to** (fml) avant.

priority [praɪ'ɒrɪtɪ] n priorité f; **to have ~ over** avoir la priorité sur.

prison ['prɪzn] n prison f.

prisoner ['prɪznə'] n prisonnier m (-ière f).

prisoner of war n prisonnier m de guerre.

prison officer n gardien m de prison.

privacy ['prɪvəsɪ] n intimité f.

private ['praɪvɪt] adj privé(-e); (bathroom, lesson) particulier(-ière); (confidential) confidentiel(-ielle); (place) tranquille ♦ n (MIL) (simple) soldat m; **in ~** en privé.

private health care n assurance-maladie f privée.

private property n propriété f privée.

private school n école f privée.

privilege ['prɪvɪlɪdʒ] n privilège m; **it's a ~!** c'est un honneur!

prize [praɪz] n prix m.

prize-giving [-.gɪvɪŋ] n remise f des prix.

pro [prəʊ] (pl -s) n (inf: professional) pro mf □ **pros** npl: **the ~s and cons** le pour et le contre.

probability [.prɒbə'bɪlətɪ] n probabilité f.

probable ['prɒbəbl] adj probable.

probably ['prɒbəblɪ] adv probablement.

probation officer [prə'beɪʃn-] n = agent m de probation.

problem ['prɒbləm] n problème m; **no ~!** (inf) pas de problème!

procedure [prə'siːdʒə'] n procédure f.

proceed [prə'siːd] vi (fml) (continue) continuer; (act) procéder; (advance) avancer; **"~ with caution"** «ralentir».

proceeds ['prəʊsiːdz] npl recette f.

process ['prəʊses] n (series of events) processus m; (method) procédé m; **to be in the ~ of doing** sthg être en train de faire qqch.

processed cheese ['prəʊsest-] n (for spreading) fromage m à tartiner; (in slices) fromage en tranches.

procession [prə'seʃn] n procession f.

prod [prɒd] vt (poke) pousser.

produce [prə'djuːs] vt produire; (cause) provoquer ♦ n produits mpl (alimentaires).

producer [prə'djuːsə'] n producteur m (-trice f).

product ['prɒdʌkt] n produit m.

production [prə'dʌkʃn] n production f.

productivity [.prɒdʌk'tɪvətɪ] n productivité f.

profession [prə'feʃn] n profession f.

professional [prə'feʃənl] adj professionnel(-elle) ♦ n professionnel m (-elle f).

professor [prə'fesə'] n (in UK) professeur m (d'université); (in US)

= maître m de conférences.

profile ['prəʊfaɪl] n (silhouette, outline) profil m; (description) portrait m.

profit ['prɒfɪt] n profit m ◆ vi: to ~ (from) profiter (de).

profitable ['prɒfɪtəbl] adj profitable.

profiteroles [prə'fɪtərəʊlz] npl profiteroles fpl.

profound [prə'faʊnd] adj profond(-e).

program ['prəʊgræm] n (COMPUT) programme m; (Am) = **programme** ◆ vt (COMPUT) programmer.

programme ['prəʊgræm] n (Br) (of events, booklet) programme m; (on TV, radio) émission f.

progress [n 'prəʊgres, vb prə'gres] n (improvement) progrès m; (forward movement) progression f ◆ vi (work, talks, student) progresser; (day, meeting) avancer; **to make** ~ (improve) faire des progrès; (in journey) avancer; **in** ~ en progrès.

progressive [prə'gresɪv] adj (forward-looking) progressiste.

prohibit [prə'hɪbɪt] vt interdire; "**smoking strictly ~ed**" «défense absolue de fumer».

project ['prɒdʒekt] n projet m.

projector [prə'dʒektə*] n projecteur m.

prolong [prə'lɒŋ] vt prolonger.

prom [prɒm] n (Am: dance) bal m (d'étudiants).

promenade [,prɒmə'nɑːd] n (Br: by the sea) promenade f.

prominent ['prɒmɪnənt] adj (person) important(-e); (teeth, chin) proéminent(-e).

promise ['prɒmɪs] n promesse f

◆ vt & vi promettre; **to show** ~ promettre; **I** ~ **(that) I'll come** je promets que je viendrai; **to** ~ **sb sthg** promettre qqch à qqn; **to** ~ **to do sthg** promettre de faire qqch.

promising ['prɒmɪsɪŋ] adj prometteur(-euse).

promote [prə'məʊt] vt promouvoir.

promotion [prə'məʊʃn] n promotion f.

prompt [prɒmpt] adj rapide ◆ adv: **at six o'clock** ~ à six heures pile.

prone [prəʊn] adj: **to be** ~ **to sthg** être sujet à qqch; **to be** ~ **to do sthg** avoir tendance à faire qqch.

prong [prɒŋ] n (of fork) dent f.

pronoun ['prəʊnaʊn] n pronom m.

pronounce [prə'naʊns] vt prononcer.

pronunciation [prə,nʌnsɪ'eɪʃn] n prononciation f.

proof [pruːf] n (evidence) preuve f; **12%** ~ 12 degrés.

prop [prɒp]: **prop up** vt sep soutenir.

propeller [prə'pelə*] n hélice f.

proper ['prɒpə*] adj (suitable) adéquat(-e); (correct) bon (bonne); (behaviour) correct(-e).

properly ['prɒpəlɪ] adv correctement.

property ['prɒpətɪ] n propriété f.

proportion [prə'pɔːʃn] n (part, amount) partie f; (ratio, in art) proportion f.

proposal [prə'pəʊzl] n proposition f.

propose [prə'pəuz] vt proposer ♦ vi: **to ~ to sb** demander qqn en mariage.

proposition [,prɒpə'zɪʃn] n proposition f.

proprietor [prə'praɪətə'] n (fml) propriétaire f.

prose [prəuz] n (not poetry) prose f; (SCH) thème m.

prosecution [,prɒsɪ'kju:ʃn] n (JUR: charge) accusation f.

prospect [n 'prɒspekt] n (possibility) possibilité f; **I don't relish the ~** cette perspective ne m'enchante guère ❑ **prospects** npl (for the future) perspectives fpl.

prospectus [prə'spektəs] (pl **-es**) n prospectus m.

prosperous ['prɒspərəs] adj prospère.

prostitute ['prɒstɪtju:t] n prostituée f.

protect [prə'tekt] vt protéger; **to ~ sb/sthg from** protéger qqn/qqch contre OR de; **to ~ sb/sthg against** protéger qqn/qqch contre OR de.

protection [prə'tekʃn] n protection f.

protection factor n (of suntan lotion) indice m de protection.

protective [prə'tektɪv] adj protecteur(-trice).

protein ['prəuti:n] n protéines fpl.

protest [n 'prəutest, vb prə'test] n (complaint) protestation f; (demonstration) manifestation f ♦ vt (Am: protest against) protester contre ♦ vi: **to ~ (against)** protester (contre).

Protestant ['prɒtɪstənt] n protestant m (-e f).

protester [prə'testə'] n manifestant m (-e f).

protractor [prə'træktə'] n rapporteur m.

protrude [prə'tru:d] vi dépasser.

proud [praud] adj fier (fière); **to be ~ of** être fier de.

prove [pru:v] (pp **-d** OR **proven** [pru:vn]) vt prouver; (turn out to be) se révéler.

proverb ['prɒvɜ:b] n proverbe m.

provide [prə'vaɪd] vt fournir; **to ~ sb with sthg** (information, equipment) fournir qqch à qqn ❑ **provide for** vt fus (person) subvenir aux besoins de.

provided (that) [prə'vaɪdɪd-] conj pourvu que.

providing (that) [prə'vaɪdɪŋ-] = provided (that).

province ['prɒvɪns] n province f.

provisional [prə'vɪʒənl] adj provisoire.

provisions [prə'vɪʒnz] npl provisions fpl.

provocative [prə'vɒkətɪv] adj provocant(-e).

provoke [prə'vəuk] vt provoquer.

prowl [praul] vi rôder.

prune [pru:n] n pruneau m ♦ vt (tree, bush) tailler.

PS (abbr of postscript) P-S.

psychiatrist [saɪ'kaɪətrɪst] n psychiatre mf.

psychic ['saɪkɪk] adj doué(-e) de seconde vue.

psychological [,saɪkə'lɒdʒɪkl] adj psychologique.

psychologist [saɪ'kɒlədʒɪst] n psychologue mf.

psychology [saɪ'kɒlədʒɪ] n psychologie f.

psychotherapist [ˌsaɪkəʊˈθerə-pɪst] n psychothérapeute mf.

pt abbr = **pint**.

PTO (abbr of please turn over) TSVP.

pub [pʌb] n pub m.

---

i PUB

Véritable institution sociale, le pub est au cœur de la vie communautaire dans les villages britanniques. Soumis jusqu'à récemment à une réglementation stricte quant aux heures d'ouverture et aux conditions d'admission, les pubs sont actuellement ouverts, en règle générale, de 11 heures à 23 heures. Ils offrent, en plus des boissons, un choix de plats simples.

---

puberty [ˈpjuːbətɪ] n puberté f.

public [ˈpʌblɪk] adj public(-ique) ♦ n: **the ~** le public; **in ~** en public.

publican [ˈpʌblɪkən] n (Br) patron m (-onne f) de pub.

publication [ˌpʌblɪˈkeɪʃn] n publication f.

public bar n (Br) bar m (salle moins confortable et moins chère que le «lounge bar» ou le «saloon bar»).

public convenience n (Br) toilettes fpl publiques.

public footpath n (Br) sentier m public.

public holiday n jour m férié.

public house n (Br: fml) pub m.

publicity [pʌbˈlɪsɪtɪ] n publicité f.

public school n (in UK) école f

privée; (in US) école f publique.

public telephone n téléphone m public.

public transport n transports mpl en commun.

publish [ˈpʌblɪʃ] vt publier.

publisher [ˈpʌblɪʃəʳ] n (person) éditeur m (-trice f); (company) maison f d'édition.

publishing [ˈpʌblɪʃɪŋ] n (industry) édition f.

pub lunch n repas de midi servi dans un pub.

pudding [ˈpʊdɪŋ] n (sweet dish) pudding m; (Br: dessert) dessert m.

puddle [ˈpʌdl] n flaque f.

puff [pʌf] vi (breathe heavily) souffler ♦ n (of air, smoke) bouffée f; **to ~ at** (cigarette, pipe) tirer sur.

puff pastry n pâte f à choux.

pull [pʊl] vt tirer; (trigger) appuyer sur ♦ vi tirer ♦ n: **to give sthg a ~** tirer sur qqch; **to ~ a face** faire une grimace; **to ~ a muscle** se froisser un muscle; **"pull"** (on door) «tirez»

❑ **pull apart** vt sep (book) mettre en pièces; (machine) démonter; **pull down** vt sep (blind) baisser; (demolish) démolir; **pull in** vi (train) entrer en gare; (car) se ranger; **pull out** vt sep (tooth, cork, plug) enlever ♦ vi (train) partir; (car) déboîter; (withdraw) se retirer; **pull over** vi (car) se ranger; **pull up** vt sep (socks, trousers, sleeve) remonter ♦ vi (stop) s'arrêter.

pulley [ˈpʊlɪ] (pl **pulleys**) n poulie f.

pull-out n (Am: beside road) aire f de stationnement.

pullover [ˈpʊlˌəʊvəʳ] n pull(-over) m.

pulpit [ˈpʊlpɪt] n chaire f.

pulse

pulse [pʌls] n (MED) pouls m.

pump [pʌmp] n pompe f □ **pumps** npl (sports shoes) tennis mpl; **pump up** vt sep gonfler.

pumpkin ['pʌmpkin] n potiron m.

pun [pʌn] n jeu m de mots.

punch [pʌntʃ] n (blow) coup de poing; (drink) punch m ◆ vt (hit) donner un coup de poing à; (ticket) poinçonner.

Punch and Judy show [-'dʒuːdɪ-] n ≃ guignol m.

punctual ['pʌŋktʃʊəl] adj ponctuel(-elle).

punctuation [.pʌŋktʃʊ'eɪʃn] n ponctuation f.

puncture ['pʌŋktʃər] n crevaison f ◆ vt crever.

punish ['pʌnɪʃ] vt: **to ~ sb (for sthg)** punir qqn (de OR pour qqch.).

punishment ['pʌnɪʃmənt] n punition f.

punk [pʌŋk] n (person) punk mf; (music) punk m.

punnet ['pʌnɪt] n (Br) barquette f.

pupil ['pjuːpl] n (student) élève mf; (of eye) pupille f.

puppet ['pʌpɪt] n marionnette f.

puppy ['pʌpɪ] n chiot m.

purchase ['pɜːtʃəs] vt (fml) acheter ◆ n (fml) achat m.

pure [pjʊər] adj pur(-e).

puree ['pjʊəreɪ] n purée f.

purely ['pjʊəlɪ] adv purement.

purity ['pjʊərətɪ] n pureté f.

purple ['pɜːpl] adj violet(-ette).

purpose ['pɜːpəs] n (reason) motif m; (use) usage m; **on ~** exprès.

purr [pɜːʳ] vi ronronner.

purse [pɜːs] n (Br: for money) porte-monnaie m inv; (Am: hand-

bag) sac m à main.

pursue [pə'sjuː] vt poursuivre.

pus [pʌs] n pus m.

push [pʊʃ] vt (shove) pousser; (button) appuyer sur, presser; (product) promouvoir ◆ vi pousser ◆ n: **to give sb/sthg a ~** pousser qqn/qqch.; **to ~ sb into doing sthg** pousser qqn à faire qqch.; "push" (on door) «poussez» □ **push in** vi (in queue) se faufiler; **push off** vi (inf: go away) dégager.

push-button telephone n téléphone m à touches.

pushchair ['pʊʃtʃeəʳ] n (Br) poussette f.

pushed [pʊʃt] adj (inf): **to be ~ (for time)** être pressé(-e).

push-ups npl pompes fpl.

put [pʊt] (pt & pp **put**) vt (place) poser, mettre; (responsibility) rejeter; (express) exprimer; (write) mettre, écrire; (a question) poser; (estimate) estimer; **to ~ a child to bed** mettre un enfant au lit; **to ~ money into sthg** mettre de l'argent dans qqch □ **put aside** vt sep (money) mettre de côté; **put away** vt sep (tidy up) ranger; **put back** vt sep (replace) remettre; (postpone) repousser; (clock, watch) retarder; **put down** vt sep (on floor, table) poser; (passenger) déposer; (Br: animal) piquer; (deposit) verser; **put forward** vt sep avancer; **put in** vt sep (insert) introduire; (install) installer; (in container, bags) mettre dedans; **put off** vt sep (postpone) reporter; (distract) distraire; (repel) dégoûter; (passenger) déposer; **put on** vt sep (clothes, make-up, CD) mettre; (weight) prendre; (television, light, radio) allumer; (play, show) monter; **to ~ on weight** grossir; **to ~ the kettle on** mettre la bouilloire à chauffer; **put out** vt sep *(cigarette, fire, light)* éteindre; *(publish)* publier; *(arm, leg)* étendre; *(hand)* tendre; *(inconvenience)* déranger; **to ~ one's back out** se déplacer une vertèbre; **put together** vt sep *(assemble)* réunir; *(combine)* réunir; **put up** vt sep *(building)* construire; *(statue)* ériger; *(tent)* monter; *(umbrella)* ouvrir; *(a notice)* afficher; *(price, rate)* augmenter; *(provide with accommodation)* loger ♦ vi *(Br: in hotel)* descendre; **put up with** vt fus supporter.

putter ['pʌtə^r] n *(club)* putter m.

putting green ['pʌtɪŋ-] n green m.

putty ['pʌtɪ] n mastic m.

puzzle ['pʌzl] n *(game)* casse-tête m inv; *(jigsaw)* puzzle m; *(mystery)* énigme f ♦ vt rendre perplexe.

puzzling ['pʌzlɪŋ] adj déconcertant(-e).

pyjamas [pə'dʒɑːməz] npl *(Br)* pyjama m.

pylon ['paɪlən] n pylône m.

pyramid ['pɪrəmɪd] n pyramide f.

Pyrenees [.pɪrə'niːz] npl: **the ~** les Pyrénées fpl.

Pyrex® ['paɪreks] n Pyrex® m.

quail [kweɪl] n caille f.

quail's eggs npl œufs mpl de caille.

quaint [kweɪnt] adj pittoresque.

qualification [.kwɒlɪfɪ'keɪʃn] n *(diploma)* diplôme m; *(ability)* qualification f.

qualified ['kwɒlɪfaɪd] adj qualifié(-e).

qualify ['kwɒlɪfaɪ] vi *(for competition)* se qualifier; *(pass exam)* obtenir un diplôme.

quality ['kwɒlətɪ] n qualité f ♦ adj de qualité.

quarantine ['kwɒrəntiːn] n quarantaine f.

quarrel ['kwɒrəl] n dispute f ♦ vi se disputer.

quarry ['kwɒrɪ] n carrière f.

quart [kwɔːt] n *(in UK)* = 1,136 litres, = litre m; *(in US)* = 0,946 litre, = litre.

quarter ['kwɔːtə^r] n *(fraction)* quart m; *(Am: coin)* pièce f de 25 cents; *(4 ounces)* = 0,1134 kg, = quart; *(three months)* trimestre m; *(part of town)* quartier m; **(a) ~ to five** *(Br)* cinq heures moins le quart; **(a) ~ of five** *(Am)* cinq heures moins le quart; **(a) ~ past five** *(Br)* cinq heures et quart; **(a) ~ after five** *(Am)* cinq heures et quart; **(a) ~ of an hour** un quart d'heure.

quarterpounder [.kwɔːtə-'paʊndə^r] n steak haché épais.

quartet [kwɔː'tet] n *(group)* quatuor m.

quartz [kwɔːts] adj *(watch)* à quartz.

quay [kiː] n quai m.

queasy ['kwiːzɪ] adj *(inf)*: **to feel ~** avoir mal au cœur.

queen [kwiːn] n reine f; *(in cards)* dame f.

queer [kwɪəʳ] *adj (strange)* bizarre; *(inf: ill)* patraque; *(inf: homosexual)* homo.

quench [kwentʃ] *vt*: **to ~ one's thirst** étancher sa soif.

query [ˈkwɪərɪ] *n* question f.

question [ˈkwestʃn] *n* question f ◆ *vt (person)* interroger; **it's out of the ~** c'est hors de question.

question mark *n* point *m* d'interrogation.

questionnaire [ˌkwestʃəˈneəʳ] *n* questionnaire *m*.

queue [kjuː] *n (Br)* queue f ◆ *vi (Br)* faire la queue ❏ **queue up** *vi (Br)* faire la queue.

quiche [kiːʃ] *n* quiche f.

quick [kwɪk] *adj* rapide ◆ *adv* rapidement, vite.

quickly [ˈkwɪklɪ] *adv* rapidement, vite.

quid [kwɪd] *(pl inv)* *n (Br: inf: pound)* livre f.

quiet [ˈkwaɪət] *adj* silencieux(-ieuse); *(calm, peaceful)* tranquille ◆ *n* calme *m*; **in a ~ voice** à voix basse; **keep ~!** chut!, taisez-vous!; **to keep ~ (not say anything)** se taire; **to keep ~ about sthg** ne pas parler de qqch.

quieten [ˈkwaɪətn]: **quieten down** *vi* se calmer.

quietly [ˈkwaɪətlɪ] *adv* silencieusement; *(calmly)* tranquillement.

quilt [kwɪlt] *n (duvet)* couette f; *(eiderdown)* édredon *m*.

quince [kwɪns] *n* coing *m*.

quirk [kwɜːk] *n* bizarrerie f.

quit [kwɪt] *(pt & pp* quit) *vi (resign)* démissionner; *(give up)* abandonner ◆ *vt (Am: school, job)* quitter; **to ~ doing sthg** arrêter de

faire qqch.

quite [kwaɪt] *adv (fairly)* assez; *(completely)* tout à fait; **not ~** pas tout à fait; **~ a lot (of)** pas mal (de).

quiz [kwɪz] *(pl* -zes) *n* jeu *m (basé sur des questions de culture générale)*.

quota [ˈkwəʊtə] *n* quota *m*.

quotation [kwəʊˈteɪʃn] *n (phrase)* citation f; *(estimate)* devis *m*.

quotation marks *npl* guillemets *mpl*.

quote [kwəʊt] *vt (phrase, writer)* citer; *(price)* indiquer ◆ *n (phrase)* citation f; *(estimate)* devis *m*.

R

rabbit [ˈræbɪt] *n* lapin *m*.

rabies [ˈreɪbiːz] *n* rage f.

RAC *n* = ACF *m*.

race [reɪs] *n (competition)* course f; *(ethnic group)* race f ◆ *vi (compete)* faire la course; *(go fast)* aller à toute vitesse; *(engine)* s'emballer ◆ *vt* faire la course avec.

racecourse [ˈreɪskɔːs] *n* champ *m* de courses.

racehorse [ˈreɪshɔːs] *n* cheval *m* de course.

racetrack [ˈreɪstræk] *n (for horses)* champ *m* de courses.

racial [ˈreɪʃl] *adj* racial(-e).

racing [ˈreɪsɪŋ] *n*: **(horse) ~** courses fpl (de chevaux).

racing car *n* voiture f de

course.

racism ['reɪsɪzm] n racisme m.

racist ['reɪsɪst] n raciste mf.

rack [ræk] n (for bottles) casier m; (for coats) portemanteau m; (for plates) égouttoir m; (luggage) ~ (on bike) porte-bagages m inv; (on car) galerie f; ~ of lamb carré m d'agneau.

racket ['rækɪt] n raquette f; (noise) raffut m.

racquet ['rækɪt] n raquette f.

radar ['reɪdɑːʳ] n radar m.

radiation [ˌreɪdɪ'eɪʃn] n radiations fpl.

radiator ['reɪdɪeɪtəʳ] n radiateur m.

radical ['rædɪkl] adj radical(-e).

radii ['reɪdɪaɪ] pl → **radius**.

radio ['reɪdɪəʊ] (pl -s) n radio f ◆ vt (person) appeler par radio; **on the ~ à la radio.**

radioactive [ˌreɪdɪəʊ'æktɪv] adj radioactif(-ive).

radio alarm n radio-réveil m.

radish ['rædɪʃ] n radis m.

radius ['reɪdɪəs] (pl **radii**) n rayon m.

raffle ['ræfl] n tombola f.

raft [rɑːft] n (of wood) radeau m; (inflatable) canot m pneumatique.

rafter ['rɑːftəʳ] n chevron m.

rag [ræg] n (old cloth) chiffon m.

rage [reɪdʒ] n rage f.

raid [reɪd] n (attack) raid m; (by police) descente f; (robbery) hold-up m inv ◆ vt (subj: police) faire une descente dans; (subj: thieves) faire un hold-up dans.

rail [reɪl] n (bar) barre f; (for curtain) tringle f; (on stairs) rampe f; (for train, tram) rail m ◆ adj (trans-

port, network) ferroviaire; (travel) en train; **by ~** en train.

railcard ['reɪlkɑːd] n (Br) carte de réduction des chemins de fer pour jeunes et retraités.

railings ['reɪlɪŋz] npl grille f.

railroad ['reɪlrəʊd] (Am) = **railway.**

railway ['reɪlweɪ] n (system) chemin m de fer; (track) voie f ferrée.

railway line n (route) ligne f de chemin de fer; (track) voie f ferrée.

railway station n gare f.

rain [reɪn] n pluie f ◆ v impers pleuvoir; **it's ~ing** il pleut.

rainbow ['reɪnbəʊ] n arc-en-ciel m.

raincoat ['reɪnkəʊt] n imperméable m.

raindrop ['reɪndrɒp] n goutte f de pluie.

rainfall ['reɪnfɔːl] n précipitations fpl.

rainy ['reɪnɪ] adj pluvieux(-ieuse).

raise [reɪz] vt (lift) lever; (increase) augmenter; (money) collecter; (child, animals) élever; (question, subject) soulever ◆ n (Am: pay increase) augmentation f.

raisin ['reɪzn] n raisin m sec.

rake [reɪk] n râteau m.

rally ['rælɪ] n (public meeting) rassemblement m; (motor race) rallye m; (in tennis, badminton, squash) échange m.

ram [ræm] n (sheep) bélier m ◆ vt percuter.

Ramadan [ˌræmə'dæn] n Ramadan m.

ramble ['ræmbl] n randonnée f.

ramp [ræmp] n (slope) rampe f; (in road) ralentisseur m; (Am: to free-

way) bretelle *f* d'accès; **"ramp"** *(Br: bump)* panneau annonçant une dénivellation due à des travaux.

ramparts ['ræmpɑːts] *npl* remparts *mpl*.

ran [ræn] *pt →* run.

ranch [rɑːntʃ] *n* ranch *m*.

ranch dressing *n (Am)* sauce mayonnaise liquide légèrement épicée.

rancid ['rænsɪd] *adj* rance.

random ['rændəm] *adj (choice, number)* aléatoire ◆ *n:* **at ~** au hasard.

rang [ræŋ] *pt →* ring.

range [reɪndʒ] *n (of radio, telescope)* portée *f; (of prices, temperatures, ages)* éventail *m; (of goods, services)* gamme *f; (of hills, mountains)* chaîne *f; (for shooting)* champ *m* de tir; *(cooker)* fourneau *m* ◆ *vi (vary)* varier.

ranger ['reɪndʒər] *n (of park, forest)* garde *m* forestier.

rank [ræŋk] *n* grade *m* ◆ *adj (smell, taste)* ignoble.

ransom ['rænsəm] *n* rançon *f.*

rap [ræp] *n (music)* rap *m.*

rape [reɪp] *n* viol *m* ◆ *vt* violer.

rapid ['ræpɪd] *adj* rapide ❏

rapids *npl* rapides *mpl.*

rapidly ['ræpɪdlɪ] *adv* rapidement.

rapist ['reɪpɪst] *n* violeur *m.*

rare [reər] *adj* rare; *(meat)* saignant(-e).

rarely ['reəlɪ] *adv* rarement.

rash [ræʃ] *n* éruption *f* cutanée ◆ *adj* imprudent(-e).

rasher ['ræʃər] *n* tranche *f.*

raspberry ['rɑːzbərɪ] *n* framboise *f.*

rat [ræt] *n* rat *m.*

ratatouille [rætə'tuːɪ] *n* ratatouille *f.*

rate [reɪt] *n (level)* taux *m; (charge)* tarif *m; (speed)* vitesse *f* ◆ *vt (consider)* considérer; *(deserve)* mériter; **~ of exchange** taux de change; **at any ~** en tout cas; **at this ~** à ce rythmelà.

rather ['rɑːðər] *adv* plutôt; **I'd ~ stay in** je préférerais ne pas sortir; **I'd ~ not** j'aimerais mieux pas; **would you ~ ...?** préférerais-tu ...?; **~ a lot of** pas mal de; **~ than** plutôt que.

ratio ['reɪʃɪəʊ] *(pl -s)* n rapport *m.*

ration ['ræʃn] *n (share)* ration *f* ❏

rations *npl (food)* vivres *mpl.*

rational ['ræʃnl] *adj* rationnel(-elle).

rattle ['rætl] *n (of baby)* hochet *m* ◆ *vi* faire du bruit.

rave [reɪv] *n (party)* soirée *f,* soit privée soit dans une boîte de nuit, où l'on danse sur la musique techno et où l'on consomme souvent de la drogue.

raven ['reɪvn] *n* corbeau *m.*

ravioli [rævɪ'əʊlɪ] *n* ravioli(s) *mpl.*

raw [rɔː] *adj* cru(-e); *(sugar)* non raffiné(-e); *(silk)* sauvage.

raw material *n* matière *f* première.

ray [reɪ] *n* rayon *m.*

razor ['reɪzər] *n* rasoir *m.*

razor blade *n* lame *f* de rasoir.

Rd *(abbr of Road)* Rte.

re [riː] *prep* concernant.

RE *n (abbr of religious education)* instruction *f* religieuse.

reach [riːtʃ] *vt* atteindre; *(contact)* joindre; *(agreement, decision)* parvenir à ◆ *n:* **out of ~** hors de portée; **within ~ of the beach** à proximité de la plage ❑ **reach out** vi: **to ~ out (for)** tendre le bras (vers).

react [rɪ'ækt] vi réagir.

reaction [rɪ'ækʃn] n réaction f.

read [riːd] (pt & pp **read** [red]) vt lire; (subj: sign, note) dire; (subj: meter, gauge) indiquer ♦ vi lire; **to ~ about sthg** apprendre qqch dans les journaux ❑ **read out** vt sep lire à haute voix.

reader ['riːdər] n lecteur m (-trice f).

readily ['redɪlɪ] adv (willingly) volontiers; (easily) facilement.

reading ['riːdɪŋ] n (of books, papers) lecture f; (of meter, gauge) données fpl.

reading matter n lecture f.

ready ['redɪ] adj prêt(-e); **to be ~ for sthg** (prepared) être prêt pour qqch; **to be ~ to do sthg** être prêt à faire qqch; **to get ~** se préparer; **to get sthg ~** préparer qqch.

ready cash n liquide m.

ready-cooked [-kʊkt] adj précuit(-e).

ready-to-wear adj de prêt à porter.

real ['rɪəl] adj vrai(-e); (world) réel(-elle) ♦ adv (Am) vraiment, très.

real ale n (Br) bière rousse de fabrication traditionnelle, fermentée en fûts.

real estate n immobilier m.

realistic [rɪə'lɪstɪk] adj réaliste.

reality [rɪ'ælətɪ] n réalité f; **in ~** en réalité.

realize ['rɪəlaɪz] vt (become aware of) se rendre compte de; (know) savoir; (ambition, goal) réaliser.

really ['rɪəlɪ] adv vraiment; **not ~**

pas vraiment.

realtor ['rɪəltər] n (Am) agent m immobilier.

rear [rɪər] adj arrière (inv) ♦ n (back) arrière m.

rearrange [ˌriːə'reɪndʒ] vt (room, furniture) réarranger; (meeting) déplacer.

rearview mirror ['rɪəvjuː-] n rétroviseur m.

rear-wheel drive n traction f arrière.

reason ['riːzn] n raison f; **for some ~** pour une raison ou pour une autre.

reasonable ['riːznəbl] adj raisonnable.

reasonably ['riːznəblɪ] adv (quite) assez.

reasoning ['riːznɪŋ] n raisonnement m.

reassure [ˌriːə'ʃɔːr] vt rassurer.

reassuring [ˌriːə'ʃɔːrɪŋ] adj rassurant(-e).

rebate ['riːbeɪt] n rabais m.

rebel [n 'rebl] n rebelle mf ♦ vi se rebeller.

rebound [rɪ'baʊnd] vi (ball etc) rebondir.

rebuild [ˌriː'bɪld] (pt & pp **rebuilt** [ˌriː'bɪlt]) vt reconstruire.

rebuke [rɪ'bjuːk] vt réprimander.

recall [rɪ'kɔːl] vt (remember) se souvenir de.

receipt [rɪ'siːt] n reçu m; **on ~ of** à réception de.

receive [rɪ'siːv] vt recevoir.

receiver [rɪ'siːvər] n (of phone) combiné m.

recent ['riːsnt] adj récent(-e).

recently ['riːsntlɪ] adv récemment.

receptacle [rɪ'septəkl] n (fml) récipient m.

reception [rɪ'sepʃn] n réception f; (welcome) accueil m.

reception desk n réception f.

receptionist [rɪ'sepʃənɪst] n réceptionniste mf.

recess [rɪ'ses] n (in wall) renfoncement m; (Am: SCH) récréation f.

recession [rɪ'seʃn] n récession f.

recipe [resɪpɪ] n recette f.

recite [rɪ'saɪt] vt (poem) réciter; (list) énumérer.

reckless [reklɪs] adj imprudent(-e).

reckon [rekn] vt (inf: think) penser ◻ **reckon on** vt fus compter sur; **reckon with** vt fus (expect) s'attendre à.

reclaim [rɪ'kleɪm] vt (baggage) récupérer.

reclining seat [rɪ'klaɪnɪŋ-] n siège m inclinable.

recognition [,rekəg'nɪʃn] n reconnaissance f.

recognize [rekəgnaɪz] vt reconnaître.

recollect [,rekə'lekt] vt se rappeler.

recommend [,rekə'mend] vt recommander; **to ~ sb to do sthg** recommander à qqn de faire qqch.

recommendation [,rekəmen'deɪʃn] n recommandation f.

reconsider [,ri:kən'sɪdər] vt reconsidérer.

reconstruct [,ri:kən'strʌkt] vt reconstruire.

record [n 'rekɔ:d, vb rɪ'kɔ:d] n (MUS) disque m; (best performance, highest level) record m; (account) rapport m ◆ vt enregistrer.

recorded delivery [rɪ'kɔ:dɪd-] n (Br): **to send sthg (by) ~** envoyer qqch en recommandé.

recorder [rɪ'kɔ:dər] n (tape recorder) magnétophone m; (instrument) flûte f à bec.

recording [rɪ'kɔ:dɪŋ] n enregistrement m.

record player n tourne-disque m.

record shop n disquaire m.

recover [rɪ'kʌvər] vt & vi récupérer.

recovery [rɪ'kʌvərɪ] n (from illness) guérison f.

recovery vehicle n (Br) dépanneuse f.

recreation [,rekrɪ'eɪʃn] n récréation f.

recreation ground n terrain m de jeux.

recruit [rɪ'kru:t] n recrue f ◆ vt recruter.

rectangle [rek,tæŋgl] n rectangle m.

rectangular [rek'tæŋgjʊlər] adj rectangulaire.

recycle [,ri:'saɪkl] vt recycler.

red [red] adj rouge; (hair) roux (rousse) ◆ n (colour) rouge m; **in the ~** (bank account) à découvert.

red cabbage n chou m rouge.

Red Cross n Croix-Rouge f.

redcurrant [redkʌrənt] n groseille f.

redecorate [,ri:'dekəreɪt] vt refaire.

redhead [redhed] n rouquin m (-e f).

red-hot adj (metal) chauffé(-e) à blanc.

redial [ri:'daɪəl] vi recomposer le

numéro.

redirect [ˌriːdɪˈrekt] *vt (letter)* réexpédier; *(traffic, plane)* dérouter.

red pepper *n* poivron *m* rouge.

reduce [rɪˈdjuːs] *vt* réduire; *(make cheaper)* solder ♦ *vi (Am: slim)* maigrir.

reduced price [rɪˈdjuːst-] *n* prix *m* réduit.

reduction [rɪˈdʌkʃn] *n* réduction *f.*

redundancy [rɪˈdʌndənsɪ] *n (Br)* licenciement *m.*

redundant [rɪˈdʌndənt] *adj (Br):* **to be made ~** être licencié(-e).

red wine *n* vin *m* rouge.

reed [riːd] *n (plant)* roseau *m.*

reef [riːf] *n* écueil *m.*

reek [riːk] *vi* puer.

reel [riːl] *n (of thread)* bobine *f; (on fishing rod)* moulinet *m.*

refectory [rɪˈfektərɪ] *n* réfectoire *m.*

refer [rɪˈfɜːr]: **refer to** *vt fus* faire référence à; *(consult)* se référer à.

referee [ˌrefəˈriː] *n (SPORT)* arbitre *m.*

reference [ˈrefrəns] *n (mention)* allusion *f; (for job)* référence *f* ♦ *adj (book)* de référence; **with ~ to** suite à.

referendum [ˌrefəˈrendəm] *n* référendum *m.*

refill [*n* ˈriːfɪl, *vb* ˌriːˈfɪl] *n (for pen)* recharge *f; (inf: drink)* autre verre *m* ♦ *vt* remplir.

refinery [rɪˈfaɪnərɪ] *n* raffinerie *f.*

reflect [rɪˈflekt] *vt & vi* réfléchir.

reflection [rɪˈflekʃn] *n (image)* reflet *m.*

reflector [rɪˈflektər] *n* réflecteur *m.*

reflex [ˈriːfleks] *n* réflexe *m.*

reflexive [rɪˈfleksɪv] *adj* réfléchi(-e).

reform [rɪˈfɔːm] *n* réforme *f* ♦ *vt* réformer.

refresh [rɪˈfreʃ] *vt* rafraîchir.

refreshing [rɪˈfreʃɪŋ] *adj* rafraîchissant(-e); *(change)* agréable.

refreshments [rɪˈfreʃmənts] *npl* rafraîchissements *mpl.*

refrigerator [rɪˈfrɪdʒəreɪtər] *n* réfrigérateur *m.*

refugee [ˌrefjʊˈdʒiː] *n* réfugié *m* (-e *f*).

refund [*n* ˈriːfʌnd, *vb* rɪˈfʌnd] *n* remboursement *m* ♦ *vt* rembourser.

refundable [rɪˈfʌndəbl] *adj* remboursable.

refusal [rɪˈfjuːzl] *n* refus *m.*

refuse[1] [rɪˈfjuːz] *vt & vi* refuser; **to ~ to do sthg** refuser de faire qqch.

refuse[2] [ˈrefjuːs] *n (fml)* ordures *fpl.*

refuse collection [ˈrefjuːs-] *n (fml)* ramassage *m* des ordures.

regard [rɪˈgɑːd] *vt (consider)* considérer ♦ *n:* **with ~ to** concernant; **as ~s** en ce qui concerne ❑ **regards** *npl (in greetings)* amitiés *fpl;* **give them my ~s** transmettez-leur mes amitiés.

regarding [rɪˈgɑːdɪŋ] *prep* concernant.

regardless [rɪˈgɑːdlɪs] *adv* quand même; **~ of** sans tenir compte de.

reggae [ˈregeɪ] *n* reggae *m.*

regiment [ˈredʒɪmənt] *n* régiment *m.*

region [ˈriːdʒən] *n* région *f;* **in the ~ of** environ.

regional [ˈriːdʒənl] *adj* régio-nal(-e).

register [ˈredʒɪstəʳ] *n (official list)* registre *m* ♦ *vt (record officially)* enregistrer; *(subj: machine, gauge)* indiquer ♦ *vi (at hotel)* se présenter à la réception; *(put one's name down)* s'inscrire.

registered [ˈredʒɪstəd] *adj (letter, parcel)* recommandé(-e).

registration [ˌredʒɪˈstreɪʃn] *n (for course, at conference)* inscription *f*.

registration (number) *n (of car)* numéro *m* d'immatricula-tion.

registry office [ˈredʒɪstrɪ-] *n* bureau *m* de l'état civil.

regret [rɪˈgret] *n* regret *m* ♦ *vt* regretter; **to ~ doing sth** regretter d'avoir fait qqch; **we ~ any inconvenience caused** nous vous prions de nous excuser pour la gêne occasionnée.

regrettable [rɪˈgretəbl] *adj* regrettable.

regular [ˈregjʊləʳ] *adj* régu-lier(-ière); *(normal, in size)* nor-mal(-e) ♦ *n (customer)* habitué *m* (-e *f*).

regularly [ˈregjʊləlɪ] *adv* régu-lièrement.

regulate [ˈregjʊleɪt] *vt* régler.

regulation [ˌregjʊˈleɪʃn] *n (rule)* réglementation *f*.

rehearsal [rɪˈhɜːsl] *n* répétition *f*.

rehearse [rɪˈhɜːs] *vt* répéter.

reign [reɪn] *n* règne *m* ♦ *vi (monarch)* régner.

reimburse [ˌriːɪmˈbɜːs] *vt (fml)* rembourser.

reindeer [ˈreɪndɪəʳ] *(pl inv)* *n* renne *m*.

reinforce [ˌriːɪnˈfɔːs] *vt* renforcer.

reinforcements [ˌriːɪnˈfɔːs-mənts] *npl* renforts *mpl*.

reins [reɪnz] *mpl (for horse)* rênes *mpl*; *(for child)* harnais *m*.

reject [rɪˈdʒekt] *vt (proposal, request)* rejeter; *(applicant, coin)* refuser.

rejection [rɪˈdʒekʃn] *n (of proposal, request)* rejet *m*; *(of applicant)* refus *m*.

rejoin [ˌriːˈdʒɔɪn] *vt (motorway)* rejoindre.

relapse [rɪˈlæps] *n* rechute *f*.

relate [rɪˈleɪt] *vt (connect)* lier ♦ *vi*: **to ~ to** *(be connected with)* être lié à; *(concern)* concerner.

related [rɪˈleɪtɪd] *adj (of same family)* apparenté(-e); *(connected)* lié(-e).

relation [rɪˈleɪʃn] *n (member of family)* parent *m* (-e *f*); *(connection)* lien *m*, rapport *m*; **in ~ to** au sujet de ❑ **relations** *npl* rapports *mpl*.

relationship [rɪˈleɪʃnʃɪp] *n* rela-tions *fpl*; *(connection)* relation *f*.

relative [ˈrelətɪv] *adj* relatif(-ive) ♦ *n* parent (-e *f*).

relatively [ˈrelətɪvlɪ] *adv* relati-vement.

relax [rɪˈlæks] *vi* se détendre.

relaxation [ˌriːlækˈseɪʃn] *n* détente *f*.

relaxed [rɪˈlækst] *adj* déten-du(-e).

relaxing [rɪˈlæksɪŋ] *adj* repo-sant(-e).

relay [ˈriːleɪ] *n (race)* relais *m*.

release [rɪˈliːs] *vt (set free)* relâ-cher; *(let go of)* lâcher; *(record, film)* sortir; *(brake, catch)* desserrer ♦ *n* *(record, film)* nouveauté f.

relegate ['rɛlɪɡeɪt] vt: **to be ~d** *(SPORT)* être relégué à la division inférieure.

relevant ['rɛləvənt] adj *(connected)* en rapport; *(important)* important(-e); *(appropriate)* approprié(-e).

reliable [rɪ'laɪəbl] adj *(person, machine)* fiable.

relic ['rɛlɪk] n relique f.

relief [rɪ'liːf] n *(gladness)* soulagement m; *(aid)* assistance f.

relief road n itinéraire m de délestage.

relieve [rɪ'liːv] vt *(pain, headache)* soulager.

relieved [rɪ'liːvd] adj soulagé(-e).

religion [rɪ'lɪdʒn] n religion f.

religious [rɪ'lɪdʒəs] adj religieux(-ieuse).

relish ['rɛlɪʃ] n *(sauce)* condiment m.

reluctant [rɪ'lʌktənt] adj réticent(-e).

rely [rɪ'laɪ]: **rely on** vt fus *(trust)* compter sur; *(depend on)* dépendre de.

remain [rɪ'meɪn] vi rester ❑ **remains** npl restes mpl.

remainder [rɪ'meɪndəʳ] n reste m.

remaining [rɪ'meɪnɪŋ] adj restant(-e); **to be ~** rester.

remark [rɪ'mɑːk] n remarque f ◆ vt faire remarquer.

remarkable [rɪ'mɑːkəbl] adj remarquable.

remedy ['rɛmədɪ] n remède m.

remember [rɪ'mɛmbəʳ] vt se rappeler, se souvenir de; *(not forget)* ne pas oublier ◆ vi se souve-

nir; **to ~ doing sthg** se rappeler avoir fait qqch; **to ~ to do sthg** penser à faire qqch.

remind [rɪ'maɪnd] vt: **to ~ sb of sthg** rappeler qqch à qqn; **to ~ sb to do sthg** rappeler à qqn de faire qqch.

reminder [rɪ'maɪndəʳ] n rappel m.

remittance [rɪ'mɪtns] n versement m.

remnant ['rɛmnənt] n reste m.

remote [rɪ'məʊt] adj *(isolated)* éloigné(-e); *(chance)* faible.

remote control n télécommande f.

removal [rɪ'muːvl] n enlèvement m.

removal van n camion m de déménagement.

remove [rɪ'muːv] vt enlever.

renew [rɪ'njuː] vt *(licence, membership)* renouveler; *(library book)* prolonger l'emprunt de.

renovate ['rɛnəveɪt] vt rénover.

renowned [rɪ'naʊnd] adj renommé(-e).

rent [rɛnt] n loyer m ◆ vt louer.

rental ['rɛntl] n location f.

repaid [riː'peɪd] pt & pp → repay.

repair [rɪ'peəʳ] vt réparer ◆ n: **in good ~** en bon état ❑ **repairs** npl réparations mpl.

repair kit n *(for bicycle)* trousse f à outils.

repay [riː'peɪ] *(pt & pp* repaid) vt *(money)* rembourser; *(favour, kindness)* rendre.

repayment [riː'peɪmənt] n remboursement m.

repeat [rɪ'piːt] vt répéter ◆ n *(on*

TV, radio) rediffusion f.

repetition [ˌrepɪˈtɪʃn] n répétition f.

repetitive [rɪˈpetɪtɪv] adj répétitif(-ive).

replace [rɪˈpleɪs] vt remplacer; *(put back)* replacer.

replacement [rɪˈpleɪsmənt] n remplacement m.

replay [ˈriːpleɪ] n *(rematch)* match m rejoué; *(on TV)* ralenti m.

reply [rɪˈplaɪ] n réponse f ♦ vt & vi répondre.

report [rɪˈpɔːt] n *(account)* rapport m; *(in newspaper, on TV, radio)* reportage m; *(Br: SCH)* bulletin m ♦ vt *(announce)* annoncer; *(theft, disappearance)* signaler; *(person)* dénoncer ♦ vi *(give account)* faire un rapport; *(for newspaper, TV, radio)* faire un reportage; **to ~ to sb** *(go to)* se présenter à qqn.

report card n bulletin m scolaire.

reporter [rɪˈpɔːtər] n reporter m.

represent [ˌreprɪˈzent] vt représenter.

representative [ˌreprɪˈzentətɪv] n représentant m (-e f).

repress [rɪˈpres] vt réprimer.

reprieve [rɪˈpriːv] n *(delay)* sursis m.

reprimand [ˈreprɪmɑːnd] vt réprimander.

reproach [rɪˈprəʊtʃ] vt: **to ~ sb for sthg** reprocher qqch à qqn.

reproduction [ˌriːprəˈdʌkʃn] n reproduction f.

reptile [ˈreptaɪl] n reptile m.

republic [rɪˈpʌblɪk] n république f.

Republican [rɪˈpʌblɪkən] n républicain m (-e f) ♦ adj républicain(-e).

repulsive [rɪˈpʌlsɪv] adj repoussant(-e).

reputable [ˈrepjʊtəbl] adj qui a bonne réputation f.

reputation [ˌrepjʊˈteɪʃn] n réputation f.

reputedly [rɪˈpjuːtɪdlɪ] adv à ce qu'on dit.

request [rɪˈkwest] n demande f ♦ vt demander; **to ~ sb to do sthg** demander à qqn de faire qqch; **available on ~** disponible sur demande.

request stop n *(Br)* arrêt m facultatif.

require [rɪˈkwaɪər] vt *(subj: person)* avoir besoin de; *(subj: situation)* exiger; **to be ~d to do sthg** être tenu de faire qqch.

requirement [rɪˈkwaɪəmənt] n besoin m.

resat [ˌriːˈsæt] pt & pp → **resit**.

rescue [ˈreskjuː] vt secourir.

research [rɪˈsɜːtʃ] n *(scientific)* recherche f; *(studying)* recherches fpl.

resemblance [rɪˈzembləns] n ressemblance f.

resemble [rɪˈzembl] vt ressembler à.

resent [rɪˈzent] vt ne pas apprécier.

reservation [ˌrezəˈveɪʃn] n *(booking)* réservation f; *(doubt)* réserve f; **to make a ~** réserver.

reserve [rɪˈzɜːv] n *(SPORT)* remplaçant m (-e f); *(for wildlife)* réserve f ♦ vt réserver.

reserved [rɪˈzɜːvd] adj réservé(-e).

reservoir [ˈrezəvwɑːʳ] n réservoir m.

reset [ˌriːˈset] (pt & pp reset) vt (meter, device) remettre à zéro; (watch) remettre à l'heure.

reside [rɪˈzaɪd] vi (fml: live) résider.

residence [ˈrezɪdəns] n (fml) résidence f; **place of ~** domicile m.

residence permit n permis m de séjour.

resident [ˈrezɪdənt] n (of country) résident m (-e f); (of hotel) pensionnaire mf; (of area, house) habitant m (-e f); **"~s only"** (for parking) «réservé aux résidents».

residential [ˌrezɪˈdenʃl] adj résidentiel(-ielle).

residue [ˈrezɪdjuː] n restes mpl.

resign [rɪˈzaɪn] vi démissionner ♦ vt: **to ~ o.s. to sthg** se résigner à qqch.

resignation [ˌrezɪɡˈneɪʃn] n (from job) démission f.

resilient [rɪˈzɪliənt] adj résistant(-e).

resist [rɪˈzɪst] vt résister à; **I can't ~ cream cakes** je ne peux pas résister aux gâteaux à la crème; **to ~ doing sthg** résister à l'envie de faire qqch.

resistance [rɪˈzɪstəns] n résistance f.

resit [ˌriːˈsɪt] (pt & pp resat) vt repasser.

resolution [ˌrezəˈluːʃn] n résolution f.

resolve [rɪˈzɒlv] vt résoudre.

resort [rɪˈzɔːt] n (for holidays) station f; **as a last ~** en dernier recours ❑ **resort to** vt fus recourir à; **to ~ to doing sthg** en venir à faire qqch.

resource [rɪˈsɔːs] n ressource f.

resourceful [rɪˈsɔːsful] adj ingénieux(-ieuse).

respect [rɪˈspekt] n respect m; (aspect) égard m ♦ vt respecter; **in some ~s** à certains égards; **with ~ to** en ce qui concerne.

respectable [rɪˈspektəbl] adj respectable.

respective [rɪˈspektɪv] adj respectif(-ive).

respond [rɪˈspɒnd] vi répondre.

response [rɪˈspɒns] n réponse f.

responsibility [rɪˌspɒnsəˈbɪlətɪ] n responsabilité f.

responsible [rɪˈspɒnsəbl] adj responsable; **to be ~ for** (accountable) être responsable de.

rest [rest] n (relaxation) repos m; (support) appui m ♦ vi (relax) se reposer; **the ~** (remainder) le restant, le reste; **to have a ~** se reposer; **to ~ against** reposer contre.

restaurant [ˈrestərɒnt] n restaurant m.

restaurant car n (Br) wagon-restaurant m.

restful [ˈrestful] adj reposant(-e).

restless [ˈrestlɪs] adj (bored, impatient) impatient(-e); (fidgety) agité(-e).

restore [rɪˈstɔːʳ] vt restaurer.

restrain [rɪˈstreɪn] vt retenir.

restrict [rɪˈstrɪkt] vt restreindre.

restricted [rɪˈstrɪktɪd] adj restreint(-e).

restriction [rɪˈstrɪkʃn] n limitation f.

rest room n (Am) toilettes fpl.

result [rɪˈzʌlt] n résultat m ♦ vi: **to ~ in** aboutir à; **as a ~ of** à cause de.

resume [rɪˈzjuːm] vi reprendre.

résumé [ˈrezjuːmeɪ] n (summary) résumé m; (Am: curriculum vitae) curriculum vitae m inv.

retail [ˈriːteɪl] n détail m ♦ vt (sell) vendre au détail ♦ vi: **to ~ at** se vendre (à).

retailer [ˈriːteɪləʳ] n détaillant m (-e f).

retail price n prix m de détail.

retain [rɪˈteɪn] vt (fml) conserver.

retaliate [rɪˈtælɪeɪt] vi riposter.

retire [rɪˈtaɪəʳ] vi (stop working) prendre sa retraite.

retired [rɪˈtaɪəd] adj retraité(-e).

retirement [rɪˈtaɪəmənt] n retraite f.

retreat [rɪˈtriːt] vi se retirer ♦ n (place) retraite f.

retrieve [rɪˈtriːv] vt récupérer.

return [rɪˈtɜːn] n retour m; (Br: ticket) aller-retour m ♦ vt (put back) remettre; (give back) rendre; (ball, serve) renvoyer ♦ vi revenir; (go back) retourner ♦ adj (journey) de retour; **to ~ sthg to sb** (give back) rendre qqch à qqn; **by ~ of post** (Br) par retour du courrier; **many happy ~s!** bon anniversaire!; **in ~ (for)** en échange (de).

return flight n vol m retour.

return ticket n (Br) billet m aller-retour.

reunite [ˌriːjuːˈnaɪt] vt réunir.

reveal [rɪˈviːl] vt révéler.

revelation [ˌrevəˈleɪʃn] n révélation f.

revenge [rɪˈvendʒ] n vengeance f.

reverse [rɪˈvɜːs] adj inverse ♦ n (AUT) marche f arrière; (of document)

verso m; (of coin) revers m ♦ vt (car) mettre en marche arrière; (decision) annuler ♦ vi (car, driver) faire marche arrière; **the ~** (opposite) l'inverse; **in ~ order** en ordre inverse; **to ~ the charges** (Br) téléphoner en PCV.

reverse-charge call n (Br) appel m en PCV.

review [rɪˈvjuː] n (of book, record, film) critique f; (examination) examen m ♦ vt (Am: for exam) réviser.

revise [rɪˈvaɪz] vt & vi réviser.

revision [rɪˈvɪʒn] n (Br: for exam) révision f.

revive [rɪˈvaɪv] vt (person) ranimer; (economy, custom) relancer.

revolt [rɪˈvəʊlt] n révolte f.

revolting [rɪˈvəʊltɪŋ] adj dégoûtant(-e).

revolution [ˌrevəˈluːʃn] n révolution f.

revolutionary [ˌrevəˈluːʃnərɪ] adj révolutionnaire.

revolver [rɪˈvɒlvəʳ] n revolver m.

revolving door [rɪˈvɒlvɪŋ-] n porte f à tambour.

revue [rɪˈvjuː] n revue f.

reward [rɪˈwɔːd] n récompense f ♦ vt récompenser.

rewind [ˌriːˈwaɪnd] (pt & pp rewound [ˌriːˈwaʊnd]) vt rembobiner.

rheumatism [ˈruːmətɪzm] n rhumatisme m.

rhinoceros [raɪˈnɒsərəs] (pl inv OR -es) n rhinocéros m.

rhubarb [ˈruːbɑːb] n rhubarbe f.

rhyme [raɪm] n (poem) poème m ♦ vi rimer.

rhythm [ˈrɪðm] n rythme m.

rib [rɪb] n côte f.

ribbon [ˈrɪbən] n ruban m.

rice [raɪs] n riz m.

rice pudding n riz au lait.

rich [rɪtʃ] adj riche ♦ npl: **the ~** les riches mpl; **to be ~ in sthg** être riche en qqch.

ricotta cheese [rɪˈkɒtə-] n ricotta f.

rid [rɪd] vt: **to get ~ of** se débarrasser de.

ridden [ˈrɪdn] pp → ride.

riddle [ˈrɪdl] n (puzzle) devinette f; (mystery) énigme f.

ride [raɪd] (pt rode, pp ridden) n promenade f ♦ vt (horse) monter ♦ vi (on bike) aller en OR à vélo; (on horse) aller à cheval; (on bus) aller en bus; **can you ~ a bike?** est-ce que tu sais faire du vélo?; **to ~ horses** monter à cheval; **can you ~ (a horse)?** est-ce que tu sais monter à cheval?; **to go for a ~** (in car) faire un tour en voiture.

rider [ˈraɪdər] n (on horse) cavalier m (-ière f); (on bike) cycliste mf; (on motorbike) motard m (-e f).

ridge [rɪdʒ] n (of mountain) crête f; (raised surface) arête f.

ridiculous [rɪˈdɪkjʊləs] adj ridicule.

riding [ˈraɪdɪŋ] n équitation f.

riding school n école f d'équitation.

rifle [ˈraɪfl] n carabine f.

rig [rɪg] n (oilrig at sea) plateforme f pétrolière; (on land) derrick m ♦ vt (fix) truquer.

right [raɪt] adj **1.** (correct) bon (bonne); **to be ~** (person) avoir raison; **to be ~ to do sthg** avoir raison de faire qqch; **have you got the ~ time?** avez-vous l'heure exacte?; **is this the ~ way?** est-ce que c'est la bonne route?; **that's ~!** c'est

exact!

2. (fair) juste; **that's not ~!** ce n'est pas juste!

3. (on the right) droit(-e); **the ~ side of the road** le côté droit de la route.

♦ n **1.** (side): **the ~** la droite.

2. (entitlement) droit m; **to have the ~ to do sthg** avoir le droit de faire qqch.

♦ adv **1.** (towards the right) à droite.

2. (correctly) bien, comme il faut; **am I pronouncing it ~?** est-ce que je le prononce bien?

3. (for emphasis): **~ here** ici même; **~ at the top** tout en haut; **I'll be ~ back** je reviens tout de suite; **~ away** immédiatement.

right angle n angle m droit.

right-hand adj (side) droit(-e); (lane) de droite.

right-hand drive n conduite f à droite.

right-handed [-ˈhændɪd] adj (person) droitier(-ière); (implement) pour droitiers.

rightly [ˈraɪtlɪ] adv (correctly) correctement; (justly) à juste titre.

right of way n (AUT) priorité f; (path) chemin m public.

right-wing adj de droite.

rigid [ˈrɪdʒɪd] adj rigide.

rim [rɪm] n (of cup) bord m; (of glasses) monture f; (of wheel) jante f.

rind [raɪnd] n (of fruit) peau f; (of bacon) couenne f; (of cheese) croûte f.

ring [rɪŋ] (pt rang, pp rung) n (for finger, curtain) anneau m; (with gem) bague f; (circle) cercle m; (sound) sonnerie f; (on cooker) brûleur m; (electric) plaque f; (for boxing) ring *m*; *(in circus)* piste *f* ♦ *vt (Br: make phone call to)* appeler; *(church bell)* sonner ♦ *vi (bell, telephone)* sonner; *(Br: make phone call)* appeler; **to give sb a ~** *(phone call)* appeler; **to ~ the bell** *(of house, office)* sonner ❒ **ring back** *vt sep & vi (Br)* rappeler; **ring off** *vi (Br)* raccrocher; **ring up** *vt sep & vi (Br)* appeler.

ringing tone ['rɪŋɪŋ-] *n* sonnerie *f*.

ring road *n* boulevard *m* périphérique.

rink [rɪŋk] *n* patinoire *f*.

rinse [rɪns] *vt* rincer ❒ **rinse out** *vt sep* rincer.

riot ['raɪət] *n* émeute *f*.

rip [rɪp] *n* déchirure *f* ♦ *vt* déchirer ♦ *vi* se déchirer ❒ **rip up** *vt sep* déchirer.

ripe [raɪp] *adj* mûr(-e); *(cheese)* à point.

ripen ['raɪpn] *vi* mûrir.

rip-off *n (inf)* arnaque *f*.

rise [raɪz] *(pt* rose, *pp* risen ['rɪzn]) *vi (move upwards)* s'élever; *(sun, moon, stand up)* se lever; *(increase)* augmenter ♦ *n (increase)* augmentation *f*; *(Br: pay increase)* augmentation (de salaire); *(slope)* montée *f*, côte *f*.

risk [rɪsk] *n* risque *m* ♦ *vt* risquer; **to take a ~** prendre un risque; **at your own ~** à vos risques et périls; **to ~ doing sthg** prendre le risque de faire qqch; **to ~ it** tenter le coup.

risky ['rɪskɪ] *adj* risqué(-e).

risotto [rɪ'zɒtəʊ] *(pl* **-s**) *n* risotto *m*.

ritual ['rɪtʃʊəl] *n* rituel *m*.

rival ['raɪvl] *adj* rival(-e) ♦ *n* rival *m (-e f)*.

river ['rɪvə'] *n* rivière *f*; *(flowing into sea)* fleuve *m*.

river bank *n* berge *f*.

riverside ['rɪvəsaɪd] *n* berge *f*.

Riviera [,rɪvɪ'eərə] *n*: **the (French) ~** la Côte d'Azur.

roach [rəʊtʃ] *n (Am: cockroach)* cafard *m*.

road [rəʊd] *n* route *f*; *(in town)* rue *f*; **by ~** par la route.

road book *n* guide *m* routier.

road map *n* carte *f* routière.

road safety *n* sécurité *f* routière.

roadside ['rəʊdsaɪd] *n*: **the ~** le bord de la route.

road sign *n* panneau *m* routier.

road tax *n* = vignette *f*.

roadway ['rəʊdweɪ] *n* chaussée *f*.

road works *npl* travaux *mpl*.

roam [rəʊm] *vi* errer.

roar [rɔ:'] *n (of aeroplane)* grondement *m*; *(of crowd)* hurlements *mpl* ♦ *vi (lion)* rugir; *(person)* hurler.

roast [rəʊst] *n* rôti *m* ♦ *vt* faire rôtir ♦ *adj* rôti(-e); **~ beef** rosbif *m*; **~ chicken** poulet *m* rôti; **~ lamb** rôti d'agneau; **~ pork** rôti de porc; **~ potatoes** pommes de terre *fpl* au four.

rob [rɒb] *vt (house, bank)* cambrioler; *(person)* voler; **to ~ sb of sthg** voler qqch à qqn.

robber ['rɒbə'] *n* voleur *m (-euse f)*.

robbery ['rɒbərɪ] *n* vol *m*.

robe [rəʊb] *n (Am: bathrobe)* peignoir *m*.

robin ['rɒbɪn] *n* rouge-gorge *m*.

robot ['rəʊbɒt] *n* robot *m*.

rock [rɒk] *n (boulder)* rocher *m*;

(Am: stone) pierre f; *(substance)* roche f; *(music)* touche f; *(Br: sweet)* sucre m d'orge ♦ vt *(baby, boat)* bercer; **on the ~s** *(drink)* avec des glaçons.

rock climbing n varappe f; **to go ~** faire de la varappe.

rocket ['rɒkɪt] n *(missile)* roquette f; *(space rocket, firework)* fusée f.

rocking chair ['rɒkɪŋ-] n rocking-chair m.

rock 'n' roll [,rɒkən'rəʊl] n rock m.

rocky ['rɒkɪ] adj rocheux(-euse).

rod [rɒd] n *(pole)* barre f; *(for fishing)* canne f.

rode [rəʊd] pt → **ride**.

roe [rəʊ] n œufs mpl de poisson.

role [rəʊl] n rôle m.

roll [rəʊl] n *(of bread)* petit pain m; *(of film, paper)* rouleau m ♦ vi rouler ♦ vt faire rouler; *(cigarette)* rouler ❑ **roll over** vi se retourner; **roll up** vt sep *(map, carpet)* rouler; *(sleeves, trousers)* remonter.

roller coaster ['rəʊlə,kəʊstə'] n montagnes fpl russes.

roller skate ['rəʊlə-] n patin m à roulettes.

roller-skating ['rəʊlə-] n patin m à roulettes; **to go ~** faire du patin à roulettes.

rolling pin ['rəʊlɪŋ-] n rouleau m à pâtisserie.

Roman ['rəʊmən] adj romain(-e) ♦ n Romain m (-e f).

Roman Catholic n catholique m f.

romance [rəʊˈmæns] n *(love)* amour m; *(love affair)* liaison f; *(novel)* roman m d'amour.

Romania [ruːˈmeɪnɪə] n la Roumanie.

romantic [rəʊˈmæntɪk] adj romantique.

romper suit ['rɒmpə-] n barboteuse f.

roof [ruːf] n toit m; *(of cave, tunnel)* plafond m.

roof rack n galerie f.

room [ruːm, rʊm] n *(in building)* pièce f; *(larger)* salle f; *(bedroom, in hotel)* chambre f; *(space)* place f.

room number n numéro m de chambre.

room service n service m dans les chambres.

room temperature n température f ambiante.

roomy ['ruːmɪ] adj spacieux(-ieuse).

root [ruːt] n racine f.

rope [rəʊp] n corde f ♦ vt attacher avec une corde.

rose [rəʊz] pt → **rise** ♦ n *(flower)* rose f.

rosé ['rəʊzeɪ] n rosé m.

rosemary ['rəʊzmərɪ] n romarin m.

rot [rɒt] vi pourrir.

rota ['rəʊtə] n roulement m.

rotate [rəʊˈteɪt] vi tourner.

rotten ['rɒtn] adj pourri(-e); **I feel ~** *(ill)* je ne me sens pas bien du tout.

rouge [ruːʒ] n rouge m (à joues).

rough [rʌf] adj *(surface, skin, cloth)* rugueux(-euse); *(road, ground)* accidenté(-e); *(sea, crossing)* agité(-e); *(person)* dur(-e); *(approximate)* approximatif(-ive); *(conditions)* rude; *(area, town)* mal fréquenté(-e); *(wine)* ordinaire ♦ n *(on golf course)* rough m; **to have a ~ time** en baver.

roughly ['rʌflɪ] adv (approximately) à peu près; (push, handle) rudement.

roulade [ruːˈlɑːd] n roulade f.

roulette [ruːˈlet] n roulette f.

round [raund] adj rond(-e)
♦ n 1. (of drinks) tournée f; (of sandwiches) ensemble de sandwiches au pain de mie.
2. (of toast) tranche f.
3. (of competition) manche f.
4. (in golf) partie f; (in boxing) round m.
5. (of policeman, postman, milkman) tournée f.
♦ adv 1. (in a circle): **to go ~** tourner; **to spin ~** pivoter.
2. (surrounding): **all (the way) ~** tout autour.
3. (near): **~ about** aux alentours.
4. (to someone's house): **to ask some friends ~** inviter des amis (chez soi); **we went ~ to her place** nous sommes allés chez elle.
5. (continuously): **all year ~** toute l'année.
♦ prep 1. (surrounding, circling) autour de; **we walked ~ the lake** nous avons fait le tour du lac à pied; **to go ~ the corner** tourner au coin.
2. (visiting): **to go ~ a museum** visiter un musée; **to show sb ~ sthg** faire visiter qqch à qqn.
3. (approximately) environ; **~ (about) 100** environ 100; **~ ten o'clock** vers dix heures.
4. (near) aux alentours de; **~ here** par ici.
5. (in phrases): **it's just ~ the corner** (nearby) c'est tout près; **~ the clock** 24 heures sur 24.
❑ **round off** vt sep (meal, day) terminer.

roundabout ['raundəbaut] n (Br) (in road) rond-point m; (at playground) tourniquet m; (at fairground) manège m.

rounders ['raundəz] n (Br) sport proche du base-ball, pratiqué par les enfants.

round trip n aller-retour m.

route [ruːt] n (way) route f; (of bus, train, plane) trajet m ♦ vt (change course of plane) détourner.

routine [ruːˈtiːn] n (usual behaviour) habitudes fpl; (pej: drudgery) routine f ♦ adj de routine.

row[1] [rəʊ] n rangée f ♦ vt (boat) faire avancer à la rame ♦ vi ramer; **in a ~** (in succession) à la file, de suite.

row[2] [raʊ] n (argument) dispute f; (inf: noise) raffut m; **to have a ~** se disputer.

rowboat ['rəʊbəʊt] (Am) = **rowing boat**.

rowdy ['raudɪ] adj chahuteur (-euse).

rowing ['rəʊɪŋ] n aviron m.

rowing boat n (Br) canot m à rames.

royal ['rɔɪəl] adj royal(-e).

royal family n famille f royale.

---

i **ROYAL FAMILY**

La famille royale britannique a actuellement à sa tête la reine Élisabeth. Les autres membres directs sont l'époux de la reine, le prince Philip, duc d'Édimbourg, ses enfants : les princes Charles (prince de Galles), Andrew et Edward, et la princesse Anne, ainsi que la reine mère. On joue l'hymne national lorsqu'ils assistent à une cérémonie officielle, et leur présence dans les résidences royales est signalée par le drapeau britannique.

royalty ['rɔɪəltɪ] n famille f royale.

RRP (abbr of recommended retail price) prix m conseillé.

rub [rʌb] vt & vi frotter; **to ~ one's eyes/arm** se frotter les yeux/le bras; **my shoes are rubbing** mes chaussures me font mal ❑ **rub in** vt sep (lotion, oil) faire pénétrer en frottant; **rub out** vt sep effacer.

rubber ['rʌbə'] adj en caoutchouc ◆ n (material) caoutchouc m; (Br: eraser) gomme f; (Am: inf: condom) capote f.

rubber band n élastique m.

rubber gloves npl gants mpl en caoutchouc.

rubber ring n bouée f.

rubbish ['rʌbɪʃ] n (refuse) ordures fpl; (inf: worthless thing) camelote f; (inf: nonsense) idioties fpl.

rubbish bin n (Br) poubelle f.

rubbish dump n (Br) décharge f.

rubble ['rʌbl] n décombres mpl.

ruby ['ru:bɪ] n rubis m.

rucksack ['rʌksæk] n sac m à dos.

rudder ['rʌdə'] n gouvernail m.

rude [ru:d] adj grossier(-ière); (picture) obscène.

rug [rʌg] n carpette f; (Br: blanket) couverture f.

rugby ['rʌgbɪ] n rugby m.

ruin ['ru:ɪn] vt gâcher ❑ **ruins** npl (of building) ruines fpl.

ruined ['ru:ɪnd] adj (building) en

ruines; (meal, holiday) gâché(-e); (clothes) abîmé(-e).

rule [ru:l] n règle f ◆ vt (country) diriger; **to be the ~** (normal) être la règle; **against the ~s** contre les règles; **as a ~** en règle générale ❑ **rule out** vt sep exclure.

ruler ['ru:lə'] n (of country) dirigeant m (-e f); (for measuring) règle f.

rum [rʌm] n rhum m.

rumor ['ru:mə'] (Am) = **rumour**.

rumour ['ru:mə'] n (Br) rumeur f.

rump steak [,rʌmp-] n rumsteck m.

run [rʌn] (pt ran, pp run) vi 1. (on foot) courir.
2. (train, bus) circuler; **the bus ~s every hour** il y a un bus toutes les heures; **the train is running an hour late** le train a une heure de retard.
3. (operate) marcher, fonctionner; **to ~ on sthg** marcher à qqch.
4. (liquid, tap, nose) couler.
5. (river) couler; **to ~ through** (river, road) traverser; **the path ~s along the coast** le sentier longe la côte.
6. (play) se jouer; **"now running at the Palladium"** «actuellement au Palladium».
7. (colour, dye, clothes) déteindre.
◆ vt 1. (on foot) courir.
2. (compete in): **to ~ a race** participer à une course.
3. (business, hotel) gérer.
4. (bus, train): **they run a shuttle bus service** ils assurent une navette.
5. (take in car) conduire; **I'll ~ you home** je vais te ramener (en voiture).
6. (bath, water) faire couler.

◆ n 1. (on foot) course f; **to go for a ~** courir.
2. (in car) tour m; **to go for a ~** aller faire un tour (en voiture).
3. (for skiing) piste f.
4. (Am: in tights) maille f filée.
5. (in phrases): **in the long ~** à la longue.
❑ **run away** vi s'enfuir; **run down** vt sep (run over) écraser; (criticize) critiquer ◆ vi (battery) se décharger; **run into** vt fus (meet) tomber sur; (hit) rentrer dans; (problem, difficulty) s'épuiser; **run out** vi (supply) se heurter à; **run out of** vt fus manquer de; **run over** vt sep (hit) écraser.

runaway ['rʌnəweɪ] n fugitif m (-ive f).

rung [rʌŋ] pp → **ring** ◆ n (of ladder) barreau m.

runner ['rʌnər] n (person) coureur m (-euse f); (for door, drawer) glissière f; (for sledge) patin m.

runner bean n haricot m à rames.

runner-up (pl runners-up) n second m (-e f).

running ['rʌnɪŋ] n (SPORT) course f; (management) gestion f ◆ adj: **three days ~** trois jours d'affilée OR de suite; **to go ~** courir.

running water n eau f courante.

runny ['rʌnɪ] adj (omelette) baveux(-euse); (sauce) liquide; (nose, eye) qui coule.

runway ['rʌnweɪ] n piste f.

rural ['ruərəl] adj rural(-e).

rush [rʌʃ] n (hurry) précipitation f; (of crowd) ruée f ◆ vi se précipiter ◆ vt (meal, work) expédier; (goods) envoyer d'urgence; (injured person)

transporter d'urgence; **to be in a ~** être pressé; **there's no ~!** rien ne presse!; **don't ~ me!** ne me bousculez pas!

rush hour n heure f de pointe.

Russia ['rʌʃə] n la Russie.

Russian ['rʌʃn] adj russe ◆ n (person) Russe mf; (language) russe m.

rust [rʌst] n rouille f ◆ vi rouiller.

rustic ['rʌstɪk] adj rustique.

rustle ['rʌsl] vi bruire.

rustproof ['rʌstpruːf] adj inoxydable.

rusty ['rʌstɪ] adj rouillé(-e).

RV n (Am: abbr of recreational vehicle) mobile home m.

rye [raɪ] n seigle m.

rye bread n pain m de seigle.

S

S (abbr of south, small) S.

saccharin ['sækərɪn] n saccharine f.

sachet ['sæʃeɪ] n sachet m.

sack [sæk] n (bag) sac m ◆ vt virer; **to get the ~** se faire virer.

sacrifice ['sækrɪfaɪs] n sacrifice m.

sad [sæd] adj triste.

saddle ['sædl] n selle f.

saddlebag ['sædlbæg] n sacoche f.

sadly ['sædlɪ] adv (unfortunately) malheureusement; (unhappily) tristement.

sadness ['sædnɪs] *n* tristesse *f*.

s.a.e. *n* (*Br*: *abbr of stamped addressed envelope*) enveloppe timbrée avec adresse pour la réponse.

safari park [sə'fɑːriː-] *n* parc *m* animalier.

safe [seɪf] *adj* (*activity, sport*) sans danger; (*vehicle, structure*) sûr(-e); (*after accident*) sain et sauf (saine et sauve); (*in safe place*) en sécurité ♦ *n* (*for money, valuables*) coffre-fort *m*; **a ~ place** un endroit sûr; (**have a**) **~ journey!** bon voyage!; **~ and sound** sain et sauf.

safe-deposit box *n* coffre *m*.

safely ['seɪflɪ] *adv* (*not dangerously*) sans danger; (*arrive*) sans encombre; (*out of harm's way*) en lieu sûr.

safety ['seɪftɪ] *n* sécurité *f*.

safety belt *n* ceinture *f* de sécurité.

safety pin *n* épingle *f* de nourrice.

sag [sæg] *vi* s'affaisser.

sage [seɪdʒ] *n* (*herb*) sauge *f*.

Sagittarius [,sædʒɪ'teərɪəs] *n* Sagittaire *m*.

said [sed] *pt & pp* → **say**.

sail [seɪl] *n* voile *f* ♦ *vi* naviguer; (*depart*) prendre la mer ♦ *vt*: **to ~ a boat** piloter un bateau; **to set ~** prendre la mer.

sailboat ['seɪlbəʊt] (*Am*) = **sailing boat**.

sailing ['seɪlɪŋ] *n* voile *f*; (*departure*) départ *m*; **to go ~** faire de la voile.

sailing boat *n* voilier *m*.

sailor ['seɪlər] *n* marin *m*.

saint [seɪnt] *n* saint (-e *f*).

sake [seɪk] *n*: **for my/their ~** pour moi/eux; **for God's ~!** bon sang!

salad ['sæləd] *n* salade *f*.

salad bar *n* (*Br*: *area in restaurant*) dans un restaurant, buffet de salades en self-service; (*restaurant*) restaurant spécialisé dans les salades.

salad bowl *n* saladier *m*.

salad cream *n* (*Br*) mayonnaise liquide utilisée en assaisonnement pour salades.

salad dressing *n* vinaigrette *f*.

salami [sə'lɑːmɪ] *n* salami *m*.

salary ['sælərɪ] *n* salaire *m*.

sale [seɪl] *n* (*selling*) vente *f*; (*at reduced prices*) soldes *mpl*; **"for ~"** «à vendre»; **on ~** en vente □ **sales** *npl* (*COMM*) ventes *fpl*; **the ~s** (*at reduced prices*) les soldes.

sales assistant ['seɪlz-] *n* vendeur *m* (-euse *f*).

salesclerk ['seɪlzklɑːrk] (*Am*) = **sales assistant**.

salesman ['seɪlzmən] (*pl* -men [-mən]) *n* (*in shop*) vendeur *m*; (*rep*) représentant *m*.

sales rep(resentative) *n* représentant *m* (-e *f*).

saleswoman ['seɪlz,wʊmən] (*pl* -women [-,wɪmɪn]) *n* vendeuse *f*.

saliva [sə'laɪvə] *n* salive *f*.

salmon ['sæmən] (*pl inv*) *n* saumon *m*.

salon ['sælɒn] *n* (*hairdresser's*) salon *m* de coiffure.

saloon [sə'luːn] *n* (*Br*: *car*) berline *f*; (*Am*: *bar*) saloon *m*; **~ (bar)** (*Br*) salon *m* (*salle de pub, généralement plus confortable et plus chère que le «public bar»*).

salopettes [,sælə'pets] *npl* combinaison *f* de ski.

salt [sɔːlt, sɒlt] *n* sel *m*.

saltcellar ['sɔːlt,selər] *n* (*Br*) salière f.

salted peanuts ['sɔ:ltɪd-] npl cacahuètes fpl salées.

salt shaker [-ˌʃeɪkəʳ] (Am) = saltcellar.

salty ['sɔ:ltɪ] adj salé(-e).

salute [sə'lu:t] n salut m ♦ vi saluer.

same [seɪm] adj même ♦ pron: **the ~** (unchanged) le même (la même); (in comparisons) la même chose, pareil; **they dress the ~** ils s'habillent de la même façon; **I'll have the ~ as her** je prendrai la même chose qu'elle; **you've got the ~ book as me** tu as le même livre que moi; **it's all the ~ to me** ça m'est égal.

samosa [sə'məʊsə] n sorte de beignet triangulaire garni de légumes et/ou de viande épicés (spécialité indienne).

sample ['sɑːmpl] n échantillon m ♦ vt (food, drink) goûter.

sanctions ['sæŋkʃnz] npl (POL) sanctions fpl.

sanctuary ['sæŋktʃʊərɪ] n (for birds, animals) réserve f.

sand [sænd] n sable m ♦ vt (wood) poncer ❑ **sands** npl (beach) plage f.

sandal ['sændl] n sandale f.

sandcastle ['sænd,kɑːsl] n château m de sable.

sandpaper ['sænd,peɪpəʳ] n papier m de verre.

sandwich ['sænwɪdʒ] n sandwich m.

sandwich bar n = snack(-bar) m.

sandy ['sændɪ] adj (beach) de sable; (hair) blond(-e).

sang [sæŋ] pt → sing.

sanitary ['sænɪtrɪ] adj sanitaire; (hygienic) hygiénique.

sanitary napkin (Am) = sanitary towel.

sanitary towel n (Br) serviette f hygiénique.

sank [sæŋk] pt → sink.

sapphire ['sæfaɪəʳ] n saphir m.

sarcastic [sɑː'kæstɪk] adj sarcastique.

sardine [sɑː'diːn] n sardine f.

SASE n (Am: abbr of self-addressed stamped envelope) enveloppe timbrée avec adresse pour la réponse.

sat [sæt] pt & pp → sit.

Sat. (abbr of Saturday) sam.

satchel ['sætʃəl] n cartable m.

satellite ['sætəlaɪt] n satellite m.

satellite dish n antenne f parabolique.

satellite TV n télé f par satellite.

satin ['sætɪn] n satin m.

satisfaction [,sætɪs'fækʃn] n satisfaction f.

satisfactory [,sætɪs'fæktərɪ] adj satisfaisant(-e).

satisfied ['sætɪsfaɪd] adj satisfait(-e).

satisfy ['sætɪsfaɪ] vt satisfaire.

satsuma [,sæt'suːmə] n (Br) mandarine f.

saturate ['sætʃəreɪt] vt tremper.

Saturday ['sætədɪ] n samedi m; **it's ~** on est samedi; **~ morning** samedi matin; **on ~** samedi; **on ~s** le samedi; **last ~** samedi dernier; **this ~** samedi; **next ~** samedi prochain; **~ week, a week on ~** samedi en huit.

sauce [sɔːs] n sauce f.

saucepan ['sɔːspən] n casserole f.

saucer ['sɔːsə^r] n soucoupe f.

Saudi Arabia [,saʊdɪ'reɪbɪə] n l'Arabie f Saoudite.

sauna ['sɔːnə] n sauna m.

sausage ['sɒsɪdʒ] n saucisse f.

sausage roll n friand m à la saucisse.

sauté (Br 'səʊteɪ, Am səʊ'teɪ) adj sauté(-e).

savage ['sævɪdʒ] adj féroce.

save [seɪv] vt (rescue) sauver; (money) économiser; (time, space) gagner; (reserve) garder; (SPORT) arrêter; (COMPUT) sauvegarder ◆ n arrêt m ❑ **save up** vi: to ~ up (for sthg) économiser (pour qqch).

saver ['seɪvə^r] n (Br: ticket) billet m à tarif réduit.

savings ['seɪvɪŋz] npl économies fpl.

savings and loan association n (Am) société d'investissements et de prêts immobiliers.

savings bank n caisse f d'epargne.

savory ['seɪvərɪ] (Am) = **savoury**.

savoury ['seɪvərɪ] adj (Br: not sweet) salé(-e).

saw [sɔː] (Br pt **-ed**, pp **sawn**, Am pt & pp **-ed**) pt → **see** ◆ n (tool) scie f ◆ vt scier.

sawdust ['sɔːdʌst] n sciure f.

sawn [sɔːn] pp → **saw**.

saxophone ['sæksəfəʊn] n saxophone m.

say [seɪ] (pt & pp **said**) vt dire; (subj: clock, sign, meter) indiquer ◆ n: to have a ~ in sthg avoir son mot à dire dans qqch; **could you ~ that again?** tu pourrais répéter ça?; ~ **we met at nine?** disons qu'on se

retrouve à neuf heures?; **what did you ~?** qu'avez-vous dit?

saying ['seɪŋ] n dicton m.

scab [skæb] n croûte f.

scaffolding ['skæfəldɪŋ] n échafaudage m.

scald [skɔːld] vt ébouillanter.

scale [skeɪl] n échelle f; (MUS) gamme f; (of fish, snake) écaille f; (in kettle) tartre m ❑ **scales** npl (for weighing) balance f.

scallion ['skæljən] n (Am) oignon m blanc.

scallop ['skɒləp] n coquille f Saint-Jacques.

scalp [skælp] n cuir m chevelu.

scampi ['skæmpɪ] n scampi mpl.

scan [skæn] vt (consult quickly) parcourir ◆ n (MED) scanner m.

scandal ['skændl] n (disgrace) scandale m; (gossip) ragots mpl.

Scandinavia [,skændɪ'neɪvjə] n la Scandinavie.

scar [skɑː^r] n cicatrice f.

scarce [skeəs] adj rare.

scarcely ['skeəslɪ] adv (hardly) à peine.

scare [skeə^r] vt effrayer.

scarecrow ['skeəkrəʊ] n épouvantail m.

scared [skeəd] adj effrayé(-e).

scarf [skɑːf] (pl **scarves**) n écharpe f; (silk, cotton) foulard m.

scarlet ['skɑːlət] adj écarlate.

scarves [skɑːvz] pl → **scarf**.

scary ['skeərɪ] adj (inf) effrayant(-e).

scatter ['skætə^r] vt éparpiller ◆ vi s'éparpiller.

scene [siːn] n (in play, film, book) scène f; (of crime, accident) lieux mpl; (view) vue f; **the music ~** le monde de la musique; **to make a ~** faire une scène.

scenery ['si:nəri] n (countryside) paysage m; (in theatre) décor m.

scenic ['si:nɪk] adj pittoresque.

scent [sent] n odeur f; (perfume) parfum m.

sceptical ['skeptɪkl] adj (Br) sceptique.

schedule [Br 'ʃedju:l, Am 'skedʒʊl] n (of work, things to do) planning m; (timetable) horaire m; (of prices) barème m ♦ vt (plan) planifier; **according to ~** comme prévu; **behind ~** en retard; **on ~** (at expected time) à l'heure (prévue); (on expected day) à la date prévue.

scheduled flight [Br 'ʃedju:ld-, Am 'skedʒʊld-] n vol m régulier.

scheme [ski:m] n (plan) plan m; (pej: dishonest plan) combine f.

scholarship ['skɒləʃɪp] n (award) bourse f d'études.

school [sku:l] n école f; (university department) faculté f; (Am: university) université f ♦ adj (age, holiday, report) scolaire; **at ~** à l'école.

schoolbag ['sku:lbæg] n cartable m.

schoolbook ['sku:lbʊk] n manuel m scolaire.

schoolboy ['sku:lbɔɪ] n écolier m.

school bus n car m de ramassage scolaire.

schoolchild ['sku:ltʃaɪld] (pl -children [-tʃɪldrən]) n élève mf.

schoolgirl ['sku:lgɜ:l] n écolière f.

schoolmaster ['sku:l,mɑ:stər] n (Br) maître m d'école, instituteur m.

schoolmistress ['sku:l,mɪstrɪs] n (Br) maîtresse f d'école, institutrice f.

schoolteacher ['sku:l,ti:tʃər] n instituteur m (-trice f).

school uniform n uniforme m scolaire.

science ['saɪəns] n science f; (SCH) sciences fpl.

science fiction n science-fiction f.

scientific [,saɪən'tɪfɪk] adj scientifique.

scientist ['saɪəntɪst] n scientifique mf.

scissors ['sɪzəz] npl: **(a pair of) ~** une paire de) ciseaux mpl.

scold [skəʊld] vt gronder.

scone [skɒn] n petit gâteau rond, souvent aux raisins secs, que l'on mange avec du beurre et de la confiture.

scoop [sku:p] n (for ice cream) cuillère f à glace; (of ice cream) boule f; (in media) scoop m.

scooter ['sku:tər] n (motor vehicle) scooter m.

scope [skəʊp] n (possibility) possibilités fpl; (range) étendue f.

scorch [skɔ:tʃ] vt brûler.

score [skɔ:r] n score m ♦ vt (SPORT) marquer; (in test) obtenir ♦ vi (SPORT) marquer.

scorn [skɔ:n] n mépris m.

Scorpio ['skɔ:pɪəʊ] n Scorpion m.

scorpion ['skɔ:pjən] n scorpion m.

Scot [skɒt] n Écossais m (-e f).

scotch [skɒtʃ] n scotch m.

Scotch broth n potage à base de mouton, de légumes et d'orge.

Scotch tape® n (Am) Scotch® m.

Scotland ['skɒtlənd] n l'Écosse f.

Scotsman ['skɒtsmən] (pl -men [-mən]) n Écossais m.

Scotswoman ['skɒtswʊmən] (pl -women [-wɪmɪn]) n Écossaise f.

Scottish ['skɒtɪʃ] adj écossais(-e).

scout [skaʊt] n (boy scout) scout m.

ⓘ SCOUTS

Les scouts britanniques sont membres d'une association fondée en 1908 par Lord Baden-Powell pour promouvoir l'esprit d'aventure et le sens des responsabilités chez les jeunes, notamment par l'apprentissage de techniques telles que le secourisme. Supervisés par un adulte, les garçons entre 11 et 16 ans sont organisés en petits groupes ayant chacun son responsable. Les garçons de moins de 11 ans peuvent adhérer aux «Cub Scouts», et il existe des organisations équivalentes pour les filles («Girl Guides» et «Brownies»).

scowl [skaʊl] vi se renfrogner.

scrambled eggs [,skræmbld-] npl œufs mpl brouillés.

scrap [skræp] n (of paper, cloth) bout m; (old metal) ferraille f.

scrapbook ['skræpbʊk] n album m (pour coupures de journaux, collages, etc).

scrape [skreɪp] vt (rub) gratter; (scratch) érafler.

scrap paper n (Br) brouillon m.

scratch [skrætʃ] n éraflure f ♦ vt (damage) gratter; (rub) gratter; **to be up to ~** être à la hauteur; **to start from ~** partir de zéro.

scratch paper (Am) = **scrap paper**.

scream [skriːm] n cri m perçant ♦ vi (person) hurler.

screen [skriːn] n écran m; (hall in cinema) salle f ♦ vt (film) projeter; (TV programme) diffuser.

screening ['skriːnɪŋ] n (of film) projection f.

screen wash n liquide m lave-glace.

screw [skruː] n vis f ♦ vt visser.

screwdriver ['skruː,draɪvəʳ] n tournevis m.

scribble ['skrɪbl] vi gribouiller.

script [skrɪpt] n (of play, film) script m.

scrub [skrʌb] vt brosser.

scruffy ['skrʌfɪ] adj peu soigné(-e).

scrumpy ['skrʌmpɪ] n cidre à fort degré d'alcool typique du sud-ouest de l'Angleterre.

scuba diving ['skuːbə-] n plongée f (sous-marine).

sculptor ['skʌlptəʳ] n sculpteur m.

sculpture ['skʌlptʃəʳ] n sculpture f.

sea [siː] n mer f; **by ~** par mer; **by the ~** au bord de la mer.

seafood ['siːfuːd] n poissons mpl et crustacés.

seafront ['siːfrʌnt] n front m de mer.

seagull ['siːgʌl] n mouette f.

seal [siːl] n (animal) phoque m; (on bottle, container) joint m d'étanchéité; (official mark) cachet m ◆ vt (envelope) cacheter; (container) fermer.

seam [si:m] n (in clothes) couture f.

search [sɜ:tʃ] n recherche f ◆ vt fouiller ◆ vi: **to ~ for** chercher.

seashell ['si:ʃel] n coquillage m.

seashore ['si:ʃɔ:ʳ] n rivage m.

seasick ['si:sɪk] adj: **to be ~** avoir le mal de mer.

seaside ['si:saɪd] n: **the ~** le bord de mer.

seaside resort n station f balnéaire.

season ['si:zn] n saison f ◆ vt (food) assaisonner; **in ~** (fruit, vegetables) de saison; (holiday) en saison haute; **out of ~** hors saison.

seasoning ['si:znɪŋ] n assaisonnement m.

season ticket n abonnement m.

seat [si:t] n siège m; (in theatre, cinema) fauteuil m; (ticket, place) place f; (subj: building, vehicle) contenir; **"please wait to be ~ed"** «veuillez patienter et attendre que l'on vous installe».

seat belt n ceinture f de sécurité.

seaweed ['si:wi:d] n algues fpl.

secluded [sɪ'klu:dɪd] adj retiré(-e).

second ['sekənd] n seconde f ◆ num second(-e), deuxième, → **sixth; ~ gear** seconde f □ **seconds** npl (goods) articles mpl de second choix; (inf: of food) rab m.

secondary school ['sekəndrɪ-] n école secondaire comprenant collège et lycée.

second-class adj (ticket) de seconde (classe); (stamp) à tarif lent; (inferior) de qualité inférieure.

second-hand adj d'occasion.

Second World War n: **the ~** la Seconde Guerre mondiale.

secret ['si:krɪt] adj secret(-ète) ◆ n secret m.

secretary [Br 'sekrətrɪ, Am 'sekrə,terɪ] n secrétaire mf.

Secretary of State n (Am) ministre m des Affaires étrangères; (Br) ministre m.

section ['sekʃn] n section f.

sector ['sektəʳ] n secteur m.

secure [sɪ'kjʊəʳ] adj (safe) en sécurité; (place, building) sûr(-e); (firmly fixed) qui tient bien; (free from worry) sécurisé(-e) ◆ vt (fix) attacher; (fml: obtain) obtenir.

security [sɪ'kjʊərətɪ] n sécurité f.

security guard n garde m.

sedative ['sedətɪv] n sédatif m.

seduce [sɪ'dju:s] vt séduire.

see [si:] (pt **saw**, pp **seen**) vt voir; (accompany) raccompagner ◆ vi voir; **I ~** (understand) je vois; **to ~ if one can do sthg** voir si on peut faire qqch; **to ~ to sthg** (deal with) s'occuper de qqch; (repair) réparer qqch; **~ you later!** à plus tard!; **~ you (soon)!** à bientôt!; **~ p 14** voir p. 14 □ **see off** vt sep (say goodbye to) dire au revoir à.

seed [si:d] n graine f.

seedy ['si:dɪ] adj miteux(-euse).

seeing (as) ['si:ɪŋ-] conj vu que.

seek [si:k] (pt & pp **sought**) vt (fml: search for) rechercher; (request) demander.

seem [si:m] vi sembler ◆ v impers: **it ~s (that)** ... il semble que ...;

she ~s nice elle a l'air sympathique.

seen [si:n] *pp* → **see**.

seesaw ['si:sɔ:] *n* bascule *f*.

segment ['segmənt] *n (of fruit)* quartier *m*.

seize [si:z] *vt* saisir ❑ **seize up** *vi (machine)* se gripper; *(leg)* s'ankyloser; *(back)* se bloquer.

seldom ['seldəm] *adv* rarement.

select [sɪ'lekt] *vt* sélectionner, choisir ◆ *adj* sélect(-e).

selection [sɪ'lekʃn] *n* choix *m*.

self-assured [,selfə'ʃʊəd] *adj* sûr(-e) de soi.

self-catering [,self'keɪtərɪŋ] *adj (flat)* indépendant(-e) *(avec cuisine)*; **a ~ holiday** des vacances *fpl* en location.

self-confident [,self-] *adj* sûr(-e) de soi.

self-conscious [,self-] *adj* mal à l'aise.

self-contained [,selfkən'teɪnd] *adj (flat)* indépendant(-e).

self-defence [,self-] *n* autodéfense *f*.

self-employed [,self-] *adj* indépendant(-e).

selfish ['selfɪʃ] *adj* égoïste.

self-raising flour [,self'reɪzɪŋ-] *n (Br)* farine *f* à gâteaux.

self-rising flour [,self'raɪzɪŋ-] *(Am)* = **self-raising flour**.

self-service [,self-] *adj* en self-service.

sell [sel] *(pt & pp* **sold***) vt* vendre ◆ *vi* se vendre; **it ~s for £20** ça se vend 20 livres; **to ~ sb sthg** vendre qqch à qqn.

sell-by date ◆ *n* date *f* limite de vente.

seller ['selər] *n (person)* vendeur *m* (-euse *f*).

Sellotape® ['seləteɪp] *n (Br)* ≃ Scotch® *m*.

semester [sɪ'mestər] *n* semestre *m*.

semicircle ['semɪ,sɜ:kl] *n* demicercle *m*.

semicolon [,semɪ'kəʊlən] *n* point-virgule *m*.

semidetached [,semɪdɪ'tætʃt] *adj (houses)* jumeaux(-elles).

semifinal [,semɪ'faɪnl] *n* demifinale *f*.

seminar ['semɪnɑ:ʳ] *n* séminaire *m*.

semolina [,semə'li:nə] *n* semoule *f*.

send [send] *(pt & pp* **sent***) vt* envoyer; **to ~ sthg to sb** envoyer qqch à qqn ❑ **send back** *vt sep* renvoyer; **send off** *vt sep (letter, parcel)* expédier; *(SPORT)* expulser ◆ *vi*: **to ~ off for sthg** commander qqch par correspondance.

sender ['sendər] *n* expéditeur *m* (-trice *f*).

senile ['si:naɪl] *adj* sénile.

senior ['si:njəʳ] *adj (high-ranking)* haut placé(-e); *(higher-ranking)* plus haut placé(-e) ◆ *n (Br: SCH)* grand *m* (-e *f*); *(Am: SCH)* = élève *mf* de terminale.

senior citizen *n* personne *f* âgée.

sensation [sen'seɪʃn] *n* sensation *f*.

sensational [sen'seɪʃənl] *adj* sensationnel(-elle).

sense [sens] *n* sens *m*; *(common sense)* bon sens; *(usefulness)* utilité *f* ◆ *vt* sentir; **there's no ~ in waiting**

sensible

ça ne sert à rien d'attendre; **to make ~** avoir vu sens; **~ of direction** sens de l'orientation; **~ of humour** sens de l'humour.

sensible ['sensəbl] *adj (person)* sensé(-e); *(clothes, shoes)* pratique.

sensitive ['sensɪtɪv] *adj* sensible.

sent [sent] *pt & pp* → **send**.

sentence ['sentəns] *n (GRAMM)* phrase *f*; *(for crime)* sentence *f* ♦ *vt* condamner.

sentimental [ˌsentɪ'mentl] *adj* sentimental(-e).

Sep. *(abbr of September)* sept.

separate [*adj* 'seprət, *vb* 'sepəreɪt] *adj* séparé(-e); *(different)* distinct(-e) ♦ *vt* séparer ♦ *vi* se séparer ❏ **separates** *npl (Br)* coordonnés *mpl*.

separately ['seprətlɪ] *adv* séparément.

separation [ˌsepə'reɪʃn] *n* séparation *f*.

September [sep'tembə'] *n* septembre *m*; **at the beginning of ~** début septembre; **at the end of ~** fin septembre; **during ~** en septembre; **every ~** tous les ans en septembre; **in ~** en septembre; **last ~** en septembre (dernier); **next ~** en septembre de l'année prochaine; **this ~** en septembre (prochain); **2 ~ 1994** *(in letters etc)* le 2 septembre 1994.

septic ['septɪk] *adj* infecté(-e).

septic tank *n* fosse *f* septique.

sequel ['siːkwəl] *n (to book, film)* suite *f*.

sequence ['siːkwəns] *n (series)* suite *f*; *(order)* ordre *m*.

sequin ['siːkwɪn] *n* paillette *f*.

sergeant ['sɑːdʒənt] *n (in police force)* brigadier *m*; *(in army)* ser-

gent *m*.

serial ['sɪərɪəl] *n* feuilleton *m*.

series ['sɪəriːz] *(pl inv)* *n* série *f*.

serious ['sɪərɪəs] *adj* sérieux(-ieuse); *(illness, injury)* grave.

seriously ['sɪərɪəslɪ] *adv* sérieusement; *(wounded, damaged)* gravement.

sermon ['sɜːmən] *n* sermon *m*.

servant ['sɜːvənt] *n* domestique *mf*.

serve [sɜːv] *vt & vi* servir ♦ *n (SPORT)* service *m*; **to ~ as** *(be used for)* servir de; **the town is ~d by two airports** la ville est desservie par deux aéroports; **"~s two"** *(on packaging, menu)* «pour deux personnes»; **it ~s you right** (c'est) bien fait pour toi.

service ['sɜːvɪs] *n* service *m*; *(of car)* révision *f* ♦ *vt (car)* réviser; **"out of ~"** «hors service»; **"~ included"** «service compris»; **"~ not included"** «service non compris»; **to be of ~ to sb** *(fml)* être utile à qqn ❏ **services** *npl (on motorway)* aire *f* de service.

service area *n* aire *f* de service.

service charge *n* service *m*.

service department *n* atelier *m* de réparation.

service station *n* station-service *f*.

serviette [ˌsɜːvɪ'et] *n* serviette *f* (de table).

serving ['sɜːvɪŋ] *n (helping)* part *f*.

serving spoon *n* cuillère *f* de service.

sesame seeds ['sesəmɪ-] *npl* graines *fpl* de sésame.

session ['seʃn] *n* séance *f*.

set [set] *(pt & pp* set*)* *adj* 1. *(price, time)* fixe; **a ~ lunch** un menu.
2. *(text, book)* au programme.
3. *(situated)* situé(-e).
♦ *n* 1. *(of keys, tools)* jeu *m*; **a chess ~** un jeu d'échecs.
2. *(TV)*: **a (TV) ~** un poste (de télé), une télé.
3. *(in tennis)* set *m*.
4. *(SCH)* groupe *m* de niveau.
5. *(of play)* décor *m*.
6. *(at hairdresser's)*: **a shampoo and ~** un shampooing et mise en plis.
♦ *vt* 1. *(put)* poser; **to ~ the table** mettre la table OR le couvert.
2. *(cause to be)*: **to ~ a machine going** mettre une machine en marche; **to ~ fire to sthg** mettre le feu à qqch.
3. *(clock, alarm, controls)* régler; **~ the alarm for 7 a.m.** mets le réveil à (sonner pour) 7 h.
4. *(price, time)* fixer.
5. *(a record)* établir.
6. *(homework, essay)* donner.
7. *(play, film, story)*: **to be ~** se passer, se dérouler.
♦ *vi* 1. *(sun)* se coucher.
2. *(glue, jelly)* prendre.
❑ **set down** *vt sep (Br: passengers)* déposer; **set off** *vt sep (alarm)* déclencher ♦ *vi (on journey)* se mettre en route; **set out** *vt sep (arrange)* disposer ♦ *vi (on journey)* se mettre en route; **set up** *vt sep (barrier)* mettre en place; *(equipment)* installer.
set meal *n* menu *m*.
set menu *n* menu *m*.
settee [se'ti:] *n* canapé *m*.
setting ['setɪŋ] *n (on machine)* réglage *m*; *(surroundings)* décor *m*.
settle ['setl] *vt* régler; *(stomach, nerves)* calmer ♦ *vi* (start to live)

s'installer; *(come to rest)* se poser; *(sediment, dust)* se déposer ❑ **settle down** *vi (calm down)* se calmer; *(sit comfortably)* s'installer; **settle up** *vi (pay bill)* régler.
settlement ['setlmənt] *n (agreement)* accord *m*; *(place)* colonie *f*.
seven ['sevn] *num* sept, → **six**.
seventeen [,sevn'ti:n] *num* dix-sept, → **six**.
seventeenth [,sevn'ti:nθ] *num* dix-septième, → **sixth**.
seventh ['sevnθ] *num* septième, → **sixth**.
seventieth ['sevntɪəθ] *num* soixante-dixième, → **sixth**.
seventy ['sevntɪ] *num* soixante-dix, → **six**.
several ['sevrəl] *adj & pron* plusieurs.
severe [sɪ'vɪə*r*] *adj (conditions, illness)* grave; *(person, punishment)* sévère; *(pain)* aigu(-uë).
sew [səʊ] *(pp* sewn*)* *vt & vi* coudre.
sewage ['su:ɪdʒ] *n* eaux *fpl* usées.
sewing ['səʊɪŋ] *n* couture *f*.
sewing machine *n* machine *f* à coudre.
sewn [səʊn] *pp* → **sew**.
sex [seks] *n (gender)* sexe *m*; *(sexual intercourse)* rapports *mpl* sexuels; **to have ~ with sb** coucher avec qqn.
sexist ['seksɪst] *n* sexiste *mf*.
sexual ['sekʃʊəl] *adj* sexuel(-elle).
sexy ['seksɪ] *adj* sexy *(inv)*.
shabby ['ʃæbɪ] *adj (clothes, room)* miteux(-euse); *(person)* pauvrement vêtu(-e).
shade [ʃeɪd] *n (shadow)* ombre *f*; *(lampshade)* abat-jour *m inv*; *(of*

colour) teinte f ◆ vt (protect) abriter
❑ **shades** npl (inf: sunglasses) lunettes fpl noires OR de soleil.

shadow ['ʃædəʊ] n ombre f.

shady ['ʃeɪdɪ] adj (place) ombragé(-e); (inf: person, deal) louche.

shaft [ʃɑːft] n (of machine) axe m; (of lift) cage f.

shake [ʃeɪk] (pt shook, pp shaken ['ʃeɪkn]) vt secouer ◆ vi trembler; **to ~ hands** (with sb) échanger une poignée de mains (avec qqn); **to ~ one's head** secouer la tête.

shall [weak form ʃəl, strong form ʃæl] aux vb 1. (expressing future): **I ~ be ready soon** je serai bientôt prêt. 2. (in questions): **~ I buy some wine?** j'achète du vin?; **~ we listen to the radio?** si on écoutait la radio?; **where ~ we go?** où est-ce qu'on va?

3. (fml: expressing order): **payment ~ be made within a week** le paiement devra être effectué sous huitaine.

shallot [ʃəˈlɒt] n échalote f.

shallow ['ʃæləʊ] adj peu profond(-e).

shallow end n (of swimming pool) côté le moins profond.

shambles ['ʃæmblz] n désordre m.

shame [ʃeɪm] n honte f; **it's a ~** c'est dommage; **what a ~!** quel dommage!

shampoo [ʃæmˈpuː] (pl -s) n shampo(o)ing m.

shandy ['ʃændɪ] n panaché m.

shape [ʃeɪp] n forme f; **to be in good ~** être en forme; **to be in bad ~** ne pas être en forme.

share [ʃeəʳ] n (part) part f; (in company) action f ◆ vt partager ❑

share out vt sep partager.

shark [ʃɑːk] n requin m.

sharp [ʃɑːp] adj (knife, razor) aiguisé(-e); (pointed) pointu(-e); (clear) net (nette); (quick, intelligent) vif (vive); (rise, change, bend) brusque; (painful) aigu(-uë); (food, taste) acide ◆ adv: **at ten o'clock ~** à dix heures pile.

sharpen ['ʃɑːpn] vt (pencil) tailler; (knife) aiguiser.

shatter ['ʃætəʳ] vt (break) briser ◆ vi se fracasser.

shattered ['ʃætəd] adj (Br: inf: tired) crevé(-e).

shave [ʃeɪv] vt raser ◆ vi se raser ◆ n: **to have a ~** se raser; **to ~ one's legs** se raser les jambes.

shaver ['ʃeɪvəʳ] n rasoir m électrique.

shaver point n prise f pour rasoirs.

shaving brush ['ʃeɪvɪŋ-] n blaireau m.

shaving cream ['ʃeɪvɪŋ-] n crème f à raser.

shaving foam ['ʃeɪvɪŋ-] n mousse f à raser.

shawl [ʃɔːl] n châle m.

she [ʃiː] pron elle; **~'s tall** elle est grande.

sheaf [ʃiːf] (pl sheaves) n (of paper, notes) liasse f.

shears [ʃɪəz] npl sécateur m.

sheaves [ʃiːvz] pl → sheaf.

shed [ʃed] (pt & pp shed) n remise f ◆ vt (tears, blood) verser.

she'd [weak form ʃɪd, strong form ʃiːd] = she had, she would.

sheep [ʃiːp] (pl inv) n mouton m.

sheepdog ['ʃiːpdɒg] n chien m de berger.

sheepskin [ˈʃiːpskɪn] *adj* en peau de mouton.

sheer [ʃɪəʳ] *adj* (pure, utter) pur(-e); (cliff) abrupt(-e); (stockings) fin(-e).

sheet [ʃiːt] *n* (for bed) drap *m*; (of paper) feuille *f*; (of glass, metal, wood) plaque *f*.

shelf [ʃelf] (*pl* shelves) *n* étagère *f*; (in shop) rayon *m*.

shell [ʃel] *n* (of egg, nut) coquille *f*; (on beach) coquillage *m*; (of animal) carapace *f*; (bomb) obus *m*.

she'll [ʃiːl] = she will, she shall.

shellfish [ˈʃelfɪʃ] *n* (food) fruits *mpl* de mer.

shell suit *n* (Br) survêtement *m* (en synthétique froissé).

shelter [ˈʃeltəʳ] *n* abri *m* ◆ *vt* abriter ◆ *vi* s'abriter; to take ~ s'abriter.

sheltered [ˈʃeltəd] *adj* abrité(-e).

shelves [ʃelvz] *pl* → shelf.

shepherd [ˈʃepəd] *n* berger *m*.

shepherd's pie [ˈʃepədz-] *n* = hachis *m* Parmentier.

sheriff [ˈʃerɪf] *n* (in US) shérif *m*.

sherry [ˈʃerɪ] *n* xérès *m*.

she's [ʃiːz] = she is, she has.

shield [ʃiːld] *n* bouclier *m* ◆ *vt* protéger.

shift [ʃɪft] *n* (change) changement *m*; (period of work) équipe *f* ◆ *vt* déplacer ◆ *vi* (move) se déplacer; (change) changer.

shin [ʃɪn] *n* tibia *m*.

shine [ʃaɪn] (*pt & pp* shone) *vi* briller ◆ *vt* (shoes) astiquer; (torch) braquer.

shiny [ˈʃaɪnɪ] *adj* brillant(-e).

ship [ʃɪp] *n* bateau *m*; (larger) navire *m*; by ~ par bateau.

shipwreck [ˈʃɪprek] *n* (accident) naufrage *m*; (wrecked ship) épave *f*.

shirt [ʃɜːt] *n* chemise *f*.

shit [ʃɪt] *n* (vulg) merde *f*.

shiver [ˈʃɪvəʳ] *vi* frissonner.

shock [ʃɒk] *n* choc *m* ◆ *vt* (surprise) stupéfier; (horrify) choquer; to be in ~ (MED) être en état de choc.

shock absorber [-əbˌzɔːbəʳ] *n* amortisseur *m*.

shocking [ˈʃɒkɪŋ] *adj* (very bad) épouvantable.

shoe [ʃuː] *n* chaussure *f*.

shoelace [ˈʃuːleɪs] *n* lacet *m*.

shoe polish *n* cirage *m*.

shoe repairer's [-rɪˌpeərəz] *n* cordonnerie *f*.

shoe shop *n* magasin *m* de chaussures.

shone [ʃɒn] *pt & pp* → shine.

shook [ʃʊk] *pt* → shake.

shoot [ʃuːt] (*pt & pp* shot) *vt* (kill) tuer; (injure) blesser; (gun) tirer un coup de; (arrow) décocher; (film) tourner ◆ *n* (of plant) pousse *f* ◆ *vi* tirer; to ~ past passer en trombe.

shop [ʃɒp] *n* magasin *m*; (small) boutique *f* ◆ *vi* faire les courses.

shop assistant *n* (Br) vendeur *m* (-euse *f*).

shop floor *n* atelier *m*.

shopkeeper [ˈʃɒpˌkiːpəʳ] *n* commerçant *m* (-e *f*).

shoplifter [ˈʃɒpˌlɪftəʳ] *n* voleur *m* (-euse *f*) à l'étalage.

shopper [ˈʃɒpəʳ] *n* acheteur *m* (-euse *f*).

shopping [ˈʃɒpɪŋ] *n* courses *fpl*, achats *mpl*; to do the ~ faire les courses; to go ~ aller faire des courses.

shopping bag *n* sac *m* à provisions.

shopping basket *n* panier *m* à provisions.

shopping centre *n* centre *m* commercial.

shopping list *n* liste *f* des courses.

shopping mall *n* centre *m* commercial.

shop steward *n* délégué *m* syndical (déléguée syndicale *f*).

shop window *n* vitrine *f*.

shore [ʃɔːʳ] *n* rivage *m*; **on ~** à terre.

short [ʃɔːt] *adj* court(-e); *(not tall)* petit(-e) ◆ *adv (cut)* court ◆ *n (Br: drink)* alcool *m* fort; *(film)* court-métrage *m*; **to be ~ of sthg** *(time, money)* manquer de qqch; **to be ~ for sthg** *(be the abbreviation of)* être l'abréviation de qqch; **to be ~ of breath** être hors d'haleine; **in ~** (en) bref ❑ **shorts** *npl (short trousers)* short *m*; *(Am: underpants)* caleçon *m*.

shortage [ʃɔːtɪdʒ] *n* manque *m*.

shortbread [ʃɔːtbred] *n* = sablé *m* au beurre.

short-circuit *vi* se mettre en court-circuit.

shortcrust pastry [ʃɔːtkrʌst-] *n* pâte *f* brisée.

short cut *n* raccourci *m*.

shorten [ʃɔːtn] *vt (in time)* écourter; *(in length)* raccourcir.

shorthand [ʃɔːthænd] *n* sténographie *f*.

shortly [ʃɔːtlɪ] *adv (soon)* bientôt; **~ before** peu avant.

shortsighted [,ʃɔːt'saɪtɪd] *adj* myope.

short-sleeved [-,sliːvd] *adj* à manches courtes.

short-stay car park *n* parking *m* courte durée.

short story *n* nouvelle *f*.

short wave *n* ondes *fpl* courtes.

shot [ʃɒt] *pt & pp* → **shoot** ◆ *n (of gun)* coup *m* de feu; *(in football)* tir *m*; *(in tennis, golf etc)* coup *m*; *(photo)* photo *f*; *(in film)* plan *m*; *(inf: attempt)* essai *m*; *(drink)* petit verre *m*.

shotgun [ʃɒtgʌn] *n* fusil *m* de chasse.

should [ʃʊd] *aux vb* **1.** *(expressing desirability)*: **we ~ leave now** nous devrions or il faudrait partir maintenant.

2. *(asking for advice)*: **~ I go too?** est-ce que je dois y aller aussi?

3. *(expressing probability)*: **she ~ be home soon** elle devrait être bientôt rentrée.

4. *(ought to)*: **they ~ have won the match** ils auraient dû gagner le match.

5. *(fml: in conditionals)*: **~ you need anything, call reception** si vous avez besoin de quoi que ce soit, appelez la réception.

6. *(fml: expressing wish)*: **I ~ like to come with you** j'aimerais bien venir avec vous.

shoulder [ʃəʊldəʳ] *n* épaule *f*; *(Am: of road)* bande *f* d'arrêt d'urgence.

shoulder pad *n* épaulette *f*.

shouldn't [ʃʊdnt] = **should not**.

should've [ʃʊdəv] = **should have**.

shout [ʃaʊt] *n* cri *m* ◆ *vt & vi*

crier ❑ **shout out** vt sep crier.

shove [ʃʌv] vt (push) pousser; (put carelessly) flanquer.

shovel [ˈʃʌvl] n pelle f.

show [ʃəʊ] (pp **-ed** OR **shown**) n (on TV, radio) émission f; (at theatre) spectacle m; (exhibition) exposition f ◆ vt montrer; (accompany) accompagner; (film, TV programme) passer ◆ vi (be visible) se voir; (film) passer, être à l'affiche; **to ~ sthg to sb** montrer qqch à qqn; **to ~ sb how to do sthg** montrer à qqn comment faire qqch ❑ **show off** vi faire l'intéressant ❑ **show up** vi (come along) arriver; (be visible) se voir.

shower [ˈʃaʊəʳ] n (for washing) douche f; (of rain) averse f ◆ vi prendre une douche; **to have a ~** prendre une douche.

shower gel n gel m douche.

shower unit n cabine f de douche.

showing [ˈʃəʊɪŋ] n (of film) séance f.

shown [ʃəʊn] pp → **show**.

showroom [ˈʃəʊrʊm] n salle f d'exposition.

shrank [ʃræŋk] pt → **shrink**.

shrimp [ʃrɪmp] n crevette f.

shrine [ʃraɪn] n lieu m saint.

shrink [ʃrɪŋk] (pt **shrank**, pp **shrunk**) n (inf: psychoanalyst) psy mf ◆ vi (clothes) rapetisser.

shrub [ʃrʌb] n arbuste m.

shrug [ʃrʌg] n haussement m d'épaules ◆ vi hausser les épaules.

shrunk [ʃrʌŋk] pp → **shrink**.

shuffle [ˈʃʌfl] vt (cards) battre ◆ vi battre les cartes.

shut [ʃʌt] (pt & pp **shut**) adj fermé(-e) ◆ vt fermer ◆ vi (door, mouth, eyes) se fermer; (shop, restaurant) fermer ❑ **shut down** vt sep fermer; **shut up** vi (inf: stop talking) la fermer.

shutter [ˈʃʌtəʳ] n (on window) volet m; (on camera) obturateur m.

shuttle [ˈʃʌtl] n navette f.

shuttlecock [ˈʃʌtlkɒk] n volant m.

shy [ʃaɪ] adj timide.

sick [sɪk] adj malade; **to be ~** (vomit) vomir; **to feel ~** avoir mal au cœur; **to be ~ of** (fed up with) en avoir assez de.

sick bag n sachet mis à la disposition des passagers malades sur les avions et les bateaux.

sickness [ˈsɪknɪs] n maladie f.

sick pay n indemnité f de maladie.

side [saɪd] n côté m; (of hill) versant m; (of tape, record) face f; (team) camp m; (Br: TV channel) chaîne f; (page of writing) page f ◆ adj (door, pocket) latéral(-e); **at the ~ of** à côté de; (river, road) au bord de; **on the other ~** de l'autre côté; **on this ~** de ce côté; **~ by ~** côte à côte.

sideboard [ˈsaɪdbɔːd] n buffet m.

sidecar [ˈsaɪdkɑːʳ] n side-car m.

side dish n garniture f.

side effect n effet m secondaire.

sidelight [ˈsaɪdlaɪt] n (Br: of car) feu m de position.

side order n portion f.

side salad n salade servie en garniture.

side street n petite rue f.

sidewalk ['saɪdwɔːk] n (Am) trottoir m.

sideways ['saɪdweɪz] adv de côté.

sieve [sɪv] n passoire f; (for flour) tamis m.

sigh [saɪ] n soupir m ♦ vi soupirer.

sight [saɪt] n (eyesight) vision f, vue f; (thing seen) spectacle m; **at first ~** à première vue; **to catch ~ of** apercevoir; **in ~** en vue; **to lose ~ of** perdre de vue; **out of ~** hors de vue ❑ **sights** npl (of city, country) attractions fpl touristiques.

sightseeing ['saɪtˌsiːɪŋ] n: **to go ~** faire du tourisme.

sign [saɪn] n (next to road, in shop, station) panneau m; (symbol, indication) signe m; (signal) signal m ♦ vt & vi signer; **there's no ~ of her** il n'y a aucune trace d'elle ❑ **sign in** vi (at hotel, club) signer le registre.

signal ['sɪgnl] n signal m; (Am: traffic lights) feux mpl de signalisation ♦ vi (in car) mettre son clignotant; (on bike) tendre le bras.

signature ['sɪgnətʃər] n signature f.

significant [sɪgˈnɪfɪkənt] adj significatif(-ive).

signpost ['saɪnpəʊst] n poteau m indicateur.

Sikh [siːk] n Sikh mf.

silence ['saɪləns] n (quiet) silence m.

silencer ['saɪlənsər] n (Br: AUT) silencieux m.

silent ['saɪlənt] adj silencieux(-ieuse).

silk [sɪlk] n soie f.

sill [sɪl] n rebord m.

silly ['sɪlɪ] adj idiot(-e).

silver ['sɪlvər] n argent m; (coins) monnaie f ♦ adj en argent.

silver foil n papier m aluminium.

silver-plated [-'pleɪtɪd] adj plaqué(-e) argent.

similar ['sɪmɪlər] adj similaire; **to be ~ to** être semblable à.

similarity [ˌsɪmɪˈlærətɪ] n similitude f.

simmer ['sɪmər] vi mijoter.

simple ['sɪmpl] adj simple.

simplify ['sɪmplɪfaɪ] vt simplifier.

simply ['sɪmplɪ] adv simplement.

simulate ['sɪmjʊleɪt] vt simuler.

simultaneous [Br ˌsɪməlˈteɪnjəs, Am ˌsaɪməlˈteɪnjəs] adj simultané(-e).

simultaneously [Br ˌsɪməlˈteɪnjəslɪ, Am ˌsaɪməlˈteɪnjəslɪ] adv simultanément.

sin [sɪn] n péché m ♦ vi pécher.

since [sɪns] adv & prep depuis ♦ conj (in time) depuis que; (as) puisque; **we've been here depuis que nous sommes ici; ever ~** prep depuis ♦ conj depuis que.

sincere [sɪnˈsɪər] adj sincère.

sincerely [sɪnˈsɪəlɪ] adv sincèrement; **Yours ~** veuillez agréer, Monsieur/Madame, mes sentiments les meilleurs.

sing [sɪŋ] (pt sang, pp sung) vt & vi chanter.

singer ['sɪŋər] n chanteur m (-euse f).

single ['sɪŋgl] adj (just one) seul(-e); (not married) célibataire ♦ n (Br: ticket) aller m simple; (record) 45 tours m inv; **every ~** chaque ❑ **singles** n (SPORT) simple m ♦ adj (bar, club) pour célibataires.

single bed n petit lit m, lit m à

une place.

single cream *n (Br)* crème *f* fraîche liquide.

single parent *n (father)* père *m* célibataire; *(mother)* mère *f* célibataire.

single room *n* chambre *f* simple.

single track road *n* route *f* très étroite.

singular ['sɪŋgjʊləʳ] *n* singulier *m*; **in the ~** au singulier.

sinister ['sɪnɪstəʳ] *adj* sinistre.

sink [sɪŋk] *(pt* sank, *pp* sunk) *n (in kitchen)* évier *m*; *(washbasin)* lavabo *m* ♦ *vi (in water)* couler; *(decrease)* décroître.

sink unit *n* bloc-évier *m*.

sinuses ['saɪnəsɪz] *npl* sinus *mpl*.

sip [sɪp] *n* petite gorgée *f* ♦ *vt* siroter.

siphon ['saɪfn] *n* siphon *m* ♦ *vt* siphonner.

sir [sɜːʳ] *n* Monsieur; **Dear Sir** Cher Monsieur; **Sir Richard Blair** sir Richard Blair.

siren ['saɪərən] *n* sirène *f*.

sirloin steak [ˌsɜːlɔɪn-] *n* bifteck *m* d'aloyau.

sister ['sɪstəʳ] *n* sœur *f*; *(Br: nurse)* infirmière *f* en chef.

sister-in-law *n* belle-sœur *f*.

sit [sɪt] *(pt & pp* sat) *vi* s'asseoir; *(be situated)* être situé ♦ *vt* s'asseoir; *(Br: exam)* passer; **to be sitting** être assis □ **sit down** *vi* s'asseoir; **to be sitting down** être assis; **sit up** *vi (after lying down)* se redresser; *(stay up late)* veiller.

site [saɪt] *n* site *m*; *(building site)* chantier *m*.

sitting room ['sɪtɪŋ-] *n* salon *m*.

situated ['sɪtjʊeɪtɪd] *adj*: **to be ~** être situé(-e).

situation [ˌsɪtjʊ'eɪʃn] *n* situation *f*; **"~s vacant"** «offres d'emploi».

six [sɪks] *num adj & n* six; **to be ~ (years old)** avoir six ans; **it's ~ (o'clock)** il est six heures; **a hundred and ~** cent six; **~ Hill St** 6 Hill St; **it's minus ~ (degrees)** il fait moins six.

sixteen [sɪks'tiːn] *num* seize, → **six**.

sixteenth [sɪks'tiːnθ] *num* seizième, → **sixth**.

sixth [sɪksθ] *num adj & adv* sixième ♦ *num pron* sixième *mf* ♦ *num n (fraction)* sixième *m*; **the ~ (of September)** le six (septembre).

sixth form *n (Br)* = terminale *f*.

sixth-form college *n (Br)* établissement préparant aux «A levels».

sixtieth ['sɪkstɪəθ] *num* soixantième, → **sixth**.

sixty ['sɪkstɪ] *num* soixante, → **six**.

size [saɪz] *n* taille *f*; *(of shoes)* pointure *f*; **what ~ do you take?** quelle taille/pointure faites-vous?; **what ~ is this?** c'est quelle taille?

sizeable ['saɪzəbl] *adj* assez important(-e).

skate [skeɪt] *n* patin *m*; *(fish)* raie *f* ♦ *vi* patiner.

skateboard ['skeɪtbɔːd] *n* skateboard *m*.

skater ['skeɪtəʳ] *n* patineur *m* (-euse *f*).

skating ['skeɪtɪŋ] *n*: **to go ~** *(ice-skating)* faire du patin (à glace); *(roller-skating)* faire du patin (à roulettes).

skeleton ['skelɪtn] *n* squelette *m*.

skeptical ['skeptɪkl] *(Am)* = sceptical.

sketch [sketʃ] *n (drawing)* croquis *m; (humorous)* sketch *m* ◆ *vt* dessiner.

skewer ['skjʊər] *n* brochette *f*.

ski [ski:] *(pt & pp* skied, *cont* skiing) *n* ski *m* ◆ *vi* skier.

ski boots *npl* chaussures *fpl* de ski.

skid [skɪd] *n* dérapage *m* ◆ *vi* déraper.

skier ['ski:ər] *n* skieur *m* (-ieuse *f*).

skiing ['ski:ɪŋ] *n* ski *m*; **to go ~** faire du ski; **to go on a ~ holiday** partir aux sports d'hiver.

skilful ['skɪlful] *adj (Br)* adroit (-e).

ski lift *n* remonte-pente *m*.

skill [skɪl] *n (ability)* adresse *f; (technique)* technique *f*.

skilled [skɪld] *adj (worker, job)* qualifié(-e); *(driver, chef)* expérimenté(-e).

skillful ['skɪlful] *(Am)* = skilful.

skimmed milk ['skɪmd-] *n* lait *m* écrémé.

skin [skɪn] *n* peau *f*.

skin freshener [-ˌfreʃnər] *n* lotion *f* rafraîchissante.

skinny ['skɪnɪ] *adj* maigre.

skip [skɪp] *vi (with rope)* sauter à la corde; *(jump)* sauter ◆ *vt (omit)* sauter ◆ *n (container)* benne *f*.

ski pants *npl* fuseau *m*.

ski pass *n* forfait *m*.

ski pole *n* bâton *m* de ski.

skipping rope ['skɪpɪŋ-] *n* corde *f* à sauter.

skirt [skɜ:t] *n* jupe *f*.

ski slope *n* piste *f* de ski.

ski tow *n* téléski *m*.

skittles ['skɪtlz] *n* quilles *fpl*.

skull [skʌl] *n* crâne *m*.

sky [skaɪ] *n* ciel *m*.

skylight ['skaɪlaɪt] *n* lucarne *f*.

skyscraper ['skaɪˌskreɪpər] *n* gratte-ciel *m inv*.

slab [slæb] *n* dalle *f*.

slack [slæk] *adj (rope)* lâche; *(careless)* négligent(-e); *(not busy)* calme.

slacks [slæks] *npl* pantalon *m*.

slam [slæm] *vt & vi* claquer.

slander ['slɑ:ndər] *n* calomnie *f*.

slang [slæŋ] *n* argot *m*.

slant [slɑ:nt] *n* inclinaison *f* ◆ *vi* pencher.

slap [slæp] *n (smack)* claque *f* ◆ *vt (person on face)* gifler.

slash [slæʃ] *vt (cut)* entailler; *(fig: prices)* casser ◆ *n (written symbol)* barre *f* oblique.

slate [sleɪt] *n* ardoise *f*.

slaughter ['slɔ:tər] *vt (animal)* abattre; *(people)* massacrer; *(fig: defeat)* battre à plates coutures.

slave [sleɪv] *n* esclave *mf*.

sled [sled] *n* = sledge.

sledge [sledʒ] *n (for fun, sport)* luge *f; (for transport)* traîneau *m*.

sleep [sli:p] *(pt & pp* slept) *n* sommeil *m; (nap)* somme *m* ◆ *vi* dormir ◆ *vt:* **the house ~s six** la maison permet de coucher six personnes; **did you ~ well?** tu as bien dormi?; **I couldn't get to ~** je n'arrivais pas à m'endormir; **to go to ~** s'endormir; **to ~ with sb** coucher avec qqn.

sleeper ['sli:pər] *n (train)* train-couchettes *m; (sleeping car)* wagon-lit *m; (Br: on railway track)* traverse *f; (Br: earring)* clou *m*.

small change

sleeping bag ['sli:pɪŋ-] *n* sac *m* de couchage.

sleeping car ['sli:pɪŋ-] *n* wagon-lit *m*.

sleeping pill ['sli:pɪŋ-] *n* somnifère *m*.

sleeping policeman ['sli:pɪŋ-] *n* (Br) ralentisseur *m*.

sleepy ['sli:pɪ] *adj*: **to be ~** avoir sommeil.

sleet [sli:t] *n* neige *f* fondue ♦ *v impers*: **it's ~ing** il tombe de la neige fondue.

sleeve [sli:v] *n* manche *f*; (of record) pochette *f*.

sleeveless ['sli:vlɪs] *adj* sans manches.

slept [slept] *pt & pp →* **sleep**.

slice [slaɪs] *n* (of bread, meat) tranche *f*; (of cake, pizza) part *f* ♦ *vt* (bread, meat) couper en tranches; (cake) découper; (vegetables) couper en rondelles.

sliced bread [,slaɪst-] *n* pain *m* en tranches.

slide [slaɪd] (pt & pp slid [slɪd]) *n* (in playground) toboggan *m*; (of photograph) diapositive *f*; (Br: hair slide) barrette *f* ♦ *vi* (slip) glisser.

sliding door [,slaɪdɪŋ-] *n* porte *f* coulissante.

slight [slaɪt] *adj* léger(-ère); **the ~est** le moindre; **not in the ~est** pas le moins du monde.

slightly ['slaɪtlɪ] *adv* légèrement.

slim [slɪm] *adj* mince ♦ *vi* maigrir.

slimming ['slɪmɪŋ] *n* amaigrissement *m*.

sling [slɪŋ] (pt & pp slung) *n* écharpe *f* ♦ *vt* (inf: throw) balancer.

slip [slɪp] *vi* glisser ♦ *n* (mistake) erreur *f*; (form) coupon *m*; (petticoat)

jupon *m*; (from shoulders) combinaison *f* □ **slip up** *vi* (make a mistake) faire une erreur.

slipper ['slɪpə'] *n* chausson *m*.

slippery ['slɪpərɪ] *adj* glissant(-e).

slip road *n* (Br) bretelle *f* d'accès.

slit [slɪt] *n* fente *f*.

slob [slɒb] *n* (inf) (dirty) crado *mf*; (lazy) flemmard *m* (-e *f*).

slogan ['sləʊgən] *n* slogan *m*.

slope [sləʊp] *n* (incline) pente *f*; (hill) côte *f*; (for skiing) piste *f* ♦ *vi* être en pente.

sloping ['sləʊpɪŋ] *adj* en pente.

slot [slɒt] *n* (for coin) fente *f*; (groove) rainure *f*.

slot machine *n* (vending machine) distributeur *m*; (for gambling) machine *f* à sous.

Slovakia [slə'vækɪə] *n* la Slovaquie.

slow [sləʊ] *adv* lentement ♦ *adj* lent(-e); (business) calme; (clock, watch): **to be ~** retarder; **"slow"** (sign on road) «ralentir»; **a ~ train** un omnibus □ **slow down** *vt sep & vi* ralentir.

slowly ['sləʊlɪ] *adv* lentement.

slug [slʌg] *n* (animal) limace *f*.

slum [slʌm] *n* (building) taudis *m* □ **slums** *npl* (district) quartiers *mpl* défavorisés.

slung [slʌŋ] *pt & pp →* **sling**.

slush [slʌʃ] *n* neige *f* fondue.

sly [slaɪ] *adj* (cunning) malin(-igne); (deceitful) sournois(-e).

smack [smæk] *n* (slap) claque *f* ♦ *vt* donner une claque à.

small [smɔ:l] *adj* petit(-e).

small change *n* petite monnaie f.

smallpox ['smɔːlpɒks] n variole f.

smart [smɑːt] adj (elegant) élégant(-e); (clever) intelligent(-e); (posh) chic.

smart card n carte f à puce.

smash [smæʃ] n (SPORT) smash m; (inf: car crash) accident m ♦ vt (plate, window) fracasser ♦ vi (plate, vase etc) se fracasser.

smashing ['smæʃɪŋ] adj (Br: inf) génial(-e).

smear test ['smɪə-] n frottis m.

smell [smel] (pt & pp -ed OR smelt) n odeur f ♦ vt sentir ♦ vi (have odour) sentir; (have bad odour) puer; it ~s of lavender/burning ça sent la lavande/le brûlé.

smelly ['smelɪ] adj qui pue.

smelt [smelt] pt & pp → **smell**.

smile [smaɪl] n sourire m ♦ vi sourire.

smoke [sməʊk] n fumée f ♦ vt & vi fumer; **to have a ~** fumer une cigarette.

smoked [sməʊkt] adj fumé(-e).

smoked salmon n saumon m fumé.

smoker ['sməʊkə'] n fumeur m (-euse f).

smoking ['sməʊkɪŋ] n: "no ~" «défense de fumer».

smoking area n zone f fumeurs.

smoking compartment n compartiment m fumeurs.

smoky ['sməʊkɪ] adj (room) enfumé(-e).

smooth [smuːð] adj (surface, skin, road) lisse; (takeoff, landing) en douceur; (life) calme; (journey) sans

incidents; (mixture, liquid) onctueux(-euse); (wine, beer) moelleux(-euse); (pej: suave) douceureux(-euse) ❑ **smooth down** vt sep lisser.

smother ['smʌðə'] vt (cover) couvrir.

smudge [smʌdʒ] n tache f.

smuggle ['smʌgl] vt passer clandestinement.

snack [snæk] n casse-croûte m inv.

snack bar n snack-bar m.

snail [sneɪl] n escargot m.

snake [sneɪk] n (animal) serpent m.

snap [snæp] vt (break) casser net ♦ vi (break) se casser net ♦ n (inf: photo) photo f; (Br: card game) = bataille f.

snare [sneə'] n (trap) piège m.

snatch [snætʃ] vt (grab) saisir; (steal) voler.

sneakers ['sniːkəz] npl (Am) tennis mpl.

sneeze [sniːz] n éternuement m ♦ vi éternuer.

sniff [snɪf] vt & vi renifler.

snip [snɪp] vt couper.

snob [snɒb] n snob mf.

snog [snɒg] vi (Br: inf) s'embrasser.

snooker ['snuːkə'] n sorte de billard joué avec 22 boules.

snooze [snuːz] n petit somme m.

snore [snɔː'] vi ronfler.

snorkel ['snɔːkl] n tuba m.

snout [snaʊt] n museau m.

snow [snəʊ] n neige f ♦ v impers: **it's ~ing** il neige.

snowball ['snəʊbɔːl] n boule f de neige.

snowdrift ['snəʊdrɪft] *n* congère *f*.

snowflake ['snəʊfleɪk] *n* flocon *m* de neige.

snowman ['snəʊmæn] (*pl* **-men** [-men]) *n* bonhomme *m* de neige.

snowplough ['snəʊplaʊ] *n* chasse-neige *m inv*.

snowstorm ['snəʊstɔːm] *n* tempête *f* de neige.

snug [snʌg] *adj (person)* au chaud; *(place)* douillet(-ette).

so [səʊ] *adv* 1. *(emphasizing degree)* si, tellement; **it's ~ difficult (that ...)** c'est si difficile (que ...).
2. *(referring back):* **I don't think ~** je ne crois pas; **I'm afraid ~** j'en ai bien peur; **if ~** si c'est le cas.
3. *(also):* **~ do I** moi aussi.
4. *(in this way)* comme ça, ainsi.
5. *(expressing agreement):* **~ there is** en effet.
6. *(in phrases):* **or ~** environ; **~ as** afin de, pour; **~ that** afin OR pour que (+ subjunctive).
♦ *conj* 1. *(therefore)* donc, alors; **it might rain ~ take an umbrella** ~ il se pourrait qu'il pleuve, alors prends un parapluie.
2. *(summarizing)* alors; **~ what have you been up to?** alors, qu'est-ce que tu deviens?
3. *(in phrases):* **~ what?** *(inf)* et alors?, et après?; **~ there!** *(inf)* na!

soak [səʊk] *vt (leave in water)* faire tremper; *(make very wet)* tremper ♦ *vi:* **to ~ through sthg** s'infiltrer dans qqch ❑ **soak up** *vt sep* absorber.

soaked [səʊkt] *adj* trempé(-e).

soaking ['səʊkɪŋ] *adj (very wet)* trempé(-e).

soap [səʊp] *n* savon *m*.

soap opera *n* soap opera *m*.

soap powder *n* lessive *f* en poudre.

sob [sɒb] *n* sanglot *m* ♦ *vi* sangloter.

sober ['səʊbər] *adj (not drunk)* à jeun.

soccer ['sɒkər] *n* football *m*.

sociable ['səʊʃəbl] *adj* sociable.

social ['səʊʃl] *adj* social(-e).

social club *n* club *m*.

socialist ['səʊʃəlɪst] *adj* socialiste ♦ *n* socialiste *mf*.

social life *n* vie *f* sociale.

social security *n* aide *f* sociale.

social worker *n* assistant *m* social (assistante sociale *f*).

society [sə'saɪətɪ] *n* société *f*.

sociology [,səʊsɪ'ɒlədʒɪ] *n* sociologie *f*.

sock [sɒk] *n* chaussette *f*.

socket ['sɒkɪt] *n (for plug)* prise *f*; *(for light bulb)* douille *f*.

sod [sɒd] *n (Br: vulg)* con *m* (conne *f*).

soda ['səʊdə] *n (soda water)* eau *f* de Seltz; *(Am: fizzy drink)* soda *m*.

soda water *n* eau *f* de Seltz.

sofa ['səʊfə] *n* sofa *m*, canapé *m*.

sofa bed *n* canapé-lit *m*.

soft [sɒft] *adj (bed, food)* mou (molle); *(skin, fabric, voice)* doux (douce); *(touch, sound)* léger(-ère).

soft cheese *n* fromage *m* à pâte molle.

soft drink *n* boisson *f* non alcoolisée.

software ['sɒftweər] *n* logiciel *m*.

soil [sɔɪl] *n (earth)* sol *m*.

solarium

solarium [sə'leərıəm] *n* solarium *m*.

solar panel ['səʊlə-] *n* panneau *m* solaire.

sold [səʊld] *pt & pp* → **sell**.

soldier ['səʊldʒə'] *n* soldat *m*.

sold out *adj (product)* épuisé(-e); *(concert, play)* complet(-ète).

sole [səʊl] *adj (only)* unique; *(exclusive)* exclusif(-ive) ♦ *n (of shoe)* semelle *f*; *(of foot)* plante *f*; *(fish: pl inv)* sole *f*.

solemn ['sɒləm] *adj* solennel(-elle).

solicitor [sə'lɪsɪtə'] *n (Br)* notaire *m*.

solid ['sɒlɪd] *adj* solide, *(not hollow)* plein(-e); *(gold, silver, oak)* massif(-ive).

solo ['səʊləʊ] *(pl -s)* *n* solo *m*; **"~ m/cs"** *(traffic sign)* signalisation sur chaussée indiquant qu'un parking est réservé aux deux-roues.

soluble ['sɒljʊbl] *adj* soluble.

solution [sə'luːʃn] *n* solution *f*.

solve [sɒlv] *vt* résoudre.

some [sʌm] *adj* **1.** *(certain amount of)*: ~ **meat** de la viande; ~ **milk** du lait; ~ **money** de l'argent; **I had** ~ **difficulty getting here** j'ai eu quelque mal à arriver jusqu'ici. **2.** *(certain number of)*: ~ **sweets** des bonbons; **I've known him for** ~ **years** je le connais depuis pas mal d'années. **3.** *(not all)* certains (certaines): ~ **jobs are better paid than others** certains emplois sont mieux payés que d'autres. **4.** *(in imprecise statements)* quelconque; **she married** ~ **Italian** elle a épousé un Italien quelconque. ♦ *pron* **1.** *(certain amount)*: **can I have**

~? je peux en prendre?; ~ **of the money** une partie de l'argent. **2.** *(certain number)* certains (certaines); **can I have** ~? je peux en prendre?; ~ **(of them) left early** quelques-uns (d'entre eux) sont partis tôt. ♦ *adv (approximately)* environ; **there were** ~ **7,000 people there** il y avait environ 7 000 personnes.

somebody ['sʌmbədɪ] = **someone**.

somehow ['sʌmhaʊ] *adv (some way or other)* d'une manière ou d'une autre; *(for some reason)* pour une raison ou pour une autre.

someone ['sʌmwʌn] *pron* quelqu'un.

someplace ['sʌmpleɪs] *(Am)* = **somewhere**.

somersault ['sʌməsɔːlt] *n* saut *m* périlleux.

something ['sʌmθɪŋ] *pron* quelque chose; **it's really ~!** c'est vraiment quelque chose!; **or** ~ *(inf)* ou quelque chose comme ça; ~ **like** *(approximately)* quelque chose comme.

sometime ['sʌmtaɪm] *adv*: ~ **in May** en mai.

sometimes ['sʌmtaɪmz] *adv* quelquefois, parfois.

somewhere ['sʌmweə'] *adv* quelque part; *(approximately)* environ.

son [sʌn] *n* fils *m*.

song [sɒŋ] *n* chanson *f*.

son-in-law *n* gendre *m*.

soon [suːn] *adv* bientôt; *(early)* tôt; **how** ~ **can you do it?** pour quand pouvez-vous le faire?; **as** ~ **as I know** dès que je le saurai; **as** ~ **as possible** dès que possible; ~

after peu après; **~er or later** tôt ou tard.

soot [sʊt] *n* suie *f*.

soothe [suːð] *vt* calmer.

sophisticated [səˈfɪstɪkeɪtɪd] *adj* sophistiqué(-e).

sorbet [ˈsɔːbeɪ] *n* sorbet *m*.

sore [sɔːʳ] *adj* (*painful*) douloureux(-euse); (*Am: inf: angry*) fâché(-e) ♦ *n* plaie *f*; **to have a ~ throat** avoir mal à la gorge.

sorry [ˈsɒrɪ] *adj* désolé(-e); **I'm ~!** désolé!; **I'm ~ I'm late** je suis désolé d'être en retard; **~?** (*asking for repetition*) pardon?; **to feel ~ for sb** plaindre qqn; **to be ~ about sthg** être désolé de qqch.

sort [sɔːt] *n* sorte *f* ♦ *vt* trier; **~ of** plutôt ❑ **sort out** *vt sep* (*classify*) trier; (*resolve*) résoudre.

so-so *adj* (*inf*) quelconque ♦ *adv* (*inf*) couci-couça.

soufflé [ˈsuːfleɪ] *n* soufflé *m*.

sought [sɔːt] *pt & pp* → **seek**.

soul [səʊl] *n* (*spirit*) âme *f*; (*music*) soul *f*.

sound [saʊnd] *n* bruit *m*; (*volume*) son *m* ♦ *vi* (*alarm, bell*) retentir; (*seem to be*) avoir l'air, sembler ♦ *adj* (*in good condition*) solide; (*reliable*) valable ♦ *vt*: **to ~ one's horn** klaxonner; **the engine ~s odd** le moteur fait un drôle de bruit; **you ~ cheerful** tu as l'air content; **to ~ like** (*make a noise like*) ressembler à; (*seem to be*) sembler être.

soundproof [ˈsaʊndpruːf] *adj* insonorisé(-e).

soup [suːp] *n* soupe *f*.

soup spoon *n* cuillère *f* à soupe.

sour [ˈsaʊəʳ] *adj* aigre; **to go ~** tourner.

source [sɔːs] *n* source *f*.

sour cream *n* crème *f* aigre.

south [saʊθ] *n* sud *m* ♦ *adj* du sud ♦ *adv* (*fly, walk*) vers le sud; (*be situated*) au sud; **in the ~ of England** dans le sud de l'Angleterre.

South Africa *n* l'Afrique *f* du Sud.

South America *n* l'Amérique *f* du Sud.

southbound [ˈsaʊθbaʊnd] *adj* en direction du sud.

southeast [ˌsaʊθˈiːst] *n* sud-est *m*.

southern [ˈsʌðən] *adj* méridional(-e), du sud.

South Pole *n* pôle *m* Sud.

southwards [ˈsaʊθwədz] *adv* vers le sud.

southwest [ˌsaʊθˈwest] *n* sud-ouest *m*.

souvenir [ˌsuːvəˈnɪəʳ] *n* souvenir *m* (*objet*).

Soviet Union [ˌsəʊvɪət-] *n*: **the ~** l'Union *f* soviétique.

sow[1] [saʊ] (*pp* **sown** [səʊn]) *vt* (*seeds*) semer.

sow[2] [saʊ] *n* (*pig*) truie *f*.

soya [ˈsɔɪə] *n* soja *m*.

soya bean *n* graine *f* de soja.

soy sauce [ˌsɔɪ-] *n* sauce *f* au soja.

spa [spɑː] *n* station *f* thermale.

space [speɪs] *n* (*room, empty place*) place *f*; (*gap, in astronomy etc*) espace *m*; (*period*) intervalle *m* ♦ *vt* espacer.

spaceship [ˈspeɪsʃɪp] *n* vaisseau *m* spatial.

space shuttle *n* navette *f* spatiale.

spacious [ˈspeɪʃəs] *adj* spa-

spade

256

cieux(-ieuse).

spade [speɪd] n (tool) pelle f □

spades npl (in cards) pique m.

spaghetti [spəˈɡetɪ] n spaghetti(s) mpl.

Spain [speɪn] n l'Espagne f.

span [spæn] pt → **spin** ♦ n (of time) durée f.

Spaniard [ˈspænjəd] n Espagnol m (-e f).

spaniel [ˈspænjəl] n épagneul m.

Spanish [ˈspænɪʃ] adj espagnol(-e) ♦ n (language) espagnol m.

spank [spæŋk] vt donner une fessée à.

spanner [ˈspænər] n clef f.

spare [speər] adj (kept in reserve) de réserve; (clothes) de rechange; (not in use) disponible ♦ n (spare part) pièce f de rechange; (spare wheel) roue f de secours ♦ vt: **to ~ sb sthg** (money) donner qqch à qqn; (time) consacrer qqch à qqn; **with ten minutes to ~** avec dix minutes d'avance.

spare part n pièce f de rechange.

spare ribs npl travers m de porc.

spare room n chambre f d'amis.

spare time n temps m libre.

spare wheel n roue f de secours.

spark [spɑːk] n étincelle f.

sparkling [ˈspɑːklɪŋ] adj (mineral water, soft drink) pétillant(-e).

sparkling wine n mousseux m.

spark plug n bougie f.

sparrow [ˈspærəʊ] n moineau m.

spat [spæt] pt & pp → **spit**.

speak [spiːk] (pt spoke, pp spoken) vt (language) parler; (say) dire ♦ vi parler; **who's ~ing?** (on phone) qui est à l'appareil?; **can I ~ to Sarah? - ~ing!** (on phone) pourrais-je parler à Sarah? - c'est elle-même!; **to ~ to sb about sthg** parler à qqn de qqch □ **speak up** vi (more loudly) parler plus fort.

speaker [ˈspiːkər] n (in public) orateur m (-trice f); (loudspeaker) haut-parleur m; (of stereo) enceinte f; **an English ~** un anglophone.

spear [spɪər] n lance f.

special [ˈspeʃl] adj spécial(-e) ♦ n (dish) spécialité f; **"today's ~"** «plat du jour».

special delivery n service postal britannique garantissant la distribution du courrier sous 24 heures.

special effects npl effets mpl spéciaux.

specialist [ˈspeʃəlɪst] n spécialiste mf.

speciality [ˌspeʃɪˈælətɪ] n spécialité f.

specialize [ˈspeʃəlaɪz] vi: **to ~ (in)** se spécialiser (en).

specially [ˈspeʃəlɪ] adv spécialement.

special offer n offre f spéciale.

special school n (Br) établissement m scolaire spécialisé.

specialty [ˈspeʃltɪ] (Am) = **speciality**.

species [ˈspiːʃiːz] n espèce f.

specific [spəˈsɪfɪk] adj (particular) spécifique; (exact) précis(-e).

specification [ˌspesɪfɪˈkeɪʃn] n (of machine, building etc) cahier m des charges.

specimen [ˈspesɪmən] n (MED) échantillon m; (example) spéci men m.

specs [speks] npl (inf) lunettes fpl.

spectacle ['spektəkl] n spectacle m.

spectacles ['spektəklz] npl lunettes fpl.

spectacular [spek'tækjulə'] adj spectaculaire.

spectator [spek'teɪtə'] n spectateur m (-trice f).

sped [sped] pt & pp → **speed**.

speech [spiːtʃ] n (ability to speak) parole f; (manner of speaking) élocution f; (talk) discours m.

speech impediment [-ɪm-ˌpedɪmənt] n défaut m d'élocution.

speed [spiːd] n vitesse f ◆ vi (move quickly) aller à toute vitesse; (drive too fast) faire un excès de vitesse; "reduce ~ now" «ralentir» ❒ **speed up** vi accélérer.

speedboat ['spiːdbəut] n hors-bord m inv.

speeding ['spiːdɪŋ] n excès m de vitesse.

speed limit n limite f de vitesse.

speedometer [spɪ'dɒmɪtə'] n compteur m (de vitesse).

spell [spel] (Br pt & pp **-ed** OR **spelt**, Am pt & pp **-ed**) vt (word, name) orthographier; (out loud) épeler; (subj: letters) donner ◆ n (period) période f; (magic) sort m; how do you ~ that? comment ça s'écrit?; **sunny ~s** éclaircies fpl.

spelling ['spelɪŋ] n orthographe f.

spelt [spelt] pt & pp (Br) → **spell**.

spend [spend] (pt & pp **spent** [spent]) vt (money) dépenser; (time) passer.

sphere [sfɪə'] n sphère f.

spice [spaɪs] n épice f ◆ vt épicer.

spicy ['spaɪsɪ] adj épicé(-e).

spider ['spaɪdə'] n araignée f.

spider's web n toile f d'araignée.

spike [spaɪk] n pointe f.

spill [spɪl] (Br pt & pp **-ed** OR **spilt**, Am pt & pp **-ed**) vt renverser ◆ vi se renverser.

spin [spɪn] (pt **span** OR **spun**, pp **spun**) vt (wheel) faire tourner; (washing) essorer ◆ n (on ball) effet m; **to go for a ~** (inf: in car) faire un tour.

spinach ['spɪnɪdʒ] n épinards mpl.

spine [spaɪn] n colonne f vertébrale; (of book) dos m.

spinster ['spɪnstə'] n célibataire f.

spiral ['spaɪərəl] n spirale f.

spiral staircase n escalier m en colimaçon.

spire [spaɪə'] n flèche f.

spirit ['spɪrɪt] n (soul, mood) esprit m; (energy) entrain m; (courage) courage m ❒ **spirits** npl (Br: alcohol) spiritueux mpl.

spit [spɪt] (Br pt & pp **spat**, Am pt & pp **spit**) vi (person) cracher; (fire, food) grésiller ◆ n (saliva) crachat m; (for cooking) broche f ◆ v impers: **it's spitting** il pleuvine.

spite [spaɪt]: **in spite of** prep en dépit de, malgré.

spiteful ['spaɪtful] adj malveillant(-e).

splash [splæʃ] n (sound) plouf m ◆ vt éclabousser.

splendid ['splendɪd] adj (beautiful) splendide; (very good) excellent(-e).

splint [splɪnt] n attelle f.

splinter ['splɪntə⁰] n (of wood) écharde f; (of glass) éclat m.

split [splɪt] (pt & pp split) n (tear) déchirure f; (crack, in skirt) fente f ♦ vt (wood, stone) fendre; (tear) déchirer; (bill, cost, profits, work) partager ♦ vi (wood, stone) se fendre; (tear) se déchirer ❑ split up vi (group, couple) se séparer.

spoil [spɔɪl] (pt & pp -ed OR spoilt) vt (ruin) gâcher; (child) gâter.

spoke [spəʊk] pt → speak ♦ n (of wheel) rayon m.

spoken ['spəʊkn] pp → speak.

spokesman ['spəʊksmən] (pl -men [-mən]) n porte-parole m inv.

spokeswoman ['spəʊks,wʊmən] (pl -women [-,wɪmɪn]) n porte-parole m inv.

sponge [spʌndʒ] n (for cleaning, washing) éponge f.

sponge bag n (Br) trousse f de toilette.

sponge cake n génoise f.

sponsor ['spɒnsə⁰] n (of event, TV programme) sponsor m.

sponsored walk [,spɒnsəd-] n marche destinée à rassembler des fonds.

spontaneous [spɒn'teɪnjəs] adj spontané(-e).

spoon [spu:n] n cuillère f.

spoonful ['spu:nfʊl] n cuillerée f.

sport [spɔ:t] n sport m.

sports car [spɔ:ts-] n voiture f de sport.

sports centre [spɔ:ts-] n centre m sportif.

sports jacket [spɔ:ts-] n veste f sport.

sportsman ['spɔ:tsmən] (pl -men [-mən]) n sportif m.

sports shop [spɔ:ts-] n magasin m de sport.

sportswoman ['spɔ:ts,wʊmən] (pl -women [-,wɪmɪn]) n sportive f.

spot [spɒt] n (dot) tache f; (on skin) bouton m; (place) endroit m ♦ vt repérer; **on the ~** (at once) immédiatement; (at the scene) sur place.

spotless ['spɒtlɪs] adj impeccable.

spotlight ['spɒtlaɪt] n spot m.

spotty ['spɒtɪ] adj boutonneux(-euse).

spouse [spaʊs] n (fml) époux m (épouse f).

spout [spaʊt] n bec m (verseur).

sprain [spreɪn] vt fouler.

sprang [spræŋ] pt → spring.

spray [spreɪ] n (for aerosol, perfume) vaporisateur m; (droplets) gouttelettes fpl ♦ vt (surface) asperger; (car) peindre à la bombe; (crops) pulvériser; (paint, water etc) vaporiser.

spread [spred] (pt & pp spread) vt étaler; (legs, fingers, arms) écarter; (news, disease) propager ♦ vi se propager ♦ n (food) pâte f à tartiner ❑ spread out vi (disperse) se disperser.

spring [sprɪŋ] (pt sprang, pp sprung) n (season) printemps m; (coil) ressort m; (in ground) source f ♦ vi (leap) sauter; **in (the) ~** au printemps.

springboard ['sprɪŋbɔ:d] n tremplin m.

spring-cleaning [-'kli:nɪŋ] n nettoyage m de printemps.

spring onion n oignon m blanc.

spring roll n rouleau m de printemps.

sprinkle ['sprɪŋkl] vt: **to ~ sthg with sugar** saupoudrer qqch de sucre; **to ~ sthg with water** asperger qqch d'eau.

sprinkler ['sprɪŋkləʳ] n (for fire) sprinkler m; (for grass) arroseur m.

sprint [sprɪnt] n sprint m ♦ vi (run fast) sprinter.

Sprinter® ['sprɪntəʳ] n (Br: train) train couvrant de faibles distances.

sprout [spraʊt] n (vegetable) chou m de Bruxelles.

spruce [spruːs] n épicéa m.

sprung [sprʌŋ] pt & pp → **spring** ♦ adj (mattress) à ressorts.

spud [spʌd] n (inf) patate f.

spun [spʌn] pt & pp → **spin**.

spur [spɜːʳ] n (for horse rider) éperon m; **on the ~ of the moment** sur un coup de tête.

spurt [spɜːt] vi jaillir.

spy [spaɪ] n espion m (-ionne f).

squall [skwɔːl] n bourrasque f.

squalor ['skwɒləʳ] n conditions fpl sordides.

square [skweəʳ] adj (in shape) carré(-e) ♦ n (shape) carré m; (in town) place f; (on chessboard) case f; **2 ~ metres** 2 mètres carrés; **it's 2 metres ~** ça fait 2 mètres sur 2; **we're (all) ~ now** (not owing money) nous sommes quittes maintenant.

squash [skwɒʃ] n (game) squash m; (Br: orange drink) orangeade f; (Br: lemon drink) citronnade f; (Am: vegetable) courge f ♦ vt écraser.

squat [skwɒt] adj trapu(-e) ♦ vi (crouch) s'accroupir.

squeak [skwiːk] vi couiner.

squeeze [skwiːz] vt presser ❏ **squeeze in** vi se caser.

squid [skwɪd] n calamar m.

squint [skwɪnt] vi loucher, plisser les yeux ♦ n: **to have a ~** loucher.

squirrel [Br 'skwɪrəl, Am 'skwɜːrəl] n écureuil m.

squirt [skwɜːt] vi gicler.

St (abbr of Street) r; (abbr of Saint) St (Ste).

stab [stæb] vt poignarder.

stable ['steɪbl] adj stable ♦ n écurie f.

stack [stæk] n (pile) tas m; **~s of** (inf: lots) des tas de.

stadium ['steɪdjəm] n stade m.

staff [stɑːf] n (workers) personnel m.

stage [steɪdʒ] n (phase) stade m; (in theatre) scène f.

stagger ['stægəʳ] vt (arrange in stages) échelonner ♦ vi tituber.

stagnant ['stægnənt] adj stagnant(-e).

stain [steɪn] n tache f ♦ vt tacher.

stained glass [ˌsteɪnd-] n vitrail m.

stainless steel ['steɪnlɪs-] n acier m inoxydable.

staircase ['steəkeɪs] n escalier m.

stairs [steəz] npl escaliers mpl, escalier m.

stairwell ['steəwel] n cage f d'escalier.

stake [steɪk] n (share) intérêt m; (in gambling) mise f, enjeu m; (post) poteau m; **at ~** en jeu.

stale [steɪl] adj rassis(-e).

stalk [stɔːk] n (of flower, plant) tige f; (of fruit, leaf) queue f.

stall [stɔːl] n (in market) étal m; (at exhibition) stand m ◆ vi (car, engine) caler ❑ **stalls** npl (Br: in theatre) orchestre m.

stamina ['stæminə] n résistance f.

stammer ['stæmə^r] vi bégayer.

stamp [stæmp] n (for letter) timbre m; (in passport, on document) cachet m ◆ vt (passport, document) tamponner ◆ vi: **to ~ on sthg** marcher sur qqch.

stamp-collecting [-kə,lektɪŋ] n philatélie f.

stamp machine n distributeur m de timbres.

stand [stænd] (pt & pp **stood**) vi (be on feet) se tenir debout; (be situated) se trouver; (get to one's feet) se lever ◆ vt (place) poser; (bear) supporter ◆ n (stall) stand m; (for umbrellas) porte-parapluies m inv; (for coats) portemanteau m; (at sports stadium) tribune f; (for bike, motorbike) béquille f; **to be ~ing** être debout; **to ~ sb a drink** offrir un verre à qqn; **"no ~ing"** (Am: AUT) «arrêt interdit» ❑ **stand back** vi reculer; **stand for** vt fus (mean) représenter; (tolerate) supporter; **stand in** vi: **to ~ in for sb** remplacer qqn; **stand out** vi se détacher; **stand up** vi (be on feet) être debout; (get to one's feet) se lever ◆ vt sep (inf: boyfriend, girlfriend etc) poser un lapin à; **stand up for** vt fus défendre.

standard ['stændəd] adj (normal) standard, normal(-e) ◆ n (level) niveau m; (point of comparison) norme f; **up to ~** de bonne qualité ❑ **standards** npl (principles) principes mpl.

standard-class adj (Br: on train) au tarif normal.

standby ['stændbaɪ] adj (ticket) stand-by (inv).

stank [stæŋk] pt → **stink**.

staple ['steɪpl] n (for paper) agrafe f.

stapler ['steɪplə^r] n agrafeuse f.

star [stɑː^r] n étoile f; (famous person) star f ◆ vt (subj: film, play etc): **"starring ..."** «avec ...» ❑ **stars** npl (horoscope) horoscope m.

starboard ['stɑːbəd] adj de tribord.

starch [stɑːtʃ] n amidon m.

stare [steə^r] vi: **to ~ (at)** regarder fixement.

starfish ['stɑːfɪʃ] (pl inv) n étoile f de mer.

starling ['stɑːlɪŋ] n étourneau m.

Stars and Stripes n: **the ~** la bannière étoilée.

STARS AND STRIPES

Ceci n'est que l'une des nombreuses appellations populaires du drapeau américain, au même titre que «Old Glory» ou «Stars and Bars». Les 50 étoiles représentent les 50 états actuels alors que les rayures rouges et blanches symbolisent les 13 états fondateurs de l'union. Les Américains sont très fiers de leur bannière étoilée et il n'est pas rare de la voir flotter devant des maisons particulières.

---

start [stɑːt] n début m; (starting place) départ m ◆ vt commencer; (car, engine) faire démarrer; (business, club) monter ◆ vi commencer;

(car, engine) démarrer; *(begin journey)* partir; **prices ~ at** OR **from £5** les premiers prix sont à 5 livres; **to ~ doing sthg** OR **to do sthg** commencer à faire qqch; **to ~ with** *(in the first place)* d'abord; *(when ordering meal)* en entrée ◻ **start out** *vi* débuter comme; **start up** *vt sep (car, engine)* mettre en marche; *(business, shop)* monter.

starter ['sta:tər] *n (Br: of meal)* entrée *f*; *(of car)* démarreur *m*; **for ~s** *(in meal)* en entrée.

starter motor *n* démarreur *m*.

starting point ['sta:tɪŋ-] *n* point *m* de départ.

startle ['sta:tl] *vt* faire sursauter.

starvation [sta:'veɪʃn] *n* faim *f*.

starve [sta:v] *vi (have no food)* être affamé; **I'm starving!** je meurs de faim!

state [steɪt] *n* état *m* ◆ *vt (declare)* déclarer; *(specify)* indiquer; **the State** l'État; **the States** les États-Unis *mpl*.

statement ['steɪtmənt] *n (declaration)* déclaration *f*; *(from bank)* relevé *m* de compte).

state school *n* école *f* publique.

statesman ['steɪtsmən] *(pl* **-men** [-mən]) *n* homme *m* d'État.

static ['stætɪk] *n (on radio, TV)* parasites *mpl*.

station ['steɪʃn] *n (for trains)* gare *f*; *(for underground, on radio)* station *f*; *(for buses)* gare *f* routière.

stationary ['steɪʃnərɪ] *adj* à l'arrêt.

stationer's ['steɪʃnəz] *n (shop)* papeterie *f*.

stationery ['steɪʃnərɪ] *n* papeterie *f*.

station wagon *n (Am)* break *m*.

statistics [stə'tɪstɪks] *npl* statistiques *fpl*.

statue ['stætʃu:] *n* statue *f*.

Statue of Liberty *n*: **the ~** la Statue de la Liberté.

La Statue de la Liberté, représentant une femme portant un flambeau, se dresse sur une petite île à l'entrée du port de New-York. Elle fut offerte aux États-Unis par la France en 1884 et est ouverte au public.

status ['steɪtəs] *n* statut *m*; *(prestige)* prestige *m*.

stay [steɪ] *n (time spent)* séjour *m* ◆ *vi (remain)* rester; *(as guest, in hotel)* séjourner; *(Scot: reside)* habiter; **to ~ the night** passer la nuit ◻ **stay away** *vi (not attend)* ne pas aller; *(not go near)* ne pas s'approcher; **stay in** *vi* ne pas sortir; **stay out** *vi (from home)* rester dehors; **stay up** *vi* veiller.

STD code *n* indicatif *m*.

steady ['stedɪ] *adj* stable; *(gradual)* régulier(-ière) ◆ *vt* stabiliser.

steak [steɪk] *n* steak *m*; *(of fish)* darne *f*.

steak and kidney pie *n* tourte à la viande de bœuf et aux rognons.

steakhouse ['steɪkhaʊs, *pl* -haʊzɪz] *n* grill *m*.

steal [sti:l] *(pt* **stole**, *pp* **stolen**) *vt*

voler; **to ~ sth from sb** voler qqch à qqn.

steam [sti:m] n vapeur f ◆ vt (food) faire cuire à la vapeur.

steamboat ['sti:mbəʊt] n bateau m à vapeur.

steam engine n locomotive f à vapeur.

steam iron n fer m à vapeur.

steel [sti:l] n acier m ◆ adj en acier.

steep [sti:p] adj (hill, path) raide; (increase, drop) fort(-e).

steeple ['sti:pl] n clocher m.

steer [stɪəʳ] vt (car, boat) manœuvrer.

steering ['stɪərɪŋ] n direction f.

steering wheel n volant m.

stem [stem] n (of plant) tige f; (of glass) pied m.

step [step] n (of stairs, of stepladder) marche f; (of train) marchepied m; (pace) pas m; (measure) mesure f; (stage) étape f ◆ vi: **to ~ on sth** marcher sur qqch; **"mind the ~"** «attention à la marche» ❑ **steps** npl (stairs) escalier m, escaliers mpl; **step aside** vi (move aside) s'écarter; **step back** vi (move back) reculer.

step aerobics n step m.

stepbrother ['step,brʌðəʳ] n demi-frère m.

stepdaughter ['step,dɔ:təʳ] n belle-fille f.

stepfather ['step,fɑ:ðəʳ] n beau-père m.

stepladder ['step,lædəʳ] n escabeau m.

stepmother ['step,mʌðəʳ] n belle-mère f.

stepsister ['step,sɪstəʳ] n demi-

sœur f.

stepson ['stepsʌn] n beau-fils m.

stereo ['sterɪəʊ] (pl **-s**) adj stéréo (inv) ◆ n (hi-fi) chaîne f stéréo; (stereo sound) stéréo f.

sterile ['sterail] adj stérile.

sterilize ['sterilaiz] vt stériliser.

sterling ['stɜ:lɪŋ] adj (pound) sterling (inv) ◆ n livres fpl sterling.

sterling silver n argent m fin.

stern [stɜ:n] adj (strict) sévère ◆ n (of boat) poupe f.

stew [stju:] n ragoût m.

steward ['stjʊəd] n (on plane, ship) steward m; (at public event) membre m du service d'ordre.

stewardess ['stjʊədɪs] n hôtesse f de l'air.

stewed [stju:d] adj (fruit) cuit(-e).

stick [stɪk] (pt & pp **stuck**) n bâton m; (for sport) crosse f; (of celery) branche f; (walking stick) canne f ◆ vt (glue) coller; (push, insert) mettre; (inf: put) mettre ◆ vi coller; (jam) se coincer ❑ **stick out** vi ressortir; **stick to** vt fus (decision) s'en tenir à; (promise) tenir; **stick up** vt sep (poster, notice) afficher ◆ vi dépasser; **stick up for** vt fus défendre.

sticker ['stɪkəʳ] n autocollant m.

sticking plaster ['stɪkɪŋ-] n sparadrap m.

stick shift n (Am: car) voiture f à vitesses manuelles.

sticky ['stɪki] adj (substance, hands, sweets) poisseux(-euse); (label, tape) adhésif(-ive); (weather) humide.

stiff [stɪf] adj (cardboard, material) rigide; (brush, door, lock) dur(-e); (back, neck) raide ◆ adv: **to be**

bored ~ *(inf)* s'ennuyer à mourir; **to feel** ~ avoir des courbatures.

stile [staɪl] *n* échalier *m*.

stiletto heels [stɪ'letəʊ-] *npl* talons *mpl* aiguilles.

still [stɪl] *adv (up to now, then)* toujours, encore; *(possibly, with comparisons)* encore; *(despite that)* pourtant ◆ *adj (motionless)* immobile; *(quiet, calm)* calme; *(not fizzy)* non gazeux(-euse); *(water)* plat(-e); **we've** ~ **got ten minutes** il nous reste encore dix minutes; ~ **more** encore plus; **to stand** ~ ne pas bouger.

Stilton ['stɪltn] *n* stilton *m (fromage bleu à saveur forte)*.

stimulate ['stɪmjʊleɪt] *vt* stimuler.

sting [stɪŋ] *(pt & pp stung) vt & vi* piquer.

stingy ['stɪndʒɪ] *adj (inf)* radin(-e).

stink [stɪŋk] *(pt stank OR stunk, pp stunk) vi* puer.

stipulate ['stɪpjʊleɪt] *vt* stipuler.

stir [stɜːʳ] *vt* remuer.

stir-fry *n* sauté *m* ◆ *vt* faire sauter.

stirrup ['stɪrəp] *n* étrier *m*.

stitch [stɪtʃ] *n (in sewing)* point *m*; *(in knitting)* maille *f*; **to have a** ~ *(stomach pain)* avoir un point de côté ❏ **stitches** *npl (for wound)* points *mpl* de suture.

stock [stɒk] *n (of shop, supply)* stock *m*; *(FIN)* valeurs *fpl*; *(in cooking)* bouillon *m* ◆ *vt (have in stock)* avoir en stock; **in** ~ en stock; **out of** ~ épuisé.

stock cube *n* bouillon *m* cube.

Stock Exchange *n* Bourse *f*.

stocking ['stɒkɪŋ] *n* bas *m*.

stock market *n* Bourse *f*.

stodgy ['stɒdʒɪ] *adj (food)* lourd(-e).

stole [stəʊl] *pt → steal.*

stolen ['stəʊln] *pp → steal.*

stomach ['stʌmək] *n (organ)* estomac *m*; *(belly)* ventre *m*.

stomachache ['stʌməkeɪk] *n* mal *m* au ventre.

stomach upset [-'ʌpset] *n* embarras *m* gastrique.

stone [stəʊn] *(pl sense 3 inv) n* pierre *f*; *(in fruit)* noyau *m*; *(measurement)* = 6,350 kg ◆ *adj* de OR en pierre.

stonewashed ['stəʊnwɒʃt] *adj* délavé(-e).

stood [stʊd] *pt & pp → stand.*

stool [stuːl] *n (for sitting on)* tabouret *m*.

stop [stɒp] *n* arrêt *m* ◆ *vt* arrêter ◆ *vi* s'arrêter; *(stay)* rester; **to** ~ **sb/sthg from doing sthg** empêcher qqn/qqch de faire qqch; **to** ~ **doing sthg** arrêter de faire qqch; **to put a** ~ **to sthg** mettre un terme à qqch; **"stop"** *(road sign)* «stop»; **"stopping at ..."** *(train, bus)* «dessert les gares de ...» ❏ **stop off** *vi* s'arrêter.

stopover ['stɒp,əʊvəʳ] *n* halte *f*.

stopper ['stɒpəʳ] *n* bouchon *m*.

stopwatch ['stɒpwɒtʃ] *n* chronomètre *m*.

storage ['stɔːrɪdʒ] *n* rangement *m*.

store [stɔːʳ] *n (shop)* magasin *m*; *(supply)* réserve *f* ◆ *vt* entreposer.

storehouse ['stɔːhaʊs, pl -haʊzɪz] *n* entrepôt *m*.

storeroom ['stɔːrʊm] *n (in*

house) débarras *m; (in shop)* réserve *f.*

storey ['stɔːn] *(pl* **-s)** *n (Br)* étage *m.*

stork [stɔːk] *n* cigogne *f.*

storm [stɔːm] *n* orage *m.*

stormy ['stɔːmɪ] *adj (weather)* orageux(-euse).

story ['stɔːn] *n* histoire *f; (news item)* article *m; (Am)* = **storey**.

stout [staʊt] *adj (fat)* corpulent(-e) ◆ *n (drink)* stout *m (bière brune).*

stove [staʊv] *n* cuisinière *f.*

straight [streɪt] *adj* droit(-e); *(hair)* raide; *(consecutive)* consécutif(-ive); *(drink)* sec (sèche) ◆ *adv* droit; *(without delay)* tout de suite; **~ ahead** droit devant; **~ away** immédiatement.

straightforward [ˌstreɪt-ˈfɔːwəd] *adj (easy)* facile.

strain [streɪn] *n (force)* force *f; (nervous stress)* stress *m; (tension)* tension *f; (injury)* foulure *f* ◆ *vt (eyes)* fatiguer; *(food, tea)* passer; **to ~ one's back** se faire un tour de reins.

strainer ['streɪnəʳ] *n* passoire *f.*

strait [streɪt] *n* détroit *m.*

strange [streɪndʒ] *adj (unusual)* étrange; *(unfamiliar)* inconnu(-e).

stranger ['streɪndʒəʳ] *n (unfamiliar person)* inconnu *m (-e f); (person from different place)* étranger *m (-ère f).*

strangle ['stræŋɡl] *vt* étrangler.

strap [stræp] *n (of bag)* bandoulière *f; (of watch)* bracelet *m; (of dress)* bretelle *f; (of camera)* courroie *f.*

strapless ['stræplɪs] *adj* sans bretelles.

strategy ['strætɪdʒɪ] *n* stratégie *f.*

Stratford-upon-Avon [ˌstræt-fədəpɒnˈeɪvn] *n* Stratford-upon-Avon.

---

i | **STRATFORD-UPON-AVON**

C ette ville du comté anglais du Warwickshire est célèbre pour avoir vu naître le poète et dramaturge William Shakespeare (1564-1616). Elle est aujourd'hui au centre du monde théâtral britannique puisque la Royal Shakespeare Company s'y est établie et y joue des œuvres de Shakespeare et d'autres auteurs.

---

straw [strɔː] *n* paille *f.*

strawberry ['strɔːbərɪ] *n* fraise *f.*

stray [streɪ] *adj (animal)* errant(-e) ◆ *vi* errer.

streak [striːk] *n (of paint, mud)* traînée *f; (period)* période *f.*

stream [striːm] *n (river)* ruisseau *m; (of traffic, people, blood)* flot *m.*

street [striːt] *n* rue *f.*

streetcar ['striːtkɑːʳ] *n (Am)* tramway *m.*

street light *n* réverbère *m.*

street plan *n* plan *m* de ville.

strength [streŋθ] *n* force *f; (of structure)* solidité *f; (influence)* puissance *f; (strong point)* point *m* fort.

strengthen ['streŋθn] *vt* renforcer.

stress [stres] *n (tension)* stress *m;*

(on word, syllable) accent m ◆ vt (emphasize) souligner; (word, syllable) accentuer.

stretch [stretʃ] n (of land, water) étendue f; (of time) période f ◆ vt étirer ◆ vi (land, sea) s'étendre; (person, animal) s'étirer; **to ~ one's legs** (fig) se dégourdir les jambes ☐ **stretch out** vt sep (hand) tendre ◆ vi (lie down) s'étendre.

stretcher ['stretʃər] n civière f.

strict [strɪkt] adj strict(-e).

strictly ['strɪktlɪ] adv strictement; **~ speaking** à proprement parler.

stride [straɪd] n enjambée f.

strike [straɪk] (pt & pp **struck**) n (of employees) grève f ◆ vt (fml: hit) frapper; (fml: collide with) percuter; (a match) gratter ◆ vi (refuse to work) faire grève; (happen suddenly) frapper; **the clock struck eight** la pendule sonna huit heures.

striking ['straɪkɪŋ] adj (noticeable) frappant(-e); (attractive) d'une beauté frappante.

string [strɪŋ] n ficelle f; (of pearls, beads) collier m; (of musical instrument, tennis racket) corde f; (series) suite f; **a piece of ~** un bout de ficelle.

strip [strɪp] n bande f ◆ vt (paint) décaper; (wallpaper) décoller ◆ vi (undress) se déshabiller.

stripe [straɪp] n rayure f.

striped [straɪpt] adj rayé(-e).

strip-search vt fouiller (en déshabillant).

strip show n strip-tease m.

stroke [strəʊk] n (MED) attaque f; (in tennis, golf) coup m; (swimming style) nage f ◆ vt caresser; **a ~ of luck** un coup de chance.

stroll [strəʊl] n petite promenade f.

stroller ['strəʊlər] n (Am: pushchair) poussette f.

strong [strɒŋ] adj fort(-e); (structure, bridge, chair) solide; (influential) puissant(-e); (effect, incentive) puissant(-e).

struck [strʌk] pt & pp → **strike**.

structure ['strʌktʃər] n structure f; (building) construction f.

struggle ['strʌgl] vi (fight) lutter; (in order to get free) se débattre ◆ n: **to have a ~ to do sthg** avoir du mal à faire qqch; **to ~ to do sthg** s'efforcer de faire qqch.

stub [stʌb] n (of cigarette) mégot m; (of cheque, ticket) talon m.

stubble ['stʌbl] n (on face) barbe f de plusieurs jours.

stubborn ['stʌbən] adj (person) têtu(-e).

stuck [stʌk] pt & pp → **stick** ◆ adj bloqué(-e).

stud [stʌd] n (on boots) crampon m; (fastener) bouton-pression m; (earring) clou m.

student ['stjuːdnt] n (at university, college) étudiant m (-e f); (at school) élève mf.

student card n carte f d'étudiant.

students' union [ˌstjuːdnts-] n (place) bureau m des étudiants.

studio ['stjuːdɪəʊ] (pl -s) n studio m.

studio apartment (Am) = studio flat.

studio flat (Br) studio m.

study ['stʌdɪ] n étude f; (room) bureau m ◆ vt & vi étudier.

stuff [stʌf] n (inf) (substance) truc

m; *(things, possessions)* affaires *fpl* ◆ *vt (put roughly)* fourrer; *(fill)* bourrer.

stuffed [stʌft] *adj (food)* farci(-e); *(inf: full-up)* gavé(-e); *(dead animal)* empaillé(-e).

stuffing ['stʌfɪŋ] *n (food)* farce *f*; *(of pillow, cushion)* rembourrage *m*.

stuffy ['stʌfɪ] *adj (room, atmosphere)* étouffant(-e).

stumble ['stʌmbl] *vi* trébucher.

stump [stʌmp] *n (of tree)* souche *f*.

stun [stʌn] *vt* stupéfier.

stung [stʌŋ] *pt & pp* → **sting**.

stunk [stʌŋk] *pt & pp* → **stink**.

stunning ['stʌnɪŋ] *adj (very beautiful)* superbe; *(very surprising)* stupéfiant(-e).

stupid ['stju:pɪd] *adj (foolish)* stupide; *(inf: annoying)* fichu(-e).

sturdy ['stɜ:dɪ] *adj* solide.

stutter ['stʌtər] *vi* bégayer.

sty [staɪ] *n* porcherie *f*.

style [staɪl] *n* style *m*; *(design)* modèle ◆ *vt (hair)* coiffer.

stylish ['staɪlɪʃ] *adj* élégant(-e).

stylist ['staɪlɪst] *n (hairdresser)* coiffeur *m (-euse f)*.

sub [sʌb] *n (inf) (substitute)* remplaçant *m (-e f)*; *(Br: subscription)* cotisation *f*.

subdued [səb'dju:d] *adj (person)* abattu(-e); *(lighting, colour)* doux (douce).

subject [*n* 'sʌbdʒekt, *vb* səb'dʒekt] *n* sujet *m*; *(at school, university)* matière *f* ◆ *vt*: **to ~ sb to sthg** soumettre qqn à qqch; "**~ to availability**" «dans la limite des stocks disponibles»; **they are ~ to an additional charge** un supplément

sera exigé.

subjunctive [səb'dʒʌŋktɪv] *n* subjonctif *m*.

submarine [,sʌbmə'ri:n] *n* sous-marin *m*.

submit [səb'mɪt] *vt* soumettre ◆ *vi (give in)* se soumettre.

subordinate [sə'bɔ:dɪnət] *adj* subordonné(-e).

subscribe [səb'skraɪb] *vi* s'abonner.

subscription [səb'skrɪpʃn] *n (to magazine)* abonnement *m*; *(to club)* cotisation *f*.

subsequent ['sʌbsɪkwənt] *adj* ultérieur(-e).

subside [səb'saɪd] *vi (ground)* s'affaisser; *(noise, feeling)* disparaître.

substance ['sʌbstəns] *n* substance *f*.

substantial [səb'stænʃl] *adj* substantiel(-ielle).

substitute ['sʌbstɪtju:t] *n (replacement)* substitut *m*; *(SPORT)* remplaçant *m (-e f)*.

subtitles ['sʌb,taɪtlz] *npl* sous-titres *mpl*.

subtle ['sʌtl] *adj* subtil(-e).

subtract [səb'trækt] *vt* soustraire.

subtraction [səb'trækʃn] *n* soustraction *f*.

suburb ['sʌbɜ:b] *n* banlieue *f*; **the ~** la banlieue.

subway ['sʌbweɪ] *n (Br: for pedestrians)* souterrain *m*; *(Am: underground railway)* métro *m*.

succeed [sək'si:d] *vi (be successful)* réussir ◆ *vt (fml: follow)* succéder à; **to ~ in doing sthg** réussir à faire qqch.

success [sək'ses] n succès m, réussite f.

successful [sək'sesfʊl] adj (plan, attempt) réussi(-e); (film, book etc) à succès; (businessman, politician) qui a réussi; (actor) qui a du succès; **to be ~** (person) réussir.

succulent ['sʌkjʊlənt] adj succulent(-e).

such [sʌtʃ] adj tel (telle) ♦ adv: **~ a lot** tellement; **it's ~ a lovely day!** c'est une si belle journée!; **~ good luck** une telle chance, une chance pareille; **~ a thing should never have happened** une telle chose n'aurait jamais dû se produire; **~ as** tel que.

suck [sʌk] vt sucer; (nipple) téter.

sudden ['sʌdn] adj soudain(-e); **all of a ~** tout à coup.

suddenly ['sʌdnlɪ] adv soudain, tout à coup.

sue [su:] vt poursuivre en justice.

suede [sweɪd] n daim m.

suffer ['sʌfəʳ] vt (defeat, injury) subir ♦ vi: **to ~ (from)** souffrir (de).

suffering ['sʌfrɪŋ] n souffrance f.

sufficient [sə'fɪʃnt] adj (fml) suffisant(-e).

sufficiently [sə'fɪʃntlɪ] adv (fml) suffisamment.

suffix ['sʌfɪks] n suffixe m.

suffocate ['sʌfəkeɪt] vi suffoquer.

sugar ['ʃʊgəʳ] n sucre m.

suggest [sə'dʒest] vt suggérer; **to ~ doing sthg** proposer de faire qqch.

suggestion [sə'dʒestʃn] n suggestion f; (hint) trace f.

suicide ['sʊɪsaɪd] n suicide m; **to commit ~** se suicider.

suit [su:t] n (man's clothes) costume m; (woman's clothes) tailleur m; (in cards) couleur f; (JUR) procès m ♦ vt (subj: clothes, colour, shoes) aller bien à; (be convenient, appropriate for) convenir à; **to be ~ed to** être adapté à; **pink doesn't ~ me** le rose ne me va pas.

suitable ['su:təbl] adj adapté(-e); **to be ~ for** être adapté à.

suitcase ['su:tkeɪs] n valise f.

suite [swi:t] n (set of rooms) suite f; (furniture) ensemble m canapé-fauteuils.

sulk [sʌlk] vi bouder.

sultana [səl'tɑ:nə] n (Br) raisin m de Smyrne.

sultry ['sʌltrɪ] adj (weather, climate) lourd(-e).

sum [sʌm] n (in maths) opération f; (of money) somme f □ **sum up** vt sep résumer.

summarize ['sʌməraɪz] vt résumer.

summary ['sʌmərɪ] n résumé m.

summer ['sʌməʳ] n été m; **in (the) ~** en été, l'été; **~ holidays** vacances fpl d'été, grandes vacances.

summertime ['sʌmətaɪm] n été m.

summit ['sʌmɪt] n sommet m.

summon ['sʌmən] vt convoquer.

sumptuous ['sʌmptʃʊəs] adj somptueux(-euse).

sun [sʌn] n soleil m ♦ vt: **to ~ o.s.** prendre un bain de soleil; **to catch the ~** prendre un coup de soleil; **in the ~** au soleil; **out of the ~** à l'abri du soleil.

Sun. (abbr of Sunday) dim.

sunbathe ['sʌnbeɪð] vi prendre

un bain de soleil.

sunbed ['sʌnbed] *n* lit *m* à ultra-violets.

sun block *n* écran *m* total.

sunburn ['sʌnbɜ:n] *n* coup *m* de soleil.

sunburnt ['sʌnbɜ:nt] *adj* brû-lé(-e) par le soleil.

sundae ['sʌndeɪ] *n* coupe *f* glacée à la Chantilly.

Sunday ['sʌndɪ] *n* dimanche *m*, → Saturday.

Sunday school *n* catéchisme *m*.

sundress ['sʌndres] *n* robe *f* bain de soleil.

sundries ['sʌndrɪz] *npl* (on bill) divers *mpl*.

sunflower ['sʌn,flaʊəʳ] *n* tourne-sol *m*.

sunflower oil *n* huile *f* de tournesol.

sung [sʌŋ] *pt* → **sing**.

sunglasses ['sʌn,glɑ:sɪz] *npl* lu-nettes *fpl* de soleil.

sunhat ['sʌnhæt] *n* chapeau *m* de soleil.

sunk [sʌŋk] *pp* → **sink**.

sunlight ['sʌnlaɪt] *n* lumière *f* du soleil.

sun lounger [-,laʊndʒəʳ] *n* chai-se *f* longue.

sunny ['sʌnɪ] *adj* ensoleillé(-e); **it's** ~ il y a du soleil.

sunrise ['sʌnraɪz] *n* lever *m* de soleil.

sunroof ['sʌnru:f] *n* toit *m* ou-vrant.

sunset ['sʌnset] *n* coucher *m* de soleil.

sunshine ['sʌnʃaɪn] *n* soleil *m*; **in the** ~ au soleil.

sunstroke ['sʌnstrəʊk] *n* insola-tion *f*.

suntan ['sʌntæn] *n* bronzage *m*.

suntan cream *n* crème *f* so-laire.

suntan lotion *n* lait *m* solaire.

super ['su:pəʳ] *adj* super (inv) ◆ *n* (petrol) super *m*.

superb [su:'pɜ:b] *adj* superbe.

superficial [,su:pə'fɪʃl] *adj* su-perficiel(-ielle).

superfluous [su:'pɜ:flʊəs] *adj* superflu(-e).

Superglue® ['su:pəglu:] *n* colle *f* forte.

superior [su:'pɪərɪəʳ] *adj* supé-rieur(-e) ◆ *n* supérieur *m* (-e *f*).

supermarket ['su:pə,mɑ:kɪt] *n* supermarché *m*.

supernatural [,su:pə'nætʃrəl] *adj* surnaturel(-elle).

Super Saver® [*n* (Br: rail ticket) billet de train à tarif réduit, sous certai-nes conditions.

superstitious [,su:pə'stɪʃəs] *adj* superstitieux(-ieuse).

superstore ['su:pəstɔ:ʳ] *n* hy-permarché *m*.

supervise ['su:pəvaɪz] *vt* sur-veiller.

supervisor ['su:pəvaɪzəʳ] *n* (of workers) chef *m* d'équipe.

supper ['sʌpəʳ] *n* dîner *m*; **to have** ~ dîner.

supple ['sʌpl] *adj* souple.

supplement [*n* 'sʌplɪmənt, *vb* 'sʌplɪment] *n* supplément *m*; (of diet) complément *m* ◆ *vt* compléter.

supplementary [,sʌplɪ'men-tərɪ] *adj* supplémentaire.

supply [sə'plaɪ] *n* (store) réserve *f*; (providing) fourniture *f*; (of gas, electricity) alimentation *f* ♦ *vt* fournir; **to ~ sb with sthg** fournir qqch à qqn; *(with gas, electricity)* alimenter qqn en qqch ❑ **supplies** *npl* provisions *fpl*.

support [sə'pɔːt] *n (aid, encouragement)* soutien *m*; *(object)* support *m* ♦ *vt (aid, encourage)* soutenir; *(team, object)* supporter; *(financially)* subvenir aux besoins de.

supporter [sə'pɔːtər] *n (SPORT)* supporter *m*; *(of cause, political party)* partisan *m*.

suppose [sə'pəʊz] *vt (assume)* supposer; *(think)* penser ♦ *conj* = **supposing; I ~ so** je suppose que oui; **to be ~d to do sthg** être censé faire qqch.

supposing [sə'pəʊzɪŋ] *conj* à supposer que.

supreme [sʊ'priːm] *adj* suprême.

surcharge ['sɜːtʃɑːdʒ] *n* surcharge *f*.

sure [ʃʊər] *adv (inf: yes)* bien sûr; *(Am: inf: certainly)* vraiment ♦ *adj* sûr(-e), certain(-e); **they are ~ to win** il est certain qu'ils vont gagner; **to be ~ of o.s.** être sûr de soi; **to make ~ (that) ...** s'assurer que ...; **for ~** c'est certain.

surely ['ʃʊəlɪ] *adv* sûrement.

surf [sɜːf] *n* écume *f* ♦ *vi* surfer.

surface ['sɜːfɪs] *n* surface *f*.

surface area *n* surface *f*.

surface mail *n* courrier *m* par voie de terre.

surfboard ['sɜːfbɔːd] *n* surf *m*.

surfing ['sɜːfɪŋ] *n* surf *m*; **to go ~** faire du surf.

surgeon ['sɜːdʒən] *n* chirurgien *m* (-ienne *f*).

surgery ['sɜːdʒərɪ] *n (treatment)* chirurgie *f*; *(building)* cabinet *m*

médical; *(Br: period)* consultations *fpl*.

surname ['sɜːneɪm] *n* nom *m* (de famille).

surplus ['sɜːpləs] *n* surplus *m*.

surprise [sə'praɪz] *n* surprise *f* ♦ *vt* surprendre.

surprised [sə'praɪzd] *adj* surpris(-e).

surprising [sə'praɪzɪŋ] *adj* surprenant(-e).

surrender [sə'rendər] *vi* se rendre ♦ *vt (fml: hand over)* remettre.

surround [sə'raʊnd] *vt* entourer; *(encircle)* encercler.

surrounding [sə'raʊndɪŋ] *adj* environnant(-e) ❑ **surroundings** *npl* environs *mpl*.

survey ['sɜːveɪ] *n (investigation)* enquête *f*; *(poll)* sondage *m*; *(of land)* levé *m*; *(Br: of house)* expertise *f*.

surveyor [sə'veɪər] *n (Br: of houses)* expert *m*; *(of land)* géomètre *m*.

survival [sə'vaɪvl] *n* survie *f*.

survive [sə'vaɪv] *vi* survivre ♦ *vt* survivre à.

survivor [sə'vaɪvər] *n* survivant *m* (-e *f*).

suspect [*vb* sə'spekt, *n & adj* 'sʌspekt] *vt (believe)* soupçonner; *(mistrust)* douter de ♦ *n* suspect *m* (-e *f*) ♦ *adj* suspect(-e); **to ~ sb of sthg** soupçonner qqn de qqch.

suspend [sə'spend] *vt* suspendre; *(from school)* exclure.

suspender belt [sə'spendə-] *n* porte-jarretelles *m inv*.

suspenders [sə'spendəz] *npl (Br: for stockings)* jarretelles *fpl*; *(Am: for trousers)* bretelles *fpl*.

suspense [sə'spens] *n* suspense *m*.

suspension [sə'spenʃn] *n* suspension *f*; *(from school)* renvoi *m* temporaire.

suspicion [sə'spɪʃn] *n* soupçon *m*.

suspicious [sə'spɪʃəs] *adj (behaviour, situation)* suspect(-e); **to be ~ (of)** *(distrustful)* se méfier (de).

swallow ['swɒləʊ] *n (bird)* hirondelle *f* ♦ *vt & vi* avaler.

swam [swæm] *pt* → **swim**.

swamp [swɒmp] *n* marécage *m*.

swan [swɒn] *n* cygne *m*.

swap [swɒp] *vt* échanger; **to ~ sthg for sthg** échanger qqch contre qqch.

swarm [swɔːm] *n (of bees)* essaim *m*.

swear [sweəʳ] *(pt* swore, *pp* sworn) *vt & vi* jurer; **to ~ to do sthg** jurer de faire qqch.

swearword ['sweəwɜːd] *n* gros mot *m*.

sweat [swet] *n* transpiration *f*, sueur *f* ♦ *vi* transpirer, suer.

sweater ['swetəʳ] *n* pull *m*.

sweatshirt ['swetʃɜːt] *n* sweatshirt *m*.

swede [swiːd] *n (Br)* rutabaga *m*.

Swede [swiːd] *n* Suédois *m* (-e *f*).

Sweden ['swiːdn] *n* la Suède.

Swedish ['swiːdɪʃ] *adj* suédois(-e) ♦ *n (language)* suédois *m* ♦ *npl*: **the ~s** les Suédois *mpl*.

sweep [swiːp] *(pt & pp* swept) *vt (with broom)* balayer.

sweet [swiːt] *adj (food, drink)* sucré(-e); *(smell)* doux (douce); *(person, nature)* gentil(-ille) ♦ *n (Br) (candy)* bonbon *m*; *(dessert)* dessert *m*.

sweet-and-sour *adj* aigredoux (aigre-douce).

sweet corn *n* maïs *m* doux.

sweetener ['swiːtnəʳ] *n (for drink)* édulcorant *m*.

sweet potato *n* patate *f* douce.

sweet shop *n (Br)* confiserie *f*.

swell [swel] *(pp* swollen) *vi* enfler.

swelling ['swelɪŋ] *n* enflure *f*.

swept [swept] *pt & pp* → **sweep**.

swerve [swɜːv] *vi (vehicle)* faire une embardée.

swig [swɪg] *n (inf)* lampée *f*.

swim [swɪm] *(pt* swam, *pp* swum) *vi* nager ♦ *n*: **to go for a ~** aller nager.

swimmer ['swɪməʳ] *n* nageur *m* (-euse *f*).

swimming ['swɪmɪŋ] *n* natation *f*; **to go ~** nager, faire de la natation.

swimming baths *npl (Br)* piscine *f*.

swimming cap *n* bonnet *m* de bain.

swimming costume *n (Br)* maillot *m* de bain.

swimming pool *n* piscine *f*.

swimming trunks *npl* slip *m* de bain.

swimsuit ['swɪmsuːt] *n* maillot *m* de bain.

swindle ['swɪndl] *n* escroquerie *f*.

swing [swɪŋ] *(pt & pp* swung) *n (for children)* balançoire *f* ♦ *vt (from side to side)* balancer ♦ *vi (from side to side)* se balancer.

swipe [swaɪp] *vt (credit card etc)* passer dans un lecteur de cartes.

Swiss [swɪs] *adj* suisse ♦ *n (per-*

son) Suisse *mf* ♦ *npl*: **the ~ les Suisses** *mpl*.

Swiss cheese *n* gruyère *m*.

swiss roll *n* gâteau *m* roulé.

switch [swɪtʃ] *n* (*for light, power*) interrupteur *m*; (*for television, radio*) bouton *m* ♦ *vi changer* ♦ *vt* (*exchange*) échanger; **to ~ places** changer de place □ **switch off** *vt sep* (*light, radio*) éteindre; (*engine*) couper; **switch on** *vt sep* (*light, radio*) allumer; (*engine*) mettre en marche.

switchboard [ˈswɪtʃbɔːd] *n* standard *m*.

Switzerland [ˈswɪtsələnd] *n* la Suisse.

swivel [ˈswɪvl] *vi* pivoter.

swollen [ˈswəuln] *pp* → **swell** ♦ *adj* (*ankle, arm etc*) enflé(-e).

swop [swɒp] = **swap**.

sword [sɔːd] *n* épée *f*.

swordfish [ˈsɔːdfɪʃ] (*pl inv*) *n* espadon *m*.

swore [swɔː] *pt* → **swear**.

sworn [swɔːn] *pp* → **swear**.

swum [swʌm] *pp* → **swim**.

swung [swʌŋ] *pt & pp* → **swing**.

syllable [ˈsɪləbl] *n* syllabe *f*.

syllabus [ˈsɪləbəs] *n* programme *m*.

symbol [ˈsɪmbl] *n* symbole *m*.

sympathetic [ˌsɪmpəˈθetɪk] *adj* (*understanding*) compréhensif(-ive).

sympathize [ˈsɪmpəθaɪz] *vi* (*feel sorry*) compatir; (*understand*) comprendre; **to ~ with sb** (*feel sorry for*) plaindre qqn; (*understand*) comprendre qqn.

sympathy [ˈsɪmpəθɪ] *n* (*understanding*) compréhension *f*.

symphony [ˈsɪmfənɪ] *n* sympho-

nie *f*.

symptom [ˈsɪmptəm] *n* symptôme *m*.

synagogue [ˈsɪnəgɒg] *n* synagogue *f*.

synthesizer [ˈsɪnθəsaɪzə] *n* synthétiseur *m*.

synthetic [sɪnˈθetɪk] *adj* synthétique.

syringe [sɪˈrɪndʒ] *n* seringue *f*.

syrup [ˈsɪrəp] *n* sirop *m*.

system [ˈsɪstəm] *n* système *m*; (*for gas, heating etc*) installation *f*; (*hi-fi*) chaîne *f*.

T

ta [tɑː] *excl* (*Br: inf*) merci!

tab [tæb] *n* (*of cloth, paper etc*) étiquette *f*; (*bill*) addition *f*, note *f*; **put it on my ~** mettez-le sur ma note.

table [ˈteɪbl] *n* table *f*; (*of figures etc*) tableau *m*.

tablecloth [ˈteɪblklɒθ] *n* nappe *f*.

tablemat [ˈteɪblmæt] *n* dessous-de-plat *m inv*.

tablespoon [ˈteɪblspuːn] *n* cuillère *f* à soupe.

tablet [ˈtæblɪt] *n* (*pill*) cachet *m*; (*of chocolate*) tablette *f*; **a ~ of soap** une savonnette.

table tennis *n* ping-pong *m*.

table wine *n* vin *m* de table.

tabloid ['tæblɔɪd] n tabloïd(e) m.

tack [tæk] n (nail) clou m.

tackle ['tækl] n (in football) tacle m; (in rugby) plaquage m; (for fishing) matériel m ♦ vt (in football) tacler; (in rugby) plaquer; (deal with) s'attaquer à.

tacky ['tæki] adj (inf) ringard(-e).

taco ['tækəʊ] (pl -s) n crêpe de maïs farcie, très fine et croustillante (spécialité mexicaine).

tact [tækt] n tact m.

tactful ['tæktfʊl] adj plein(-e) de tact.

tactics ['tæktɪks] npl tactique f.

tag [tæg] n (label) étiquette f.

tagliatelle [ˌtæɡljə'teli] n tagliatelles fpl.

tail [teɪl] n queue f ❑ **tails** n (of coin) pile f ♦ npl (formal dress) queue-de-pie f.

tailgate ['teɪlgeɪt] n (of car) hayon m.

tailor ['teɪləʳ] n tailleur m.

Taiwan [ˌtaɪ'wɑːn] n Taïwan.

take [teɪk] (pt took, pp taken) vt 1. (gen) prendre; **to ~ a bath/shower** prendre un bain/une douche; **to ~ an exam** passer un examen; **to ~ a walk** faire une promenade.
2. (carry) emporter.
3. (drive) emmener.
4. (time) prendre; (patience, work) demander; **how long will it ~?** combien de temps ça va prendre?
5. (size in clothes, shoes) faire; **what size do you ~?** (clothes) quelle taille faites-vous?; (shoes) quelle pointure faites-vous?
6. (subtract) ôter.
7. (accept) accepter; **do you ~ traveller's cheques?** acceptez-vous les traveller's checks?; **to ~ sb's advice**

suivre les conseils de qqn.
8. (contain) contenir.
9. (tolerate) supporter.
10. (assume): **I ~ it that ...** je suppose que ...
11. (rent) louer.
❑ **take apart** vt sep (dismantle) démonter; **take away** vt sep (remove) enlever; (subtract) ôter; **take back** vt sep (something borrowed) rapporter; (person) ramener; (statement) retirer; **take down** vt sep (picture, decorations) enlever; **take in** vt sep (include) englober; (understand) comprendre; (deceive) tromper; (clothes) reprendre; **take off** vi (plane) décoller ♦ vt sep (remove) enlever, ôter; (as holiday): **to ~ a week off** prendre une semaine de congé; **take out** vt sep sortir; (loan, insurance policy) souscrire; (go out with) emmener; **take over** vi prendre le relais; **take up** vt sep (begin) se mettre à; (use up) prendre; (trousers, dress) raccourcir.

takeaway ['teɪkəˌweɪ] n (Br) (shop) magasin qui vend des plats à emporter; (food) plat m à emporter.

taken ['teɪkn] pp → **take**.

takeoff ['teɪkɒf] n (of plane) décollage m.

takeout ['teɪkaʊt] (Am) = **takeaway**.

takings ['teɪkɪŋz] npl recette f.

talcum powder ['tælkəm-] n talc m.

tale [teɪl] n (story) conte m; (account) récit m.

talent ['tælənt] n talent m.

talk [tɔːk] n (conversation) conversation f; (speech) exposé m ♦ vi parler; **to ~ to sb (about sthg)** parler à qqn (de qqch); **to ~ with sb** parler avec qqn □ **talks** *npl* négociations *fpl*.

talkative [ˈtɔːkətɪv] *adj* bavard(-e).

tall [tɔːl] *adj* grand(-e); **how ~ are you?** combien mesures-tu?; **I'm five and a half feet ~** je fais 1,65 mètres, je mesure 1,65 mètres.

tame [teɪm] *adj* (animal) apprivoisé(-e).

tampon [ˈtæmpɒn] *n* tampon *m*.

tan [tæn] *n* (suntan) bronzage *m* ♦ *vi* bronzer ♦ *adj* (colour) brun clair.

tangerine [ˌtændʒəˈriːn] *n* mandarine *f*.

tank [tæŋk] *n* (container) réservoir *m*; (vehicle) tank *m*.

tanker [ˈtæŋkəʳ] *n* (truck) camion-citerne *m*.

tanned [tænd] *adj* bronzé(-e).

tap [tæp] *n* (for water) robinet *m* ♦ *vt* (hit) tapoter.

tape [teɪp] *n* (cassette, video) cassette *f*; (in cassette) bande *f*; (adhesive material) ruban *m* adhésif; (strip of material) ruban *m* ♦ *vt* (record) enregistrer; (stick) scotcher.

tape measure *n* mètre *m* (ruban).

tape recorder *n* magnétophone *m*.

tapestry [ˈtæpɪstrɪ] *n* tapisserie *f*.

tap water *n* eau *f* du robinet.

tar [tɑːʳ] *n* (for roads) goudron *m*; (in cigarettes) goudrons *mpl*.

target [ˈtɑːgɪt] *n* cible *f*.

tariff [ˈtærɪf] *n* (price list) tarif *m*; (Br: menu) menu *m*; (at customs) tarif *m* douanier.

tarmac [ˈtɑːmæk] *n* (at airport)

piste *f* □ **Tarmac®** *n* (on road) macadam *m*.

tarpaulin [tɑːˈpɔːlɪn] *n* bâche *f*.

tart [tɑːt] *n* tarte *f*.

tartan [ˈtɑːtn] *n* tartan *m*.

tartare sauce [ˌtɑːtə-] *n* sauce *f* tartare.

task [tɑːsk] *n* tâche *f*.

taste [teɪst] *n* goût *m* ♦ *vt* (sample) goûter; (detect) sentir ♦ *vi*: **to ~ of sthg** avoir un goût de qqch; **it ~s bad** ça a mauvais goût; **it ~s good** ça a bon goût; **to have a ~ of sthg** (food, drink) goûter (à) qqch; (fig: experience) avoir un aperçu de qqch.

tasteful [ˈteɪstfʊl] *adj* de bon goût.

tasteless [ˈteɪstlɪs] *adj* (food) insipide; (comment, decoration) de mauvais goût.

tasty [ˈteɪstɪ] *adj* délicieux(-ieuse).

tattoo [təˈtuː] *n* (pl **-s**) (on skin) tatouage *m*; (military display) défilé *m* (militaire).

taught [tɔːt] *pt & pp →* **teach**.

Taurus [ˈtɔːrəs] *n* Taureau *m*.

taut [tɔːt] *adj* tendu(-e).

tax [tæks] *n* (on income) impôts *mpl*; (on import, goods) taxe *f* ♦ *vt* (goods) taxer; (person) imposer.

tax disc *n* (Br) vignette *f* automobile.

tax-free *adj* exonéré(-e) d'impôts.

taxi [ˈtæksɪ] *n* taxi *m* ♦ *vi* (plane) rouler.

taxi driver *n* chauffeur *m* de taxi.

taxi rank *n* (Br) station *f* de taxis.

taxi stand *(Am)* = taxi rank.

T-bone steak *n* steak *m* dans l'aloyau.

tea [ti:] *n* thé *m*; *(herbal)* tisane *f*; *(evening meal)* dîner *m*.

tea bag *n* sachet *m* de thé.

teacake ['ti:keɪk] *n* petit pain brioché aux raisins secs.

teach [ti:tʃ] *(pt & pp taught) vt (subject)* enseigner; *(person)* enseigner à ◆ *vi* enseigner; **to ~ sb sthg, to ~ sthg to sb** enseigner qqch à qqn; **to ~ sb (how) to do sthg** apprendre à qqn à faire qqch.

teacher ['ti:tʃə'] *n* professeur *m*, enseignant *m* (-e *f*).

teaching ['ti:tʃɪŋ] *n* enseignement *m*.

tea cloth = tea towel.

teacup ['ti:kʌp] *n* tasse *f* à thé.

team [ti:m] *n* équipe *f*.

teapot ['ti:pɒt] *n* théière *f*.

tear[1] [teə'] *(pt* tore, *pp* torn) vt *(rip)* déchirer ◆ *vi* se déchirer ◆ *n* déchirure *f* ⧠ **tear up** *vt sep* déchirer.

tear[2] [tɪə'] *n* larme *f*.

tearoom ['ti:rum] *n* salon *m* de thé.

tease [ti:z] *vt* taquiner.

tea set *n* service *m* à thé.

teaspoon ['ti:spu:n] *n* cuillère *f* à café; *(amount)* = teaspoonful.

teaspoonful ['ti:spu:n,ful] *n* cuillerée *f* à café.

teat [ti:t] *n (animal)* tétine *f*.

teatime ['ti:taɪm] *n* heure *f* du thé.

tea towel *n* torchon *m*.

technical ['teknɪkl] *adj* technique.

technical drawing *n* dessin *m* industriel.

technicality [,teknɪ'kælətɪ] *n (detail)* détail *m* technique.

technician [tek'nɪʃn] *n* technicien *m* (-ienne *f*).

technique [tek'ni:k] *n* technique *f*.

technological [,teknə'lɒdʒɪkl] *adj* technologique.

technology [tek'nɒlədʒɪ] *n* technologie *f*.

teddy (bear) ['tedɪ-] *n* ours *m* en peluche.

tedious ['ti:djəs] *adj* ennuyeux(-euse).

tee [ti:] *n (peg)* tee *m*; *(area)* point *m* de départ.

teenager ['ti:n,eɪdʒə'] *n* adolescent *m* (-e *f*).

teeth [ti:θ] *pl* → tooth.

teethe [ti:ð] *vi*: **to be teething** faire ses dents.

teetotal [ti:'təʊtl] *adj* qui ne boit jamais.

telegram ['telɪɡræm] *n* télégramme *m*.

telegraph ['telɪɡrɑ:f] *n* télégraphe *m* ◆ *vt* télégraphier.

telegraph pole *n* poteau *m* télégraphique.

telephone ['telɪfəʊn] *n* téléphone *m* ◆ *vt (person, place)* téléphoner à ◆ *vi* téléphoner; **to be on the ~** *(talking)* être au téléphone; *(connected)* avoir le téléphone.

telephone booth *n* cabine *f* téléphonique.

telephone box *n* cabine *f* téléphonique.

telephone call *n* appel *m* téléphonique.

telephone directory *n* annuaire m (téléphonique).

telephone number n numéro m de téléphone.

telephonist [tɪ'lefənɪst] n (Br) téléphoniste mf.

telephoto lens [telɪ'fəʊtəʊ] n téléobjectif m.

telescope [telɪskəʊp] n télescope m.

television [telɪ,vɪʒn] n télévision f; **on (the) ~** (broadcast) à la télévision.

telex [teleks] n télex m.

tell [tel] (pt & pp told) vt (inform) dire à; (story, joke) raconter; (truth, lie) dire; (distinguish) voir ♦ vi: **I can ~ ça se voit; can you ~ me the time?** pouvez-vous me dire l'heure?; **to ~ sb sthg** dire qqch à qqn; **to ~ sb about sthg** raconter qqch à qqn; **to ~ sb how to do sthg** dire à qqn comment faire qqch; **to ~ sb to do sthg** dire à qqn de faire qqch ❑ **tell off** vt sep gronder.

teller [telər] n (in bank) caissier m (-ière f).

telly [telɪ] n (Br: inf) télé f.

temp [temp] n intérimaire mf ♦ vi faire de l'intérim.

temper [tempər] n: **to be in a ~** être de mauvaise humeur; **to lose one's ~** se mettre en colère.

temperature [temprətʃər] n température f; **to have a ~** avoir de la température.

temple [templ] n (building) temple m; (of forehead) tempe f.

temporary [tempərən] adj temporaire.

tempt [tempt] vt tenter; **to be ~ed to do sthg** être tenté de faire qqch.

temptation [temp'teɪʃn] n ten-

tation f.

tempting [temptɪŋ] adj tentant(-e).

ten [ten] num dix, → **six**.

tenant [tenənt] n locataire mf.

tend [tend] vi: **to ~ to do sthg** avoir tendance à faire qqch.

tendency [tendənsɪ] n tendance f.

tender [tendər] adj tendre; (sore) douloureux(-euse) ♦ vt (fml: pay) présenter.

tendon [tendən] n tendon m.

tenement [tenəmənt] n immeuble m.

tennis [tenɪs] n tennis m.

tennis ball n balle f de tennis.

tennis court n court m de tennis.

tennis racket n raquette f de tennis.

tenpin bowling [tenpɪn-] (Br) n bowling m.

tenpins [tenpɪnz] (Am) = **tenpin bowling**.

tense [tens] adj tendu(-e) ♦ n (GRAMM) temps m.

tension [tenʃn] n tension f.

tent [tent] n tente f.

tenth [tenθ] num dixième, → **sixth**.

tent peg n piquet m de tente.

tepid [tepɪd] adj tiède.

tequila [tɪˈkiːlə] n tequila f.

term [tɜːm] n (word, expression) terme m; (at school, university) trimestre m; **in the long ~** à long terme; **in the short ~** à court terme; **in ~s of** du point de vue de; **in business ~s** d'un point de vue commercial ❑ **terms** npl (of contract) termes mpl; (price) conditions fpl.

terminal ['tɜːmɪnl] adj (illness) mortel(-elle) ♦ n (for buses) terminus m; (at airport) terminal m, aérogare f; (COMPUT) terminal.

terminate ['tɜːmɪneɪt] vi (train, bus) arriver à son terminus.

terminus ['tɜːmɪnəs] n terminus m.

terrace ['terəs] n (patio) terrasse f; the ~s (at football ground) les gradins mpl.

terraced house ['terəst-] n (Br) maison attenante aux maisons voisines.

terrible ['terəbl] adj terrible; (very ill) très mal.

terribly ['terəblɪ] adv terriblement; (very badly) terriblement mal.

terrier ['terɪəʳ] n terrier m.

terrific [tə'rɪfɪk] adj (inf) (very good) super (inv); (very great) terrible.

terrified ['terɪfaɪd] adj terrifié(-e).

territory ['terɪtrɪ] n territoire m.

terror ['terəʳ] n terreur f.

terrorism ['terərɪzm] n terrorisme m.

terrorist ['terərɪst] n terroriste mf.

terrorize ['terəraɪz] vt terroriser.

test [test] n (exam, medical) examen m; (at school, on machine, car) contrôle m; (of intelligence, personality) test m; (of blood) analyse f ♦ vt (check) tester; (give exam to) interroger; (dish, drink) goûter (à).

testicles ['testɪklz] npl testicules mpl.

tetanus ['tetənəs] n tétanos m.

text [tekst] n texte m.

textbook ['tekstbʊk] n manuel m.

textile ['tekstaɪl] n textile m.

texture ['tekstʃəʳ] n texture f.

Thai [taɪ] adj thaïlandais(-e).

Thailand ['taɪlænd] n la Thaïlande.

Thames [temz] n: the ~ la Tamise.

than [weak form ðən, strong form ðæn] prep & conj que; you're better ~ me tu es meilleur que moi; I'd rather stay in ~ go out je préférerais rester à la maison (plutôt) que sortir; more ~ ten plus de dix.

thank [θæŋk] vt: to ~ sb (for sthg) remercier qqn (de OR pour qqch) □ **thanks** npl remerciements mpl ♦ excl merci!; ~s to grâce à; many ~s mille mercis.

Thanksgiving ['θæŋks,gɪvɪŋ] n fête nationale américaine.

---

i THANKSGIVING

Le quatrième jeudi de novembre, jour férié, les Américains commémorent l'action de grâce rendue en 1621 par les colons britanniques après leur première récolte. Le repas traditionnel de Thanksgiving se compose de dinde rôtie à la sauce aux airelles et de tarte au potiron.

---

thank you excl merci!; ~ **very much!** merci beaucoup!; **no ~!** non merci!

that [ðæt, weak form of pron senses 3, 4, 5 & conj ðət] (pl **those**) adj 1. (referring to thing, person mentioned) ce (cette), cet *(before vowel or mute "h")*, ces *(pl)*; **~ film was very good** ce film était très bien; **those chocolates are delicious** ces chocolats sont délicieux.

2. *(referring to thing, person further away)* ce ...-là *(cette ...-là (before vowel or mute "h")*, ces ...-là *(pl)*; **I prefer ~ book** je préfère ce livre-là; **I'll have ~ one** je prends celui-là.

♦ *pron* **1.** *(referring to thing mentioned)* ce, cela, ça; **what's ~?** qu'est-ce que c'est que ça?; **~'s interesting** c'est intéressant; **who's ~?** qui est-ce?; **is ~ Lucy?** c'est Lucy?

2. *(referring to thing, person further away)* celui-là *(celle-là)*, ceux-là *(celles-là)* *(pl)*.

3. *(introducing relative clause: subject)* qui; **a shop ~ sells antiques** un magasin qui vend des antiquités.

4. *(introducing relative clause: object)* que; **the film ~ I saw** le film que j'ai vu.

5. *(introducing relative clause: after prep)*: **the person that I bought it for** la personne pour laquelle je l'ai acheté; **the place ~ I'm looking for** l'endroit que je cherche.

♦ *adv* si; **it wasn't ~ bad/good** ce n'était pas si mauvais/bon (que ça).

♦ *conj* que; **tell him ~ I'm going to be late** dis-lui que je vais être en retard.

thatched [θætʃt] *adj (roof)* de chaume; *(cottage)* au toit de chaume.

that's [ðæts] = **that is**.

thaw [θɔː] *vi (snow, ice)* fondre ♦ *vt (frozen food)* décongeler.

the [weak form ðə, before vowel ði, strong form ðiː] *definite article* **1.** *(gen)* le (la), les *(pl)*; **~ book** le livre;

man l'homme; **~ woman** la femme; **~ girls** les filles; **~ Wilsons** les Wilson.

2. *(with an adjective to form a noun)*: **~ British** les Britanniques; **~ young** les jeunes.

3. *(in dates)*: **~ twelfth** le douze; **~ forties** les années quarante.

4. *(in titles)*: **Elizabeth ~ Second** Élisabeth II.

theater [ˈθɪətəʳ] *n (Am) (for plays, drama)* = **theatre**; *(for films)* cinéma *m*.

theatre [ˈθɪətəʳ] *n (Br)* théâtre *m*.

theft [θeft] *n* vol *m*.

their [ðeəʳ] *adj* leur, leurs *(pl)*.

theirs [ðeəz] *pron* le leur (la leur), les leurs *(pl)*; **a friend of ~** un de leurs amis.

them [weak form ðəm, strong form ðem] *pron (direct)* les; *(indirect)* leur; *(after prep)* eux (elles *f*); **I know ~** je les connais; **it's ~** ce sont OR c'est eux; **send it to ~** envoye*z*-le-leur; **tell ~** dites-leur; **he's worse than ~** il est pire qu'eux.

theme [θiːm] *n* thème *m*.

theme park *n* parc *m* à thème.

themselves [ðəmˈselvz] *pron (reflexive)* se; *(after prep)* eux, eux-mêmes; **they did it ~** ils l'ont fait eux-mêmes.

then [ðen] *adv (at time in past, in that case)* alors; *(at time in future)* à ce moment-là; *(next)* puis, ensuite; **from ~ on** depuis ce moment-là; **until ~** jusque-là.

theory [ˈθɪərɪ] *n* théorie *f*; **in ~** en théorie.

therapist [ˈθerəpɪst] *n* thérapeute *mf*.

therapy [ˈθerəpɪ] *n* thérapie *f*.

there [ðeəʳ] *adv* là, là-bas ♦ *pron*:

~ is il y a ; **~ are** il y a ; **is anyone ~?** il y a quelqu'un? ; **is Bob ~, please?** (on phone) est-ce que Bob est là, s'il vous plaît? ; **we're going ~ tomorrow** nous y allons demain ; **over ~** là-bas ; **~ you are** (when giving) voilà.

thereabouts [ˌðeərə'baʊts] adv: **or ~** environ.

therefore ['ðeəfɔːr] adv donc, par conséquent.

there's [ðeəz] = **there is**.

thermal underwear [ˌθɜːml-] n sous-vêtements mpl en thermolactyl.

thermometer [θə'mɒmɪtər] n thermomètre m.

Thermos (flask)® ['θɜːməs-] n Thermos® f.

thermostat ['θɜːməstæt] n thermostat m.

these [ðiːz] pl → **this**.

they [ðeɪ] pron ils (elles f).

thick [θɪk] adj épais(-aisse) ; (inf: stupid) bouché(-e) ; **it's 1 metre ~** ça fait 1 mètre d'épaisseur.

thicken ['θɪkn] vt épaissir.

thickness ['θɪknɪs] n épaisseur f.

thief [θiːf] (pl **thieves** [θiːvz]) n voleur m (-euse f).

thigh [θaɪ] n cuisse f.

thimble ['θɪmbl] n dé m à coudre.

thin [θɪn] adj (in size) fin(-e) ; (person) mince ; (soup, sauce) peu épais(-aisse).

thing [θɪŋ] n chose f ; **the ~ is** le problème, c'est que ❏ **things** npl (clothes, possessions) affaires fpl ; **how are ~s?** (inf) comment ça va?

thingummyjig ['θɪŋəmɪdʒɪg] n (inf) truc m.

think [θɪŋk] (pt & pp **thought**) vt penser ◆ vi réfléchir ; **what do you ~ of this jacket?** qu'est-ce que tu penses de cette veste? ; **to ~ that** penser que ; **to ~ about** penser à ; **to ~ of** penser à ; (remember) se souvenir de ; **to ~ of doing sthg** songer à faire qqch ; **I ~ so** je pense (que oui) ; **I don't ~ so** je ne pense pas ; **do you ~ you could ...?** pourrais-tu ...? ; **to ~ highly of sb** penser beaucoup de bien de qqn ❏ **think over** vt sep réfléchir à ; **think up** vt sep imaginer.

third [θɜːd] num troisième, → **sixth**.

third party insurance n assurance f au tiers.

Third World n: **the ~** le tiers-monde.

thirst [θɜːst] n soif f.

thirsty ['θɜːstɪ] adj: **to be ~** avoir soif.

thirteen [ˌθɜː'tiːn] num treize, → **six**.

thirteenth [ˌθɜː'tiːnθ] num treizième, → **sixth**.

thirtieth ['θɜːtɪəθ] num trentième, → **sixth**.

thirty ['θɜːtɪ] num trente, → **six**.

this [ðɪs] (pl **these**) adj 1. (referring to thing, person mentioned) ce (cette), cet (before vowel or mute "h"), ces (pl) ; **these chocolates are delicious** ces chocolats sont délicieux ; **~ morning** ce matin ; **~ week** cette semaine. 2. (referring to thing, person nearer) ce ...-ci (cette ...-ci), cet ...-ci (before vowel or mute "h"), ces ...-ci (pl) ; **I prefer ~ book** je préfère ce livre-ci ; **I'll have ~ one** je prends celui-ci.

3. (inf: used when telling a story): **there was ~ man ...** il y avait un bonhomme ...

♦ pron **1.** (referring to thing mentioned) ce, ceci; **~ is for you** c'est pour vous; **what are these?** qu'est-ce que c'est?; **~ is David Gregory** (introducing someone) je vous présente David Gregory; (on telephone) David Gregory à l'appareil. **2.** (referring to thing, person nearer) celui-ci (celle-ci), ceux-ci (celles-ci) (pl).

♦ adv: **it was ~ big** c'était grand comme ça.

thistle [ˈθɪsl] n chardon m.

thorn [θɔːn] n épine f.

thorough [ˈθʌrə] adj minutieux(-ieuse).

thoroughly [ˈθʌrəlɪ] adv (check, clean) à fond.

those [ðəʊz] pl → **that**.

though [ðəʊ] conj bien que (+ subjunctive) ♦ adv pourtant; **even ~** bien que (+ subjunctive).

thought [θɔːt] pt & pp → **think** ♦ n (idea) idée f; (thinking) pensées fpl; (careful) réflexion f ☐ **thoughts** npl (opinion) avis m, opinion f.

thoughtful [ˈθɔːtfʊl] adj (serious) pensif(-ive); (considerate) prévenant(-e).

thoughtless [ˈθɔːtlɪs] adj indélicat(-e).

thousand [ˈθaʊznd] num mille; **a** OR **one ~** mille; **~s of** des milliers de, → **six**.

thrash [θræʃ] vt (inf: defeat) battre à plate(s) couture(s).

thread [θred] n (of cotton etc) fil m ♦ vt (needle) enfiler.

threadbare [ˈθredbeəʳ] adj usé(-e) jusqu'à la corde.

threat [θret] n menace f.

threaten [ˈθretn] vt menacer; **to ~ to do sthg** menacer de faire qqch.

threatening [ˈθretnɪŋ] adj menaçant(-e).

three [θriː] num trois, → **six**.

three-D n: **in ~** en relief.

three-piece suite n ensemble m canapé-deux fauteuils.

three-quarters [ˌθriːˈkwɔːtəz] n trois quarts mpl; **~ of an hour** trois quarts d'heure.

threshold [ˈθreʃhəʊld] n (fml) seuil m.

threw [θruː] pt → **throw**.

thrifty [ˈθrɪftɪ] adj économe.

thrilled [θrɪld] adj ravi(-e).

thriller [ˈθrɪləʳ] n thriller m.

thrive [θraɪv] vi (plant, animal, person) s'épanouir; (business, tourism) être florissant(-e).

throat [θrəʊt] n gorge f.

throb [θrɒb] vi (noise, engine) vibrer; **my head is throbbing** j'ai un mal de tête lancinant.

throne [θrəʊn] n trône m.

throttle [ˈθrɒtl] n (of motorbike) poignée f des gaz.

through [θruː] prep (to other side of) à travers; (hole, window) par; (by means of) par; (because of) grâce à; (during) pendant ♦ adv (to other side) à travers ♦ adj: **to be ~** (with sthg) (finished) avoir fini (qqch); **you're ~** (on phone) vous êtes en ligne; **Monday ~ Thursday** (Am) de lundi à jeudi; **to let sb ~** laisser passer qqn; **I slept ~ until nine** j'ai dormi d'une traite jusqu'à neuf heures; **~ traffic** circulation se dirigeant vers un autre endroit sans *s'arrêter*; **a ~ train** un train direct; **"no ~ road"** (Br) «voie sans issue».

throughout [θru:'aʊt] *prep (day, morning, year)* tout au long de; *(place, building)* dans ◆ *adv (all the time)* tout le temps; *(everywhere)* partout.

throw [θrəʊ] *(pt* **threw**, *pp* **thrown** [θrəʊn]) *vt* jeter, lancer; *(ball, javelin, dice)* lancer; *(person)* projeter; *(a switch)* actionner; **to ~ sthg in the bin** jeter qqch à la poubelle □ **throw away** *vt sep (get rid of)* jeter; **throw out** *vt sep (get rid of)* jeter; *(person)* jeter dehors; **throw up** *vi (inf: vomit)* vomir.

thru [θru:] *(Am)* = **through**.

thrush [θrʌʃ] *n (bird)* grive *f*.

thud [θʌd] *n* bruit *m* sourd.

thug [θʌg] *n* voyou *m*.

thumb [θʌm] *n* pouce *m* ◆ *vt*: **to ~ a lift** faire de l'auto-stop.

thumbtack [θʌmtæk] *n (Am)* punaise *f*.

thump [θʌmp] *n (punch)* coup *m*; *(sound)* bruit *m* sourd ◆ *vt* cogner.

thunder [θʌndə*r*] *n* tonnerre *m*.

thunderstorm [θʌndəstɔ:m] *n* orage *m*.

Thurs. *(abbr of Thursday)* jeu.

Thursday [θɜ:zdɪ] *n* jeudi *m*, → **Saturday**.

thyme [taɪm] *n* thym *m*.

tick [tɪk] *n (written mark)* coche *f*; *(insect)* tique *f* ◆ *vt* cocher ◆ *vi (clock, watch)* faire tic-tac □ **tick off** *vt sep (mark off)* cocher.

ticket [tɪkɪt] *n* billet *m*; *(for bus, underground, train)* ticket *m*; *(label)* étiquette *f*; *(for speeding, parking)* contravention *f*.

ticket collector *n (at barrier)*

ticket inspector *n (on train)* contrôleur *m* (-euse *f*).

ticket machine *n* billetterie *f* automatique.

ticket office *n* guichet *m*.

tickle [tɪkl] *vt & vi* chatouiller.

ticklish [tɪklɪʃ] *adj* chatouilleux(-euse).

tick-tack-toe *n (Am)* morpion *m*.

tide [taɪd] *n* marée *f*.

tidy [taɪdɪ] *adj (room, desk)* rangé(-e); *(person, hair)* soigné(-e) □ **tidy up** *vt sep* ranger.

tie [taɪ] *(pt & pp* **tied**, *cont* **tying)** *n (around neck)* cravate *f*; *(draw)* match *m* nul; *(Am: on railway track)* traverse *f* ◆ *vt* attacher; *(knot)* faire ◆ *vi (at end of competition)* terminer à égalité; *(at end of match)* faire match nul □ **tie up** *vt sep* attacher; *(delay)* retenir.

tiepin [taɪpɪn] *n* épingle *f* de cravate.

tier [tɪə*r*] *n (of seats)* gradin *m*.

tiger [taɪgə*r*] *n* tigre *m*.

tight [taɪt] *adj* serré(-e); *(drawer, tap)* dur(-e); *(rope, material)* tendu(-e); *(chest)* oppressé(-e); *(inf: drunk)* soûl(-e) ◆ *adv (hold)* bien.

tighten [taɪtn] *vt* serrer, resserrer.

tightrope [taɪtrəʊp] *n* corde *f* raide.

tights [taɪts] *npl* collant(s) *m(pl)*; **a pair of ~** un collant, des collants.

tile [taɪl] *n (for roof)* tuile *f*; *(for floor, wall)* carreau *m*.

till [tɪl] *n (for money)* caisse *f* ◆ *prep* jusqu'à ◆ *conj* jusqu'à ce que.

tiller [tɪlə*r*] *n* barre *f*.

tilt [tɪlt] *vt* pencher ♦ *vi* se pencher.

timber ['tɪmbə'] *n* (wood) bois *m*; (of roof) poutre *f*.

time [taɪm] *n* temps *m*; (measured by clock) heure *f*; (moment) moment *m*; (occasion) fois *f*; (in history) époque *f* ♦ *vt* (measure) chronométrer; (arrange) prévoir; **I haven't got the** ~ je n'ai pas le temps; **it's** ~ **to go** il est temps OR l'heure de partir; **what's the** ~? quelle heure est-il?; **two** ~s **two** deux fois deux; **five** ~s **as much** cinq fois plus; **in a month's** ~ dans un mois; **to have a good** ~ bien s'amuser; **all the** ~ tout le temps; **every** ~ chaque fois; **from** ~ **to** ~ de temps en temps; **for the** ~ **being** pour l'instant; **in** ~ (arrive) à l'heure; **in good** ~ en temps voulu; **last** ~ la dernière fois; **most of the** ~ la plupart du temps; **on** ~ à l'heure; **some of the** ~ parfois; **this** ~ cette fois.

time difference *n* décalage *m* horaire.

time limit *n* délai *m*.

timer ['taɪmə'] *n* (machine) minuteur *m*.

time share *n* logement *m* en multipropriété.

timetable ['taɪm,teɪbl] *n* horaire *m*; (SCH) emploi *m* du temps; (of events) calendrier *m*.

time zone *n* fuseau *m* horaire.

timid ['tɪmɪd] *adj* timide.

tin [tɪn] *n* (metal) étain *m*; (container) boîte *f* ♦ *adj* en étain.

tinfoil ['tɪnfɔɪl] *n* papier *m* aluminium.

tinned food [tɪnd-] *n* (Br) conserves *fpl*.

tin opener [-,əʊpnə'] *n* (Br)

ouvre-boîtes *m inv*.

tinsel ['tɪnsl] *n* guirlandes *fpl* de Noël.

tint [tɪnt] *n* teinte *f*.

tinted glass [,tɪntɪd-] *n* verre *m* teinté.

tiny ['taɪnɪ] *adj* minuscule.

tip [tɪp] *n* (of pen, needle) pointe *f*; (of finger, cigarette) bout *m*; (to waiter, taxi driver etc) pourboire *m*; (piece of advice) tuyau *m*; (rubbish dump) décharge *f* ♦ *vt* (waiter, taxi driver etc) donner un pourboire à; (tilt) incliner; (pour) verser ❑ **tip over** *vt sep* renverser ♦ *vi* se renverser.

tire ['taɪə'] *vi* se fatiguer ♦ *n* (Am) = **tyre**.

tired ['taɪəd] *adj* fatigué(-e); **to be** ~ **of** (fed up with) en avoir assez de.

tired out *adj* épuisé(-e).

tiring ['taɪərɪŋ] *adj* fatigant(-e).

tissue ['tɪʃuː] *n* (handkerchief) mouchoir *m* en papier.

tissue paper *n* papier *m* de soie.

tit [tɪt] *n* (vulg: breast) nichon *m*.

title ['taɪtl] *n* titre *m*.

T-junction *n* intersection *f* en T.

to [unstressed before consonant tə, unstressed before vowel tʊ, stressed tuː] *prep* **1.** (indicating direction) à; **to go** ~ **the States** aller aux États-Unis; **to go** ~ **France** aller en France; **to go** ~ **school** aller à l'école.

2. (indicating position) ~ **one side** sur le côté; ~ **the left/right** à gauche/droite.

3. (expressing indirect object) à; **to give sthg** ~ **sb** donner qqch à qqn; **to listen** ~ **the radio** écouter la radio.

4. (indicating reaction, effect) à; ~ **my**

toad

surprise à ma grande surprise.
5. *(until)* jusqu'à; **to count ~ ten** compter jusqu'à dix; **we work from nine ~ five** nous travaillons de neuf heures à dix-sept heures.
6. *(indicating change of state):* **to turn ~ sthg** se transformer en qqch; **it could lead ~ trouble** ça pourrait causer des ennuis.
7. *(Br: in expressions of time):* **it's ten ~ three** il est trois heures moins dix; **at quarter ~ seven** à sept heures moins le quart.
8. *(in ratios, rates):* **40 miles ~ the gallon** = 7 litres au cent; **there are eight francs to the pound** la livre vaut huit francs.
9. *(of, for):* **the key ~ the car** la clef de la voiture; **a letter ~ my daughter** une lettre à ma fille.
10. *(indicating attitude)* avec, envers; **to be rude ~ sb** se montrer impoli envers qqn.
♦ *with infinitive* **1.** *(forming simple infinitive):* **~ walk** marcher; **~ laugh** rire.
2. *(following another verb):* **to begin ~ do sthg** commencer à faire qqch; **to try ~ do sthg** essayer de faire qqch.
3. *(following an adjective):* **difficult ~ do** difficile à faire; **pleased ~ meet you** enchanté de faire votre connaissance; **ready ~ go** prêt à partir.
4. *(indicating purpose)* pour; **we came here ~ look at the castle** nous sommes venus (pour) voir le château.

toad [təʊd] *n* crapaud *m*.

toadstool ['təʊdstuːl] *n* champignon *m* vénéneux.

toast [təʊst] *n* (*bread*) pain *m* grillé; (*when drinking*) toast *m* ♦ *vt* faire griller; **a piece** OR **slice of ~**

un toast, une tranche de pain grillé.

toasted sandwich ['təʊstɪd-] *n* sandwich *m* grillé.

toaster ['təʊstə'] *n* grille-pain *m inv.*

toastie ['təʊstɪ] = **toasted sandwich.**

tobacco [tə'bækəʊ] *n* tabac *m*.

tobacconist's [tə'bækənɪsts] *n* bureau *m* de tabac.

toboggan [tə'bɒgən] *n* luge *f*.

today [tə'deɪ] *n & adv* aujourd'hui.

toddler ['tɒdlə'] *n* tout-petit *m*.

toe [təʊ] *n* doigt *m* de pied, orteil *m*.

toe clip *n* cale-pied *m*.

toenail ['təʊneɪl] *n* ongle *m* du pied.

toffee ['tɒfɪ] *n* caramel *m*.

together [tə'geðə'] *adv* ensemble; **~ with** ainsi que.

toilet ['tɔɪlɪt] *n* (*room*) toilettes *fpl*; (*bowl*) W-C *mpl*; **to go to the ~** aller aux toilettes; **where's the ~?** où sont les toilettes?

toilet bag *n* trousse *f* de toilette.

toilet paper *n* papier *m* toilette OR hygiénique.

toiletries ['tɔɪlɪtrɪz] *npl* articles *mpl* de toilette.

toilet roll *n* rouleau *m* de papier toilette.

toilet water *n* eau *f* de toilette.

token ['təʊkn] *n* (*metal disc*) jeton *m*.

told [təʊld] *pt & pp* → **tell.**

tolerable ['tɒlərəbl] *adj* tolérable.

tolerant ['tɒlərənt] *adj* tolérant(-e).

tolerate ['tɒləreɪt] *vt* tolérer.

toll [təʊl] *n* (*for road, bridge*)

péage *m*.

tollbooth ['təʊlbuːθ] *n* péage *m*.

toll-free *adj* (*Am*): ~ **number** = numéro *m* vert.

tomato [*Br* tə'mɑːtəʊ, *Am* tə'meɪtəʊ] (*pl* -es) *n* tomate *f*.

tomato juice *n* jus *m* de tomate.

tomato ketchup *n* ketchup *m*.

tomato puree *n* purée *f* de tomate.

tomato sauce *n* sauce *f* tomate.

tomb [tuːm] *n* tombe *f*.

tomorrow [tə'mɒrəʊ] *n & adv* demain *m*; **the day after ~** après-demain; **~ afternoon** demain après-midi; **~ morning** demain matin; **~ night** demain soir.

ton [tʌn] *n* (*in UK*) = 1016 kg; (*in US*) = 907,2 kg; (*metric tonne*) tonne *f*; **~s of** (*inf*) des tonnes de.

tone [təʊn] *n* ton *m*; (*on phone*) tonalité *f*.

tongs [tɒŋz] *npl* (*for hair*) fer *m* à friser; (*for sugar*) pince *f*.

tongue [tʌŋ] *n* langue *f*.

tonic ['tɒnɪk] *n* (*tonic water*) = Schweppes® *m*; (*medicine*) tonique *m*.

tonic water *n* = Schweppes® *m*.

tonight [tə'naɪt] *n & adv* ce soir; (*later*) cette nuit.

tonne [tʌn] *n* tonne *f*.

tonsillitis [,tɒnsɪ'laɪtɪs] *n* amygdalite *f*.

too [tuː] *adv* trop; (*also*) aussi; **it's not ~ good** ce n'est pas extraordinaire; **it's ~ late to go out** il est trop tard pour sortir; **~ many** trop

de; **~ much** trop de.

took [tʊk] *pt → * **take**.

tool [tuːl] *n* outil *m*.

tool kit *n* trousse *f* à outils.

tooth [tuːθ] (*pl* **teeth**) *n* dent *f*.

toothache ['tuːθeɪk] *n* rage *f* de dents.

toothbrush ['tuːθbrʌʃ] *n* brosse *f* à dents.

toothpaste ['tuːθpeɪst] *n* dentifrice *m*.

toothpick ['tuːθpɪk] *n* cure-dents *m inv*.

top [tɒp] *adj* (*highest*) du haut; (*best, most important*) meilleur(-e) ♦ *n* (*garment, of stairs, page, road*) haut *m*; (*of mountain, tree*) cime *f*; (*of table, head*) dessus *m*; (*of class, league*) premier *m* (-ière *f*); (*of bottle, tube, pen*) bouchon *m*; (*of box, jar*) couvercle *m*; **at the ~ (of)** en haut (de); **on ~ of** sur; (*in addition to*) en plus de; **at ~ speed** à toute vitesse; **~ gear** = cinquième *f* ❑ **top up** *vt sep* (*glass*) remplir ♦ *vi* (*with petrol*) faire le plein.

top floor *n* dernier étage *m*.

topic ['tɒpɪk] *n* sujet *m*.

topical ['tɒpɪkl] *adj* d'actualité.

topless ['tɒplɪs] *adj*: **to go ~** faire du monokini.

topped [tɒpt] *adj*: **~ with** (*food*) garni(-e) de.

topping ['tɒpɪŋ] *n* garniture *f*.

torch [tɔːtʃ] *n* (*Br: electric light*) lampe *f* de poche OR électrique.

tore [tɔːr] *pt → * **tear**[1].

torment [tɔː'ment] *vt* tourmenter.

torn [tɔːn] *pp → * **tear**[1] ♦ *adj* (*ripped*) déchiré(-e).

tornado [tɔː'neɪdəʊ] (*pl* **-es** OR

-s) n tornade f.

torrential rain [tə,renʃl-] n pluie f torrentielle.

tortoise ['tɔːtəs] n tortue f.

tortoiseshell ['tɔːtəʃel] n écaille f (de tortue).

torture ['tɔːtʃər] n torture f ♦ vt torturer.

Tory ['tɔːri] n membre du parti conservateur britannique.

toss [tɒs] vt (throw) jeter; (salad, vegetables) remuer; **to ~ a coin** jouer à pile ou face.

total ['təʊtl] adj total(-e) ♦ n total m; **in ~** au total.

touch [tʌtʃ] n (sense) toucher m; (detail) détail m ♦ vt toucher ♦ vi se toucher; **(just) a ~ of** (milk, wine) (juste) une goutte; (of sauce, salt) (juste) un soupçon; **to get in ~ (with sb)** entrer en contact (avec qqn); **to keep in ~ (with sb)** rester en contact (avec qqn) □ **touch down** vi (plane) atterrir.

touching ['tʌtʃiŋ] adj touchant(-e).

tough [tʌf] adj dur(-e); (resilient) résistant(-e).

tour [tʊər] n (journey) voyage m; (of city, castle etc) visite f; (of pop group, theatre company) tournée f ♦ vt visiter; **cycling ~** randonnée f à vélo; **walking ~** randonnée f à pied; **on ~** en tournée.

tourism [tʊərizm] n tourisme m.

tourist ['tʊərist] n touriste mf.

tourist class n classe f touriste.

tourist information office n office m de tourisme.

tournament ['tɔːnəmənt] n tournoi m.

tour operator n tour-opérateur m.

tout [taʊt] n revendeur m (-euse f) de billets (au marché noir).

tow [təʊ] vt remorquer.

toward [tə'wɔːd] (Am) = towards.

towards [tə'wɔːdz] prep (Br) vers; (with regard to) envers; (to help pay for) pour.

towaway zone ['təʊəwei-] n (Am) zone de stationnement interdit sous peine de mise à la fourrière.

towel ['taʊəl] n serviette f (de toilette).

toweling ['taʊəliŋ] (Am) = towelling.

towelling ['taʊəliŋ] n (Br) tissu-éponge m.

towel rail n porte-serviettes m inv.

tower ['taʊər] n tour f.

tower block n (Br) tour f.

Tower Bridge n Tower Bridge.

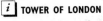

i TOWER BRIDGE

Construit au XIXᵉ siècle sur la Tamise dans le style néogothique, Tower Bridge est un pont basculant qui permet le passage des bateaux les plus hauts.

Tower of London n: **the ~** la Tour de Londres.

i TOWER OF LONDON

La Tour de Londres, sur la rive nord de la Tamise, est une forteresse datant du XIe siècle. Palais royal jusqu'au XVIIe siècle, elle est aujourd'hui ouverte au public et abrite un musée.

town [taʊn] n ville f.

town centre n centre-ville m.

town hall n mairie f.

towpath ['taʊpɑːθ, pl -paːðz] n chemin de de halage.

towrope ['taʊrəʊp] n câble m de remorque.

tow truck n (Am) dépanneuse f.

toxic ['tɒksɪk] adj toxique.

toy [tɔɪ] n jouet m.

toy shop n magasin m de jouets.

trace [treɪs] n trace f ◆ vt (find) retrouver.

tracing paper ['treɪsɪŋ-] n papier-calque m.

track [træk] n (path) chemin m; (of railway) voie f; (SPORT) piste f; (song) plage f ❑ **track down** vt sep retrouver.

tracksuit ['træksuːt] n survêtement m.

tractor ['træktər] n tracteur m.

trade [treɪd] n (COMM) commerce m; (job) métier m ◆ vt échanger ◆ vi faire du commerce.

trade-in n reprise f.

trademark ['treɪdmɑːk] n marque f déposée.

trader ['treɪdər] n commerçant m (-e f).

tradesman ['treɪdzmən] (pl -men [-mən]) n (deliveryman) livreur m; (shopkeeper) marchand m.

trade union n syndicat m.

tradition [trə'dɪʃn] n tradition f.

traditional [trə'dɪʃənl] adj traditionnel (-elle).

traffic ['træfɪk] (pt & pp -ked) n trafic m, circulation f ◆ vi: **to ~ in** faire le trafic de.

traffic circle n (Am) rond-point m.

traffic island n refuge m.

traffic jam n embouteillage m.

traffic lights npl feux mpl (de signalisation).

traffic warden n (Br) contractuel m (-elle f).

tragedy ['trædʒədɪ] n tragédie f.

tragic ['trædʒɪk] adj tragique.

trail [treɪl] n (path) sentier m; (marks) piste f ◆ vi (be losing) être mené.

trailer ['treɪlər] n (for boat, luggage) remorque f; (Am: caravan) caravane f; (for film, programme) bande-annonce f.

train [treɪn] n train m ◆ vt (teach) former; (animal) dresser ◆ vi (SPORT) s'entraîner; **by ~** en train.

train driver n conducteur m (-trice f) de train.

trainee [treɪ'niː] n stagiaire mf.

trainer ['treɪnər] n (of athlete etc) entraîneur m ❑ **trainers** npl (Br: shoes) tennis mpl.

training ['treɪnɪŋ] n (instruction) formation f; (exercises) entraînement m.

training shoes npl (Br) tennis mpl.

tram [træm] n (Br) tramway m.

tramp [træmp] n clochard m (-e f).

trampoline ['træmpəliːn] n trampoline m.

trance [trɑːns] n transe f.

tranquilizer

tranquilizer ['træŋkwɪlaɪzər] *(Am)* = **tranquillizer**.

tranquillizer ['træŋkwɪlaɪzər] *n (Br)* tranquillisant *m*.

transaction [træn'zækʃn] *n* transaction *f*.

transatlantic [,trænzət'læntɪk] *adj* transatlantique.

transfer [*n* 'trænsfɜːʳ, *vb* træns'fɜːʳ] *n* transfert *m*; *(picture)* décalcomanie *f*; *(Am: ticket)* billet donnant droit à la correspondance ♦ *vt* transférer ♦ *vi (change bus, plane etc)* changer; "~s" *(in airport)* «passagers en transit».

transfer desk *n (in airport)* comptoir *m* de transit.

transform [træns'fɔːm] *vt* transformer.

transfusion [træns'fjuːʒn] *n* transfusion *f*.

transistor radio [træn'zɪstəʳ-] *n* transistor *m*.

transit ['trænzɪt]: **in transit** *adv* en transit.

transitive ['trænzɪtɪv] *adj* transitif(-ive).

transit lounge *n* salle *f* de transit.

translate [træns'leɪt] *vt* traduire.

translation [træns'leɪʃn] *n* traduction *f*.

translator [træns'leɪtəʳ] *n* traducteur *m* (-trice *f*).

transmission [trænz'mɪʃn] *n (broadcast)* émission *f*.

transmit [trænz'mɪt] *vt* transmettre.

transparent [træns'pærənt] *adj* transparent(-e).

transplant ['trænsplɑːnt] *n* greffe *f*.

transport [*n* 'trænspɔːt, *vb* træn'spɔːt] *n* transport *m* ♦ *vt* transporter.

transportation [,trænspɔː'teɪʃn] *n (Am)* transport *m*.

trap [træp] *n* piège *m* ♦ *vt*: **to be trapped** *(stuck)* être coincé.

trapdoor [,træp'dɔːʳ] *n* trappe *f*.

trash [træʃ] *n (Am: waste material)* ordures *fpl*.

trashcan ['træʃkæn] *n (Am)* poubelle *f*.

trauma ['trɔːmə] *n* traumatisme *m*.

traumatic [trɔː'mætɪk] *adj* traumatisant(-e).

travel ['trævl] *n* voyages *mpl* ♦ *vt (distance)* parcourir ♦ *vi* voyager.

travel agency *n* agence *f* de voyages.

travel agent *n* employé *m* (-e *f*) d'une agence de voyages; **~'s** *(shop)* agence *f* de voyages.

Travelcard ['trævlkɑːd] *n* forfait *d*'une journée sur les transports publics dans Londres et sa région.

travel centre *n (in railway, bus station)* bureau *d*'information et de vente de billets.

traveler ['trævlər] *(Am)* = **traveller**.

travel insurance *n* assurance-voyage *f*.

traveller ['trævləʳ] *n (Br)* voyageur *m* (-euse *f*).

traveller's cheque *n* traveller's cheque *m*.

travelsick ['trævəlsɪk] *adj*: **to be ~** avoir le mal des transports.

trawler ['trɔːləʳ] *n* chalutier *m*.

tray [treɪ] *n* plateau *m*.

treacherous ['tretʃərəs] *adj*

traître.

treacle ['triːkl] n (Br) mélasse f.

tread [tred] (pt **trod**, pp **trodden**) n (of tyre) bande f de roulement ◆ vi: **to ~ on** sthg marcher sur qqch.

treasure ['treʒəʳ] n trésor m.

treat [triːt] vt traiter ◆ n gâterie f; **to ~** sb to sthg offrir qqch à qqn.

treatment ['triːtmənt] n traitement m.

treble [trebl] adj triple.

tree [triː] n arbre m.

trek [trek] n randonnée f.

tremble ['trembl] vi trembler.

tremendous [trɪ'mendəs] adj (very large) énorme; (inf: very good) formidable.

trench [trentʃ] n tranchée f.

trend [trend] n tendance f.

trendy ['trendɪ] adj (inf) branché(-e).

trespasser ['trespəsəʳ] n intrus m (-e f); **"~s will be prosecuted"** «défense d'entrer sous peine de poursuites».

trial ['traɪəl] n (JUR) procès m; (test) essai m; **a ~ period** une période d'essai.

triangle ['traɪæŋgl] n triangle m.

triangular [traɪ'æŋgjʊləʳ] adj triangulaire.

tribe [traɪb] n tribu f.

tributary ['trɪbjʊtrɪ] n affluent m.

trick [trɪk] n tour m ◆ vt jouer un tour à.

trickle ['trɪkl] vi (liquid) couler.

tricky ['trɪkɪ] adj difficile.

tricycle ['traɪsɪkl] n tricycle m.

trifle ['traɪfl] n (dessert) = diplomate m.

trigger ['trɪgəʳ] n gâchette f.

trim [trɪm] n (haircut) coupe f (de cheveux) ◆ vt (hair) couper; (beard, hedge) tailler.

trinket ['trɪŋkɪt] n babiole f.

trio ['triːəʊ] (pl -s) n trio m.

trip [trɪp] n (journey) voyage m; (short) excursion f ◆ vi trébucher ❑ **trip up** vi trébucher.

triple ['trɪpl] adj triple.

tripod ['traɪpɒd] n trépied m.

triumph ['traɪəmf] n triomphe m.

trivial ['trɪvɪəl] adj (pej) insignifiant(-e).

trod [trɒd] pt → **tread**.

trodden ['trɒdn] pp → **tread**.

trolley ['trɒlɪ] (pl -s) n (Br: in supermarket, at airport) chariot m; (Br: for food, drinks) table f roulante; (Am: tram) tramway m.

trombone [trɒm'bəʊn] n trombone m.

troops [truːps] npl troupes fpl.

trophy ['trəʊfɪ] n trophée m.

tropical ['trɒpɪkl] adj tropical(-e).

trot [trɒt] vi (horse) trotter ◆ n: **on the ~** (inf) d'affilée.

trouble ['trʌbl] n problèmes mpl, ennuis mpl ◆ vt (worry) inquiéter; (bother) déranger; **to be in ~** avoir des problèmes OR des ennuis; **to get into ~** s'attirer des ennuis; **to take the ~ to do** sthg prendre la peine de faire qqch; **it's no ~** ça ne me dérange pas; (in reply to thanks) je vous en prie.

trough [trɒf] n (for food) mangeoire f; (for drink) abreuvoir m.

trouser press ['traʊzəʳ-] n presse f à pantalons.

trousers ['traʊzəz] npl pantalon

m; **a pair of ~** un pantalon.

trout [traʊt] (*pl inv*) *n* truite *f*.

trowel ['traʊəl] *n* (*for gardening*) déplantoir *m*.

truant ['truːənt] *n*: **to play ~** faire l'école buissonnière.

truce [truːs] *n* trêve *f*.

truck [trʌk] *n* camion *m*.

true [truː] *adj* vrai(-e); (*genuine, actual*) véritable.

truly ['truːlɪ] *adv*: **yours ~** veuillez agréer l'expression de mes sentiments respectueux.

trumpet ['trʌmpɪt] *n* trompette *f*.

trumps [trʌmps] *npl* atout *m*.

truncheon ['trʌntʃən] *n* matraque *f*.

trunk [trʌŋk] *n* (*of tree*) tronc *m*; (*Am: of car*) coffre *m*; (*case, box*) malle *f*; (*of elephant*) trompe *f*.

trunk call *n* (*Br*) communication *f* interurbaine.

trunk road *n* (*Br*) route *f* nationale.

trunks [trʌŋks] *npl* (*for swimming*) slip *m* de bain.

trust [trʌst] *n* (*confidence*) confiance *f* ◆ *vt* (*have confidence in*) avoir confiance en; (*fml: hope*) espérer.

trustworthy ['trʌst,wɜːðɪ] *adj* digne de confiance.

truth [truːθ] *n* vérité *f*.

truthful ['truːθfʊl] *adj* (*statement, account*) fidèle à la réalité; (*person*) honnête.

try [traɪ] *n* essai *m* ◆ *vt* essayer; (*food*) goûter (à); (*JUR*) juger ◆ *vi* essayer; **to have a ~** essayer; **to ~ to do sthg** essayer de faire qqch ❏ **try on** *vt sep* (*clothes*) essayer; **try**

out *vt sep* essayer.

T-shirt *n* T-shirt *m*.

tub [tʌb] *n* (*of margarine etc*) barquette *f*; (*small: pot*) *m*; (*inf: bath*) baignoire *f*.

tube [tjuːb] *n* tube *m*; (*Br: inf: underground*) métro *m*; **by ~** en métro.

tube station *n* (*Br: inf*) station *f* de métro.

tuck [tʌk]: **tuck in** *vt sep* (*shirt*) rentrer; (*child, person*) border ◆ *vi* (*inf: start eating*) attaquer.

tuck shop *n* (*Br*) petite boutique qui vend bonbons, gâteaux, etc.

Tudor ['tjuːdəʳ] *adj* Tudor (*inv*) (*XVIᵉ siècle*).

Tues. (*abbr of Tuesday*) mar.

Tuesday ['tjuːzdɪ] *n* mardi *m*, → **Saturday**.

tuft [tʌft] *n* touffe *f*.

tug [tʌg] *vt* tirer ◆ *n* (*boat*) remorqueur *m*.

tuition [tjuːˈɪʃn] *n* cours *mpl*.

tulip ['tjuːlɪp] *n* tulipe *f*.

tumble-dryer ['tʌmbldraɪəʳ] *n* sèche-linge *m inv*.

tumbler ['tʌmbləʳ] *n* (*glass*) verre *m* haut.

tummy ['tʌmɪ] *n* (*inf*) ventre *m*.

tummy upset *n* (*inf*) embarras *m* gastrique.

tumor ['tjuːmər] (*Am*) = **tumour**.

tumour ['tjuːməʳ] *n* (*Br*) tumeur *f*.

tuna (fish) [*Br* 'tjuːnə, *Am* 'tuːnə] *n* thon *m*.

tuna melt *n* (*Am*) toast au thon et au fromage fondu.

tune [tjuːn] *n* air *m* ◆ *vt* (*radio, TV, engine*) régler; (*instrument*) accorder; **in ~** juste; **out of ~** faux.

tunic ['tju:nɪk] n tunique f.

Tunisia [tju:'nɪzɪə] n la Tunisie.

tunnel ['tʌnl] n tunnel m.

turban ['tɜ:bən] n turban m.

turbo ['tɜ:bəʊ] (pl -s) n turbo m.

turbulence ['tɜ:bjʊləns] n turbulence f.

turf [tɜ:f] n (grass) gazon m.

Turk [tɜ:k] n Turc m, Turque f.

turkey ['tɜ:kɪ] (pl -s) n dinde f.

Turkey n la Turquie.

Turkish ['tɜ:kɪʃ] adj turc (turque) ♦ n (language) turc m ♦ npl: **the ~** les Turcs mpl.

Turkish delight n loukoum m.

turn [tɜ:n] n (in road) tournant m; (of knob, key, in game) tour m ♦ vi tourner; (person) se tourner ♦ vt tourner; (corner, bend) prendre; (become) devenir; **to ~ sthg black** noircir qqch; **to ~ into sthg** (become) devenir qqch; **to ~ sthg into sthg** transformer qqch en qqch; **to ~ left/right** tourner à gauche/à droite; **it's your ~** c'est à ton tour; **at the ~ of the century** au début du siècle; **to take it in ~s** to do sthg faire qqch à tour de rôle; **to ~ sthg inside out** retourner qqch ♦ **turn back** vt sep (person, car) refouler ♦ vi faire demi-tour; **turn down** vt sep (radio, volume, heating) baisser; (offer, request) refuser; **turn off** vt sep (light, TV) éteindre; (engine) couper; (water, gas, tap) fermer ♦ vi (leave road) tourner; **turn on** vt sep (light, TV) allumer; (engine) mettre en marche; (water, gas, tap) ouvrir; **turn out** vt sep (light, fire) éteindre ♦ vi (come) venir ♦ vt fus: **to ~ out to be sthg** se révéler être qqch; **turn over** vt sep retourner ♦

vi (in bed) se retourner; (Br: change channels) changer de chaîne; **turn round** vt sep (table etc) tourner ♦ vi (person) se retourner; **turn up** vt sep (radio, volume, heating) monter ♦ vi (come) venir.

turning ['tɜ:nɪŋ] n (off road) embranchement m.

turnip ['tɜ:nɪp] n navet m.

turn-up [tɜ:pˈʌp] n (Br: on trousers) revers m.

turps [tɜ:ps] n (Br: inf) térébenthine f.

turquoise ['tɜ:kwɔɪz] adj turquoise (inv).

turtle ['tɜ:tl] n tortue f (de mer).

turtleneck ['tɜ:tlnek] n pull m à col montant.

tutor ['tju:təʳ] n (teacher) professeur m particulier.

tuxedo [tʌk'si:dəʊ] (pl -s) n (Am) smoking m.

TV n télé f; **on ~** à la télé.

tweed [twi:d] n tweed m.

tweezers ['twi:zəz] npl pince f à épiler.

twelfth [twelfθ] num douzième, → **sixth**.

twelve [twelv] num douze, → **six**.

twentieth ['twentɪəθ] num vingtième; **the ~ century** le vingtième siècle, → **sixth**.

twenty ['twentɪ] num vingt, → **six**.

twice [twaɪs] adv deux fois; **it's ~ as good** c'est deux fois meilleur.

twig [twɪg] n brindille f.

twilight ['twaɪlaɪt] n crépuscule m.

twin [twɪn] n jumeau m (-elle f).

twin beds npl lits mpl jumeaux.

twine [twaɪn] *n* ficelle *f*.

twin room *n* chambre *f* à deux lits.

twist [twɪst] *vt* tordre; *(bottle top, lid, knob)* tourner; **to** ~ **one's ankle** se tordre la cheville.

twisting [ˈtwɪstɪŋ] *adj (road, river)* en lacets.

two [tuː] *num* deux, → **six**.

two-piece *adj (swimsuit, suit)* deux-pièces.

type [taɪp] *n (kind)* type *m*, sorte *f* ◆ *vt & vi* taper.

typewriter [ˈtaɪpˌraɪtəʳ] *n* machine *f* à écrire.

typhoid [ˈtaɪfɔɪd] *n* typhoïde *f*.

typical [ˈtɪpɪkl] *adj* typique.

typist [ˈtaɪpɪst] *n* dactylo *mf*.

tyre [ˈtaɪəʳ] *n (Br)* pneu *m*.

U

U *adj (Br: film)* pour tous.

UFO *n (abbr of unidentified flying object)* OVNI *m*.

ugly [ˈʌglɪ] *adj* laid(-e).

UHT *adj (abbr of ultra heat treated)* UHT.

UK *n*: **the** ~ le Royaume-Uni.

ulcer [ˈʌlsəʳ] *n* ulcère *m*.

ultimate [ˈʌltɪmət] *adj (final)* dernier(-ière); *(best, greatest)* idéal(-e).

ultraviolet [ˌʌltrəˈvaɪələt] *adj* ultra-violet(-ette).

umbrella [ʌmˈbrelə] *n* parapluie *m*.

umpire [ˈʌmpaɪəʳ] *n* arbitre *m*.

UN *n (abbr of United Nations)*: **the** ~ l'ONU *f*.

unable [ʌnˈeɪbl] *adj*: **to be** ~ **to do sthg** ne pas pouvoir faire qqch.

unacceptable [ˌʌnəkˈseptəbl] *adj* inacceptable.

unaccustomed [ˌʌnəˈkʌstəmd] *adj*: **to be** ~ **to sthg** ne pas être habitué(-e) à qqch.

unanimous [juːˈnænɪməs] *adj* unanime.

unattended [ˌʌnəˈtendɪd] *adj (baggage)* sans surveillance.

unattractive [ˌʌnəˈtræktɪv] *adj (person, place)* sans charme; *(idea)* peu attrayant(-e).

unauthorized [ˌʌnˈɔːθəraɪzd] *adj* non autorisé(-e).

unavailable [ˌʌnəˈveɪləbl] *adj* non disponible.

unavoidable [ˌʌnəˈvɔɪdəbl] *adj* inévitable.

unaware [ˌʌnəˈweəʳ] *adj*: **to be** ~ **that** ignorer que; **to be** ~ **of sthg** être inconscient de qqch; *(facts)* ignorer qqch.

unbearable [ʌnˈbeərəbl] *adj* insupportable.

unbelievable [ˌʌnbɪˈliːvəbl] *adj* incroyable.

unbutton [ʌnˈbʌtn] *vt* déboutonner.

uncertain [ʌnˈsɜːtn] *adj* incertain(-e).

uncertainty [ʌnˈsɜːtntɪ] *n* incertitude *f*.

uncle [ˈʌŋkl] *n* oncle *m*.

unclean [ʌnˈkliːn] *adj* sale.

unclear [ʌnˈklɪəʳ] *adj* pas clair(-e); *(not sure)* pas sûr(-e).

uncomfortable [ʌnˈkʌmftəbl] adj (chair, bed) inconfortable; **to feel ~** (person) se sentir mal à l'aise.

uncommon [ʌnˈkɒmən] adj (rare) rare.

unconscious [ʌnˈkɒnʃəs] adj inconscient(-e).

unconvincing [ʌnkənˈvɪnsɪŋ] adj peu convaincant(-e).

uncooperative [ʌnkəʊˈɒp-ərətɪv] adj peu coopératif(-ive).

uncork [ʌnˈkɔ:k] vt déboucher.

uncouth [ʌnˈku:θ] adj grossier(-ière).

uncover [ʌnˈkʌvər] vt découvrir.

under [ˈʌndər] prep (beneath) sous; (less than) moins de; (according to) selon; (in classification) dans; **children ~ ten** les enfants de moins de dix ans; **~ the circumstances** dans ces circonstances; **~ construction** en construction; **to be ~ pressure** être sous pression.

underage [ʌndərˈeɪdʒ] adj mineur(-e).

undercarriage [ˈʌndəkærɪdʒ] n train m d'atterrissage.

underdone [ʌndəˈdʌn] adj (accidentally) pas assez cuit(-e); (steak) saignant(-e).

underestimate [ʌndərˈestɪmeɪt] vt sous-estimer.

underexposed [ʌndərɪkˈspəʊzd] adj sous-exposé(-e).

undergo [ʌndəˈgəʊ] (pt -went, pp -gone) vt subir.

undergraduate [ʌndəˈgrædjʊət] n étudiant m (-e f) (en licence).

underground [ˈʌndəgraʊnd] adj souterrain(-e); (secret) clandestin(-e) ◆ n (Br: railway) métro m.

undergrowth [ˈʌndəgrəʊθ] n sous-bois m.

underline [ʌndəˈlaɪn] vt souligner.

underneath [ʌndəˈni:θ] prep au-dessous de ◆ adv au-dessous ◆ n dessous m.

underpants [ˈʌndəpænts] npl slip m.

underpass [ˈʌndəpɑ:s] n route f en contrebas.

undershirt [ˈʌndəʃɜ:t] n (Am) maillot m de corps.

underskirt [ˈʌndəskɜ:t] n jupon m.

understand [ʌndəˈstænd] (pt & pp -stood) vt comprendre; (believe) croire ◆ vi comprendre; **I don't ~** je ne comprends pas; **to make o.s. understood** se faire comprendre.

understanding [ʌndəˈstændɪŋ] adj compréhensif(-ive) ◆ n (agreement) entente f; (knowledge, sympathy) compréhension f; (interpretation) interprétation f.

understatement [ʌndə-ˈsteɪtmənt] n: **that's an ~** c'est peu dire.

understood [ʌndəˈstʊd] pt & pp → understand.

undertake [ʌndəˈteɪk] (pt -took, pp -taken) vt entreprendre; **to ~ to do sthg** s'engager à faire qqch.

undertaker [ˈʌndəteɪkər] n ordonnateur m des pompes funèbres.

undertaking [ʌndəˈteɪkɪŋ] n (promise) promesse f; (task) entreprise f.

undertook [ʌndəˈtʊk] pt → undertake.

underwater [ʌndəˈwɔ:tər] adj

sous-marin(-e) ◆ *adv* sous l'eau.

underwear [ˈʌndəweəʳ] *n* sous-vêtements *mpl*.

underwent [ˌʌndəˈwent] *pt* → undergo.

undesirable [ˌʌndɪˈzaɪərəbl] *adj* indésirable.

undo [ʌnˈduː] (*pt* -**did**, *pp* -**done**) *vt* défaire.

undone [ʌnˈdʌn] *adj* défait(-e).

undress [ʌnˈdres] *vi* se déshabiller ◆ *vt* déshabiller.

undressed [ʌnˈdrest] *adj* déshabillé(-e); **to get ~** se déshabiller.

uneasy [ʌnˈiːzɪ] *adj* mal à l'aise.

uneducated [ʌnˈedjukeɪtɪd] *adj* sans éducation.

unemployed [ˌʌnɪmˈplɔɪd] *adj* au chômage ◆ *npl*: **the ~** les chômeurs *mpl*.

unemployment [ˌʌnɪmˈplɔɪmənt] *n* chômage *m*.

unemployment benefit *n* allocation *f* de chômage.

unequal [ʌnˈiːkwəl] *adj* inégal(-e).

uneven [ʌnˈiːvn] *adj* inégal(-e); *(speed, beat, share)* irrégulier(-ière).

uneventful [ˌʌnɪˈventful] *adj* sans histoires.

unexpected [ˌʌnɪkˈspektɪd] *adj* inattendu(-e).

unexpectedly [ˌʌnɪkˈspektɪdlɪ] *adv* inopinément.

unfair [ʌnˈfeəʳ] *adj* injuste.

unfairly [ʌnˈfeəlɪ] *adv* injustement.

unfaithful [ʌnˈfeɪθful] *adj* infidèle.

unfamiliar [ˌʌnfəˈmɪljəʳ] *adj* peu familier(-ière); **to be ~ with** mal connaître.

unfashionable [ʌnˈfæʃnəbl] *adj* démodé(-e).

unfasten [ʌnˈfɑːsn] *vt* *(seatbelt)* détacher; *(knot, laces, belt)* défaire.

unfavourable [ʌnˈfeɪvrəbl] *adj* défavorable.

unfinished [ʌnˈfɪnɪʃt] *adj* inachevé(-e).

unfit [ʌnˈfɪt] *adj* *(not healthy)* pas en forme; **to be ~ for sthg** *(not suitable)* ne pas être adapté à qqch.

unfold [ʌnˈfəʊld] *vt* déplier.

unforgettable [ˌʌnfəˈgetəbl] *adj* inoubliable.

unforgivable [ˌʌnfəˈgɪvəbl] *adj* impardonnable.

unfortunate [ʌnˈfɔːtʃnət] *adj* *(unlucky)* malchanceux(-euse); *(regrettable)* regrettable.

unfortunately [ʌnˈfɔːtʃnətlɪ] *adv* malheureusement.

unfriendly [ʌnˈfrendlɪ] *adj* inamical(-e), hostile.

unfurnished [ʌnˈfɜːnɪʃt] *adj* non meublé(-e).

ungrateful [ʌnˈgreɪtful] *adj* ingrat(-e).

unhappy [ʌnˈhæpɪ] *adj* *(sad)* malheureux(-euse), triste; *(not pleased)* mécontent(-e); **to be ~ about sthg** être mécontent de qqch.

unharmed [ʌnˈhɑːmd] *adj* indemne.

unhealthy [ʌnˈhelθɪ] *adj* *(person)* en mauvaise santé; *(food, smoking)* mauvais(-e) pour la santé.

unhelpful [ʌnˈhelpful] *adj* *(person)* peu serviable; *(advice, instructions)* peu utile.

unhurt [ʌnˈhɜːt] *adj* indemne.

unhygienic [ˌʌnhaɪˈdʒiːnɪk] *adj*

antihygiénique.

unification [ˌjuːnɪfɪˈkeɪʃn] *n* unification *f*.

uniform [ˈjuːnɪfɔːm] *n* uniforme *m*.

unimportant [ˌʌnɪmˈpɔːtənt] *adj* sans importance.

unintelligent [ˌʌnɪnˈtelɪdʒənt] *adj* inintelligent(-e).

unintentional [ˌʌnɪnˈtenʃənl] *adj* involontaire.

uninterested [ʌnˈɪntrəstɪd] *adj* indifférent(-e).

uninteresting [ʌnˈɪntrəstɪŋ] *adj* inintéressant(-e).

union [ˈjuːnjən] *n* (of workers) syndicat *m*.

Union Jack *n*: the ~ le drapeau britannique.

unique [juːˈniːk] *adj* unique; **to be ~** to être propre à.

unisex [ˈjuːnɪseks] *adj* unisexe.

unit [ˈjuːnɪt] *n* (measurement, group) unité *f*; (department) service *m*; (of furniture) élément *m*; (machine) appareil *m*.

unite [juːˈnaɪt] *vt* unir ♦ *vi* s'unir.

United Kingdom [juːˈnaɪtɪd-] *n*: the ~ le Royaume-Uni.

United Nations [juːˈnaɪtɪd-] *npl*: the ~ les Nations *fpl* Unies.

United States (of America) [juːˈnaɪtɪd-] *npl*: the ~ les États-Unis *mpl* (d'Amérique).

unity [ˈjuːnətɪ] *n* unité *f*.

universal [ˌjuːnɪˈvɜːsl] *adj* universel(-elle).

universe [ˈjuːnɪvɜːs] *n* univers *m*.

university [ˌjuːnɪˈvɜːsətɪ] *n* université *f*.

unjust [ʌnˈdʒʌst] *adj* injuste.

unkind [ʌnˈkaɪnd] *adj* mé-chant(-e).

unknown [ʌnˈnəʊn] *adj* inconnu(-e).

unleaded (petrol) [ʌnˈledɪd-] *n* sans plomb *m*.

unless [ənˈles] *conj* à moins que (+ subjunctive); ~ **it rains** à moins qu'il (ne) pleuve.

unlike [ʌnˈlaɪk] *prep* à la différence de; **that's ~ him** cela ne lui ressemble pas.

unlikely [ʌnˈlaɪklɪ] *adj* peu probable; **we're ~ to arrive before six** il est peu probable que nous arrivions avant six heures.

unlimited [ʌnˈlɪmɪtɪd] *adj* illimité(-e); ~ **mileage** kilométrage illimité.

unlisted [ʌnˈlɪstɪd] *adj* (Am: phone number) sur la liste rouge.

unload [ʌnˈləʊd] *vt* (goods, vehicle) décharger.

unlock [ʌnˈlɒk] *vt* déverrouiller.

unlucky [ʌnˈlʌkɪ] *adj* (unfortunate) malchanceux(-euse); (bringing bad luck) qui porte malheur.

unmarried [ʌnˈmærɪd] *adj* célibataire.

unnatural [ʌnˈnætʃrəl] *adj* (unusual) anormal(-e); (behaviour, person) peu naturel(-elle).

unnecessary [ʌnˈnesəsərɪ] *adj* inutile.

unobtainable [ˌʌnəbˈteɪnəbl] *adj* (product) non disponible; (phone number) pas en service.

unoccupied [ʌnˈɒkjʊpaɪd] *adj* (place, seat) libre.

unofficial [ˌʌnəˈfɪʃl] *adj* non officiel(-ielle).

unpack [ʌnˈpæk] *vt* défaire ♦ *vi* défaire ses valises.

unpleasant [ʌnˈpleznt] adj désagréable.

unplug [ʌnˈplʌg] vt débrancher.

unpopular [ʌnˈpɒpjʊləʳ] adj impopulaire.

unpredictable [ʌnprɪˈdɪktəbl] adj imprévisible.

unprepared [ʌnprɪˈpeəd] adj mal préparé(-e).

unprotected [ʌnprəˈtektɪd] adj sans protection.

unqualified [ʌnˈkwɒlɪfaɪd] adj (person) non qualifié(-e).

unreal [ʌnˈrɪəl] adj irréel(-elle).

unreasonable [ʌnˈriːznəbl] adj déraisonnable.

unrecognizable [ʌnrekəgˈnaɪzəbl] adj méconnaissable.

unreliable [ʌnrɪˈlaɪəbl] adj peu fiable.

unrest [ʌnˈrest] n troubles mpl.

unroll [ʌnˈrəʊl] vt dérouler.

unsafe [ʌnˈseɪf] adj (dangerous) dangereux(-euse); (in danger) en danger.

unsatisfactory [ʌnsætɪsˈfæktərɪ] adj peu satisfaisant(-e).

unscrew [ʌnˈskruː] vt (lid, top) dévisser.

unsightly [ʌnˈsaɪtlɪ] adj laid(-e).

unskilled [ʌnˈskɪld] adj (worker) non qualifié(-e).

unsociable [ʌnˈsəʊʃəbl] adj sauvage.

unsound [ʌnˈsaʊnd] adj (building, structure) peu solide; (argument) peu pertinent(-e).

unspoiled [ʌnˈspɔɪlt] adj (place, beach) qui n'est pas défiguré(-e).

unsteady [ʌnˈstedɪ] adj instable; (hand) tremblant(-e).

unstuck [ʌnˈstʌk] adj: to come ~ (label, poster etc) se décoller.

unsuccessful [ʌnsəkˈsesfʊl] adj (person) malchanceux(-euse); (attempt) infructueux(-euse).

unsuitable [ʌnˈsuːtəbl] adj inadéquat(-e).

unsure [ʌnˈʃɔːʳ] adj: to be ~ (about) ne pas être sûr(e) (de).

unsweetened [ʌnˈswiːtnd] adj sans sucre.

untidy [ʌnˈtaɪdɪ] adj (person) désordonné(-e); (room, desk) en désordre.

untie [ʌnˈtaɪ] (cont **untying** [ʌnˈtaɪɪŋ]) vt (person) détacher; (knot) défaire.

until [ənˈtɪl] prep jusqu'à ◆ conj jusqu'à ce que (+ subjunctive); **it won't be ready ~ Thursday** ce ne sera pas prêt avant jeudi.

untrue [ʌnˈtruː] adj faux (fausse).

untrustworthy [ʌnˈtrʌstˌwɜːðɪ] adj pas digne de confiance.

unusual [ʌnˈjuːʒl] adj inhabituel(-elle).

unusually [ʌnˈjuːʒəlɪ] adv (more than usual) exceptionnellement.

unwell [ʌnˈwel] adj: to be ~ ne pas aller très bien; **to feel ~** ne pas se sentir bien.

unwilling [ʌnˈwɪlɪŋ] adj: to be ~ **to do sthg** ne pas vouloir faire qqch.

unwind [ʌnˈwaɪnd] (pt & pp **unwound** [ʌnˈwaʊnd]) vt dérouler ◆ vi (relax) se détendre.

unwrap [ʌnˈræp] vt déballer.

unzip [ʌnˈzɪp] vt défaire la fermeture de.

up [ʌp] adv **1.** (towards higher position) vers le haut; **to go ~** monter; **we walked ~ to the top** nous sommes montés jusqu'en haut; **to pick sthg ~** ramasser qqch.

2. *(in higher position)* en haut; **she's ~ in her bedroom** elle est en haut dans sa chambre; **~ there** là-haut.

3. *(into upright position):* **to stand ~** se lever; **to sit ~** *(from lying position)* s'asseoir; *(sit straight)* se redresser.

4. *(to increased level):* **prices are going ~** les prix augmentent.

5. *(northwards):* **~ in Scotland** en Écosse.

6. *(in phrases):* **to walk ~ and down** faire les cent pas; **to jump ~ and down** sauter; **~ to ten people** jusqu'à dix personnes; **are you ~ to travelling?** tu te sens en état de voyager?; **what are you ~ to?** qu'est-ce que tu mijotes?; **it's ~ to you** (c'est) à vous de voir; **~ until ten o'clock** jusqu'à dix heures.

◆ *prep* **1.** *(towards higher position):* **to walk ~ a hill** grimper sur une colline; **I went ~ the stairs** j'ai monté l'escalier.

2. *(in higher position)* en haut de; **~ a hill** en haut d'une colline; **~ a ladder** en haut d'une échelle.

3. *(at end of):* **they live ~ the road from us** ils habitent un peu plus haut que nous.

◆ *adj* **1.** *(out of bed)* levé(-e).

2. *(at an end):* **time's ~** c'est l'heure.

3. *(rising):* **the ~ escalator** l'Escalator® pour monter.

◆ *n*: **~s and downs** des hauts et des bas *mpl*.

update [ˌʌpˈdeɪt] *vt* mettre à jour.

uphill [ˌʌpˈhɪl] *adv*: **to go ~** monter.

upholstery [ʌpˈhəʊlstərɪ] *n* rembourrage *m*.

upkeep [ˈʌpkiːp] *n* entretien *m*.

up-market *adj* haut de gamme *(inv)*.

upon [əˈpɒn] *prep (fml: on)* sur; **~ hearing the news …** en apprenant la nouvelle …

upper [ˈʌpər] *adj* supérieur(-e) ◆ *n (of shoe)* empeigne *f*.

upper class *n* haute société *f*.

uppermost [ˈʌpəməʊst] *adj (highest)* le plus haut (la plus haute).

upper sixth *n (Br)* ≃ terminale *f*.

upright [ˈʌpraɪt] *adj* droit(-e) ◆ *adv* droit.

upset [ʌpˈset] *(pt & pp upset) adj (distressed)* peiné(-e) ◆ *vt (distress)* peiner; *(plans)* déranger; *(knock over)* renverser; **to have an ~ stomach** avoir un embarras gastrique.

upside down [ˌʌpsaɪd-] *adj & adv* à l'envers.

upstairs [ʌpˈsteəz] *adj* du haut ◆ *adv (on a higher floor)* en haut, à l'étage; **to go ~** monter.

up-to-date *adj (modern)* moderne; *(well-informed)* au courant.

upwards [ˈʌpwədz] *adv* vers le haut; **~ of 100 people** plus de 100 personnes.

urban [ˈɜːbən] *adj* urbain(-e).

urban clearway [-ˈklɪəweɪ] *n (Br)* route *f* à stationnement interdit.

Urdu [ˈʊəduː] *n* ourdou *m*.

urge [ɜːdʒ] *vt*: **to ~ sb to do sthg** presser qqn de faire qqch.

urgent [ˈɜːdʒənt] *adj* urgent(-e).

urgently [ˈɜːdʒəntlɪ] *adv (immediately)* d'urgence.

urinal [ˌjʊəˈraɪnl] *n (fml)* urinoir *m*.

urinate ['juərɪneɪt] *vi (fml)* uriner.

urine ['juərɪn] *n* urine *f*.

us [ʌs] *pron* nous; **they know** ~ ils nous connaissent; **it's** ~ c'est nous; **send it to** ~ envoyez-le nous; **tell** ~ dites-nous; **they're worse than** ~ ils sont pires que nous.

US *n (abbr of United States)*: **the** ~ les USA *mpl*.

USA *n (abbr of United States of America)*: **the** ~ les USA *mpl*.

usable ['ju:zəbl] *adj* utilisable.

use [*n* ju:s, *vb* ju:z] *n* utilisation *f*, emploi *m* ♦ *vt* utiliser, se servir de; **to be of** ~ être utile; **to have the** ~ **of sthg** avoir l'usage de qqch; **to make** ~ **of sthg** *(time, opportunity)* mettre qqch à profit; **"out of** ~**"** «hors service»; **to be in** ~ être en usage; **it's no** ~ ça ne sert à rien; **what's the** ~? à quoi bon?; **to** ~ **sthg as sthg** utiliser qqch comme qqch; **"** ~ **before ..."** *(food, drink)* «à consommer avant …» ❑ **use up** *vt sep* épuiser.

used [*adj* ju:zd, *aux vb* ju:st] *adj (towel, glass etc)* sale; *(car)* d'occasion ♦ *aux vb*: **I** ~ **to live near here** j'habitais près d'ici avant; **I** ~ **to go there every day** j'y allais tous les jours; **to be** ~ **to sthg** avoir l'habitude de qqch; **to get** ~ **to sthg** s'habituer à qqch.

useful ['ju:sful] *adj* utile.

useless ['ju:slɪs] *adj* inutile; *(inf: very bad)* nul (nulle).

user [ju:zər] *n* utilisateur *m* (-trice *f*).

usher [ʌʃər] *n (at cinema, theatre)* ouvreur *m*.

usherette [ʌʃə'ret] *n* ouvreuse *f*.

USSR *n*: **the (former)** ~ l'(ex-)URSS *f*.

usual ['ju:ʒəl] *adj* habituel(-elle); **as** ~ comme d'habitude.

usually ['ju:ʒəlɪ] *adv* d'habitude.

utensil [ju:'tensl] *n* ustensile *m*.

utilize ['ju:təlaɪz] *vt* utiliser.

utmost ['ʌtməust] *adj* le plus grand (la plus grande) ♦ *n*: **to do one's** ~ faire tout son possible.

utter [ʌtər] *adj* total(-e) ♦ *vt* prononcer; *(cry)* pousser.

utterly ['ʌtəlɪ] *adv* complètement.

U-turn *n (in vehicle)* demi-tour *m*.

vacancy ['veɪkənsɪ] *n (job)* offre *f* d'emploi; **"vacancies"** «chambres à louer»; **"no vacancies"** «complet».

vacant ['veɪkənt] *adj* libre.

vacate [və'keɪt] *vt (fml: room, house)* libérer.

vacation [və'keɪʃn] *n (Am)* vacances *fpl* ♦ *vi (Am)* passer les vacances; **to go on** ~ partir en vacances.

vacationer [və'keɪʃənər] *n (Am)* vacancier *m* (-ière *f*).

vaccination [ˌvæksɪ'neɪʃn] *n* vaccination *f*.

vaccine [*Br* 'væksi:n, *Am* væk'si:n] *n* vaccin *m*.

vacuum ['vækjuəm] *vt* passer

velvet

l'aspirateur dans.

vacuum cleaner n aspirateur m.

vague [veɪg] adj vague.

vain [veɪn] adj (pej: conceited) vaniteux(-euse); **in ~** en vain.

Valentine card [ˈvæləntaɪn-] n carte f de la Saint-Valentin.

Valentine's Day [ˈvæləntaɪnz-] n la Saint-Valentin.

valet [ˈvæleɪ, ˈvælɪt] n (in hotel) valet m de chambre.

valet service n (in hotel) pressing m; (for car) nettoyage m complet.

valid [ˈvælɪd] adj (ticket, passport) valide.

validate [ˈvælɪdeɪt] vt (ticket) valider.

Valium® [ˈvælɪəm] n Valium® m.

valley [ˈvælɪ] n vallée f.

valuable [ˈvæljʊəbl] adj (jewellery, object) de valeur; (advice, help) précieux(-ieuse) ❑ **valuables** npl objets mpl de valeur.

value [ˈvæljuː] n valeur f; (usefulness) intérêt m; **a ~ pack** un paquet économique; **to be good ~ (for money)** être d'un bon rapport qualité-prix.

valve [vælv] n soupape f; (of tyre) valve f.

van [væn] n camionnette f.

vandal [ˈvændl] n vandale m.

vandalize [ˈvændəlaɪz] vt saccager.

vanilla [vəˈnɪlə] n vanille f.

vanish [ˈvænɪʃ] vi disparaître.

vapor [ˈveɪpər] (Am) = **vapour**.

vapour [ˈveɪpər] n vapeur f.

variable [ˈveərɪəbl] adj variable.

varicose veins [ˈværɪkəʊs-] npl

varices fpl.

varied [ˈveərɪd] adj varié(-e).

variety [vəˈraɪətɪ] n variété f.

various [ˈveərɪəs] adj divers(-es).

varnish [ˈvɑːnɪʃ] n vernis m ♦ vt vernir.

vary [ˈveərɪ] vi varier ♦ vt (faire) varier; **to ~ from sthg to sthg** varier de qqch à qqch; **"prices ~"** «prix variables».

vase [Br vɑːz, Am veɪz] n vase m.

Vaseline® [ˈvæsəliːn] n vaseline f.

vast [vɑːst] adj vaste.

vat [væt] n cuve f.

VAT [væt, viːeɪˈtiː] n (abbr of value added tax) TVA f.

vault [vɔːlt] n (in bank) salle f des coffres; (in church) caveau m.

VCR n (abbr of video cassette recorder) magnétoscope m.

VDU n (abbr of visual display unit) moniteur m.

veal [viːl] n veau m.

veg [vedʒ] abbr = **vegetable**.

vegan [ˈviːgən] adj végétalien(-ienne) ♦ n végétalien m (-ienne f).

vegetable [ˈvedʒtəbl] n légume m.

vegetable oil n huile f végétale.

vegetarian [ˌvedʒɪˈteərɪən] adj végétarien(-ienne) ♦ n végétarien m (-ienne f).

vegetation [ˌvedʒɪˈteɪʃn] n végétation f.

vehicle [ˈviːəkl] n véhicule m.

veil [veɪl] n voile m.

vein [veɪn] n veine f.

Velcro® [ˈvelkrəʊ] n Velcro® m.

velvet [ˈvelvɪt] n velours m.

vending machine ['vendɪŋ] n distributeur m (automatique).

venetian blind [vɪˌniːʃn] n store m vénitien.

venison ['venɪzn] n chevreuil m.

vent [vent] n (for air, smoke etc) grille f d'aération.

ventilation [ˌventɪ'leɪʃn] n ventilation f.

ventilator ['ventɪleɪtər] n ventilateur m.

venture ['ventʃər] n entreprise f ♦ vi (go) s'aventurer.

venue ['venjuː] n (for show) salle f (de spectacle); (for sport) stade m.

veranda [və'rændə] n véranda f.

verb [vɜːb] n verbe m.

verdict ['vɜːdɪkt] n verdict m.

verge [vɜːdʒ] n (of road, lawn) bord m; **"soft ~s"** «accotements non stabilisés».

verify ['verɪfaɪ] vt vérifier.

vermin ['vɜːmɪn] n vermine f.

vermouth ['vɜːməθ] n vermouth m.

versa → vice versa.

versatile ['vɜːsətaɪl] adj polyvalent(-e).

verse [vɜːs] n (of poem) strophe f; (of song) couplet m; (poetry) vers mpl.

version ['vɜːʃn] n version f.

versus ['vɜːsəs] prep contre.

vertical ['vɜːtɪkl] adj vertical(-e).

vertigo ['vɜːtɪɡəʊ] n vertige m.

very ['verɪ] adv très ♦ adj: the ~ bottom tout au fond; ~ much beaucoup; **not** ~ pas très; **my own room** ma propre chambre; **it's the** ~ **thing I need** c'est juste ce dont j'ai besoin.

vessel ['vesl] n (fml: ship) vais-

seau m.

vest [vest] n (Br: underwear) maillot m de corps; (Am: waistcoat) gilet m (sans manches).

vet [vet] n (Br) vétérinaire mf.

veteran ['vetrən] n (of war) ancien combattant m.

veterinarian [ˌvetərɪ'neərɪən] (Am) = **vet**.

veterinary surgeon ['vetərɪnrɪ-] (Br: fml) = **vet**.

VHF n (abbr of very high frequency) VHF f.

VHS n (abbr of video home system) VHS m.

via ['vaɪə] prep (place) en passant par; (by means of) par.

viaduct ['vaɪədʌkt] n viaduc m.

vibrate [vaɪ'breɪt] vi vibrer.

vibration [vaɪ'breɪʃn] n vibration f.

vicar ['vɪkər] n pasteur m.

vicarage ['vɪkərɪdʒ] n = presbytère m.

vice [vaɪs] n (fault) vice m.

vice-president n vice-président m (-e f).

vice versa [ˌvaɪsɪ'vɜːsə] adv vice versa.

vicinity [vɪ'sɪnɪtɪ] n: **in the** ~ dans les environs.

vicious ['vɪʃəs] adj (attack) violent(-e); (animal, comment) méchant(-e).

victim ['vɪktɪm] n victime f.

Victorian [vɪk'tɔːrɪən] adj victorien(-ienne) (deuxième moitié du XIXe siècle).

victory ['vɪktərɪ] n victoire f.

video ['vɪdɪəʊ] (pl -s) n vidéo f; (video recorder) magnétoscope m ♦ vt (using video recorder) magnétoscoper; *(using camera)* filmer; **on ~** en vidéo.

video camera *n* caméra *f* vidéo.

video game *n* jeu *m* vidéo.

video recorder *n* magnétoscope *m*.

video shop *n* vidéoclub *m*.

videotape [ˈvɪdɪəʊteɪp] *n* cassette *f* vidéo.

Vietnam [*Br* ˌvjetˈnæm, *Am* ˌvjetˈnɑːm] *n* le Vietnam.

view [vjuː] *n* vue *f*; *(opinion)* opinion *f*; *(attitude)* vision *f* ♦ *vt (look at)* visionner; **in my ~** à mon avis; **in ~ of** *(considering)* étant donné; **to come into ~** apparaître.

viewer [ˈvjuːəʳ] *n (of TV)* téléspectateur *m* (-trice *f*).

viewfinder [ˈvjuːfaɪndəʳ] *n* viseur *m*.

viewpoint [ˈvjuːpɔɪnt] *n* point de vue *m*.

vigilant [ˈvɪdʒɪlənt] *adj (fml)* vigilant(-e).

villa [ˈvɪlə] *n (in countryside, by sea)* villa *f*; *(Br: in town)* pavillon *m*.

village [ˈvɪlɪdʒ] *n* village *m*.

villager [ˈvɪlɪdʒəʳ] *n* villageois *m* (-e *f*).

villain [ˈvɪlən] *n (of book, film)* méchant *m* (-e *f*); *(criminal)* bandit *m*.

vinaigrette [ˌvɪnɪˈɡret] *n* vinaigrette *f*.

vine [vaɪn] *n* vigne *f*.

vinegar [ˈvɪnɪɡəʳ] *n* vinaigre *m*.

vineyard [ˈvɪnjəd] *n* vignoble *m*.

vintage [ˈvɪntɪdʒ] *adj (wine)* de grand cru ♦ *n (year)* millésime *m*.

vinyl [ˈvaɪnɪl] *n* vinyle *m*.

viola [vɪˈəʊlə] *n* alto *m*.

violence [ˈvaɪələns] *n* violence *f*.

violent [ˈvaɪələnt] *adj* violent(-e).

violet [ˈvaɪələt] *adj* violet(-ette) ♦ *n (flower)* violette *f*.

violin [ˌvaɪəˈlɪn] *n* violon *m*.

VIP *n (abbr of very important person)* personnalité *f*.

virgin [ˈvɜːdʒɪn] *n*: **to be a ~** être vierge.

Virgo [ˈvɜːɡəʊ] *(pl* **-s)** *n* Vierge *f*.

virtually [ˈvɜːtʃʊəlɪ] *adv* pratiquement.

virtual reality [ˈvɜːtʃʊəl-] *n* réalité *f* virtuelle.

virus [ˈvaɪrəs] *n* virus *m*.

visa [ˈviːzə] *n* visa *m*.

viscose [ˈvɪskəʊs] *n* viscose *f*.

visibility [ˌvɪzɪˈbɪlətɪ] *n* visibilité *f*.

visible [ˈvɪzəbl] *adj* visible.

visit [ˈvɪzɪt] *vt (person)* rendre visite à; *(place)* visiter ♦ *n* visite *f*.

visiting hours [ˈvɪzɪtɪŋ-] *npl* heures *fpl* de visite.

visitor [ˈvɪzɪtəʳ] *n* visiteur *m* (-euse *f*).

visitor centre *n* centre *m* d'information touristique.

visitors' book *n* livre *m* d'or.

visitor's passport *n (Br)* passeport *m* temporaire.

visor [ˈvaɪzəʳ] *n* visière *f*.

vital [ˈvaɪtl] *adj* vital(-e).

vitamin [*Br* ˈvɪtəmɪn, *Am* ˈvaɪtəmɪn] *n* vitamine *f*.

vivid [ˈvɪvɪd] *adj (colour)* vif (vive); *(description)* vivant(-e); *(memory)* précis(-e).

V-neck *n (design)* col *m* en V.

vocabulary [vəˈkæbjʊlərɪ] *n* vocabulaire *m*.

vodka [ˈvɒdkə] *n* vodka *f*.

voice [vɔɪs] n voix f.

volcano [vɒlˈkeɪnəʊ] (pl -es OR -s) n volcan m.

volleyball [ˈvɒlɪbɔːl] n volley(-ball) m.

volt [vəʊlt] n volt m.

voltage [ˈvəʊltɪdʒ] n voltage m.

volume [ˈvɒljuːm] n volume m.

voluntary [ˈvɒləntrɪ] adj volontaire; (work) bénévole.

volunteer [ˌvɒlənˈtɪəʳ] n volontaire mf ◆ vt: to ~ to do sthg se porter volontaire pour faire qqch.

vomit [ˈvɒmɪt] n vomi m ◆ vi vomir.

vote [vəʊt] n (choice) voix f; (process) vote m ◆ vi: to ~ (for) voter (pour).

voter [ˈvəʊtəʳ] n électeur m (-trice f).

voucher [ˈvaʊtʃəʳ] n bon m.

vowel [ˈvaʊəl] n voyelle f.

voyage [ˈvɔɪdʒ] n voyage m.

vulgar [ˈvʌlgəʳ] adj vulgaire.

vulture [ˈvʌltʃəʳ] n vautour m.

W (abbr of west) O.

wad [wɒd] n (of paper, bank notes) liasse f; (of cotton) tampon m.

waddle [ˈwɒdl] vi se dandiner.

wade [weɪd] vi patauger.

wading pool [ˈweɪdɪŋ-] n (Am) pataugeoire f.

wafer [ˈweɪfəʳ] n gaufrette f.

waffle [ˈwɒfl] n (to eat) gaufre f ◆ vi (inf) parler pour ne rien dire.

wag [wæg] vt remuer.

wage [weɪdʒ] n salaire m ❑ **wages** npl salaire m.

wagon [ˈwægən] n (vehicle) chariot m; (Br: of train) wagon m.

waist [weɪst] n taille f.

waistcoat [ˈweɪskəʊt] n gilet m (sans manches).

wait [weɪt] n attente f ◆ vi attendre; to ~ for sb to do sthg attendre que qqn fasse qqch; I can't ~ to get there! il me tarde d'arriver! ❑ **wait for** vt fus attendre.

waiter [ˈweɪtəʳ] n serveur m, garçon m.

waiting room [ˈweɪtɪŋ-] n salle f d'attente.

waitress [ˈweɪtrɪs] n serveuse f.

wake [weɪk] (pt woke, pp woken) vt réveiller ◆ vi se réveiller ❑ **wake up** vt sep réveiller ◆ vi se réveiller.

Waldorf salad [ˈwɔːldɔːf-] n salade f Waldorf (pommes, céleri et noix avec mayonnaise légère).

Wales [weɪlz] n le pays de Galles.

walk [wɔːk] n (hike) marche f; (stroll) promenade f; (path) chemin m ◆ vi marcher; (stroll) se promener; (as hobby) faire de la marche ◆ vt (distance) faire à pied; (dog) promener; to go for a ~ aller se promener; (hike) faire de la marche; it's a short ~ ça n'est pas loin à pied; to take the dog for a ~ sortir le chien; "walk" (Am) message lumineux indiquant aux piétons qu'ils peuvent traverser; "don't ~" (Am) message lumineux indiquant aux piétons qu'ils ne doivent pas traverser ❑ **walk away** vi partir; **walk in** vi entrer; **walk out** vi partir.

walker [wɔːkəʳ] n promeneur m (-euse f); (hiker) marcheur m (-euse f).

walking boots [wɔːkɪŋ-] npl chaussures fpl de marche.

walking stick [wɔːkɪŋ-] n canne f.

Walkman® [wɔːkmən] n baladeur m, Walkman® m.

wall [wɔːl] n mur m; (of tunnel, cave) paroi f.

wallet [wɒlɪt] n portefeuille m.

wallpaper [wɔːl,peɪpəʳ] n papier m peint.

wally [wɒlɪ] n (Br: inf) andouille f.

walnut [wɔːlnʌt] n noix f.

waltz [wɔːls] n valse f.

wander [wɒndəʳ] vi errer.

want [wɒnt] vt vouloir; (need) avoir besoin de; **to ~ to do sthg** vouloir faire qqch; **to ~ sb to do sthg** vouloir que qqn fasse qqch.

war [wɔːʳ] n guerre f.

ward [wɔːd] n (in hospital) salle f.

warden [wɔːdn] n (of park) gardien m (-ienne f); (of youth hostel) directeur m (-trice f).

wardrobe [wɔːdrəʊb] n penderie f.

warehouse [weəhaʊs, pl -haʊzɪz] n entrepôt m.

warm [wɔːm] adj chaud(-e); (friendly) chaleureux(-euse) ◆ vt chauffer; **to be ~** avoir chaud; **it's ~** il fait chaud ❑ **warm up** vt sep réchauffer ◆ vi se réchauffer; (do exercises) s'échauffer; (machine, engine) chauffer.

war memorial n monument m aux morts.

warmth [wɔːmθ] n chaleur f.

warn [wɔːn] vt avertir; **to ~ sb about sthg** avertir qqn de qqch; **to ~ sb not to do sthg** déconseiller à qqn de faire qqch.

warning [wɔːnɪŋ] n (of danger) avertissement m; **to give sb ~** prévenir qqn.

warranty [wɒrəntɪ] n (fml) garantie f.

warship [wɔːʃɪp] n navire m de guerre.

wart [wɔːt] n verrue f.

was [wɒz] pt → **be**.

wash [wɒʃ] vt laver ◆ vi se laver ◆ n: **to give sthg a ~** laver qqch; **to have a ~** se laver; **to ~ one's hands** se laver les mains ❑ **wash up** vi (Br: do washing-up) faire la vaisselle; (Am: clean o.s.) se laver.

washable [wɒʃəbl] adj lavable.

washbasin [wɒʃ,beɪsn] n lavabo m.

washbowl [wɒʃbəʊl] n (Am) lavabo m.

washer [wɒʃəʳ] n (for bolt, screw) rondelle f; (of tap) joint m.

washing [wɒʃɪŋ] n lessive f.

washing line n corde f à linge.

washing machine n machine f à laver.

washing powder n lessive f.

washing-up n (Br): **to do the ~** faire la vaisselle.

washing-up bowl n (Br) bassine f dans laquelle on fait la vaisselle.

washing-up liquid n (Br) liquide m vaisselle.

washroom [wɒʃrʊm] n (Am) toilettes fpl.

wasn't [wɒznt] = **was not**.

wasp [wɒsp] n guêpe f.

waste [weɪst] n (rubbish) déchets

mpl ♦ vt (money, energy) gaspiller; (time) perdre; **a ~ of money** de l'argent gaspillé; **a ~ of time** une perte de temps.

wastebin ['weɪstbɪn] n poubelle f.

waste ground n terrain m vague.

wastepaper basket [ˌweɪst-'peɪpəʳ-] n corbeille f à papier.

watch [wɒtʃ] n (wristwatch) montre f ♦ vt regarder; (spy on) observer; (be careful with) faire attention à ❑ **watch out** vi (be careful) faire attention; **to ~ out for** (look for) guetter.

watchstrap ['wɒtʃstræp] n bracelet m de montre.

water ['wɔːtəʳ] n eau f ♦ vt (plants, garden) arroser ♦ vi (eyes) pleurer; **to make sb's mouth ~** mettre l'eau à la bouche de qqn.

water bottle n gourde f.

watercolour ['wɔːtəˌkʌləʳ] n aquarelle f.

watercress ['wɔːtəkres] n cresson m.

waterfall ['wɔːtəfɔːl] n chutes fpl d'eau, cascade f.

watering can ['wɔːtərɪŋ-] n arrosoir m.

watermelon ['wɔːtəˌmelən] n pastèque f.

waterproof ['wɔːtəpruːf] adj (clothes) imperméable; (watch) étanche.

water purification tablets [-ˌpjʊərɪfɪˈkeɪʃn-] npl pastilles fpl pour la clarification de l'eau.

water skiing n ski m nautique.

watersports ['wɔːtəspɔːts] npl sports mpl nautiques.

water tank n citerne f d'eau.

watertight ['wɔːtətaɪt] adj étanche.

watt [wɒt] n watt m; **a 60-~ bulb** une ampoule 60 watts.

wave [weɪv] n vague f; (in hair) ondulation f; (of light, sound etc) onde f ♦ vt agiter ♦ vi (with hand) faire signe (de la main).

wavelength ['weɪvleŋθ] n longueur f d'onde.

wavy ['weɪvɪ] adj (hair) ondulé(-e).

wax [wæks] n cire f; (in ears) cérumen m.

way [weɪ] n (manner) façon f, manière f; (means) moyen m; (route) route f, chemin m; (distance) trajet m; **which ~ is the station?** dans quelle direction est la gare?; **the town is out of our ~ la** ville n'est pas sur notre chemin; **to be in the ~** gêner; **to be on the ~** (coming) être en route; **to get out of the ~** s'écarter; **to get under ~** démarrer; **a long ~ (away)** loin; **on the ~ back** sur le chemin du retour; **on the ~ there** pendant le trajet; **that ~** (like that) comme ça; (in that direction) par là; **this ~** (like this) comme ceci; (in this direction) par ici; **"give ~"** «cédez le passage»; **"~ in"** «entrée»; **"~ out"** «sortie»; **no ~!** (inf) pas question!

WC n (abbr of water closet) W-C mpl.

we [wiː] pron nous.

weak [wiːk] adj faible; (structure) fragile; (drink, soup) léger(-ère).

weaken ['wiːkn] vt affaiblir.

weakness ['wiːknɪs] n faiblesse f.

wealth [welθ] *n* richesse *f*.

wealthy [welθɪ] *adj* riche.

weapon [wepən] *n* arme *f*.

wear [weəʳ] (*pt* **wore**, *pp* **worn**) *vt* porter ◆ *n* (*clothes*) vêtements *mpl*; ~ **and tear** usure *f* ❏ **wear off** *vi* disparaître; **wear out** *vi* s'user.

weary [wɪərɪ] *adj* fatigué(-e).

weasel [wiːzl] *n* belette *f*.

weather [weðəʳ] *n* temps *m*; **what's the ~ like?** quel temps fait-il?; **to be under the ~** (*inf*) être patraque.

weather forecast *n* prévisions *fpl* météo.

weather forecaster [-fɔː-kɑːstəʳ] *n* météorologiste *mf*.

weather report *n* bulletin *m* météo.

weather vane [-veɪn] *n* girouette *f*.

weave [wiːv] (*pt* **wove**, *pp* **woven**) *vt* tisser.

web [web] *n* (*of spider*) toile *f* (d'araignée).

Wed. (*abbr of* Wednesday) mer.

wedding [wedɪŋ] *n* mariage *m*.

wedding anniversary *n* anniversaire *m* de mariage.

wedding dress *n* robe *f* de mariée.

wedding ring *n* alliance *f*.

wedge [wedʒ] *n* (*of cake*) part *f*; (*of wood etc*) coin *m*.

Wednesday [wenzdɪ] *n* mercredi *m*, → **Saturday**.

wee [wiː] *adj* (Scot) petit(-e) ◆ *n* (*inf*) pipi *m*.

weed [wiːd] *n* mauvaise herbe *f*.

week [wiːk] *n* semaine *f*; **a ~ today** dans une semaine; **in a ~'s time** dans une semaine.

weekday [wiːkdeɪ] *n* jour *m* de (la) semaine.

weekend [ˌwiːkˈend] *n* week-end *m*.

weekly [wiːklɪ] *adj* hebdomadaire ◆ *adv* chaque semaine ◆ *n* hebdomadaire *m*.

weep [wiːp] (*pt & pp* **wept**) *vi* pleurer.

weigh [weɪ] *vt* peser; **how much does it ~?** combien ça pèse?

weight [weɪt] *n* poids *m*; **to lose ~** maigrir; **to put on ~** grossir.

weightlifting [weɪtˌlɪftɪŋ] *n* haltérophilie *f*.

weight training *n* musculation *f*.

weir [wɪəʳ] *n* barrage *m*.

weird [wɪəd] *adj* bizarre.

welcome [welkəm] *n* accueil *m* ◆ *vt* accueillir; (*opportunity*) se réjouir de ◆ *excl* bienvenue! ◆ *adj* bienvenu(-e); **you're ~ to help yourself** n'hésitez pas à vous servir; **to make sb feel ~** mettre qqn à l'aise; **you're ~!** il n'y a pas de quoi!

weld [weld] *vt* souder.

welfare [welfeəʳ] *n* bien-être *m*; (*Am: money*) aide *f* sociale.

well [wel] (*compar* **better**, *superl* **best**) *adj* (*healthy*) en forme (*inv*) ◆ *adv* bien ◆ *n* (*for water*) puits *m*; **to get ~** se remettre; **to go ~** aller bien; **~ done!** bien joué!; **it may happen** ça pourrait très bien arriver; **it's ~ worth it** ça en vaut bien la peine; **as ~** (*in addition*) aussi; **as ~ as** (*in addition to*) ainsi que.

we'll [wiːl] = **we shall, we will**.

well-behaved [-brˈheɪvd] *adj* bien élevé(-e).

well-built *adj* bien bâti(-e).

well-done *adj (meat)* bien cuit(-e).

well-dressed [-'drest] *adj* bien habillé(-e).

wellington (boot) [welɪŋtən-] *n* botte *f* en caoutchouc.

well-known *adj* célèbre.

well-off *adj (rich)* aisé(-e).

well-paid *adj* bien payé(-e).

welly [welɪ] *n (Br: inf)* botte *f* en caoutchouc.

Welsh [welʃ] *adj* gallois(-e) ♦ *n (language)* gallois *m* ♦ *npl:* **the ~** les Gallois *mpl*.

Welshman [welʃmən] *(pl* -men [-mən]*) n* Gallois *m*.

Welsh rarebit [-'reəbɪt] *n* toast *m* au fromage fondu.

Welshwoman [welʃ,wʊmən] *(pl* -women [-,wɪmɪn]*) n* Galloise *f*.

went [went] *pt → go*.

wept [wept] *pt & pp → weep*.

were [wɜːʳ] *pt → be*.

we're [wɪəʳ] = **we are**.

weren't [wɜːnt] = **were not**.

west [west] *n* ouest *m* ♦ *adj* occidental(-e), ouest *(inv)* ♦ *adv (fly, walk)* vers l'ouest; *(be situated)* à l'ouest; **in the ~ of England** à OR dans l'ouest de l'Angleterre.

westbound [westbaund] *adj* en direction de l'ouest.

West Country *n:* **the ~** le sud-ouest de l'Angleterre, comprenant les comtés de Cornouailles, Devon et Somerset.

West End *n:* **the ~** quartier des grands magasins et des théâtres à Londres.

western [westən] *adj* occidental(-e) ♦ *n (film)* western *m*.

West Indies [-'ɪndiːz] *npl*

Antilles *fpl*.

Westminster [westmɪnstəʳ] *n* quartier du centre de Londres.

WESTMINSTER

Le quartier londonien de Westminster, près de la Tamise, abrite les bâtiments du Parlement britannique et l'abbaye de Westminster. Le terme désigne également, par extension, le Parlement lui-même.

Westminster Abbey *n* l'abbaye *f* de Westminster.

WESTMINSTER ABBEY

C'est dans l'abbaye de Westminster, dans le quartier londonien du même nom, qu'a lieu la cérémonie de couronnement du souverain britannique. Plusieurs personnages célèbres y sont enterrés et une partie de l'église, le «Poets' Corner» («coin des poètes»), abrite les tombes de grands poètes et écrivains tels que Chaucer, Dickens ou Hardy.

westwards [westwədz] *adv* vers l'ouest.

wet [wet] *(pt & pp* wet OR -ted*) adj* mouillé(-e); *(rainy)* pluvieux(-ieuse) ♦ *vt* mouiller; **to get ~** se mouiller; **"~ paint"** «peinture fraîche».

wet suit *n* combinaison *f* de plongée.

we've [wiːv] = **we have**.

whale [weɪl] *n* baleine *f*.

wharf [wɔ:f] (pl -s OR **wharves** [wɔ:vz]) n quai m.

what [wɒt] adj 1. (in questions) quel (quelle); ~ **colour is it?** c'est de quelle couleur?; **he asked me ~ colour it was** il m'a demandé de quelle couleur c'était.
2. (in exclamations): ~ **a surprise!** quelle surprise!; ~ **a beautiful day!** quelle belle journée!
◆ pron 1. (in direct questions: subject) qu'est-ce qui; ~ **is going on?** qu'est-ce qui se passe?
2. (in direct questions: object) qu'est-ce que, que; ~ **are they doing?** qu'est-ce qu'ils font?, que font-ils?; ~ **is that?** qu'est-ce que c'est?; ~ **is it called?** comment ça s'appelle?
3. (in direct questions: after prep) quoi; ~ **are they talking about?** de quoi parlent-ils?; ~ **is it for?** à quoi ça sert?
4. (in indirect questions, relative clauses: subject) ce qui; **she asked me ~ had happened** elle m'a demandé ce qui s'était passé; **I don't know ~'s wrong** je ne sais pas ce qui ne va pas.
5. (in indirect questions, relative clauses: object) ce que; **she asked me ~ I had seen** elle m'a demandé ce que j'avais vu; **I didn't hear ~ she said** je n'ai pas entendu ce qu'elle a dit.
6. (in indirect questions: after prep) quoi; **she asked me ~ I was thinking about** elle m'a demandé à quoi je pensais.
7. (in phrases): ~ **for?** pour quoi faire?; ~ **about going out for a meal?** si on allait manger au restaurant?
◆ excl quoi!

whatever [wɒt'evəʳ] pron: **take**

~ **you want** prends ce que tu veux; ~ **I do, I'll lose** quoi que je fasse, je perdrai.

wheat [wi:t] n blé m.

wheel [wi:l] n roue f; (steering wheel) volant m.

wheelbarrow [wi:l,bærəʊ] n brouette f.

wheelchair [wi:l,tʃeəʳ] n fauteuil m roulant.

wheelclamp [,wi:l'klæmp] n sabot m de Denver.

wheezy [wi:zɪ] adj: **to be ~** avoir la respiration sifflante.

when [wen] adv quand ◆ conj quand, lorsque; (although, seeing as) alors que; ~ **it's ready** quand ce sera prêt; ~ **I've finished** quand j'aurai terminé.

whenever [wen'evəʳ] conj quand.

where [weəʳ] adv & conj où; **this is ~ you will be sleeping** c'est ici que vous dormirez.

whereabouts [weərəbaʊts] adv où ◆ npl: **his ~ are unknown** personne ne sait où il se trouve.

whereas [weər'æz] conj alors que.

wherever [weər'evəʳ] conj où que (+ subjunctive); **go ~ you like** va où tu veux.

whether [weðəʳ] conj si; ~ **you like it or not** que ça te plaise ou non.

which [wɪtʃ] adj (in questions) quel (quelle); ~ **room do you want?** quelle chambre voulez-vous?; ~ **one?** lequel (laquelle)?; **she asked me ~ room I wanted** elle m'a demandé quelle chambre je voulais.
◆ pron 1. (in direct, indirect questions)

lequel (laquelle *f*); ~ **is the cheapest?** lequel est le moins cher?; ~ **do you prefer?** lequel préférez-vous?; **he asked me** ~ **was the best** il m'a demandé lequel était le meilleur; **he asked me** ~ **I preferred** il m'a demandé lequel je préférais; **he asked me** ~ **I was talking about it** il m'a demandé duquel je parlais.

2. *(introducing relative clause: subject)* qui; **the house** ~ **is on the corner** la maison qui est au coin de la rue.

3. *(introducing relative clause: object)* que; **the television** ~ **I bought** le téléviseur que j'ai acheté.

4. *(introducing relative clause: after prep)* lequel (laquelle *f*); **the settee on** ~ **I'm sitting** le canapé sur lequel je suis assis; **the book about** ~ **we were talking** le livre dont nous parlions.

5. *(referring back: subject)* ce qui; **he's late,** ~ **annoys me** il est en retard, ce qui m'ennuie.

7. *(referring back: object)* ce que; **he's always late,** ~ **I don't like** il est toujours en retard, ce que je n'aime pas.

whichever [wɪtʃ'evəʳ] *pron* celui que (celle que *f*) ♦ *adj*: ~ **seat you prefer** la place que tu préfères; ~ **way you do it** quelle que soit la façon dont tu t'y prennes.

while [waɪl] *conj* pendant que; *(although)* bien que (+ subjunctive); *(whereas)* alors que ♦ *n*: **a** ~ un moment; **for a** ~ pendant un moment; **in a** ~ dans un moment.

whim [wɪm] *n* caprice *m*.

whine [waɪn] *vi* gémir; *(complain)* pleurnicher.

whip [wɪp] *n* fouet *m* ♦ *vt* fouetter.

whipped cream [wɪpt-] *n* crème *f* fouettée.

whirlpool [ˈwɜːlpuːl] *n (Jacuzzi)* bain *m* à remous.

whisk [wɪsk] *n (utensil)* fouet *m* ♦ *vt (eggs, cream)* battre.

whiskers [ˈwɪskəz] *npl (of person)* favoris *mpl*; *(of animal)* moustaches *fpl*.

whiskey [ˈwɪskɪ] *(pl -s)* *n* whisky *m*.

whisky [ˈwɪskɪ] *n* whisky *m*.

---

i WHISKY

La boisson nationale écossaise est obtenue à partir d'orge et de malt et vieillie en fûts de bois. Les caractéristiques de chaque whisky dépendent des méthodes d'élaboration et du type d'eau utilisé. Le whisky pur malt, habituellement produit par de petites distilleries régionales, est jugé supérieur aux variétés «blend» (coupées), qui sont aussi moins chères.

---

whisper [ˈwɪspəʳ] *vt & vi* chuchoter.

whistle [ˈwɪsl] *n (instrument)* sifflet *m*; *(sound)* sifflement *m* ♦ *vi* siffler.

white [waɪt] *adj* blanc (blanche); *(coffee, tea)* au lait ♦ *n* blanc *m*; *(person)* Blanc *m* (Blanche *f*).

white bread *n* pain *m* blanc.

White House *n*: **the** ~ la Maison-Blanche.

white sauce *n* sauce *f* béchamel.

white spirit *n* white-spirit *m*.

whitewash [ˈwaɪtwɒʃ] *vt* blanchir à la chaux.

white wine n vin m blanc.

whiting ['waitiŋ] (pl inv) n merlan m.

Whitsun ['witsn] n la Pentecôte.

who [hu:] pron.

whoever [hu:'evə'] pron (whichever person) quiconque; ~ **it is** qui que ce soit.

whole [həʊl] adj entier(-ière); (undamaged) intact(-e) ♦ n: **the ~ of the journey** tout le trajet; **on the ~** dans l'ensemble; **the ~ day** toute la journée; **the ~ time** tout le temps.

wholefoods ['həʊlfu:dz] npl aliments mpl complets.

wholemeal bread ['həʊlmi:l-] n (Br) pain m complet.

wholesale ['həʊlseɪl] adv (COMM) en gros.

wholewheat bread ['həʊl-‚wi:t-] (Am) = **wholemeal bread**.

whom [hu:m] pron (fml: in questions) qui; (in relative clauses) que; **to ~ à qui**.

whooping cough ['hu:pɪŋ-] n coqueluche f.

whose [hu:z] adj & pron: ~ **jumper is this?** à qui est ce pull?; **she asked ~ bag it was** elle a demandé à qui était le sac; **the woman ~ daughter I know** la femme dont je connais la fille; ~ **is this?** à qui est-ce?

why [waɪ] adv & conj pourquoi; ~ **don't we go swimming?** si on allait nager?; ~ **not?** pourquoi pas?; ~ **not have a rest?** pourquoi ne pas te reposer?

wick [wɪk] n (of candle, lighter) mèche f.

wicked ['wɪkɪd] adj (evil) mauvais(-e); (mischievous) mali-

cieux(-ieuse).

wicker ['wɪkə'] adj en osier.

wide [waɪd] adj large ♦ adv: **to open sthg ~** ouvrir qqch en grand; **how ~ is the road?** quelle est la largeur de la route?; **it's 12 metres ~** ça fait 12 mètres de large; ~ **open** grand ouvert.

widely ['waɪdlɪ] adv (known, found) généralement; (travel) beaucoup.

widen ['waɪdn] vt élargir ♦ vi s'élargir.

widespread ['waɪdspred] adj répandu(-e).

widow ['wɪdəʊ] n veuve f.

widower ['wɪdəʊə'] n veuf m.

width [wɪdθ] n largeur f.

wife [waɪf] (pl **wives**) n femme f.

wig [wɪg] n perruque f.

wild [waɪld] adj sauvage; (crazy) fou (folle); **to be ~ about** (inf) être dingue de.

wild flower n fleur f des champs.

wildlife ['waɪldlaɪf] n la faune et la flore.

will[1] [wɪl] aux vb **1.** (expressing future tense): **I ~ go next week** j'irai la semaine prochaine; ~ **you be here next Friday?** est-ce que tu seras là vendredi prochain?; **yes I** ~ oui; **no I won't** non.
2. (expressing willingness): **I won't do it** je refuse de le faire.
3. (expressing polite question): ~ **you have some more tea?** prendrez-vous un peu plus de thé?
4. (in commands, requests): ~ **you please be quiet!** veux-tu te taire!; **close that window,** ~ **you?** ferme cette fenêtre, veux-tu?

will[2] [wɪl] n (document) testament

willing

m; **against my ~** contre ma volonté.

willing ['wɪlɪŋ] *adj*: **to be ~ to do sth** être disposé(-e) à faire qqch.

willingly ['wɪlɪŋlɪ] *adv* volontiers.

willow ['wɪləʊ] *n* saule m.

win [wɪn] (*pt & pp* **won**) *n* victoire *f* ◆ *vt* gagner ◆ *vi* gagner; *(be ahead)* être en tête.

wind[1] [wɪnd] *n* vent m; *(in stomach)* gaz m/pl.

wind[2] [waɪnd] (*pt & pp* **wound**) *vi (road, river)* serpenter ◆ *vt*: **to ~ sth round sth** enrouler qqch autour de qqch ❏ **wind up** *vt sep (Br: inf: annoy)* faire marcher; *(car window, clock, watch)* remonter.

windbreak ['wɪndbreɪk] *n* écran m coupe-vent.

windmill ['wɪndmɪl] *n* moulin m à vent.

window ['wɪndəʊ] *n* fenêtre *f*; *(of car)* vitre *f*; *(of shop)* vitrine *f*.

window box *n* jardinière *f*.

window cleaner *n* laveur m (-euse *f*) de carreaux.

windowpane ['wɪndəʊpeɪn] *n* vitre *f*.

window seat *n* siège m côté fenêtre.

window-shopping *n* lèche-vitrines m.

windowsill ['wɪndəʊsɪl] *n* appui m de (la) fenêtre.

windscreen ['wɪndskriːn] *n (Br)* pare-brise m inv.

windscreen wipers *npl (Br)* essuie-glaces mpl.

windshield ['wɪndʃiːld] *n (Am)* pare-brise m inv.

Windsor Castle ['wɪnzə-] *n* le

308

château de Windsor.

i **WINDSOR CASTLE**

Le château de Windsor est situé dans la ville du même nom, dans le comté anglais du Berkshire. Sa construction fut entamée au XIe siècle par Guillaume le Conquérant. C'est aujourd'hui l'une des résidences officielles du souverain britannique; une partie du château est néanmoins ouverte au public.

windsurfing ['wɪndsɜːfɪŋ] *n* planche *f* à voile; **to go ~** faire de la planche à voile.

windy ['wɪndɪ] *adj* venteux(-euse); **it's ~** il y a du vent.

wine [waɪn] *n* vin m.

wine bar *n (Br)* bar m à vin.

wineglass ['waɪnglɑːs] *n* verre m à vin.

wine list *n* carte *f* des vins.

wine tasting [-ˈteɪstɪŋ] *n* dégustation *f* de vins.

wine waiter *n* sommelier m.

wing [wɪŋ] *n* aile *f* ❏ **wings** *npl*: **the ~s** *(in theatre)* les coulisses fpl.

wink [wɪŋk] *vi* faire un clin d'œil.

winner ['wɪnər] *n* gagnant m (-e *f*).

winning ['wɪnɪŋ] *adj* gagnant(-e).

winter ['wɪntər] *n* hiver m; **in (the) ~** en hiver.

wintertime ['wɪntətaɪm] *n* hiver m.

wipe [waɪp] *vt* essuyer; **to ~ one's hands/feet** s'essuyer les mains/pieds ❏ **wipe up** *vt sep (liquid, dirt)* essuyer ◆ *vi (dry the dishes)* essuyer

essuyer la vaisselle.

wiper [ˈwaɪpəʳ] n (AUT) essuie-glace m.

wire [ˈwaɪəʳ] n fil m de fer; (electrical wire) fil m électrique ♦ vt (plug) connecter les fils de.

wireless [ˈwaɪəlɪs] n TSF f.

wiring [ˈwaɪərɪŋ] n installation f électrique.

wisdom tooth [ˈwɪzdəm-] n dent f de sagesse.

wise [waɪz] adj sage.

wish [wɪʃ] n souhait m ♦ vt souhaiter; **best ~es** meilleurs vœux; **I ~ it was sunny!** si seulement il faisait beau!; **I ~ I hadn't done that** je regrette d'avoir fait ça; **I ~ he would hurry up** j'aimerais bien qu'il se dépêche; **to ~ for sthg** souhaiter qqch; **to ~ to do sthg** (fml) souhaiter faire qqch; **to ~ sb luck/happy birthday** souhaiter bonne chance/bon anniversaire à qqn; **if you ~** (fml) si vous le désirez.

witch [wɪtʃ] n sorcière f.

with [wɪð] prep 1. (gen) avec; **come ~ me** venez avec moi; **a man ~ a beard** un barbu; **a room ~ a bathroom** une chambre avec salle de bains; **to argue ~ sb** se disputer avec qqn.

2. (at house of) chez; **we stayed ~ friends** nous avons séjourné chez des amis.

3. (indicating emotion) de; **to tremble ~ fear** trembler de peur.

4. (indicating covering, contents) de; **to fill sthg ~ sthg** remplir qqch de qqch; **topped ~ cream** nappé de crème.

withdraw [wɪðˈdrɔː] (pt -drew, pp -drawn) vt retirer ♦ vi se retirer.

withdrawal [wɪðˈdrɔːəl] n retrait m.

withdrawn [wɪðˈdrɔːn] pp → **withdraw**.

withdrew [wɪðˈdruː] pt → **withdraw**.

wither [ˈwɪðəʳ] vi se faner.

within [wɪðˈɪn] prep (inside) à l'intérieur de; (not exceeding) dans les limites de ♦ adv à l'intérieur; **~ 10 miles of ...** à moins de 15 kilomètres de ...; **the beach is ~ walking distance** on peut aller à la plage à pied; **it arrived ~ a week** c'est arrivé en l'espace d'une semaine; **~ the next week** au cours de la semaine prochaine.

without [wɪðˈaʊt] prep sans; **~ doing sthg** sans faire qqch.

withstand [wɪðˈstænd] (pt & pp -stood) vt résister à.

witness [ˈwɪtnɪs] n témoin m ♦ vt (see) être témoin de.

witty [ˈwɪtɪ] adj spirituel(-elle).

wives [waɪvz] pl → **wife**.

wobbly [ˈwɒblɪ] adj (table, chair) branlant(-e).

wok [wɒk] n poêle à bords hauts utilisée dans la cuisine chinoise.

woke [wəʊk] pt → **wake**.

woken [ˈwəʊkn] pp → **wake**.

wolf [wʊlf] (pl **wolves** [wʊlvz]) n loup m.

woman [ˈwʊmən] (pl **women**) n femme f.

womb [wuːm] n utérus m.

women [ˈwɪmɪn] pl → **woman**.

won [wʌn] pt & pp → **win**.

wonder [ˈwʌndəʳ] n (ask o.s.) se demander ♦ n (amazement) émerveillement m; **I ~ if I could ask you a favour?** cela vous ennuierait-il de me rendre un service?

wonderful [wʌndəful] *adj* merveilleux(-euse).

won't [wəunt] = **will not**.

wood [wud] *n* bois *m*.

wooden [wudn] *adj* en bois.

woodland [wudlənd] *n* forêt *f*.

woodpecker [wud,pekə^r] *n* pic-vert *m*.

woodwork [wudwɜːk] *n (SCH)* travail *m* du bois.

wool [wul] *n* laine *f*.

woolen [wulən] *(Am)* = **woollen**.

woollen [wulən] *adj (Br)* en laine.

woolly [wuli] *adj* en laine.

wooly [wuli] *(Am)* = **woolly**.

Worcester sauce [wustə^r-] *n* sauce très relevée.

word [wɜːd] *n* mot *m; (promise)* parole *f;* **in other ~s** en d'autres termes; **to have a ~ with sb** parler à qqn.

wording [wɜːdɪŋ] *n* termes *mpl.*

word processing [-ˈprəusesɪŋ] *n* traitement *m* de texte.

word processor [-ˈprəusesə^r] *n* machine *f* à traitement de texte.

wore [wɔː^r] *pt* → **wear**.

work [wɜːk] *n* travail *m; (painting, novel etc)* œuvre *f* ♦ *vi* travailler; *(operate, have desired effect)* marcher; *(take effect)* faire effet ♦ *vt (machine, controls)* faire marcher; **out of ~** sans emploi; **to be at ~** être au travail; **to be off ~** *(on holiday)* être en congé; *(ill)* être en congé-maladie; **the ~s** *(inf: everything)* tout le tralala; **how does it ~?** comment ça marche?; **it's not ~ing** ça ne marche pas ❑ **work out** *vt*

sep (price, total) calculer; *(solution, plan)* trouver; *(understand)* comprendre ♦ *vi (result, be successful)* marcher; *(do exercise)* faire de l'exercice; **it ~s out at £20 each** *(bill, total)* ça revient à 20 livres chacun.

worker [wɜːkə^r] *n* travailleur *m* (-euse *f*).

working class [wɜːkɪŋ-] *n*: **the ~** la classe ouvrière.

working hours [wɜːkɪŋ-] *npl* heures *fpl* de travail.

workman [wɜːkmən] *(pl -men* [-mən]*)* *n* ouvrier *m.*

work of art *n* œuvre *f* d'art.

workout [wɜːkaut] *n* série *f* d'exercices.

work permit *n* permis *m* de travail.

workplace [wɜːkpleɪs] *n* lieu *m* de travail.

workshop [wɜːkʃɒp] *n (for repairs)* atelier *m.*

work surface *n* plan *m* de travail.

world [wɜːld] *n* monde *m* ♦ *adj* mondial(-e); **the best in the ~** le meilleur du monde.

worldwide [,wɜːldˈwaɪd] *adv* dans le monde entier.

worm [wɜːm] *n* ver *m.*

worn [wɔːn] *pp* → **wear** ♦ *adj (clothes, carpet)* usé(-e).

worn-out *adj (clothes, shoes etc)* usé(-e); *(tired)* épuisé(-e).

worried [wʌrɪd] *adj* inquiet(-iète).

worry [wʌrɪ] *n* souci *m* ♦ *vt* inquiéter ♦ *vi:* **to ~ (about)** s'inquiéter (pour).

worrying [wʌrɪɪŋ] *adj* inquiétant(-e).

worse [wɜːs] *adj* pire; *(more ill)* plus mal ♦ *adv* pire; **to get ~** empirer; *(more ill)* aller plus mal; **~ off** *(in worse position)* en plus mauvaise posture; *(poorer)* plus pauvre.

worsen [wɜːsn] *vi* empirer.

worship [wɜːʃɪp] *n (church service)* office *m* ♦ *vt* adorer.

worst [wɜːst] *adj* pire ♦ *adv* le plus mal ♦ *n*: **the ~** le pire (la pire).

worth [wɜːθ] *prep*: **how much is it ~?** combien ça vaut?; **it's ~ £50** ça vaut 50 livres; **it's ~ seeing** ça vaut la peine d'être vu; **it's not ~ it** ça ne vaut pas la peine; **£50 ~ of traveller's cheques** des chèques de voyage pour une valeur de 50 livres.

worthless [wɜːθlɪs] *adj* sans valeur.

worthwhile [ˌwɜːθ'waɪl] *adj* qui vaut la peine.

worthy [wɜːðɪ] *adj (cause)* juste; **to be a ~ winner** mériter de gagner; **to be ~ of sth** être digne de qqch.

would [wʊd] *aux vb* **1.** *(in reported speech)*: **she said she ~ come** elle a dit qu'elle viendrait.
2. *(indicating condition)*: **what ~ you do?** qu'est-ce que tu ferais?; **what ~ you have done?** qu'est-ce que tu aurais fait?; **I ~ be most grateful** je vous en serais très reconnaissant.
3. *(indicating willingness)*: **she ~n't go** elle refusait d'y aller; **he ~ do anything for her** il ferait n'importe quoi pour elle.
4. *(in polite questions)*: **~ you like a drink?** voulez-vous boire quelque chose?; **~ you mind closing the window?** cela vous ennuierait de

fermer la fenêtre?
5. *(indicating inevitability)*: **he ~ say that** ça ne m'étonne pas qu'il ait dit ça.
6. *(giving advice)*: **I ~ report it if I were you** si j'étais vous, je le signalerais.
7. *(expressing opinions)*: **I ~ prefer** je préférerais; **I ~ have thought (that)** ... j'aurais pensé que ...

wound[1] [wuːnd] *n* blessure *f* ♦ *vt* blesser.

wound[2] [waʊnd] *pt & pp* → **wind**[2].

wove [waʊv] *pt* → **weave**.

woven [waʊvn] *pp* → **weave**.

wrap [ræp] *vt (package)* emballer; **to ~ sthg round sthg** enrouler qqch autour de qqch □ **wrap up** *vt sep (package)* emballer ♦ *vi (dress warmly)* s'emmitoufler.

wrapper [ˈræpəʳ] *n (for sweet)* papier *m*.

wrapping [ˈræpɪŋ] *n (material)* emballage *m*.

wrapping paper *n* papier *m* d'emballage.

wreath [riːθ] *n* couronne *f*.

wreck [rek] *n* épave *f*; *(Am: crash)* accident *m* ♦ *vt (destroy)* détruire; *(spoil)* gâcher; **to be ~ed** *(ship)* faire naufrage.

wreckage [ˈrekɪdʒ] *n (of plane, car)* débris *mpl*; *(of building)* décombres *mpl*.

wrench [rentʃ] *n (Br: monkey wrench)* clé *f* anglaise; *(Am: spanner)* clé *f*.

wrestler [ˈresləʳ] *n* lutteur *m* (-euse *f*).

wrestling [ˈreslɪŋ] *n* lutte *f*.

wretched [ˈretʃɪd] *adj (miserable)* misérable; *(very bad)* affreux

(-euse).

wring [rɪŋ] (*pt & pp* **wrung**) *vt* (*clothes, cloth*) essorer.

wrinkle ['rɪŋkl] *n* ride *f*.

wrist [rɪst] *n* poignet *m*.

wristwatch ['rɪstwɒtʃ] *n* montre-bracelet *f*.

write [raɪt] (*pt* **wrote**, *pp* **written**) *vt* écrire; (*cheque, prescription*) faire; (*Am: send letter to*) écrire ◆ *vi* écrire; **to ~ to sb** (*Br*) écrire à qqn □ **write back** *vi* répondre; **write down** *vt sep* noter; **write off** *vt sep* (*Br: inf: car*) bousiller ◆ *vi*: **to ~ off for sthg** écrire pour demander qqch; **write out** *vt sep* (*list, essay*) rédiger; (*cheque, receipt*) faire.

write-off *n* (*vehicle*) épave *f*.

writer ['raɪtəʳ] *n* (*author*) écrivain *m*.

writing ['raɪtɪŋ] *n* écriture *f*; (*written words*) écrit *m*.

writing desk *n* secrétaire *m*.

writing pad *n* bloc-notes *m*.

writing paper *n* papier *m* à lettres.

written ['rɪtn] *pp* → **write**.

wrong [rɒŋ] *adj* mauvais(-e); (*bad, immoral*) mal (*inv*) ◆ *adv* mal; **to be ~** (*person*) avoir tort; **what's ~?** qu'est-ce qui ne va pas?; **something's ~ with the car** la voiture a un problème; **to be in the ~** être dans son tort; **to get sthg ~** se tromper sur qqch; **to go ~** (*machine*) se détraquer; **"~ way"** (*Am*) *panneau indiquant un sens unique*.

wrongly ['rɒŋlɪ] *adv* mal.

wrong number *n* faux numéro *m*.

wrote [rəʊt] *pt* → **write**.

wrought iron [rɔːt] *n* fer *m* forgé.

wrung [rʌŋ] *pt & pp* → **wring**.

xing (*Am: abbr of crossing*): **"ped ~"** *panneau signalant un passage clouté*.

XL (*abbr of extra-large*) XL.

Xmas ['eksməs] *n* (*inf*) Noël *m*.

X-ray *n* (*picture*) radio(graphie) *f* ◆ *vt* radiographier; **to have an ~** passer une radio.

yacht [jɒt] *n* (*for pleasure*) yacht *m*; (*for racing*) voilier *m*.

yard [jɑːd] *n* (*unit of measurement*) = 91,44 cm, yard *m*; (*enclosed area*) cour *f*; (*Am: behind house*) jardin *m*.

yard sale *n* (*Am*) *vente d'objets d'occasion par un particulier devant sa maison*.

yarn [jɑːn] *n* (*thread*) fil *m*.

yawn [jɔːn] *vi* (*person*) bâiller.

yd *abbr* = **yard**.

yeah [jeə] *adv* (*inf*) ouais.

year [jɪəʳ] *n* an *m*, année *f*; (*at school*) année; **next ~** l'année prochaine; **this ~** cette année; **I'm 15**

~s old j'ai 15 ans; **I haven't seen her for ~s** *(inf)* ça fait des années que je ne l'ai pas vue.

yearly ['jɪəlɪ] *adj* annuel(-elle).

yeast [ji:st] *n* levure *f*.

yell [jel] *vi* hurler.

yellow ['jeləʊ] *adj* jaune ◆ *n* jaune *m*.

yellow lines *npl* bandes *fpl* jaunes.

YELLOW LINES

E n Grande-Bretagne, des bandes jaunes, simples ou doubles, peintes sur le bord de la chaussée, indiquent que le stationnement à cet endroit est réglementé : stationnement interdit de 8 h à 18 h 30 les jours ouvrables si c'est une bande simple, stationnement totalement interdit si c'est une bande double.

Yellow Pages® *n*: **the ~** Pages *fpl* Jaunes.

yes [jes] *adv* oui.

yesterday ['jestədɪ] *n & adv* hier; **the day before ~** avant-hier; **~ afternoon** hier après-midi; **~ morning** hier matin.

yet [jet] *adv* encore ◆ *conj* pourtant; **have they arrived ~?** est-ce qu'ils sont déjà arrivés?; **not ~** pas encore; **I've ~ to do it** je ne l'ai pas encore fait; **~ again** encore une fois; **~ another drink** encore un autre verre.

yew [ju:] *n* if *m*.

yield [ji:ld] *vt* (profit, interest) rapporter ◆ *vi* (break, give way) céder; **"yield"** (Am: AUT) «cédez le passage».

YMCA *n* association chrétienne de jeunes gens (proposant notamment des services d'hébergement).

yob [jɒb] *n* (Br: inf) loubard *m*.

yoga ['jəʊgə] *n* yoga *m*.

yoghurt ['jɒgət] *n* yaourt *m*.

yolk [jəʊk] *n* jaune *m* d'œuf.

York Minster [jɔːk'mɪnstəʳ] *n* la cathédrale de York.

YORK MINSTER

L a cathédrale de la cité romaine fortifiée de York, dans le nord de l'Angleterre, date du XIIᵉ siècle. Elle est célèbre pour sa pierre de couleur claire et sa rosace. Elle a été restaurée après avoir été gravement endommagée par la foudre en 1984.

Yorkshire pudding ['jɔːkʃə-] *n* petit soufflé en pâte à crêpe servi avec le rosbif.

you [ju:] *pron* **1.** (subject: singular) tu; (subject: polite form, plural) vous; **~ French** vous autres Français.
2. (object: singular) te; (object: polite form, plural) vous.
3. (after prep: singular) toi; (after prep: polite form, plural) vous; **I'm shorter than ~** je suis plus petit que toi/vous.
4. (indefinite use: subject) on; (indefinite use: object) te, vous; **~ never know** on ne sait jamais.

young [jʌŋ] *adj* jeune ◆ *npl*: **the ~** les jeunes *mpl*.

younger ['jʌŋgəʳ] *adj* plus jeune.

youngest ['jʌŋgəst] *adj* le plus jeune (la plus jeune).

youngster ['jʌŋstəʳ] *n* jeune *mf*.

your [jɔːʳ] *adj* **1.** (singular subject)

ton (ta), tes *(pl)*; *(singular subject: polite form)* votre, vos *(pl)*; *(plural subject)* votre, vos *(pl)*; ~ **dog** ton/votre chien; ~ **house** ta/votre maison; ~ **children** tes/vos enfants.

2. *(indefinite subject)*: **it's good for ~ health** c'est bon pour la santé.

yours [jɔːz] *pron (singular subject)* le tien (la tienne *f*); *(singular subject, polite form)* le vôtre (la vôtre *f*); **a friend of ~** un ami à toi, un de tes amis; **are these ~?** ils sont à toi/vous?

yourself [jɔːˈself] *(pl* **-selves)** *pron*
1. *(reflexive: singular)* te; *(reflexive: plural, polite form)* vous.
2. *(after prep: singular)* toi; *(after prep: plural, polite form)* vous; **did you do it ~?** *(singular)* tu l'as fait toi-même?; *(polite form)* vous l'avez fait vous-même?; **did you do it yourselves?** vous l'avez fait vous-mêmes?

youth [juːθ] *n* jeunesse *f*; *(young man)* jeune *m*.

youth club *n* = maison *f* des jeunes.

youth hostel *n* auberge *f* de jeunesse.

Yugoslavia [ˌjuːɡəˈslɑːvɪə] *n* la Yougoslavie.

yuppie [ˈjʌpɪ] *n* yuppie *mf*.

YWCA *n* association chrétienne de jeunes filles *(proposant notamment des services d'hébergement)*.

Z

zebra [*Br* ˈzebrə, *Am* ˈziːbrə] *n* zèbre *m*.

zebra crossing *n (Br)* passage *m* pour piétons.

zero [ˈzɪərəʊ] *(pl* **-es)** *n* zéro *m*; **five degrees below ~** cinq degrés au-dessous de zéro.

zest [zest] *n (of lemon, orange)* zeste *m*.

zigzag [ˈzɪɡzæɡ] *vi* zigzaguer.

zinc [zɪŋk] *n* zinc *m*.

zip [zɪp] *n (Br)* fermeture *f* Éclair® ◆ *vt* fermer ❑ **zip up** *vt sep* fermer.

zip code *n (Am)* code *m* postal.

zipper [ˈzɪpəʳ] *n (Am)* fermeture *f* Éclair®.

zit [zɪt] *n (inf)* bouton *m*.

zodiac [ˈzəʊdɪæk] *n* zodiaque *m*.

zone [zəʊn] *n* zone *f*.

zoo [zuː] *(pl* **-s)** *n* zoo *m*.

zoom (lens) [zuːm] *n* zoom *m*.

zucchini [zuːˈkiːnɪ] *(pl inv)* *n (Am)* courgette *f*.

Dépôt légal: mai 1995
N° de série Éditeur: 18459
Imprimé par Brepols S.A. - Turnhout - Belgique
402063 Mai 1995